LAUNARO
[PARTE SECONDA]

CANTINI
[PARTE TERZA]

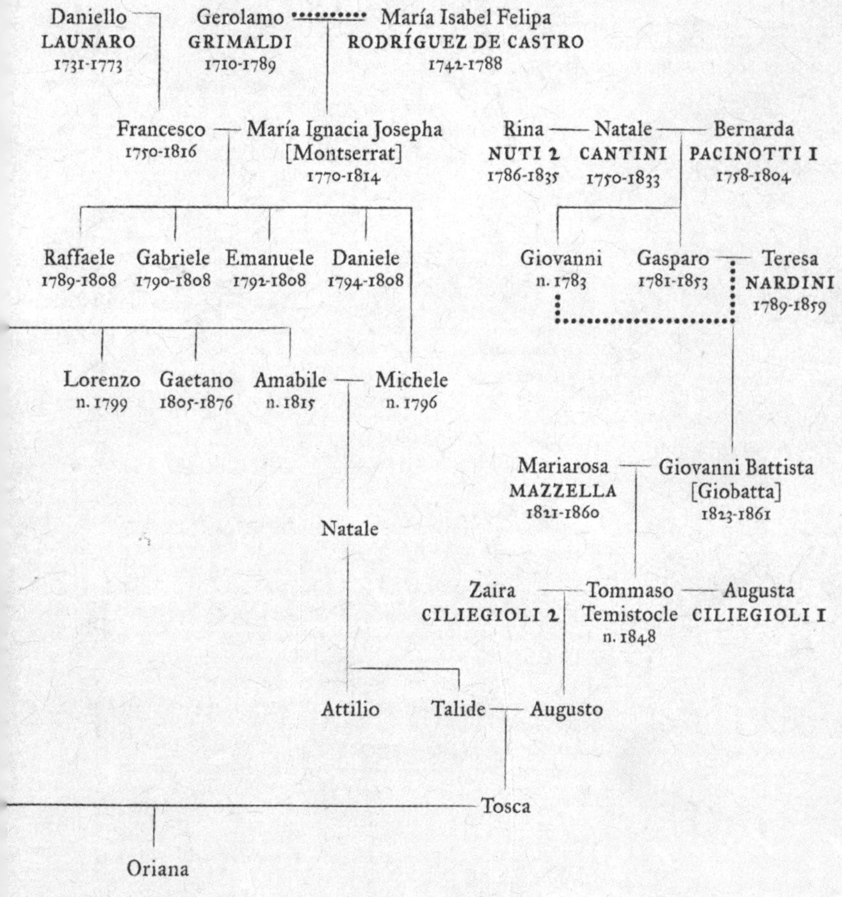

Daniello
LAUNARO
1731-1773

Gerolamo ·········· María Isabel Felipa
GRIMALDI
1710-1789
RODRÍGUEZ DE CASTRO
1742-1788

Francesco — María Ignacia Josepha
1750-1816
[Montserrat]
1770-1814

Rina —— Natale —— Bernarda
NUTI 2
1786-1835
CANTINI
1750-1833
PACINOTTI I
1758-1804

Raffaele
1789-1808

Gabriele
1790-1808

Emanuele
1792-1808

Daniele
1794-1808

Giovanni
n. 1783

Gasparo — Teresa
1781-1853
NARDINI
1789-1859

Lorenzo
n. 1799

Gaetano
1805-1876

Amabile — Michele
n. 1815
n. 1796

Mariarosa — Giovanni Battista
MAZZELLA
1821-1860
[Giobatta]
1823-1861

Natale

Zaira — Tommaso — Augusta
CILIEGIOLI 2
Temistocle
n. 1848
CILIEGIOLI I

Attilio Talide — Augusto

Tosca

Oriana

Opere di Oriana Fallaci

I SETTE PECCATI DI HOLLYWOOD, 1958

IL SESSO INUTILE, 1961

PENELOPE ALLA GUERRA, 1962

GLI ANTIPATICI, 1963

SE IL SOLE MUORE, 1965

NIENTE E COSÌ SIA, 1969

QUEL GIORNO SULLA LUNA, 1970

INTERVISTA CON LA STORIA, 1974

LETTERA A UN BAMBINO MAI NATO, 1975

UN UOMO, 1979

INSCIALLAH, 1990

LA RABBIA E L'ORGOGLIO, 2001

LA FORZA DELLA RAGIONE, 2004

ORIANA FALLACI INTERVISTA SÉ STESSA ∞ L'APOCALISSE, 2004

Oriana Fallaci

UN CAPPELLO PIENO DI CILIEGE

Una saga

Rizzoli

ISBN 978-88-17-02781-6

Prima edizione: luglio 2008

PROLOGO

Ora che il futuro s'era fatto corto e mi sfuggiva di mano con l'inesorabilità della sabbia che cola dentro una clessidra, mi capitava spesso di pensare al passato della mia esistenza: cercare lì le risposte con le quali sarebbe giusto morire. Perché fossi nata, perché fossi vissuta, e chi o che cosa avesse plasmato il mosaico di persone che da un lontano giorno d'estate costituiva il mio Io. Naturalmente sapevo bene che la domanda perché-sono-nato se l'eran già posta miliardi di esseri umani ed invano, che la sua risposta apparteneva all'enigma chiamato Vita, che per fingere di trovarla avrei dovuto ricorrere all'idea di Dio. Espediente mai capito e mai accettato. Però non meno bene sapevo che le altre si nascondevano nella memoria di quel passato, negli eventi e nelle creature che avevano accompagnato il ciclo della formazione, e in un ossessivo viaggio all'indietro lo disotterravo: riesumavo i suoni e le immagini della mia prima adolescenza, della mia infanzia, del mio ingresso nel mondo. Una prima adolescenza di cui ricordavo tutto: la guerra, la paura, la fame, lo strazio, l'orgoglio di combattere il nemico a fianco degli adulti, e le ferite inguaribili che n'erano derivate. Un'infanzia di cui ricor-

7

davo molto: i silenzi, gli eccessi di disciplina, le privazioni, le peripezie d'una famiglia indomabile e impegnata
nella lotta al tiranno, quindi l'assenza d'allegria e la
mancanza di spensieratezza. Un ingresso nel mondo del
quale mi sembrava di ricordare ogni dettaglio: la luce
abbagliante che di colpo si sostituiva al buio, la fatica di
respirare nell'aria, la sorpresa di non star più sola nel
mio sacco d'acqua e condivider lo spazio con una folla
sconosciuta. Nonché la significativa avventura di venir
battezzata ai piedi d'un affresco dove, con uno spasmo
di dolore sul volto e una foglia di fico sul ventre, un uomo nudo e una donna nuda lasciavano un bel giardino
pieno di mele: la cacciata di Adamo ed Eva dal Paradiso
Terrestre, dipinta da Masaccio per la Chiesa del Carmine a Firenze. Riesumavo in ugual modo i suoni e le immagini dei miei genitori, da anni sepolti sotto un'aiola
profumata di rose. Li incontravo ovunque. Non da vecchi cioè quando li consideravo più figli che genitori, sicché a sollevare mio padre per posarlo su una poltrona e
a sentirlo così lieve e rimpicciolito e indifeso, a guardar-
ne la testolina tenera e calva che si appoggiava fiducio-
samente al mio collo, mi pareva di tenere in braccio il
mio bambino ottuagenario. Da giovani. Quando eran
loro a sollevarmi e a tenermi in braccio. Forti, belli, spavaldi. E per qualche tempo credetti d'avere in pugno
una chiave che apriva qualsiasi porta. Ma poi m'accorsi
che ne apriva alcune e basta: né il ricordo della prima
adolescenza e dell'infanzia e dell'ingresso nel mondo
né gli incontri coi due giovani forti e belli e spavaldi potevan fornire tutte le risposte di cui avevo bisogno. Superando i confini di quel passato andai in cerca degli
eventi e delle creature che lo avevano preceduto, e fu
come scoperchiare una scatola che contiene un'altra
scatola che ne contiene un'altra ancora all'infinito. E il
viaggio all'indietro perse ogni freno.

Un viaggio difficile in quanto era troppo tardi per interrogare chi non avevo mai interrogato. Non c'era più nessuno. Restava solo una zia novantaquattrenne che alla preghiera dimmi-zia-dimmi mosse appena le pupille annebbiate e mormorò: «Sei il postino?». Con la zia ormai inutile, il rimpianto d'una cassapanca cinquecentesca che per quasi due secoli aveva custodito la testimonianza di cinque generazioni: antichi libri tra cui un abbaco e un abbecedario del Settecento, rarissimi fogli tra cui la lettera d'un prozio arruolato da Napoleone e sacrificato in Russia, preziosi cimeli tra cui una federa gloriosamente macchiata da una frase indimenticabile, un paio d'occhiali e una copia del Beccaria con la dedica di Filippo Mazzei. Cose che ero riuscita a vedere prima che finissero in cenere, una terribile notte del 1944. Con la cassapanca perduta, qualche oggetto salvato per caso: un liuto privo di corde, una pipa d'argilla, una moneta da quattro soldi emessa dallo Stato Pontificio, un vetusto orologio che stava nella mia casa di campagna e che ogni quarto d'ora suonava i rintocchi della campana di Westminster. Infine, due voci. La voce di mio padre e la voce di mia madre che narravano le storie dei rispettivi antenati. Divertita ed ironica quella di lui, sempre pronto a ridere anche sulla tragedia. Appassionata e pietosa quella di lei, sempre pronta a commuoversi anche sulla commedia. Ed entrambe talmente remote nella memoria che la loro consistenza appariva più tenue d'una ragnatela. A evocarle di continuo, però, e a connetterle col rimpianto della cassapanca o coi pochi oggetti salvati, la ragnatela si irrobustì. Si infittì, si fece un solido tessuto, e le storie crebbero con tanto vigore che a un certo punto mi divenne impossibile stabilire se appartenessero ancora alle due voci oppure se si fossero trasformate in un frutto della mia fantasia. Era esistita davvero la leggendaria arcavola senese che aveva avuto il coraggio di aggredire Napoleone, era esistita davvero la misteriosa arcavola spagnola che s'era sposata esibendo un veliero alto quaranta centimetri e lungo trenta sulla parrucca? Era esistito davvero il dolce arcavolo contadino che spingeva il fervore religioso fino a flagellarsi, era esistito davvero il rude arcavolo marinaio che apriva bocca solo per bestemmiare? Erano esistiti davvero i bisnonni maledetti cioè la repubblicana Anastasìa il cui nome portavo come secondo nome e l'aristocraticissimo signore di Torino il cui nome, troppo illustre e troppo potente, non si doveva nemmen pronunciare per ordine della nonna? E l'avevano davvero abbandonata in un ospizio di orfanelli questa povera nonna concepita dalla loro furibonda passione? Non lo sapevo più. Ma nel medesimo tempo sapevo che quei personaggi non potevano essere un frutto della mia fantasia perché li sentivo dentro di me, condensati nel mosaico di persone che da un lontano giorno d'estate costituivano il mio Io, e portati dai cromosomi che avevo ricevuto dai due giovani forti e belli e spavaldi. Le particelle d'un seme non sono forse identiche alle particelle del seme precedente? Non ricorrono forse di generazione in generazione, perpetuandosi? Nascere non è forse un eterno ricominciamento e ciascuno di noi il prodotto d'un programma fissato prima che incominciassimo, il figlio d'una miriade di genitori?

Esplose allora un'altra ricerca: quella delle date, dei luoghi, delle conferme. Affannosa, frenetica. Resa tale dal futuro che mi sfuggiva di mano, dalla necessità di far presto, dal timore di lasciare un lavoro incompiuto. E come una formica impazzita dalla fretta di accumular cibo corsi a rovistar tra gli archivi, i mastri anagrafici, i catasti onciari, i cabrei, gli *Status Animarum*. Cioè gli Stati delle Anime. I registri nei quali, col pretesto di individuare i fedeli tenuti al precetto pasquale, il parroco elencava gli abitanti di ogni pieve e di ogni prioria raggruppandoli in nuclei familiari e annotando ciò che serviva a catalogarli.

L'anno o la data completa della nascita e del battesimo, del matrimonio e della morte, il tipo di lavoro e il reddito, il patrimonio o l'indigenza, il grado di educazione o l'analfabetismo. Rozzi censimenti, insomma. Scritti a volte in latino e a volte in italiano, con la penna d'oca e l'inchiostro marrone. L'inchiostro, asciugato con una rena lucida e argentea che il tempo non aveva dissolto e che al contrario s'era incollata alle parole rendendole sfolgoranti, così a raccoglierne un granello col dito ti pareva di rubare un bruscolo di luce che era un bruscolo di verità. E pazienza se in alcune pievi e priorie i registri eran stati divorati dai topi o distrutti dall'incuria o mutilati dai barbari che strappan le pagine per venderle agli antiquari, pazienza se a causa di questo non trovai i personaggi più remoti. Ad esempio quelli che, secondo un foglio della cassapanca perduta, nel 1348 avevan lasciato Firenze per sfuggire alla peste di cui il Boccaccio parla nel *Decamerone* e rifugiarsi nel Chianti. Quelli delle storie narrate dalle due voci c'erano, e li trovai dal primo all'ultimo. I loro nipoti e pronipoti, lo stesso. Nel caso dei nipoti e dei pronipoti scoprii addirittura particolari che le due voci non mi avevan fornito, creature nelle quali potevo identificarmi fino allo spasimo, di cui potevo supporre ogni gesto ed ogni pensiero, ogni pregio ed ogni difetto, ogni sogno ed ogni avventura. Sicché la ricerca si mutò in una saga da scrivere, una fiaba da ricostruire con la fantasia. Sì, fu a quel punto che la realtà prese a scivolare nell'immaginazione e il vero si unì all'inventabile poi all'inventato: l'uno complemento dell'altro, in una simbiosi tanto spontanea quanto inscindibile. E tutti quei nonni, nonne, bisnonni, bisnonne, trisnonni, trisnonne, arcavoli e arcavole, insomma tutti quei miei genitori, diventarono miei figli. Perché stavolta ero io a partorire loro, a dargli anzi ridargli la vita che essi avevano dato a me.

* * *

La saga da scrivere, la fiaba da ricostruire con la fantasia, incomincia oltre due secoli fa: negli anni che preparano la Rivoluzione Francese e che precedono la Rivoluzione Americana cioè la guerra d'Indipendenza scatenata contro l'Inghilterra dalle tredici colonie sorte nel Nuovo Mondo tra il 1607 e il 1733. Parte da Panzano, un paesino di fronte alla casa in cui intendo morire e che prima della ricerca condotta dalla formica impazzita guardavo senza sapere quanto vi appartenessi, e avviandone il racconto mi pare giusto offrire qualche notizia a chi non conosce quel tempo o quel luogo.

Panzano sta su un poggio del Chianti, a mezza strada tra Siena e Firenze, e il Chianti è la zona della Toscana che si stende tra il fiume Greve e il fiume Pesa: trecento chilometri quadri composti da montagne e colline di rara bellezza. Le montagne sono coperte di piante ed alberi sempre verdi, castagni, querce, cerri, pini, cipressi, macchie di more e di felci, ed alloggiano una fauna da paradiso: lepri, scoiattoli, volpi, daini, cinghiali, nonché moltissimi uccelli. Merli e cinciallegre e tordi e usignoli che cantano come angeli. Le colline sono ripide ma struggentemente armoniose, coltivate in gran parte a filari di vigne che producono un vino assai rinomato e a uliveti che producono un olio assai saporito e leggero. In passato ci seminavano anche il grano con l'orzo e la segala, e la mietitura era uno dei due eventi con cui si misurava il trascorrere delle stagioni. L'altro era la vendemmia. Tra la mietitura e la vendemmia fioriva il giaggiolo, i campi si accendevan d'azzurro, e da lontano sembravano un mare che sale o che scende in gigantesche ed immobili ondate. Dopo la vendemmia fiorivano le ginestre, i campi si bordavano di siepi gialle, e col rosa delle eriche o il rosso delle bacche ogni siepe sembrava una vampata di fuoco. Spettacoli che nei punti

12

più fortunati si godono ancora, insieme a tramonti sanguigni e violetti che tolgono il fiato. Due secoli fa Panzano contava duecentocinquanta abitanti tra cui lo speziale, il vetturale, il procaccia, il sensale di matrimoni, il cerusico che aiutava le vacche a partorire e la gente a morire, ed eccetto quei cinque erano tutti contadini. Mezzadri o pigionali che lavoravano i latifondi del granduca o dei signori o degli enti ecclesiastici e il cui sogno era possedere un livello. Vale a dire, prendere in enfiteusi un podere e scrollarsi di dosso il padrone. Di solito, un despota al quale apparteneva ogni istante della loro giornata e senza il cui permesso non potevano nemmeno sparare a un fagiano o prendere moglie. La loro anima, invece, apparteneva al prete. E di preti a Panzano ve n'erano due: il vecchio don Antonio Fabbri e il giovane don Pietro Luzzi. Il primo, nella prioria di Santa Maria Assunta in Cielo: al centro del paese. Il secondo, nella Pieve di San Leolino: lungo la strada per Siena. V'era inoltre un grosso via-vai di frati in cerca di adepti da controllare o da aggregare al rigorosissimo Ordine dei Terziari Francescani, e ovunque trovavi oratori o cappelle o santuari o tabernacoli dove si svolgevano noiose processioni che insieme alla Messa e al Vespro costituivano il massimo svago d'un contadino. Insomma, nonostante la fede nel raziocinio e nel progresso che veniva predicata dall'Illuminismo, nonostante gli ideali di libertà e di uguaglianza che stavano prendendo corpo, nonostante i principii irreligiosi e i costumi epicurei che caratterizzavano l'epoca, in cima a quel poggio del Chianti la religione dominava spietata e la Chiesa imperava: somma regina e principale tiranna.

La città era lontana, sebbene fosse geograficamente vicina. I ricchi vi si recavano col cavallo o con la carrozza, i meno ricchi col calesse del vetturale, i quasi poveri con il barroccio, e i poveri a piedi. Così i più morivano senza aver mai visto Firenze che da Panzano distava appena venti miglia, o Siena che ne distava appena diciannove. Le strade eran strette e sconnesse, un acquazzone bastava a renderle impraticabili, e d'inverno succedeva spesso di restare isolati per settimane o per mesi. Le case, no: erano quasi sempre belle perché nelle regie fattorie il granduca aveva ordinato di ricostruirle su modelli architettonici pieni di grazia. Bei porticati, bei torrini e bei forni per cuocervi il pane. Ma contenevano le stalle, i porcili, gli ovili, i pollai da cui veniva un gran puzzo e come quelle di città non avevano acqua. L'acqua si prendeva alla sorgente, trasportandola a braccia coi secchi, e si serbava nei fiaschi o nelle brocche di rame dette mezzine. Infatti ci si lavava pochissimo, diciamo una volta al mese o una volta all'anno, e la latrina era un lusso costituito da un recipiente o da un buco chiuso da un coperchio. Il cariello. Era un lusso anche illuminare le stanze. Le lampade a olio costavano care e al calar del buio si accendeva una candela o si andava a letto. Altrettanto presto ci si svegliava. D'estate, alle quattro del mattino: per correr subito a lavorare nei campi. Si lavorava molto, a Panzano. In media, quindici ore al giorno. E, a parte lo svago delle Messe o dei Vespri o delle processioni, l'unica ricompensa erano le veglie. Cioè i raduni serali che la domenica si tenevano in una stalla o in cucina per raccontarsi le novelle popolate di streghe e di diavoli, di fate e di fantasmi. L'unico divertimento mondano, il mercato settimanale o la fiera stagionale di Greve e di Radda: i due paesi attigui. L'unico vero conforto, l'amore consentito dalla Chiesa cioè l'amore coniugale. (Il che non impediva frementi amplessi nei pagliai e scomode gravidanze da riscattare col matrimonio). Cos'altro? Bè, i figli davano del voi ai genitori, in segno di rispetto. Anche fra marito e moglie ci si dava del voi, in segno di riguardo, e le donne contavano poco. Non avevano diritto all'eredità, per sposarsi dovevano possedere una dote e un corredo, in mancanza di ciò finivano spesso in convento, e sfacchinavano di zappa o di vanga proprio come gli uomini. Gli ospedali in campagna non esistevano. Sebbene a Radda ci fosse un medico condotto, a Panzano bisognava accontentarsi del cerusico che aiutava le vacche a partorire e la gente a morire. Quindi una ferita o una bronchite bastavano a spedirti nell'al di là. Non esistevano nemmeno i cimiteri. I morti si seppellivano sotto l'impiantito della Pieve di San Leolino o della prioria di Santa Maria Assunta in Cielo, con un po' di calce e via. Tantomeno esistevan le scuole. Solo se il prete ti insegnava, imparavi a leggere un libro, compilare una lettera, far di conto. Ma don Fabbri non ne aveva voglia, don Luzzi lo faceva esclusivamente nei casi eccezionali, e tra i contadini della zona la percentuale dell'analfabetismo toccava l'ottantasette per cento. Eppure quel poggio a mezza strada tra Firenze e Siena era giudicato da chiunque un angolo benedetto da Dio, il Chianti era una delle contrade più ammirate e più invidiate d'Europa, e la sua fama giungeva fino alla Virginia: la prima delle tredici colonie che stavano per ribellarsi all'Inghilterra.

Questo spiega perché la saga da scrivere, la fiaba da ricostruire con la fantasia, includa all'inizio tre personaggi ai quali non mi lega alcuna parentela e che tuttavia furono coinvolti nel mio venire al mondo. Thomas Jefferson, il principale artefice della Dichiarazione d'Indipendenza Americana e terzo presidente degli Stati Uniti che in Virginia viveva e possedeva molte terre cui si dedicava con l'entusiasmo di un agronomo. Benjamin Franklin, il geniale scienziato e scrittore e politico della colonia chiamata Pennsylvania che fra le altre cose inventò il parafulmine e la stufa a combustione. E il fiorentino Filippo Mazzei: medico, commerciante, memorialista, esperto di agricoltura, avventuriero di classe nonché amico di quei due. Coinvolgimento che induce a riflettere sulla comicità del destino e sull'inopportunità di prenderlo troppo sul serio.

PARTE PRIMA

1

Nel 1773, quando Pietro Leopoldo d'Asburgo-Lorena era granduca di Toscana e sua sorella Maria Antonietta regina di Francia, corsi il rischio più atroce che possa capitare a chi ama la vita e pur di viverla è pronto a subirne tutte le catastrofiche conseguenze: il rischio di non nascere. Naturalmente l'avevo già corso numerose volte, per milioni di anni e ogni volta che un mio arcavolo si sceglieva un'arcavola o viceversa, ma quell'anno fui proprio sul punto di pagare con la mia pelle il principio biologico che dice: «Ciascuno di noi nasce dall'uovo nel quale si sono uniti i cromosomi del padre e della madre, a loro volta nati da uova nelle quali s'erano uniti i cromosomi dei loro genitori. Se cambia il padre o la madre, dunque, cambia l'unione dei cromosomi e l'individuo che avrebbe potuto nascere non nasce più. Al suo posto ne nasce un altro e la progenie che ne deriva è diversa dalla progenie che avrebbe potuto essere». In che modo accadde? Semplice. Filippo Mazzei faceva il commerciante di vini a Londra e frequentava Benjamin Franklin, lì come rappresentante della Pennsylvania, da cui aveva comprato due delle sue celebri stufe per la reggia di Palazzo Pitti. Attraverso Franklin era entrato in contatto con Thomas Jefferson che conosceva l'italiano e sapeva tutto sulla Toscana, e nei primi mesi del 1773 ricevette da lui una proposta formulata press'a poco così: «Caro Filippo, secondo me il Chianti è un modello di agricoltura da imitare in Virginia. Perché non si trasferisce qui e vi crea un'azienda agricola per la produzione del vino e dell'olio? La terra non manca. Costa poco, è fertile, e credo adatta a coltivarvi la vite e l'ulivo. Però i nostri coloni non hanno dimestichezza con queste piante e non sanno nulla sull'olio e sul vino. Se viene, si porti dietro una decina di contadini toscani». Mazzei aveva trovato l'idea irresistibile, incoraggiato da Franklin lasciò Londra, rientrò a Firenze dove all'inizio dell'estate prese ad organizzare il viaggio, e per scegliere i dieci contadini si rivolse all'ente ecclesiastico presso il quale aveva studiato medicina: il Regio Spedale di Santa Maria Nuova che a Panzano possedeva una grossa fattoria. Il Regio Spedale delegò la faccenda ad alcuni preti della zona fra cui don Pietro Luzzi, e il candidato di don Luzzi fu un bel biondino dagli occhi azzurri e il cervello vispo che sapeva leggere e scrivere: Carlo Fallaci, futuro bisnonno del mio nonno paterno.

Carlo aveva vent'anni, a quel tempo. Era il secondogenito del mezzadro che nel podere denominato Vitigliano di Sotto lavorava per i Da Verrazzano, gli eredi del Giovanni cui si deve la scoperta del fiume Hudson e della baia di New York, e veniva considerato la pecora nera della famiglia. Più che una famiglia, una setta di irriducibili terziari francescani cioè di probi caratterizzati da una cupa spiritualità e da un sistema di vita tragicamente monastico. Penitenze, astinenze, digiuni, crocifissi. Frusta a sei corde e tre nodi per corda onde flagellarsi meglio. Preghiere a colpi di dodici *Pater* e dodici *Ave* da dire al mattino, a mezzogiorno, al tramonto, la sera, più un *Gloria* o un *Requiem aeternam* ad ogni suonar di campane e un Rosario prima d'addormentarsi. Castità coniugale, insomma rari e sbrigativi amplessi riservati solo alla procreazione. Ripudio di qualsiasi piacere, qualsiasi gioia, qualsiasi divertimento o lazzo o risata. Nonché cieca obbedienza a un frate detto Padre Visitatore che allo scader del mese gli piombava in casa per controllare se praticassero l'umiltà, la carità, la frugalità, la pazienza, l'amore per gli animali predicato da San Francesco. O verificare se portassero il cilicio, se indossassero abiti dimessi e color cenere completati dal cingolo, se rifiutassero le cattive compagnie, i discorsi indecenti, le canzonacce, i balli, le veglie, le fiere, la carne proibita il mercoledì e il venerdì e il sabato e gli altri giorni stabiliti, infine se eseguissero le opere di misericordia imposte dalle bolle papali. Ad esempio convertire i traviati, segnalare i miscredenti, denunciare i confratelli rei di qualche fallo ma restii ad accusarsi. E guai a chi sgarrava. Dopo un triplice ammonimento finiva espulso col seguente anatema: «Che Dio ti maledica, ti maledica, ti maledica». Tutte regole alle quali Luca e Apollonia si piegavano come un soldato si piega alla disciplina militare: sorretti da una fede sincera e convinti che non esistesse altra via per guadagnarsi il Paradiso o almeno il Purgatorio. Infatti a cinquant'anni Luca sembrava un vegliardo, la sua barba lunga fino a metà stomaco era già bianca, a quarantasei anni Apollonia sembrava ancor più vecchia del marito e, confessandosi, nessuno dei due trovava peccati da denunciare fuorché quello d'aver generato un ribelle. Gaetano, il primogenito, lo stesso. Il suo ossequio alle regole dell'Ordine era così profondo che a ventitré anni ne dimostrava quaranta, il suo fervore religioso così eccessivo che molti lo credevano scemo, e la sua esistenza così ascetica che in paese lo chiamavano Leccasanti. Quanto alla terzogenita, la diciassettenne Violante,

non pensava che a farsi monaca e anche nella morte rav-
visava un dono dell'Altissimo. L'anno precedente era
morto Aloisio, il fratellino di quattordici anni. Era morto
in modo crudele, ucciso da un'indigestione di fichi divorati per placar la fame accumulata con il digiuno quaresi-
male, e invece di piangere lei aveva sorriso. «Grazie, Signore, d'averlo accolto fra gli angeli.»

Lui, invece, no. Aveva pianto tutte le sue lacrime e
quasi cavato gli occhi al Padre Visitatore che, in sintonia
con la sorella già presa a schiaffi per il ringraziamento,
era venuto a consolarli con queste parole: «Esultate, esultate, che è volato in cielo prima di commettere colpe gravi». Del resto lo odiava a tal punto che gli bastava vederlo
scendere da Vitigliano di Sopra per arrabbiarsi. «Eccolo,
l'aguzzino! Eccolo, lo scalognatore!» E inutile sperare
che cambiasse, che diventasse pure lui terziario. Aveva in
orrore il cilicio, a sentir dire il Rosario si addormentava, i
dodici *Pater* e i dodici *Ave* col *Gloria* e il *Requiem aeternam*
non li recitava, a parlargli di penitenze o astinenze perdeva la testa e la Messa la ascoltava soltanto di domenica
sbuffando. «Proprio perché vi voglio bene e se non ci vengo vi dispiace!» Inoltre cercava il divertimento in qualsiasi
cosa, lavoro incluso, andava a veglia da chiunque lo invi-
tasse, correva a ogni fiera e infrangeva il precetto francescano, nonché la legge che vietava ai contadini di andare
a caccia, facendo strage di animali che catturava con le
reti o le trappole o le tagliole. Lepri, fagiani, conigli selvatici, e in particolare volpi che vendeva al mercato di
Greve dove lo chiamavano Rubacuori perché malgrado
la statura un po' bassa era davvero attraente. Lineamenti
gradevoli e resi delicati da quei capelli biondi e quegli occhi azzurri, connotato familiare che sbiadiva Gaetano
fino a farlo sembrare un cavolo appassito, sorriso conta-
gioso, corpo vigoroso. Era anche vanesio. Possedeva una
giacca di velluto marrone, un farsetto di lana blu, una ca-

micia, un paio di calze bianche, un paio di calzoni verdi da mettere con le calze bianche e da chiudere al ginocchio col fiocchetto rosso, nonché un paio di scarpe con la fibbia d'argento, un tabarro e un tricorno: cappello che i contadini non portavano mai in quanto si addiceva ai fasti della città e in campagna si usava un copricapo a paiolo. S'era comprato queste meraviglie coi soldi guadagnati a vender le volpi, e le indossava ad ogni pretesto per irritare i Da Verrazzano cui non piaceva che un mezzadro si vestisse da signore. Ce l'aveva coi Da Verrazzano. Li definiva sfruttatori, pomposi, egoisti, degni nipoti d'un pirata che si dava arie da navigatore ma che non aveva potuto dare il suo nome al fiume e alla baia di New York, e di loro detestava tutto. Più di tutto, la casa in cui viveva. Una bella casa a due piani, con sei stanze e un ampio loggiato di pietra, un bel torrino e un bel forno, e buone stalle per gli animali da lavoro o da cortile. Però piena di crocifissi, senza latrina e senza vetri alle finestre. Al posto dei vetri c'erano i portelloni e a chiuderli per ripararti dalla pioggia o dal freddo piombavi in un buio così completo che dovevi accendere la candela anche di giorno. «I nipoti del pirata ce li hanno, i vetri! Ce l'hanno la latrina! E poi questi crocifissi mi danno malinconia! Noi non si sta in una casa. Si sta in una tomba!» E Apollonia ne soffriva, Luca se ne disperava. «Signore onnipotente, creatore degli uomini e delle piante e degli animali che il mio figliolo uccide, aiutalo a cambiare! Salvate la sua anima ingrata!» Gaetano invece sospirava: «È eretico. Io non capisco come abbia fatto don Luzzi a prenderlo a benvolere e istruirlo».

Sì, era stato don Luzzi a istruirlo: dieci anni prima. «Ti garberebbe imparare a leggere e scrivere, fanciullino?» «Oh, signor pievano!» «Allora dopo il Vespro vieni da me, che t'insegno.» Invito al quale Luca s'era opposto con forza. «Lasci perdere, signor pievano. Ai contadini non serve saper leggere e scrivere. A leggere gli vengono le idee, le voglie, e il mondo è già troppo afflitto dalle tentazioni.» Ma don Luzzi aveva insistito affermando che si trattava d'un ragazzo intelligente, che di ignoranti in famiglia ce n'era abbastanza, e chi aveva bisogno di comporre una lettera ora andava a Vitigliano di Sotto. «Si va da Carlo, si chiede a Carlo. Ne sa più d'un prete, lui.» I suoi ammiratori dicevano che avesse addirittura nove libri: cosa strabiliante, visto che i libri costavano una fortuna e li possedevano solo le persone colte. Eppure li aveva. Tre, regalati da don Luzzi: il *Nuovo Testamento*, il *Vecchio Testamento*, e il *Cantico de' Cantici*. Sei, comprati attraverso il procaccia coi soldi delle solite volpi vendute al mercato: l'*Inferno*, il *Purgatorio*, il *Paradiso*, insomma la *Divina Commedia*, l'*Orlando Furioso*, la *Gerusalemme Liberata*, e il *Tesoro delle Campagne ovvero Manuale dell'Agricoltore Perfetto*. Li teneva in camera, ben in vista su uno scaffale che chiamava la-mia-biblioteca, insieme a vari numeri della «Gazzetta Patria»: il giornalino che usciva ogni sabato a Firenze. E sia grazie alla «Gazzetta Patria» sia grazie a don Luzzi che senza scandalizzarsi delle sue bizzarrie continuava a proteggerlo, sapeva un mucchio di cose. Che l'Italia non esisteva da secoli, per incominciare, che era divisa in tanti regni e sottoregni appartenenti allo straniero: qua gli austriaci, là gli spagnoli, qua e là i francesi, nel mezzo il papa, e al Nord certi Savoia ora alleati degli uni e ora alleati degli altri. Che agli austriaci apparteneva anche la Toscana in quanto Pietro Leopoldo era un Asburgo-Lorena cioè un figlio dell'imperatore d'Austria: se l'erano presa con un pasticcio chiamato Pace di Vienna quando era morto l'ultimo dei Medici. Che Pietro Leopoldo era salito al trono nel 1765 cioè da poco, appena diciottenne e sposato all'Infanta di Spagna, e che al suo arrivo non conosceva per nulla l'italiano. Che nonostante la sua giovane età e le leggi con cui vietava ai disgraziati di andare a caccia o vestirsi da signori, era un buon monarca: un tipo pieno di nuove idee e convinto di poter governare coi lumi della ragione. Non a caso aveva abolito l'esercito e la pena di morte sicché la Toscana era l'unico posto al mondo dove non si moriva né impiccati né facendo il soldato, e incoraggiava i contadini a trasformarsi in piccoli proprietari prendendo a livello cioè in enfiteusi i poderi dei latifondi frantumati dalle sue riforme. Fatto sul quale il misticismo di Luca s'era incrinato con una inattesa battuta: «Prima di morire vorrei avere un livello e diventare padrone di me stesso, che Dio benedica Leopoldo».

Sapeva anche molte altre cose di cui a Panzano quasi nessuno aveva mai sentito parlare. Che la Francia era un paese non meno potente dell'Austria, ad esempio, e che molti fermenti del pensiero venivan di lì. Ragion per cui, prima o poi, in quel paese sarebbe successo un disastro. Che una sorella del granduca, una frivola ragazza di nome Maria Antonietta, ne aveva sposato il futuro re, un certo Luigi assai sordo alle nuove idee, e che il granduca era un po' preoccupato. Che l'Inghilterra non era meno potente della Francia, che in America aveva fondato parecchie colonie, e che esse erano abitate da persone come lui. Cioè da tipi che stanchi di cacciar le volpi alla chetichella per comprarsi un libro o un tricorno, o stufi di venir oppressi da chi ficcava il naso nei loro rapporti privati con Dio, un bel giorno s'erano imbarcati su una nave ed erano andati a prendere le vallate di altri poveracci. Cosa della quale quei poveracci, detti indiani o pellerossa, non apparivan molto contenti e alla quale reagivano spesso scotennando gli intrusi. Però né questa rozza sapienza né i libri allineati sullo scaffale né i vestiti da signore e le varie rivolte gli impedivano d'essere un bravo contadino. Tant'è vero che nei suoi campi non vedevi mai un lembo incolto, una zolla coperta di erbacce, di viti e ulivi se ne intendeva a tal punto che sarebbe riuscito a produrre olio e vino nel deserto del Sahara, e per l'agricoltura aveva un'innata passione. Don Luzzi, insomma, non s'era sbagliato a candidarlo nella lista dei dieci richiesti da Filippo Mazzei. Tantomeno si sbagliava a ritenere che avrebbe accettato. Quando a metà luglio ricevette l'offerta, oltretutto accompagnata dalla notizia che il signor Mazzei voleva salpare da Livorno entro la fine d'agosto, Carlo gli rispose subito: «Bene. Per me va bene». Non si scompose nemmeno a udire che fra gli inglesi delle colonie e quelli della madrepatria non correva buon sangue sicché era molto probabile che dal dissidio scoppiasse una guerra. «Se scoppia, la faremo» disse. Poi disse che la sua sola preoccupazione era informare Luca e Apollonia senza spezzargli il cuore.

* * *

Cuore spezzato a parte, non era mai successo in famiglia che qualcuno abbandonasse la terra degli avi. Neanche nel 1764 quando la carestia aveva messo in ginocchio il Chianti. Neanche nel 1709 quando la gelata aveva ucciso gli ulivi. Neanche nel 1635 quando la muffa aveva distrutto il grano. Lo dimostrava lo *Status Animarum* che don Fabbri custodiva nella prioria, ora divorato dai topi, e un aneddoto che Luca raccontava sui suoi genitori: Ambrogio e Giuseppa. All'inizio del secolo un viaggiatore francese s'era fermato a Vitigliano di Sotto, e gli aveva chiesto da quanto tempo vivessero lì. Ambrogio aveva spalancato le braccia e risposto: «Signor mio, non c'è memoria. Dal giorno che si lasciò Firenze per via della peste, nel 1348, noi siamo sempre nati e morti qui». Ma Giuseppa era intervenuta e: «Vi sbagliate, marito. Lo sanno tutti che il vostro trisnonno Elia nacque e morì a Vitigliano di Sopra». La frase con cui Carlo superò il problema, entrola-fine-d'agosto-parto-per-la-Virginia, cadde dunque come una grandinata di ghiaccio su una vigna pronta per la vendemmia. E Luca barcollò.

«Che cos'è la Virginia?»

«Un posto lontano» ammise Carlo.

«Lontano dove?»

«All'altro capo del mondo. In America.»

«Quella del fiume scoperto dal signor Giovanni da Verrazzano?»

«Sì, babbo.»

«E perché vuoi andare all'altro capo del mondo, in America?»

«Perché voglio stare in una casa con la latrina e i vetri alle finestre. E diventare ricco e sentirmi più libero, più felice.»

«Non ti senti libero, qui, non ti senti felice?»

«No, babbo.»

«E quando torni, se parti?»

«Mai, babbo.»

Allora Luca emise un lamento da animale seviziato e senza chiedere altro salì in camera sua dove si buttò ai piedi del gran crocifisso che sovrastava il suo letto. Un arnese largo ottanta centimetri e lungo un metro e mezzo. Con la frusta a sei corde e tre nodi per corda prese a flagellarsi per chieder soccorso al Signore, supplicarlo di perdonare quel figlio posseduto dal demonio, e si fece così male che dovettero medicarlo poi adagiarlo sul materasso che non era nemmeno un materasso ma un pagliericcio di foglie secche. Quanto ad Apollonia, svenne. Presto imitata da Violante. Il solo a non perder la testa fu Gaetano che, non essendo affatto scemo come credevano in paese, capiva le cose meglio di chi sa leggere e scrivere.

2

Stando alla voce divertita ed ironica, il racconto di mio padre, Gaetano si fece in quattro per dissuadere il fratello. Dopo aver rianimato Apollonia e Violante lo prese da parte, lo condusse sull'aia, e qui gli rivolse una predica che sarebbe rimasta l'unico discorso lungo della sua vita. Oltretutto, centrato sul tema che mi riguardava: vale a dire sul fatto che ogni individuo esiste in quanto è nato da una certa coppia che a sua volta è nata da due certe coppie, quindi se cambia una di quelle coppie cambiano anche i cromosomi e non nasci più. Macché libertà, macché felicità, macché casa con la latrina e i vetri alle finestre, sillogizzò Gaetano. Qui c'era in ballo una faccenda più grossa: il futuro della progenie. Non glielo aveva spiegato lui che in America i nativi detti indiani o pellerossa scotennavano gli intrusi e stava per scoppiare una guerra fra le colonie e la madrepatria? Bè, se i nativi lo avessero scotennato o se la guerra lo avesse ammazzato, insomma se fosse morto a vent'anni, i suoi figli non sarebbero nati. E con loro i figli dei figli dei suoi figli. Ma ammettiamo pure che restasse vivo. Restando vivo, si sarebbe creato una famiglia: sì o no? Avrebbe sposato un'americana. E sposando un'americana invece d'una toscana avrebbe messo al mondo una progenie completamente diversa. Non è forse vero che un vitello è quel vitello perché è stato concepito da un certo toro e da una certa vacca anziché da un altro toro e da un'altra vacca? No, non aveva diritto di alterare il suo destino e quello di tanta gente a venire morendo a vent'anni o sposando un'americana. Il suo destino era qui, su questo poggio dove i loro antenati avevano sempre vissuto e figliato, e dove era stato sepolto Aloisio. Esaurito il cavillo biologico, infatti, passò al ricatto sentimentale. Gli ricordò che Aloisio era salito in cielo e che da un anno mancava la promessa delle sue braccia. «Se vengono a mancare anche le tue, il podere va in rovina. Pensa ai doveri che hai verso la famiglia e le bestie. Il mulo, ad esempio, ubbidisce a te e basta. Io non posso nemmeno avvicinarlo. Dovrà occuparsene il babbo, se parti, e sarà una fatica supplementare per quel povero vecchio.» Infine, cercò di spaventarlo con le difficoltà cui sarebbe andato incontro durante il viaggio e all'arrivo. Gli disse che tre mesi in mare son tanti, che in mare si soffre il mal di mare, che il mal di mare è più insopportabile del mal d'orecchi e del mal di denti: lo aveva saputo da don Fabbri. Gli disse che in mare i corsari attaccavan le navi, altra informazione fornita da don Fabbri, e che rapivano la gente a bordo per metterla ai remi o venderla al mercato degli schiavi. Gli disse che in America nessuno parlava toscano, chiunque parlava americano, e l'americano lui non lo conosceva. Ergo, avrebbe potuto conversare soltanto coi suoi compagni di sventura e sai che noia. Ma Carlo fu irremovibile. E superando il dilemma che ciascuno di noi affronta quando insegue un sogno, per inseguirlo si vede costretto a scegliere fra sé stesso e le persone amate, reagì con una replica che da un punto di vista logico non faceva una grinza però non teneva alcun conto della mia voglia di nascere.

Numero uno, rispose, non era vero che in America nessuno parlasse toscano. Lo parlava il signor Jefferson, quello della contea dove il signor Mazzei intendeva stabilirsi coi contadini, e nella cui mente era sorta l'idea di produrre olio e vino in Virginia. Glielo aveva detto don Luzzi al quale lo aveva raccontato il notaio del Regio Spedale di Santa Maria Nuova al quale lo aveva raccontato lo stesso signor Mazzei al quale lo aveva raccontato il signor Franklin: lo studioso che inventava le stufe e le vendeva al granduca. «Avrete un buon vicino» gli aveva detto don Luzzi. «Il signor Jefferson è un uomo gentile e di grande talento. Ha imparato la nostra lingua senza averla mai sentita parlare, in italiano legge i testi di agraria, e a frequentarlo non vi annoierete.» Numero due, l'americano lo avrebbe imparato. Numero tre, il mal di mare non lo preoccupava. E neppure i corsari che volevan rapirlo, neppure i nativi che volevan scotennarlo, neppure la guerra che magari non scoppiava: se si dovesse considerare ogni difficoltà della vita non ci si alzerebbe da letto, anzi non si verrebbe al mondo. Numero quattro, del podere non gliene importava un fico. Non apparteneva mica alla famiglia: apparteneva ai nipoti del pirata. Se andava in rovina, era un problema loro. Numero cinque, ai doveri verso la famiglia e le bestie ci pensava o meglio ci aveva pensato fino a farsi venir l'emicrania. Specialmente a causa del mulo che era un mulo difficile, traditore: se non stavi attento, ti beccavi un calcio negli intestini e in un battibaleno finivi sotto l'impiantito della prioria. Il guaio è che gli uccelli lasciano il nido, quando sono pronti a volare, ed essendo pronto a volare non poteva tagliarsi le ali per via del mulo. Quanto al discorso del vitello che nasce da un certo toro e da una certa vacca, cioè al futuro della sua progenie, sì: lo sapeva. I figli che avrebbe generato se fosse rimasto a Panzano e avesse sposato una toscana non sarebbero nati. Di conseguenza, nemmeno i figli dei figli di quei figli. E con ciò? Sarebbero nati i figli che avrebbe avuto con l'americana. La vita è un gioco a sorte. A chi tocca, tocca, e peggio per coloro ai quali non tocca. Questa frase chiuse l'argomento che mi premeva e un mese dopo don Luzzi lo informò che il granduca aveva concesso i permessi d'espatrio: la partenza sarebbe avvenuta da Livorno col *Triumph*, un brigantino inglese ai comandi del capitano James Rogers, non più tardi del 2 settembre. Che si preparasse, dunque. E che a mezzodì del 25 agosto si trovasse a Firenze dove il segretario del signor Mazzei lo avrebbe raccolto per accompagnarlo al porto insieme agli altri chiantigiani, a due lucchesi, e a un sarto del Piemonte. L'appuntamento era in piazza Signoria, presso la Loggia de' Lanzi: quella piena di belle statue tra cui il *Perseo* di Benvenuto Cellini e il *Ratto delle Sabine* di Giambologna. Ammenoché, ovvio, non avesse cambiato idea. Cambiato idea? Arso dall'impazienza, aveva già preparato il sacco e la bisaccia. Nel sacco, i nove libri della biblioteca con qualche capo di biancheria e il tabarro. Nella bisaccia, una forma di formaggio pecorino col coltello per tagliarlo a fette e il capitale di cui disponeva a quel punto della sua esistenza: venti scudi d'argento, tre lire, sette soldi e sei crazie.

Fu così che la sera del 24 agosto indossò le calze bianche, i pantaloni verdi col fiocchetto rosso, le scarpe con la fibbia d'argento, il farsetto di lana blu, la giacca di velluto marrone, il cappello a tricorno, e abbracciati Apollonia che singhiozzava, Violante che mugolava, Gaetano che taceva avvilito, Luca che pallido come un morto gli porgeva una medaglietta di San Francesco e un pane da mangiare durante il viaggio, partì.

* * *

Partì a piedi, lasciando Vitigliano di Sotto assai prima del necessario: un quarto a mezzanotte. Per coprire a piedi le venti miglia che separavano Panzano da Firenze bastavano infatti dieci ore, ma lui voleva guadagnare tempo per dare un'occhiata alla città che non aveva mai visto né avrebbe mai rivisto e l'impazienza lo bruciava quanto la curiosità. Viaggiando a una media di due miglia e mezza all'ora e fermandosi solo un paio di volte, una al Passo de' Pecorai per riprendere fiato e una alla Certosa per mangiare un pezzo del pane datogli da Luca, verso le nove del mattino era già a Porta Romana: la porta attraverso cui superavi la cerchia delle mura se venivi da sud. Strabi-

liato dai suoi battenti giganteschi, alti come immensi cipressi e rinforzati da chiodi con la capocchia grossa come
una susina, imboccò l'omonima via Romana. Senza avver-
tir la stanchezza della notte passata a marciare col sacco
sulle spalle e la bisaccia a tracolla, e senza cedere al peso
che lo opprimeva sempre di più, raggiunse una strana
piazza in salita e sulla cima della quale si ergeva un palazzo talmente enorme e maestoso che a guardarlo gli
mancò il respiro e a fatica riuscì a chiedere che cosa fosse: scoprì che era Palazzo Pitti, la casa del granduca. Senza sentir la fame che incominciava a mordergli lo stomaco e senza curarsi del sudore che lo bagnava per via del
caldo estivo e dei vestiti invernali, arrivò a un bel ponte
fatto di botteghine zeppe di gioielli e chiamato Ponte
Vecchio dove sostò per contemplare l'Arno che gli parve
smisurato: una specie di lago con le barche, largo otto fiumi Greve e sette fiumi Pesa. Poi riprese a camminare e
quando fu di là d'Arno per almeno due ore girovagò col
suo sacco e la sua bisaccia, la sua fame e il suo sudore, in
preda a uno sbigottimento che lo esaltava e che si rinno-
vava a ogni tappa. Quello che provò ad esempio dinanzi a
un altro ponte, molto più bello perché composto da tre
arcate di struggente eleganza e impreziosito da quattro
statue che raffiguravano le stagioni: il ponte a Santa Trinita. O quello che provò in piazza del Duomo a vedere le
porte d'oro del Battistero, a visitare la mastodontica e mi-
stica cattedrale, a salire sulla torre di Giotto e di lassù ammirare l'inverosimile bosco di chiese, di campanili, di cupole, di palazzi, di monumenti, insomma di bellezza concentrata in un posto solo. Infine quello che provò dopo,
notando particolari non meno stupefacenti della bellezza, e in seguito a cui si sorprese a domandarsi se fosse
proprio il caso di emigrare in Virginia. Le strade lastrica-
te di macigno e piene di lussuose carrozze tirate anche
da quattro cavalli. I marciapiedi fitti di gente che vociava

e si urtava e rideva come in una ciclopica fiera. Le case a cinque o sei piani attaccate l'una all'altra come spighe in un campo di grano e sempre coi vetri alle finestre. Le donne disinvolte e scollate che nel passarti accanto ti fissavano dentro gli occhi o ti rivolgevano addirittura un sorriso. E tutti quei lampioni da accendere al calar del buio, tutti quei negozi colmi di roba che forse in America non conoscevan nemmeno. Uno vendeva libri. A dozzine, a centinaia. D'impulso vi entrò e su consiglio del libraio ne comprò due da leggere sulla nave: *I Cavalieri della Tavola Rotonda* e il *Decamerone*. Poi col sacco appesantito e il capitale ridotto a due scudi e tre crazie si recò in piazza Signoria: ennesima meraviglia che rinforzò la domanda di prima perché, si disse, nella contea del signor Jefferson un luogo tanto fastoso e ricco d'oper d'arte non esisteva davvero. Ma era troppo tardi per abbandonarsi ai rimpianti, le campane stavano suonando i rintocchi del mezzodì, e con passo deciso si diresse verso la Loggia de' Lanzi dove riconobbe subito i nove coi quali avrebbe diviso il futuro ormai scelto. Carichi di bagagli sedevano sul muricciolo d'una arcata e apparivano così confusi, così smarriti. Specialmente quello che li capeggiava: un quarantenne di San Casciano, esperto nella svinatura. «Ah, siete voi il decimo? Venite, venite, che Dio ce la mandi buona.» Il segretario del signor Mazzei, invece, non era ancora giunto. E questo ritardo provocò l'incontro con un certo Masi del Ponte a Rifredi, appena rientrato dalle Antille francesi, che per uno scherzo della sorte si trovava in piazza.

«Chi siete, chi aspettate?» chiese il Masi avvicinandosi al gruppo per attaccar discorso.

«Quelli che devono partire col signor Mazzei, che Dio ce la mandi buona» rispose l'esperto nella svinatura.

«Per andar dove?»

«In America, in Virginia, che Dio ce la mandi buona.»

«A far che?»

«A crearvi un'azienda agricola per la produzione dell'olio e del vino, che Dio ce la mandi buona.»

E subito la piazza venne squassata da un urlo.

«Pazzi! Non ve l'hanno detto che laggiù le stelle cascano dal cielo e bruciano i contadini che lavoran nei campi? Scappate, scappate!»

Lo stesso Mazzei lo racconta nelle sue memorie, aggiungendo che i dieci ne furono terrorizzati al punto di scappare davvero. Fuga che lo costrinse ad accontentarsi dei due contadini lucchesi e del sarto piemontese, nonché d'un genovese del quale non si conosce il mestiere e d'un fiorentino o quasi fiorentino chiamato Vincenzo Rossi: figlio del macellaio di Legnaia e garzone dell'ortolano locale. Vale a dire individui che di viti e di ulivi non ne sapevano nulla. Ma la sua versione contiene una grave inesattezza. Carlo, infatti, non scappò. Al contrario, fece ciò che poteva per trattenere i compagni. Gridò al Masi che era un ignorante, un millantatore, un ficcanaso che chiacchierava per chiacchierare. Spiegò a loro che le stelle cui alludeva lo zotico erano le stelle cadenti e le stelle cadenti non cascano sulla terra: cascano in cielo senza bruciare nessuno. Gli chiarì perfino che scappando sarebbero passati da babbei e da vigliacchi, la Toscana ci avrebbe fatto una brutta figura e i virginiani non avrebbero mai bevuto un bicchiere di vino decente o mangiato l'insalata condita con l'olio. Loro, però, scapparon lo stesso. Tornarono a casa. E lui restò ad aspettare che il segretario arrivasse. Per paura di perderlo non si allontanò nemmeno per andare a bere un sorso d'acqua alla fontana del Nettuno, distante appena cinquanta passi. Sempre lì, sempre lì, col suo sacco e la sua bisaccia, a camminare su e giù fra le tragiche statue che caratterizzano la Loggia de' Lanzi: il Perseo che alza la testa mozza della Medusa e ne calpesta il tronco decapitato, Aiace che sorregge il cadavere ciondolante di Patroclo, Ercole che strozza il centauro Nesso, le Sabine che si dibattono per tentar di sfuggire ai rapitori, Polissena che piange perché è stata rapita anche lei, gli altri che muoiono o si pugnalano o si contorcono sconvolti da chissà quale pena della carne o dell'anima. Tant'è vero che a un certo punto non ce la fece più a guardarle, e augurandosi che la contea del signor Jefferson gli offrisse visioni più allegre voltò le spalle a quell'orgia di dolore e di truculenza: sedette sui gradini dell'arcata centrale e, girato dalla parte della piazza, si mise a leggere il *Decamerone*. Prima-o-poi-arriverà. Il guaio è che i due non si conoscevano, e vestito da signore Carlo non pareva affatto un campagnolo. Quando nel pomeriggio il segretario arrivò e vide che alla Loggia de' Lanzi c'era solo un bel biondino di città, un tipo col cappello a tricorno e intento a leggere il *Decamerone*, non sospettò nemmeno che si trattasse del mezzadro procurato da don Luzzi. Senza aprir bocca e senza accorgersi che costui aveva un sacco da viaggio tirò di lungo, e corse da Mazzei per dirgli che i dieci piercoli non s'erano presentati all'appuntamento. Mentre Carlo continuava ad aspettare.

Continuò ad aspettare l'intero pomeriggio e parte della sera, povero Carlo. Soltanto a notte inoltrata lasciò quei gradini per rifugiarsi nella vicina Chiesa di Santo Stefano, lì cenare col resto del formaggio e stendersi su una panca a dormire. Però alle cinque del mattino tornò alla Loggia e riprese ad aspettare: caparbio. Forse il segretario era venuto e non lo aveva visto, pensava. O forse s'era sbagliato di giorno e sarebbe arrivato oggi con tante scuse. In certi casi ci vuole sangue freddo: non bisogna scoraggiarsi, perdere l'ottimismo. Invece, a poco a poco, lo perse. Si scoraggiò. Perché, nell'attesa, immagini che credeva cancellate dalla sua mente riemersero. E queste dettero corpo ai rimpianti avvertiti l'attimo in cui s'era chiesto se fosse proprio il caso di emigrare in Virginia, ma respinti a udir le campane che suonavano i rintocchi del mezzodì. L'immagine delle verdi montagne abitate da un paradiso di lepri, scoiattoli, volpi, daini, cinghiali, uccelli che cantavan come gli angeli. L'immagine delle armoniose colline coi campi dove fioriva il giaggiolo sicché d'estate diventavano azzurri e sembravano un mare che sale e scende in gigantesche, immobili ondate. O quella delle ginestre che d'autunno accendevano le siepi di giallo, sicché insieme al rosa delle eriche e al rosso delle bacche ti sembravano vampate di fuoco. L'immagine di Apollonia che singhiozzava, di Violante che mugolava, di Gaetano che taceva avvilito, e soprattutto di Luca che pallido come un morto gli porgeva la medaglietta di San Francesco e il pane da mangiare durante il viaggio. Era così buono, lui. Così comprensivo, così indulgente, nonostante i suoi ascetici rigori. Mai che ti desse uno schiaffo, mai che ti obbligasse a digiunare o a pregare, mai che ti negasse il diritto di vivere a modo tuo. Volendo, avrebbe potuto impedirgliela questa fuga in Virginia. A vent'anni chi si sposa o emigra deve presentare l'autorizzazione del babbo. Eppure non aveva mosso un dito per imporre la sua volontà. S'era limitato a emettere quel lamento da animale seviziato e a flagellarsi per invocar l'aiuto del Signore, supplicarlo di perdonare quel figlio-posseduto-dal-demonio. E a vedergli preparare il sacco aveva detto: «Scrivi l'autorizzazione che te la firmo». Poi l'aveva firmata. Con la croce. Era anche molto stanco, molto consunto dagli stenti e dai sacrifici. Aiutato da Gaetano e basta, sarebbe riuscito a tenere il podere? Violante era un pesce lesso che sapeva solo biascicare i *Salve Regina*. Apollonia aveva sulle spalle la casa, i polli, i conigli, il maiale, la scrofa. Per vangare, zappare, arare, seminare, concimare, falciare e via dicendo, su loro due potevi contarci poco. Per custodire il mulo, lo stesso. Più d'ogni altra cosa lo preoccupava quel mulo a cui Gaetano non osava nemmeno avvicinarsi. Se ne sarebbe ricordato, il babbo, che era un mulo difficile e traditore, che scalciava per un nonnulla e guai a stargli alle terga? Forse don Luzzi lo aveva consigliato male. Forse commetteva davvero un errore ad abbandonare la terra degli avi, trasferirsi nella contea del signor Jefferson, alterare il suo destino e quello della sua futura progenie. Forse quel destino era davvero sulle montagne e sulle colline del Chianti, con le astinenze e le penitenze e le angherie del Padre Visitatore. Senza contare che il segretario del signor Mazzei era un gran cafone, e che magari il signor Mazzei era un cafone come il suo segretario. Perdio, un'ora di ritardo è ammissibile. A volte, anche tre o quattro. Ma diciannove no. Da diciannove ore aspettava fra queste malinconicissime statue di gente nuda e disperata! Si sentiva offeso. E d'un tratto, eran circa le sette del mattino, balzò in piedi. Agguantò il suo sacco, lasciò la Loggia de' Lanzi, piazza Signoria, infilò via Vacchereccia, girò in Por Santa Maria, attraversò di nuovo il Ponte Vecchio, fu di nuovo in via Guicciardini, in piazza Pitti, in via Romana, oltrepassò di nuovo Porta Romana, uscì dalla città dove era stato offeso e dove in barba alle sue bellezze non avrebbe mai più rimesso piede. E ristabilendo il corso del suo destino e del mio tornò a Vitigliano di Sotto.

Ci tornò alla velocità di tre miglia all'ora, stavolta, senza neanche fermarsi alla Certosa o al Passo de' Pecorai. E non solo perché si sentiva offeso, deluso, ma perché un'angoscia nuova lo spingeva a far presto. Una smania che gli mordeva il cuore con un fosco presentimento. Né si sbagliava. Infatti, quando giunse a casa, trovò che il mulo aveva tirato un calcio nel ventre di Luca e che Luca stava morendo.

3

Giaceva sul pagliericcio di foglie secche, proprio sotto il gran crocifisso che sovrastava il suo letto, e rantolava in modo straziante: martoriato da spasmi sempre più acuti e divorato da una febbre che gli inzuppava di sudore perfino la gran barba bianca. Inutile sperare che sopravvivesse. Gli occhi erano già appannati e il rantolo si interrompeva solo per lasciargli emettere un autorimprovero: «È colpa mia, è colpa mia. Mi son messo alle terga e gli ho tirato la coda». Era successo per questo, il giorno prima. «Via, fratello mulo, spostati!» lo aveva incitato tirandogli dolcemente la coda. E il fratello mulo aveva risposto spappolandogli l'intestino. Disgrazia così irrimediabile che il medico di Radda s'era rifiutato di scomodarsi. «Che ci vengo a fare?» Al posto suo era venuto il cerusico di Panzano, quello che aiutava le vacche a partorire e la gente a morire, e subito aveva sentenziato: «Qui c'è un'emorragia interna. Chiamate il prete». Però rimaneva lucido, il coma non era ancora iniziato, e a scorgere Carlo che si avvicinava al letto si ravvivò tutto.

«Sei tornato!»

«Sì, babbo...» mormorò Carlo piangendo.

«Per restare o per vedermi morire?»

«Per restare, babbo, per restare...»

«Sia lode al Signore. Lo sapevo che mi avrebbe ascoltato.»

Accanto al letto c'era Apollonia con Gaetano e Violante, e nessuno dei tre piangeva: reazione blasfema e proibita dall'Ordine dei Terziari Francescani, come aveva ben dimostrato Violante per la morte di Aloisio. In un angolo c'erano don Fabbri e il Padre Visitatore, ed entrambi bisticciavano a bassa voce: ciascuno reclamando il diritto di impartire l'estrema unzione e l'assoluzione. Tocca-a-me-

38

in-quanto-sono-il-suo-parroco, no-tocca-a-me-in-quanto-sono-il-suo-ministro.

«Fate a mezzo, avvoltoi!» gridò Carlo con un singhiozzo.

Malgrado la parola avvoltoi, il consiglio venne accettato e don Fabbri impartì l'estrema unzione. Il Padre Visitatore, l'assoluzione. Tirandola lunga per indispettire il rivale. «Dominus Noster Jesus Christus, auctoritate ipsius ac beatorum apostolorum Petri et Pauli et Summi Pontificis, ego te absolvo ab omni peccato ac transgressione votorum tui Ordinis...» Per indispettirlo meglio, pretese addirittura che Luca recitasse la preghiera del terziario che rende l'anima a Dio. E, ubbidiente fino all'ultimo, Luca la recitò.

«Sorella Morte, io vi accetto volentieri e vi offro questa agonia in omaggio alla Vostra sovranità e autorità. Gioisco in Voi, sorella Morte, e Vi ringrazio dal profondo del cuore per questa letizia.» Ma dopo averla recitata cambiò tono. «Ora lasciatemi solo con la mia famiglia» disse al suo aguzzino e a don Fabbri. «Scendete giù in cucina ché voglio accomiatarmi dai miei figlioli e dirgli cose che non vi riguardano.»

Lo disse con voce alta e chiara: era incominciato il miglioramento che precede la morte e non rantolava più. Poi aspettò che i due uscissero, tutti inviperiti, e cercò la destra di Carlo. Gliela strinse con amore.

«Io e te non siamo mai andati d'accordo su nulla. Però c'è una cosa su cui non posso darti torto: è brutto lavorare la terra degli altri, avere un padrone.»

«Sì, babbo...» singhiozzò Carlo.

«Ricordi quando esclamai che prima di morire avrei voluto avere un livello, diventare padrone di me stesso?»

«Sì, babbo...»

«È sempre stato il mio sogno. E ora che sei tornato, lo lascio a te e a Gaetano. Io non ce l'ho fatta, ma voi ce la farete. Per me.»

«Sì, babbo...»

«Gaetano lo sa già. Con lui ne ho già parlato. Perché ho saputo che il Regio Spedale di Santa Maria Nuova vuol mettere a livello i sedici poderi della fattoria di Panzano, e tra questi ce n'è uno che mi piace tanto. Il podere di San Eufrosino. Ma non San Eufrosino di Sotto cioè quello che scende al borro: San Eufrosino di Sopra. Quello che sale fino alla strada e dove ora sta quel bestemmiatore del Cecionesi, che Dio lo perdoni. Mi spiego?»

«Sì, babbo...»

«Per quattro braccia d'uomo è piuttosto grande, lo so. Il Cecionesi ne ha otto e brontola che ne dovrebbe avere il doppio. Quando andrà a livello però dovrete prenderlo lo stesso. E stare attenti che non vi scappi. Capito?»

«Sì, babbo...»

«So anche che un podere come San Eufrosino di Sopra vale almeno cinque o seimila scudi, e che un livello non te lo danno a sbafo. Tuttavia alla firma del contratto il notaio chiede solo il laudemio, intendo la caparra per pagar l'entratura, e quei soldi posso lasciarveli. Moglie, portatemi l'anfora.»

In silenzio, Apollonia si avvicinò a una nicchia scavata nella parete di fronte. Una specie di tabernacolo che conteneva un'anfora in terracotta, piena di fiori di spigo per profumare la stanza. La prese, gliela portò, e lui si mosse per agguantarla. Ma il continuo parlare lo aveva estenuato, la morte stava avanzando, e ormai non riusciva nemmeno ad alzare una mano.

«Pensateci voi, moglie» ansimò.

Sempre in silenzio Apollonia tolse i fiori di spigo, la rovesciò sul letto, e qui piovve una cascata di scudi d'oro.

«Sono cento» disse ansimando ancora di più. «E sono anni che li metto da parte per il livello. Lira su lira, crazia su crazia, visto che Violante è decisa a farsi monaca e alle monache la dote non serve. Vero, Violante?»

«Vero» annuì Violante, compunta.

«Per il laudemio dovrebbero bastare» proseguì. «A pagare il canone annuo provvederete voi. Purché non vi sposiate troppo presto. Sposarsi costa. E purché tu non sprechi soldi nei vestiti e nei libri. Non servono i libri, non servono i vestiti. Capito?»

«Sì, babbo...»

«Allora non mi resta che rivolgervi qualche raccomandazione: non disamoratevi mai della terra, non vergognatevi mai d'essere contadini. È la terra che ci sfama. Sono i contadini che danno da mangiare al mondo. E non siate mai furbi, non pensate mai che Dio non esiste. Chi è furbo non è intelligente, e se Dio non esistesse bisognerebbe inventarlo per non farmi morire arrabbiato come un cane idrofobo. Perché, speriamo che San Francesco non se ne abbia a male e che questo non mi costi l'assoluzione, morire a cinquant'anni è un gran dispiacere.»

Poi entrò in coma, non parlò più fino a un istante prima di esalare l'ultimo respiro. Cosa che avvenne nel cuore della notte, quando spalancò gli occhi e con voce quasi tonante gridò: «Perdonate il mulo!». I funerali furono immediati e sbrigativi, miseri quanto quelli di qualsiasi povero. Un decreto emesso nel 1748 da Francesco III stabiliva infatti che i nobili e i borghesi avessero diritto alle esequie coi ceri, il catafalco, i canti funebri, le decorazioni: i poveri dovevano accontentarsi di quattro torce e della campana che suonava a morto. Una recente ordinanza di Pietro Leopoldo, la stessa che consentiva l'uso delle bare solo ai vescovi e ai signori, ingiungeva che la sepoltura avvenisse con la massima fretta e il minimo spreco. Per non incorrere in castighi o ammende lo avvolsero dunque in un vecchio lenzuolo, lo legarono a mo' di fagotto con uno spago al collo e uno alle caviglie, lo posarono su un'asse di legno e alla luce di quattro torce lo portarono via. Le torce, tenute da Violante e Apollonia. L'asse, retta da Carlo e Gaetano. E

41

niente fiori, niente scorta di altri parenti o vicini. Preceduto da don Fabbri e dal Padre Visitatore, sempre immusoniti per esser stati cacciati in cucina, l'esiguo corteo imboccò il sentiero che da Vitigliano di Sotto conduceva a Vitigliano di Sopra e a Panzano. Mentre la campana suonava a morto raggiunse la Chiesa di Santa Maria Assunta in Cielo dove un angolo dell'impiantito era già stato divelto, e subito due becchini buttarono il fagotto nella fossa comune. Prima che richiudessero il buco, però, Carlo fece qualcosa che nessuno si sarebbe mai aspettato da lui. Ghermì il breviario del priore e sibilando guai-a-chi-s'oppone, guai-a-chi-tenta-d'interrompermi, lesse l'intero Uffizio dei Morti cui aggiunse ben cinquanta salmi con i dodici *Pater*, i dodici *Ave*, un *Requiem aeternam*, un *Gloria*. E dopo, a casa, fece di più. Andò nella stalla, accarezzò il mulo, gli disse: «Io ti perdono». Salì in camera, tolse dallo scaffale la biblioteca ormai composta di undici libri, dall'armadio la giacca di velluto marrone, il farsetto di lana blu, i calzoni verdi, le scarpe con la fibbia d'argento, il cappello a tricorno, e chiuse tutto in un baule che per anni non avrebbe riaperto. Infine scese in cucina, riunì la famiglia, e con volto fermo concluse: «D'ora innanzi mi comporterò come voleva il babbo. D'ora innanzi lo scopo della mia vita sarà San Eufrosino di Sopra. E che mi venga un accidente se me ne dimentico».

Ma qui bisogna chiarire che cosa avesse di tanto speciale il podere in mano a quel-bestemmiatore-del-Cecionesi, perché Luca lo avesse desiderato al punto di sconfessare il suo ascetismo accumulando cento scudi d'oro.

* * *

Nel sesto secolo dopo Cristo era vissuto un vescovo chiamato Eufrosino che si vestiva di cenci, si asteneva quasi totalmente dal cibo, dormiva sulla nuda terra e viveva con mansuetudine celestiale. Un precursore di San Francesco, insomma. Un mistico di gran classe. E pazienza se ancor oggi le malelingue ne contestavano la santità accusandolo d'aver sedotto una vergine e d'essersela cavata grazie al giudizio d'un neonato che appena fuori il ventre materno s'era messo a urlare in latino Eufrosino-è-innocente. *Euphrosinus sine culpa est.* A tale calunnia le persone dabbene rispondevano che la maldicenza non ha confini, l'invidia non si controlla, e con profondo orgoglio legavano il suo nome al nome di Panzano. A ottantanove anni, infatti, Eufrosino era venuto a evangelizzar la Toscana: a quel tempo abitata da gente che venerava gli dèi bugiardi. E secondo alcuni vinto dalla sete, secondo altri spinto da impulso sovrannaturale, s'era fermato proprio a Panzano. Per l'esattezza, presso un pozzo situato nel versante che guarda la Val di Pesa. Cioè il versante opposto a quello che guarda la Val di Greve e su cui si trova Vitigliano di Sotto. Lì s'era costruito un misero rifugio di frasche, lì aveva convertito un mucchio di pagani e operato miracoli di qualità come resuscitare i morti o restituire la vista ai ciechi. Lì era morto di stenti e di vecchiaia, e lì lo avevan sepolto. In una tomba tutta sua, cioè meglio di Luca. Poi su questa tomba avevano eretto un santuario. Forse a causa d'una scossa tellurica o forse in seguito alle maledizioni della vergine sedotta il santuario era crollato, e per secoli le venerabili spoglie eran rimaste sotto un cumulo di macerie coperte di erbacce tra cui le pecore andavano a pascolare. Tant'è vero che per salvarne il culto i seguaci avevan dovuto ricorrere al pozzo, diffonder la voce che le sue acque guarissero la congiuntivite e aumentassero il latte delle puerpere. Nel 1441, però, le erbacce eran state strappate. Le macerie rimosse, le venerabili spoglie riesumate. Con una bolla che prometteva indulgenze a chiunque desse soldi papa Eugenio IV aveva ordinato che il santuario fosse ricostruito, e sul luogo era sorto un bel tempio in stile gotico: l'Oratorio di San Eufrosino. Sì, esisteva da allora il bel tempio. E la sua fama andava al di là del Chianti. Non per nulla conteneva più tesori della prioria: affreschi, tabelle votive, candelabri d'argento, un trittico dipinto da Mariotto di Nardo, un'edicola arnolfiana per ospitar l'urna delle reliquie, una statua in gesso policromo che raffigurava il santo vestito da vescovo e con la mitra tempestata di gemme nonché interrotta da una finestrella dentro la quale si celavano alcuni frammenti del cranio. E, sopra l'altar maggiore, una splendida Madonna di Giotto.

Ebbene: il podere che Luca aveva desiderato al punto di sconfessare il suo ascetismo accumulando cento scudi d'oro circondava l'Oratorio ad anello. La casa colonica stava ad appena quaranta passi dalla facciata. E chi abitava a San Eufrosino di Sopra custodiva le chiavi del sacro edificio. In parole diverse, e Madonna di Giotto o pozzo taumaturgico a parte, il Cecionesi aveva a sua disposizione una chiesa dove poteva entrare e pregare in qualsiasi ora del giorno o della notte. Privilegio irrilevante, per un bestemmiatore. Per un terziario francescano, invece, roba da vender l'anima al diavolo. E Carlo se ne sarebbe accorto assai presto.

4

C'è da chiedersi quale trauma avesse determinato il voltafaccia di Carlo, l'inatteso comportamento che avrebbe condotto alla sua metamorfosi. Il dolore per la tragica fine di Luca? Il senso di colpa che a causa del mulo accompagnava il dolore? La delusione anzi l'umiliazione sofferta ad aspettare invano sotto la Loggia de' Lanzi? Queste tre cose insieme oppure un anelito religioso che già esisteva, soffocato da una temporanea rivolta e nascosto fra le pieghe della sua anima? Non si sa. La voce divertita ed ironica non lo diceva. Però si sa quello che Carlo rispose quando tutto stizzito don Luzzi andò a Vitigliano di Sotto e senza neanche porgere le condoglianze si mise a urlare perché-sei-tornato-perché. «Perché ciascuno nasce col suo destino, signor pievano, e il mio non era in Virginia. Era qui.» Più o meno ciò che avrebbe risposto nel 1780 quando Filippo Mazzei fece un viaggio a Firenze per convincere il granduca a stabilir rapporti commerciali con le colonie ribelli, sostenerne la lotta di indipendenza, e don Luzzi seppe cos'era successo ai quattro che col sarto piemontese avevano lasciato Livorno a bordo del *Triumph*. Nessuno era stato catturato dai corsari, nessuno era stato scotennato dagli indiani, nessuno era morto nella guerra che nel frattempo era scoppiata contro gli inglesi. E Vincenzo Rossi, il figlio del macellaio di Legnaia, aveva fatto fortuna nella contea del signor Jefferson dove s'era sposato con un'agiata virginiana. Antonio Giannini, uno dei due lucchesi, era diventato così ricco da poter offrire duecentocinquanta zecchini per l'acquisto d'un piccolo pezzo di terra. «Signor pievano, le cose che voglio non si trovano nella contea del signor Jefferson. Io sono un albero che non si può trapiantare.» Infatti non rimpianse mai quel ritorno. Non pensò mai di imbarcarsi su un'altra nave, riesumare quell'opportunità. Fin da vecchio continuò a dire che il progetto di stabilirsi in America era stato una corbelleria graziaddio sviata dalla sorte, e nei cinque anni che seguirono le esequie di Luca visse solo per tener fede all'impegno assunto con lui e con sé stesso: prendere a livello San Eufrosino di Sopra. Niente litigi coi Da Verrazzano, niente piagnistei per la casa priva di latrina e di vetri alle finestre, niente veglie o fiere o svaghi per compensare il lavoro disumano cui si sottoponeva per incrementare i cento scudi d'oro. E niente contestazioni al sistema di vita che la famiglia osservava. Il fatto è che era diventato terziario francescano anche lui.

La caratteristica più lancinante della sua metamorfosi sta qui. E su questo la voce divertita ed ironica diceva molto, incominciando dai particolari che riguardavano la prova del noviziato. Era un esame feroce, la prova del noviziato. Durava sei mesi, moltiplicava per mille le sevizie del Padre Visitatore, e includeva il flagello da usare ogni sera. Venti frustate prima del Rosario e venti dopo. Sulla schiena, sul petto, sul ventre. Ma lui la superò in modo trionfale, e dal trionfo uscì l'uomo che sarebbe rimasto tutta la vita malgrado la donna straordinaria che avrebbe sposato. (Atea, per giunta). Come definire quell'uomo? Forse come qualcosa di mezzo tra un monaco e un maniaco, un santo da ammirare e un rompiscatole da sbeffeggiare. Non esistevano limiti al suo zelo, alla sua ortodossia. Non pago di portare il cilicio, ad esempio, teneva il cingolo a contatto di pelle e lo stringeva fino a procurarsi piaghe. Non sazio di digiunare il mercoledì e il venerdì e il sabato nonché l'intero periodo compreso tra la Quaresima e la Pasqua, l'Avvento e il Natale, si macerava in sacrifici non richiesti quali la rinuncia a un bicchiere di vino. «Bere accende i desideri.» Non contento d'aver riposto nel baule gli undici libri incluso il *Decamerone* appena incominciato e *I Cavalieri della Tavola Rotonda* mai aperto, non guardava più la «Gazzetta Patria» e non voleva più sapere che cosa accadesse nel mondo. «Leggere induce in tentazione.» E naturalmente non catturava più le volpi, le lepri, i fagiani, i conigli selvatici da vendere al mercato di Greve. «Uccidere gli animali è fratricidio.» Naturalmente non guardava mai una ragazza, non dimostrava mai d'avvertire il peso della castità, e in camera teneva un crocifisso da far invidia al crocifisso di Luca. Un monumento largo un metro e lungo due che s'era costruito da solo e che sgomentava lo stesso Gaetano: «Suvvia, Carlo, esageri! Se ci casca in testa, ci ammazza!». Infine era diventato amico del Padre Visitatore e se aveva un minuto libero correva a San Eufrosino di Sopra per pregare il Cecionesi di aprirgli l'Oratorio. Era diventata una fissazione, quella dell'Oratorio, e ogni volta il Cecionesi impazziva di rabbia. «Che ti venga un canchero, razza di schiodacristi e biascicapaternostri! Sei peggio di quel leccasanti di tuo fratello, dioboia!» Lui però non demordeva e: «Dirò un *Salve Regina* per voi, Cecionesi». Intanto invecchiava. Nessuno lo chiamava più Rubacuori. Il suo bel visetto rotondo si faceva scavato, i suoi begli occhi azzurri perdevano luce, e v'erano giorni in cui l'avresti detto il figlio di sé stesso. Soltanto quando il Regio Spedale di Santa Maria Nuova si decise a offrire in enfiteusi i poderi della fattoria di Panzano, storico evento che si verificò nel giugno del 1778, ritrovò un po' di vivacità.

«Sia lodato Iddio, alleluja!»

Fu don Luzzi a dargli la notizia, aggiungendo che non avevano neanche un rivale. Forse per via di quella chiesa che sembrava scrutarti l'anima ed elencarne i peccati, forse per via dell'ombra che la sua mole gettava sulla casa colonica troppo vicina, forse per la responsabilità di dover custodire le chiavi e vegliare sui tesori che l'edificio chiudeva, San Eufrosino di Sopra non lo voleva nessuno. Non a caso il laudemio era sceso da centocinquanta scudi d'oro a cento poi ottanta. Il canone annuo, a settantaquattro. Quasi la metà di San Eufrosino di Sotto, già chiesto dal danaroso Girolamo Civili, zio dell'altrettanto danaroso Giuseppe Civili: il mugnaio di Greve.

«Alleluja, alleluja!»

Tuttavia quando seppe che bisognava andare a Firenze per firmare il contratto, si incupì di nuovo.

«Io, lì, non ci metto più piede.» Poi, rivolto a Gaetano: «Vai tu. Sei tu il maggiore, il capoccia».

«E tu sei quello che sa leggere e scrivere, che s'intende di fogli» protestò Gaetano.

«Per il contratto basta una firma. E la firma la sai fare.»

«No, di firme ce ne vogliono due: la mia e la tua. Senza la tua lo intestano a me e basta.»

«Vedrai che il notaio trova il modo di intestarlo anche a me. Vai!»

E Gaetano andò, tutto impaurito e tutto vestito a festa. Cappello a cono, giacca di mezzalana nera, brache nere, farsetto nero, scarpe di vacchetta. E a tracolla, la bisaccia con gli ottanta scudi d'oro da sborsar subito per il laudemio. Andò con la diligenza che ora portava da Panzano a Firenze due volte la settimana e che partiva alle quattro del mattino per arrivare in piazza del Duomo alle nove.

* * *

Non esistono particolari su quel viaggio che, data la fiacca personalità di Gaetano, si immagina privo di avventure e stupori. Però esiste il contratto che egli firmò e che venne steso nella cancelleria del Regio Spedale: una sala a piano terreno, per l'appunto poco lontana dall'obitorio dove centosessantasei anni dopo avrei vissuto l'episodio più raggelante della mia adolescenza avvelenata dalla guerra e dall'orgoglio di combattere il nemico a fianco degli adulti. E di quel contratto ho la copia. Nove pagine scritte con calligrafia quasi inintelligibile e nelle quali il nome di Carlo è sostituito dal termine «gli altri chiamati e compresi», quello di Gaetano non è mai preceduto dall'appellativo «signore»: sempre usato per il notaio e per i testimoni. Eccone l'inizio, in parte riassunto per renderlo meno oscuro: «Dei nomine, amen. Addì 2 luglio 1778, anno di Nostro Signor Gesù Cristo, regnanti Sua Santità Pio VI Sommo Romano Pontefice e Pietro Leopoldo, primo Principe Reale di Ungheria e Boemia, Arciduca d'Austria, Granduca nono di Toscana, e fortunatamente nostro Sovrano. Essendo stata posta all'incanto l'allivellazione del podere della fattoria di Panzano denominato San Eufrosino di Sopra e non essendosi trovato competente oblatore, dinanzi all'Illustrissimo Signor Francesco Maria Niccolini nobile patrizio fiorentino e commissario del Regio Spedale di Santa Maria Nuova nonché dinanzi a me Signor notaio Franco Figlinesi e i testimoni Signor Giuseppe Coniglietti e Signor Giuseppe Lotti, compare Gaetano Fallaci fu Luca che per sé e per gli altri chiamati e compresi si offre di prendere a livello il suddetto podere per annuo canone di scudi settantaquattro da pagarsi in due rate semestrali e scudi ottanta di laudemio. Tale podere è situato nel popolo della Pieve di San Leolino a Panzano e comprende una casa da lavoratore di numero otto stanze più un forno, tre stalle, due porcili, una corte, un'aia, una capanna segregata, e un portico con altro casamento di cinque stanze unite alla Chiesa detta Oratorio di San Eufrosino. Stanze ad uso del lavoratore salvo che nei giorni in cui nella chiesa vengono celebrate feste o processioni. San Eufrosino di Sopra si estende tutto assieme per una estensione di 110 staiora: ottanta staiora di terra seminativa divisa in più campi vitati, ulivati, gelsati, fruttati, e nella rimanenza pasture o boschi da fòco e da frutto. Quale commissario del Regio Spedale l'Illustrissimo Signor Francesco Maria Niccolini lo concede ordunque in enfiteusi, ab infinito e in perpetuo, a Gaetano Fallaci fu Luca e agli altri chiamati e compresi, ai di lui e ai di loro discendenti maschi di maschio legittimo o naturale, per anch'essi ab infinito e in perpetuo, fino a tanto che durerà la discendenza mascolina di maschio legittimo o naturale...».

Esiste anche la pianta topografica: due deliziosi e commoventi cabrei che nel 1780 vennero eseguiti per il catasto dall'agrimensore Valeriano Carniani. Deliziosi perché non sembrano mappe bensì paesaggi a colori: gialli i campi coi filari paonazzi di viti e di ulivi, verdi le pasture e le siepi, i boschi con gli alberi ben disegnati e i cespugli appena accennati, marroni i viottoli, bianchi gli edifici coi tetti rossi e le finestre grige. Commoventi perché San Eufrosino c'è ancora ma sfigurato dai secoli e dai rifacimenti, ed essi mostrano come fosse a quel tempo. Il primo enfatizza infatti l'Oratorio, a quel tempo cinto da un bel porticato ad archi e colonne di pietra ed oggi distrutto, e impreziosito da un bel rosone nonché da un bel campanile sulla guglia del quale si erge un parafulmine a forma di croce. Intorno all'Oratorio si vede un prato rettangolare, orlato di cipressi. E dietro i cipressi che guardano la facciata, la casa colonica. Sul lato opposto, la cappellina col pozzo le cui acque guarivano la congiuntivite e aumentavano il latte delle puerpere. Il secondo enfatizza invece la casa: un gradevole edificio a due piani e composto di più elementi incluso un blocco sporgente che a destra chiude una specie di chiostro dove una scala esterna sale alla loggia del primo piano, e a sinistra confina col cortile annesso alle stalle. Sul tetto a tegole, un grazioso comignolo. E da esso viene una nuvoletta di fumo che il vento spinge verso il pollaio, la conigliera, i porcili, poi la stradicciola che a sud si dirige verso San Eufrosino di Sotto e a nord verso la via Chiantigiana. Al di là della stradicciola, l'aia con la capanna. Quel cabreo contiene inoltre un riquadro che sotto le parole «Stato Allivellato a Gaetano Fallaci» elenca i vari campi e boschi misurandone la lunghezza in canne e la superficie in stiora, panora, pugnora. Scopriamo dunque che il podere aveva un perimetro di settantacinque canne cioè un chilometro e mezzo, e che in costa a mezzogiorno v'erano tre tenute di terra seminativa cioè vitata o ulivata o gelsata per un'estensione di 225 stiora, 8 panora e 9 pugnora. In costa a tramontana, due tenute seminative cioè a grano, orzo, segala, avena, per un'estensione di 26 stiora e 6 panora. Accanto a quelle, una tenuta di terra boschiva con querci e castagni e lecci per un'estensione di 32 stiora, 8 panora, 9 pugnora. In costa a ponente, due pascoli a trifoglio e lupinella per un'estensione di 88 stiora e 3 pugnora. Totale: 374 stiora, 6 panora, 7 pugnora. Cioè le 110 staiora di cui parla il contratto e che più o meno equivalevano a dodici ettari del nostro tempo. Pochi per ritenersi ricchi. Molti per lavorare con quattro braccia d'uomo e basta. Vitigliano di Sotto era la metà.

Questo senza considerare i ricatti e le minacce che Gaetano aveva firmato tremando. Guai se il conduttore e gli altri-chiamati-e-compresi non tenevano bene il livello e anzi non provvedevano a migliorarlo. Guai se per le spese necessarie al mantenimento e al miglioramento sollecitavano sussidi o contributi del Regio Spedale. Guai se col pretesto di dover comprare le sementi, gli arnesi, i pali delle viti, i concimi, nonché di rilevare i due bovi aratori non inclusi nel contratto, chiedevano un calo del canone o non pagavan le rate con puntualità. Per ciascuno di quei delitti avrebbero perso non solo il livello ma il laudemio e gli altri soldi versati. Se una carestia o una siccità o un terremoto avessero mandato in malora il podere, lo stesso. Unico vantaggio, il fatto che la casa avesse la latrina e i vetri alle finestre. E che vi potessero entrare in settembre.

5

Non vi entrarono quel settembre. E neanche il settembre successivo, neanche il settembre dopo ancora. Cieco di gelosia e deciso a fargli dispetto, il Cecionesi non voleva andarsene. «Macché vostro, macché livello! Io ci resto quanto mi pare, cari leccasanti.» Carico d'astio e memore delle persecuzioni impostegli da Carlo con le sue visite all'Oratorio, gli proibiva addirittura d'avvicinarsi al prato della chiesa o ai confini del podere. Al solo vederli, li minacciava col forcone. «Sul mio non vi voglio, capito? Ma chi vi credete d'essere, ora! Il granduca in persona? Piercoli come me, ecco quello che siete, dioboia!» Tre anni dovettero aspettare per realizzar fino in fondo il sogno di Luca. Tre lunghi anni durante i quali non furono mai capaci di metter piede su un suolo che bene o male gli apparteneva, e ringraziare Iddio se attraverso don Luzzi riuscivano a farsi dare la metà del raccolto che il Cecionesi gli doveva come loro mezzadro. (Introito che insieme a quello di Vitigliano di Sotto, ora un rifugio per vivere nell'attesa, gli permise di rilevare i due bovi aratori non inclusi nel contratto e più costosi dello stesso livello). Il trasloco avvenne quindi nel 1781, prima che iniziasse la raccolta delle olive. «Pigliatevi pure questo mortorio che chiamate vostro. Io ho trovato di meglio» fu la frase con cui il nemico cedette le armi. E subito caricarono su un barroccio le masserizie, i crocifissi, le gabbie coi polli e i conigli e i piccioni. Dissero addio al mulo perdonato che purtroppo apparteneva ai Da Verrazzano, presero il maiale e la scrofa, e arrancando su per il viottolo che conduceva a Vitigliano di Sopra poi a Panzano poi alla via Chiantigiana raggiunsero l'agognato podere dinanzi al quale esalarono un gemito di sgomento.

«San Eufrosino, aiutateci voi!»

Prima di andarsene, infatti, il nemico non s'era preoccupato che di vendemmiare per assicurarsi la sua parte di vino: solo la tinaia aveva un aspetto abbastanza normale. Il resto della casa era in rovina. Porte scardinate, travi incrinate, pavimenti bucati, mattoni divelti, persiane rotte. Era rotto anche il forno, forse la cosa più importante perché senza il forno non si fa il pane e senza il pane non si mangia. Era in rovina anche l'orto, forse non

meno importante del forno perché senza l'orto non hai
le verdure e senza le verdure non si fa la minestra. Lo avevano devastato i cinghiali non trattenuti da un recinto. E
nella stalla principale i costosi bovi aratori muggivano di
fame e di febbre: le costole a fior di pelle per la denutrizione e la bava alla bocca per la malattia che ne conse-
gue. Quanto ai campi, l'incuria li aveva ridotti a una tun-
dra. Del tutto incolti i due in costa a tramontana dove i
temporali d'agosto avevan fatto franare l'argine su cui si
reggeva il terreno in pendio verso il borro, quasi abbandonati i tre in costa a mezzogiorno dove le viti non impa-
late ciondolavano in un caos di fogliame, invasi dalle ortiche i pascoli in costa a ponente dove non vedevi un filo
di trifoglio o di lupinella, talmente inselvatichiti i boschi
che gli sterpi otturavano ogni sentiero. E c'erano ancora
da fare i lavori d'autunno. C'era da preparar la terra per
la semina del grano, ararla. C'era da mettere a rinnovo
cioè da vangare e mondare e spianare quella dove il grano era cresciuto per due anni. C'era da togliere le vinac-
ce dai tini e strizzarle per ricavarne l'acquetta cioè il mezzo vino che bevevano per non consumare il vino vero, il
vino da vendere. C'era da raccoglier le olive che graziaddio quest'anno piegavano i rami, ogni albero almeno sei
o sette bigonce, e portarle al frantoio. Da che parte incominciare, santo cielo? Incominciarono dai bovi che Gaetano si affrettò a sfamare e Carlo a medicare con un'impietosa ma efficacissima soluzione d'aceto e sale fornita
dal *Tesoro delle Campagne ovvero Manuale dell'Agricoltore Perfetto.* Proseguirono col forno che ripararono insieme, con
l'orto intorno al quale rizzarono un recinto, con le olive
che aiutati da Violante colsero in meno di tre settimane.
E ogni bigoncia a spalla, visto che il mulo perdonato era
rimasto a Vitigliano di Sotto. Poi fecero il resto, incluso
riaggiustare le porte scardinate, le travi incrinate, i pavimenti bucati, e ricostruire l'argine franato nei due campi

in costa a tramontana. Cosa per cui fu necessario scendere più volte nel borro, cercarvi le pietre ruzzolate lì dentro, riportarle su una ad una, riaccapezzarle, addentellarle. Pietre grosse come la testa d'un vitello, spesso, e pesanti come una trave.

Sì, fecero tutto. E quando l'inverno arrivò, quei due campi eran retti di nuovo da un solido muro a terrazza, gli altri erano stati dissodati o arati o messi a rinnovo. Le viti erano state rimpalate, rincalzate, sterpate, legate, l'olio era stato messo negli orci, la casa riaccomodata. Però con l'inverno arrivarono anche i lavori d'inverno, perché non è vero che l'inverno fosse una stagione durante la quale i contadini riposavano. In dicembre dovevano seminare il grano, potare il vinco che serviva a fabbricare i panieri e legare i covoni, procedere alla svinatura cioè trasferire il vino dai tini alle botti. In gennaio e in febbraio dovevano riprendere a vangare, zappare, arare, spianare: le fatiche per cui oggi si usano le macchine. E a primavera tornavano a seminare, a sterpare, rincalzare, vangare, vangare, vangare. Va affondata bene nel suolo, la vanga. Va spinta bene col piede. E la zolla che si tira su va rovesciata, frantumata, sbriciolata a colpi decisi. Provaci e vedrai che ti stronchi le gambe, le braccia, la schiena. Poi, con l'estate, arrivarono i lavori d'estate. Vale a dire la mietitura. A quel tempo e cioè senza le macchine era un problema grosso, la mietitura. Più grosso della vendemmia. Ancor più della vendemmia andava infatti conclusa alla svelta, nel timore dell'acquazzone estivo che manda in malora il grano falciato, e per concluderla alla svelta ci volevano molte persone. Per aver molte persone bisognava chiamare i parenti, i vicini, o i braccianti a giornata che a Vitigliano di Sotto non mancavano mai perché venivan pagati dai Da Verrazzano. Non avendo parenti nei dintorni e non potendo permettersi i braccianti a giornata, si rivolsero dunque ai vicini. I mezzadri del facoltoso grevigiano che aveva preso a livello San Eufrosino di Sotto, insomma il signor Civili. Voi-venite-da-noi-e-noi-veniamo-da-voi. Pur di averli, provvidero anche alla festa che di solito seguiva la gran sfacchinata. Ammazzarono cinque polli, cinque conigli, cossero diciotto pani e sei pentole di fagioli con le salsicce, stapparono venti bottiglie di vino vero. Una magnificenza del tutto in disaccordo con l'ascetismo cui erano abituati. Ma i mezzadri del signor Civili assomigliavano al Cecionesi. All'ultimo momento non vennero e da soli Carlo e Gaetano dovettero falciare, legare i covoni, trasportarli sull'aia, batterli col correggiato, mettere all'asciutto i sacchi. Unico e irrisorio aiuto, quello di Violante che ansiosa di farsi monaca lavorava di malavoglia e sbuffando: «Uffa, io voglio entrare in convento, uffa». E quello di Apollonia che ferita dallo spreco dei polli, dei conigli, dei fagioli, delle salsicce, del pane e delle bottiglie stappate, a ogni covone sospirava: «Siamo qui per farci offendere! Sarebbe stato meglio restare a Vitigliano di Sotto!». Oppure: «Sono vecchia, io. E ho da badare alla casa, agli animali, a voi. Non posso stare nei campi. È colpa mia se avete fatto il passo più lungo della vostra gamba?». L'anno dopo, lo stesso. E così gli anni seguenti. Senza mai concedersi un attimo di riposo, senza mai uscire da quel podere che li imprigionava con l'incubo del canone annuo. E senza mai ritardare il pagamento delle rate semestrali che, per non recarsi a Firenze, consegnavano a don Luzzi.

Fu questo il periodo più eroico della loro vita. Il più ammirevole e, in certo senso, il più decisivo. Soprattutto per Carlo che il secondo anno venne sconvolto da un trauma in seguito al quale avrebbe ridimensionato la sua bigotteria e perduto il conforto dell'Oratorio. Il trauma inflittogli dal Padre Visitatore, inaspettatamente espulso dall'Ordine per aver reso incinta una giovane terziaria francescana. Appena giunto a San Eufrosino di Sopra, infatti,

Carlo aveva arrogato a sé stesso il privilegio di custodire le chiavi dell'Oratorio. Per sorvegliarlo meglio s'era addirittura scelto la buia camera che ne guardava la facciata, e vi andava in continuazione. A pregare, a controllare che non mancasse nulla, a guardarsi la Madonna di Giotto e consolarsi delle sue disgrazie. Ma scoprire che l'uomo al quale aveva affidato il controllo della propria anima era un impostore e che la sua colpa ricalcava l'accusa mossa al santo lo ferì fino a incutergli dubbi sulla famosa sentenza del neonato: «*Euphrosinus sine culpa est*». Il sospetto che costui avesse davvero sedotto la vergine partorì una specie di rancore, e in quel rancore prese a frequentare il sacro edificio con maggior parsimonia. Peggio: il suo entusiasmo di guardiano diminuì e il giorno in cui don Luzzi annunciò di voler prendere il trittico dipinto da Mariotto di Nardo per sistemarlo nella Pieve di San Leolino non tentò nemmeno d'opporsi. Anzi cercò di rifilargli pure il busto in gesso policromo coi frammenti del cranio e l'urna col resto delle reliquie. «A me basta la Madonna.» Nel periodo eroico smise anche di portare il cilicio, di tenere il cingolo stretto e a contatto di pelle, di flagellarsi. E ricordando che a quasi trent'anni era vergine come Maria Vergine divenne conscio della casta solitudine in cui intristiva. Non a caso capitava spesso che andasse a letto brontolando quanto sarebbe stato bello addormentarsi con una donna accanto, una moglie che gli volesse un po' di bene e gli facesse un po' di compagnia. E una sera, anziché il Rosario, Gaetano lo sorprese a recitare i primi versi del *Cantico de' Cantici*: «Oh, baciami coi baci della tua bocca! Le tue carezze sono più inebrianti del vino». Il guaio è che non poteva dimenticare le parole di Luca: «Sposarsi costa». Tantomeno poteva ignorare il fatto che la loro miseria non avesse bisogno di un'altra bocca da sfamare: a governar la casa ci pensavano Violante e Apollonia. Realtà che incominciò a modificarsi nel settembre del 1784, quando stufa di reprimere il suo sogno di farsi monaca Violante li abbandonò per entrare in un convento di Carmelitane Scalze da dove non sarebbe uscita mai più. E cambiò del tutto tre mesi dopo, quando Apollonia morì.

* * *

Morì per una polmonite presa a seminare il grano in costa a tramontana, povera Apollonia. Erano campi esposti al vento ghiaccio degli Appennini, quelli in costa a tramontana, e d'inverno ti ci beccavi sempre un malanno. Infatti lei non voleva andarci. «Lasciatemi a casa! Ho sessant'anni e fa freddo!» Ma la semina era già stata rinviata di due settimane per via della pioggia, a forza di suppliche la convinsero a dargli una mano, e due giorni dopo giaceva tutta febbricitante sul pagliericcio di foglie secche che era ancora il suo letto. Venne anche il medico di Radda, stavolta. Le fece un salasso, la frizionò con l'olio caldo, le mise sul petto un impiastro di senape e di fichi secchi, e per la tosse prescrisse il toccasana consigliato dal farmacologo Attanasio Kircher: Reverendissimo Padre della Compagnia di Gesù. Un infernale miscuglio a base di ortica, latte cotto con l'aglio, vino bollito col porro, sangue di gallina e zolfo che lei bevve coraggiosamente. Però dopo averlo bevuto si sentì peggio, e al tramonto disse: «Non vedrò l'alba. Appena ho finito di parlarvi, andate a chiamare don Luzzi e chiedetegli di venire a darmi l'estrema unzione nonché di trovare una comare che mi vesta da morta». Poi disse: «Io i discorsi belli non li so fare. Sono una pitocca che ha sempre dovuto star zitta, una lazzara a cui è sempre stato permesso d'essere una bestia da soma e basta. Non ho mai contato nulla. Non ho mai potuto dire la mia. E nessuno s'è mai accorto che avevo una testa. Un giorno chiesi a vostro padre perché m'avesse presa in moglie, e lui mi rispose: "Perché avete due braccia, due gambe, buon cuore, e non siete gobba". Fu ingiusto.

Oltre alle braccia e alle gambe e al buon cuore avevo una testa. Pensavo. E siccome ho pensato parecchio, prima di morire voglio darvi un consiglio. Smettetela di pregare ogni cinque minuti e di lavorare ventiquattr'ore su ventiquattro. La vita è fatta anche di sorrisi. Divertitevi un poco. Sposatevi. E mettete al mondo gente che sia più fortunata di me». Infine disse: «Io non ho da lasciarvi cento scudi d'oro come vostro padre. Quello che guadagnavo con gli animali da cortile lo davo a lui. Però vendendo di nascosto le uova, che Dio mi perdoni, in tutti questi anni son riuscita a mettere insieme dieci scudi d'argento. E quelli posso lasciarveli. Stanno nella brocca accanto all'anfora. Prendetene cinque per uno, vogliatevi bene, e non piangete troppo. Piangere fa male agli occhi».

Carlo pianse molto, invece. Pianse non meno di quel che avesse pianto per Luca. E soltanto due cose lo consolarono un poco: non doverla avvolgere in un lenzuolo e basta, e non vederla buttare dentro la fossa comune. L'anno precedente, infatti, Pietro Leopoldo aveva emesso un decreto col quale vietava di inumare i cadaveri alla rinfusa sotto gli impiantiti delle chiese, e ordinava di costruire cimiteri in ogni città o villaggio del Granducato. In aprile ne aveva emesso un altro che consentiva a chiunque l'uso della bara, e con mezzo scudo da cui avanzò una lira per quattro ceri (ora ugualmente consentiti) lui e Gaetano gliela comprarono. Poi la fecero vestire con l'abito che un lontano giorno del 1749 aveva indossato per andare a nozze, l'unico decente che fosse rimasto, e con la bara in spalla la portarono al cimitero appena aperto dietro la Pieve di San Leolino. Un bel posto dove don Luzzi pronunciò tutte le preghiere che c'era da pronunciare e dove alla luce dei quattro ceri venne sepolta in una tomba tutta sua. Conclusi i funerali, e sempre piangendo, Carlo dichiarò anche che no: non si sarebbe sposato. Nessuna donna l'avrebbe mai sostituita nel governo della casa. Ma il dolore fa promettere cose che non si mantengono, ed esaurite le lacrime i versi del *Cantico de' Cantici* ripresero a tormentarlo. Nel medesimo tempo s'accorse che i polli e i conigli e i colombi morivan di trascuratezza, che senza una donna la casa era diventata un porcile, e con quel pretesto a Natale ne parlò con Gaetano.

«Qui ci vuole una donna. Uno di noi due deve sposarsi, Gaetano.»

«Sposati tu» concesse Gaetano, gentile. «Io posso aspettare.»

Proprio la risposta su cui contava. Per questo, all'età di trentatré anni e ancora vergine come Maria Vergine, si decise al passo che circa un secolo e mezzo dopo mi avrebbe regalato la vita. Chiamò il sensale di matrimoni.

«Potreste trovarmi moglie, per cortesia?»

Il sensale era un tipo in gamba. Il migliore che esistesse nel Chianti. Tant'è vero che esigeva una parcella più alta del normale. Dalla ragazza, il sette per cento sulla dote. Dal giovanotto, due sacchi di grano più un orcio d'olio e un barile di vino. E nella primavera del 1785 riapparve con la buona notizia.

«Credo d'avere quel che cercate, compare.»

«Chi è?» chiese Carlo col cuore in gola.

«La figlia d'un mezzadro che sta in provincia di Siena, a Montalcinello. Si chiama Caterina Zani e ha vent'anni.»

«Com'è?»

«Intelligente, operosa. E a me non sembra nemmeno brutta. Però...»

«Però?»

«Viene da una famiglia che ha avuto a che fare con l'Inquisizione. Da gente eretica, insomma. Ed è eretica anche lei.»

«Non importa» replicò Carlo. «Chiunque può essere redento. Guardate me.»

6

In Toscana l'Inquisizione era stata abolita tre anni prima. Vale a dire nel 1782, quando Pietro Leopoldo aveva firmato un durissimo editto col quale, pena il suo regale sdegno e il suo ancor più regale furore, ingiungeva di chiudere i tribunali del Sant'Uffizio e demolire qualsiasi simbolo che ne ricordasse l'esistenza. Tuttavia a Firenze, città così bacchettona da aver fornito alla Chiesa tre papi e un numero sgomentevole di santi, gli Inquisitori non avevano mai compiuto gli scempi di cui s'erano macchiati in Spagna o in altri paesi d'Europa e il loro strapotere s'era manifestato soltanto nel 1566 con Pietro Carnesecchi: un illustre uomo di cultura che il pavido granduca Cosimo I aveva lasciato arrestare e consegnare alle Guardie Pontificie. Chiuso nelle carceri di Roma con trentaquattro capi d'accusa fra cui quello d'aver definito Lutero e Calvino «innocenti fratelli e amici misericordiosi», il Carnesecchi era infatti finito nelle grinfie del Braccio Secolare e da questo torturato processato condannato decapitato e bruciato. Naturalmente, anche a Firenze erano esistite carceri dove si praticavano le ben note nefandezze: la tortura che consisteva nello stender la vittima su un tavolaccio munito di bastoni a punta e nel ficcarle in gola fiumi d'acqua salata, detta tortura dell'acqua, quella che consisteva nello spalmare i piedi con lardo o altro materiale combustibile e nel darvi fuoco, detta tortura del fuoco, e quella che consisteva nel disarticolare le membra con strattoni di corda. Detta tortura della corda. Era esistito anche il vezzo di schernire il colpevole o presunto colpevole ficcandogli in testa il sambenito cioè il ridicolo cappuccio a cono che in Cina le Guardie Rosse avrebbero adottato al tempo di Mao Tse-tung per deridere i loro insegnanti, poi mettendogli addosso una cappa decorata con immagini di diavoli in fiamme e costringendolo a inginocchiarsi dinanzi all'Inquisitore. In compenso di eretici ne avevano ammazzati pochi, e per trovare un episodio degno di rilievo bisognava saltare al 1641: anno in cui Jacopo Fantoni, un prete bibliotecario che aveva avuto la pessima idea di eleggersi consigliere spirituale d'un bordello e portarsi a letto le sue consigliate, era finito in una cella buia per il resto della vita. Dal 1641, al 1739: anno in cui il poeta Tommaso Crudeli s'era messo nei guai con due versi del carme scritto in onore di Filippo Buonarroti: «Ei che frenar solea / il tempestoso procellar del clero». Alla pari del Fantoni, però, il Crudeli se l'era cavata con qualche sevizia e la cella buia. E questo dimostrava che, davvero, a Firenze le cose non erano andate male. A Siena, esattamente il contrario.

Solo Pisa e Lucca avevano sofferto ciò che aveva sofferto Siena. Ma, mentre a Pisa il flagello s'era concentrato sugli studiosi di filosofia e a Lucca sui discepoli della Riforma, a Siena aveva colpito tutti: uomini e donne, intellettuali e analfabeti, cittadini e forestieri. Nel 1567, ad esempio, quattro tedeschi che frequentavano un corso universitario su Dante avevan subìto la tortura della corda perché sorpresi a discutere il testo di Lutero *De libertate christiana* e un povero fornaio che non sapeva nemmeno chi fosse Calvino s'era ritrovato sul tavolaccio coi bastoni a punta per averne diffuso il pensiero. Quanto alle donne, il loro calvario aveva superato quello di chiunque e la persecuzione aveva colpito in particolar modo le più esposte all'accusa di stregoneria: le levatrici, le erboriste definite medichesse, le fattucchiere, le popolane superstiziose e ignoranti, nonché le massaie che contravvenivano al divieto di cuocer la carne nei giorni del digiuno. Nel 1569 ben cinque donne erano state arse vive per «aver stregato diciotto bambini e stretto alleanza col demonio». In che modo avessero stregato i diciotto bambini non è chiaro. Come avessero stretto alleanza con Satana invece è chiarissimo.

Una a distillare un filtro d'amore, rose selvatiche e lucertole cotte nel vino, di cui aveva bisogno per rabbonire il marito che la picchiava. Una a rubare un'ostia consacrata e inghiottirla per liberarsi del malocchio lanciatole dalla suocera. Una a curare il mal di pancia con impiastri sui quali appoggiava il crocifisso. Una a far abortire la figlia sedotta dal padrone. E una a cuocere un coscio d'agnello durante la Quaresima. «Abbiate pietà del vostro corpo e della vostra anima! Risparmiatevi queste sofferenze, confessate!» aveva consigliato l'Inquisitore prima che il carnefice procedesse alle torture del fuoco, della corda, dell'acqua. Sicché avevano confessato. Però erano state condannate lo stesso e a vederle bruciare sulla pubblica piazza v'eran molti Crocesignati nonché familiari responsabili della denuncia che aveva condotto all'arresto. Per facilitarsi il compito, infatti, l'Inquisitore di Siena seguiva un metodo escogitato in Spagna da Torquemada e copiato con successo anche in Lombardia: indurre i familiari a denunciare il crimine e compensarli con l'indulgenza plenaria cioè con la revoca dei peccati commessi fino a quel momento. Usava inoltre i Crocesignati: una congrega di mascalzoni con l'olfatto sottile e la croce di panno cucita al mantello che nei giorni del digiuno frugavano la città per scovare chi cuocesse o mangiasse la carne, e che al minimo profumo d'arrosto irrompevano nelle case berciando: «Eresia, eresia!». Poi consegnavano il reo o la rea al Sant'Uffizio. S'era fatta beccare così la disgraziatissima donna che cuoceva il coscio d'agnello durante la Quaresima. Una nutrice di nome Ildebranda, madre d'un ragazzo chiamato Lapo, moglie d'un fabbro chiamato Ghisalberto Zani, e arcavola di Caterina Zani.

Parentela sulla quale non esistono dubbi. Uno *Status Animarum* risparmiato dall'incuria e dai topi dimostra che quell'anno Ghisalberto fuggì da Siena e si rifugiò a Montalcinello. Un villaggio nella Val di Merse, a circa tre miglia da Chiusdino, situato sulla cima d'un colle appartenente al feudo di Crescenzio Pannocchieschi. Il vescovo di Volterra. Ma in procinto di passare alla corona medicea di Firenze.

* * *

Fuggì con Lapo e con l'oggetto più caro a Ildebranda: una cassapanca da corredo finemente intagliata, lunga sei spanne e larga tre, coi manici di ferro e i piedistalli a zampa di leone. (La medesima che avrebbe custodito i cimeli della famiglia fino alla terribile notte del 1944). E si rifugiò in quel villaggio nella speranza di trovarvi un po' di pace, insomma per pura disperazione: Montalcinello non era certo un luogo adatto a chi veniva dalla città. Contava appena duecentoventicinque anime e non aveva da offrire che un castellotto cinto da un fosso d'acqua putrida, una chiesuccia del millecento detta Pieve di San Magno, una minuscola piazza con la cisterna infestata dalle zanzare, un forno pubblico dove pagavi in farina, e qualche casa in pietra. Il suolo non produceva che biada per i cavalli e un po' di grano, un po' di vino, olio quasi nulla. Di buono non c'erano che i pascoli gestiti dai frati al servizio di Crescenzio Pannocchieschi, e i contadini vivevano in una tale indigenza che nel suo rapporto ai Medici l'auditore del catasto aveva scritto: «Se in questo sito uno possiede mezza sverza di casa o di terra, per tenersela gli conviene faticare parecchio». Però la comunità si governava con uno statuto proprio, nei reati civili e penali era amministrata da un Capitano di Giustizia che non tollerava gli abusi dell'Inquisizione, i Crocesignati non potevan metterci piede, il Sant'Uffizio non vi aveva mai arrestato nessuno, e la speranza di Ghisalberto non andò delusa. Divenuto pigionale e poi mezzadro dei frati vi si stabilì, Lapo vi crebbe e vi si accasò e vi morì, e per i loro discendenti Montalcinello era ciò che Panzano era per i nipoti di Ambrogio e Giuseppa. Una patria dove, se un viaggiatore chiedeva da quanto tempo tu ci abitassi, gli rispondevi: «Signor mio, non c'è memoria. Dall'anno che si lasciò Siena per non finire sul rogo dov'era finita la mamma di Lapo, noi siamo sempre nati e morti qui». Infatti il ricordo dell'arcavola bruciata viva per un po' d'arrosto non s'era mai spento, e insieme alla cassapanca era stato tramandato con tanto impegno che nel 1785 quei discendenti parlavano del martirio di Ildebranda come d'un torto subìto poche ore avanti. Soprattutto Caterina che, venerandola nel modo in cui gli altri veneravano la Madonna, odiava qualsiasi cosa o persona in rapporto con la Santa Romana Chiesa. E non perdeva occasione per dimostrarlo. Non andava mai a Messa, non diceva mai una preghiera, sbuffava a udir la campana del Vespro o dell'*Angelus*, e naturalmente mangiava la carne nei giorni del digiuno, cuoceva l'agnello durante la Quaresima. Peggio se don Bensi cioè il pievano di San Magno le rivolgeva un lieve rimbrotto, lo aggrediva con la furia di una gatta selvaggia. «State zitto, voi che m'avete bruciato la nonna! Pensate all'animaccia vostra che è più nera di cotesta tonaca nera, assassino! Piromane!» Oppure: «Io non c'entro nulla col vostro Dio, capito? Sul mio altare c'è una santa e basta: Ildebranda!». Per dirla con meno parole, insomma, era veramente un'eretica. Anzi un'atea. A colpo d'occhio, proprio il contrario d'una moglie adatta a Carlo.

7

Esistevano altri motivi per cui, a colpo d'occhio, Caterina sembrava proprio il contrario d'una moglie adatta a Carlo. E il primo scaturiva dal fatto che essendo orfana di madre fin dall'infanzia e avendo tre fratelli non ancora sposati, anzi appartenendo a una famiglia composta solo di maschi, fosse cresciuta anche lei come un maschio. Vangava meglio d'un uomo, cavalcava meglio d'un buttero, guidava il calesse meglio d'un vetturale, all'occorrenza bestemmiava, e quindi non corrispondeva per nulla al tipo di donna che Carlo vagheggiava recitando il *Cantico de' Cantici*. Il secondo motivo, conseguenza del primo, stava nella scarsa simpatia che nutriva verso l'idea di procreare. Per un terziario francescano, l'unico movente che autorizza a sospendere ogni tanto la castità coniugale. «Ma perché gli uomini non se li fanno da sé, i figlioli? Perché dobbiamo essere noi femmine ad aver nove mesi il pancione e a soffrire i dolori del parto?» Il terzo, reso evidente dal primo e dal secondo nonché dall'asprezza con cui trattava il buon parroco e dai particolari che già conosciamo, era il suo caratteraccio. O meglio, il suo totale rifiuto delle regole e delle imposizioni. Quella che intimava il rispetto delle leggi suntuarie, ad esempio.

Le leggi suntuarie, cioè le feroci norme che con la scusa di arginare lo spreco rafforzavano le barriere già insormontabili delle gerarchie sociali, erano sempre esistite. E la Chiesa se n'era sempre servita senza misericordia. Salendo al trono però v'era ricorso anche Pietro Leopoldo, e nel 1781 egli aveva diffuso un severissimo bando per ridurre l'eleganza delle sue suddite. Popolane e contadine incluse. «Sua Altezza Reale vede con sommo rincrescimento il lusso eccessivo che da qualche tempo s'è introdotto nel Vestiario e specie nel Vestiario delle Donne. Quelle che da facoltà proprie o dalla compiacenza o ricchezza dei loro Mariti ritirano abbondanti somme e invece di impiegarle in oggetti utili o nobili le dissipano in un genere ridicolo di vanità, e quelle di basso rango che per emulazione tipica del proprio sesso fanno sforzi rovinosi per imitare chi è da più di loro. Tal capriccio dispendioso che la Moda introduce nella Capitale si diffonde ordunque nei luoghi di Provincia ed anco con maggior danno nelle Campagne...» Sicché guai se una popolana o una contadina si metteva un abito di velluto o di damasco o di seta. Guai se la sua gonna e il suo corpetto si guarnivano di smerli, di frange, di fiocchi, di nastri più alti di due dita e se i suoi abiti avevano colori festosi. Guai se a ciò si aggiungeva lo sfoggio anzi il possesso di monili d'oro, di orecchini e spille e collane e anelli con perle o diamanti o altre gemme. E guai se la disubbidienza includeva l'uso di cappelli, in particolare cappelli impreziositi da penne o da piume o da veli o da un qualunque fregio. Le popolane e le contadine potevano indossare soltanto abiti di lana o mezzalana, di saglia o di zambelotto o di cotone. E questi abiti potevano essere soltanto neri o grigi o marroni o blu, privi d'ogni guarnizione che andasse oltre il ricamino o il nastrino. O il grembiale bianco che bisognava portare sulla sottana come un simbolo dello stato sociale. Quanto ai monili, potevan essere solo d'argento o falso argento, in corallo o in granati purché il valore complessivo non superasse i tre scudi e mezzo, e per coprirsi la testa si consentiva solo la pezzuola o lo scialle. Nei campi, un rozzo copricapo di paglia per difendersi dal sole. Ma Caterina se ne fregava e sapendo cucire (a quel tempo una necessità che nessuna plebea si sarebbe sognata di ignorare) possedeva un mucchio di abiti illegali: in velluto, in damasco, in seta, con gli smerli, le frange, i fiocchi, i nastri alti anche tre o quattro dita, e sempre di colori festosi. Al minimo pretesto li indossava con coraggio e spavalderia, e insieme ad essi esibiva monili proibiti tra cui gli orecchini d'oro che stando alla leggenda erano appartenuti a Ildebranda ed erano stati ereditati da Lapo poi dal primogenito di Lapo poi dal primogenito di quel primogenito e via di seguito. Di cappelli, inoltre, ne aveva una dozzina. In paglia, in feltro, a tesa larga, a tesa stretta, a cuffia, a lucerna, d'estate adorni di fiori o di frutta e d'inverno arricchiti da penne o da piume. Se li faceva da sola come i vestiti. E se le ricordavi che quelle trasgressioni eran punite con pesantissime ammende, reagiva strillando. «Io in testa e addosso porto quel che mi pare e piace, capito? Ditelo a quel ficcanaso del granduca, a quell'Altezza Reale dei miei stivali!»

Eppure il sensale di matrimoni non s'era sbagliato a giudicarla una donna per Carlo. A dispetto del suo caratteraccio, delle sue stravaganze, delle sue disubbidienze, Caterina possedeva le principali virtù che venivano richieste alla moglie d'un contadino di quel tempo e che per lui costituivano una inderogabile necessità. La casa, infatti, la governava e bene. Sia al padre che ai fratelli accudiva senza protestare, e non capitava mai che una stanza fosse poco pulita o una cena poco saporita. Nei campi lavorava ogni giorno e sodo. Vangava nel modo che sappiamo, con uguale bravura zappava o seminava o potava, e con uguale impegno curava gli animali da cortile. Non a caso le uova delle sue galline erano così grosse che il treccone gliele pagava il doppio di quelle normali. Di salute ne aveva tanta che non si sarebbe ammalata nemmeno a camminare scalza sulla neve, e la sua energia si manifestava in qualunque cosa facesse. Per esempio, e visto che sapeva anche ricamare, in meno di due anni s'era messa da parte un corredo da sollevar l'invidia d'una signora. Dodici lenzuoli col festone di rose a punto tondo, otto col festone di spighe a punto pieno, e quaranta federe abbinate. Ventiquattro asciugamani a punto croce e con la frangia, ventiquattro asciugatoi col bordo a gigliuccio, cinque coperte a tombolo. Dodici tovaglie e settantadue tovaglioli con gli angoli a nido d'ape, trentasei fazzoletti con lo smerlo, quarantadue pezze e cinquanta canovacci. Roba, oltretutto, di cui a San Eufrosino di Sopra c'era un angoscioso bisogno giacché del misero corredo di Apollonia rimanevano solo due asciugamani e due paia di lenzuoli che si rompevano a guardarli. Per di più aveva una caratteristica di cui a San Eufrosino di Sopra c'era ancor più bisogno dei lenzuoli e degli asciugamani: il senso degli affari. Conosceva l'arte d'arrangiarsi, insomma, e a tal punto che nel suo guardaroba illegale non trovavi un pollice di stoffa regalata dai fratelli o dal padre. Se l'era sempre comprata di tasca sua, coi soldi provenienti dalle uova e da un'iniziativa che l'aveva resa celebre alla fiera di Rosìa: il paese vicino a Siena dove due volte all'anno si teneva un gran mercato di prodotti agricoli, manufatti, e bestiame. Quale iniziativa? Bè, essendosi accorta che i tubi di decenza (circonlocuzione con cui si alludeva alle mutande da donna) erano un indumento tanto ricercato quanto raro a trovarsi, li produceva in serie. E non tubi di decenza qualsiasi, cuciti per coprire le parti basse e basta: attrezzi sofisticatissimi, coi legacci di seta e i gambali ricamati in blu e la trina sull'orlo. Vale a dire identici ai *caleçons* che nel 1533 la sua omonima Caterina de' Medici, sposa del re di Francia, aveva introdotto a corte così diffondendo tra le sue suddite l'uso delle mutande. Un giorno il treccone gliene aveva parlato, a forza di studiarci era riuscita a ricostruirne il modello, e li fabbricava in tre misure: magra, media, e grassa. Poi li portava alla fiera di Rosìa e sbraitando peggio d'un banditore li vendeva a cinque lire e dieci soldi il paio. «Ammirate, signori, ammirate! Tubi di decenza copiati dai calenzò della regina di Francia! Comprate, signori, comprate, e la vostra mogliera vi vorrà bene!» Infine aveva un aspetto gradevole: particolare che non guasta mai. Un po' troppo alta, forse. Specialmente per Carlo che nella statura non eccelleva. Non a caso alcuni la chiamavano Stangona o Cipressona. Però il corpo era armonioso, reso asciutto dal continuo esercizio cui lo sottoponeva, e neanche il resto era da buttar via. Lunghi capelli color rosso rame che riuniva in una trec-

cia da fissare intorno al capo o sulla nuca a mo' di crocchia. Denti sani, occhi espressivi, naso imperioso. E una
fisionomia simpatica, intelligente. Lo dimostrava il rozzo
ritratto su legno che qualcuno aveva dipinto quand'era
ormai cinquantenne, e che per sicurezza i miei genitori
avevano riposto nella cassapanca perduta la terribile notte del 1944.

Ma, soprattutto, il sensale non s'era sbagliato per due
ragioni fondamentali. La prima, dovuta al fatto che nessuno la gradisse in moglie e che al solo udirne il nome i
giovanotti protestassero: «Chi?!? Quella strega più strega
delle streghe che dovrebbe finire sul rogo anche lei? Piuttosto che sposarla muoio zittello!». La seconda, dovuta al
fatto che Carlo si trovasse esattamente nella medesima situazione. Eh, sì. Non era stato mica facile proporlo come
marito. La sua fama di rompiscatole già miscredente e
poi più prete dei preti aveva varcato i confini di Panzano,
e se lo segnalavi al padre d'una ragazza nubile ti sentivi
rispondere: «Chi?!? Quel baciapile che voleva andare in
America e che ora non viene nemmeno a veglia? Piuttosto che dargli una mia figliola, mi castro!». Non volendo
rinunciare alla percentuale del sette per cento e ai due
sacchi di grano, all'orcio d'olio e al barile di vino, il poveretto aveva girato mezzo Chianti. S'era spinto al di là di
Greve e di Radda, era stato a San Casciano e a Chiocchio,
a Mercatale e a Gaiole, a Castelnuovo Berardenga e a San
Gusmè. Tuttavia gli avevano sempre risposto nello stesso
modo, e per puro caso aveva saputo dell'eretica che nessuno accettava in moglie. Per pura scaramanzia s'era detto: "Facciamo un ultimo sforzo. Chissà che questa non sia
un'anima gemella, che stavolta il paterracchio non mi vada in porto". Per puro accidente e scrupolo, insomma,
era corso a Montalcinello e s'era presentato allo Zani che
miracolo dei miracoli lo aveva accolto a braccia spalancate. «Magari! Se Caterina ci sta, le raddoppio la dote e le

dò la cassapanca. A voi erigo un monumento in piazza, e insieme alla parcella vi rifilo una bella mancia. Con tante scuse al disgraziato che se la sposa, s'intende.» E va da sé che, con lei, le cose erano andate meno lisce.

* * *

«Se ha trentatré anni mi pare vecchio» aveva incominciato. «Se la madre è morta e la sorella s'è chiusa in convento, razza di cretina, lui e il fratello avranno ridotto la casa a un letamaio» aveva continuato. «Se per trovargli moglie siete venuto da me, significa che qualcosa non va» aveva concluso. E quando aveva scoperto che la proposta arrivava da un terziario francescano noto per la sua santimonia, un grido di raccapriccio s'era sparso per il colle e giù per la vallata.

«Andate viaaa!»

Inutile tentar di rimediare elencando le numerose qualità del pretendente.

«È buono, comare. È onesto, coscienzioso!»

«Andate via.»

«È un gran lavoratore, un contadino coi fiocchi. Quel podere sembra un giardino.»

«Andate via.»

«Il livello è suo. E oltre al livello ha due bovi che valgono una fortuna, i capelli biondi e gli occhi celesti.»

«Andate via!»

Però quando aveva aggiunto che, terziario o no, santimonia o no, si trattava d'un uomo non sciocco, d'un tipo che sapeva leggere e scrivere, s'era illuminata come un campo di grano baciato dal sole.

«Che avete detto?»

«Che sa leggere e scrivere.»

«Sul serio o così e così, la firma e basta?»

«Sul serio. Possiede undici libri.»

E sopraffatta dalla meraviglia, dall'incredulità, dal rispetto, Caterina aveva capitolato. Perché, ecco il punto, lei non sapeva leggere e scrivere. Era talmente analfabeta che non riusciva nemmeno a comporre la firma. Per firmare tracciava una croce e inutile illudersi che ciò cambiasse. Una volta il parroco di San Magno aveva chiesto allo Zani il permesso di istruirla un po', e lo Zani s'era arrabbiato. «Ci mancherebbe altro, pievano! Se me la istruite, allora sì che finisce sul rogo!» Ma se esisteva al mondo una cosa che Caterina aveva sempre sognato, una cosa alla quale anelava in maniera struggente, questa era saper leggere e scrivere. E pur di trovare qualcuno disposto a insegnarle avrebbe venduto l'anima alla Madonna. Nonché rinnegato Ildebranda.

«Allora ditegli di venire alla fiera di Rosìa, il 22 maggio, e di cercarmi al banco dei tubi di decenza» eran state le parole della resa. «Lo aspetterò lì. E per farmi riconoscere porterò un cappello pieno di ciliege.»

8

Erano ben dodici anni che Carlo viveva nell'esilio in cui s'era confinato dopo la morte di Luca. Altrettanti che non indossava i suoi panni da signore. A mezzanotte del 21 maggio riaprì dunque il baule nel quale li aveva chiusi, li tirò fuori, li spolverò accuratamente. Poi si dette una bella lavata dentro la conca che chiamava lamia-stanza-da-bagno, si vestì, mise il cappello a tricorno, e alle due del mattino stava già in piazza: ansioso di salire sulla diligenza che da Panzano ormai andava anche a Siena, partendo alle quattro e arrivando alle dieci. Non era mai stato su una diligenza, sicché l'attesa lo incuriosiva. Lo rendeva impaziente. Vi salì per primo. Durante l'intero tragitto rimase incantato a godersi la straordinaria avventura, viaggiare comodamente seduto mentre i cavalli correvano e guardar la campagna che fuggiva via come il vento, e a Siena gli dispiacque scendere e proseguire a piedi. Ben tre ore di marcia, se volevi risparmiare la spesa del calesse: due lire, otto soldi e sei crazie. Ma l'azzurro del cielo, il giallo del grano già quasi maturo, il rosso dei papaveri già nati e sbocciati, la stessa consapevolezza di recarsi a un appuntamento da cui dipendeva il suo futuro e quello di tante creature a venire gli sembravano segni di buon augurio, e camminava spedito. Senza avvertire il peso della notte insonne, senza curarsi della fame che gli mordeva lo stomaco vuoto, senza badare al sudore che gli inzuppava la camicia, il farsetto di lana, la giubba di velluto, i calzoni stretti al ginocchio. E sentendosi molto felice: molto più baldanzoso del mattino in cui era andato a Firenze per unirsi al gruppo del signor Mazzei, raggiunger Livorno, imbarcarsi sulla nave che lo avrebbe portato in Virginia. Soltanto all'idea di dover affrontare la sconosciuta ragazza che lo aspettava sotto il cappello pieno di ciliege il suo passo rallentava e la sua baldanza diminuiva, entrambi frenati da un interrogativo che finora aveva evitato di porsi: e se non gli fosse piaciuta? Peggio: e se lui non fosse piaciuto a lei? I travagli e le malinconie imbruttiscono, invecchiano. Anziché un discreto giovanotto che in passato chiamavano Rubacuori, a volte gli pareva d'essere un vegliardo ammuffito. E lei aveva appena vent'anni, Signore Santo!

Arrivò a Rosìa verso l'una del pomeriggio, e arrivandoci fu colto da un capogiro. Non perché fosse stanco e sudato e avesse lo stomaco vuoto: perché rimase stordito dal bailamme che lo accolse. Da troppo tempo non frequentava la folla, s'era disabituato al rumore, e nel piazzale della fiera gremita da centinaia di persone si levava un brusio assordante come un apocalittico frinir di cicale. Un fracasso che aveva dimenticato: i berci dei venditori, le urla dei compratori, gli schiamazzi dei cozzoni cioè degli intermediari che si rubavano i clienti. E dentro il fracasso un richiamo che si distingueva dagli altri per il tono gaio, burlesco. Quello d'una donna che invitava ad ammirare qualcosa di connesso alla regina di Francia, e che concludeva l'invito con l'esortazione: «Comprate, signori, comprate, e la vostra mogliera vi vorrà bene!». Si avvicinò a un cozzone che aveva l'aria di sapere tutto. Gli chiese dove si trovasse il banco della Zani e questi reagì con una sghignazzata, poi indicando il punto da cui veniva l'esortazione comprate-comprate. «O che avete la cera negli orecchi, compare? Non li udite i suoi strilli? Eccola là, l'incantadiavoli!» Vi si diresse facendosi largo a colpi di gomito, intorno a quel banco la calca diventava più fitta che altrove, e quando scorse il gran cappello di paglia adorno di ciliege ebbe un tuffo al cuore. Quando fu dinanzi a lei si sentì mancare il respiro. Perché era così alta, mioddio. Lo superava quasi d'una spanna. E perché a suo giudizio era così bella. «A me non sembra nemmeno brutta» aveva detto il sensale col tono di volerlo mettere in guardia, lasciargli garbatamente capire che sulle attrattive fisiche non bisognava contarci per nulla. E lui non aveva battuto ciglio. Cercava una moglie che dormisse nel suo letto, una compagna che gli tenesse pulita la casa e gli partorisse qualche figliolo, insomma un'amica che alleviasse la sua solitudine: mica una maliarda da esibire alla corte del granduca. Ma a quanto pare di donne il sensale se ne intendeva poco. Guarda che viso simpatico, che figura svelta, che eleganza da dama di città. Dal cappello alle scarpe. Corsetto di seta verde smeraldo con le maniche a sboffo e tanti nastri da finire in galera. Blusa bianca coi risvolti ricamati e una scollatura da arrossire. Gonna di crespo scarlatto, lunga fino alla caviglia e sollevata su un fianco per mostrare la sottoveste anch'essa ricamata e anch'essa piena di nastri proibiti. Grembiale di mussola trasparente, pianelle col fiocco e, per contravvenire meglio alle leggi suntuarie di Pietro Leopoldo, due fastosi orecchini d'oro. Comunque ciò che lo seduceva di più non era l'eleganza o la figura svelta o il viso simpatico o l'imponente statura. Era la sua sicurezza. L'intrepida spavalderia con cui teneva quel banco. Il coraggio con cui esibiva quell'impudica distesa di mutande.

«Riverisco... Buondì...» balbettò appena ebbe recuperato il fiato. E in segno di maggior deferenza si tolse il tricorno, abbozzò un inchino.

«Buondì a voi» rispose lei, sbrigativa.

«Siete Caterina Zani, vero?» continuò per prendere tempo.

«E chi ha da essere? Non li vedete i tubi di decenza, non lo vedete il cappello pieno di ciliege?» rispose lei, provocatoria. Intanto però lo studiava, ispezionava i suoi occhi seri e celesti, il suo volto pensoso e scavato dalle fatiche, le sue spalle robuste, le sue mani sciupate, e dal sorrisino che accompagnava l'indagine potevi dedurre che le piaceva tutto.

«Io sarei il Fallaci di San Eufrosino di Sopra, il contadino che ha chiesto la vostra mano» proseguì un po' incoraggiato.

«Piacer mio» rispose lei, stavolta quasi gentile. E coperta con un panno la merce, cacciò i curiosi che seguivan l'approccio. «Via, brutti ficcanaso, via! Toglietevi dai piedi ché da questo momento la vendita dei calenzò è sospesa e le mie faccende non le dovete ascoltare!» Poi si tolse il cappello, staccò una delle ciliege, e la offrì al pretendente. «Ne volete? Le ho colte stamani. Son fresche.»

«No, grazie...» si schermì Carlo con lo stomaco chiuso dall'abbagliante spettacolo della lunga treccia color rame, non ancora elencata nella lista delle beltà. «E visto

che avete sospeso la vendita, visto che son qui per cono-
scervi e farmi conoscere, vorrei spiegarvi...»

Ma offesa dal rifiuto della ciliegia, lei lo interruppe
porgendogli un volumetto già aperto a una pagina segnata da una foglia d'olivo.

«Vi spiegherete più tardi. Adesso leggete.»

«Perché? Cos'è?»

«Il perché ve lo dico dopo. Il cos'è ve lo dico subito.
Un breviario di catechismo, maledizione. Il pievano non
aveva altro da prestarmi. Avanti, leggete che c'è scritto.»

«Alla pagina aperta?»

«Alla pagina aperta. E non barate ché io la conosco.»

Carico di stupore e senza rendersi conto di venir sottoposto a un esame assai più impegnativo di quello sostenuto prima, Carlo ubbidì.

«C'è scritto: i sette peccati capitali sono sette. La superbia, l'avarizia, l'invidia, la lussuria, l'ira, la gola, l'acci-
dia ovvero la pigrizia. La superbia è la stima eccessiva di
noi stessi, l'avarizia è un amore sregolato per i beni terreni, l'invidia è la tristezza che proviamo per le fortune del
prossimo, la lussuria...»

Ma con un secco basta-così lei lo interruppe di nuovo. E ripreso il breviario aprì un astuccio che conteneva
una penna d'oca e una boccettina d'inchiostro. Inzuppò
la penna, gliela dette insieme a un pezzo di carta.

«Scrivete. Mostratemi come fate la vostra firma.»

Finalmente realizzando quel che gli succedeva, Carlo vergò svelto una bellissima firma adorna di svolazzi. Poi
la porse a Caterina che per almeno due minuti continuò
ad osservarla senza aprir bocca.

«Non va bene?» chiese infatti Carlo, preoccupato dal
silenzio.

«Va bene, va bene» rispose lei, solenne. «Il sensale
m'aveva detto la verità. Ma non tiriamola tanto lunga. Io
vi sposo se mi insegnate a leggere e scrivere.»

* * *

Si sposarono subito dopo la mietitura, il 9 luglio 1785. Le nozze avvennero a Montalcinello e, sempre stando alla voce divertita ed ironica, il racconto di mio padre, la cerimonia fu memorabile. Un evento di cui in Val di Merse si sarebbe parlato per anni. Increduli ed eccitati dall'idea di guardarsi l'eretica che oltre a prender marito si inginocchiava dinanzi a un altare e si sorbiva una Messa, a dozzine e dozzine i montalcinellesi accorsero nella Pieve di San Magno. E molti vennero da Chiusdino. Alcuni, da Rosìa. La chiesa era più colma d'un teatro dove si dà una commedia di grande successo e nel parapiglia che ne seguì due panche cedettero rovesciando gli intrusi addosso ai legittimi spettatori: il babbo e i tre fratelli terrorizzati dal pericolo che Caterina cambiasse idea o si abbandonasse a qualche scenata, gli altri Zani che discendevano da Ghisalberto e Ildebranda, e i giovanotti che non l'avevano voluta in moglie. Tanto strepito suggellò anche la rivincita del pievano, già inorgoglito dal prestito del breviario e ben consapevole del doppio martirio al quale Caterina s'era costretta: rivolgersi a un prete senza insultarlo e sentirgli declamare nonché illustrare più volte i sette peccati capitali. Cosa indispensabile, la seconda, per apprendere a memoria la pagina e controllare se Carlo sapesse davvero leggere. Ma don Bensi era un brav'uomo, verso quella parrocchiana selvaggia e geniale aveva sempre dimostrato una gran comprensione, e non sfruttò il trionfo quanto avrebbe potuto. Si limitò a dedicarle un'omelia in cui la definiva una-pecorella-smarrita, e a benedirla con una tal quantità d'acqua santa che la pecorella berciò: «O pievano! Io il bagno l'ho già fatto, stamani, e con quest'acquazzone mi sciupate il vestito!». Caterina era radiosa, felice come se stesse per laurearsi in lettere e filosofia all'Università di Siena. Non si rattristò nemmeno a firmar con la croce, e quel giorno perfino il sensale l'avrebbe definita una bella ragazza. Più elegante di sempre, per giunta. Appena avuta la promessa di Carlo, allora-giuro-che-vi-insegnerò-a-leggere-e-scrivere, s'era infatti comprata trenta spanne di proibitissimo damasco color fiordaliso. In quattro e quattr'otto s'era cucita un abito che traboccava di nastri e di fiocchi, inventata un cappellino che rigurgitava di rose e di piume, oltre agli orecchini d'oro oggi s'era messa una collana di perle, e a vederla avanzare con quel bendiddio qualcuno aveva esclamato: «Stavolta si becca il carcere perpetuo». Carlo invece vestiva il solito completo ormai vecchio, sul tricorno c'era addirittura una patacca, e appariva in pessima forma. Per andare e tornare aveva preso a nolo un calesse col vetturale ma tirato da un brocco che a percorrere venticinque miglia ci aveva messo ben dieci ore, e nonostante la gioia che gli inzuppava gli occhi non si teneva in piedi. Quasi ciò non bastasse, era immalinconito dal fatto che nessun parente o conoscente fosse venuto a testimoniare l'unica vittoria della sua vita e che Gaetano avesse rifiutato di accompagnarlo. «Io che c'entro? Che ci vengo a fare? Preferisco star qui a dare una nettata.» Solo al banchetto si ravvivò, povero Carlo.

Il banchetto fu fastoso. A Montalcinello nessuno aveva mai visto tanta opulenza e prodigalità. Pollastrelle ripiene, galletti allo spiedo, timballi di pernici e piccioni, conigli in salmì, nonché inevitabili cosci d'agnello per ricordare Ildebranda. Funghi d'ogni tipo, verdure d'ogni specie, formaggi d'ogni qualità, nonché pane fresco, dolci, croccanti, e vino a fiumi. C'erano anche parecchie persone, chiunque volesse entrare entrava, e dinanzi a queste Carlo si esibì recitando un brano del *Cantico de' Cantici* in onore di Caterina. «Come sei bella, amica mia, mia sposa! Come sei bella! / I tuoi occhi due colombe dietro il velo / i tuoi capelli capre che ondeggiano sui monti del Ghilad / le tue labbra un filo scarlatto / e soffusa di grazia è la tua bocca...» Il che impressionò molto tutti i commensali e li indusse a dichiarare: «Macché contadino, quello è un professore». Però loro due vi rimasero poco. La tradizione esigeva che la moglie trascorresse la prima notte in casa del marito, e all'una del pomeriggio stavano già sul calesse: seduti accanto a due maialini, una gabbia di polli, una capra, due oche, e la cassapanca di Ildebranda. I maialini e i polli e la capra erano un dono dello Zani che travolto dal sollievo lo aveva consegnato a Carlo sussurrando: «Grazie d'averla presa. Però tenetela, eh? Non me la rimandate indietro!». Le oche erano un omaggio del pievano che commosso dallo scopo culturale di quel matrimonio le aveva date a Caterina bisbigliando: «Ricordatevi che le penne buone crescono nella parte centrale e finale dell'ala, e che vanno seccate poi bagnate poi seccate di nuovo e affilate ogni volta con un coltello ben acuminato. Altrimenti la punta si scheggia e non scrive». La cassapanca era quella che sappiamo e conteneva il corredo. Quasi un quintale di roba. Tant'è vero che il brocco non riusciva a partire e il vetturale voleva scaricarla. «Con questo peso si ammazza il cavallo! E ci si ammazza anche noi perché in salita si va all'indietro e si casca nel borro! Io la scarico!» Ma Caterina risolse il problema scaricando lui. Scendete-brutto-becero-e-tornate-a-piedi-che-il-calesse-lo-guido-io. Poi impugnò le redini, salutò il padre e i fratelli che non avrebbe rivisto mai più, e partì. A forza di minacce e di strilli, muoviti-buono-a-nulla-o-ti-spacco-la-groppa-a-frustate, guidò fino a San Eufrosino di Sopra dove giunsero con due ore di anticipo: le nove di sera. E dove scoppiò subito la tragedia. Né il sensale né Carlo, infatti, avevano confessato che il podere circondava ad anello una chiesa e che questa si trovava a pochi passi dalla casa. "Meglio tenere il becco chiuso, sennò il pateracchio mi va in malora e insieme alla parcella perdo anche la mancia" s'era detto il sensale. "Meglio tacere, sennò ci ripensa e non mi sposa nemmeno se le insegno a leggere e scrivere in greco e in latino. E chissà: in quanto opera d'arte, potrebbe piacerle" s'era detto Carlo. Invece quando l'Oratorio si profilò nel buio della notte coi suoi cipressi, il suo campanile sormontato dalla croce, la sua mole che sulla casa incombeva come una montagna, l'aria venne squarciata da un urlo assai simile al grido di raccapriccio che s'era sparso per il colle e giù per la vallata appena Caterina aveva saputo che il pretendente era un terziario francescano.

«Io non scendoooo! Io in quella casa non c'entroooo!» Ci volle un'eternità per placarla. E la fatica venne sostenuta dal buon Gaetano che al corrente di tutto e forte d'una virtù già dimostrata da Carlo, il rispetto per gli altrui rapporti col Padreterno, al calar delle tenebre s'era messo ad aspettarli dinanzi al sacro edificio: pronto a ristabilir l'armonia se la tragedia fosse esplosa. Suvvia, disse Gaetano nel suo modo quieto, si trattava d'una chiesa: non d'un tribunale del Sant'Uffizio. Qui gli Inquisitori non avevano mai messo piede, i Crocesignati nemmeno, e anziché la memoria di perfidi eventi quelle mura custodivano qualcosa che lo stesso Satana sarebbe stato lieto d'avere: una Madonna di Giotto. Con questa, pregevoli oggetti tra cui un busto policromo e le reliquie di Eufrosino: un santo che non aveva mai fatto torto a sua nonna Ildebranda e che in gioventù, stando alle malelingue, aveva frequentato volentieri le belle ragazze. Per corteggiarle, non per bruciarle. Inoltre non era una chiesa aperta a chiunque e che funzionava col prete, le campane, eccetera. Le chiavi le tenevano loro, le campane non le suonava nessuno, il prete non ci stava e ringraziare il Cielo se ogni tanto don Luzzi si degnava di celebrarvi una Messa o di portarci una processione. Che scendesse dal calesse, dunque. Che entrasse in casa, da oggi la sua casa, e vi affrontasse il futuro insieme al marito e al nuovo fratello. Sì, il nuovo fratello. Più che una cognata lui

79

la considerava una sorella e, come a Carlo, non gliene importava nulla che fosse un'eretica: Dio vive nel cuore di qualsiasi creatura e non fa differenza fra chi crede e non crede o crede di non credere. Frase, quest'ultima, che la sedusse e la convinse a scendere dal calesse poi a entrare in casa. Tuttavia quando fu dentro e vide il letamaio che aveva temuto il giorno in cui il sensale era andato a proporle il contadino degli undici libri, e nel letamaio una selva di crocifissi che sembravano star lì per segnare le tombe d'un cimitero, si coprì il volto e pianse. Oh, se pianse! Piangendo dichiarò perfino che non c'è nulla di male ad essere analfabeti: spesso gli ignoranti sono più intelligenti delle persone colte e se il prezzo per imparare a leggere e scrivere era passar la vita in quel pattume triste lei sceglieva di rimanere analfabeta cioè di tornare a Montalcinello. E si dovette placarla di nuovo. Impresa nella quale, stavolta, riuscì Carlo con un discorso assai breve.

«Non mi lasciate» disse Carlo. «Lo so che la casa non è degna di voi e che l'Oratorio vi sta sui nervi. Ma io vi voglio tanto bene. E se vi perdo mi impicco.»

Occhi negli occhi: si può forse resistere a una simile dichiarazione d'amore? Caterina non vi resistette.

«D'accordo, non vi lascio» rispose asciugando le lacrime e soffiandosi il naso. «Ché di bene mi pare di volervene un poco anch'io.»

9

È lecito supporre che le conseguenze di quel vi-voglio-tanto-bene, mi-pare-di-volervene-un-poco-anch'io, fossero immediate. Cioè che quella notte Carlo dimenticasse di recitare il Rosario e Caterina di frenarne gli ardori con la sua protesta preferita: «Perché gli uomini non se li fanno da soli, i figlioli?». Dallo *Status Animarum*, vale a dire dal calcolo del tempo che trascorse fra il matrimonio e il primo parto, risulta infatti che rimase subito incinta. Però questo non le impedì di trasformare la casa che aveva definito un pattume triste, e per incominciare l'indomani mattina tolse il mostruoso crocifisso largo un metro e lungo due che Carlo teneva sopra il letto. Lo sostituì con uno largo venti centimetri e lungo trenta che improvvisò con due ramoscelli d'ulivo. Tolse anche gli altri. O meglio, tutti gli altri escluso quello che stava in camera di Gaetano: in tal caso non disposto a dar prova di pazienza e di tolleranza. «Il mio non si tocca.» Li ammucchiò in cantina, accanto alla legna da bruciare, e al loro posto mise allegre ghirlande di peperoncini rossi e agli freschi. L'aglio essendo uno scongiuro che ha il potere di cacciare il demonio quando ci si libera di un'immagine sacra. Poi, eliminati i crocifissi, si tuffò nel compito di svellere il letamaio che la nettata del nuovo fratello non aveva nemmeno scalfito. E a forza di raschiare, strofinare, sciacquare, lustrare, rese le otto stanze più linde di quanto fossero state ai giorni di Violante e Apollonia. In un impeto di generosità decise addirittura di dare una spazzata all'Oratorio. Cosa dalla quale nacque una grande amicizia con la Madonna di Giotto i cui lineamenti le ricordavano quelli che la sua fantasia attribuiva all'arcavola arsa sul rogo. «Assomiglia a Ildebranda.» (Il busto di Eufrosino invece le risultò antipatico per la storia delle belle ragazze corteggiate e lo ribattezzò «la statua del satiro»). Infine ripulì a dovere le stalle, le tinaie, la capanna, i porcili, il pollaio dove i polli mai uccisi per amor di San Francesco erano morti di vecchiaia o di sporcizia, la conigliera dove i conigli eran morti per lo stesso motivo, la colombaia da cui i colombi erano fuggiti per la fame e, *dulcis in fundo*, cambiò camera. La rimosse dal tenebroso locale che Carlo aveva scelto per sorvegliare da vicino l'Oratorio e la trasferì in una stanza a meridione, aperta sul luminoso paesaggio della Val di Pesa e attigua a un'altra stanza che sarebbe diventata il suo regno: lo scrittoio. Aveva sempre sognato uno scrittoio. L'anelito di saper leggere e scrivere era sempre stato accompagnato dal desiderio d'uno scrittoio. Sicché ad esso accudì con entusiasmo particolare. Lo imbiancò, lo disinfettò con litri e litri di aceto, lo adornò di belle tendine alle finestre. Vi mise un bel tavolo liscio, un bel lume a petrolio, diverse candele, due sedie, un caratello per buttarci i fogliacci, e i tesori scovati nel baule di Carlo: una penna d'oca ben secca e appuntita, una pagnotta di inchiostro solido, una risma di costosissima carta, un prezioso quaderno a righe, nonché gli undici libri che avevano tanto contribuito all'incontro di Rosìa. I libri li collocò su un ripiano di vimini che Apollonia usava per appassire l'uva e ottenerne lo zibibbo, e dopo aver appreso il titolo di ciascuno li allineò nella sequenza in cui intendeva leggerli appena ne sarebbe stata capace. Anzitutto l'*Inferno*, il *Purgatorio*, il *Paradiso*, insomma la *Divina Commedia*. Poi l'*Orlando Furioso*, la *Gerusalemme Liberata*, il *Decamerone*. Poi il *Cantico de' Cantici*, *I Cavalieri della Tavola Rotonda*, il *Tesoro delle Campagne ovvero Manuale dell'Agricoltore Perfetto*. Poi il *Vecchio* e il *Nuovo Testamento*. Durò un mese la magnifica sfacchinata, la trasformazione del pattume triste. E quando l'ebbe conclusa, paf!, s'accorse d'essere incinta.

Fu una scoperta terribile, la scoperta d'essere incinta. Perché la vigilia delle nozze era andata dalla mammana cioè la levatrice di Montalcinello e s'era informata su quel che si fa o non si fa per controllar la faccenda. Si fa così e così, aveva risposto la mammana suggerendo anche una purga a base di ortica. E lei aveva puntualmente fatto così e così, inghiottendosi pure la purga. Puntualmente. Fuorché la prima notte. Realizzare che il disastro era successo proprio la prima notte, per le dimenticanze causate dallo scambio di vi-voglio-bene, la riempì dunque di rabbia. Trovarsi incinta proprio ora che aveva lo scrittoio ed era pronta per imparare a leggere e scrivere! Non l'avrebbe mai usata, quella penna d'oca. Non le avrebbe mai conosciute le storie di quegli undici libri. Non sarebbe mai diventata una persona colta, una donna che legge e che scrive. Sarebbe sempre rimasta una piercola che adopra le mani e gli occhi per pulire il sudicio degli altri e basta, dar di zappa o di vanga e basta. Al massimo, ricamar lenzuoli e mutande. Un figlio appena nato è un mestiere che non lascia respiro, aveva detto la mammana. Ogni poco bisogna allattarlo, lavarlo, addormentarlo, allattarlo di nuovo, lavarlo di nuovo, addormentarlo di nuovo, e ringrazia Domeneddio se la notte dormi qualche ora. Dopo, idem. Perché dopo bisogna insegnargli a stare in piedi, a camminare, a parlare, a difendersi. Accidenti a quel bigotto in amore! Accidenti alla sua dolcezza, i suoi vi-voglio-tanto-bene, i suoi se-vi-perdo-mi-impicco! E per settimane si sentì così imbrogliata, beffata, sconfitta, che non disse nulla al marito. Si limitò a maltrattarlo, respingerlo, odiarlo, e guai se lui chiedeva tutto mortificato che avesse. Ringhiava: «Ho quel che mi pare! Pensate alle vostre faccendacce!». Ma all'inizio di settembre cioè allo scadere del secondo mese, la sua praticità prevalse. Inutile piangere sul latte versato, concluse. Quel bambino doveva nascere e dal disastro si poteva ricavare un vantaggio. Quanto impiega la gente normale ad istruirsi: un anno, due? Bè, lei ci sarebbe riuscita in molto meno: sette mesi. Il tempo che aveva dinanzi a sé prima di partorire. A patto che incominciasse subito, ovvio. Stasera stessa. E quando Carlo tornò con Gaetano dai campi, provvide.

«Stasera si inaugura lo scrittoio» gli disse.

«Stasera? Perché proprio stasera?» rispose Carlo, sorpreso.

«Perché mi avete messo incinta, ecco perché! Perché se non imparo a leggere e a scrivere prima che vostro figlio nasca, non imparo più! Capito?»

* * *

La voce divertita ed ironica non raccontava come Carlo avesse reagito alla lieta novella. Forse non lo sapeva. O forse dava per scontato il fatto che sul suo volto si fosse dipinta un'orgogliosa esultanza. Sul resto, invece, raccontava tutto. E ciò consente di ricostruire la scena che si svolse più tardi nello scrittoio, il modo in cui Carlo affrontò il suo ruolo di maestro. Un ruolo difficilissimo: aveva nove anni quando don Luzzi s'era accorto che sarebbe stato giusto insegnargli a leggere e a scrivere e della cosa rammentava bene soltanto gli ostacoli sorti per amareggiarlo. Lo scarso entusiasmo di Luca, ad esempio. «A noi contadini essere istruiti non serve! La carta stampata si addice ai signori!» Lo sforzo di andar tre volte la settimana da Vitigliano di Sotto alla Pieve di San Leolino, e spesso sotto la pioggia o la neve. Il sacrificio di studiar la notte perché di giorno doveva lavorare nei campi. La notte moriva di sonno e Apollonia lo rimproverava di consumar troppe candele. «Le candele costano! Spegnila e va' a letto ché domani c'è da falciare!» La scuola vera e propria era un ricordo confuso sullo sfondo della sacrestia. Quello della prima lezione, una nebbia dentro cui stava una mano che gli metteva la penna d'oca tra il pollice e l'indice e il medio. Poi un foglio costellato da schizzi d'inchiostro, una lacrima che cadeva sugli schizzi allargandoli, uno sbuffo: «Guarda che hai combinato! Non sai tenere la penna, ragazzo!». Quello delle lezioni seguenti, un incubo di rampogne e sgridate: «Non sei ancora capace di comporre i vocaboli acqua e soqquadro! Acqua vuole una *c* e una *q*, soqquadro vuole due *q*!». Oppure: «Ma allora sbagliavo a pensare che tu avessi

84

cervello! Sei un testone, caro mio, un testone!». Quanto al metodo che don Luzzi adottava, la sua memoria tratteneva pochissimo: l'inizio coi puntini e le aste per imparare a vergar le lettere, il passaggio alle cinque vocali quindi alle consonanti, alle sillabe, alle bisillabe, alle trisillabe, nonché il particolare che per aiutarlo a riconoscere una vocale o una consonante don Luzzi suggerisse parole che incominciavano con la vocale o la consonante in questione e il cui suono evocava l'immagine d'un oggetto assai familiare. «*A* come albero, come aratro, come altare. *B* come bosco, come bacca, come baccello...»

«Ecco, si tiene così» incominciò mettendole tra il pollice e l'indice e il medio la penna d'oca.

«Come si tiene lo so» rispose Caterina impugnandola perfettamente.

«Ah! In tal caso si passa subito ai puntini e alle aste.»

«Passiamo, passiamo.»

«I puntini si fanno così: appoggiando la penna al foglio. Con leggerezza, altrimenti si schizza l'inchiostro e bisogna buttare via il foglio. Le aste invece si fanno così: strusciando la penna dall'alto in basso. E se a voi vengono torte o schizza l'inchiostro, non vi scoraggiate.»

«No, no» rispose tranquilla. Poi segnò due o tre bei pallini e, senza schizzar nemmeno una goccia d'inchiostro, tracciò una serie di aste talmente diritte che lo stupore insieme ammirato e avvilito si raddoppiò. Sant'Iddio misericordioso! Per arrivare a tanto, ventiquattr'anni avanti, lui aveva impiegato un mucchio di giorni.

«Brava... Allora si può saltare alle vocali...»

«Saltiamo, saltiamo.»

«Le vocali sono cinque: *a, e, i, o, u.* Si possono fare maiuscole e minuscole. Maiuscole, quando costituiscono la prima lettera di un nome o quando si trovano dopo un punto cioè all'inizio di una frase. Minuscole, negli altri casi. Stasera le faremo minuscole e...»

«Perché minuscole?»

«Perché sono più frequenti e più facili...»

«Va bene» concesse di malavoglia ma prudente.

«Ecco, questa è la *a*: *a* come albero, come aratro, come altare...»

«Ho capito, ho capito» interruppe togliendogli di mano la penna e tracciando una *a* un po' incerta ma riconoscibile.

«E questa è la *e*: *e* come erba, come edera, come erpice...»

«Come eretica e come eresia» aggiunse tracciando una *e* meno incerta e ancor più riconoscibile.

«Questa invece è la *i*: *i* come inchiostro, come insetto, come imbuto...»

«Come Ildebranda e come Inquisizione» aggiunse tracciando una *i* rabbiosa ma del tutto accettabile.

«Questa è la *o*: *o* come occhio, come orecchio, come olio...»

«Come oratorio e come orazione» aggiunse tracciando una *o* sprezzante ma ben chiara.

«E questa la *u*: *u* come uccello, come unghia, come uva...»

«Come uggioso! La volete smettere di gingillarvi con gli esempi e coi paragoni? Bisogna andar di fretta! Domani sera arrivano le maiuscole!» protestò tracciando svelta una bellissima *u*.

«D'accordo...»

Con le maiuscole, l'indomani fu altrettanto brusca e provocatoria. Intanto però sorrideva il sorrisino a fior di labbra col quale lo aveva esaminato alla fiera di Rosìa, a volte lo guardava con una strana luce negli occhi, e quando la lezione fu finita cambiò tono.

«Sono stata cattiva con voi» mormorò. «Voi invece siete stato più buono di sempre. D'ora innanzi dovrò ricordarmi che si può anche dire *a* come amore.»

10

Per imparare a riconoscere e a scriver bene le vocali maiuscole e minuscole impiegò appena cinque giorni, e nel corso di quella maratona compose addirittura le sue prime due parole: il dittongo «io» e il trittongo «aia». Al sesto giorno, dunque, Carlo poté affrontare le diciotto consonanti. Tra maiuscole e minuscole, aspirate e dentali, gutturali e labiali, palatali e linguali e mute, una fatica che si condensò in un solo mese e che fin dall'inizio rivelò dove avrebbe portato l'imprevedibile battuta d'ora-innanzi-dovrò-ricordarmi-che-si-può-anche-dire-a-come-amore. Alla *b* infatti lui disse: «*B* come bosco, come barba, come baccello». E lei corresse: «*B* come bacio o come babbo». Alla *c* lui disse: «*C* come casa, come campana, come cucchiaio». E lei corresse: «*C* come Carlo e Caterina». Di lezione in lezione il rancore per il biascicapaternostri che l'aveva messa subito incinta diminuiva, il rifiuto della maternità indesiderata si attenuava, la situazione si capovolgeva così velocemente che alla lettera *m* si verificò un prodigio. «*M* come mela, come miele, come mosca» aveva detto lui. E, accarezzandogli una guancia, lei corresse: «*M* come matrimonio, come marito, come mamma». Grazie ai vocaboli «babbo» e «mamma», fu facile anche insegnarle a raddoppiare le consonanti. Grazie alla prontezza con la quale imparava, insegnarle a comporre bisillabe come «pane» e «cane» o trisillabe come «farina» e «cucina». Però quando arrivarono gli infernali digrammi *ch, gh, cq, gl, gn, sp, sd* e via di seguito, con quelli le diaboliche parole «acqua» e «soqquadro» su cui da ragazzo Carlo aveva tanto penato, la faccenda cambiò. E a metà settembre, dopo settimane di inutili sforzi, Caterina prese il toro per le corna.

«Qui,» disse «ci vuole un abbecedario.»

Conclusione logica solo in apparenza. Perfino se abitavi in città, anzi a Firenze dove Pietro Leopoldo si vantava d'aver istituito scuole pubbliche in ogni quartiere, procurarsi un abbecedario era un problema enorme: per istruire gli analfabeti ben di rado si usavano testi stampati. Se poi abitavi in campagna dove le scuole pubbliche non esistevano e i libri erano una stravaganza che nemmeno il bottegaio più intraprendente si sarebbe sognato di tenere in negozio, trovarlo era un'impresa ai bordi dell'impossibile. E Carlo se ne disperò. Naturalmente, subito dopo si rivolse a don Luzzi. Gli chiese di prestargli quello sul quale ventiquattr'anni addietro aveva studiato lui. Ma don Luzzi era offeso in quanto, oltre a non frequentar la pieve cioè a non ascoltarvi mai un Vespro o una Messa, Caterina non s'era preoccupata di porger gli omaggi dovuti da una neoparrocchiana. E anziché prestarglielo lo trattò male. Lo investì sibilando macché digrammi, invece dei digrammi sua moglie avrebbe fatto meglio a recitare qualche *Ave Maria* cioè ad aver cura della propria anima, di sicuro un'anima poco linda. Poi lo definì un incosciente, un irresponsabile che prima di accasarsi non gli aveva chiesto né consiglio né aiuto, un minchione che per mettere su famiglia s'era affidato a un ruffiano cui premeva solo beccarsi la percentuale sulla dote. Infine lo liquidò con un discorso che non ti saresti mai aspettato da colui che voleva mandare la gente in Virginia. «Lasciate perdere, strullo. Alle donne non serve saper leggere e scrivere, e a San Eufrosino ci siete già voi che maneggiate la penna. Uno in famiglia basta.» Deluso da tanto rifiuto, Carlo si rivolse anche al Padre Visitatore: ormai così vecchio ed infermo che non andava più a visitare nessuno. Sempre a piedi per non spendere soldi nel calesse si recò fino a Poggibonsi dove costui languiva sulla nuda pietra come un moribondo, e non gli nascose nulla. Gli confessò d'aver preso in moglie una ragazza che lungi dal mostrarsi pia venerava un'arcavola morta sul rogo e pur di saper leggere e scrivere avrebbe accettato di morirci anche lei. Gli spiegò d'averla scelta ugualmente perché chiunque può essere redento e redimere è un obbligo del buon terziario francescano. Gli svelò che il primogenito sarebbe giunto a primavera, quindi non c'era tempo da perdere. E fin qui parve che il sant'uomo reagisse con pietosa indulgenza, insomma che fosse disposto a fornire l'abbecedario. Ma appena comprese che l'eretica non s'era redenta e che il neonato avrebbe bevuto il latte della sua eresia, la pietosa indulgenza svanì. Con essa, il languore del moribondo. Balzando in piedi urlò che tenere in casa persone soggette a scomunica era peccato mortale, che a sposarne una si rischiava di venire espulsi dall'Ordine come cani rognosi. Alzando il crocifisso tuonò che una bolla emessa da papa Eugenio IV nel 1440 incoraggiava la castità coniugale e invitava a osservarla firmando un documento redatto dal notaio, poi si congedò con queste parole: «Gli abbecedari sono preludio alla lettura dei libri. I libri sono minacce alla virtù. E la virtù cresce con l'ignoranza».

Affranto dalla scenata, Carlo incominciò allora a chieder l'aiuto dei pochi laici che conosceva: lo speziale, il procaccia, il mezzano, il cerusico, il vetturale, il treccone che gli aveva rimpiazzato i colombi fuggiti nonché i polli e i conigli estinti per inedia o vecchiaia. E la ricerca passò a una fase ancor più angosciosa. Ogni poco infatti li cercava e: «Per l'amor di Dio, mi trovate un abbecedario?». Oppure: «Di venia, me l'avete trovato l'abbecedario?». Oppure: «Ricordatevi di trovarmi l'abbecedario!». Ben presto diventò la favola di Panzano, questa dell'abbecedario. Ne ridevano tutti. In piazza, in chiesa, nei campi, nelle processioni, alle veglie. «La sapete l'ultima? La strega che Carlo ha sposato in provincia di Siena vorrebbe imparare a leggere e a scrivere, e pretende l'abbecedario.» Ma l'abbecedario non si trovava, sicché invano maestro e scolara continuavano a trascorrere le serate nello scrittoio. Lui non riusciva più ad insegnare, lei non riusciva più ad imparare, e qualsiasi sforzo si concludeva in un sospiro sconsolato o in una domanda avvilita: «Lo troveremo mai un abbecedario?». Tra quei sospiri finì settembre, venne ottobre, venne novembre. In quella domanda Caterina compì il terzo poi il quarto mese di gravidanza, e sembrava proprio che il suo sogno fosse fallito. Perfino Gaetano, testimone imparziale del dramma, se ne dispiaceva e tentava di consolarla. «Non pigliatevela troppo, sorella. Meno si sa e meno si soffre.» Ma un mattino di primo novembre, mentre su San Eufrosino si abbatteva un temporale, dalla strada che costeggiava il prato dell'Oratorio si levò una vociaccia sgangherata. Quella del calzolaio che nei giorni di pioggia, i soli in cui fosse sicuro di beccare clienti, faceva il giro dei poderi per vendere la sua merce o ciò che capitava. Sempre a prezzi scandalosi e sempre berciando una canzoncina che s'era composto da sé. «Donne garbate, buon anno e buon dì / per obbedirvi e servirvi son venuto qui / Scarpe, stivali, calcetti e brocchè / vengo a portare, li ho fatti da me / con una forma che calza ogni piè / E non è tutto, donne garbate / Io son calzolaro ma tengo altra merce / chiodi, chiodini, stracci di seta / purghe, tarocchi, vezzi da abbagliar / Orsù, uscite! Venite a guardar / E se non potete, lasciatemi entrar / senza vergogna, senza timore / ché son galante, cortese, e di core.» Caterina si affacciò sulla porta, decisa a cacciarlo. Durante un acquazzone d'agosto le aveva affibbiato un paio di lacci che s'erano subito rotti, e lo odiava più di quanto odiasse il Padre Visitatore o don Luzzi.

«Via, via! Ché non voglio nulla, strozzino!»
«Invece una cosa la volete» fu la risposta. «E io ce l'ho.»
«Ma di che parlate, usuraio! Via, ho detto, via!»
«Dell'abbecedario. Parlo dell'abbecedario.»
«L'abbecedario...?!?»

«Proprio l'abbecedario, comare. Guardate che tesoro.»

Era uno scarno fascicolo di neanche venti pagine, scritto da un sacerdote d'Apta Julia, pubblicato dalla stamperia Pagliarini di Roma, e intitolato così: *Metodo italiano per imparare speditamente a leggere nonché a scrivere, senza compitare le lettere e per mezzo di cinquantaquattro figure diverse.* Sul retro del frontespizio, la spiegazione: «Il presente metodo è facilissimo, stante che porta seco la maniera con la quale ciascheduno può adoperarlo. Non v'ha che da osservare le figure pronunziandone il nome ad alta voce, e poi da guardare le parole che spiegano come quel nome si scrive. Giacché le parole son l'eco delle figure, e le cose che si vedono fanno sulla mente più pronta impressione di quelle che si sentono, tal sistema si accomoda alla capacità d'una persona la meno intelligente. Financo sorda, e muta». Dopo la spiegazione, le pagine con le figure: sempre doppie per indicare il singolare e il plurale, e accompagnate dai vocaboli corrispondenti nonché dagli articoli. «La fibbia, le fibbie. La tromba, le trombe. La fiamma, le fiamme. Il fungo, i funghi.» Dopo le pagine con le figure, sedici lezioni tra cui una sugli infernali digrammi. Infine, alcuni esercizi di lettura che avrebbero scoraggiato un santo. Il primo, una frase tolta dagli atti del Concilio di Trento: «La vita cristiana dev'essere una continua penitenza». L'ultimo, un brano di San Matteo. Chissà perché, riveduto e corretto, anzi esasperato, dal sacerdote d'Apta Julia. «Beati gli afflitti. Beati gli infelici. Beati i pezzenti. Beati gli storpi, i ciechi, i malati, i disgraziati che non hanno nulla. Perché avranno in mercé il regno dei Cieli.» Graziaddio ignorando la cosa, Caterina ghermì tutta tremante il tesoro.

«Quanto volete?»

«Sette scudi, comare. Prendere o lasciare.»

Una cifra allucinante, sette scudi. E per capire quanto fosse allucinante basta ricordare che a vendere uova fino a sessant'anni Apollonia era riuscita a mettersi da parte dieci scudi e basta. Oppure basta pensare che uno scudo valeva cinque lire e dodici soldi, e che un falciatore o un mietitore guadagnava una lira e mezza al giorno. Una donna che faceva la treccia pei cappelli di paglia, appena quattro soldi al giorno. Ma Caterina pagò senza battere ciglio.

«Eccoli, strozzino.»

* * *

Nonostante il brano che invitava ad essere afflitti, infelici, pezzenti, storpi, ciechi, malati eccetera, insomma a patirle tutte per volare in Paradiso da morti, il costosissimo abbecedario si rivelò un acquisto sensato. Infatti abbatté di colpo gli ostacoli che né lui né lei eran riusciti a superare, e da quel momento le cose filarono lisce. Ogni giorno Carlo le insegnava con maggiore efficacia e disinvoltura, ogni sera Caterina imparava meglio e di più, e il suo sapere cresceva di pari passo col suo ventre. Sì, ormai era come se portasse avanti due gravidanze parallele, una nell'utero e una nel cervello, e queste progredissero simultaneamente: al medesimo ritmo ingrossando il figlio fatto di carne e il figlio fatto di conoscenza. A fine novembre poteva già compitare gli infernali digrammi e le diaboliche parole «acqua» e «soqquadro». A Natale poteva già decifrare con una certa velocità i titoli degli undici libri allineati sull'asse dello scrittoio e chiedersi che cosa avessero da dirle sull'argomento. Per l'Epifania poteva già leggere con notevole speditezza la scoraggiante frase tolta dagli atti del Concilio di Trento, «La vita cristiana dev'essere una continua penitenza». (Cosa che la fece molto arrabbiare). E per la Candelora, cioè quando la gravidanza del figlio fatto di carne aveva completato i sei mesi, poteva scrivere senza errori la coniugazione del verbo *avere*: così antipatico a causa dell'*h* che non sai mai se ci va o non ci va. Non le restava che affrontare gli apostrofi, la punteggiatura, altre raffinatezze, e spesso studiava da sola: vagheggiando il futuro nel quale si sarebbe comprata anche un abbaco, cioè avrebbe imparato anche a far di conto. Nel frattempo, però, il grosso quaderno era finito. La penna troppo spesso appuntita era divenuta cortissima, e la pagnotta dell'inchiostro solido era ridotta a una caccola.

L'inchiostro costituì il problema minore. Nel 1743 un gesuita che discendeva da Giovanni da Verrazzano, e che dell'antenato portava non solo il cognome ma il nome, aveva lasciato una ricetta per fabbricarlo alla casalinga. Consisteva nel procurarsi un po' di gomma arabica, nello stemperarla col vino buono, nell'aggiungere qualche cucchiaio di nerofumo purgato, infine nel mettere il liquido al sole o vicino al fuoco per lasciare che si prosciugasse. E poiché di nerofumo il camino abbondava, di vino la cantina era piena, la gomma arabica si comprava dallo speziale, Carlo fabbricò subito una seconda pagnotta. Il problema della penna risultò invece complicato perché a farne le spese furono sì le oche regalate dal pievano di San Magno, ma in modo più crudele di quanto fosse lecito prevedere. In seguito a una sua svista, infatti, entrambe eran femmine. In seguito all'incuria del treccone non era mai arrivato il locio cioè il maschio per gallarne le uova, e queste non fornivano eredi da mangiare anzi da pelare. Le penne per scrivere gli andavano dunque tolte da vive e, quando quella pescata in fondo al baule divenne troppo corta, Caterina prese a commetter l'abuso senza pietà. Coprendogli la testa per proteggersi dal becco le immobilizzava, rincuorandole suvvia-si-tratta-d'un-piccolo-sacrificio, non-vi-ammazzo-mica, gli toglieva almeno una penna per ala, e dal cortile si levava ogni volta un urlo così lacerante che nei campi Carlo e Gaetano si domandavan turbati: «Ma chi è? Cos'è? Da dove viene?». Carlo ci mise tanto a rendersi conto che veniva dal cortile dove sua moglie spennava le oche da vive. Sebbene avesse notato che la penna dello scrittoio s'era stranamente allungata e sembrava nuova, lo comprese soltanto il giorno in cui s'accorse che le poverine avevano ali sempre più spelacchiate e svolazzavano con difficoltà. Anche a nome di San Francesco ne derivò una protesta assai energica, questo-Caterina-io-non-ve-lo-permetto, e l'abuso cessò. Ma a quel punto lei ne possedeva una scorta che sarebbe bastata per anni: il problema della penna era eliminato.

Rimaneva in compenso quello del quaderno, assai grave perché la carta costava quasi come i libri: lo speziale la vendeva perfino a una lira il foglio e Caterina ne consumava una quantità esagerata. Inutile dirle cercate-di-sprecarne-meno. Tuttavia neanche stavolta lei si scoraggiò, e la sera in cui finì anche la carta dello speziale risolse a modo suo la faccenda. Andò alla cassapanca che custodiva lo straordinario corredo, prese uno dei trentasei fazzoletti con lo smerlo, e mentre Carlo la fissava inorridito ci scrisse sopra la lezione. La sera dopo, lo stesso. E lo stesso la sera dopo ancora. Per giorni, per settimane. Senza preoccuparsi del fatto che diminuissero a vista d'occhio, resi irrecuperabili dall'inchiostro che nessun bucato riusciva a cancellare. Decimati i bei fazzoletti ebbe un momento di scrupolo e passò alle pezze, ai canovacci. Ma la stoffa era troppo ruvida, la penna non ci scorreva, sicché vi rinunciò subito. Prese a decimare i tovaglioli con gli angoli a nido d'ape, poi gli asciugatoi col bordo a gigliuccio, e il giorno in cui anche questi divennero irrecuperabili aggredì una delle federe col festone di spighe a punto pieno. La stessa che insieme agli altri preziosi cimeli di cinque generazioni avrei visto nella cassapanca, ormai chiamata la-cassapanca-di-Caterina, prima che saltasse in aria la terribile notte del 1944. Quando toccò alla federa, però, la gravidanza del figlio fatto di carne s'era quasi completata. Quella del figlio fatto di conoscenza s'era completata del tutto, e il sogno di possedere un abbaco aveva già sostituito le conquiste dell'abbecedario. Senza il minimo errore la sua mano ferma e sicura poteva vergare le lapidarie parole che scrisse sotto il festone di spighe a punto pieno e che, sebbene fossi una ragazzina distratta da ben altri stupori, centocinquantotto anni dopo lessi tremando. «Io mi chiamo Caterina Zani. Sono una contadina e la moglie d'un contadino che si chiama Carlo Fallaci. In sette mesi ho imparato a leggere e a scrivere, e presto imparerò anche i numeri per far di conto. San Eufrosino di Sopra, addì otto aprile millesettecentottantasei.»

11

Le doglie ebbero inizio all'alba del 9 aprile, e la trovarono pronta come un soldato in grado d'affrontare la battaglia più sanguinosa. Interrogando la mammana di Montalcinello per sapere che cosa si fa o non si fa per evitar di restare incinta, era stata infatti abbastanza saggia da chiederle anche quello che si fa se il bambino nasce ugualmente. La mammana glielo aveva detto, e invece di perder tempo in piagnistei o querimonie si accinse a seguir le istruzioni ricevute. Stese sull'impiantito della camera uno strato di foglie di granturco, lo coprì con gli asciugatoi scarabocchiati poi con un lenzuolo pulito, preparò le forbici per tagliare il cordone ombelicale nonché le catinelle e le varie cose di cui avrebbe avuto bisogno, infine si mise a camminare su e giù per accelerar lo svolgersi della battaglia. Carlo, inutile dirlo, voleva chiedere aiuto alla moglie del mezzadro che per conto del danaroso Girolamo Civili teneva San Eufrosino di Sotto. E, secondo le usanze, lei s'era già offerta. «Non preoccupatevi, ci penso io.» Ma Caterina conosceva lo sgarbo commesso dagli emuli del Cecionesi l'estate in cui non erano venuti per la mietitura, sicché Apollonia aveva ammazzato quattro polli e quattro conigli nonché cotto un mucchio di pane e stappato un mucchio di vino per nulla, e glielo proibì. «Non mi serve nessuno e tantomeno una piercola che s'è comportata male con voi. Pensate piuttosto a tenere il fuoco acceso nel camino e l'acqua calda nel paiolo, ché ce ne vorrà parecchia.» Contava su un parto veloce, sebbene sapesse che quello del primogenito è sempre più lungo. La gravidanza era stata perfetta e il suo orgoglio respingeva l'idea di impiegare il tempo necessario alle altre. Invece patì fino al calar della notte, quando arrivate le contrazioni espulsive disse a uno spaventatissimo Carlo: «Ci siamo. Portatemi il paiolo dell'acqua calda e dopo andate dal vostro santo. Ché queste son cose da donne e tra i piedi non vi ci voglio». Poi, rimasta sola con l'acqua calda e il suo stoicismo, si piazzò sullo strato di foglie di granturco coperto con gli asciugatoi e il lenzuolo. Vi si accucciò in modo da poter afferrare la testa del bambino, aiutarlo a uscire, e se lo partorì senza grida né incertezze. Non per nulla l'unico suono che Carlo udì nell'Oratorio dove aspettava incapace di recitar perfino un *Ave Maria* fu il vagito insieme scontento e glorioso col quale entriamo nel mondo, e quando corse da lei trovò che aveva già tagliato il cordone ombelicale. S'era già sbarazzata delle foglie di granturco, dei panni sporchi, della placenta, e inginocchiata accanto al paiolo stava lavando una bella bambina.

«Sì, è riuscita bene. E gran parte del merito è vostro» mormorò prima di abbattersi esausta sul letto. «Per avere buon frumento non basta seminare con la luna piena: ci vuole buon seme. E io ho scelto un buon seme.»

La bella bambina gli assomigliava infatti come un chicco di grano assomiglia a un altro chicco di grano. Stessi occhi azzurri, stessi lineamenti gentili, stessa espressione pensosa. Era in ogni senso figlia dell'amore che ormai legava quella donna aspra e geniale a quell'uomo dolce e mediocre, sposato solo per convenienza e un po' di simpatia, e neanche per un istante Carlo si rammaricò che non fosse nato un maschio. Cosa che qualsiasi genitore abitante su quelle colline avrebbe considerato alla stregua d'una sconfitta o d'una disgrazia.

* * *

La battezzarono Teresa. Probabilmente, il nome di un'altra Zani vissuta nel culto di Ildebranda. E poiché il battesimo le fu impartito alla Pieve di San Leolino, in quella circostanza Caterina conobbe don Luzzi. Per far piacere a Carlo, con lui stabilì addirittura una sorta di *modus vivendi* che avrebbe resistito fino al giorno in cui, con la scusa di metterla in salvo e sottrarla alle razzie di Napoleone, egli si sarebbe preso la Madonna di Giotto. «Bè, io sono venuta da voi e ora tocca a voi venire da me. Se ogni tanto vi degnerete di celebrare una Messa nell'Oratorio, la ascolterò con mio marito» gli disse fingendo di ignorare la sgomentevole frase alle-donne-non-serve-saper-leggere-e-scrivere che aveva accompagnato il rifiuto dell'abbecedario. Ben ricordando la partaccia durante la quale don Luzzi aveva definito lui un incosciente, un irresponsabile, un minchione, uno strullo, e Caterina un'anima-poco-linda, Carlo lo trattò invece con grande freddezza: nuova prova dell'intesa che s'era stabilita tra l'eretica e il bacchettone. «In tal caso sarete il benvenuto,» aggiunse «ma non dimenticate che ora siamo in due a maneggiare la penna.» Al battesimo seguirono mesi di beatitudine. Teresa poppava quando doveva poppare, dormiva quando doveva dormire, piangeva pochissimo, non si ammalava mai, e Caterina n'era così orgogliosa che non pensava più all'abbaco. Cioè ai numeri da imparare per far di conto. Non si lamentava neppure di non potersi più dedicare all'educazione della sua mente: alla gioia di scarabocchiare il corredo o di sfogliare uno degli undici libri che ora avrebbe potuto e non aveva tempo di leggere. Una volta ci aveva provato. Era tornata allo scrittoio dove dopo il parto non aveva messo più piede, e aveva scelto un volume della *Divina Commedia*. L'*Inferno*, visto che il *Purgatorio* e il *Paradiso* la rendevano un po' sospettosa. Con speditezza aveva letto tre versi che le eran parsi mirabili: «Nel mezzo del cammin di nostra vita / mi ritrovai per una selva oscura / ché la diritta via era smarrita». E avrebbe voluto continuare per sempre. Ma al quarto verso s'era accorta che bisognava dare il latte a Teresa e aveva riposto il volume. «Pazienza. Lo leggerà lei per me.» Quanto a Carlo, si sentiva Adamo nel giardino dell'Eden e ringraziandone il Cielo elencava a sé stesso i motivi. Il podere andava bene: rendeva i soldi necessari a pagar le rate semestrali nonché a comprare le sementi, e la prossima stagione sarebbero stati in grado di acquistarsi anche un ciuco. Gaetano appariva contento: diceva sempre che-bella-cosa-stare-in-una-casa-pulita e accettava con la consueta bontà il fatto d'esser tenuto un po' in disparte. Caterina non protestava più per ogni grulleria e quando don Luzzi era finalmente venuto a dir Messa nell'Oratorio l'aveva ascoltata davvero: seduta accanto a lui e coi bei capelli rosso rame nascosti sotto una pezzuola come esigeva il prete. E quella bella creatura che gli assomigliava come un chicco di grano assomiglia a un altro chicco di grano completava in pieno la felicità agognata negli anni in cui il *Cantico de' Cantici* lo aveva aiutato a capire fino a qual punto fosse solo. Ma verso metà settembre, quando Teresa aveva ormai cinque mesi e le stava spuntando il primo dente, il giardino dell'Eden finì.

All'improvviso, una sera, si mise a piangere convulsamente. Lei che non piangeva quasi mai e che per chiedere il latte si limitava a due o tre strilli festosi. Subito Caterina se la portò al seno, e anziché succhiare lei distolse la bocca. Riprese a piangere in maniera convulsa. «Avrà il mal di pancia» disse Carlo, ottimista. Poi scese ad accendere il fuoco, scaldare l'acqua, e le posò sul piccolo ventre una pezza tepida. Ma non servì a nulla e per tutta la notte quel pianto continuò a straziare gli orecchi. Non si interruppe che all'alba e per trasformarsi in una tosse cavernosa poi in una specie di fioco singhiozzo. Roba da far rimpiangere gli urli di prima. «Avrà preso il raffreddore» disse Carlo, ancora ottimista. Ma Caterina scosse il capo, già in preda a un sospetto angoscioso. La sera avanti, guardandola piangere a bocca spalancata, le aveva intravisto la gola: rossa come un pomodoro maturo e con le tonsille gonfie, grigiastre. Ora era gonfia anche la lingua, era gonfio anche il collo, e il visino era caldo. Il corpicino, sudato. Tutti sintomi d'una infezione assai acuta. Quale, però? E in che modo curarla? Spiegandole quel che si fa quando i bambini nascono lo stesso, la mammana di Montalcinello non le aveva detto come si fa a riconoscere un'infezione quando si ammalano. E tantomeno in che modo si cura. Lei sapeva soltanto che il mal di gola si chiama angina e che per curarlo ci voleva il cerusico. Chiese a Gaetano di andare a cercarlo. Gaetano andò ma il cerusico stava a Greve per via d'una vacca che partoriva, e riuscì a portarlo solo nel pomeriggio. Intanto la febbre era salita mostruosamente, il singhiozzo fioco era diventato un sibilo affannoso, e la gola era così otturata che l'aria vi passava a fatica. «Sì, è angina,» dichiarò dopo essersi lavato alla meglio le mani ancora sporche del sangue perduto dalla vacca «e io non so che farci. Se fosse un'adulta, suggerirei un clistere o un salasso. È roba che funziona sempre. Ma con uno scricciolo così, non ci penso nemmeno. Provate a ungerle il collo con l'olio caldo o l'acqua salata, e chiamate il dottore.» Il dottore stava a Radda. Dalla morte di Luca, tredici anni ormai, non era cambiato nulla. Infatti per trovarlo ci volle una giornata intera, perché arrivasse altrettanto, e sebbene avesse le mani pulite, la sua ignoranza superava quella del cerusico. Anche lui agiva a clisteri e salassi. A questi rinunciava soltanto per gli impiastri a base di fichi secchi e di crusca, oppure per gli unguenti composti da succo di more e fiele di toro. In casi eccezionali, per il bisturi che comunque non disinfettava. Pronunciando una parola che Carlo e Caterina non avevano mai udito, la parola difterite, disse che per aiutare la respirazione poteva incidere l'ugola e il collo. Ma Caterina si oppose urlando e allora ripiegò sull'impiastro a base di fichi secchi e di crusca, poi sull'unguento composto da succo di more e fiele di toro. Infine se ne andò borbottando: «Pregate».

L'agonia durò altri tre giorni. Quelli durante i quali Carlo non fece che pregare e Caterina rischiò di impazzire. A un certo punto, mentre lui pregava, supplicò Gaetano di andare al pozzo di San Eufrosino e portarle un fiasco dell'acqua che faceva bene ai bovi e alle donne incinte, e che durante la gravidanza lei non aveva mai usato. «Di grazia, Gaetano, correte! Se fa bene alle donne incinte, fa bene anche ai loro bambini!» Gaetano ubbidì e lei tentò di farne inghiottire un poco a Teresa. «Bevi, amor mio, bevi! È acqua santa, acqua miracolosa!»

Ma ormai Teresa non beveva più. Non si nutriva più. Ci vuol fiato a bere, a poppare, a inghiottire. Ci vuole una faringe aperta. E invano Caterina si spremeva il seno, invano raccoglieva in un cucchiaio le gocce del suo latte, gliele versava fra le labbra. Bevi-amor-mio-bevi. Anziché scender nell'esofago le restavano in bocca, e ogni volta rischiavano di soffocarla. Non piangeva nemmeno più. Anche a piangere ci vuole fiato e una faringe aperta. Zitta e ferma come un bambolotto di cencio stava lì a guardar quella donna piangente e disperata, e l'unica cosa viva in lei erano gli occhi. Alla fine del terzo giorno però li chiuse. Mentre il sibilo si rarefaceva diventò cianotica, quasi smise di respirare, e Caterina perse definitivamente la testa. Stringendola al cuore si precipitò giù per le scale, uscì di casa, attraversò il prato cinto di cipressi, irruppe nell'Oratorio dove Carlo continuava a pregare, e si gettò in ginocchio dinanzi alla Madonna di Giotto. Si mise a gridarle discorsi sconnessi. Che chiedeva perdono dei suoi peccati, che si pentiva d'aver offeso la Chiesa e difeso Ildebranda, che Ildebranda era davvero una strega e avevano fatto bene a bruciarla sul rogo. Che se Dio non l'avesse punita, non le avesse tolto Teresa, sarebbe diventata una buona cristiana. Avrebbe ascoltato tutte le Messe che bisognava ascoltare, recitato tutte le orazioni che bisognava recitare, osservato tutti i digiuni che bisognava osservare, e avrebbe pure portato il cilicio, si sarebbe pure fustigata. Poi si alzò, e continuando a stringer sul cuore Teresa che aveva smesso di emetter quel sibilo, respingendo Carlo che le diceva qualcosa ma non si capiva che cosa, si gettò ai piedi della statua di Eufrosino. Ripeté a lui ciò che aveva gridato alla Madonna di Giotto. Due volte, tre volte, cinque volte: finché Carlo riuscì a farsi capire.

«È morta. Venite via, Caterina. Portiamola a casa.»

12

A quei tempi la morte d'un bambino non era una tragedia. Di bambini ne morivano tanti. Soprattutto in campagna e appena nati. La mancanza di ospedali, di medici, di condizioni igieniche, il fatto che le donne partorissero spesso da sole o rozzamente assistite da un'improvvisata mammana li uccideva quanto la siccità e l'incuria uccidono un germoglio che sbuca tra le zolle. Se non morivano appena nati, avevano molte probabilità di morire nel primo anno di vita: decimati dalle polmoniti che d'inverno colpivano nelle case gelide, dalle epidemie che d'estate scoppiavano per la sporcizia e la negligenza con cui si tenevano i pozzi dell'acqua, dalle varie malattie per le quali non esisteva rimedio sicché perfino il dottore ti curava coi salassi o i clisteri o gli impiastri di crusca e fichi secchi, succo di more e fiele di toro. E nessuno se ne scandalizzava. Nessuno perdeva la testa quando un bambino moriva: ecco il punto. «È morto? Se ne farà un altro.» Oppure: «Pazienza. Andrà meglio la prossima volta». Caterina invece la perse. E non solo al momento in cui essendosi accorta che Teresa non respirava più si precipitò nell'Oratorio a rinnegare Ildebranda e supplicare la Madonna di Giotto poi la statua di San Eufrosino, ma nei giorni e nelle settimane e nei mesi che seguirono. La sua pazzia, infatti, durò un anno intero. Una pazzia tranquilla, garbata, che esplose dopo l'inumazione di Teresa nel Sepolcro degli Angeli e che all'inizio si manifestò col rifiuto di mangiare e di parlare. Poi, col capovolgimento delle sue abitudini e della sua personalità. Vale a dire, con uno stato di inerzia assoluta: una totale apatia della mente e del corpo. Accantonato l'amore che aveva scoperto per Carlo, non dormiva più nel suo letto. S'era arrangiata un giaciglio nello scrittoio e ogni sera si coricava lì. «Così non rischiamo nuovi dispiaceri.» Svanito l'orgoglio d'aver imparato a leggere e a scrivere, non leggeva più e non scriveva più. Non vedeva nemmeno la scorta di penne e gli undici libri che stavano sotto i suoi occhi. Scomparsa la travolgente energia che l'aveva sempre caratterizzata, sedeva dall'alba al tramonto presso il caminetto: a fissare il fuoco con le mani in mano, quasi volesse morire anche lei. Di conseguenza non andava mai nei campi, non accudiva mai alle bestie, non cucinava, non faceva il bucato, non puliva la casa, e in tre mesi questa tornò ad essere un tal letamaio che a metà dicembre Gaetano disse: «Bisogna che mi sposi io». Poi si presentò a don Luzzi, gli chiese di trovargli una moglie, e don Luzzi gliela trovò subito. A Chiocchio, un paesino sulla strada per l'Impruneta.

Si chiamava Viola Calosi ed era una terziaria francescana, analfabeta ma con incarichi di ministra ovvero Madre Visitatrice. Portava solo abiti grigi e spenti come la sua faccia, aveva l'aspetto docile e infido d'una coniglia in gabbia, e a Natale avrebbe compiuto trent'anni. Cosa che non piacque molto a Gaetano, ormai abituato alla gioventù e al fascino della cognata. Ma don Luzzi replicò che se la Calosi compiva trent'anni lui andava verso i quaranta cioè era uno zibo nella misura in cui lei era zittella, che quale promesso sposo vantava altrettanto poco da offrire e ringraziare il Cielo se a letto capiva da che parte si incomincia, aggiunse che vecchia o no, racchia o no, costei aveva due braccia per lavorare e un ventre per figliare, insomma tagliò corto a ogni dubbio o protesta e il 31 dicembre 1786 le nozze vennero celebrate. Senza rumore, vista l'indispensabile fretta e lo scarso entusiasmo del marito, e senza l'intervento di Caterina che perfino in questa circostanza non si staccò dalla sedia presso il caminetto. «No, no, io non vengo. Io che c'entro.» Da quella sedia, del resto, non si staccò neanche quando Viola si installò nelle due stanze a ponente ed eseguendo il compito di lavare raschiare pulire accudire alle bestie assunse il governo della casa. «Fate pure...» Né quando, da buona terziaria, riattaccò i crocifissi tolti un anno e mezzo prima e riposti sotto il vecchio lenzuolo. «Se proprio ci tenete...» O quando in gennaio annunciò d'essere incinta, sia-lodato-il-Signore-che-non-bada-all'età, e prese a esibire un addome che a poco a poco divenne mostruoso. «Contenta voi...» Sebbene i mesi trascorressero, niente sembrava infrangere il letargo nel quale Caterina era precipitata col suo pazzo dolore, e Carlo non sapeva più a che santo rivolgersi. Spesso, di nascosto a tutti, piangeva. Ma il giorno in cui, con l'aiuto della mezzadra che stava a San Eufrosino di Sotto, nacquero due gemelle che tanto per cambiare morirono nel giro di cinque minuti, il letargo cessò. Perché, concluse le esequie al Sepolcro degli Angeli, Viola disse la frase pazienza-la-prossima-volta-andrà-meglio. E, finalmente pungolata da qualcosa che sulla sua psiche agiva con la forza d'un elettroshock, Caterina si staccò dalla sedia. Si avvicinò a Viola e le mollò un ceffone terribile. Poi, presente Gaetano che non alzò un dito per fermarla, le sputò addosso una sequela di insulti da spaventare un barocciaio: «Acquacheta, leccapile, baciafrati, pretaiola, con voi meglio non andrà mai, morta siete e morta resterete». E ritrovò la sua grinta. La ritrovò a tal punto che quella sera tolse il giaciglio dallo scrittoio e, dopo aver ben messo le cose in chiaro, riprese a dormire nel suo letto con Carlo.

«Carte in tavola, Carlo: mi volete ancora?»

«Oh, Caterina!» sospirò Carlo per cui quell'anno di astinenza era stato più duro della solitudine in cui viveva prima di conoscerla.

«Bene. Vi voglio anch'io, quindi da stasera torno a dormire con voi. Ma a una condizione.»

«Dite, Caterina.»

«Che non mi rimettiate incinta!»

«D'accordo, Caterina.»

L'indomani fece di meglio. Brandendo la sedia sulla quale aveva per dodici mesi covato la sua tranquilla pazzia, convocò infatti Viola: ancora tutta impaurita e con una guancia gonfia per via del ceffone. E la spodestò insieme agli odiati crocifissi.

«La vedete questa?»

«Sì...»

«Lo sapete a che serve?»

«A sederci sopra...»

«Nossignora. A spaccare la schiena delle farisee furbe e senza cuore. Chi vi ha autorizzato a riattaccare quei simboli di dolore e di morte?»

«Voi... Mi diceste se-proprio-ci-tenete...»

«Quello che dicevo quand'ero malata e volevo morire non conta. Toglieteli immediatamente, ché certa roba io non ce la voglio. Non lo sapete?»

«Sì, però...»

«Che però e non però! Qui sono arrivata prima io e comando io: capito? Io comando e voi obbedite: intesi?»

Sempre a modo suo, insomma, riprese in pugno le redini della famiglia. E nei due anni successivi, quelli che prepararono la Rivoluzione Francese e videro il varo della Costituzione Americana nonché altre celebri cose, superò veramente sé stessa. Per incominciare, comprò l'abbaco. Fu il solito calzolaio a procurarglielo, insieme a una risma di carta che salvò le altre federe del corredo, per un totale di sei scudi. Cioè uno meno dell'abbecedario. E con quello, stavolta da sola, affrontò la scienza del far di conto: impresa facilitata dal fatto che i numeri li conoscesse già e che, grazie al commercio delle uova, con le dozzine se la cavasse abbastanza bene fino a sessanta. Sprecando pochissimi fogli imparò dunque a scriverli, e in meno d'un mese passò alla Tavola Pitagorica. Esercizio col quale afflisse tutti perché, mentre lavorava in casa o nei campi, memorizzava le tabelline ad alta voce. «Uno per uno, uguale uno... Due per due, uguale quattro... Tre per tre uguale nove...» Per ore. E guai a tentar di fermarla. Un giorno Viola ci provò, e per miracolo scansò la seggiolata sulla schiena. «Dovreste ringraziarmi, piuttosto, ché vi dò l'opportunità di imparare qualcosa. Razza di babbea analfabeta!» Appresa la Tavola Pitagorica (che a novembre recitava fino al dieci-per-dieci-uguale-cento) passò alle operazioni del sommare, sottrarre, dividere: fatica che la impegnò fino all'estate perché il meccanismo delle divisioni le riusciva arduo e insieme ai tranelli delle cifre multiple provocava in lei crisí di gran scoramento. «È troppo difficile, non ce la fò!» Tuttavia non cedette e, quando giunse la mietitura, di aritmetica sapeva almeno ciò che un bambino dei nostri tempi sa dopo cinque anni di scuola: conquista che risultò molto utile nel computo dei raccolti e delle sementi, nel calcolo delle perdite e dei profitti, nel bilancio sempre minacciato dalle inesorabili rate semestrali. Insomma nell'amministrazione del podere, finora affidata a Carlo che coi numeri brillava poco. Non a caso lo scrittoio si mutò in una specie di esattoria che lei gestiva come un contabile, i vicini presero a chiamarla «la professora», e chiunque avesse bisogno di chiedere aiuto o consiglio andava da lei. Per esempio, il mezzadro di San Eufrosino di Sotto, ormai perdonato e usato pei lavori di manovalanza. «Vorrei vendere otto staia di fagioli, professora. A due lire e dodici soldi per staio, quanto prendo?»

Contemporaneamente si immerse nella lettura degli undici libri che dopo la nascita e la morte di Teresa, poi l'anno di follia, non aveva più guardato. E il primo che scelse fu la *Divina Commedia*: come sappiamo, interrotta durante l'allattamento al verso «ché la diritta via era smarrita». Si lesse l'*Inferno*, che le piacque molto, in appena due settimane. Il *Purgatorio*, che le piacque meno, in tre settimane. Il *Paradiso*, che le piacque poco, in cinque.

Poi passò all'*Orlando Furioso* che la incantò, alla *Gerusalemme Liberata* che la lasciò freddina, al *Decamerone* che l'ammaliò. Però anche se un libro la seduceva meno il diletto che ne traeva era immenso, e a un certo punto decise di spartirlo con gli altri: seguendo un costume allora assai frequente in Toscana, inaugurò una serie di veglie durante le quali leggeva per tutti. Canti dell'*Inferno*, per lo più, con una particolare predilezione per Paolo e Francesca. «Noi leggiavamo un giorno per diletto / di Lancialotto come amor lo strinse; / soli eravamo e sanza alcun sospetto. / Per più fiate li occhi ci sospinse / quella lettura, e scolorocci il viso; / ma solo un punto fu quel che ci vinse. / Quando leggemmo il disiato riso / esser baciato da cotanto amante, / questi, che mai da me non fia diviso, / la bocca mi baciò tutto tremante.» E tutti si commuovevano. L'unica che non apprezzasse quelle veglie e quel brano era Viola che, memore d'esser stata ministra ovvero Madre Visitatrice, una mattina si fece coraggio e glielo disse. L'Ordine dei Terziari Francescani proibiva le adunanze in cui non si pregasse cioè i conviti futili e indecorosi, le disse. Proibiva anche il possesso dei libri peccaminosi e le letture che recan danno alla virtù, e il racconto di quella Francesca era un'oscenità. Ma in risposta si beccò una tal seggiolata in testa che per ore sanguinò dal naso, e perfino Gaetano insorse: «Caterina, questa volta avete esagerato e la moglie non me la dovete picchiare». Protesta cui lei reagì con una spallata e un'idea rivoluzionaria: imparare a memoria i brani che le piacevan di più e recitarli nei campi mentre si mieteva o si vendemmiava. «Le donne, i cavalier, l'arme, gli amori, / le cortesie, le audaci imprese io canto, / che furo al tempo che passaro i Mori / d'Africa il mare, e in Francia nocquer tanto...» Oppure: «Considerate la vostra semenza: / fatti non foste a viver come bruti, / ma per seguir virtute e canoscenza...». Doveva sgolarsi molto per essere udita fino ai filari più lontani. Ma la trovata risolse il problema della mano d'opera e incrementò la vita sociale della famiglia, prima d'allora sconosciuta. Infine divenne una guaritrice esperta in erboristeria e specializzata nella diagnosi delle malattie. Forse, la manifestazione più originale della sua genialità.

Nonostante il ritorno alla vita, infatti, Caterina non aveva mai cancellato dalla memoria l'agonia di Teresa e lo strazio sofferto per colpa del cerusico che sapeva curare soltanto le vacche, poi per colpa dell'incapace che sapeva propinare soltanto salassi o clisteri o impiastri privi di qualsiasi sostegno scientifico. E aveva giurato a sé stessa che una tale tragedia non si sarebbe mai ripetuta. Così, quando ebbe letto anche l'undicesimo libro, aspettò che la pioggia le portasse il calzolaio. A costui dette stavolta l'incarico di trovarle il miglior testo di medicina che esistesse sul mercato e, grazie all'iperbolica spesa di otto scudi e sei lire e tre soldi, lo scrittoio s'arricchì d'un volume dal titolo *Opera Chirurgica Anotomica conformata al moto circolare del sangue et altre invenzioni de' più moderni. Aggiuntovi un Trattato della Peste con varie osservazioni di Paolo Barbette, dottore francese e prattico già celeberrimo ad Amsterdam.* Pubblicato nel 1650 in fiammingo, tradotto nel 1729 in latino, dal latino in lingua volgare, dunque assai vecchio e intriso di vari rimaneggiamenti, esso non poteva certo considerarsi il miglior testo di medicina che esistesse sul mercato. Però era scritto in un linguaggio accessibile, conteneva una diagnostica abbastanza accurata nonché una straordinaria raccolta di ricette a base d'erbe solo in alcuni casi mischiate alle solite porcherie. E lei vi si tuffò a capofitto, incominciando dal capitolo che Barbette definiva «Indagine sul tumore alle fauci che impedisce di inghiottire e respirare». Studiati bene i sintomi si dedicò alle ricette, e la prima che riuscì a mettere insieme fu quella da usare all'insorger del male. Uno sciroppo composto di edera, radici di altea, foglie di malva, fiori di aneto e di camomilla, semi di papavero e succo di melograno, il tutto bollito nell'acqua d'orzo e che, dopo essersi procurata col pepe un forte bruciore alla gola, esperimentò su sé stessa: per accertarsi che non recasse danno. La seconda fu quella, un po' dubbia, da usare se lo sciroppo non funzionava. Un cataplasma composto di senape, semi di lino, pistilli di gigli bianchi, olio di noci e di mandorle, sterco di colombo, nidi di rondine, cipolle cotte sotto la cenere calda, il tutto amalgamato con un'oncia di vino e passato al setaccio, che esperimentò su Carlo: fortunosamente afflitto da una violenta tonsillite e ormai abituato a non meravigliarsi di nulla. Neanche il cataplasma recò danno, e da quel giorno nessuno la resse più.

Eccitata dal fatto che a Panzano e dintorni ci fosse sempre qualche ammalato disposto a subire gli esperimenti della professora, dal mal di gola passò alla tosse. Disturbo che combatteva con un infuso di ortica, mentuccia, salvia, rosmarino, bacche di ginepro e succo di giuggiole. Dalla tosse, al mal d'orecchi. Calamità che guariva con un unguento a base di latte cotto con l'aglio, bianco d'uovo, grasso d'anatra e porri schiacciati nel vino. Dal mal d'orecchi, al mal di testa poi al mal di stomaco poi al mal di pancia, e sempre distribuendo rimedi che a volte includevano sì roba sgomentevole come lo sterco di colombo o i nidi di rondine ma che in ogni caso contenevano sostanze di cui si serve la farmacologia. Radici, foglie, petali, semi, pistilli. Tanto, di erbe e di fiori se ne intendeva. L'undicesimo libro cioè il *Manuale dell'Agricoltore Perfetto* l'aveva istruita bene, in quel senso. Sia nei campi che nei boschi, inoltre, trovava tutte le piante di cui aveva bisogno. E a un certo punto questo le permise di trasformare la sua nuova passione in un commercio non meno redditizio dei tubi di decenza che un tempo offriva alla fiera di Rosìa. Visto che gli ingredienti erano in fondo gli stessi, le permise anche di inventare prodotti di bellezza che insieme alle medicine vendeva ogni sabato a Greve dove tenevano un banco col cartello «L'apoteca di Caterina» e dove avevano gran successo tre intrugli non scevri di efficacia: «Visobello», «Manisane», e «Acquabona». Un balsamo per proteggere la pelle del viso, il primo, e a base di garofani pesti, gemme di sambuco, germogli di lavanda, bianchi d'uovo montati a neve, allume, vino bianco e gelatina di piedi di vitello. Il tutto bollito a fuoco lento e distillato. Una pomata per curare le mani screpolate dal lavoro e dal freddo, la seconda, e a base di fave pestate nel mortaio, rosso d'uovo essiccato, liquido di lattuga e di cetriolo, panna acida e castagne ridotto in polvere. Una specie di profumo, il terzo, ottenuto cuocendo foglie di maggiorana, basilico, nerola, verbena, petali di rosa, fiori di gelsomino, nonché semi d'anice e scorza di limone. Il tutto filtrato con una pezza di lino, tenuto sei mesi al buio, e accompagnato da un foglietto scritto a mano che non ebbe fortuna perché quasi nessuno sapeva leggerlo. «Ricordatevi che l'Acquabona non serve a nulla se almeno una volta al mese, e meglio ancora una volta la settimana, non fate un bel bagno dentro la conca.»

Questo, senza tener conto della scienza medica che grazie a Barbette accumulava anche in campi estranei all'erboristeria. Il modo di medicare una ferita e ingessare un polso rotto o una caviglia slogata, ad esempio. Il sistema per cavare un dente o incidere un bubbone. E la dieta che secondo Barbette influiva senza fallo sul sesso d'un nascituro: cibo poco salato, carne, roba dolce, se vuoi concepire una femmina; cibo molto salato, pesce, formaggio, se vuoi concepire un maschio. Informazione che risultò preziosa quando decise di infranger l'accordo stabilito con Carlo e concepire il figlio al quale, nell'arco di venticinque anni, ne sarebbero seguiti altri dieci.

13

Tutto accadde a causa di Viola che, col suo aspetto docile e infido di coniglia in gabbia, la sua pudicizia di terziaria francescana, e la sconcertante mitezza con cui prendeva le seggiolate in testa, si rivelò un'avversaria formidabile. Anzi una nemica assai pericolosa. In barba all'età e al cattivo esito del primo parto, infatti, nel dicembre del 1788 Viola aveva dato alla luce (sempre grazie alla mezzadra che stava a San Eufrosino di Sotto) un marmocchio gracile e malaticcio cui era stato imposto il nome del re di Francia: Luigi. Distratta dallo studio dell'aritmetica, dalle letture dell'*Inferno* e dell'*Orlando Furioso*, dal possesso dell'*Opera Chirurgica Anotomica* appena procuratale dal calzolaio, però, Caterina aveva reagito alla sorpresa con l'indifferenza di chi è troppo sicuro di sé per temere attentati alla sua supremazia. Che me ne importa, s'era detta, quell'acquacheta non sa fare figli che durano: il povero bambino non vedrà il Capodanno del 1789. Invece, anche grazie agli impiastri e ai decotti che lei gli somministrava con incauta generosità, a Capodanno il povero bambino era ancora vivo. E lo stesso a Quaresima, lo stesso a Pasqua, quando l'indifferenza si mutò in preoccupazione e al discorso del che-me-ne-importa ne subentrò uno completamente diverso. Eh, no, perbacco! Avrebbe potuto fregarsene se Luigi fosse stato una Luigia: nel Granducato le femmine non avevano diritto all'eredità. Luigi era al contrario un Luigi che alla morte di Gaetano si sarebbe beccato il livello, sicché bisognava passare alla controffensiva. Cioè seguire la dieta di Barbette e partorire subito un maschio.

La controffensiva ebbe inizio con la Battaglia del Sale: durissima in quanto il sale costava più della carta e il cibo molto salato a lei non piaceva. Ma con gli introiti che venivano dai prodotti di bellezza ne comprò uno staio, e con la solita forza d'animo prese a inghiottirne quantità mostruose. Continuò con la Battaglia del Pesce: non meno dura in quanto neanche il pesce le piaceva e nella campagna toscana nessuno se ne nutriva. Ma ispezionando il borro s'accorse che il torrente abbondava di trote, in quattro e quattr'otto imparò a pescarle nonché a mangiarle, e con l'aggiunta del cacio pecorino che in casa non mancava mai in tre mesi fu pronta a sferrare il contrattacco vero e proprio. Evento che si verificò a metà luglio e, stando alla leggenda, proprio il giorno in cui avvenne la Presa della Bastiglia. Mentre a Parigi la folla si lanciava contro le prigioni del re fece infatti un bel bagno dentro la conca, si asperse d'Acquabona, poi con la baldanza d'un giacobino deciso a cambiare il mondo disse a Carlo: «Ho cambiato idea. Stasera concepiamo un erede». Il resto è storia. Carlo ne fu ben lieto, sulle foglie di granturco il 14 aprile 1790 nacque un bel bambino robusto cui dettero il nome Domenico, e da quel momento la guerra tra le due cognate si svolse a colpi di figli maschi. Senza requie, senza pietà, e sempre in coincidenza con le varie tappe dell'altra guerra che col nome di Rivoluzione Francese stava minando l'assetto europeo. Lo dimostrano le date. Nel settembre del medesimo anno Viola, che tanto scema non era e la dieta di Barbette l'aveva scoperta per intuito nonché con un anno di anticipo su Caterina, rimase incinta di nuovo. E tra il 20 e il 21 giugno 1791, cioè la notte in cui Luigi XVI e Maria Antonietta in fuga vennero catturati a Varennes, partorì un secondo maschio gracile e malaticcio che fu chiamato Antonio. Allora Caterina si arrabbiò. Ripeté quello che aveva fatto per la Presa della Bastiglia, e il 10 agosto 1792 cioè il giorno dell'assalto definitivo alle Tuileries partorì un altro bel bambino robusto che fu chiamato Pietro. Colpo gobbo al quale Viola reagì il 20 gennaio 1793, cioè ventiquattr'ore prima che Luigi XVI venisse ghigliottinato, con un terzo maschio ancor più gracile e malaticcio che fu chiamato Giuseppe. Né importa che il 17 ottobre, cioè ventiquattr'ore dopo che Maria Antonietta era stata ghigliottinata, Giuseppe morisse di rachitismo. Appena sepolto l'insuccesso la terziaria corse ai ripari e il 28 luglio 1794, mentre anche le teste di Robespierre e Saint-Just ruzzolavano dentro il paniere, partorì un quarto maschio abbastanza sano che fu chiamato Silvestro e a cui Caterina rispose col bellissimo bambino che nacque il 15 maggio 1795: Eufrosino.

Una data storica, la data in apparenza priva di rilievo che vide la nascita di Eufrosino. Perché, stroncata dall'impossibile lotta, quel giorno l'ormai quarantenne Viola alzò bandiera bianca. La guerra che da sette anni dilaniava il podere finì, e negli anni successivi Caterina poté continuare indisturbata la sua personale produzione di maschi poi incominciare la produzione di femmine. Nel frattempo, dedicarsi a un nemico più interessante della cognata: Napoleone Bonaparte. A quel punto, però, anche la guerra conosciuta col nome di Rivoluzione Francese era finita. Con la tipica cretineria degli umani i suoi cultori stavano per reinventarsi un padrone assai meno mite del fesso che avevano ucciso, ed anche nel Chianti le cose erano cambiate. In seguito alla morte del fratello imperatore d'Austria, infatti, nel 1790 Pietro Leopoldo era rientrato a Vienna per cingere la corona degli Asburgo. Qui era morto a sua volta il 29 febbraio 1792 cioè un anno e sette mesi e sedici giorni prima di sua sorella Maria Antonietta, e sul Granducato regnava suo figlio Ferdinando III: brav'uomo, sì, ma senza il cervello e il coraggio del padre. Peggio: nominato capo dell'Armata d'Italia, Napoleone stava calando in Toscana per occupare Livorno e fare un salto a Firenze dove Caterina lo avrebbe aggredito il primo luglio del 1796.

* * *

La leggenda tramandata insieme alla federa e alla cassapanca contiene molte lacune. Nessuna però che riguardi quel nobile episodio, del resto suffragato da eventi storici e inconfutabili. Nel giugno del 1796, si sa, il ventisettenne Napoleone aveva già deciso di prendersi la Toscana e per incominciare Livorno: a quel tempo una specie di Hong Kong aperta a chiunque. E a dispetto della sua babbuaggine Ferdinando III se n'era reso talmente conto che verso la metà del mese aveva mandato a Bologna, dove il capo dell'Armata d'Italia stava col suo quartier generale, tre commissari incaricati di fargli cambiare idea: il principe Corsini, il marchese Manfredini, e l'accademico scrittore Lorenzo Pignotti. Esperto conoscitore dell'animo umano, Napoleone li aveva ricevuti con gran cortesia. Aveva detto al Pignotti che il fratello Giuseppe era stato suo allievo all'Università di Pisa e quindi stimava in modo cieco la sua opera letteraria, al Corsini e al Manfredini che conoscerli era un onore e che niente poteva ledere i buoni rapporti tra la Toscana e la Francia, poi aveva aspettato che quei coglioni ripartissero tutti contenti e alla testa d'una divisione era entrato in Toscana. Il 24 giugno aveva invaso Pistoia, il 26 aveva inviato a Ferdinando III un messaggio con cui lo informava che in seguito alle angherie commesse dagli inglesi sui francesi residenti a Livorno il Direttorio lo pregava di occupare questa città, e il 27 l'aveva occupata. Senza colpo ferire perché gli inglesi erano scappati e perché, anche volendo, i toscani non avrebbero potuto opporsi. Oltre alla pena di morte e all'Inquisizione il malinteso illuminismo di Pietro Leopoldo aveva abolito l'esercito, e per difendere il Granducato dall'invasore esistevan soltanto milleottocento fanti male armati più una guardia civile composta di volontari che la domenica si addestravano sparando ai fagiani.

Tra confische e saccheggi e abusi di vario tipo, Napoleone rimase a Livorno tre giorni. Poi lasciò il comando a Gioacchino Murat e, col pretesto di porgere gli omaggi a Sua Altezza Reale ma in realtà con l'intento di dare un'occhiata alle opere d'arte che appena possibile intendeva razziare, la sera del 30 giugno scese a Firenze: scortato da un reggimento di dragoni e accolto con gli stessi onori che, come vedremo, la pronipote della nostra eroina avrebbe visto tributare a Mussolini e Hitler nel 1938. Morto di paura e più impotente che mai, Ferdinando III mise infatti a sua disposizione il più bel palazzo di Borgo Pinti. Folle d'imprudenza se lo portò a spasso per la reggia e il giardino di Boboli, e per ventiquattr'ore gli mostrò gli Uffizi nonché tutte le chiese e tutti i musei che desiderava ammirare anzi ispezionare. I dipinti, le statue, i mosaici, i cammei cui ambiva, e lo splendido sarcofago etrusco che con la stupenda *Venere de' Medici* sarebbe finito al Louvre anni dopo. Infine, gli offrì un pranzo suntuoso. Quello durante il quale l'ospite disse: «Quale fortuna che i miei avi traessero origine dall'inclita Firenze». Frase con cui alludeva al fatto che nel millecinquecento i Bonaparte fossero emigrati in Corsica dalla Toscana. (Secondo alcuni, da San Miniato al Tedesco: un paesino sulla strada per Pisa e nel quale viveva ancora un suo zio canonico. Secondo altri, nella Val di Greve e per l'esattezza nel tratto compreso fra Greve e San Casciano). Il guaio è che quel giorno, a Firenze, c'era anche Caterina: ormai autoelettasi cassiera delle sostanze familiari e impegnata a recarsi due volte l'anno al Regio Spedale di Santa Maria Nuova per pagare le rate semestrali che prima venivano affidate a don Luzzi. E grazie alla «Gazzetta Patria», un giornaletto che per sedici soldi il procaccia le portava ogni mese, su Napoleone sapeva fin troppo. Ad esempio, che in nome della libertà, dell'uguaglianza, della fraternità, si fosse già preso il Piemonte, la

Liguria, e la Lombardia. Cosa che le era piaciuta pochissimo. Quasi ciò non bastasse, lasciata la diligenza aveva udito che il 27 giugno l'infame s'era preso Livorno e che ora si trovava a Firenze. Cosa che le era piaciuta ancor meno. Piena di stizza camminava dunque lungo la strada che ventitré anni prima Carlo aveva percorso per andare in piazza Signoria, e destino volle che giungesse a piazza Pitti proprio mentre Napoleone la imboccava da via Maggio per recarsi al pranzo suntuoso. Comprese che era lui perché viaggiava sulla carrozza dorata degli Asburgo-Lorena, scortato dai suoi dragoni con la giacca verde, l'elmo di rame sormontato dal cimiero nero, e gli stivali a mezza coscia. E subito si avvicinò per guardarlo bene in faccia, chiedersi se non fosse per caso il grand'uomo che i suoi sostenitori affermavano. Ma quando vide quel giovanottino borioso dagli occhi sprezzanti e il gran naso a becco intuì ciò che la sua pronipote avrebbe intuito a guardar gli altri due nel 1938. Cioè un gran male che stava per aggiungersi al male. La sua stizza divenne furore, e lanciandosi contro la carrozza gridò la breve ma lungimirante requisitoria che ci sarebbe stata tramandata insieme alla federa e alla cassapanca.

«Accident'a te e alla troia che t'ha partorito! Che statue sei venuto a rubarci, che guerre sei venuto a portarci, uccellaccio rapace?»

Venne immediatamente arrestata. Disavventura che tuttavia superò in meno di mezz'ora perché si mise a urlare sono-incinta, guai-a-voi-se-mi-toccate, e perché il capo della gendarmeria era zio d'un livornese: un po' per pietà, un po' per complicità, liquidò la faccenda con un bonario rabbuffo. Ma l'odio per l'uccellaccio-rapace era ormai una realtà così incancellabile che nel 1799 sarebbe esploso per coinvolgere anche Carlo e Gaetano, trascinare entrambi nell'unica manifestazione guerresca della loro mitissima vita: la resistenza contro i francesi.

14

Il figlio che Caterina portava in grembo mentre urlava sono-incinta, guai-a-voi-se-mi-toccate, era Donato: il mio trisnonno paterno. E nacque il 2 gennaio del 1797, un anno tranquillo per San Eufrosino e per la Toscana. Per San Eufrosino perché, come sappiamo, Viola aveva rinunciato alla guerra dei maschi e non partoriva più. Per la Toscana perché a primavera Napoleone ritirò le truppe da Livorno e firmò l'armistizio di Loeben con l'Austria, in estate si dedicò al lavoro di costituire la Repubblica Cisalpina, e in autunno fu impegnato in altre due cosette: il Trattato di Campoformio e il colpo di stato che il 18 Fruttidoro fece eseguire da Augereau. In quel senso fu tranquillo anche il 1798, anno in cui la campagna d'Egitto e la stangata inflittagli da Nelson ad Abukir lo distrassero dalle mire sulla patria degli avi nati e vissuti in Val di Greve o a San Miniato al Tedesco. Tant'è vero che Caterina decise di restare incinta per la quinta volta. Ma nel 1799, quando il precario armistizio con l'Austria si ruppe e conquistato il Regno di Napoli i francesi s'accorsero che per andare dal Nord al Sud dell'Italia servivan le strade della Toscana, tutto cambiò. A Firenze presero ad apparir manifesti con la scritta Libertà-Uguaglianza-Fraternità, coi manifesti lo stemma della Repubblica che in una mano teneva l'asta sormontata dal berretto frigio e nell'altra il fascio di verghe legate alla scure cioè il simbolo di comando che anche Mussolini avrebbe adottato centoventi anni dopo, e il 23 marzo il nuovo capo dell'Armata d'Italia generale Schérer emise un proclama che poneva fine a ogni illusione di pace.

Sordo alle promesse di neutralità con le quali il pavido e impotente Ferdinando III tentava di far dimenticare la sua parentela con l'imperatore d'Austria, Schérer vi dichiarava infatti che la Toscana aveva bisogno d'esser liberata dai francesi e che il generale Gaultier si accingeva a farlo. Da Bologna Gaultier annunciò alle sue truppe che stavano per occupare una delle più belle contrade d'Italia sicché coi saccheggi dovevano andarci piano, folle di gratitudine Ferdinando III rispose invitando i suoi sudditi a rispettare gli ospiti e ad astenersi da qualsiasi gesto che potesse irritarli, e il 24 marzo (era Pasqua) accadde ciò che la breve ma lungimirante requisitoria di Caterina aveva anticipato. Preceduto da diversi reggimenti di cavalleria coi moschetti impugnati e da altrettanti reggimenti di fanteria coi ramoscelli d'olivo beffardamente infilati nelle baionette, e seguito da un interminabile corteo di cannoni coi carriaggi dell'artiglieria, Gaultier entrò nella città deserta e ammutolita. Si installò a Palazzo Riccardi, e ordinando all'inesistente esercito granducale di deporre le armi alzò la bandiera francese su Palazzo Vecchio. Poi inviò a Ferdinando III il dispaccio con cui il Direttorio lo licenziava e gli intimava di abbandonare la Toscana entro quarantott'ore, cosa che egli fece senza fiatare, e con sessanta fucilieri nonché uno squadrone di cacciatori a cavallo circondò la Certosa. Arrestò il papa, lo spedì a Parma e di lì nel Delfinato dove sarebbe morto in catene. Infine nominò una specie di governatore, il commissario Reinhard, e sia in piazza Santa Maria Novella che in piazza Signoria subito ribattezzata piazza Nazionale costui fece piantare l'Albero della Libertà. Cioè l'albero, di solito un pioppo, che copiando un'abitudine sorta durante la guerra d'Indipendenza Americana i rivoluzionari avevano scelto quale emblema della Repubblica. Reinhard provvide anche ad informare i cittadini che il calendario non era più quello di prima e che d'ora innanzi non dovevano più contare gli anni e i mesi come li avevano sempre contati. Non dovevano nemmeno più chiamarli come li avevano sempre chiamati cioè gennaio, febbraio, marzo, aprile eccetera del

1799 bensì Nevoso, Piovoso, Ventoso, Germinale, Fiorile eccetera dell'Anno Settimo. E mentre la città deserta e ammutolita si affollava di cialtroni che vociavano viva i francesi, mentre i sostenitori di Napoleone e gli opportunisti e i voltagabbana si mettevano al suo servizio insomma diventavano collaborazionisti, passò agli editti. Quei terribili editti che incominciavano sempre con le parole *Nous-voulons*, noi-vogliamo, e a causa dei quali i toscani avrebbero sempre chiamato i francesi Nuvolòn o Nuvoloni.

Primo editto dei Nuvoloni, quello che intimava di consegnare immediatamente il vasellame e i candelabri d'oro o d'argento nonché i quadri e le statue migliori che arredavan le chiese, gli oratori, i conventi, i vari luoghi pii. Il vasellame e i candelabri, per fonderli alla Zecca di Firenze e farne monete. I quadri e le statue, per mandarli al Louvre dove Reinhard aveva già spedito lo splendido sarcofago etrusco e i dipinti, i mosaici, i cammei che Napoleone aveva adocchiato il giorno in cui Caterina s'era lanciata contro la sua carrozza gridando che-statue-sei-venuto-a-rubarci, che-guerre-sei-venuto-a-portarci. E dove, dal 1796, si trovava l'*Apollo del Belvedere* requisito a Roma come trofeo di guerra. Lo stesso al quale anni dopo avrebbe «dato in moglie» la *Venere de' Medici*, per il momento messa in salvo cioè nascosta a Palermo.

L'editto si estendeva alle campagne. Ed eccoci al punto.

* * *

Nelle campagne l'invasione non era avvenuta contemporaneamente a quella di Firenze, e a San Eufrosino di Sopra la notizia che i francesi occupavano la capitale non era subito arrivata perché, essendo Pasqua, il 24 marzo nemmeno il procaccia aveva fatto la consueta gita in città. L'indomani, festa di Pasquetta, lo stesso. Per due giorni, dunque, la famiglia era rimasta all'oscuro di tutto e sebbene incinta di sette mesi Caterina aveva continuato a esercitare indisturbata le sue multiformi attività di capoccia. Unica caratteristica che condividesse con Napoleone e che ora includeva l'impegno di insegnare a leggere e scrivere a quattro dei sette bambini prodotti dalla Guerra dei Maschi: il primogenito Domenico che aveva ormai nove anni, il secondogenito Pietro che ne aveva sette, e i loro cugini Antonio e Luigi. Quest'ultimo, già undicenne e tanto scarso di salute quanto debole di comprendonio. Il 26 marzo, però, il procaccia era andato e tornato. E a sapere che l'uccellaccio-rapace aveva preso Firenze, cacciato il granduca, arrestato il papa sicché su Palazzo Vecchio sventolava la bandiera francese e invece di gennaio febbraio marzo eccetera bisognava dire Nevoso Piovoso Ventoso Germinale eccetera, era esplosa in un bercio gravido di minacce.

«Lo dicevo ioooo!»

La settimana seguente i Nuvoloni erano giunti a Greve dove avevan piantato il solito Albero della Libertà, un giovane pioppo tolto dai boschi della parrocchia, e aperto una Gendarmerie nonché nominato un Commissario Provinciale. Incarico per cui avevan scelto il nipote del Girolamo Civili che s'era preso San Eufrosino di Sotto, cioè il ricco mugnaio Giuseppe Civili. Nel loro giudizio, un sincero giacobino che credeva davvero al principio Liberté-Égalité-Fraternité. Nel giudizio dei grevigiani, uno sporco opportunista al quale le tre parole servivano soltanto per far carriera. Su proposta del Civili, tra i cui compiti c'era quello di segnalare i punti caldi della zona, eran poi saliti a Panzano dove avevan piantato un altro giovane pioppo e aperta un'altra Gendarmerie. Sedici militari di cui quattro a cavallo, ben armati e agli ordini d'un sergente altezzoso che per prima cosa s'era installato nella prioria costringendo il vecchio don Fabbri a dormire nel ripostiglio. Per seconda cosa aveva spinto il suo presidio fino al comune di Radda, in modo da formare un triangolo che controllasse l'intera zona del Chianti. Dramma in seguito al quale Caterina era esplosa in un ruggito ancor più minaccioso.

«Bisogna combattereee!»

L'indomani erano incominciate le angherie e le vessazioni che la Repubblica Cisalpina e gli ex Stati Pontifici conoscevano già: sequestri di muli, di asini, di vitelli, confische di farina, di vino, di olio, di legumi, di animali da cortile. A volte, nel modo più brutale perché i soldati dovevano procurarsi il cibo da soli e quando avevano fame non sprecavan tempo in cerimonie: piombavano in un podere e arraffavano quel che gli serviva. A volte, con mano più leggera cioè attraverso ordinanze scritte dal Civili e appese in piazza. Lo dimostrava quella custodita fino al 1944 nella cassapanca di Caterina: «Libertà e Uguaglianza, addì 20 Germinale dell'Anno Settimo. Cittadini! Occorrono indilatamente venti paia di pollastri, dieci paia di piccioni, e tre tome di vino del migliore per la mensa della truppa francese. Ciò eseguirete sotto la più stretta e nostra tutela entro domani mattina. Commissario Giuseppe Civili che vi dice Salute e Fraternità». Ordinanze per le quali lei era esplosa addirittura in un latrato omicida.

«Morte ai collaborazionistiii!»

Nonostante questo, però, a San Eufrosino di Sopra non era successo nulla che svegliasse fino in fondo la coscienza patriottica della famiglia e la inducesse alla lotta contro l'invasore. Né i campi né le stalle né le tinaie né il cortile avevan subìto razzie, le ordinanze sul cibo erano rimaste inevase senza che ciò causasse castighi, e Caterina non ci aveva rimesso neppure un uovo. (Particolare che risultava da un altro foglio custodito nella cassapanca, stavolta in francese e si suppone scritto dal sergente altezzoso a Giuseppe Civili: «Liberté, Égalité, Fraternité, le premier Floréal de la Septième Année. Vu l'impossibilité de trouver des vivres au-dehors de Panzano, on demande au citoyen commissaire d'intervenir avec son autorité». Vista l'impossibilità di trovar viveri al di là di Panzano, si chiede al cittadino commissario d'intervenire con la sua autorità).

Ma quando sul portale di Santa Maria a Panzano apparve una copia dell'editto che intimava la consegna degli oggetti preziosi contenuti nelle chiese, negli oratori, nei conventi eccetera, tutto cambiò. Stavolta, infatti, si udì un urlo a quattro.

«La Madonna di Giotto!»

«Il busto di San Eufrosino!»

«Le reliquie!»

«I due candelabri d'argento!»

Poi una voce insolitamente fredda e decisa. La voce di Carlo.

«Secondo me, del busto e delle reliquie non gliene importa nulla. Secondo me, e candelabri a parte, vogliono la Madonna.»

Dopo la voce di Carlo, quella di Gaetano. Mesta eppure risoluta.

«Bisogna metterla subito in salvo.»

Non era facile metterla in salvo. Perché si trattava d'una tavola di legno alta sei spanne e larga quattro, rinforzata sul retro da sbarre di ferro e quindi tanto grossa quanto pesante, e perché né la casa né l'Oratorio offrivano nascondigli sicuri. Il resto del podere, nemmeno. Se l'avessero infilata sotto il pagliaio, ad esempio, l'avrebbero scoperta in un minuto. Se l'avessero sepolta nella capanna o in una stalla, lo stesso: descrivendo una razzia avvenuta a Radda, il procaccia aveva raccontato che i Nuvoloni erano bravissimi a perquisire i punti più insospettabili. «Son riusciti a trovare perfino una damigiana d'olio calata nel pozzo.» D'altronde non si poteva lasciarla sul muro dell'altar maggiore, per un raggio di cento miglia lo sapevano tutti che a San Eufrosino esisteva una Madonna di Giotto, e più di chiunque lo sapeva il Civili. Seguì perciò un'angosciosa seduta che si concluse con la decisione di affidarla a don Luzzi. Gaetano andò a chiamarlo, e don Luzzi arrivò in un battibaleno: più energico e combattivo di sempre. Sì, era d'accordo con Carlo, disse agguantando svelto i due candelabri d'argento. Il busto di San Eufrosino e le reliquie non correvano alcun rischio perché a quegli atei certa roba non interessava. Un dipinto di Giotto invece se lo sarebbero preso anche se ritraeva una Madonna, e nessuno lo capiva meglio di lui che alla Pieve di San Leolino aveva un'altra opera d'arte da mettere in salvo: l'*Annunciazione* del Ghirlandaio. Che gliela portassero immediatamente: dove va una Madonna ne vanno due e il Buondio le avrebbe sottratte entrambe alla cupidigia dello straniero. Questo, se non si fosse mai chiesto al suo umile servo in che modo e in che luogo l'aveva nascosta.

«Proprio mai. Intesi?»

La cosa non piacque a Caterina, già resa sospettosa dalla sveltezza con cui l'ex nemico aveva agguantato i due candelabri d'argento. Ma Carlo e Gaetano risposero che non aver fiducia nel proprio parroco era peccato mortale e, tolto il quadro dalla parete dove rimase una gran macchia bianca di cui perfino un cieco si sarebbe accorto, al calar della sera lo portarono alla Pieve di San Leolino. Impresa non meno difficile perché i quattro Nuvoloni a cavallo pattugliavano la zona a qualsiasi ora del giorno o della notte, le spie al loro soldo sbucavano ovunque peggio dell'ortica, e per non esser visto dovevi passare dai boschi: scegliere sentieri poco battuti e quindi irti di rovi che bloccavano il passaggio, rinunciare alle torce. Ci riuscirono, tuttavia. Al buio e attraverso quei rovi trascinaro-

123

no il pesante e ingombrante bagaglio senza farsi vincere dalla stanchezza né dalla paura. E l'indomani vennero quelli della Gendarmerie.

«Réveillez-vous, sveglia, réveillez-vous!»

Vennero all'alba. In dieci, seguiti da una carretta per caricare il bottino, e guidati dal sergente altezzoso. Con l'aria di saper bene quel che volevano ingiunsero di aprir l'Oratorio, vi irruppero, e appena videro la macchia bianca si infuriarono come tori: «Où est la Vierge, dov'è la Vergine, où est la Vierge?!?». Come tori si lanciarono nella ricerca, e ciò che a San Eufrosino di Sopra non s'era ancora verificato si verificò tutto insieme. Dopo aver legato Carlo e Gaetano al piedistallo dell'acqua santa, perquisirono la sacrestia e le cinque stanze annesse. Distrussero il pagliaio, rovinarono le tinaie, le stalle, i porcili. Scalzarono il pavimento della capanna e naturalmente sovvertiron la casa. Terrorizzando Viola che strillava e i bambini che piangevano, capovolsero i letti. Sventrarono i materassi. Spaccarono gli armadi, divelsero i mattoni. Infine tornarono in chiesa. Slegarono Carlo e Gaetano, li portarono fuori. E sotto gli occhi di Caterina che ormai incinta di otto mesi aveva assistito allo scempio senza reagire, li scaraventarono contro il muro del porticato.

«Où est-elle, dov'è?» chiese il sergente altezzoso a Carlo.

«In cielo» rispose, serafico, Carlo.

«Où est-elle, dov'è?» ripeté a Gaetano.

«Ve l'ha detto lui: in cielo col Padre, il Figlio e lo Spirito Santo» chiarì Gaetano, ancor più serafico.

Ne seguì un interrogatorio condito di botte. I pugni nella testa e nel ventre, i calci negli stinchi e nelle reni, che in circostanze simili i loro pronipoti avrebbero ben conosciuto un secolo e mezzo dopo. E ad ogni colpo la stessa domanda: «Dov'è?». Ad ogni domanda, la stessa caparbia risposta: «In cielo». Oppure: «In cielo col Padre, il Figlio e lo Spirito Santo». Però ne seguì anche l'intervento di Caterina. Perché quando il sergente altezzoso si mise a urlare che se non la smettevano li fucilava, e per spaventarli ordinò ai dieci gendarmi di comporre il plotone di esecuzione, Caterina si scosse. Ghermì la roncola che usava per falciare il grano, e col suo pancione si gettò su di lui.

«Son io che ammazzo te, servo dell'uccellaccio rapace!» Il servo-dell'uccellaccio-rapace fece appena in tempo a scansarla e disarmarla. Poi, forse affascinato dalla fierezza di quella colona incinta, forse ansioso di batter la ritirata senza ammazzare nessuno e nel medesimo tempo senza perder la faccia, o forse meno cattivo di quanto sembrasse, disse ai dieci di abbassare i fucili e supplire al sequestro riempiendo la carretta di polli, conigli, e damigiane di vino. Infine se ne andò con un mezzo sorriso.

«Il faut reconnaître que vous avez du courage, ma bonne femme.»

15

L'episodio di Caterina che col pancione di otto mesi e la roncola in pugno si lancia contro l'oppressore, da questi viene congratulata per il suo coraggio, sarebbe sempre stato considerato un fiore all'occhiello della dignità familiare nonché un esempio di lotta alla tirannia. (Come esempio, lo vedremo, superato soltanto dall'intrepida frase che mia madre pronunciò centoquarantacinque anni dopo. Cioè il giorno in cui andò a cercare mio padre arrestato dai nazifascisti e il capo dei torturatori le disse: «Signora, suo marito sarà fucilato domattina alle sei»). Però nei tre mesi di quella occupazione il comportamento di Carlo e Gaetano fu altrettanto egregio. E forse più eroico perché ciò che sembrava facile a Caterina, donna senza freni religiosi e portata a odiare non a perdonare, era quasi impossibile per loro: uomini miti e religiosissimi, abituati a respingere l'odio e a rispondere col perdono. Prima di concludere questa parte della saga, bisogna dunque accennare alla resistenza che insieme a lei condussero in quei mesi e il cui spontaneo avvio precedette la rivolta gestita dal clero a metà maggio. Vale a dire quando armati di forconi o di falci o di roncole i contadini attaccarono il presidio francese di Arezzo poi di Cortona e al grido di Viva Maria-Viva Gesù lo misero in fuga, da Firenze il generale Gaultier mandò in soccorso la Legione Polacca che i contadini del Casentino fermarono a Pontassieve, e da Siena il generale Macdonald emise due ordinanze la cui ferocia superava l'efferatezza degli editti sparati nei medesimi giorni dal commissario Reinhard. Uno per informare i ribelli che se non si fossero arresi entro ventiquattr'ore e non gli avessero mandato venti ostaggi avrebbe distrutto le due città a cannonate, passato a fil di spada tutti gli abitanti, dato al saccheggio e incenerito tutte le case, e sulle rovine innalzato due piramidi con la scritta «Puniti per la rivolta». Uno per informare i villaggi della Toscana che chiunque fosse stato sorpreso con un'arma o un forcone o una falce o una roncola sarebbe stato giustiziato seduta stante. E pazienza se a San Eufrosino di Sopra la lotta fu assai meno epica che ad Arezzo. Pazienza se di essa non esiste traccia nei libri di storia. Nel suo piccolo, e a volte nella sua comicità, ebbe toni piuttosto grandiosi. Comunque sufficienti a raddoppiare quel fiore all'occhiello da cui è partito il discorso.

Il suo primo atto fu infatti lo sterminio dei polli e dei conigli non caricati sulla carretta del sergente altezzoso nonché il sacrificio del vino rimasto nelle cantine e nelle tinaie. Rappresaglia che durante l'avanzata di Napoleone in Russia il generale Kutuzov avrebbe copiato facendo bruciare i depositi-viveri di Mosca, e alla quale Viola tentò invano d'opporsi protestando che allora tanto valeva lasciar mangiare e bere i francesi. Incapaci di uccider con le proprie mani tante creature care a San Francesco, Carlo e Gaetano delegarono lo sterminio a Caterina che pollo dopo pollo e coniglio dopo coniglio lo eseguì ringhiando: «Perché coi sorrisi e coi complimenti me non mi si compra». Incoraggiati dai lividi che in seguito al pestaggio li annerivano dalla testa ai piedi, a sé stessi riservarono invece il sacrificio del vino. E mentre sospiravano così-se-tornano-non-si-beccano-neanche-questo, damigiana dopo damigiana e botte dopo botte la vendemmia di molti anni finì nel borro dove per ore le acque diventarono rosse e i pesci ubriachi. Il secondo atto fu l'offensiva contro l'Albero della Libertà che Carlo aveva ribattezzato Albero della Schiavitù. Protetto giorno e notte da due Nuvoloni, l'odiato simbolo non si poteva né abbattere né sradicare. Però era permesso avvicinarlo per imbellirne i rami con nastri e coccarde e per deporre fiori ai piedi del tronco, e ciò fornì a Caterina l'idea di avvelenarlo lentamente con spruzzi d'acido muriatico diluito nell'olio di Juglans nigra: una noce il cui olio ammazza qualsiasi pianta. Due volte la settimana, dunque, andava in piazza. Deponeva ai piedi del tronco un bel mazzolino di fiori e intanto, sotto il naso dei Nuvoloni che non capivano per quale motivo il giovane pioppo diventasse sempre più stento e avvizzito, versava una fiala dell'infernale miscuglio. Il terzo atto fu la divulgazione d'una poesia antifrancese che col titolo *L'inganno della libertà spiegato ai popoli oppressi* era stata stampata di nascosto a Firenze e che con qualche taglio o ritocco qualcuno aveva adattato al motivo d'uno stornello toscano. La cantavano dalla mattina alla sera, la facevano cantare anche ai bambini, la insegnavano a tutti. E quando vedevan passare la pattuglia a cavallo la intonavano in coro: «Oh, che bella libertà / ci portò la gran nazione / che con sedici persone / conquistando il mondo va / Oh, che scaltra libertà / Con un semplice arboscello / farci liberi pretende / tanti schiavi invece rende / al suo orgoglio e vanità / Oh, che bella libertà / Oh, che trista libertà / che ingannevol libertà». Infine, l'attacco alla Gendarmerie di Panzano.

L'attacco alla Gendarmerie di Panzano fu un'idea di don Luzzi: la sua risposta all'editto col quale Reinhard attribuiva ai preti la responsabilità delle rivolte e prometteva anche a loro la fucilazione immediata. «Se devo finire al muro, tanto vale che gliene fornisca un motivo.» Consisteva nel dare fuoco all'Albero della Libertà-Schiavitù, ormai mezzo morto però ancora protetto dai due Nuvoloni, nonché alla garitta che stava poco lontano: un capanno reso importante dalla bandiera francese e dallo stemma della Repubblica col fascio littorio. Appariva tanto difficile quanto pericoloso, copiava un assalto già avvenuto ad Arezzo e richiedeva la presenza di Caterina: ormai incinta di nove mesi e quindi in grado di distrarre i due Nuvoloni mettendosi a gridare aiuto-sto-per-partorire-aiuto, cioè fingendo di avere le doglie e provocando un tumulto eversivo che consentisse a Carlo di lanciarsi verso l'albero, a Gaetano di entrare nella garitta, a entrambi di incendiare i rispettivi bersagli con stracci imbevuti di petrolio e accesi all'ultimo momento. Indurli a realizzarlo costituì un'impresa laboriosissima. Carlo non voleva per i rischi cui si sarebbe esposta Caterina, ben nota ai francesi e sul punto di partorire sul serio. Non a caso se la prese con don Luzzi e per la prima volta nella sua vita lo trattò male. «Reverendo, andateci voi a finger d'avere le doglie.» Gaetano non voleva per la violenza che l'azione implicava. «Reverendo, qui non si tratta di cantare che-bella-libertà. Qui si tratta di fare qualcosa che potrebbe costare la vita a qualcuno.» Ma don Luzzi li stordì di chiacchiere e, nonostante i sospetti che continuava a nutrire nei suoi riguardi, Caterina fece causa comune con lui. Sbraitò che le azioni commesse finora erano pannicelli caldi, quisquilie, che a un'ordinanza come quella che minacciava di fucilarli per un forcone o una falce o una roncola si doveva reagire con un colpo sostanzioso, e le scelte eran due: o bruciare l'albero e la garitta, o ammazzare il Civili. Gesto che poteva compier da sola con un coltello ben affilato. Il ricatto funzionò, e l'attacco avvenne l'ultima domenica di maggio al calar del crepuscolo: cioè all'ora in cui la piazza si affollava di gente che andava al Vespro. Un attacco rapido, preciso, sicuro. E assai meno difficile di quel che avessero pensato perché i nove mesi di gravidanza erano scaduti e mentre Caterina gridava aiuto-sto-per-partorire-aiuto le doglie incominciaron davvero. In un battibaleno le acque si ruppero, il lieto evento si svolse in piazza, e sia Carlo che Gaetano riuscirono ad appiccare il fuoco senza essere visti.

Però la vittoria fu amara. L'indomani, infatti, l'amichetta del sergente altezzoso dichiarò di conoscere il piromane che era entrato nella garitta. Con gran sicumera dette il nome d'un mietitore che alla prima fiammata s'era messo a correre per spenger l'incendio, il sergente altezzoso lo arrestò, e quando la notizia giunse a San Eufrosino di Sopra non serviva più scagionarlo: per paura d'essere fucilato, s'era impiccato.

* * *

Furono amare anche le settimane successive alla nascita del figlio partorito in piazza. (Un quinto maschio che fu battezzato Lorenzo come il mietitore innocente e che segnò una stasi procreativa di ben cinque anni). Amare non solo perché in seguito a quella disgrazia Gaetano cadde in una crisi depressiva che a poco a poco lo avrebbe portato alla tomba, ma perché i nuovi eventi insegnarono la più triste delle lezioni: il male non sta mai da una parte sola, e chi lo combatte ne produce o ne produrrà a sua volta. Non di rado, nella stessa misura e con gli stessi mezzi. Quali eventi? Bè, nei giorni in cui il generale Macdonald si accingeva a riprendere Arezzo, saccheggiarla, distruggerla, passarne a fil di spada gli abitanti eccetera, gli austriaci fiancheggiati dai russi lanciarono la controffensiva nel Nord. Macdonald fece dietro-front per correre alla Trebbia dove a metà giugno subì la famosa sconfitta, Gaultier e Reinhard se ne andarono con una ventina di ostaggi, e in tutta la Toscana (fuorché a Panzano dove non ce n'era più bisogno) gli Alberi della Libertà-Schiavitù vennero bruciati. Allora, non più martiri e non più ribelli, gli aretini invasero Firenze e le altre città. Guidati da beceri e da sanguinari che berciavano Viva Maria-Viva Gesù commisero nefandezze da far rimpiangere i francesi, e a pagare furono i disgraziati che in buona fede avevano creduto allo slogan Liberté-Égalité-Fraternité. Roghi umani, razzie, linciaggi, processi. Trentaduemila processi in quindici mesi. (Quelli durante i quali l'*Annunciazione* del Ghirlandaio tornò sull'altar maggiore della Pieve di San Leolino e la Madonna di Giotto non tornò sull'altar maggiore dell'Oratorio, sicché anche Carlo e Gaetano ruppero i rapporti con don Luzzi e Caterina gli fece una scenata chiamandolo ladro). Comunque il peggio accadde nel 1801 quando, scatenata la Seconda Campagna d'Italia e vinti gli austriaci a Marengo, Napoleone si riprese la Toscana per trasformarla in Regno d'Etruria e in base al trattato di Lunéville regalarla a due Borboni da mezza lira: l'Infante Ludovico e sua moglie Maria Luisa di Spagna. Perché alla lezione sul male che non sta mai da una parte sola quell'anno se ne aggiunse un'altra forse ancora più triste: una cosa è morire sotto una tirannia che ti opprime coi plotoni di esecuzione, e una cosa è vegetare sotto una tirannia che ti opprime con la falsa benevolenza e l'opportunismo di chi vi si adegua. Nel primo caso, infatti, puoi impugnare una roncola o un fucile e combattere. Nel secondo, non puoi fare nulla.

Ludovico era un epilettico deficiente che passava le giornate a gorgheggiare con voce tenorile il *Tantum ergo* e il *Magnificat*. Maria Luisa, una donnaccola stupida e vanitosa cui premeva soltanto trasformare Palazzo Pitti in una corte spagnola. Ricevuti da Gioacchino Murat che su un cavallo bianco sfoggiava la più bella delle sue belle uniformi e scortati dai soliti dragoni francesi che stavolta suonavano anche la fanfara, entrarono a Firenze il 12 agosto. E subito i voltagabbana che nei tre mesi della prima occupazione francese s'erano affannati a imporre la Repubblica e il berretto frigio e lo slogan Liberté-Égalité-Fraternité si gettaron dalla loro parte. Per esempio, aiutandoli a rintracciare la *Venere de' Medici* nascosta a Palermo e che insieme ad altre opere d'arte tolte dagli Uffizi la squallida coppia spedì all'uccellaccio-rapace per ringraziarlo di quel regno piovuto dal cielo. Poi, stroncato da un ennesimo attacco di epilessia accompagnata da febbre catarrale, Ludovico finì al cimitero. Maria Luisa divenne reggente e mandò in sfacelo quel che restava della Toscana. Con l'aiuto del clero che ora leccava i piedi a Napoleone, tentò perfino di ristabilire l'Inquisizione. E, lei che dilapidava le casse dello stato dando feste sardanapalesche e sprecando duecentocinquantamila lire all'anno nel guardaroba, riesumò le leggi suntuarie. Al posto degli editti feroci che terrorizzavano il popolo con la pena di morte, editti garbati che invitavano gli amatissimi sudditi e specialmente le amatissime suddite a vestire con modestia cristiana. Di nuovo fuorilegge le gale, le frange, le stoffe pregiate, i monili preziosi. Deplorati gli uomini che sfoggiavano giacche adorne di nastri o ricami. Biasimate le donne che «usavano l'abbigliamento per sedurre il sesso mascolino e avevano l'indecente abitudine di portare cappelli». È sottolineata la minaccia di punire chi disubbidiva. Non a caso Caterina passò all'inutile lotta contro la tirannia che opprime senza i plotoni di esecuzione e per condurla si impose un periodo di frivolezza ormai inconcepibile con questo stadio della sua vita. Rinunciò ai severi indumenti che ormai indossava e prese a seguire la moda degli abiti ultrascollati già in voga a Parigi, cioè a mostrare i seni fino al capezzolo. Si tagliò la lunga treccia di cui andava tanto fiera e si acconciò i capelli rosso rame come li acconciava la moglie del suo nemico, Joséphine Beauharnais, cioè coi ricciolini e la frangetta e i boccoli dinanzi agli orecchi. Moltiplicò l'impiego dei suoi belletti e dei suoi profumi, mise scomode scarpe col tacco alto, e soprattutto si fabbricò i cappelli più irresistibili che avesse mai posseduto. A San Eufrosino di Sopra aveva quasi dimenticato di amarli, i cappelli. Li portava solo nei campi per proteggersi dalla pioggia o dal sole, e quello che pieno di ciliege fresche aveva scelto per incontrare Carlo alla fiera di Rosìa era diventato un paniere per tenerci le uova. Ma dopo l'editto che li definiva «indecenti» tornò a portarli più di quanto li portasse a Montalcinello. Di paglia, di feltro, di velluto, di seta, a cuffia, a gronda, a due punte, a tre punte, e arricchiti da un'orgia addirittura grottesca di fiori, di frutta, di penne, di piume, di fiocchi. Coi seni scoperti fino al capezzolo, le scarpe col tacco alto, i ricciolini e la frangetta e i boccoli alla Joséphine Beauharnais, li esibiva ogni volta che andava a Panzano o a Greve o a Firenze per pagare le rate del livello. E non smise che quando morì Gaetano, per vestirsi a lutto.

Gaetano morì un pomeriggio di novembre del 1804, a soli cinquantaquattro anni e nel modo meno benigno che il destino potesse riservargli: incenerito da un fulmine che cadde sul campanile dell'Oratorio dov'era salito per salvare il gatto del nipote Lorenzo. Piuttosto che d'una disgrazia, però, si trattò d'un suicidio: d'una morte voluta e provocata dal senso di colpa in cui si rodeva dal giorno in cui aveva saputo che il mietitore innocente s'era impiccato. Ben presto, infatti, la crisi depressiva era diventata una specie di malattia mentale che lo incupiva fino ad annullare in lui ogni istinto di sopravvivenza. Lavorava poco e malvolentieri, non si curava più di nessuno, non gli importava più di nulla, e apriva bocca solo per pregare o per dire: «Non l'hanno ammazzato i francesi. Non s'è ammazzato da sé. L'ho ammazzato io». Oppure: «È colpa mia. Ho commesso un atto di violenza, ho offeso San Francesco, e un altro ha pagato per me. Se Dio non mi punisce, mi punisco io». E quel pomeriggio lo fece. Sul Chianti s'era abbattuto un gran temporale, quel pomeriggio. Scoperchiando tetti, sradicando piante, distruggendo il raccolto dell'uva era giunto a San Eufrosino di Sopra e, impaurito dai tuoni, il gatto di Lorenzo era scappato per arrampicarsi sul campanile dell'Oratorio poi aggrapparsi alla croce di ferro che serviva anche da parafulmini. «Il mio gatto, il mio gatto» piangeva Lorenzo. E tutti lo rimproveravano: «Zitto! Vuoi che qualcuno muoia, per andare a pigliarlo?». Gaetano invece taceva, seduto accanto al focolare, quasi non si fosse accorto del piccolo dramma. Ma d'un tratto si alzò. «Non piangere, ora te lo porto» disse al nipote. E sordo alle proteste di Viola, di Caterina, di Carlo, uscì nella burrasca ora raddoppiata. A passi lenti attraversò il prato cinto di cipressi, entrò nell'Oratorio dove lo videro inginocchiarsi dinanzi al busto di San Eufrosino e alla gran macchia bianca lasciata dalla Madonna di Giotto, dalla sacrestia raggiunse il campanile, e quando fu sul tetto gridò: «Lorenzo!». Lo gridò con tanta disperazione che anziché al nipote parve rivolgersi al mietitore innocente. Poi, dimentico del gatto, allargò le braccia come a supplicare Iddio di sfruttare quell'opportunità e alzò gli occhi al cielo.

Il fulmine lo incenerì proprio mentre alzava gli occhi al cielo, e sia Carlo che Caterina ne soffrirono quanto non ne soffrì Viola. Carlo perché senza quel fratello buono e generoso col quale aveva spartito ogni sacrificio, ogni avversità, si sentiva più mutilato d'un albero diviso in due. Caterina perché senza quel cognato mite e silenzioso che in tutti quegli anni (lei lo sapeva) l'aveva amata in segreto e al punto di lasciarle picchiare la moglie si sentiva più vedova della vedova vera. Così, dopo i funerali, dichiarò al marito: «Bisogna che Gaetano rinasca». La notte stessa rimase incinta, e nell'agosto del 1805 mise al mondo un sesto maschio che venne chiamato Gaetano poi Gaetanino e che aprì un'altra stasi procreativa. Quella interrotta nel 1810 quando, incoraggiata dal Codice Napoleonico che estendeva alle donne il diritto di ereditare, Caterina cambiò dieta e dette il via alla produzione delle femmine. Maria, Giovanna, Annunziata, Assunta, e Amabile. Quest'ultima, nel 1815 cioè a cinquant'anni. A quell'età infatti era ancora in ottima forma, stando alla leggenda dimostrava appena quarant'anni, e a guardarla veniva in mente ciò che sulle contadine toscane Montesquieu aveva scritto quasi un secolo addietro. «Anche se hanno partorito dieci o dodici volte sono fresche e snelle e graziose come fanciulle. Le cinquantenni sembrano quarantenni e le quarantenni sembrano ventenni. Dev'essere il cibo sano, la vita regolata, l'aria aperta, a mantenerle così.» Però non se la cavava male nemmeno lui che nel 1815 aveva sessantatré anni e che, sempre stando alla leggenda, commentò il primo vagito di Amabile con le seguenti parole: «Bisogna fermarci, moglie mia. Sennò da vecchi ci troviamo un asilo da allattare».

16

La saga di Carlo e Caterina potrebbe concludersi qui.
Anzi avrebbe potuto concludersi con la nascita di Donato, il trisnonno da cui discende il ramo che ci interessa.
Ma val la pena anche di raccontare come si spensero,
molto vecchi e molto innamorati, a breve distanza l'uno
dall'altra. Epilogo che prende l'avvio dai terribili anni vissuti nell'incubo di dover nascondere i figli e i nipoti ai
quali Napoleone dava la caccia per portarli a morire nelle sue battaglie, e che comprende un sommario rapporto
su ciascuno di loro nonché la malinconica storia del modo in cui finì il livello. Ecco qua.
Nel dicembre del 1804 Napoleone si proclamò imperatore. Nel maggio del 1805 si nominò re d'Italia. Nel novembre del 1807 licenziò la stupida Maria Luisa che quindici mesi più tardi avrebbe rimpiazzato con la sua altrettanto stupida sorella Elisa Bonaparte maritata Baciocchi,
neoduchessa di Lucca e principessa di Piombino. Nel febbraio del 1808 annesse la Toscana all'Impero. In maggio
la divise in tre dipartimenti chiamati Arno, Ombrone, Mediterraneo, e amministrati da funzionari francesi con leggi francesi. In luglio bandì le coscrizioni e ordinò che i tre
dipartimenti gli fornissero quindicimila reclute per comporre il Centotredicesimo Reggimento Fanteria di linea e
il Ventottesimo Cacciatori a cavallo, cioè per rinforzare almeno in parte l'esercito dissanguato dai trentasettemila
morti che gli erano costate le recenti vittorie di Jena e
Auerstädt e Preussisch Eylau. Chiunque avesse diciotto o
diciannove o vent'anni (ma dopo i ventunmila morti di
Essling e i trentaduemila morti di Wagram la neoduchessa-principessa portò l'età della leva a diciassette anni) divenne perciò un agnello da sacrificare nelle guerre di Spagna
e d'Austria e in chissà quali altre ecatombi a venire. Un
bel dramma per Carlo e Caterina e Viola che di agnelli da

sacrificare ne avevano per il momento quattro: Domenico, Pietro, Luigi e Antonio. Grazie al prefetto dell'Arno, Monsieur Fuchet, ribattezzati Dominique, Pierre, Louis e Antoine. Anche a San Eufrosino di Sopra incominciò allora il calvario di chi, non volendo crepare per un uomo che era venuto a cianciare di libertà e progresso ma poi s'era proclamato re e imperatore, si rendeva colpevole di *insoumission*. Vale a dire renitenza alla leva. E il primo a provarlo fu Luigi-Louis che appena chiamato prese un paio di tenaglie, si chiuse nell'Oratorio, e con insospettabile stoicismo si cavò tutti i denti. Poi aspettò che i buchi si cicatrizzassero e si presentò all'Ufficio di Leva dal quale venne cacciato con spicciativo disprezzo: «Allez, allez. Vous n'êtes pas digne de l'Armée Française». Parole che invece di rianimarlo anticiparono lo sconforto di vedersi respingere da tutte le donne che chiedeva in moglie e che contribuirono non poco alla cupa misantropia nella quale visse per il resto della sua vita.

Il secondo fu Domenico-Dominique che voleva imitare il cugino tagliandosi il pollice e l'indice della mano destra: soluzione adottata da molti renitenti fino al giorno in cui Pierre Lagarde, direttore generale della Pubblica Sicurezza, informò che chi si mutilava per farsi riformare sarebbe finito ai lavori forzati in Corsica o al fronte con le compagnie d'ambulanza o al muro coi disertori. Comunque Caterina glielo impedì sbraitando che se si fosse tagliato le dita lei gli avrebbe tagliato le palle, e Carlo lo aiutò a scappare in Maremma dove sotto falso nome lavorò fino al 1815 nelle paludi. (Traversia che grazie al basso costo della terra in quella malsana regione gli permise poi di comprare un fondo acquitrinoso, bonificarlo, sfruttarlo, diventare un facoltoso possidente di Cinigiano, sposare una bella fattoressa con case e poderi a Castigloncello Bandini, e che in compenso lo fece morire di malaria a soli quarantanove anni). Il terzo fu Pietro-Pierre che voleva adottare un'altra scappatoia seguita da molti e cioè pagare uno storpio che si presentasse al suo posto. Ma leggendo la «Gazzetta Universale» cui Caterina s'era abbonata Carlo scoprì che esisteva una cosa chiamata «rimpiazzo», vale a dire la possibilità di scansare l'arruolamento sborsando all'esercito una cifra che variava tra le novecento e le duemilaseicento lire. E indebitandosi in modo folle con un usuraio che gli prestò millecinquecento lire (pari a trecento vecchi scudi) comprò la salvezza del figlio. Sacrificio dal quale non si sarebbe ripreso per anni e di cui Pietro si sarebbe sempre vergognato. Il quarto fu Antonio-Antoine. Il più sfortunato di tutti perché, essendo ancora più gracile del giorno in cui era nato e credendo di venir respinto come il fratello Luigi-Louis, non ascoltò le suppliche di Viola e si presentò. Risultato, lo infagottarono subito nell'uniforme del Centotredicesimo Reggimento Fanteria di linea. Lo mandarono in Polonia poi in Austria, e di lui si perse traccia fino al 1811 quando a San Eufrosino di Sopra giunse una straziante lettera scritta da chissà dove. «Carissima madre, carissimo zio, carissimi fratelli e cugini. Con questa mia vengo a darvi notizie per riferire che noi toscani siamo stati in battaglia sicché io avevo tanta paura e invece mi sono comportato bene e ho ricevuto i complimenti del colonnello francese che mi ha detto: mon cher soldat, dans les petits tonneaux il y a le bon vin. Cosa che in panzanese si traduce mio caro soldato, nelle botti piccine ci sta il vino bono. Speriamo che l'Imperatore venga a saperlo. Devo anche riferirvi che stare qui è molto difficile perché i francesi parlano il francese e basta, e quando non sono francesi sono polacchi che parlano il polacco, quando non sono polacchi sono ungheresi che parlano l'ungherese e via dicendo, conciocché ci si intende parecchio male, e anche se ci sono quest'altri toscani io mi sento così solo. A volte penso ma guarda che disgrazia avere vent'anni e sentirsi così solo fra tanta gente, e non sapere nemmeno se domani sarai vivo. Per piacere nelle preghiere chiedete a San Francesco che mi lasci vivo. Ora vi saluto carissima madre che senza il babbo siete così perduta, e carissimo zio che siete così buono, e carissima zia che siete così simpatica e a forza di botte in testa m'avete insegnato a leggere e scrivere perché oggi potessi mandarvi questa mia, e carissimi fratelli e cugini che vi penso sempre e a pensarvi mi viene da piangere. Priez, priez. Au revoir, votre Antoine». Poi, più nulla fino al 1813 quando uno dei duemilaseicentotrentasette italiani scampati all'ecatombe della spedizione in Russia raccontò al procaccia che Antoine aveva ben combattuto alla Moscova col Quarto Corpo d'Armata del principe Eugenio Beauharnais e che era morto di freddo durante la ritirata.

Due terzi dei seicentomila uomini che Napoleone portò a morire in Russia non erano francesi, buona parte di quelli che avrebbe sacrificato nelle successive ecatombi lo stesso, e anche per San Eufrosino di Sopra quegli anni furono i peggiori. Tra il 1811 e il 1813 la Toscana ebbe infatti cinque leve che requisirono migliaia di reclute e colpirono soprattutto il Dipartimento dell'Arno. Abolito il rimpiazzo e neutralizzate le automutilazioni, il numero dei disertori si moltiplicò e i provvedimenti del prefetto Fuchet divennero così duri che si estesero ai familiari: non di rado i genitori dell'*insoumis* cioè del renitente erano arrestati e tenuti in galera finché il poveretto si consegnava. Si intensificò anche la caccia a chi si nascondeva nelle campagne e il comandante della Gendarmerie colonnello Jubé formò due corpi speciali: quello delle Gardes Champêtres cioè le guardie campestri che cercavano nei poderi, e quello dei Garnisaires cioè i rappresentanti della polizia militare che si piazzavano nella casa o nel villaggio dell'*insoumis* esigendo oltre al vitto e all'alloggio un compenso definito «ammenda». Questo senza contar le spie che a segnalare un fuggiasco ricevevano un premio in franchi francesi, e i processi che spesso finivano con la condanna a morte. Non a caso la «Gazzetta Universale» e il «Giornale del Dipartimento dell'Arno» non facevano che pubblicar sentenze di fucilazione. Nel 1811 Silvestro-Sylvestre, l'ultimogenito di Gaetano e Viola, compiva diciassette anni. Eufrosino-Euphrosyne, il terzogenito di Carlo e Caterina, li compiva l'anno seguente. Sfidando l'arresto e gli abusi dei Garnisaires, la famiglia decise dunque che il primo si sarebbe dato alla macchia e il secondo si sarebbe rifugiato presso gli zii materni a Montalcinello. Così avvenne, e Silvestro-Sylvestre scappò per rintanarsi nei boschi del vicino monte San Michele poi del monte Giove dove insieme a dodici disertori di cui due francesi costituì una banda armata che per tre anni si distinse negli attacchi ai municipi e le beffe ai *maires* cioè ai sindaci insediati da Fuchet. (Abbastanza nota quella al *maire* di Castiglion Fibocchi che nel corso d'una pubblica cerimonia si trovò sulle spalle un foglio con la scritta: «Io sono un bugiardo di aristocratico giacobino e un ladron fottuto al servizio di quel porco di Napoleòn, e ci ho tanta paura dei ribelli che hanno promesso di farmi fòri»).

Meno intraprendente e politico nato, Eufrosino-Euphrosyne raggiunse invece Montalcinello dove si guardò bene dall'abbandonarsi a bravate e dove si stabilì diventando un uomo molto importante. Dagli archivi di stato risulta infatti che nel 1825 era già tra i cittadini impegnati a pagare il dazio comunicativo e la tassa prediale cioè tra i possidenti, che nel 1827 prese in moglie la figlia d'un signore e per regalo di nozze le comprò la gran casa accanto alla Pieve di San Magno cioè la chiesa in cui s'erano sposati Carlo e Caterina, che nel 1830 era proprietario di molte altre case e terre con una rendita catastale assai alta, e che nel 1848 faceva parte del collegio elettorale: privilegio riservato soltanto a chi aveva un grosso reddito e una certa cultura, e grazie al quale votò sia per la Costituente Italiana che per l'Assemblea Legislativa Toscana. Risulta inoltre che nel 1850 si presentò candidato al Consiglio Generale di Chiusdino da cui Montalcinello dipendeva e fu eletto con centoventi voti, che nel 1860 fu eletto di nuovo con centocinquantatré voti, e che il suo ottavo figlio battezzato Carlo divenne un autorevole magistrato di Firenze. (Notizia, questa, fornita dalla lapide della tomba che si trova in mezzo al minuscolo cimitero di Montalcinello nel quale l'autorevole magistrato volle esser sepolto. Con la notizia, la fotografia d'un dignitosissimo vecchio in marsina che assomiglia in modo impressionante alla pronipote di suo zio Donato, e che sparando attraverso gli occhiali a stanghetta uno sguardo gonfio di ironica severità esibisce i più incredibili baffi in cui possa capitare di imbattersi. Candidi come la neve, rigidi e appuntiti come coltelli, estesi in senso orizzontale e lunghi almeno venti centimetri per parte).

* * *

Il calvario che avrebbe portato tanta fortuna a Eufrosino e tanta disgrazia ad Antonio cessò nel 1814: appena in tempo per evitarmi il rischio che avevo già corso nel 1773, quando Carlo era stato sul punto di emigrare in Virginia con Filippo Mazzei e lì sposare una donna che non fosse Caterina. Cioè il rischio di non nascere. Il 2 gennaio di quell'anno il trisnonno Donato compì infatti i fatali diciassette anni che secondo Elisa Bonaparte Baciocchi bastavano a crepare in guerra, e col nome di Donatien venne arruolato nel XIV Régiment d'Infanterie Légère. Ma giustamente inseguita da lanci di spazzatura il primo febbraio la duchessa fu costretta a lasciare Firenze, vilmente tradito da tutti i suoi beneficati e umiliato dalla sconfitta di Lipsia nonché dalla caduta di Parigi il 6 aprile Napoleone fu costretto ad abdicare, e quando nel marzo del 1815 riapparve per gestire la sua personale tragedia Donato-Donatien aveva ormai superato il pericolo di finire tra i quarantunmila morti francesi di Waterloo. Da oltre cinque mesi Ferdinando s'era ripreso il Granducato di Toscana ed anche Silvestro era tornato dalla macchia.

Nonostante le molte persone che riempivano la casa ora piccola e invano allargata con le stanze annesse all'Oratorio, a San Eufrosino di Sopra seguì dunque un periodo di pace e prosperità. Tant'è vero che il prestito chiesto all'usuraio per comprare il rimpiazzo di Pietro fu restituito in pieno e, sostenuto da un giusto equilibrio tra bocche da sfamare e braccia per lavorare, cioè lavorato da cinque giovanotti nonché dal settantenne Carlo e dall'adolescente Gaetanino, il podere produsse una quantità insolita di grano e vino e olio. Partorita l'ultima femmina, Caterina poté addirittura lanciarsi in nuove iniziative: introdurre un allevamento di bachi da seta per vender la seta alle fabbriche di Firenze, avviare un commercio di paglia intrecciata per i cappelli che l'Inghilterra acquistava a quintali, poi comprarsi un bel baio e a cinquantasei anni rimettersi a cavalcare senza la sella.

Vestita da uomo e col fucile a tracolla per affrontare i briganti che ora infestavano la Toscana, una volta cavalcò fino a Montalcinello dove il già importante Eufrosino dette una gran festa in suo onore e costrinse i vecchi nemici a baciarle la mano. Un'altra volta si spinse fino a Castglioncello Bandini dove chiese di esaminare i fogli del catasto e controllare che Domenico fosse davvero ricco. Dopo si comprò anche un calesse su cui prese a scorrazzare per i villaggi del Chianti, irrompervi a gran velocità roteando la frusta e gridando al bel baio dài-brocco-smidollato-dài, e assunse un garzone di nome Gasparo col quale osò la coltivazione delle patate. Cibo che a quel tempo non piaceva a nessuno e pianta esotica che cresceva solo nel giardino di Boboli come ornamento. Insieme alle patate, i pomodori che a quel tempo piacevano ancora meno e si seminavano solo all'Orto Botanico come esperimento. (Ma lei scoprì che cucinati col sale, il pepe, l'olio e il basilico avevano un sapore squisito, e prese a fabbricar salse che vendeva in barattoli con la scritta «Sugo per gli intenditori»).

Sì, soprattutto per Caterina il periodo postnapoleonico fu assai felice e a turbarglielo non vennero che due o tre dispiaceri anzi noie: il suicidio di Luigi che stanco d'essere sdentato e vedersi respingere da qualsiasi donna cui chiedesse di sposarlo si annegò nel borro, povero Luigi, la morte di Viola che stroncata dall'ennesima sciagura smise di mangiare e si spense di inedia, povera Viola, e l'atroce scoperta che zitti zitti i quattro figli rimasti in casa erano diventati terziari francescani. Infatti li schiaffeggiò uno ad uno e rivolse una scenata a Carlo: «È colpa vostra! Siete voi che date il cattivo esempio!». A poco a poco, però, riuscì a rassegnarsi. E il giorno in cui Gaetanino estese il fervore religioso alla scelta di entrare in seminario, farsi prete, si limitò ad esprimere un quieto disappunto. «Avrei preferito saperti in galera per omicidio o per furto.» Poi si dedicò esclusivamente alle cinque femmine. «Non vorrei che mi tradissero come i loro fratelli e qualcuna diventasse monaca o roba del genere.»

Pace e prosperità durarono finché la famiglia si moltiplicò in modo mostruoso coi matrimoni e le nascite. Disastro che con altre calamità determinò la perdita del livello e che si capisce leggendo i dati redatti dal successore di don Luzzi (spirato senza dire dove diavolo avesse nascosto la Madonna di Giotto). Nel 1823 Donato si sposò con una terziaria francescana di Greve, Marianna Bucciarelli, che in un battibaleno scodellò otto figli incluso il bisnonno Ferdinando. Nel 1824 si sposò Silvestro che appena trentenne morì di cancro lasciando due figli, tuttavia la vedova si consolò immediatamente con Pietro che gliene fece partorire altri sette. Nel 1825 si sposò Lorenzo che di figli ne ebbe sei, e in pochi anni la casa già piccola si gremì di quasi quaranta persone tra cui ventitré bambini che con le cinque ragazzine di Carlo e Caterina costituivano ventotto bocche da sfamare e alle quali non corrispondevano altrettante paia di braccia per lavorare. Poi i prezzi del grano e del vino diminuirono a causa della concorrenza straniera, a Firenze le fabbriche di seta chiusero i battenti, nei porti l'Inghilterra impose dazi scandalosi ai cappelli di paglia, le cinque ragazzine divennero donne in età da marito e, poiché nessuna aveva voglia di tradir la madre facendosi monaca, Carlo e Caterina dovettero provvedere anche alla loro dote. Il rapporto tra spese e introiti si sbilanciò quindi sempre di più, in un crescendo inesorabile i soldi cominciarono a mancare, le rate del livello si trasformarono in un incubo da perdere il sonno, e l'errore che nel suo ingenuo illuminismo Pietro Leopoldo aveva commesso incoraggiando i contadini a prendere in enfiteusi le terre dei latifondi spezzettati si rivelò insieme alla trappola in cui Caterina era caduta producendo quel futuro nido di topi per assicurarsi un'eredità inesistente. Quale trappola, quale errore? Semplice. Non solo il livello era un possesso che non era un vero possesso o non più di quanto lo sia un oggetto comprato a rate e, al contrario d'un oggetto comprato a rate, rappresentava un giogo perpetuo cioè un debito che non si estingueva mai. Non solo il canone richiesto era eccessivo per un contadino che senza capitali doveva pagarsi le sementi, gli arnesi agricoli, i concimi, i bovi, i muli, gli animali da cortile, i trasporti, nonché fronteggiare le carestie e le razzie. Ma, se la famiglia cresceva fino ad annullar l'equilibrio tra le bocche da sfamare e le braccia per lavorare, se inoltre comprendeva molte femmine a cui bisognava dare la dote, se il mercato dei prodotti cambiava nei prezzi e nei gusti, le conseguenze erano peggiori di cento razzie e carestie. Infatti ti rendevi insolvente, finivi espulso come un inquilino che non paga l'affitto, e perdevi tutto ciò che avevi sborsato fino a quel momento. Il sacrificio di decenni, insomma, e a volte di generazioni. Lo spiega bene il contratto firmato da Gaetano col Regio Spedale di Santa Maria Nuova e del resto, fuorché nelle zone della Maremma dove il terreno malsano costava poco e il debito si saldava alla svelta, in Toscana questo accadde a tutti i livellari.

Per non rendersi insolvente, a ottant'anni Carlo tornò a spaccarsi la schiena nei campi. Con l'aiuto di Pietro e Donato e Lorenzo dissodò una parte del bosco, allargò il podere, raddoppiò il raccolto del grano che ora valeva poco. Caterina vendette il calesse e il bel baio, abbandonò l'allevamento dei bachi da seta e il commercio della paglia intrecciata, le due imprese che non rendevano più, poi licenziò il garzone Gasparo, rinunciò al piacere di coltivar le patate che nessuno voleva e i pomodori che non era riuscita a imporre nemmeno coi barattoli della salsa, e un giorno fece di meglio. Raccolse la tribù sull'aia e urlò che sì, la colpa era sua perché salvo in due casi aveva partorito un branco di coglioni, capaci di mettere incinte altrettante coglione e nient'altro. Comunque il male era fatto e guai a chi non tentava di rimediarvi. In parole diverse, se non l'avessero piantata di scodellar topi, gli avrebbe sparato nel sedere uno a uno. E loro ubbidirono. Ma lo sfacelo era troppo avanzato, e per pagare il canone fu necessario rivolgersi ai due figli ricchi. Cioè a Domenico che respinse la richiesta con un secco la-faccenda-non-mi-riguarda e a Eufrosino che l'accolse saldando subito una mora di ben sette rate. Eufrosino pagò anche quelle seguenti. Pagò per anni. Il guaio è che a un certo punto gli venne a noia, concluse ora-basta-arrangiatevi, e il livello si dissolse. Cosa che Carlo e Caterina non seppero mai perché, graziaddio, morirono prima che succedesse.

* * *

Carlo morì il 31 dicembre del 1839, a ottantasette anni e con la dignità che si conviene a un buon terziario francescano. Quando capì che stava per andarsene mandò infatti a chiamare il figlio Gaetanino, ormai sacerdote a Siena, e rispettosamente chiamandolo *padre* chiese che gli impartisse l'estrema unzione. «Vi prego, padre: assolvete questo vegliardo che vi generò.» Poi riunì la famiglia e, lavato dei peccati che non aveva mai commesso, si congedò con le seguenti parole: «Arrivederci in Cielo. Guardate di comportarvi bene e venirci». Però appena rimase solo con Caterina dimenticò che un buon terziario francescano deve accoglier la morte ignorando legami, passioni, rimpianti, e a lei rivolse un addio assai diverso. Le disse che moriva amandola più di quanto l'avesse amata in oltre mezzo secolo di matrimonio, perché col tempo il suo amore s'era irrobustito come un buon vino vecchio conservato bene. Le disse che era contento di non essere emigrato in Virginia col signor Mazzei, perché laggiù non l'avrebbe incontrata e senza di lei sarebbe stato povero anche se fosse diventato ricco. Le disse che il giorno in cui era andato a cercarla alla fiera di Rosìa era stato un giorno benedetto, un dono del Signore, quindi la ringraziava di tutto: d'averlo accettato, d'averlo sposato, d'averlo rallegrato con la sua energia e il suo caratteraccio, nonché di averlo strappato ai francesi che volevano fucilarlo e aiutato a bruciare l'Albero della Schiavitù. Infine le disse che era stata l'unica donna della sua vita, la sola che avesse desiderato e toccato, sicché delle altre donne lui non sapeva nulla e gli pareva d'essere Adamo che si accomiata da Eva: compagna insostituibile, irrepetibile, assoluta. Caterina lo ascoltò piangendo. E piangendo rispose che anche lui era stato l'unico uomo della sua vita, il solo che avesse desiderato e toccato nonostante fosse un dannato bacchettone e leccasanti. Anche lei lo ringraziava di tutto: d'averla scelta, d'averla compresa, d'averla sopportata, d'averle insegnato a leggere e scrivere. Anche lei lo amava più di quanto lo avesse amato in quel mezzo secolo e passa perché col tempo l'amore s'era irrobustito come il vino vecchio. Anzi, visto che all'inizio il vino non era vino ma acqua, col tempo il suo vino era diventato un liquore così ubriacante che non poteva farne più a meno: non sapeva più vivere senza di lui. Poi estrasse dalla tasca del grembiale una boccetta di acido muriatico diluito nell'olio di Juglans nigra, patetico cimelio della resistenza ai francesi, e singhiozzò: «Ne basta un sorso. Aspettatemi, ché moriamo assieme».

Non lo bevve, quel sorso. Raccogliendo gli ultimi residui di forze Carlo riuscì a strapparle di mano la boccetta e a buttarla via: «No, grazie, amor mio». Però gli sopravvisse soltanto l'anno seguente fino a primavera. Quindici mesi durante i quali appassì alla stessa velocità con cui quarant'anni prima era appassito il pioppo avvelenato dall'infernale miscuglio. Nel giro di due o tre stagioni infatti il suo corpo ancora dritto e vigoroso si accartocciò e si incurvò riducendo l'alta statura di un terzo, i suoi bei capelli rimasti color del rame incanutirono e presero a cadere come foglie secche, la straordinaria energia scomparve, il cuore si ammalò, e divenne il contrario di sé stessa. Una vecchina triste, silenziosa, mansueta. Solo il cervello rimase integro. Non a caso s'era comprata gli occhiali, passava le giornate nello scrittoio a leggere i giornali o il libro d'un certo Silvio Pellico intitolato *Le mie prigioni*, e sapeva tutto di quel che accadeva oltre gli angusti confini di San

Eufrosino di Sopra. Che il nuovo granduca Leopoldo II era un brav'uomo inadeguato al compito cui il destino lo aveva costretto, che nel Lombardo-Veneto il governo austriaco aveva represso con ferocia il movimento dei carbonari ma la lotta continuava incalzante, che un patriota di nome Giuseppe Mazzini aveva fondato un'associazione ribelle e chiamata La Giovine Italia i cui adepti venivano fucilati a dozzine, che un audace marinaio di nome Giuseppe Garibaldi era invece sfuggito all'arresto e ora si batteva in Sud America, che insomma il paese bolliva di fermenti nuovi e si preparava a cacciar lo straniero nonché a trasformare la società. Cosa che le piaceva moltissimo e che a volte la induceva a rompere il suo cupo mutismo con la battuta: «Se fossi meno vecchia, pianterei questi coglioni dei miei figli e mi metterei con chi vuole cambiare il mondo». Si interessava anche al sorgere delle ferrovie cioè a un prodigioso mezzo di trasporto detto treno che bruciando legna o carbone correva senza i cavalli. «Se penso che il mio Carlo andava a piedi da Panzano a Firenze e io in diligenza.» Ma erano le ultime fiammelle d'un fuoco che in realtà non voleva restare acceso, o che s'era praticamente spento l'attimo in cui aveva singhiozzato aspettatemi-ché-moriamo-assieme. Presto incominciò a sonnecchiare sui giornali e sul libro, e se le dicevi svegliatevi-nonna ti rispondeva sollevando a fatica le palpebre: «A che scopo? Sono stanca e non servo più a nessuno». Il 26 marzo ebbe un attacco cardiaco che in due giorni la uccise come il fuoco aveva ucciso il pioppo appassito. Senza domarla, tuttavia. Perché chiamato di nuovo Gaetanino venne anche stavolta con l'olio santo, indossati i paramenti si avvicinò per impartirle l'estrema unzione, e appena aprì bocca per dire ego-te-absolvo-in-nomine-Patris-et-Filii-et-Spiritus-Sancti lei spalancò gli occhi, arrabbiata. «Non pensarci nemmeno, ragazzo» ruggì. «A settantasei anni me ne vado con un bel pentolin di saggezza e sapendo due cose: che

147

non ho nulla da farmi perdonare da te e dal tuo Dio, e che costui non ha tempo per me. Né io per lui.» Poi disse: «Arrivo, Carlo, arrivo». E spirò.

La cassapanca di Ildebranda la prese proprio Gaetanino che malgrado la partaccia vi ripose scrupolosamente gli undici libri, l'abbecedario, l'abbaco, il testo di medicina del dottor Barbette, la federa con la bellissima scritta io-mi-chiamo-Caterina-Zani, la lettera del cugino morto di freddo in Russia, *Le mie prigioni*, gli occhiali, e se la portò a Siena. Qui rimase fino a quando, non si sa per quale motivo, venne rispedita nel Chianti al trisnonno Donato che la lasciò in eredità al bisnonno Ferdinando che a sua volta la lasciò in eredità al nonno Antonio che nel luglio del 1944 l'avrebbe affidata a mio padre. Ma questa è un'altra storia. E ancora lontana. Ora bisogna ascoltare la voce appassionata e pietosa, quella di mia madre, che racconta la storia di Francesco e di Montserrat: i due arcavoli contemporanei di Carlo e Caterina coi quali il rischio di non nascere mi venne risparmiato. Perché niente al mondo, niente, avrebbe potuto impedire l'incontro delle loro infelicità.

PARTE SECONDA

1

La nave sulla quale Carlo avrebbe dovuto viaggiare per recarsi in Virginia con Filippo Mazzei si chiamava *Triumph*. Era un tre alberi da duecentoventi tonnellate che l'armatore William Rogers di Londra aveva comprato dalla Marina da guerra inglese per trasformarlo in mercantile, affidarne il comando al fratello James, e di solito ingaggiava solo i sudditi di Sua Maestà britannica. Proveniente da Lisbona giunse a Livorno il 3 agosto del 1773, e vi rimase trenta giorni: il tempo di scaricare quaranta casse di zucchero destinate alla ditta labronica Porther and Ady, effettuare i lavori di calafataggio, riparare una vela che il libeccio aveva strappato dinanzi alla Gorgona, e caricare l'incredibile bagaglio che Mazzei si portava dietro per dar vita all'azienda agricola consigliatagli da Thomas Jefferson e Benjamin Franklin. Centinaia e centinaia di piantine d'olivo e di maglioli cioè talee di vite, sacchi e sacchi di granturco da semina, zappe, vanghe, erpici, aratri, pennati. Orci d'olio, caratelli di vinsanto e di malvasia, forme di parmigiano, pezze di stoffa, scarpe, vestiti, indumenti d'ogni tipo. Carta da musica, moltissimi libri tra cui varie copie del *Dei delitti e delle pene* cioè l'opera del Beccaria, le sue valige, quelle dei quattro audaci che insieme al sarto piemontese partivano al posto di Carlo e dei nove contadini scappati per la paura di finire inceneriti dalle stelle cadenti, nonché due pecore: i soli animali che, rifiutando uno zoo di muli e bovi e piccioni e cani da caccia o da guardia, il capitano James Rogers avesse accettato di prendere a bordo. Uno dei problemi che pesavano sulle traversate atlantiche era infatti quello dell'acqua dolce. Più d'una certa quantità non se ne poteva portare, e le scorte contenute nelle dodici botti per cui c'era posto nella stiva del *Triumph* rischiavan già d'assottigliarsi con le annaffiature dei maglioli e delle piantine d'olivo.

Durante quei trenta giorni un giovane marinaio dallo sguardo buio come la notte, i capelli lunghissimi e neri come le penne d'un corvo, il coltellaccio alla cintola e un vistoso orecchino d'oro al lobo sinistro continuò ad aggirarsi nel porto con l'aria d'aspettare qualcosa o qualcuno. Sempre lì a scrutar l'orizzonte, a fissare i velieri che entravano in rada, a indagar sull'arrivo d'una fregata detta *Bonne Mère* e d'un brigantino chiamato *General Murray*. Non si allontanava nemmeno se lo trattavano male e Mazzei lo notò, domandò chi fosse. Il figlio d'un pescatore rapito vent'anni prima da pirati barbareschi, risposero, e da allora schiavo ad Algeri. In maggio i frati Trinitari della Redenzione avevano firmato con l'algerino Alì Pascià un accordo per liberare quattordici schiavi toscani, barattarli con quattordici schiavi turchi detenuti a Livorno. In giugno la *Bonne Mère* era partita con quest'ultimi per eseguire lo scambio. In luglio Pietro Leopoldo aveva riscattato a nome dell'imperatore d'Austria centoquattro tedeschi schiavi anch'essi ad Algeri e mandato il *General Murray* a prelevarli. Contemporaneamente s'era diffusa la novella che ai centoquattro tedeschi Alì Pascià avesse aggiunto tre livornesi di mancia e, nella speranza che suo padre si trovasse su una delle due navi, l'ingenuo ne aspettava il ritorno. Lo faceva ogni volta che si dava notizia d'un riscatto o d'un baratto, del resto. Senza curarsi di perder gli ingaggi si piazzava nel porto, aspettava, e vederlo quando i rimpatriati scendevano a terra era uno spettacolo che rompeva il cuore. «Daniello Launaro, Daniello Launaro! C'è tra voi Daniello Launaro?» urlava. Poi gli correva incontro, sbaragliando le guardie che arginavan la folla li agguantava per un braccio uno a uno e: «Sei Daniello Launaro? Dimmi che ti chiami Daniello Launaro!». Inutile ripetergli che non doveva illudersi, che gli scambi avvenivano solo per le persone ricche o importanti, mai o ben di rado per un povero pescatore. Vano ribadirgli che vent'anni eran troppi, che dopo vent'anni nessuno era mai ritornato, che quindi suo padre era di sicuro morto... Con caparbietà replicava che no, suo padre era vivo, e se non lo riscattavano i frati o i granduchi lo avrebbe riscattato lui. Coi suoi soldi. Non era forse vero che per gli schiavi di scarso valore Alì Pascià si accontentava di quattrocento piastre cioè trecento scudi d'argento? A forza di risparmiare, tirare la cinghia, ne aveva già accumulati centoquaranta. E vendendo l'orecchino d'oro, oggetto assai costoso, presto avrebbe raggiunto la cifra richiesta per portarla a quel masnadiero. Particolare straziante: non ricordava suo padre. Nel giugno del 1753, data in cui lo avevano rapito mentre pescava lungo le coste della Sardegna, lui era un bambino di appena tre anni.

La *Bonne Mère* tornò il 31 agosto e appena i quattordici toscani scesero a terra si levò il solito grido. «Daniello Launaro, Daniello Launaro! C'è tra voi Daniello Launaro?» Appena sfilarono tra la folla festosa si ripeté la solita scena: «Sei Daniello Launaro? Dimmi che ti chiami Daniello Launaro!». Ma nemmeno stavolta Daniello Launaro si trovava fra i rimpatriati, e più tardi i Trinitari scesi con loro presero da parte il giovane marinaio. Gli spiegarono per quale motivo non valeva la pena che aspettasse anche il *General Murray* e i tre livornesi di mancia. Daniello Launaro era sopravvissuto, sì: nel mese di marzo spaccava le pietre in una miniera dove lo avevan notato perché appariva così vecchio, così inadatto a un mestiere così faticoso. Capelli bianchi, barba bianca, spalle curve, corpo macilento: da ottuagenario. Non a caso s'erano avvicinati per domandargli quanti anni avesse ed erano rimasti di stucco a udir la risposta: «Quarantadue». L'indomani lo avevan rivisto. Ci avevano parlato a lungo, e grazie a ciò conoscevano tutti i particolari del suo calvario. Il rapimento avvenuto presso le coste della Sardegna mentre insieme a sei compagni di sventura pescava il corallo. Lo sbarco nella città malvagia, legato ai polsi e stretto alla gola da un guinzaglio che lo soffocava. La marcia forzata attraverso le strade colme di gente che lo irrideva, gli sputava addosso, gli urlava cane-infedele, cane-infedele. L'arrivo al Baño de los Esclavos, il carcere degli schiavi, la ferocia dei custodi che avevan subito sostituito il guinzaglio con un collare di ferro poi incatenato i suoi piedi con ceppi che trascinavano una pesantissima palla. E per cella una fossa piena di topi. Per cibo un po' di couscous, per lavoro le pietre da spaccare. Senza alcuna speranza di rivedere Livorno, la moglie, il figlio neonato, senza alcun conforto fuorché quello di raccomandarsi al Signore. Era un buon cristiano, infatti, un uomo molto pio. Diceva sempre i suoi *Pater Noster*, le sue *Ave Marie*, se il Guardian Bachì lasciava celebrare una Messa vi andava con slancio, e non aveva mai imitato i vili che per attenuare i tormenti si convertivano all'Islam. Mai accettato il turbante, mai rinnegato la Santa Romana Chiesa. Tant'è vero che s'era pensato di infilare il suo nome nella prossima lista di riscattandi. Il guaio è che a metà primavera lo avevan trasferito al porto, messo nelle squadre che costruivano il nuovo molo. Col suo via-vai di bastimenti

154

stranieri il porto invitava alla fuga, e presto egli aveva ceduto alla lusinga. Chissà come era riuscito a liberarsi dei ceppi, gettarsi in mare, dirigersi verso uno sciabecco veneziano e addirittura salirvi. Credeva che il comandante lo proteggesse, lo riportasse in Italia. Ignorava, l'incauto, che tra la Repubblica di Venezia e i paesi della Barberia esisteva dal 1764 un trattato inviolabile. Un patto che impegnava le navi veneziane a respingere gli schiavi scappati, restituirli affinché venissero puniti. E il comandante lo aveva restituito, conclusero. I boia di Alì Pascià lo avevano punito. «Sgozzandolo, figliolo... Che Dio li perdoni.»

«Dio forse sì. Francesco Launaro, no» rispose senza una lacrima il giovane marinaio. «Io vi giuro che un giorno ne sgozzerò venti, di algerini. Uno per ogni anno che mio padre ha passato in catene.» Poi si presentò al capitano Rogers, ormai pronto a salpare, e gli offrì i suoi servigi. «Portatemi via, per favore.»

Ligio alla regola di non ingaggiare stranieri e già con una ciurma al completo, il capitano Rogers rifiutò. Ma Filippo Mazzei intervenne. Lo convinse a cambiare idea sicché a bordo del *Triumph,* la mattina del 2 settembre, invece di Carlo Fallaci cioè il bisnonno del mio nonno paterno partì Francesco Launaro cioè il bisnonno del mio nonno materno. Ed eccoci al punto cui volevo arrivare. Se non fosse stato per quell'ingaggio fuori programma, infatti, non avrei mai trovato ciò che centosettantun anni dopo trovai nella cassapanca di Caterina. Non avrei mai conosciuto la storia di Francesco e di Montserrat. Perché accadde qualcosa, durante i tre mesi della traversata Livorno-Gibilterra-Williamsburg. Accadde che ai Tropici una bonaccia acquattò le vele, rallentò l'andatura, e le scorte d'acqua incominciarono a scarseggiare. Per limitarne il consumo il capitano Rogers ordinò di ridurre al massimo le razioni, sospendere le annaffiature dei maglioli e delle piantine d'olivo, non abbeverar più le due pecore che anche sistemate in un angolo fresco del ponte di prua avevano sempre sete, e presto le povere bestie presero a lamentarsi. Certi belati che sembravan gemiti d'una partoriente. All'improvviso però i belati cessarono. Mazzei corse a vedere se erano morte, scoprì che stavano meglio di lui in quanto Francesco le aveva dissetate con la sua razione, e da questo nacque un'intesa di cui fino alla terribile notte del 1944 la cassapanca di Caterina avrebbe custodito l'inequivocabile traccia: una copia del *Dei delitti e delle pene*, il libro che il bagaglio conteneva in gran quantità. E, sul frontespizio, una dedica: «A Francesco Launaro, in rimembranza d'una ciotola d'acqua, il suo estimatore Francesco Mazzei. A bordo del *Triumph*, anno 1773».

* * *

Stava insieme al liuto e al veliero di cartapesta, chiuso in uno scatolone sul cui coperchio spiccava un minaccioso «Non Toccare», quando lo trovai, e fra le pagine intonse si nascondeva un altro cimelio: il passaporto catalano di Montserrat. Ma né quel nome né il nome Francesco mi dicevano nulla, mia madre non vi aveva mai alluso. Sapevo soltanto chi fosse Mazzei. Così la dedica sul libro del Beccaria accese la mia curiosità: chi era Francesco, chi era Montserrat, che c'entrava Mazzei. La curiosità si estese al veliero di cartapesta, al liuto, e le domande sgorgarono. La voce appassionata e pietosa raccontò ciò che non aveva mai raccontato. Parlare dei suoi arcavoli divenne addirittura un'abitudine, un vezzo che negli ultimi anni della sua vita avrebbe sfiorato la mania: per aggiunger dettagli, magari ripetersi. Mentre io mi ribellavo: «Me lo hai già detto, mamma!». La cosa straordinaria è che a parte il ricordo di quegli oggetti saltati in aria con la cassapanca di Caterina e tutta via Guicciardini, tutta via de' Bardi, tutta Por Santa Maria, tutti i ponti di Firenze eccetto il Ponte Vecchio, per ricostruire e reinventare la saga di Francesco e di Montserrat ora non ho che l'eco di quella voce. Niente documenti scritti con la penna d'oca e l'inchiostro marrone, stavolta. Niente granelli di rena che a raccoglierli con un dito sembrano bruscoli di luce, bruscoli di verità. Di Launaro vissuti nel millesettecento a Livorno o lungo le coste del Tirreno gli *Status Animarum* che le ingiurie del tempo e la barbarie degli uomini non hanno distrutto ne registrano infatti a dozzine. Nella seconda metà di quel secolo almeno tre si chiamavan Francesco e nessuno di quei tre risulta nato nel 1750. Non coincidono nemmeno i dati sul matrimonio, sui figli, sull'anno della morte. Il buio si dirada solo coi nipoti e i pronipoti. Quanto a Montserrat, aveva un prestigioso cognome: Grimaldi. E sebbene nel Settecento siano vissuti infiniti Grimaldi, moltissimi in Italia, molti in Spagna, alcuni in Francia, altri in paesi del Nord, so di quale ramo si tratti. Però quel ramo è estinto, e l'atto battesimale di María Ignacia Josepha detta Montserrat andò perduto durante la Guerra civile spagnola: nell'incendio che a Barcellona distrusse la cattedrale di Santa Maria del Mar. Del resto la sua nascita fu talmente protetta dal segreto, come vedremo, che volerla dimostrare con prove inconfutabili sarebbe idiozia. Nel corso delle mie vane ricerche mi sono perfino chiesta se le storture che sempre accompagnano le saghe tramandate per via orale non avessero consegnato a mia madre una fiaba con ben pochi appigli nella realtà: il suo racconto veniva da un certo zio Attilio che affermava d'averlo ricevuto da suo padre Natale che sosteneva d'averlo udito da suo padre Michele, e ciascuno di essi avrebbe potuto alterarlo. O snaturarlo, falsificarlo. Ma a tal sospetto ho sempre reagito dicendomi no, non è possibile: quel racconto era troppo preciso, quei dettagli troppo puntuali, troppo in accordo con gli eventi o i personaggi storici dell'epoca. E quei cimeli, quel libro con la dedica di Mazzei, quel passaporto, quel liuto, quel veliero di cartapesta non erano fantasticherie. Erano oggetti concreti che ho visto, preso in mano, toccato. Al dubbio devo opporre un atto di fede.

Inoltre la conferma che manca dagli *Status Animarum* e dalla cattedrale di Santa Maria del Mar, la prova che sostituisco col ricordo e l'atto di fede, io ce l'ho più di quanto vorrei. Si trova in una specie di memoria genetica, di certezza animale che invano respingo, invano combatto: con disagio misto a rancore. Perché quella coppia infelice, sfortunata e infelice, la sento dentro di me come un peso: un ospite indesiderato. Ogni volta che una cosa mi va male penso ecco-il-retaggio-di-Francesco, ecco-il-retaggio-di-Montserrat, e la loro storia mi fa paura. È con paura quindi che la partorisco, incominciando da lui e dalla città cui apparteneva.

2

A quel tempo era la seconda città della Toscana, Livorno, e nel resto del mondo famosa quanto Firenze. Non a caso costituiva una tappa obbligatoria del Grand Tour che i viaggiatori stranieri facevano in Italia e del suo nome esistevano varie traduzioni: prerogativa riservata solo alle metropoli e alle capitali. Leghorn in inglese, Livourne in francese, Liburna in spagnolo. Era anche uno dei porti più noti d'Europa e più frequentati del Mediterraneo, il secondo dopo Marsiglia, e il centro più cosmopolita nel quale si potesse abitare. Una babilonia di lingue, di razze, di costumi, di culti. La patria di tutti. Perseguitati politici o religiosi, avventurieri, diseredati, profughi, individui senza scrupoli, criminali o ex criminali. Per popolarla e svilupparne il porto che rimpiazzava quello di Pisa, mangiato dal mare, nel 1590 Ferdinando de' Medici aveva infatti emesso una legge che assicurava ai residenti privilegi assai insoliti: esonero dalle tasse, alloggio gratuito e corredato d'un magazzino o d'un negozio ai pescatori e ai marinai con famiglia, annullamento dei debiti inferiori a cinquecento scudi, condono delle condanne penali subìte in patria o all'estero purché non derivassero da reati connessi all'eresia o alla lesa maestà o al conio di moneta falsa. E nel 1593 una seconda legge che estendendo la cuccagna a qualunque forestiero pronto a diventar residente aggiungeva le seguenti concessioni: diritto d'asilo, libertà di mestiere e di culto, regime giudiziario conforme agli usi e alle leggi del paese di provenienza, franchigia di tutte le sue merci depositate in dogana, permesso di esportare senza imposte e senza gabelle i prodotti importati da non più di dodici mesi, nonché protezione dai pirati per chi viaggiava sulle rotte seguite dalla flotta dei Cavalieri di Santo Stefano cioè le rotte del Mediterraneo. Risultato, nel giro di pochi anni Livorno s'era riempita di fiorentini, lucchesi, genovesi, napoletani, pisani, veneziani, siciliani, ebrei fuggiti o espulsi dalla Spagna e dal Portogallo. Nel giro di pochi decenni s'era riempita anche di inglesi, francesi, tedeschi, svizzeri, olandesi, scandinavi, russi, persiani, greci, armeni, il porto s'era sviluppato più di quel che Ferdinando I avesse ardito sperare e da quasi due secoli offriva uno spettacolo unico al mondo. Brigantini, fregate, polacche, pinchi, sciabecchi, filughe, tartane, velieri d'ogni tipo all'ormeggio. Così fitti, così numerosi, che a vele serrate i loro alberi sembravano tronchi d'una foresta senza foglie. Altre navi che a vele spiegate entravan nella rada o ne uscivano portando tonnellate e tonnellate di ricchezza: il vino e l'olio del Chianti, il baccalà e le aringhe di Terranova, lo stoccafisso della Norvegia, il caviale della Russia, lo zucchero di Cuba, il grano dell'Ucraina e della Virginia, l'avorio dell'Africa, i tappeti della Persia, l'oppio e le droghe di Costantinopoli, l'incenso e le spezie delle Indie Orientali. E sul molo, lungo le banchine, un brulicar di scaricatori, marinai, mercanti, mezzani, sensali, passeggeri coi tricorni, i turbanti, le parrucche, i burnus, i barracani. Un bailamme di suoni, rumori, litigi, risate, bestemmie urlate in qualsiasi lingua. Un miscuglio di piacevoli odori e soffocanti miasmi, puzzo di pesce e di fango, profumo di frutta e di fiori. Un baccanale di vita.

Coi suoi quarantaquattromila abitanti, cifra che escludeva gli stranieri in transito e i marinai che vivevano a bordo, nel 1773 era fantastica anche la città dentro le mura: fino al millecinquecento un borgo di pescatori e un penitenziario per i fiscalini cioè gli schiavi ai remi delle galere. Cinta da un maestoso fosso d'acqua salata, il Fosso Reale, e nella zona chiamata Nuova Venezia percorsa da bei canali con graziosissimi ponti, sembrava un'isola nata per sortilegio in mezzo alla terraferma. E tutto lì esprimeva novità, eccentricità, benessere. Le case alte perfino sei piani, sempre fornite di servizi igienici e vetri alle finestre, che insieme alle palazzine ora rosa e ora azzurre bordavano ogni canale proprio come a Venezia. (Unica variazione, il fatto che ne fossero separate da strade dette Scali e chiuse da una spalletta). I magazzini sottostrada che su quei canali si affacciavano lambiti dalle acque, i navicelli cioè i barconi che a quei magazzini approdavano per caricare o scaricare la merce e che attraverso rogge connesse al fiume Arno facevan la spola con Pisa e Firenze. La struttura razionale che gli architetti medicei avevano dato al resto del complesso urbano cioè le vie che parallele o perpendicolari fra loro agevolavano il traffico, e in particolare l'ampia via Ferdinanda (o via Grande) che da Porta a Pisa andava dritta al porto. Circa settecento passi di selciato su cui i carri e le carrozze sfrecciavano in due sensi passando dinanzi a edifici fastosi, locande pulite, negozi colmi di bendiddio. Poi la gran piazza al centro, la piazza d'Arme, che impreziosita dalla cattedrale si stendeva per ben trecentosessanta passi di lunghezza e centodieci di larghezza. I massicci bastioni che cingendo il Fosso Reale si ergevano con immense terrazze dove potevi andare a passeggio e goderti dall'alto la baia col faro, la tonda torre di Matilde, il rosso baluardo della Fortezza Vecchia, il santuario di Montenero, le squisite ville degli inglesi e degli olandesi. Nonché l'ineguagliabile scenario delle moschee e delle sinagoghe, delle chiese cattoliche e protestanti, copte e greco-ortodosse: simbolo d'una tolleranza e d'una convivenza altrove sconosciute. Non esistevano ghetti a Livorno. Nonostante i quartieri nei quali alcuni gruppi etnici mantenevano le loro usanze, il quartiere de' greci, il quartiere degli ebrei, il quartiere degli armeni, non si indulgeva a pregiudizi razziali o a pratiche discriminatorie. Non si rispettavan neanche le leggi suntuarie. Ricchi e poveri potevano vestirsi di velluto o seta o broccato, portare fiocchi e nastri e cappelli e piume, e insieme al lusso molte altre cose erano permesse. Il gioco d'azzardo, ad esempio. Il libertinaggio, i bordelli. Nelle altre città del Granducato le donne pubbliche venivano arrestate e messe alla gogna come i giocatori, i libertini, gli adulteri. A Livorno invece circolavano e adescavano senza problemi. Lo stesso vicario dell'Inquisizione lo consentiva «in segno di riguardo verso gli stranieri e i marittimi che in questo sito si fermano per qualche giorno o qualche settimana».

Infine, e sebbene non ci fossero università, sebbene la cultura si concentrasse a Pisa, Firenze e Siena, vi fioriva il commercio dei libri. A metà del secolo era sorto infatti un circolo di letterati decisi a diffondere le idee dell'Illuminismo, il tipografo Marco Coltellini aveva fondato una casa editrice con lo stampatore Giuseppe Aubert, e in Italia le prime edizioni delle più importanti opere illuministiche si dovevano a loro. Erano stati Coltellini e Aubert a pubblicare, nel 1764, *Dei delitti e delle pene* del Beccaria. E nel 1763 avevano pubblicato le *Meditazioni sulla felicità* di Pietro Verri, nel 1771 le *Meditazioni sull'economia politica*, due anni dopo il *Discorso sull'indole del piacere e del dolore.* Nel 1770 s'erano addirittura assunti l'impegno di ristampare integralmente l'*Encyclopédie*: dai preti giudicata eretica e scandalosa, quindi apparsa solo in Francia e a Pietroburgo. Né è tutto. Perché nella bottega del Coltellini trovavi anche gli introvabili testi del pensiero libertario: gli opuscoli e i pamphlets che il non meno audace libraio Pietro Molinari stampava a Londra poi faceva spedire a Livorno, Genova, Civitavecchia, Napoli, Messina. *La materia Dio, L'inferno spento, Il paradiso annichilato, Il purgatorio fischiato, I santi banditi dal Cielo, Spaccio de la Bestia Trionfante*: roba da togliere il sonno allo stesso Satana. Non a caso nel 1765, quand'era venuto da Londra con la scusa di recarsi a Venezia e comprarvi uno stock di perle orientali, in realtà per portare varie casse di quei testi, Mazzei l'aveva vista brutta. Accusato dal Sant'Uffizio di contrabbandare volumi perniciosi cioè contrari alla religione e al buon costume, smerciarli in quantità tali da impestarne l'intero paese, era dovuto fuggire a Napoli e restarvi tre mesi. Quanto a Marco Coltellini, Giuseppe Aubert, Pietro Molinari, avevan corso il rischio di beccarsi il carcere a vita. Però bando alle chimere: la stragrande maggioranza dei quarantaquattromila abitanti che la città contava nel 1773 non assomigliava per nulla a certi personaggi. Di libri la gente ne comprava pochi, di raffinatezze intellettuali ne ostentava pochissime, e per sapere quale fosse la nomea che Livorno aveva in quegli anni basta leggere il giudizio che ne dà Pietro Leopoldo nelle sue *Relazioni sul governo della Toscana.* Eccolo qua, appena riveduto e corretto per rendere più comprensibile il suo italiano non eccellente: «I forestieri non ci stanno che per interesse personale, senza alcun attaccamento al paese, e non hanno altra veduta che di far molti quattrini in forma lecita o illecita e poterli spendere in lusso o capricci o stabilirsi altrove con i guadagni. Regna fra di loro la discordia, la malignità, lo spirito di partito, e ogni sistema è buono pur di fare i quattrini presto: scritture false, conti simulati o alterati, lettere e calunnie per screditarsi reciprocamente... I procuratori, gli scritturali eccetera, ne imitano l'esempio. I preti sono ignoranti. Il popolo è ignorantissimo, punto religioso, superstizioso, fanatico, rissoso, dedito ai ferimenti, al furto, al gioco, al libertinaggio, e ha bisogno d'esser tenuto con grandissimo rigore».

Se si esclude il furto e il gioco, i soli peccati di cui non si macchiasse, nelle ultime righe sembra l'identikit di Francesco.

* * *

Eh, sì: il giovane marinaio che con le sue disgrazie e la sua ciotola d'acqua aveva incantato il Mazzei era tutto fuorché uno stinco di santo. Proprio il contrario del mite e pio Carlo. Per comporre un dissidio ricorreva al coltello, per esprimere un'opinione si serviva delle mani, riottosità e rivolta costituivano per lui un sistema di vita e si capiva a guardarlo. Aveva le nocche sempre scorticate dai pugni che dava, il naso sempre rotto da quelli che riceveva, la schiena segnata dalle frustate inflittegli per indisciplina, le guance e le spalle incise di cicatrici lasciate da un giro di chiglia. Castigo che sui velieri veniva imposto nei casi di delinquenza o grave disubbidienza e che consisteva nel legare le gambe e le braccia del reo, gettarlo in mare appeso a due lunghissime funi azionate da una carrucola, con queste trascinarlo sotto la nave, tenercelo parecchi minuti, infine tirar su ciò che ne rimaneva. Di solito, un cadavere straziato dai chiodi e dalle sporgenze della chiglia. Lui, invece, lo avevano tirato su vivo. E guarito in quattro e quattr'otto con semplici impacchi di sale e di rhum. La sua forza fisica vinceva infatti qualsiasi malanno o tormento, e grazie alla sua pellaccia poteva stare sulla coffa cioè la piattaforma più alta dell'albero maestro ventiquattr'ore di fila: senza addormentarsi e senza precipitare. Era anche molto maleducato, eccessivamente orgoglioso, esageratamente vendicativo. Non sorrideva mai a nessuno, non chiedeva mai scusa a nessuno, non indulgeva mai a un istante di amabilità. E la risposta con cui aveva reagito al Dio-li-perdoni dei Trinitari, «Dio forse sì. Francesco Launaro, no», apparteneva alla sua natura di implacabile ultore. La promessa di sgozzare venti algerini, uno per ogni anno che Daniello aveva trascorso in catene, al suo malvezzo di lavare le offese col sangue. Inoltre era più analfabeta dei livornesi bollati da Pietro Leopoldo, per firmare gli ingaggi disegnava una barca, e più ateo dei libertari che scrivevano *L'inferno spento*, o *Il paradiso annichilato* o *Il purgatorio fischiato*. Non lo vedevi mai entrare in una chiesa, borbottare una preghierina, durante le tempeste rifiutava di raccomandarsi al Signore, e a scorgere un sacerdote o un rabbino o un muezzin perdeva la testa. «Ciarlatani, impostori!» Quanto al libertinaggio ci sguazzava dentro da demonio, favorito dal fatto che le prostitute si invaghissero di lui e lo servissero gratis. «Niente soldi, bel marinaio. Piuttosto vi pago io.» Non che fosse bello, intendiamoci. Con quel naso rotto, quelle cicatrici sulle guance, quel manto di capelli neri come le penne d'un corvo, sembrava il ritratto del male. Però aveva un corpo robusto e gradevole, il suo volto scavato e bruciato dal sole emanava una misteriosa seduzione, la sua selvatichezza un fascino quasi irresistibile, e i suoi occhi avrebbero commosso una fiera. Lucidi, fondi, sconfitti, e carichi d'una tristezza terrificante.

Povero Francesco, ne aveva ben donde. E i motivi per essere un demonio non gli mancavan davvero. Per incominciare, a ventun anni viveva nella solitudine d'un pesce preso all'amo e buttato in un barattolo vuoto: anche sua madre era morta quand'era bambino, uccisa dall'epidemia di tifo petecchiale del 1763. Di fratelli o sorelle non ne aveva perché prima del rapimento non era nato che lui. Di parenti nemmeno perché gli altri Launaro di Livorno non offrivano alcun grado di consanguineità e se ne stavano per conto loro. Di legami sentimentali neppure perché non poteva affrontare la spesa di prendere moglie e per procurarsi un po' d'amore doveva ricorrere alle prostitute che lo servivano gratis. Di amici, idem perché il suo carattere rendeva impossibile qualsiasi intesa e appena trovava qualcuno disposto a sopportarlo finiva a botte. Quasi ciò non bastasse, navigava dal giorno in cui appena undicenne s'era imbarcato come mozzo su uno sciabecco dove aveva subito dimenticato l'infanzia e c'è bisogno di dirlo? Fare il marinaio a quel tempo non contribuiva certo a trasformare il figlio d'un povero pescatore in un signorino educato, colto, cordiale e timoroso di Dio. Si stava via per mesi e mesi, a volte per un anno o due. Si attraccava in un porto solo per scaricare e ricaricare, di solito senza che il capitano ti permettesse di scendere a terra, e rimanere tanto tempo a bordo ti distruggeva. Bellissime all'esterno, suggestive, adorne di intagli e di ori, all'interno le navi eran pozzi di lordura: fogne che pullulavan di topi, scarafaggi, cimici, pidocchi. Se non ci morivi di naufragio o cadendo da un pennone o finendo in mare, inghiottito dalle ondate che con le bufere spazzavano il ponte, ci crepavi di morbi disgustosi. Scabbia, rogna, lebbra, peste, colera. Nel migliore dei casi, scorbuto. Malattia che colpiva a mangiare il cibo consueto cioè le fave marce e i fagioli bacati, il lardo rancido e la carnesecca ammuffita, le gallette brulicanti di vermi, nonché a bere l'acqua che nelle botti imputridiva. Diventava anch'essa infetta. Sempre sporchi, sempre puzzolenti, si dormiva all'aperto o su amache lerce. Si rinunciava a ogni forma di civiltà, si viveva con ciurme composte da avanzi di galera o ubriaconi reclutati nelle bettole. Magari con la forza. I mozzi erano regolarmente maltrattati. Picchiati, umiliati, usati a ogni scopo incluso quello carnale. E dai loro seviziatori non imparavano che a bestemmiare, litigare, masticare il tabacco. Il capitano si comportava da padrone assoluto. Sull'equipaggio aveva diritto di vita o di morte e, poiché a mostrarsi indulgente rischiava l'ammutinamento, per un nonnulla imponeva punizioni feroci. Chi tardava un attimo a eseguire un ordine o lo eseguiva in modo non perfetto, si prendeva dalle trenta alle cento frustate sulla schiena. Chi rubava un sorso d'acqua o fumava la pipa o sputava contro vento veniva legato e calato in mare, qui lasciato ore e ore in balia dei pescecani. Chi infliggeva una ferita nel corso d'una rissa veniva servito col giro di chiglia o inchiodato per le palme e col suo stesso coltello all'albero maestro. Nove volte su dieci ci rimetteva una mano. Chi invece nella rissa ammazzava, veniva chiuso nel medesimo sacco del cadavere e buttato negli abissi con lui. Chi si ammutinava veniva impiccato e, a parte il sacco, a parte l'impiccagione, Francesco le aveva passate tutte.

Eppure non era questo, o non soltanto questo, che lo rendeva un demone con gli occhi carichi d'una tristezza terrificante. Era l'odio che lo divorava dal giorno in cui, ragazzino, aveva saputo d'essere il figlio d'uno schiavo. Un odio cieco, cupo, irriducibile: cresciuto anno per anno con le inutili attese, le inutili speranze. E condensato, concentrato, su un nemico molto preciso: i pirati che lo avevan rapito.

3

Il cinema e la letteratura infantile ci hanno abituato a considerare i pirati una categoria di simpatici mascalzoni con la gamba di legno e la benda sull'occhio, il teschio sulla bandiera che sventola a prua e il tesoro nascosto in qualche anfratto dei Caraibi, insomma un episodio pressoché innocuo del nostro passato. Ma la realtà è ben diversa. Per oltre mille anni e fino ai primi decenni del milleottocento essi furono un flagello che seminò morte e disperazione, lacrime e sangue, alimentando l'infamia più redditizia che abbia mai sporcato la storia del pianeta Terra: il commercio degli schiavi. L'ignoranza e la smemoratezza ci hanno fatto anche dimenticare che il flagello colpì soprattutto il Mediterraneo: vale a dire il mare su cui si affacciavano le tre città dell'Africa Settentrionale, la Barberia annessa all'Impero ottomano, che su tale commercio erano fiorite e basavano la propria esistenza. Tripoli, Tunisi, Algeri. (Tangeri, in Marocco, le imitava con scarso successo). Era una cappa di paura, il Mediterraneo. Chiunque vi navigasse o abitasse in un villaggio costiero rischiava di finire come Daniello, e il traffico degli schiavi neri in America non è che un capitolo successivo dell'infamia. Prima che esso incominciasse, nella sola Algeri si vendevano ogni anno dai diecimila ai quattordicimila schiavi bianchi. I cosiddetti nazzareni o cani infedeli. All'inizio del milleseicento la città ne teneva in catene ben trentatremila di cui ottomila convertiti all'Islam, e l'anno in cui Daniello era stato rapito il dey della flotta algerina aveva dichiarato a un frate spagnolo che trattava un riscatto: «Per noi barbareschi quel mare è una gioia. Perché ci sono tante barche da rubare, tanti nazzareni da catturare, e il nostro mestiere porta tanto denaro».

Erano sorte per questo le torri di guardia, i fortini di avvistamento, che ancor oggi si vedono lungo le coste del Tirreno, dello Ionio, dell'Adriatico. Erano nate per questo le flotte corsare cioè le flotte romane, veneziane, genovesi, maltesi, inglesi, francesi, spagnole che col consenso scritto dei rispettivi governi o sovrani e con navi armate di cannoni infestavano le acque. Depredando a loro volta, sì, accumulando bottini su cui il governo o il sovrano si prendeva la percentuale, ma nel medesimo tempo combattendo i pirati: rendendogli pan per focaccia. Si pensi a Francis Drake, Walter Raleigh, Jean Bart. Nel Granducato di Toscana era nata invece la flotta dei Cavalieri di Santo Stefano: milizia volontaria e composta di laici votati alla difesa del cattolicesimo le cui imprese sarebbero diventate leggenda. Quanto a inesorabilità, infatti, i Cavalieri di Santo Stefano non li avrebbe superati nessuno. Con le loro croci rosse, le loro spedizioni punitive, le loro galere soprannominate Galere del Gran Diavolo, più dei Francis Drake e dei Walter Raleigh e dei Jean Bart avevano terrorizzato il nemico: speronando e arrembando qualsiasi nave tunisina o tripolina o algerina che incontrassero, impiccandone il rais all'albero maestro, massacrandone l'equipaggio o facendolo schiavo secondo la regola dell'occhio per occhio, dente per dente. Nella speranza di eliminare il problema, a un certo punto s'erano messi a combattere lo stesso Impero ottomano: ovvio protettore e istigatore della pirateria barbaresca. Nel 1606, ad esempio, il commissario generale Alessandro Fabbroni aveva sterminato i quarantaquattro vascelli della famosa Carovana d'Alessandria e preso tanti prigionieri che i ceppi a bordo erano bastati a incatenarne appena un migliaio: gli altri li aveva abbandonati ai pesci. Quasi contemporaneamente l'ammiraglio Jacopo Inghirami aveva spinto il suo furore fino alle piazzaforti turche di Laiazzo, Namur, Finica: distruggendole tutte e tre e nella terza uccidendo l'Aga nonché sequestrando sua moglie e sua figlia. Nel 1626 il nuovo ammiraglio Barbolani di Montauto era addirittura entrato nello stretto dei Dardanelli e aveva messo a fuoco le fregate del sultano di Costantinopoli. Né i Cavalieri di Malta, diretti rivali, erano stati da meno. Le flotte di Venezia e dello Stato Pontificio, idem. Dozzine di libri lo testimoniano, migliaia di documenti in cui trovi nomi prestigiosi. Il nome del maltese Gabriel de Chambres Boisbaudran caduto nella battaglia di Rodi, dei veneziani Gerolamo Morosini e Luigi Mocenigo. Eppure il flagello era continuato: tale e quale. Neanche per un anno, una stagione, un giorno, la cappa di paura s'era affievolita e l'infamia alleggerita. E malgrado le vittorie i paesi europei avevano dovuto scendere a patti: uno ad uno, firmare trattati di pace o accordi mostruosi come quello in seguito a cui il comandante dello sciabecco aveva consegnato Daniello ai boia di Alì Pascià. Patti inutili, oltretutto. Impegni che i barbareschi tradivano nel giro di poche ore. Subito dopo il trattato con lo Stato Pontificio gli algerini erano sbarcati a San Felice Circeo per rapire papa Benedetto XIII che stava pescando sul lago di Fogliano. Non essendoci riusciti, avevano saccheggiato il paese e portato via gli abitanti. Vecchi e neonati inclusi.

D'accordo: gli schiavi c'erano anche a Livorno. Per un secolo e mezzo le Galere del Gran Diavolo li avevano scaricati lungo le banchine del porto, e sia il Fosso Reale che i canali di Nuova Venezia li avevano scavati loro. Non a caso nella darsena vecchia si ergeva dal 1617 il Monumento ai Quattro Mori: gli splendidi e tragici bronzi che raffigurano quattro barbareschi o turchi incatenati agli angoli del piedistallo sul quale poggia la statua di Ferdinando I de' Medici vestito da cavaliere di Santo Stefano. Non lontano dal monumento, il Bagno che nel 1602 Ferdinando aveva costruito per loro e per i fiscalini cioè gli ergastolani di casa che scontavan la pena ai remi delle galere. Esclusa la moglie e la figlia dell'Aga, presto rilasciate perché le donne costituivano un imbarazzante disturbo e la Chiesa non voleva che si catturassero, i molti prigionieri del Fabbroni o dell'Inghirami eran finiti lì. E non certo per venir trattati coi guanti. «Ieri feci appiccare uno schiavo senza saper se la cosa fosse consentita. Lo feci acciocché si dismetta questo stile incominciato qualche mese fa di ferirsi o ammazzarsi da per sé» dice in una lettera del 15 maggio 1644 l'ammiraglio fiorentino Ludovico da Verrazzano, altro nipote del Giovanni che aveva scoperto il fiume Hudson e la baia di New York. Poi spiega che lo schiavo in questione, un barbiere, voleva esser ricevuto da lui per dolersi d'un custode che lo tormentava con le pretese eccessive e i dispetti. Credendolo ubriaco lo aveva respinto nonché messo ai ferri e, vinto dallo sconforto, l'infelice era ricorso al rasoio. S'era tagliato la gola. «Morto per morto, ebbi adunque l'idea di farlo finire da un boia ch'è pure schiavo. E per dare una lezione, veder se questa canaglia leva mano da simili consuetudini, ordinai d'appiccarlo come sopra detto. Peccato perché trattavasi d'un bello e buono schiavo, vogava senza fatica la capitana a cinque.» Il caso è significativo. Però i turchi e i barbareschi detenuti a Livorno eran sempre pirati, nemici presi in battaglia, mai Danielli rapiti a scopo di lucro. Più che schiavi venivano giudicati prede di guerre e quindi tenuti meglio dei fiscalini. Contrariamente ai fiscalini, infatti, non portavano né il collare di ferro né la palla al piede. Per i lavori di scavo e di remeggio riscuotevano una paga che superava di quattordici soldi la loro, nei giorni di festa mangiavano lo stesso vitto dei marinai a terra, e nei giorni feriali tre libbre di pane col baccalà o un minestrone di verdura. Non erano nemmeno vestiti male. Ogni primavera il corredo gli veniva rinnovato con due camicie, due paia di pantaloni, quattro di calzini, una giacca di stametto, un copricapo del medesimo panno, scarpe ferrate e un cappotto chiamato schiavina. Valore totale, otto o dieci scudi. Ciò che Apollonia aveva guadagnato nell'intera vita con le uova delle sue galline. Quanto all'esistenza quotidiana, non era malvagia. Per dormire avevano brande col materasso, per lavarsi l'acqua dolce e il sapone, per curarsi un lazzaretto separato da quello dei fiscalini coi quali non volevano aver nulla in comune. Potevano osservare i precetti dell'Islam cioè pregare interrompendo il lavoro cinque volte al giorno, frequentare le prostitute, esercitare il piccolo commercio. Vale a dire, fabbricare per proprio conto prodotti artigianali come indumenti a maglia, cinture in stile moresco, panieri di vimini, dolci, biscotti, e smerciarli in baracchette-bazaar dentro o fuori il porto. Inoltre potevan lavorare in città: fare i facchini, i venditori d'acqua, gestire o possedere negozi di caffè e tabacco, macellerie di carne ovina. È anche il caso di sottolineare che col passar del tempo l'afflusso degli schiavi messi in catene dai Cavalieri di Santo Stefano diminuì. Nel 1608 il Bagno ne contava tremila, nel 1648 ottocentoquarantuno, nel 1737 duecentoquarantaquattro. Nel 1747, duecentoventuno (44 turchi d'Egitto, 97 algerini, 57 tunisini, 23 tripolini) che furono rinviati a Costantinopoli per suggellare il patto di pace firmato quell'anno con gli ottomani. Non rimasero che quindici bottegai divenuti cattolici e dieci domestici ormai troppo anziani per viaggiare sicché, trasferiti i fiscalini nelle carceri di Pisa e Portoferraio, il Bagno venne chiuso. Si riaprì solo venticinque anni dopo quando esasperato dai continui tradimenti che i barbareschi infliggevano all'accordo del 1749, Pietro Leopoldo riprese a combatterli e a catturarli. Ma allora i nuovi arrivati pretesero e ottennero concessioni ancor più generose: il diritto di costituire sodalizi, rivolgersi a un avvocato, citare in tribunale chi gli faceva torto e, *dulcis in fundo*, riscattare coi loro soldi la loro libertà. Con questa, volendo, chiedere la cittadinanza e sposarsi. In parole diverse, e nonostante la carognata di Ludovico da Verrazzano, una cosa era essere schiavi a Livorno e una cosa esserlo a Tunisi o Tripoli o Algeri. Soprattutto ad Algeri.

* * *

Il racconto con cui i Trinitari avevano rivelato a Francesco il calvario sofferto da Daniello non conteneva infatti un grammo di falsità o di iperbole: ad Algeri i cosiddetti nazzareni subivan davvero le nefandezze che lui aveva subìto dal momento dello sbarco in poi. Perché, guinzaglio e sputi e insulti a parte, dopo averli lavati e rasati e vestiti di cenci li conducevano al Pascialik: il palazzo del governatore. Tra schiaffi e pedate li interrogavano, li catalogavano, li smistavano a seconda dello stato sociale, e su questo stabilivano se valessero o no il prezzo d'una taglia. Alle persone ricche o importanti, vale a dire degne d'una taglia, l'umiliazione d'esser venduti come cavalli o cammelli veniva dunque risparmiata. In attesa del riscatto il console del loro paese li prendeva in consegna oppure il Pascià li ospitava nella sua reggia. Gli altri però approdavano subito al Basistan, il mercato. E qui succedeva proprio ciò che succedeva o sarebbe successo in America con gli schiavi neri destinati alle piantagioni. Anzi assai peggio. Il Guardian Bachì li denudava, nudi li esibiva su una piattaforma, e: «Maschio da fatica! Femmina da piacere! Guardate che seni, che natiche! Guardate che muscoli, che denti!». Allora i compratori si avvicinavano, si mettevano a palpeggiarli, esaminargli i seni, le natiche, i muscoli, i denti, poi offrivano una cifra o partecipavano all'asta. Li compravano separatamente o a gruppi. Magari per noleggiarli o rivenderli, sottoporli di nuovo all'oltraggio e alla vergogna. Le donne molto belle finivano negli harem, le meno belle nei postriboli. Quelle brutte e quelle vecchie, a far le sguattere o le spazzine o mestieri del genere. I bambini, in case dove crescevano da servi. Gli adolescenti graziosi, anch'essi in postriboli o al servizio d'un padrone di cui diventavano paggi cioè amanti. I meno graziosi e gli uomini, qualsiasi età avessero, ai lavori forzati. Insomma a spaccar pietre, scavar pozzi, vuotare fogne, tirare l'aratro o i carretti al posto degli asini e dei muli. Diciotto ore al giorno, sempre coi ceppi al collo e ai piedi, e dormendo nel modo che sappiamo: in fosse chiuse da una grata e fornite di una scala a pioli per scendere e salire. Niente branda, ovvio. Niente sapone per lavarsi, niente ospedali per curarsi, niente prostitute per consolarsi, niente pause per riprendere fiato e niente paga. In compenso, punizioni paragonabili ai castighi che i marinai pativano sulle navi. Più intense, sia chiaro, e distribuite con doppia perfidia. Cento colpi di verga sotto i piedi se ti fermavi a riprendere fiato. Cento bastonate sulla schiena se crollavi per la stanchezza. Duecento se osavi ribellarti. Taglio della mano se rubavi un frutto o un pugnello di couscous, taglio della testa se toccavi un'algerina, sgozzamento se provavi a scappare. Infatti morivano a migliaia, spesso nel giro d'un anno o due. Di rado sopravvivevano a lungo come Daniello.

Naturalmente il sistema per porre fine al calvario c'era: convertirti all'Islam. Diventando musulmano abbandonavi i lavori forzati, acquistavi il diritto di portare il turbante, sposarti, gestire bazaar o negozi simili a quelli degli schiavi residenti a Livorno, assumere incarichi governativi e perfino intraprendere il mestiere di pirata. Con un po' di fortuna, ottenere addirittura il grado di rais. Nella storia della pirateria barbaresca i rais inglesi, francesi, maltesi, greci, italiani, non mancano. Uno fu il celebre Alì Piccinin, figlio d'un apostata nato a Venezia, che ad Algeri possedeva un Baño con seicento nazzareni e una rispettatissima scuola di ladri. Se poi ti rifiutavi di diventar musulmano, ti rimanevano tre soluzioni: la fuga, il baratto, il riscatto. Ma la prima offriva scarse speranze. Sebbene in Sicilia esistessero diversi impresari di fuga che con piccole barche e molto coraggio venivano a prenderti, portarti via, quasi ogni tentativo falliva. Per non fallire bisognava che fosse ben organizzato all'interno da complici disposti a rischiar la pelle, che il fuggiasco lavorasse al porto o in città e non in una cava di periferia, che da solo o con la connivenza d'un custode misericordioso riuscisse a rompere i ferri e gettarsi in acqua, che sapesse nuotare e raggiungere gli impresari nascosti dietro qualche scoglio o dentro qualche grotta, e soprattutto che l'impresa si svolgesse a Tunisi: la città più vicina alle coste siciliane e all'isola di Pantelleria. Da Tripoli una piccola barca non ce la faceva. Da Algeri, neanche a parlarne. Quanto al baratto, potevi contarci poco. Sostenendo che un musulmano valeva almeno tre cristiani, gli algerini rifiutavano di negoziarlo sulla base dell'uno-a-uno sicché si realizzava in casi eccezionali. Lo scambio eseguito con la *Bonne Mère*, quattordici su quattordici, era stato uno di questi. Ergo, la vera soluzione stava nel riscatto. E di riscatti se ne effettuavano a iosa. Si vede dagli elenchi redatti dagli istituti di carità e dalle confraternite religiose che conducevano le trattative, ed anche dai rapporti dei consoli e degli agenti che i paesi europei tenevano in Barberia con l'unico scopo di riavere i loro cittadini rapiti. Ecco alcuni esempi. Tra il 1690 e il 1721 i Francescani del Terz'Ordine riscattarono ottocentododici nazzareni. Nel 1720 il Convento Trinitario di San Ferdinando ne riscattò centosettantuno. Nel 1769 i Mercedari Calzati ne riscattarono cinquecentoquindici. Nel 1771, insieme al principe di Paternò per cui la famiglia aveva sborsato l'incredibile cifra di cinquecentomila piastre, l'Opera Palermitana del Santo Redentore ne riscattò ottanta. I Trinitari Scalzi della Redenzione, ottocentoventi. Costo, dalle trecento alle quattrocento pezze ciascuno. Se calcoli che le pezze erano monete d'oro multiple delle piastre e valevano due scudi toscani, e se pensi che in tre secoli i soli Trinitari riscattarono novecentomila cristiani, capisci perché ad Algeri il turpe guadagno portasse ancor più denaro delle merci depredate e dei disgraziati venduti in massa al Basistan.

Ultima messa a punto: non era mica facile il riscatto. La procedura durava anni, richiedeva una gran conoscenza del galateo locale, e non si esauriva nella consegna della taglia richiesta. Infatti guai se versando la somma al Pascià non davi una percentuale al dey, guai se dando la percentuale al dey non la davi anche al primo ministro, guai se dandola al primo ministro non la davi anche al Guardian Bachì, al rais che aveva compiuto la cattura, all'interprete che aveva tradotto i colloqui, allo scrivano che aveva steso l'accordo, ai vari custodi e guardiani e carcerieri. Il negoziato abortiva. Oppure si arenava perché in un accesso di moltiplicata ingordigia il Pascià aumentava il prezzo. Nel 1760 un povero parroco siciliano, don Gasparo Bongiovanni, aveva raccolto e portato ad Algeri ventimila piastre: cifra del tutto sufficiente a riavere quattrocento pescatori rapiti nel corso di poche stagioni fra Caltanissetta e Ragusa. Ma il Pascià gli aveva riso in faccia. «Ne voglio quarantamila.» Ed ora torniamo a Francesco.

4

Con la bella dedica sul libro che non poteva leggere né avrebbe mai letto, e col cuore più gonfio di quand'era partito, Francesco riapparve il 29 marzo del 1774: giorno in cui il *Triumph* riattraccò a Livorno per scaricare novanta casse di tabacco e cinquanta sacchi di cotone. Un po' a causa della bonaccia che ai Tropici aveva rallentato l'andatura e ritardato l'arrivo a Norfolk d'un paio di settimane, un po' a causa della fortissima febbre che al momento di ripartire aveva costretto il capitano a scendere e restare a terra fino a Natale, un po' per le bufere invernali che al ritorno avevano imposto due soste fuori programma, una alle Canarie e una a Gibilterra, il viaggio intrapreso per disperazione era durato insomma ben sette mesi: il tempo di placare o almeno alleviare qualsiasi dolore. Il suo invece no. Nutrito dall'odio, in quei sette mesi era cresciuto come una pianta ben annaffiata e ben concimata. Come un bambino cui non manca il latte. Crescendo aveva consolidato l'impegno assunto dinanzi ai Trinitari Scalzi, giuro-che-sgozzerò-venti-algerini, e non pensava che a questo. Per rendersene conto bastava guardarlo. Il suo aspetto appariva più truce di sempre, i suoi occhi più tristi che mai, gli intervalli di riposo li passava ad affilare il coltello e inutile tentar di togliere dalla sua mente quell'idea fissa. Inutile dirgli che a ventun anni il futuro è un dono da non avvilire con le rappresaglie, oppure consigliargli altri stimoli. Altri obbiettivi. Mazzei ci aveva provato. Gli aveva addirittura illustrato le opportunità che il Nuovo Mondo offriva a chi vi emigrava, e suggerito di cambiar mestiere: diventar contadino, stabilirsi in Virginia. Ma lui aveva risposto no-grazie, ho-un-conto-da-saldare. Indirettamente ci aveva provato anche James Rogers. Durante la sosta a Gibilterra gli aveva proposto di rimanere sul *Triumph* che dopo Livorno si sarebbe diretto a Bombay per prendere una partita di spezie e di tè. «Siete un buon marinaio. Se accettate, vi dò sei sterline al mese.» Bè, era un'ottima paga sei sterline al mese. Di solito gli armatori non ne sganciavano che quattro o cinque. E James Rogers era un brav'uomo, un tipo che aborriva i castighi crudeli. Il *Triumph*, un veliero abbastanza pulito e sul quale si mangiava piuttosto bene. Ma di nuovo lui aveva risposto no-grazie, ho-un-conto-da-saldare. La cosa sconcertante è che non sapeva né dove né come né quando lo avrebbe saldato. Lo seppe o meglio lo scoprì solo la mattina in cui sbarcò, parlando col locandiere che gli affittava la lurida stanza nella quale viveva tra ingaggio e ingaggio. Ecco qua.

* * *

A quel punto le Galere del Gran Diavolo non esistevano più. Nel 1737, morto Gian Gastone cioè l'ultimo de' Medici, gli Asburgo-Lorena s'erano presi il Granducato e le avevano sostituite coi bastimenti a vela. E senza

176

quei lunghi remi che sembravan sciabole pronte a tagliarti in due, senza quel lunghissimo sperone che sembrava uno spiedo pronto a infilzarti ed anzi ti infilzava per dare il via all'arrembaggio, i bastimenti a vela incutevano poca paura. Praticamente, dal 1737 non esistevan più neppure i Cavalieri di Santo Stefano. Proibendo il volontariato delle loro milizie e riorganizzandoli coi criteri della razionalità, il neogranduca cioè il padre di Pietro Leopoldo ne aveva così spento gli ardori e i mistici slanci che anche se sparavano palle di ferro spaventavano meno d'un vigile urbano. Peggio: nel 1765 il pacifismo dell'illuminista Pietro Leopoldo, appena salito sul trono, aveva ridotto ciò che restava della grande flotta corsara a un esiguo naviglio composto di qualche cannoniera e di due brigantini dal nome civettuolo: *Alerione* e *Rondinella*. Poi ne aveva affidato la gerenza a un nobile inglese per nulla battagliero: John Acton. Non a caso i mercantili e i pescherecci avevan dovuto imparare a difendersi da soli con gli schioppi e le bombarde piazzate dove capitava, ai pirati algerini e tunisini e tripolini s'erano affiliati quelli marocchini, in Barberia il commercio degli schiavi s'era centuplicato e gli accordi firmati dagli Asburgo-Lorena eran finiti in fumo. Mentre ciò accadeva, però, era emerso all'orizzonte un altro John Acton: nipote del primo. E un po' per volta le cose avevano preso una piega diversa. Morti i genitori, infatti, il giovane Acton era venuto in Toscana per vivere con lo zio e iscriversi all'Università di Pisa ma presto s'era accorto che navigare gli piaceva più che studiare. In quattro e quattr'otto era diventato capitano di vascello e lo zio gli aveva conferito il comando della *Rondinella*. Abuso di potere, puro nepotismo? No. Con la *Rondinella* John junior detto Giovannino aveva subito catturato un inafferrabile sciabecco che terrorizzava chiunque si muovesse tra la Sardegna e la Gorgona, poi una filuga che da tempo li sbeffeggiava indugiando nella rada di Livorno, e incoraggiato da quei successi Pietro Leopoldo aveva arricchito l'esiguo naviglio d'una fregata con l'austero nome di *Etruria*. A questa s'era aggiunta di recente la fregata *Austria*, dono personale dell'imperatrice Maria Teresa che da Vienna seguiva con occhio vigile gli sforzi governativi del figlio. L'*Austria* era stata aggiudicata al comandante della *Rondinella* sicché, quando si diceva John Acton, ora non si intendeva più il vecchio Acton: oltretutto messo in disparte con false accuse e ammalatosi di crepacuore. Si intendeva il nuovo astro: Giovannino. E, grazie a lui, nei sette mesi che Francesco aveva passato a bordo del *Triumph* se n'erano viste di belle.

«Avete fatto male, Launaro, a imbarcarvi il 2 settembre. Vi siete perso una soddisfazione» disse il locandiere.

Poi raccontò che due settimane dopo la partenza del *Triumph* Sua Altezza Serenissima aveva autorizzato John Acton a intraprendere crociere punitive come ai bei tempi delle galere. John Acton aveva piazzato sull'*Austria* cinquantaquattro cannoni supplementari, s'era diretto verso il porto di Tunisi, v'era entrato, e senza rimetterci una vela o un marinaio aveva distrutto undici legni nemici. Né la cosa si esauriva qui. Perché il giorno dopo era andato in cerca di nuove vittime, e il 14 ottobre le aveva trovate: due corvette marocchine che veleggiavano intorno a Capo Spartel. Ebbene, una l'aveva immediatamente liquidata arrembandola e catturando gli ottantaquattro membri dell'equipaggio nonché i quattro ufficiali e il rais. Una l'aveva inseguita spingendola contro gli scogli di Arzilla dov'era naufragata in un batter d'occhi.

«E ora dov'è questo Acton?» chiese Francesco.

«A dare una lezioncina nelle acque di Algeri.»

«Quando rientra?»

«Presto. Di solito parte, picchia, e torna.»

«E per essere ingaggiati da lui che si fa?»

«Ci si presenta al commissario reclutatore e gli si dice: sono il tal de' tali e mi voglio arrolare. Però la mercede è bassa. Pochi scudi da cui detraggono il costo dell'uniforme. E al momento di spartire il bottino ai marinai toccano le briciole e basta.»

«Non importa. I soldi non mi servono più.»

Non gli servivano più e tuttavia due ostacoli si opponevano a un simile passo. Due problemi nel suo caso insormontabili. Il primo era la disciplina militaresca alla quale le ciurme si dovevan piegare, l'obbedienza cieca e assoluta a regolamenti che sui mercantili non si concepivan nemmeno. Divieto di bestemmiare, di litigare, di masticare tabacco, di star seminudi o scalzi, di orinare e defecare sulla rete del bompresso. E niente capelli lunghi fino a metà spalla, niente orecchini, niente coltelli cioè armi che non fossero di ordinanza. Il secondo era l'incredibile bigotteria che condizionava l'arruolamento. Nonostante la percentuale che si beccava sulle merci predate, Pietro Leopoldo teneva moltissimo a legittimare col nome di Cristo le imprese della sua flotta corsara: presentarla come l'erede spirituale di quella gestita dai Cavalieri di Santo Stefano. Per dirigerla il vecchio Acton aveva dovuto convertirsi zitto zitto al cattolicesimo e per assumere il comando dell'*Austria* Giovannino aveva abiurato con pubblica cerimonia la Chiesa Anglicana. I marinai venivan quindi arruolati solo se risultavano di provata fede cattolica: se dimostravano di conoscere le orazioni, se dichiaravano di andare alla Messa e al Vespro con regolarità. E piuttosto che tradire sé stesso, il suo fiero rifiuto di Dio, Francesco si sarebbe evirato. Ma l'odio è davvero un sentimento forte come l'amore. Quanto l'amore può davvero deviare i fiumi, muovere le montagne. E se nasce da una grossa ingiustizia, da un grosso dispiacere, può produrre miracoli che nemmeno l'amore conosce. Quando a fine aprile l'*Austria* tornò, a riceverla con la folla plaudente c'era anche Francesco. Deciso, risoluto, ansioso di mentire. Sapendo che bisognava convincere il commissario reclutatore, aveva memorizzato anche dieci salmi e dieci litanie. Quindi aveva rubato una croce alta sette centimetri e se l'era messa al collo.

«Mi chiamo Francesco Launaro e voglio arrolarmi.»

«Perché?»

«Perché credo in Dio, nella Madonna, e nei Santi.»

«Vai alla Messa, al Vespro, conosci le orazioni?»

«Signorsì, Eccellenza. Meglio d'un prete.»

«Vediamo se sai il Salve Regina.»

«Salve Regina, Madre misericordiosa, vita, dolcezza, speranza nostra, salve. A te ricorriamo, esuli figli di Eva...»

«Bene. E quei capelli?»

«Si tagliano, Eccellenza.»

«Quell'orecchino?»

«Si butta via.»

«Quel coltellaccio da macellaio?»

«È una reliquia, Eccellenza, un cimelio benedetto. Se me lo lasciate, prometto di non usarlo nemmeno per sbucciare una mela.»

L'indomani era a bordo. Senza capelli lunghi, senza orecchino, e col permesso di tenere il coltello. Il corsaro più ubbidiente, più decoroso, più rispettoso e in apparenza religioso che la flotta toscana avesse mai avuto. Prima che l'*Austria* e l'*Etruria* incominciassero la crociera punitiva che le avrebbe impegnate l'intera estate, volle addirittura assistere alla Messa Solenne che il vescovo di Livorno celebrò nella cattedrale dell'Insigne Collegiata per implorar la Vergine di fornire molti nemici da uccidere. Dio sa come si confessò, si comunicò, e a vedere il fervore con cui pregava alcuni si commossero.

«Che giovanotto pio!»

La crociera non risultò degna di tanto sacrificio. Umiliato dalla scorreria che aveva distrutto gli undici legni, quell'estate il dey di Tunisi propose di rinnovare i patti finiti in fumo e ridusse le incursioni dei suoi pirati. Spaventato dalla perdita delle due corvette, il Sultano del Marocco fece lo stesso anzi offrì di suggellare il nuovo accordo con l'invio di sei purosangue arabi e damaschi preziosi. A tener viva l'audacia di John Acton non rimase che Alì Pascià, e nonostante la Messa del Vescovo l'*Austria* riuscì solo a catturare trentaquattro algerini. Vittoria di Pirro, oltretutto, perché si arresero immediatamente e non si poté torcergli neanche un capello. Eppure Francesco ebbe ciò che cercava. Sicuro che la Grande Occasione sarebbe arrivata si impose infatti di aspettarla, e l'estate seguente essa venne con lo sbarco degli spagnoli ad Algeri. Per ironia della sorte, un evento voluto e condotto dall'uomo di cui tredici anni dopo avrebbe sposato la figlia. Insomma il padre di Montserrat.

5

Si chiamava Gerolamo Grimaldi, marchese e duca di Grimaldi nonché Grande de España, quell'uomo. Fra tutti gli abitanti di questo pianeta, la persona con meno probabilità di imparentarsi con un povero marinaio analfabeta e figlio d'uno schiavo morto sgozzato. Aristocratico per quattro quarti, noto in tutte le corti d'Europa per la sua cultura e la sua eleganza, i suoi gusti raffinati e il suo *savoir-faire*, apparteneva a una delle famiglie più insigni di Genova. Sei dogi, sette cardinali, condottieri a manciate. Inoltre era ricco, temuto, potente, e a tale status era giunto anche grazie a una furbizia molto sagace. Un'ambizione ben calcolata. Accarezzando il sogno di diventar papa, a quattordici anni aveva scelto la carriera ecclesiastica. Trionfando nei salotti di Roma e usando uno zio con la porpora, a diciannove s'era già conquistato il grado di abate. Poi uno scandaluccio di natura sessuale lo aveva costretto a cambiare strada e a ventisei anni s'era trasferito a Madrid per entrare in diplomazia, mettersi al servizio del re di Spagna. A Madrid lo avevan fatto subito consigliere dell'erede al trono e da allora, favorito da un aspetto così seducente che tutti lo soprannominavano el lindo abate, il bell'abate, il suo successo era stato inarrestabile. Nel 1746, inviato speciale a Vienna per concordare una pace separata con Maria Teresa e risolvere il guaio nel quale Filippo V s'era cacciato intervenendo nella guerra di Successione austriaca. Nel 1749, ambasciatore a Stoccolma. Nel 1752 a Londra, nel 1755 all'Aja, nel 1759 a Copenaghen, nel 1761 a Parigi dove aveva negoziato e firmato il Patto di Famiglia. Vale a dire la famosa alleanza militare tra i Borboni regnanti in Francia, in Spagna, a Parma, e a Napoli. Nel 1763, ministro de Estado ovvero primo ministro di Carlos III: il re di cui Pietro Leopoldo aveva sposato una sorella cioè l'Infanta Maria Luisa. E pazienza se l'aristocrazia spagnola lo odiava. Pazienza se il suo maggior nemico, il conte de Aranda, lo definiva maricón y renegado de su patria. Frocio e rinnegatore della sua patria. Carlos III pendeva dalle sue labbra e accettava ogni sua decisione, ogni sua iniziativa. Inclusa l'idea di sbarcare ad Algeri per punire Alì Pascià le cui navi avevano violato il porto dal quale salpavano i corsari spagnoli, la base di Peñón de Vélez, affondandovi sedici vascelli e portandosi via cento marinai. Incluso il consiglio di chiedere al cognato Pietro Leopoldo di partecipare all'impresa con l'*Austria* e l'*Etruria*.

Il ritratto che il pittore Xavier dos Ramos alias Antonius de Maron ci ha lasciato di lui, una tela ad olio d'un metro e 89 per due metri e 76, fu dipinto tre o quattro anni dopo lo sbarco ad Algeri e raffigura un ultrasessantenne alto e snello che in piedi presso un tavolo ingombro di carte allunga un braccio per posare una busta sulla quale è scritto «Por el Rey». Nel punto in cui sta per posarla, un foglio dove si legge: «Pacto de Familia. Tratado entre España y Francia, el año 1762. Grimaldi, Choiseul». Alle sue spalle, una poltrona rococò. Sullo sfondo, una nicchia che contiene la statua d'una Minerva grassa e fra i tendaggi un affresco col bianco Palazzo di Aranjuez. Ha un aspetto molto, molto elegante. Porta una liscia parrucca grigia che sopra gli orecchi si gonfia di tre boccoli orizzontali, indossa una suntuosa uniforme da ambasciatore spagnolo, ed è questa che monopolizza la nostra attenzione: quasi fosse la vera protagonista del quadro. Lunghissima giacca di panno o velluto turchino con la fodera e i paramani di moiré rosso fuoco, come i paramani zeppa di splendidi fregi dorati e a sinistra impreziosita da una stella di diamanti il cui diametro non può essere inferiore ai dieci o dodici centimetri: l'onorificenza del Toson d'Oro. In basso, seminascosta, un'altra simile e un poco più piccola: l'onorificenza dei Cavalieri di Santo Spirito. Panciotto anch'esso in moiré rosso fuoco, ugualmente lungo e ugualmente zeppo di splendidi fregi dorati. Stavolta, tralci di edera e bacche. Spadino che sotto si affaccia per mostrare un'elsa squisita. Brache chiuse al ginocchio, sempre moiré rosso fuoco, calze di seta chiara che fasciano gambe lunghe e ben tornite, scarpette adorne di fibbie assai elaborate. Ampia fusciacca di moiré azzurro cielo, e al collo cinto da uno jabot di pizzo il nastro rosa che regge l'onorificenza di Carlos III: un incredibile collier composto da un pendaglio di perle e brillanti da cui pende un mastodontico zaffiro rettangolare (diciamo tre centimetri per quattro) poi un secondo ciondolo che gronda gemme... Soltanto quando arrivi qui il tuo sguardo risale per indugiare sui lineamenti dell'uomo che esibisce quell'orgia di lusso, quella bottega di sfarzo. La fronte è spaziosa. Gli occhi grigi, acquosi e privi di ciglia. Il naso, massiccio. Le guance, affilate. Le labbra, livide e sottili. Il mento, inciso da una profonda fossetta. E messi insieme quei particolari compongono un volto antipaticissimo. Il volto d'un vecchio fatuo ed ambiguo, d'un gabbasanti che dietro il suo garbo annida qualcosa di brutto. Uno sfrenato egoismo, direi, e una sostanziale viltà. Nonché molti peccati di cui si vergogna, forse, e per cui soffre in segreto. Infatti ogni volta che lo osservo penso: "Non mi piace, non mi piace". E spero che il racconto tramandato a mia madre sia una bugia.

Non mi piace neppure il modo in cui gestì lo sbarco che avrebbe fornito a Francesco la Grande Occasione. Il buon esito dell'impresa si basava infatti su tre punti fondamentali: l'esattezza delle informazioni, la segretezza dei preparativi, la scelta giusta del comandante. E tutti e tre vennero a mancare. Il primo perché Gerolamo prese sul serio le frottole d'un certo don Elete, cappellano degli schiavi spagnoli ad Algeri, secondo il quale l'esercito di Alì Pascià contava solo qualche migliaio di scalzacani pressoché disarmati e concentrati dentro le mura. Invece si componeva di ben centoventimila guerrieri distribuiti lungo la costa e armati fino ai denti: spade, scimitarre, fucili, bombarde, cinquecentodiciotto cannoni, tremila cavalli e seimila cammelli. Il secondo perché i preparativi nel porto di Cartagena cioè il porto più vicino all'Algeria durarono tre mesi, da febbraio a giugno, e in quei tre mesi nessuno tenne il becco chiuso. Incominciando da lui. «Yo soy el alcazar del secreto» diceva ad ogni pretesto facendo capire che in pentola bolliva qualcosa di grosso. Ma poi la voglia di chiacchierare e vantarsi vinceva, l'alcazar crollava, e per trasmettere il segreto agli algerini bastava frequentare la corte o i salotti di Madrid: le feste da ballo, i concerti, i banchetti dove diplomatici e dame e cicisbei spettegolavano dietro i ventagli. L'unico che paradossalmente ignorasse i piani del signor duca, il ministro degli Interni, ebbe la notizia da un console francese che l'aveva appresa a Marsiglia attraverso un marocchino amico d'un mercante ebreo di Granada. (Lo sostengono i giornali dell'epoca). Del resto anche a Livorno se ne parlava senza prudenza. Alla richiesta di partecipare con l'*Austria* e con l'*Etruria* Pietro Leopoldo aveva risposto sì, appena ricevuto l'incarico John Acton aveva avviato un addestramento speciale degli equipaggi, e che i toscani si accingessero ad attaccare il nemico con gli spagnoli lo sapevan perfino i bambini. «Si va a fargli una sorpresa! Si va a tirargli due scapaccioni!» Quanto al terzo punto, venne a mancare perché Gerolamo affidò l'impresa a un inetto ispettore di fanteria con cui andava a Messa e cui aveva già concesso il grado di maresciallo nonché il titolo di conte: l'irlandese Alexander O'Reilly. Come soldato non valeva un fico, O'Reilly, e come comandante ancor meno. La sua esperienza militare si riduceva a una battaglia nella quale s'era preso una pallottola diventando zoppo, la battaglia di Camposanto in Messico, e di navi non capiva nulla. Eppure Gerolamo lo mise a capo della spedizione: gli consegnò ventunmila uomini, il fior fiore della gioventù spagnola, e trecento vascelli. Un convoglio composto di otto brigantini, otto fregate, ventiquattro sciabecchi, settantotto mercantili per il trasporto dei viveri e delle armi, centottanta tra filughe e tartane e bragozzi per condurre a riva le truppe da sbarco, più l'*Austria* e l'*Etruria* arrivate con trecento marinai e trecento volontari toscani tra cui molti cerusici e barellieri per raccogliere i feriti.

Che don Elete fosse un imbecille e che Alì Pascià fosse ben informato grazie alle vanterie del primo ministro, i pettegolezzi di corte e di salotto, le spacconate dei livornesi, lo si vide quando il convoglio giunse a destinazione. Per almeno cinque leghe la costa pullulava di guerrieri in attesa ed anche da lontano potevi scorgere le tende dei loro accampamenti, i recinti dei cammelli e dei cavalli, i cannoni puntati, le spade e le scimitarre che luccicavano al sole. E che Gerolamo avesse fatto la scelta sbagliata lo si accertò quando, invece di sbarcare subito, O'Reilly ordinò di ammainare le vele. «Mejor esperar. Meglio aspettare.» «No, señor, no! El vino está echado y es menester beberlo! Il vino è versato e bisogna berlo» rispose il conte Fernán Núñez, uno dei suoi aiutanti di campo. Ma lui scosse la testa, impaurito, per una settimana tenne i ventunmila fermi ad aspettare che il vino diventasse aceto. Peggio: il giorno in cui si decise a spiegar di nuovo le vele, i venti erano cambiati ed avendoli contro non riuscì a raggiungere il punto in cui doveva avvenire lo sbarco. Una baia chiamata Mala Mujer, distante tre leghe dal centro della città e opportunamente piena di gole dentro cui mettere al riparo le truppe in caso di contrattacco immediato. Sempre senza ascoltare Núñez e gli altri aiutanti di campo si diresse verso una spiaggia situata tra il fiume Jarache e il fiume Argel: ben protetta da milizie scelte e senza alcuna difesa per chi veniva dal mare.

E rieccoci a Francesco, alla sua atroce vendetta.

* * *

Devo dirlo: per la maggior parte della mia vita l'episodio dei venti algerini sgozzati m'è parso inverosimile, oscuro, irreale. Sull'evento storico nel quale esso si inserisce mia madre non raccontava nulla, sicché non avevo neppure uno scenario in cui collocarlo. «Vennero giù dal crinale. Gli ufficiali con l'elmo e i burnus bianchi, i soldati col turbante nero e a torso nudo...» Sì, ma dove s'era svolto con esattezza il fattaccio? In quali circostanze Francesco aveva potuto saldare il suo conto? Però quando ebbe inizio il mio viaggio a ritroso nel tempo, la mia ricerca per capire chi ero e da chi venivo, fui colta dalla curiosità di sapere ciò che non sapevo. Presi a frugare nelle biblioteche, studiare le testimonianze nonché la ricostruzione fornita nel milleottocento da Ferrer del Río, ed ora tutto mi è chiaro. Tutto mi appare vero e reale.

Preceduto da un furibondo fuoco di artiglieria che non servì a facilitar le cose perché le navi sparavano troppo da lontano e le cannonate finivano sempre nell'acqua, lo sbarco incominciò all'alba del 9 luglio 1775 con una prima ondata di ottomila castigliani al comando di don Agustín de Villiers: portati da sette colonne di filughe e tartane e bragozzi insieme a centinaia di bombarde, mortai, casse di munizioni. Errore che si rivelò appena don Agustín mise piede a terra. La spiaggia era infatti inclinata e molto sabbiosa, ad ogni passo i soldati vi sprofondavano fino alla caviglia, le bombarde e i mortai si incagliavano fino a metà ruota e per disincagliarli, trascinarli su, non bastavano doppie funi tirate da quattordici braccia. Da nessuna parte offriva dune o rocce dietro le quali appostarsi, proteggersi, ovunque ti esponeva al nemico e a seicento metri da riva si alzava un crinale di colline ripide e boscose che la cingevano come una parete circolare rendendola quasi un mezzo pozzo. Fu per prendere queste colline che partì l'ordine di lanciarsi all'attacco. Partì dall'ammiraglia, coi pifferi e le trombe e i tamburi cioè gli strumenti che si usavano per comunicare a distanza, e don Agustín lo eseguì nell'unico modo possibile: mandando al massacro duemila degli ottomila. Infatti i guerrieri nascosti nei boschi li lasciarono salire su per il pendio poi li uccisero tutti. Allora don Agustín ne mandò su altri tremila che riuscirono a raggiungere uno spiazzo privo di alberi, qui stabilire una testa di ponte, ma nel farlo non si accorsero che al di là dello spiazzo bordato da fitte macchie e montagnole c'erano alcuni battaglioni di algerini a piedi e a cavallo. Quelli a piedi sbucaron preceduti da dozzine e dozzine di cammelli che formavano una specie di muraglia mobile: un mastodontico scudo di carri armati viventi che anche feriti dalle schioppettate avanzavano travolgendo, pestando, schiacciando. Nel giro di qualche minuto la testa di ponte diventò una poltiglia sanguinolenta e i superstiti dovettero tornare sulla spiaggia dove, sempre coi pifferi e le trombe e i tamburi, verso le nove del mattino O'Reilly trasmise l'ordine di scavar trincee e qui ammassarsi: aspettare il momento propizio a un nuovo assalto. Il guaio è che per scavar le trincee non avevano che la sabbia, per di più talmente fine ed asciutta che al minimo urto franava riempiendo le buche già poco profonde: ammassarvisi fu come regalarsi al nemico su un piatto d'argento. Incoraggiati dal bersaglio facile e concentrato gli algerini li dilaniarono a cannonate, e alla strage O'Reilly reagì spedendo la seconda ondata. Ottomila tra castigliani e catalani e andalusi al comando del marchese de la Romana, stavolta, cui era stato ingiunto di non muovere un dito fino allo sbarco della cavalleria. E dietro di loro, le scialuppe dell'*Austria* e dell'*Etruria*. Su una di queste scialuppe, Francesco. In spalla lo schioppo di ordinanza e alla cintola il coltello che aveva promesso di non usar nemmeno per sbucciare una mela.

Non ho molti dettagli sul martirio della seconda ondata. Le testimonianze si limitano a dire che la cavalleria non sbarcò né sarebbe mai sbarcata: senza informar nessuno O'Reilly aveva deciso di non effettuare nuovi assalti, appena possibile evacuare la spiaggia, e rientrare in Spagna. Risultato, anche gli ottomila castigliani e catalani e andalusi restarono per ore inerti a beccarsi le cannonate con i toscani. A migliaia morirono mentre don Agustín si disperava e il marchese de la Romana ruggiva: «¿Por qué el cobarde nos tiene en esa trampa hacer nada y morir por nada? ¡Somos soldados del rey, no vacas para matar! Perché il vigliacco ci tiene in questa trappola a far nulla, morir per nulla? Siamo soldati del re, non vacche da macello!». Quanto a Ferrer del Río, dice solo che a un certo punto i cannoni zittirono e orde di guerrieri con la spada e la scimitarra si lanciarono giù dalle colline per saltare nelle trincee: dare il via a un corpo a corpo feroce che gli intrappolati sostennero con molto eroismo, con la vita perdendo spesso la testa. Alì Pascià aveva infatti garantito un doblone d'oro a chiunque gli portasse la testa d'uno spagnolo o d'un toscano, trofei da esporre al Basistan cioè da vendere al migliore offerente, e tra le teste che finirono laggiù ci fu quella del marchese de la Romana. Poi le orde tornarono sulle colline e al tramonto incominciò la ritirata dei sopravvissuti. Per tutta la sera e tutta la notte le filughe e le tartane e i bragozzi continuarono a fare la spola tra la spiaggia e la flotta per riportarli a bordo, e in tale fatica si distinsero specialmente i volontari dell'*Austria* e dell'*Etruria*: i cerusici e i barellieri venuti per raccogliere i feriti. Ne salvarono circa quattromila, e la cosa incredibile è che nessuno li disturbò. Forse a quei baldi guerrieri parve impossibile che O'Reilly fosse giunto con tanti uomini e tanti vascelli solo per tentar due scalate alle colline, osserva Ferrer del Río. Forse credettero che le barche andassero su e giù per traghettar rinforzi e non le attaccarono per aver più teste da mozzare al mattino. Quindi chiude il discorso e sul martirio della seconda ondata nemmeno lui aggiunge altro. Però ciò che ha detto fino a quel punto è più che sufficiente ad avvalorare l'atroce racconto che molto tempo dopo, quand'era ormai un vecchio annientato dall'ennesima e incommensurabile tragedia impostagli dal destino, così incommensurabile che per sopportarla ne cercava le radici nelle colpe del suo passato, Francesco fece al figlio Michele. E che Michele passò al figlio Natale, che Natale passò al figlio Attilio, che Attilio passò alla nipote Tosca cioè a mia madre, che mia madre passò a me. Atroce e prezioso. Perché meglio di qualsiasi cosa spiega la metamorfosi da cui sarebbe emerso l'uomo che ritroveremo fra tredici anni e che Montserrat sposerà.

«Vennero giù dal crinale. Gli ufficiali, con l'elmo e i burnus bianchi. I soldati, col turbante nero e a torso nudo. In mano avevano la scimitarra e un sacco vuoto che non si capiva a cosa servisse. ¡Los Moros! ¡Qué vienen los Moros! I Mori! Arrivano i Mori! urlò il tenente spagnolo impugnando la sciabola. Poi urlò: ¡Santiago y tierra de España! Per Santiago e per la Spagna! E saltò fuori dalla trincea, gli andò incontro con la sciabola sguainata. Lo seguii insieme a un pescatore di Livorno e a uno studente di Pisa, ed ero molto contento perché da troppe ore si stava lì a sfogliare la margherita: aspettare che i pifferi e le trombe e i tamburi ci mandassero all'attacco. M'ero quasi rassegnato a morire senza saldare il conto. Il corpo a corpo fu un gran carnaio. I Mori sono parecchio bravi a usare la scimitarra, con un colpo ti tagliano in due prima che tu possa rispondere ahi, e noi dell'*Austria* non s'aveva che la baionetta dello schioppo d'ordinanza. Un aggeggio che infilza e basta. Il coltello lo portavo, sì, ma per scaramanzia. Mi dispiaceva mancare alla parola data e pensavo: pazienza, è quasi lo stesso. Però quando mi tagliarono in due il pescatore di Livorno cambiai idea. Era un ragazzo dabbene, aveva chiesto d'arruolarsi per pura generosità, e mi pareva di vedere il mi' babbo da giovane. Si aprì come un'albicocca, accidenti, e subito gettai la baionetta. Presi il coltello e da quel momento incominciai a sgozzarli. Balzandogli alle spalle, tenendogli il collo fermo da dietro, e contandoli. Uno... due... tre... quattro... cinque... Lavoravo svelto: ne sgozzai cinque in quella mandata. Poi, sempre coi sacchi che non si capiva a cosa servissero ma che ora non sembravan più vuoti, risalirono il crinale. Si allontanarono per riposarsi. Mi riposai anch'io e alla seconda mandata ne sgozzai sei. Alla terza, quattro. Tornarono più volte, senza che quel porco di O'Reilly si degnasse di aiutarci. Con la cavalleria che stava ferma sulle navi, ad esempio, o con qualche cannonata. E la cosa durò fino al calar del sole cioè finché loro smisero di attaccarci e il porco ordinò la ritirata. Gli altri furono molto contenti della ritirata. Pur di salvarsi avrebbero venduto la mamma e non gli importava nemmeno di lasciare quel tappeto di compagni morti. Io invece n'ebbi un gran dispiacere perché di Mori a quel punto ne avevo sgozzati diciannove, non venti, e mi sentivo tanto avvilito che nella speranza di sistemare il ventesimo aspettai il sorger del giorno: salii sull'ultima scialuppa. Ci salii con lo studente di Pisa e il tenente spagnolo, tutti e due feriti e preoccupati di consolarmi. Uno diceva che certo avevo sbagliato il conto, uno diceva che bisognava considerare quelli infilzati con la baionetta: parole vane in quanto ero certo d'averli contati bene e quelli infilzati con la baionetta non li volevo considerare. Però appena si arrivò a un quarto di nodo dalla riva accadde una cosa. Accadde che una dozzina di Mori scesero di nuovo coi sacchi, e il tenente spagnolo singhiozzò: Oh, Virgen Santísima, ¡madre de Dios! ¡Ahora comprendo! ¡Mirad lo que hacen, mirad! Ora comprendo. Guardate che fanno, guardate! Guardai e finalmente pure io compresi a cosa servissero i sacchi. Strano che non me ne fossi accorto prima. Servivano a metterci le teste dei nostri compagni morti. Gliele mozzavano e se le menavano via. Mi buttai giù dalla scialuppa. Mentre entrambi gridavano sei-impazzito, dove-vai, raggiunsi a nuoto la spiaggia. Ci misi un po' a raggiungerla. Quando uscii dall'acqua ne rimaneva solo uno. Quel che bastava, e dopo averlo sgozzato ghermii la sua scimitarra. Saldai così il mio conto. Oggi non lo salderei. So che vendicarsi porta male, che quei venti algerini m'hanno portato male. Ma allora non lo sapevo, e per chi l'ha avuta grossa la vendetta è una gran medicina. A compierla provai sollievo e scoprii finalmente la pace.»

* * *

La scoprì davvero. Vedremo anche questo. Il suo futuro suocero, invece, proprio il contrario. Rientrando con diecimila feriti di cui la metà agonizzanti, O'Reilly ebbe infatti la sfacciataggine di pronunciare la parola successo e dichiarare che di morti ne aveva avuti seicento. Cifra alla quale mancava uno zero. Di conseguenza lo sdegno salì alle stelle e a farne le spese fu Gerolamo, da chiunque considerato il vero responsabile del disastro. «Che alla fine si sbagliasse tutto / che l'impresa fallisse, che la gente morisse / bè: si può quasi capire. / Ma darci a bere che è stato un successo / che i morti non sono morti / che mente chi li ha visti morire / no, perdio, no!» diceva una satira dedicatagli dalla «Gaceta de Madrid» e cantata in ogni città del Regno. Lo chiamarono anche inetto mecenate di inetti, pintor de su afrenta, pittore della sua vergogna. I più arrabbiati pregarono Carlos III di condannarlo alla forca o alla garrota e i più miti lo supplicarono di mandarlo via. Carlos III non li ascoltò. Anzi difese il signor duca con tale caparbietà da meritarsi la definizione di «su esclavo en grillos de oro». Suo schiavo in catene d'oro. Però Gerolamo li ascoltò bene. E qualche mese dopo, quando l'acerrimo conte de Aranda gli scatenò una rivolta popolare che per un pelo non si concluse col linciaggio, dette le dimissioni da primo ministro. Chiese e ottenne di venir nominato ambasciatore di Spagna presso la Santa Sede, si trasferì a Roma, e vi rimase fino al 1785: anno in cui tornò a Genova per morirci nel 1789 e lasciando un testamento da cui risultava che era sempre rimasto scapolo.

Bugia bella e buona, visto che una moglie l'aveva avuta: María Isabel Felipa Rodríguez de Castro, la madre di sua figlia Montserrat. Sicché ora bisogna tornare un attimo indietro, nel 1769, e poi occuparsi di loro due.

6

Non esistono prove sull'omosessualità di Gerolamo. Nemmeno Giacomo Casanova che era un gran pettegolo e che nelle memorie dei suoi soggiorni in Spagna attribuisce quella caratteristica a vari personaggi di Madrid tra cui l'ambasciatore veneziano, vi allude minimamente. Se davvero egli fu ciò che il conte de Aranda affermava, un gran maricón cioè un gran frocio, seppe celarlo bene. Frocio o no, tuttavia, con le donne aveva una fortuna strepitosa. Sia a corte che nei salotti dove sfavillava con la sua eleganza, la sua cultura, il suo fascino, il suo potere, le ricche aristocratiche in età da marito gli ronzavano attorno peggio di cagne in calore. Per porre fine al suo caparbio celibato cioè per sposarselo si sarebbero buttate in ginocchio, e María Isabel Felipa non vantava alcun requisito che le consentisse di mettersi in gara con simili rivali. Paurosa, timida, orfana di genitori e senza un parente al mondo, lavorava come aiuto governante nel palazzo che il signor duca teneva in calle San Miguel. Era insomma poco più d'una cameriera, di ricchezze non possedeva un bel nulla, e di sangue blu non ne aveva una goccia. Unico blasone di cui avrebbe potuto gloriarsi, il fatto d'esser figlia d'un hidalgo: titolo che da almeno due secoli denunciava decadenza, miseria, rovina. A Madrid ne contavi a centinaia di hidalgos, e nove casi su dieci si guadagnavano la vita con mestieri umili o poco redditizi. Sarto, calzolaio, locandiere. Tutt'al più scrivano. Inoltre nel 1769 la poverina aveva ventisette anni, età che autorizzava a darle la qualifica di zittella, e nessuno si sarebbe sognato di giudicarla una bellezza sconvolgente. Lineamenti anonimi, visuccio appassito e appena ravvivato da soavi occhi nocciola, corpo troppo magro e reso goffo da sgraziati grembiali su cui ciondolava un eterno mazzo di chiavi. Le chiavi delle dispense, degli armadi, delle cantine, delle stanze proibite: ciascuna di esse simbolo del suo stato servile e garanzia della sua fedeltà. Però sapeva leggere e scrivere, era talmente buona da risultar minchiona, la sua bontà si accompagnava a una pazienza sterminata e per il signor duca nutriva un'adorazione ai limiti del culto. «Excelencia, por Usted yo podría morir. Eccellenza, per Voi io potrei morire.» E una notte di quell'estate Gerolamo se la portò a letto. La mise incinta. Forse, addirittura se ne invaghì.

Uso il forse perché se si trattò di amore o capriccio o volgarissimo stupro io non lo so. Neanche su quel particolare la voce appassionata e pietosa indugiava. Diceva soltanto che a fine ottobre María Isabel Felipa s'era accorta d'essere incinta, e che Gerolamo l'aveva presa male. Sebbene portarsi a letto la cameriera rientrasse nelle consuetudini, averne un figlio costituiva sempre un problema e l'ultima cosa di cui egli aveva bisogno era l'onta d'aver sedotto un'orfana trentadue anni più giovane di lui. D'accordo: sul suo capo pendeva già l'accusa maricón-frocio-maricón. Tuttavia la sua fortuna con le donne la smentiva o la controbilanciava, di omosessuali la città abbondava, e una cosa è subire un'accusa. Una cosa, offrire la prova vivente della tua colpa. Il conte de Aranda ci avrebbe inzuppato il pane, a conoscerla. Il re, così afflitto dalla bigotteria che per rispettar la vedovanza si imponeva la castità, sarebbe rimasto inorridito. Il Vaticano, che di marachelle gliene aveva già perdonata una, cioè quella a causa della quale il sogno di diventar papa era finito alle ortiche, si sarebbe infuriato. E, quasi ciò non bastasse, nella situazione si inserivano i suoi scrupoli di cattolico osservante: le sue angosce di uomo probabilmente non scevro di principii etici e in ogni caso terrorizzato dall'idea dell'Inferno. Allo sgomento o alla rabbia seguì dunque l'ansiosa ricerca d'una scappatoia che lo aiutasse a salvar l'anima e nel medesimo tempo a evitare lo scandalo. Si consigliò col suo confessore, e costui gli suggerì il matrimonio segreto. Rimedio ineccepibile per tre motivi. Primo: essendo valido per la Chiesa, gli permetteva di lavarsi la coscienza e mettere al mondo un figlio che non fosse frutto del peccato. Secondo: essendo non valido per la società, lo sottraeva a qualsiasi dovere civile o problema giuridico. Terzo: essendo clandestino, lo liberava dall'imbarazzo d'un legame pubblico e indegno del suo illustre nome. Il segreto del matrimonio segreto era infatti assoluto, il rigore con cui veniva salvaguardato era inviolabile, e se dài un'occhiata ai testi dell'epoca capisci perché. Le nozze si svolgevano a porte chiuse in una parrocchia o in una cappella scelta dall'arcivescovo che aveva concesso la licenza, i due testimoni giuravano sul crocifisso di non rivelare mai quel che avevano visto e firmato, e l'atto matrimoniale veniva preso in custodia dallo stesso arcivescovo il quale lo nascondeva in un forziere della sua Curia: ben sigillato dentro uno scrigno di cui preservava la chiave e che non avrebbe mai aperto per nessuno. Il re incluso. Quanto ai coniugi, vivevano in case separate o addirittura in regioni lontane. La moglie non poteva esigere né il sostegno finanziario né l'eredità del marito, e non aveva il diritto di prenderne il cognome. I figli, neppure. Capitava, sì, che al cognome materno qualcuno aggiungesse quello paterno: nel millesettecento i registri anagrafici non esistevano, le nascite si denunciavano esclusivamente al prete che celebrava il battesimo, e con un po' di furbizia ci voleva poco ad aggirare l'ostacolo. Ma in nessuna circostanza si divulgava l'identità del padre. Di conseguenza quel bambino riconosciuto da Dio e basta restava un figlio spurio. O, per usare il linguaggio della Chiesa, un bastardo.

La proposta del matrimonio segreto venne fatta dal confessore. E a capo chino, fissando il mazzo di chiavi che simboleggiava il suo status servile, insieme garantiva la sua fedeltà, María Isabel Felipa accettò. «Che altro avrebbe potuto fare?» sospirava la voce appassionata e pietosa. «Non aveva altra scelta e gli voleva bene.» Per impotenza o per amore accettò anche di lasciar la Castiglia e trasferirsi in Catalogna cioè a Barcellona: città dove non conosceva nessuno e dove si parlava uno spagnolo diverso, a lei estraneo. Ma a tale svantaggio Gerolamo mise riparo affidandola a un giovane prete catalano che gli era stato raccomandato dall'arcivescovo e che appena avvertito da un messo era corso a Madrid: don Julian Manent. Lo stesso al quale sarebbe stata consegnata ogni anno la rata d'un prodigo vitalizio e, prima della partenza, la somma necessaria a comprare una casa nella nuova patria. Però a condizione che María Isabel Felipa non tornasse mai, che non scrivesse mai al marito, che non lo cercasse mai in alcun modo e per alcuna ragione. Nemmeno per dirgli se era nato un bambino o una bambina. Il signor duca non voleva saperlo.

Ed ora le nozze.

* * *

Le nozze avvennero una mattina di metà dicembre in una cappella privata di Toledo. Testimoni, il solito confessore e don Julian Manent. Le celebrò il vicario dell'arcivescovo, un vecchio cattivo e ansioso di liberarsi al più presto del grattacapo, e furono le più squallide che una povera donna sposata per paura potesse aspettarsi. La cappella era fredda, umida, angusta, e così buia che a malapena scorgevi ciò che conteneva. Sopra l'altare spoglio e polveroso, un affresco con Dio assiso su una nuvola bianca come la sua barba e intento a scagliar saette contro sei angeli decaduti che sbracciandosi in gesti di terrore precipitavano a capofitto dentro un crepaccio. Sotto, una grande urna di vetro che conteneva lo scheletro d'un santo e una dozzina di teschi. Sulla parete di destra, il quadro d'un San Sebastiano trafitto che urlava di dolore. Presso quella di sinistra, la statua d'una brutta Madonna che piangeva dinanzi a un crocifisso. Al centro, qualche panca con l'inginocchiatoio. Vuota, s'intende. Qua e là, un candelabro e pochissime candele accese. Quanto a Gerolamo, non appariva davvero contento della sua decisione: tutto vestito di nero, privo di gioielli, sembrava un martire che subisce un castigo immeritato. Non a caso era giunto con molto ritardo ed entrando aveva rivolto a María Isabel Felipa un gelido e impercettibile cenno di saluto, quasi fosse un'estranea anzi una nemica intravista a teatro. Lei invece era giunta in anticipo, per paura di non arrivare in tempo era venuta a Toledo nel cuore della notte, lo aspettava da ore, e sembrava una chiocciola rannicchiata nel guscio per soffrire meglio. Al posto del guscio, un grigio mantello a cappuccio che coprendola dalla testa ai piedi celava il ventre già ingrossato dal quinto mese di gravidanza. Niente sorrisi, no. Niente sprazzi di letizia. Il gelido e impercettibile cenno di saluto l'aveva così intimidita che dopo avervi reagito con un rispettosissimo inchino gli s'era messa accanto tremando, attenta a non sfiorarlo, non irritarlo, e da allora piangeva. Di nascosto, asciugando le lacrime con gesti svelti e furtivi, oppure leccandole. Pianse perfino quando il vicario pronunciò le parole «Os declaro marido y mujer antes Dios y la Iglesia. Vi dichiaro marito e moglie davanti a Dio e alla Chiesa» e durante la cerimonia non aprì bocca che per dire sì. Gerolamo, lo stesso. Non si parlarono neanche una volta. Non si scambiarono neanche uno sguardo. Dopo aver firmato l'atto matrimoniale che l'arcivescovo avrebbe subito chiuso nell'inviolabile scrigno dell'inviolabile forziere si voltarono le spalle e, sempre in silenzio, sempre senza guardarsi, uscirono separatamente per non vedersi mai più. A Madrid, infatti, María Isabel ci tornò da sola. E in calle San Miguel, dove la servitù credeva che se ne andasse per sposare un bottegaio dal quale era stata sedotta grazie alla sua minchioneria, si fermò solo per prendere i bagagli. Un piccolo baule con la biancheria, la parrucca che a Toledo non aveva usato, i libri di preghiere e il dono dello sposo: un quadro che raffigurava la Vergine di Montserrat, patrona della Catalogna, con il Bambin Gesù tra le braccia. Poi, seguita da una scorta di militari a cavallo che Gerolamo aveva ingaggiato per proteggerla dai banditi, partì con don Julian.

C'è una frase che commenta il suo viaggio a Barcellona. Quella che diciotto anni dopo, sul letto di morte, avrebbe pronunciato rompendo il segreto con Montserrat: «Las bodas fueron tristes, pero el viaje fue trágico. Le nozze furono tristi, ma il viaggio fu tragico». E per capirla bisogna conoscere i disagi che un simile spostamento imponeva soprattutto a una donna incinta. (Ecco qualcosa a cui Gerolamo non aveva pensato o voluto pensare). Le strade erano pessime, di rado sterrate e comunque piene di buche e di pietre sulle quali le ruote saltavano o affondavano sbatacchiando senza sosta i passeggeri. Erano anche infestate da banditi che spesso non si accontentavano di rapinare e uccidevano. I finestrini delle carrozze non avevano vetri sicché la polvere, la pioggia, il fango, la neve ti investivano senza pietà. Le locande in cui sostavi al tramonto mancavano di qualsiasi igiene e conforto. Pessimo cibo, cimici o pidocchi a iosa, e per dormire un lenzuolo laido o una coperta lercia. (Tant'è vero che molti viaggiavano coi lenzuoli e con le coperte). Per lavarti e andare al gabinetto, una brocca d'acqua gelida e un pitale che poi andava vuotato nel pozzo nero o in campo. Per ripararti dal freddo invernale, appena un braciere o una stufetta che essendo sguarnita del tubo inventato da Benjamin Franklin ti accecava col fumo. Inoltre la porta di camera non si poteva sbarrar dall'interno: i funzionari dell'Inquisizione pretendevano di entrare a sorpresa per controllare se tu stessi commettendo adulterio o altro peccato, e questo ti lasciava alla mercé dei ladri o di chiunque desiderasse aggredirti. Si dormiva fino alle tre di notte, si ripartiva alle quattro. E poiché i cavalli non coprivano più di dieci leghe cioè quaranta chilometri al giorno, per recarsi da Madrid a Barcellona ci volevano almeno due settimane. Stavolta ce ne vollero quasi tre e ogni tappa portò una cattiva avventura. Tra Guadalajara e Siguenza, ad esempio, i banditi attaccarono in forze. Furono messi in fuga dalla scorta dei militari a cavallo però María Isabel Felipa si spaventò a morte e, per evitar che abortisse, don Julian la tenne ferma tre giorni. Sulle montagne della Meseta dove a causa del ghiaccio la carrozza slittò e si rovesciò, dovette fare lo stesso. Dopo Saragozza il locandiere rubò la parrucca e un mucchio di biancheria, e quando giunsero a Barcellona la poverina era così malconcia che le monache del convento nel quale prese temporaneo alloggio stavano per declinare la responsabilità di ospitarla. Unica consolazione, all'arrivo, trovar subito la casa per cui Gerolamo aveva consegnato il denaro a don Julian e che don Julian scelse nel Barrio del Born. Una graziosa villetta a due piani con un ancor più grazioso patio e nove stanze ben arredate. Prezzo, tremila lluras o lire catalane. Mica poco.

Traboccando gratitudine per quel marito non marito che pur avendola esiliata la beneficiava con tanta munificenza, María Isabel Felipa vi si installò nel gennaio del 1770 insieme a tre domestiche: una cuoca, una sguattera, una fantesca. E qui, a metà aprile, nacque la splendida bambina che in omaggio alla Vergine del quadro venne chiamata Montserrat ma che nella cattedrale di Santa Maria del Mar don Julian fece battezzare col nome di María Ignacia Josepha Rodríguez de Castro y Grimaldi: figlia di madre coniugata e di padre ignoto.

7

Per ricostruire i diciotto anni che seguirono, gli anni che corrispondono all'infanzia e all'adolescenza di Montserrat, a un certo punto andai a Barcellona. Cercai la villetta da tremila lluras e credetti di trovarla in Carrer del Bonaire: un'antica strada nel Barrio del Born. Lo credetti e ancora lo credo perché l'edificio, ora abbandonato e zeppo di erbacce che sul tetto formano un selvaggio giardino da cui si leva un alberello, evocò in me un'arcana rimembranza: quasi ci avessi vissuto in un passato molto remoto eppure non dissolto. Seguendo il filo della memoria potevo infatti riconoscerne ogni dettaglio: la struttura rettangolare, la facciata col balcone a colonnine, le finestre quadre con le persiane blu, il massiccio portone con le borchie... Sebbene il portone fosse chiuso potevo addirittura entrare e rivedere il grazioso patio in mezzo al quale c'era una fontanella e una vaschetta a mosaico, le quattro stanze che a piano terreno si aprivano sotto una specie di portico, le altre cinque che al primo piano si allineavano lungo un ballatoio protetto da una ringhiera di ferro, e i letti a baldacchino, i mobili, i tendaggi. Ma soprattutto potevo rivedere lei, María Isabel Felipa. E dal suo fantasma emanava una mestizia così profonda, una malinconia così inguaribile, che attraverso i secoli le sue zaffate mi raggiungevano. Mi lambivano in mostruose carezze e mi davano quasi una voglia di piangere.

Povera María Isabel Felipa: non cessò mai di amare Gerolamo. Come una cagna devota che al suo padrone perdona ogni torto, ogni ingiustizia, nemmeno in quell'esilio gli mosse mai un'accusa o un rimprovero. Né rinunciò mai alla gratitudine che nutriva la sua rassegnazione. «Es un hombre muy generoso, un señor de verdad. È un uomo molto generoso, un vero signore» diceva a don Julian indicando la cuoca, la fantesca, la sguattera, le nove stanze ben arredate. E fino a qualche giorno prima di morire non fece mai nulla che rischiasse di romper gli impegni assunti con quel patto feroce. Non lo cercò mai, non gli scrisse mai, non pronunciò mai il suo nome, e non si lasciò mai sfuggire un accenno che servisse ad identificarlo. Però a che prezzo, e con quale scelta di vita! Nella paura di tradirsi, compromettere il segreto, non incontrava che don Julian. Non accettava che lui e inutile pregarla di ricever qualcuno: tenere qualche contatto col mondo. Nel timore di perdere la sua dignità, mostrarsi immeritevole del nuovo status, non si concedeva nemmeno una frivolezza. Uno svago. Evitava con cura le fiere e i teatri. Vestiva austeri abiti marroni che sul suo corpo magro sembravano sai monacali. Si copriva la testa con pesantissimi scialli e di casa usciva soltanto per recarsi al Vespro o alla Messa nella vicina Santa Maria del Mar. Passava ore a snocciolar litanie nell'ombra della cattedrale, poi tornava dalla splendida bambina e su di lei rovesciava i rari momenti di letizia. I rari sorrisi. Che altro avrebbe potuto fare, del resto, per ridurre la sua mestizia e la sua malinconia? Nei giorni in cui cercavo la villetta, tentai di capire che cosa fosse Barcellona in quegli anni. Mi rilessi il Casanova e mi accorsi che di Barcellona parla pochissimo: a parte le fiere e i teatri, essa offriva così poco. Mi lessi *Calaix de sastre*, il celebre diario del barone Rafael de Maldá, e scoprii che ne riferiva solo eventi truci o di nessuna importanza. L'arrivo d'una compagnia di guitti o d'un reggimento, la scoperta d'un sepolcro che contiene le ossa d'un santo chiamato padre Nolasco, una quantità allucinante di cerimonie religiose e di pubbliche esecuzioni eseguite con la forca, la storia d'una popolana che partorisce un mostro con due teste e quattro braccia cioè due siamesi. Poi mi guardai i dipinti e le mappe dell'epoca, e da queste seppi che la città si concentrava tutta intorno alle tetre costruzioni medievali del Barrio Gotico. Inoltre era chiusa dentro altissime mura che otturavan la vista del porto, il festoso spettacolo dei suoi cento e cento velieri, del bel molo, dell'incantevole baia. Quanto ai dipinti, la ritraggono sempre buia ed arcigna: ben diversa da oggi. Grigio plumbeo le case, i tetti, i palazzi, le guglie e i campanili delle sue fosche chiese. Nero fumo il bastione che a mo' di interminabile scudo la separa dal mare. E anguste le strade, striminziti i vicoli. Tutto il contrario della scintillante Madrid. Per chi era abituato a Madrid, ai suoi ampi e luminosi viali, ai suoi palazzi candidi e alle sue chiese suntuose, la sua vitalità, non doveva esser facile vivere a Barcellona. Questo senza considerare che, per la madrilena María Isabel Felipa, la difficoltà era aggravata dal problema della lingua: quel catalano così diverso dal castigliano e più simile al dialetto genovese che allo spagnolo. Infatti non lo imparò mai bene. Né servì a nulla che don Julian continuasse a insegnarglielo con ammirevole pazienza.

Nell'edificio ora abbandonato e zeppo di erbacce ritrovai anche don Julian. E l'arcana rimembranza mi dette l'immagine d'un giovane prete energico e intelligente che in Carrer del Bonaire non andava solo per insegnarle il catalano, portar la rata del vitalizio, risolvere i problemi d'ordine pratico bensì per il piacere di starle vicino: averla accanto. Gli vedevo una premura speciale, negli occhi, una tenerezza che andava al di là d'una evangelica misericordia. Entrando sorrideva un sorriso che sembrava una carezza, uscendo la salutava quasi con rimpianto, e il mio sospetto è che le squallide nozze poi il tremendo viaggio sofferto insieme poi il rapporto quasi quotidiano che li univa avessero acceso nel suo cuore un trasporto molto terreno. Lo stesso che, con una punta di risentimento per il signor duca, lo aveva indotto ad aggiungere il cognome Grimaldi sull'atto battesimale di Montserrat. Temo insomma che dell'insignificante ma dolcissima donna affidatagli fosse silenziosamente innamorato e che frequentandola, proteggendola, si sentisse assai più d'un fratello in Cristo. Non si spiegherebbe altrimenti la sua assiduità, la diligenza e la costanza con cui per diciotto anni sostenne il suo ruolo. Quasi un ruolo di casto coniuge e di genitore adottivo se pensi che in quei diciotto anni fu lui a riempire il vuoto lasciato dal vero coniuge, dal vero genitore, e a dare il senso della famiglia. Fu lui che badò a Montserrat e sorvegliò la sua crescita, organizzò il suo futuro. Fu lui che strappandola a quella casa dove non si rideva mai e dove veniva allevata come un cagnolino di lusso, cioè in un magma d'amore materno ma senza la compagnia di altri bambini e senza un'educazione che le sviluppasse il cervello, la mandò a studiare nel Monestir de Junqueras: un sofisticato collegio tenuto da monache benedettine che non insegnavano solo a far la reverenza e ricamare. Una specie di accademia femminile in cui si seguivano corsi sia pure rudimentali di storia, geografia, filosofia, letteratura, si imparava a suonare almeno uno strumento e a parlare almeno un idioma straniero. Infine, o soprattutto, fu lui che al termine dell'educandato convinse María Isabel Felipa a rompere il segreto con la figlia quasi adulta e liberarla dal bisogno ormai ossessivo di sapere chi fosse il padre sul quale le avevano sempre detto una cosa e basta: «Es muerto. È morto». Per la splendida bambina, il cagnolino di lusso, quel problema non era mai esistito. Grazie all'isolamento in cui si inebetiva, non immaginava neppure che senso avesse la parola padre ed anzi credeva che essa spettasse a don Julian. La cuoca, la fantesca, la cameriera non lo chiamavano forse padre? Buen-día-padre, buenas-tardes-padre. Perfino mamà, che di solito usava il confidenziale don Julian o Julian, a volte lo chiamava padre. Quiero-confesarme, padre. Poi le avevano spiegato che nel caso di don Julian la parola significava prete, che il padre-padre era una madre aggiunta e vestita da uomo, che il suo era morto. Ma alla notizia aveva reagito con infantile indifferenza. A che serve un padre se c'è la madre? E che vuol dire morto? In collegio, invece, la faccenda aveva preso a tormentarla: sollevare drammatici interrogativi. Perché di quel padre morto non gliene parlavano mai? Perché sui suoi documenti c'era il cognome Grimaldi e su quelli di mamà no? Da dove veniva questa appendice Grimaldi, da chi? Ed eccoci al punto.

Nel Monestir de Junqueras Montserrat entrò l'autunno del 1778 cioè a poco più di otto anni. Ne uscì l'autunno del 1787 cioè a diciassette e mezzo, e tornando a casa dimostrò quanto fosse stato lungimirante don Julian. Parlava perfettamente sia il castigliano che il catalano, abbastanza bene il francese e l'italiano, sapeva che Socrate aveva bevuto un liquido letale chiamato cicuta, che in Francia stava scoppiando la Rivoluzione, che in America le colonie ribelli avevano vinto la guerra contro l'Inghilterra, e conosceva l'opera del Cervantes nonché qualche poesia dell'Alfieri. Inoltre suonava con bravura il liuto, improvvisando preludi e fughe o eseguendo suites di Luis Milán, Enriquez de Valderrabano, Sebastiano Bach. E, *dulcis in fundo*, era diventata una bellezza abbagliante. Corpo snello e perfetto, volto che sembrava rubato a una statua del Canova, fascino identico a quello per cui Gerolamo s'era guadagnato da giovane l'appellativo di ellindo-abate. Di Gerolamo aveva anche l'alta statura, l'eleganza innata, il *savoir-faire*. Ma nel carattere, ahimè, era la fotocopia di María Isabel Felipa. Come lei timida, buona, portata a sottovalutarsi e a subire, soffrire. In più, straziata dal complesso sorto coi drammatici interrogativi: il complesso dell'orfana spuria, del chi-era-mio-padre, chi-era. E don Julian se ne rese conto assai presto. Rendendosene conto decise che bisognava rompere il segreto e lo disse a María Isabel Felipa che proprio quell'autunno aveva scoperto d'avere un cancro. Iattura che in Catalogna veniva chiamata mal dolent. Anzi, un mal molt dolent.

* * *

Se non fosse stato per il mal dolent, anzi molt dolent, probabilmente non sarebbe mai riuscito a convincerla. Montserrat non avrebbe mai lasciato Barcellona, incontrato Francesco, e di nuovo io non sarei nata. Ma le vie del destino sono davvero infinite, e nella sua perfidia il mal dolent include qualcosa di positivo: un'attesa di solito abbastanza lunga dell'inevitabile traguardo chiamato Morte. Un'anticamera dell'aldilà, se vuoi. Un intervallo o un limbo nel quale la Morte in arrivo cammina col rallentatore sicché, aspettandola e osservandola mentre viene a noi piano piano, si ha tutto il tempo di fare due cose. Apprezzare la vita cioè accorgersi che è bella anche quando è brutta, e riflettere bene sia su noi stessi che sugli altri: vagliare il presente, il passato, quel po' di futuro che ci rimane. Io lo so. E forse María Isabel Felipa non s'accorse che la vita è bella anche quando è brutta: una tale ammissione richiede una sorta di gratitudine che lei non aveva. La gratitudine per i nostri genitori e nonni e bisnonni e trisnonni e arcinonni, insomma per chi ci ha dato l'opportunità di vivere questa straordinaria e tremenda avventura che ha nome Esistenza. Però rifletté molto dopo che don Julian le disse Montserrat-deve-conoscere-la-verità. Grazie al lato positivo del mal dolent lo vagliò bene il presente, il passato, quel po' di futuro che le rimaneva. E di sé stessa capì che era stata una sciocca perché aveva accettato un ostracismo ingiusto, il patto feroce. Di Gerolamo capì che era stato un falso prodigo perché col patto feroce aveva difeso i suoi privilegi e basta, il suo potere e basta, la sua coscienza cattolica e basta. Di don Julian capì che le era stato tanto vicino per un trasporto amoroso dal quale derivava il suo affetto per Montserrat e che, morto l'oggetto di quel trasporto amoroso, il suo ruolo di genitore adottivo si sarebbe svigorito inducendolo a darla in moglie al primo brav'uomo che capitava. Di Montserrat capì che nonostante la sua bellezza, la sua eleganza, il suo *savoir-faire* e i nove anni trascorsi nel Monestir de Junqueras era quanto lei una minchiona priva di volontà cioè incapace di togliere un ragno dal buco. Oltre a rivelarle l'identità di suo padre bisognava dunque assicurarle un domani meno incerto di quello che la minacciava cioè mandarla da Gerolamo. Cosa abbastanza facile in quanto lo sapevano anche gli ignoranti che dal 1785 l'ex primo ministro del re s'era ritirato a Genova dove abitava con un nipote a Palazzo Grimaldi. E un giorno di maggio, ormai sul ciglio dell'inevitabile traguardo, María Isabel Felipa osò l'unico gesto coraggioso della sua pavida vita. Si alzò dal letto nel quale languiva, si trascinò fino allo scrittoio, e vergò la fatale lettera che Gerolamo non avrebbe mai ricevuto. La ricostruisco sulla memoria, ovviamente ignorando se la versione tramandata attraverso i secoli era esatta, ma il fantasma che ho visto in Carrer del Bonaire mi assicura che è quella vera. E i suoi cromosomi me lo confermano.

«Mi Señor, mio Signore! Non giudicatemi male per questo gesto di disubbidienza. Lo compio presso il mio letto di morte, per la figlia di cui non vi ho mai detto nulla e della quale non mi avete mai chiesto nulla. Sì, nacque una bambina. La partorii a dispetto dell'atroce viaggio che feci per venire a Barcellona. La chiamai Montserrat come la Vergine del quadro che con squisita cortesia mi regalaste e don Julian la battezzò María Ignacia Josepha. Per cognome le dette sia il mio che il Vostro: Rodríguez de Castro y Grimaldi. No, non adiratevi, mi Señor: sull'atto battesimale il Vostro primo nome non c'è, dinanzi al mondo il segreto non è stato infranto. Però mi accingo a infrangerlo con nostra figlia, mi Señor, e a mandarvela insieme alla presente missiva. Presto resterà sola, e don Julian non può assumersi la responsabilità della sua custodia. Pensarla sotto il Vostro tetto mi aiuta a morire in pace e voglio che parta subito dopo i miei funerali, appena venduta la casa che la Vostra munificenza ci comprò. Accoglietela, ve ne supplico. Ha buon cuore, bell'aspetto, eccellente educazione. Vi assomiglia. Inoltre è un'ottima cristiana e non ha bisogno di titoli o di ricchezze: ha bisogno d'un padre, suo padre, che la guidi e le dia protezione. Con ciò Vi saluto per sempre, mi Señor. E rispettosamente, ossequiosamente, mi firmo Vostra María Isabel Felipa che tanto vi amò.»

Poi la mise dentro una busta indirizzata al signor duca Gerolamo Grimaldi, Palazzo Grimaldi, Repubblica di Genova, e la porse a Montserrat.

«È giunto il momento di confessarti tutto, figlia mia.»

Le rispose un mormorio strozzato.

«Sul mio cognome, mamà?»

«Sì. Questa lettera è per tuo padre.»

«Per... mio... padre, mamà?»

«Sì. Non è morto. Leggila, figlia mia.»

Montserrat la lesse e svenne.

Non ho ulteriori dettagli su quel patetico giorno di maggio. La voce appassionata e pietosa non li forniva e l'arcana rimembranza mi propone solo le immagini d'una incantevole ragazza che giace riversa sull'impiantito, d'una donna consunta dal male che invoca aiuto piangendo, della fantesca che irrompe con uno strillo: «Qué pasa, che succede, padrona? Oh, Madre de Deu!». Quindi solleva l'incantevole ragazza, la adagia su un divano e avvicina al suo graziosissimo naso una boccetta di sali. Però so che quando Montserrat tornò in sé María Isabel Felipa

207

confessò davvero tutto: l'imprevista e imprevedibile notte d'amore nel palazzo di calle San Miguel, la scelta e i termini del matrimonio segreto, la triste cerimonia di Toledo, la fuga con la scorta dei militari a cavallo, lo smisurato affetto di don Julian, l'ambiguità del suo atto battesimale. Tacendo ciò che troppo tardi aveva capito di Gerolamo, giustificò anche l'inclemenza dell'esilio e del silenzio cui era stata condannata. «Era un Grande de España, figlia mia. Non poteva compromettersi con una serva. E sposandomi di nascosto fu ugualmente generoso. Si precluse la facoltà di accasarsi con un'aristocratica degna del suo rango e per questo ora è un vecchio solingo che vive col nipote.» Glielo presentò come un uomo senza colpa, insomma, un padre di cui essere fiera. E la persuase a lasciar Barcellona, andare da lui. Poi chiamò don Julian. Lo informò d'aver preso una decisione ancor più drastica del suo consiglio, lo incaricò di vendere la villetta al miglior prezzo possibile e consegnare il denaro a Montserrat, organizzarle la partenza, procurarle il passaporto. Infine scrisse la lettera di garanzia, documento allora indispensabile per viaggiare, che un secolo e mezzo dopo avrei trovato nella cassapanca di Caterina. «Dichiaro che doña María Ignacia Josepha Rodríguez de Castro y Grimaldi è mia figlia, che ha diciotto anni, che è nubile e non fidanzata. Dichiaro che per motivi familiari la autorizzo a recarsi a Genova e se necessario in altre città d'Italia. Alle autorità e alle persone misericordiose rivolgo la preghiera di porgerle l'ausilio che la sua gioventù e la sua inesperienza domandano.» L'indomani morì e i suoi funerali furono più squallidi delle sue squallide nozze. Visto che non aveva amici e non conosceva nessuno, dietro la carrozza col feretro v'eran solo Montserrat e don Julian con la cuoca e la fantesca e la sguattera. Tuttavia il resto si svolse nel modo che aveva chiesto: don Julian vendette la villetta a ben quattromila lluras, le consegnò a Montserrat insieme alla rata annuale, le organizzò la partenza, le procurò il passaporto. Documento, questo, che ricordo parola per parola e in spagnolo perché lo rileggevo sempre incuriosita da un particolare bizzarro: quello che non citasse l'età, che ne desse il ritratto fisico e basta. «Talla, casi seis pies. Colorido, rosado. Frente, alta. Ojos, griso-azul. Cabellos, rubios. Nariz, pequeña. Dientes, sanos. Marcas características, un lunar sobre el labio superior.» Segni caratteristici, un neo sopra il labbro superiore.

Rilasciato il 10 giugno 1788 dall'Eccellentissimo Signor Ministro della Polizia e a nome di Sua Maestà Cattolica Carlos III, il passaporto autorizzava a compiere il viaggio via terra e via mare. Don Julian preferì che Montserrat lo effettuasse via mare e per non esporla agli attacchi dei pirati scelse una nave danese: l'*Europa*. Nel 1780, infatti, la Danimarca aveva stipulato coi paesi della Barberia l'unico trattato che essi rispettassero e i suoi velieri possedevano uno speciale salvacondotto algerino che, rinnovato ogni anno con doni sardanapaleschi al successore di Alì Pascià, gli evitava assalti e ruberie. Era un modesto brigantino da duecento tonnellate, l'*Europa*, costruito dagli armatori Christian Oldenburg e Jurden Rode di Altona, e nonostante quel salvacondotto abituato a trasportar merci nei mari del Nord. A un eventuale passeggero non offriva che una minuscola cabina e di solito faceva il percorso Amburgo-Göteborg-Copenaghen-Danzica-Helsinki-Stoccolma. Oppure Amburgo-Amsterdam-Rotterdam-Portsmouth-Londra-Le Havre-Brest. Stavolta invece aveva lasciato Amburgo proprio per venire nel Mediterraneo, e con un carico di stoccafisso sarebbe giunto a Barcellona nella seconda quindicina di giugno. Di lì avrebbe proseguito diretto a Marsiglia, Genova, Livorno, e a proposito: il suo capitano si chiamava Johan Daniel Reymers. Il suo nostromo, Francesco Launaro.

8

Da quando i velieri sostituivano le navi a remi, le galere, il nostromo era un personaggio assai importante. Più importante degli ufficiali che infatti ricevevano una paga ben inferiore alla sua. Circa la metà. Lo era perché costituiva l'anello di congiunzione fra il capitano e la ciurma, cioè perché comandava la ciurma, e perché toccava a lui eseguir le manovre, sorvegliare la rotta, prognosticar le intemperie. Non si diventa nostromo per fortuna o per caso, e prima di raggiunger la maturità. Dovevi aver passato almeno la trentina, per diventarlo, e possedere una lunga esperienza di mare nonché doti davvero speciali. Saper sentire l'arrivo e la portata d'una tempesta basandoti esclusivamente su un alito di vento o sulla forma d'una nuvola o sul volo di un uccello, per incominciare. Saper tenere il timone meglio del nocchiere, saper salire in coffa meglio del gabbiere, saper terzarolare le vele meglio dei pennonieri e conoscere la tua nave meglio del capitano: ravvisarne ogni scricchiolio inconsueto, ogni anomalia. Inoltre dovevi essere in grado di sostenere il tuo ruolo di leader, farti rispettare e ubbidire dai marinai, incutergli paura, all'occorrenza punirli e nel medesimo tempo tutelarli, difenderli, curarli: guarirne la scrofola o la diarrea, cavargli il dente marcio, amputargli la gamba in cancrena. Era anche un personaggio assai solo, il nostromo. Lo era perché, non avendo il grado di ufficiale né la qualifica di marinaio, viveva in un'autonomia fisica e psicologica che lo estraniava dagli uni e dagli altri. Ad esempio dormiva sì a prua, dalla parte della ciurma, però per conto suo: in una cabina uguale a quelle degli ufficiali e spostata verso il ponte. Mangiava sì lo stesso cibo del capitano, beveva sì la stessa birra e la stessa acquavite, però per conto suo: magari accucciato sotto l'albero di mezzana o sopra un osteriggio, luoghi che gli consentivano di non perder di vista la ciurma e la rotta. E tutte queste cose, cioè la sua solitudine, la sua versatilità, la sua responsabilità, lo rendevano un uomo molto assennato. Molto riflessivo. Quasi il savio di bordo: caratteristica che attribuita a Francesco può apparire un'incongruenza. Ma il nostromo dell'*Europa* assomigliava ben poco al pittoresco demonio che abbiamo osservato a Livorno mentre aspettava la *Bonne Mère* o sul *Triumph* mentre affilava il coltello della vendetta. Altrettanto poco, all'implacabile ultore che abbiamo lasciato il 9 luglio del 1775 sulla spiaggia di Algeri mentre sgozza la ventesima vittima e le taglia la testa con la scimitarra. Il tempo l'aveva maturato quanto un buon vino che invecchiando si libera delle sue scorie e cambia colore, muta sapore.

Proprio così. Era un solido trentottenne, ormai, un adulto giudizioso e pieno di equilibrio. Non si picchiava più nelle bettole, non discuteva più a coltellate, non bolliva più l'ira che conduce ai giri di chiglia. Del pittoresco demonio non gli rimanevano che le cicatrici, la possanza fisica, la capigliatura nera come le penne d'un corvo e lo sguardo buio come la notte. (Buio e intriso d'una tristezza terrificante. «Credo che nel 1788 Francesco fosse un tipo del genere» disse un giorno mia madre porgendomi la fotografia di Natale, il suo nonno materno. E la fotografia ritrae un bel maschio dal volto scavato, sai uno di quei volti che sembrano costruiti a colpi d'accetta, nei cui occhi si annidava una tristezza terrificante). Dell'implacabile ultore, invece, non gli rimanevano che la disciplina militaresca e l'infinita pazienza. Non odiava più nessuno, ora. La sua ansia di uccidere s'era davvero estinta su quella spiaggia, e gli eventi lo dimostravano. Il biennio successivo al disastro combinato da O'Reilly era stato molto glorioso per l'*Austria* e l'*Etruria*: contro i barbareschi la piccola flotta di Pietro Leopoldo aveva compiuto imprese mirabili. Eppure Francesco non s'era distinto per entusiasmo e quando un intrigo di corte aveva costretto John Acton a lasciar la Toscana, mettersi al servizio del re di Napoli, anche lui se n'era andato. Era tornato a navigare sui mercantili diventando nostromo e nel 1785 aveva chiesto l'ingaggio sull'*Europa* perché seguiva rotte lontane dai mari in cui si aggiravano i suoi ex nemici. «Basta con le navi corsare, gli ammazzamenti, le guerre. Dacché il mio conto è saldato, dar la caccia ai Mori mi annoia.» La trasformazione, del resto, non si fermava qui. Grazie al cappellano dell'*Austria* aveva infatti diluito il suo irriducibile ateismo: durante le tempeste abbozzava il segno della croce e se non accadevan disgrazie si concedeva agnostiche titubanze. «Chissà che Dio non esista.» Grazie a un ufficiale filantropo aveva quasi imparato a leggere e a scrivere: il suo registro dei conti non conteneva eccessivi errori di ortografia, e capitava che prestasse le sue incerte qualità di scritturale a chi voleva spedire una lettera a casa. «Carisimi genittori, con questa mia Vi informo che la salutte è bona...» E grazie all'ottima paga nonché alle percentuali che i nostromi si prendevano sulle merci imbarcate non era più povero. Presso una banca di Livorno custodiva una cifra sufficiente ad assicurargli un comodo futuro, nella locanda di via dell'Amore teneva una camera fissa, e a terra si vestiva con tanta eleganza che perfino le vecchie conoscenze lo chiamavano Signor Launaro. (Giacca di velluto blu, pantaloni di velluto blu, calze di seta bianca. Camicia con la trina, cappello alto col fiocco, bastone col pomo d'avorio). Su un punto tuttavia non era cambiato: il suo status di scapolo deciso a restar tale. In quei tredici anni non aveva preso moglie, anziché alle prostitute ora chiedeva conforto alle amanti, e ammettendo la sua misoginia ne collezionava ovunque: ad Amburgo, a Rotterdam, a Copenaghen, a Le Havre, a Brest... «Io le femmine le frequento per una cosa sola. Non ho mai perso la testa per loro, fuorché a letto mi stanno antipatiche, e quelle oneste mi fanno paura.»

Fu con gran sgomento, dunque, che a Barcellona apprese la notizia relativa al prossimo imbarco d'una giovane donna diretta a Genova. E fu quasi con disperazione che tentò di convincere il capitano Reymers a cambiare idea. Le donne a bordo portano male, gli disse, e se belle raddoppiano i guai. Supponiamo che oltre ad esser giovane questa fosse bella o passabile: fin dal primo giorno se ne sarebbero viste di cotte e di crude. Come soffocare le fameliche brame dei marinai, signor capitano, come sottrarla ai loro volgari commenti e alle loro rozzezze, come impedirle di inorridire ogni volta che si calavan le brache e defecavano sulla rete del bompresso? Ed anche se costei avesse scelto di starsene sempre chiusa in cabina, speranza vana perché la cabina era un buco e il viaggio a Genova durava circa tre settimane, chi avrebbe provveduto ai suoi bisogni quotidiani? Chi l'avrebbe servita, chi l'avrebbe assistita allorché vomitava? Chi le avrebbe vuotato il vaso da notte? «Io tremo, signor capitano. Ci pensi, signor capitano.» Il fatto è che il signor capitano ci aveva pensato, ma le sue esitazioni erano state vinte dalle quattrocento lluras offerte da don Julian e senza scomporsi rispose a Francesco che se fosse bella o brutta o passabile lui non lo sapeva: il prete gli aveva detto soltanto che viaggiava per motivi familiari, che si trattava d'una passeggera d'un certo lignaggio, e che bisognava proteggerla. Comunque il compito di tenere a bada le fameliche brame, i volgari commenti, le rozzezze e le pubbliche defecate della ciurma spettava al nostromo: per impedirle non aveva che ricorrere alla sua autorità. Quanto al resto, bè: a servirla ci avrebbe pensato il mozzo, ad assisterla allorché vomitava ci avrebbe pensato il Padreterno, e il vaso da notte se lo sarebbe vuotato da sé rovesciandolo fuori dell'oblò. «Le donne a bordo portano male, nostromo? Per quattrocento lluras è il caso di sfidare la iella. Se voi non volete sfidar-

la, tappatevi gli occhi.» Di conseguenza, quando Montserrat salì a bordo, Francesco non si trovava sul ponte a
riceverla.

«Più tardi la vedo e meglio è.»

* * *

Salì a bordo il 29 giugno, giorno che secondo i miei
calcoli è quello in cui l'*Europa* salpò da Barcellona, e a riceverla sul ponte c'era il capitano Reymers che appena la
scorse capì quant'eran giusti i timori del suo nostromo.
Tapparsi gli occhi? Dal pallido volto di cammeo alle sottili
caviglie che secondo la moda spagnola il vestito scopriva di
dieci centimetri almeno, la giovane donna esalava una
malìa così irresistibile che anche un cieco avrebbe passato
la vita a fissarla. Inoltre piangeva, e chi resiste a una bellissima ragazza che piange? A consolarla c'era invece don
Julian che si malediva per aver esaudito il desiderio di
María Isabel Felipa e non riusciva a calmarla. Aggrappata
alla tonaca continuava a supplicarlo non-lasciatemi-partire,
non-lasciatemi-partire, e inutile assicurarle che se qualcosa
fosse andato torto lui sarebbe corso a riprenderla. «Cercati
un alloggio, scrivimi, e arrivo.» «Ma Genova io non la conosco!» «La conoscerai, cara, la conoscerai.» «L'alloggio
non so dove cercarlo!» «Lo saprai, cara, lo saprai. Il nostromo è italiano e ti assisterà.» Durò molto il desolato addio.
Tutto il tempo che ci volle a caricare l'abbondante bagaglio che la passeggera-d'un-certo-lignaggio si portava dietro: due grossi bauli, uno col guardaroba e uno col corredo, cinque valige, tre scatole di cappelli e due di parrucche, il quadro della Vergine e il cofano col liuto che aveva
imparato a suonare nel Monestir de Junqueras. (Ricordo
anche quello. Era un liuto piriforme, molto piccolo e molto leggero, con la cassa ovoidale composta di tredici listelli
di ciliegio a colori alternati, e un lunghissimo manico con

gli intarsi di madreperla). Poi don Julian scese, l'*Europa* tolse gli ormeggi, Montserrat si chiuse in cabina a versare altre lacrime e da questo momento la sua storia m'appare più chiara d'un teorema risolto. Posso ricostruirla senza sforzo sul filo dell'immaginazione.

Perché non è facile cambiare vita, trasferirsi in un paese mai visto, ignorando che cosa ci aspetta e da soli. Non lo è nemmeno per un adulto smaliziato del nostro tempo. E per un'adolescente di due secoli fa, una minchiona ingenua e incapace di togliere un ragno dal buco, dev'esser stato peggio che sentirsi catapultare da razzo nella stratosfera: prigioniera d'una capsula che va sulla Luna. Certo che piangeva. Ora che Barcellona spariva, si dissolveva nella foschia, tutto aizzava le sue lacrime. Tutto. Il mare che da lontano le era sempre parso una componente azzurra e innocua del paesaggio, un amico, e che da vicino diventava un nemico: una sterminata distesa di liquido nero e pronto a inghiottirla. La nave che beccheggiava, rollava, e che ad ogni beccheggio o rollio le portava lo stomaco in bocca: glielo rovesciava. I marinai seminudi che sul ponte l'avevan guardata nel modo in cui i lupi guardano un coniglio da divorare. L'idea di dover dividere con loro e per settimane quella capsula che andava sulla Luna. Lei che sia in casa sia in collegio aveva sempre vissuto tra donne e basta, che di uomini conosceva soltanto don Julian. Il pensiero di recarsi a cercare un padre che non aveva mai voluto incontrarla, che non le aveva mai inviato una parola di affetto o di saluto, che l'aveva cacciata quand'era ancora nel ventre materno, e che era così vecchio da poter essere suo nonno. Settantott'anni aveva detto don Julian, mioddio! Come l'avrebbe accolta quel padre negligente e sconosciuto, quel vecchio così vecchio da poter essere suo nonno? Peggio: l'avrebbe accolta o cacciata di nuovo? E che cosa avrebbe fatto, lei, se l'avesse cacciata di nuovo? Cercati-un-alloggio, scrivimi-e-arrivo. Sì, ma la prospettiva di tornare indietro non la consolava. Tornare indietro equivaleva ad arrendersi, accasarsi col primo sciacallo ansioso di mettersi in tasca le quattromila lluras che trasferite su una carta di credito stavano al sicuro nella sua sottoveste. Oppure finire in convento. Non voleva finire in convento. Non voleva cader nelle grinfie d'un tipo avido di soldi. Voleva farsi una famiglia felice, amare un uomo che la amasse, riscattare le sventure di sua madre. Naturalmente piangeva anche per sua madre. Piangendo la rivedeva nel patio dove sostava coi suoi severi abitini marroni e la testa coperta dal pesantissimo scialle, poi nel letto dove languiva consunta dal mal dolent, e questo raddoppiava i singhiozzi. «Oh, mamà! Mamita, mamà!» Ma più che altro piangeva per la paura. Aveva tanta paura. E tanto bisogno di dirlo a qualcuno. Confidarsi, spalancare il cuore.

Rimase cinque giorni a versare lacrime nella cabina. Senza concedersi nemmeno due passi in coperta, senza risponder neanche al capitano Reymers che assai preoccupato la pregava di uscire. La invitava a prendere un po' d'aria, cenare con gli ufficiali e con lui. «Suvvia, si calmi, venga, doña María Ignacia Josepha!» Sorda ad ogni appello apriva la porta solo per far entrare il mozzo che le portava il cibo. Durante quei giorni, infatti, Francesco non la vide mai. Ne udì i singhiozzi e basta. Ma l'estate è torrida lungo le coste del Mediterraneo, l'afa si sopporta male dentro un bugigattolo zeppo di bagagli, e a diciott'anni il richiamo della vita è così irresistibile. Il sesto giorno, vinta dal caldo e dall'autosegregazione, uscì. Con gesti furtivi salì sul cassero di poppa, sedette su un rotolo di funi a godersi la brezza e l'esaltante spettacolo della nave che, bordeggiando il tratto compreso fra Capo Creus e Carcassonne, avanzava a vele spiegate verso il golfo di Lion. E qui la sua attenzione fu attratta da un uomo alto e robusto che, voltandole le spalle, sembrava osservare l'unica macchia che interrompesse l'azzurro uniforme del cielo: un ciuffo di nuvole molto sottili che a nord si irradiavano in sprazzi di bianco un po' sporco. Ne fu attratta per quello e perché dalla sua figura possente emanava un che di familiare. Un fluido che dava sicurezza, fiducia, e che metteva addosso il bisogno di guardarlo in faccia: sapere chi fosse. Allora si alzò, e dimentica della sua timidezza si affacciò alla balaustra.

«¡Qué nubes tan bonitas! Che nubi graziose! Vero, señor?»

Quasi fosse stato colpito alla schiena da una schioppettata, l'uomo si rannicchiò su sé stesso e per alcuni secondi rimase immobile: intirizzito in questa posizione. Poi si girò, lentamente. Alzando il volto scavato, i neri occhi nei quali si annidava la tristezza terrificante, la fissò per qualche altro secondo: la bocca schiusa in una specie di stupore che pareva togliergli il respiro. Infine rispose. In perfetto castigliano e con voluto distacco.

«Sono cirri a strisce, signora. E non sono graziosi. Sono nefasti.»

«Nefasti, señor?»

«Nefasti, signora. Portano il mistral. Un vento cattivo, pericoloso. Dinanzi a Carcassonne ce ne accorgeremo.»

«¡Oh, Virgen Santa! ¿Y quién es usted, chi è lei, señor?»

«Il nostromo, signora.»

Detto ciò le voltò di nuovo le spalle e per dimostrare che il colloquio era concluso scese nella stiva. Però il ghiaccio era rotto, l'impossibile approccio avvenuto, e come succhiato da una calamita che rende inutile ogni resistenza dopo un poco riapparve. Salì sul cassero di poppa, si scusò d'essere stato brusco, si fermò un paio di minuti a conversare sui cirri che portano il vento cattivo. Più tardi andò a cercarla in cabina. Controllò che il bagaglio fosse ben sistemato, che la lampada a olio funzionasse, che l'acqua da bere non mancasse, ci parlò ancora. Con tono protettivo la esortò ad accettare gli inviti a cena del capitano, annunciò che nei momenti liberi anche lui le avrebbe fatto un po' di compagnia, e l'indomani mattina gliela fece. Impressionandola molto, guadagnandosi molti sorrisi ed estatiche esclamazioni, le descrisse il suo mestiere. La intrattenne col racconto dei suoi numerosi viaggi. L'indomani sera, lo stesso: mentre l'intesa cresceva, ineluttabile e inesorabile. L'indomani sera, infatti, portò il discorso su di lei. Le chiese per quale motivo avesse pianto per giorni. E spinta dal bisogno di confidarsi, soggiogata dal fluido che dava sicurezza, fiducia, Montserrat glielo disse. Gli rivelò addirittura che il padre mai conosciuto si chiamava Gerolamo Grimaldi: nome che egli ben conosceva dal tempo dello sbarco ad Algeri e a udire il quale sobbalzò come se la cosa lo disturbasse. Durò a lungo, quel quarto incontro. Era notte quando si separarono. Lei, tutta intenerita e pensando quanto le sarebbe piaciuto amare un uomo simile. Serio, comprensivo, aitante, interessante. Lui, tutto innervosito e pensando che, se le donne oneste gli incutevan paura, questa lo terrorizzava. Perché era troppo giovane, Cristo! Troppo bella, troppo di lusso. Nientemeno che la figlia del signor duca. E perché non poteva permettersi di fare il cicisbeo innamorato, distrarsi in stupidi idilli da ragazzino che piglia la cotta con uno sguardo! L'*Europa* stava passando dinanzi a Perpignan, insomma si trovava già nel golfo di Lion, la temperatura era calata, e il vento cambiava direzione. Anziché gonfiare le vele ora le afflosciava o le schiaffeggiava da sinistra. Vale a dire, venendo da nord-ovest.

9

Viene da nord-ovest, il mistral, e nasce dalle depressioni termiche che dal nord-ovest della Francia spingono l'aria fredda verso sud-est. Dopo aver percorso l'intera vallata del Rodano cioè il solo varco che non gli opponga barriere di montagne irrompe nel Mediterraneo attraverso la gola di Carcassonne, sicché il golfo di Lion è il primo ad esserne assalito. Non coglie mai di sorpresa. Si annuncia sempre con un calo di temperatura, e un buon marinaio ne prevede l'arrivo da due indizi: i cirri a strisce che Montserrat aveva definito nubi-graziose e la brezza che era andata a godersi sul cassero di poppa. Una brezza che nelle ore calde può nascondere appunto depressioni termiche. In compenso è davvero cattivo: le sue folate possono raggiungere gli ottanta o i cento nodi cioè i 150 o i 200 chilometri orari e sollevare ondate alte nove o dieci metri, stracciare le vele come se fossero pezzi di carta, schiantare gli alberi come se fossero fuscelli. Francesco aveva dunque ragione a biasimare il suo subitaneo innamoramento. Distoglie dai propri compiti, un innamoramento, impedisce di governar bene la nave. E l'*Europa* era una nave robusta, sì, capace di reggere alle tempeste, però quel golfo era un cimitero di velieri e per navigarci il capitano Reymers contava più sul suo nostromo che su sé stesso. Da questo momento in poi quel nostromo avrebbe avuto bisogno di tutta la sua lucidità e guai se avesse perso di vista una vela o un pennone o una cima, guai se si fosse distratto un attimo: fino a Marsiglia non esistevano porti in cui rifugiarsi.

La notte non portò bufere. Dopo Perpignan gli schiaffi che piombavano da nord-ovest si diradarono anzi cessarono, l'*Europa* tornò a bordeggiare la costa col vento in poppa, la ciurma fu mandata a dormire e lo stesso capitano Reymers si ritirò per concedersi un sonnellino. A far la guardia rimase soltanto Francesco coi marinai di turno e il secondo ufficiale che gli ripeteva perplesso: «Forse vi siete sbagliato, nostromo. Forse passa al largo. Forse ci avete allarmato per nulla». Quanto a Montserrat, si addormentò con la beatitudine che spesso accompagna il sorgere d'un amore. Riposò senza incubi e probabilmente sognando l'uomo serio, comprensivo, aitante, interessante che era stato capace di spegnere la sua disperazione. Ma al crepuscolo dell'alba, tra Carcassonne e le foci dell'Aude, le cose cambiarono. Un po' per volta il cielo prese a intorbidarsi, il mare ad appesantirsi, e in un crescendo di forza, trenta nodi che subito divennero quaranta cinquanta sessanta il mistral arrivò. Anche lei si svegliò. Virgen Santa, che accadeva?!? Altro che il solito beccheggiare e rollare: percossa da colossali colpi di maglio l'*Europa* saltava, virava, sbandava, e a ciascun salto o sbandata o virata tutto si rovesciava, le veniva addosso. I bauli, le valige, le scatole, il quadro della Vergine, la sedia, il lume a petrolio... Tremando di paura si vestì, lasciò la cabina. Barcollando e scivolando si portò nel corridoio che conduceva al ponte di mezzo, si fermò sulla soglia e Madre de Deu! Mai avrebbe creduto di vedere quell'apocalisse, mai. Le ondate erano così alte e così grosse, così solide, che sembravano muraglioni di ferro: gigantesche pareti nere che avanzavano per crollare sulla nave, esplodere con un urto che minacciava di spaccarla in due. Tra parete e parete un abisso nel quale sprofondava di prua, a capofitto come una balena impazzita, poi come una balena impazzita riemergeva e allora scrosci d'acqua schiumosa e rabbiosa spazzavano via qualsiasi cosa o persona non fosse ben fissata a un appiglio. Rotoli di corde, barili, marinai. Questo mentre il vento investiva con ciclopiche mazzate le vele, abbattendosi parallelo alla loro superficie le sbatacchiava con tale furia che ad ogni mazzata i pennoni parevano staccarsi, gli alberi stroncarsi, e dall'apocalisse si levava un fragore infernale. Tonfi, cigolii, scricchiolii, schianti, muggiti. Nel fragore infernale, un fiotto di urla misteriose, di ordini dati con impazienza e con ira.

«Uomini al centro, al centrooo! A riva, salire a rivaaa!»

«Imbrogliare le vele alte, i fiocchi, la trinchettinaaa!»

«Terzarolare quelle basse, issare la trinchettina di fortunaaa!»

«Mollare sopravvento le rande, il velaccio, il controvelacciooo!»

Insieme al fiotto di urla misteriose, l'eco lacerante d'un fischietto che traduceva gli ordini in suoni stabiliti, il fischietto del nostromo, e l'ammirevole agitarsi dell'equipaggio che si batteva contro quel nemico fatto d'aria e d'acqua. Chi aggrappato a una sporgenza o legato all'impavesata recuperava gli oggetti e i compagni spazzati via, chi fissato a uno strallo lavorava sul bompresso semiaffogando ogni volta che la balena impazzita sprofondava nell'abisso, chi squassato dalle folate si arrampicava sulle griselle cioè le scale di corda che portano ai pennoni, chi già in bilico sui cavi terzarolava cioè arrotolava le vele che fradice e indurite dal salmastro non volevano piegarsi. Il capitano Reymers stava sul cassero di poppa, accanto al timoniere per controllarlo meglio. «Stringi all'orza, stringi all'orza!» Dalla soglia del corridoio Montserrat non poteva vederlo ma poteva udirlo: gli ordini dati con impazienza e con ira venivan da lui. Francesco stava invece sul ponte di mezzo, dalla soglia poteva vederlo perfettamente, e guardarlo le dava una specie d'orgoglio: quasi che il sorgere dell'amore fosse già un rapporto preciso, un possesso che la autorizzava a sentirlo suo. Appariva così risoluto, sicuro di sé. Il fischietto ad esempio lo usava con gelida calma, mantenendo inalterata l'espressione ferma del volto, e fuorché Reymers era l'unico che non fosse legato o aggrappato a qualcosa. In piedi sotto l'albero di maestra riusciva a tener l'equilibrio anche senza un sostegno, e quando un'ondata o uno scroscio rischiava di strapparlo da lì non si spostava d'una spanna. Si limitava ad allungare la mano verso le sartie e a tenersi con quelle. Ma d'un tratto la gelida calma scomparve. Il suo volto si distorse in una smorfia di orrore, e la sua voce rimbombò con angoscia.

«Uomini al controvelaccio di maestra, scendere! Presto, scendereee!»

«La drizza del controvelaccio di maestra si sta sfilacciandooo!»

«Bisogna bozzare il pennone, ci penso ioooo!»

Poi ghermì un rotolo di corda, se lo mise intorno al busto, e appena gli uomini furono scesi si lanciò sulla prima grisella. Raggiunse la gabbia, salì sulla seconda grisella, da questa continuò fino al controvelaccio dove aveva visto sfilacciarsi la drizza cioè la corda che sorreggendo il pennone più alto consente di assicurarlo alla coffa, e giunto qui sbiancò. Le cose stavano peggio di quanto avesse creduto. Lo sbatacchiar delle vele, il violento attrito causato dal loro turbinare nel vento, il peso dei marinai che erano stati troppo a lungo sui cavi, l'avevano quasi disfatta: a sostenere il pennone ormai non rimanevano che pochi fili di canapa corrosa. Presto anche quelli si sarebbero rotti ed esso avrebbe ceduto trascinandosi dietro l'albero e spaccando la nave, provocando il naufragio. Eppure doveva montarvi sopra, mettersi a cavalcioni, gravarvi col suo corpo: non esisteva altro modo per riparare il guasto ed evitar la tragedia. Lo fece. Piano piano ci montò sopra, con una fune allacciata ai fianchi si incatenò all'albero, e proteso nel vuoto prese ad annodare intorno ai fili di canapa corrosa una nuova drizza. Una nuova corda. Impiegò tanto tempo, ad annodarla. Gli ci volle un'eternità. O così parve a coloro che dalla coperta seguivano con il cuore in gola quell'operazione impossibile: il capitano Reymers, gli ufficiali, la ciurma, e soprattutto Montserrat che per vederlo meglio aveva oltrepassato la soglia del corridoio, rischiando di finire in mare aveva raggiunto la scala che va al cassero di poppa e avvinghiata a una colonnina pregava la Madonna di riportarglielo vivo. Sembrava talmente fragile, talmente indifeso, lassù a cinquanta metri d'altezza: incatenato all'albero di maestra e proteso nel vuoto. Il mistral lo scuoteva come se fosse stato una foglia che da un istante all'altro può volar via. Per non volare via doveva reggersi col braccio sinistro quindi lavorare con una mano sola, e spesso si interrompeva. Ma non sbagliava un gesto, non cedeva mai alla paura. C'era l'esperienza di trent'anni, nei suoi movimenti, e il coraggio d'una vita. Quello con cui bambino era andato mozzo e aveva sopportato gli abusi, le violenze, le infamie che si imponevano ai mozzi. Quello con cui aveva affrontato le frustate e il giro di chiglia, sfacchinato per mettere insieme le quattrocento piastre da mandare ad Alì Pascià. E quello con cui era diventato corsaro, era sbarcato sulla spiaggia di Algeri per sgozzare i venti algerini. Un'unica cosa lo induceva a tremare d'ansia, lo spaventava: scorgere la giovane donna che avvinghiata alla colonnina pregava rischiando di finire in mare, e alla quale avrebbe voluto lanciare un grido: «In cabina, andate in cabina, perdio!». Tant'è vero che lo rafforzò perfettamente, il pennone. E in ugual modo si slegò dall'albero, si calò nella coffa, assicurò alla coffa le estremità della nuova drizza poi riguadagnò le griselle e scese. Appena giù, però, commise una sventatezza: anziché correre dal capitano Reymers, si diresse verso Montserrat.

«Il peggio è passato, doña María Ignacia Josepha: ora possiamo puntar su Marsiglia e cercarvi rifugio. Ma voi dovete tornare in cabina e restarvi finché la tempesta dura: capito? Qui è troppo pericoloso, e se vi succede qualcosa io mi ammazzo.»

La tempesta durò fino alla sera seguente, e per arrivare a Marsiglia faticarono molto. Sempre in cappa, cioè tenendo solo le vele basse, e a volte andando quasi alla deriva. A Genova invece ci arrivarono bene: la mattina del 19 luglio, un bel giorno di sole. Il guaio è che lungi dall'apparir sollevata Montserrat sembrava il ritratto della mestizia. Neanche lo stupendo scenario che la città le offriva dal mare, l'azzurro cobalto del suo cielo, il verde smeraldo delle sue montagne a raggiera, l'euritmia dei suoi superbi palazzi riuscì a strapparle un sorriso. E non per i timori, le angustie con cui era salita a bordo.

* * *

Superfluo chiedersi allora perché. Vedere il suo eroe che proteso nel vuoto riparava il guasto, salvava la nave, le era stato fatale. Accantonando i timori e le angustie con cui era salita a bordo aveva incoraggiato il sorgere dell'amore e la frase se-vi-succede-qualcosa-io-mi-ammazzo lo aveva scatenato. Il viaggio da Marsiglia a Genova, consolidato e consegnato alle illusioni dei suoi diciott'anni pronti a infuocarsi. Dopo Marsiglia, infatti, gli incontri sul cassero di poppa erano ripresi. Francesco s'era del tutto arreso alla calamita che rende inutile ogni resistenza e, sia pure con la casta pudicizia che caratterizzava i bei tempi in cui innamorarsi era una cosa seria, entrambi s'erano abbandonati all'idillio senza chiedersi se avesse un futuro. Però dinanzi a Genova la verità era esplosa con la forza d'uno starnuto a lungo represso, lui l'aveva accettata e lei no.

«Pane al pane e vino al vino, doña María Ignacia Josepha: potrei chiedervi di non scendere e portarvi a Livorno. Ma non ci penso nemmeno. I cani randagi non si accoppiano con i levrieri. Dunque bisogna fingere di non esserci mai incontrati.»

«Non lo dite, non lo dite...»

«Lo dico e lo ripeto. Qui vi aspetta una vita agiata, privilegiata, degna di voi. Dovete portare quella lettera a vostro padre e dimenticare che esisto.»

«Non è possibile, non è possibile...»

«Lo è, e ora vi accompagno a terra. Vi aiuto a passar la dogana, vi sistemo in un albergo da signori, vi ci lascio, e vi autorizzo a ricordarvi di me solo se vostro padre non vi vuole. Se non sapete dove andare, a chi rivolgervi. Intesi? L'*Europa* resterà all'àncora fino al 2 agosto.»

«Sì... sì...»

La lasciò al Croce di Malta, l'albergo che veniva considerato il migliore della città. Buon servizio, buon cibo, camere arredate con decoro. Non a caso i viaggiatori stranieri lo preferivano al più celebre De Cerf, una ventina d'anni prima v'erano scesi anche Casanova e Tobias Smollett, e nel milleottocento vi avrebbero alloggiato personaggi non meno illustri: Wolfgang Goethe, Henri Stendhal, Richard Wagner, Alexandre Dumas, Gustave Flaubert, Mark Twain. Era situato sul lungomare chiamato Ripa, il Croce di Malta, in una bella torre medievale chiamata Torre de' Marchi, e a parte quei pregi aveva due vantaggi: quello di trovarsi sul porto, proprio dinanzi alla darsena dove ormeggiava l'*Europa,* e quello di distare pochi isolati da Palazzo Grimaldi.

10

Per rivivere la tappa di Genova un giorno feci ciò che avevo fatto a Barcellona per ricostruire i diciotto anni seguenti al matrimonio segreto, e andai a cercare sia l'uno che l'altro. Cosa facile, stavolta, perché la Torre de' Marchi c'è ancora: quasi intatta nelle merlature e negli ultimi due piani con le finestre a ogiva, straziata nel resto e così in rovina che attraverso le persiane rotte i piccioni vi entrano indisturbati. Nelle stanze vuote e scrostate ci tengono il nido. Esiste ancora anche Palazzo Grimaldi, vilipeso dalle modifiche e dagli oltraggi che l'ignoranza e il cinismo gli hanno inflitto insieme alle bombe della Seconda guerra mondiale, e naturalmente mi risultò difficile accettar l'idea che il banale edificio ora diviso in appartamentini fosse l'ex residenza del signor duca. Altrettanto difficile credere che la torre con le persiane rotte e i piccioni avesse accolto il famoso albergo nel quale i personaggi illustri scendevano più volentieri che al De Cerf. Eppure il fantasma di Montserrat era lì, affacciato a un balcone dell'ultimo piano, visibile e percettibile come quello di María Isabel Felipa in Carrer del Bonaire. E come quello mi investiva con zaffate di malinconia che nemmeno i secoli avevan dissolto, mi dava quasi una voglia di piangere. Non mi è mai stata molto simpatica, Montserrat. La sua magnificenza fisica, la sua passività, la sua dabbenaggine, non mi hanno mai indotto ad amarla nella misura in cui amo Caterina. Tuttavia per lei ho sempre avuto una compassione infinita, una tenerezza struggente, e non solo per l'immane tragedia che alla fine la distrusse ma per i travagli che il destino le impose in ogni momento della vita. Nella tappa di Genova, ad esempio. Lo sentivo così infelice, quel fantasma al balcone. Così doloroso. Stava sempre a scrutare la nave ancorata nella darsena di fronte, a cercar con gli occhi l'uomo da dimenticare, e non gliene importava nulla di conoscere il padre che per anni aveva desiderato. Ormai si preparava a cercarlo per ubbidire a Francesco e basta, sottomettersi ai consigli che le aveva impartito lasciandola al Croce di Malta. «Indossate l'abito migliore che avete, fatevi più bella di quanto siete. Andateci in carrozza, entrate col tono d'una regina in visita ufficiale, ai servitori non fornite il nome per intero. Parlate esclusivamente col signor duca e consegnate la lettera soltanto a lui.» Non a caso impiegò tre giorni a decidersi, e senza entusiasmo indossò l'abito migliore che avesse: una fastosa princesse di broccato color tortora, scollata e adorna di passamanerie in seta écru. Senza gioia si fece più bella di quanto fosse, mise al collo una graziosa gorgiera di merletto francese, in testa un'elaborata parrucca bianca, sul seno una civettuola rosa di tulle, poi si recò in carrozza a Palazzo Grimaldi. E mentre sul filo della fantasia la guardo combinare i guai che per mia fortuna combinò, mi si stringe il cuore. Viveva con un nipote di nome Francesco Maria, l'ottuagenario Gerolamo. Cioè col figlio di suo fratello Raniero, sposato con due figlie e in mancanza di prole legittima il futuro beneficiario del suo titolo e delle sue ricchezze. Tenute a Sestri Levante e a Sampierdarena, case, aziende commerciali tra cui un paio di ferriere, conti correnti presso il Banco di San Carlo a Genova, il Banco de España a Madrid, la Lloyd Bank a Londra. Nonché opere d'arte, scuderie, argenterie, ori, gioielli sul tipo del collier con cui il pittore Xavier dos Ramos lo aveva ritratto dopo il disastro di Algeri. E sia Francesco Maria che sua moglie Laura stavano molto attenti a tener lontano chiunque minacciasse l'integrità del patrimonio da ereditare: quasi nessuno poteva avvicinarsi al prezioso zio che ammalato di gotta e di reumatismi, arteriosclerosi e cirrosi, passava le giornate a dettare il prolisso testamento alla cui stesura si sarebbe dedicato anche nei tredici mesi che gli restavan da vivere. Un esercito di domestici respingeva infatti ogni estraneo, perfino gli amici venivano bloccati all'ingresso del palazzo, e solo tre persone erano autorizzate a salir le scale che costeggiando i ritratti degli antenati portavano ai suoi appartamenti: il confessore, il medico e il notaio. Ma quando il guardiaporta ebbe dinanzi quella meraviglia in broccato e gorgiera e parrucca e rosa di tulle, quell'angelo che con la grazia appresa al Monestir de Junqueras chiedeva d'esser ricevuta dal signor duca, non le domandò nemmeno chi dovesse annunciare. Intimidito e abbagliato la affidò a un ossequioso valletto che la condusse su per le scale proibite, e proprio come una regina in visita ufficiale Montserrat raggiunse lo scintillante salone di rappresentanza dove in un'orgia di specchi e di lampadari e cristalli il maestro di casa riceveva i rarissimi visitatori. Il guaio è che il maestro di casa le rivolse la domanda che il guardiaporta non le aveva rivolto, invece di risponder nel modo consigliatole da Francesco lei disse il nome per intero, anziché al signor duca lui lo riferì alla signora Laura, e scoppiò il finimondo. Staffieri che correvano da una stanza all'altra per scoprire chi l'avesse lasciata entrare, rimproveri, esclamazioni, sussurri nervosi. Doña María Ignacia Josepha Rodríguez de Castro y Grimaldi? Chi era costei? Che cosa voleva? Poi al finimondo seguì un grave silenzio e nello scintillante salone irruppe un trentacinquenne vestito da cavallerizzo. Stivali di cuoio duro, speroni, calzoni alla scudiera, giacca di velluto rosso, frustino. Dopo averla esplorata con un lungo sguardo sorpreso abbozzò un sorriso, la invitò a sedersi, quindi sedette a sua volta incrociando le gambe e prese a tamburellare il frustino sullo stivale. Tactac, tac-tac.

«Doña María Ignacia Josepha Rodríguez de Castro y Grimaldi, mi si dice.»

«Sì, señor.»

«Parlate italiano?»

«Sì, señor.»

«Sono Francesco Maria, il nipote del duca. Un vostro parente, per caso?»

«Sì, señor.»

Che dimenticare il consiglio di non dare il nome per intero alla servitù fosse stato un errore Montserrat lo aveva compreso quand'era scoppiato il finimondo, e se non avesse udito il nome Francesco non avrebbe commesso ulteriori sciocchezze. (Così almeno diceva la voce appassionata e pietosa che per quell'arcinonna cogliona cercava sempre elementi a discolpa). V'era qualcosa che la metteva a disagio, infatti, nell'individuo vestito da cavallerizzo: un pericolo che perfino la sua ingenuità disperante riusciva a captare. Gli occhi scaltri e maligni, forse. La falsa cortesia con cui la trattava, l'avido interesse con cui la studiava. Non l'interesse d'un uomo che osservi una bella donna da conquistare: l'interesse d'un gatto che fissa un topo da divorare e aspetta il momento giusto per allungare una zampa, abbatterlo. Ma udire quel suono amato e rispettato, Francesco, le parve una tal garanzia che ogni suo istinto di difesa svanì. E, insieme al desiderio inconscio di perdere la partita, avere un buon motivo per riavvicinarsi alla nave ancorata fino al 2 agosto, la sua dabbenaggine vinse.

«Di quale grado, cara?»

«Cugini, señor.»

«Oh! Alla lontana, suppongo.»

«No, no, señor. Il duca è mio padre.»

Tac! Il frustino cadde sul pavimento. Gli occhi scaltri e maligni si fecero allibiti anzi terrorizzati.

«Vostro... padre?!?»

«Sì, señor. Per questo sono qui e chiedo di vederlo. Può portarmi da lui, por favor? Devo consegnargli una lettera che mia madre gli ha scritto prima di morire.»

Poi aprì la borsetta e per esser creduta tirò fuori la busta che la zampa del gatto immediatamente ghermì.

«Non avete altro per dimostrare la verità di ciò che dite?»

«No, señor. Quello dei miei genitori fu un matrimonio segreto: non si può dimostrarlo. E sul mio atto battesimale il nome di mio padre non c'è. Lui non sa nemmeno che sono nata. La mia lettera, señor.»

Si protese in avanti. Fece un tentativo timido e incerto per recuperarla. Ma il gatto finse di non accorgersene.

«Oh, allora capisco la vostra ansia di incontrarlo, abbracciarlo. Peccato che oggi non sia qui. Da dove venite, cara? Dove abitate? Presso qualche famiglia amica, in qualche convento?»

«No, señor. Vengo da Barcellona, sono appena arrivata. Sola. Alloggio al Croce di Malta e a Genova non conosco nessuno. La mia lettera, prego.»

Si protese di nuovo. Fece un secondo tentativo per recuperarla. Meno timido, stavolta, meno incerto. Ma la lettera era ormai scomparsa dentro la giacca rossa e, messo al riparo dalle preziose notizie, il gatto non aveva la minima voglia di restituirgliela.

«Non preoccupatevi, cara: il duca l'avrà. Gliela consegnerò io. E di sicuro vi chiamerà. Aspettate al Croce di Malta. Ora devo congedarmi, purtroppo, provvedere alla mia cavalcata quotidiana. Maestro di casa, accompagnate la signora che se ne va.»

E mentre lei lo fissava tutta imbambolata, incapace di protestare e riprendere ciò che le apparteneva, con un bell'inchino si dileguò.

* * *

Stando al racconto tramandato di generazione in generazione per due secoli, Gerolamo non vide mai la lettera di María Isabel Felipa. Non seppe mai che la figlia ripudiata era venuta dalla Spagna per portargliela, chiedergli asilo, e che in attesa d'esser chiamata alloggiava a pochi passi da lui. Francesco Maria si guardò bene dal dirglielo e dal consegnargli l'unico documento da cui risultava che era il padre di María Ignacia Josepha Rodríguez de Castro y Grimaldi. Non un'avversaria, visto che a quell'epoca l'eredità era preclusa alle donne, ma certo una rivale che avrebbe potuto scalfire il patrimonio ricevendo un grosso lascito o un appannaggio. Vero, non vero? Io non lo so. Ma sia l'intuito sia la logica mi inducono a credere che sia andata proprio così. In caso contrario non saprei spiegarmi le sessanta pagine del testamento che il 4 agosto 1789 cioè quasi un mese prima di spirare Gerolamo completò, e la cui copia ho dinanzi agli occhi.

Non è il testamento d'un vecchio cattivo, d'un farabutto senza scrupoli e senza carità. Semmai è il ritratto d'un aristocratico ottuso: d'un cieco che da cieco accetta le ingiustizie del suo tempo e non sa immaginare un mondo diverso da quello in cui vive, d'un sordo che nonostante una vita trascorsa a fare politica non ode neppure i berci della Rivoluzione Francese. Un tipo che le nuove idee dell'Illuminismo non hanno toccato, insomma, e che pur considerandosi un intellettuale non ha letto una sola riga dell'*Encyclopédie* o meglio di Voltaire, del Beccaria, dei fratelli Verri. (O, se l'ha letta, non ci ha riflettuto neanche un po'). Lo si capisce dall'insistenza con cui ripete che dai futuri eredi del nipote vestito da cavallerizzo dovrà essere escluso «chiunque non sia nato da matrimonio legittimo e chiunque abbia contratto matrimonio con femmine non nobili o di nobiltà non riconosciuta». Il ritornello d'ogni pagina è nelle parole «primogenitura mascolina». Legittima, nobile, e mascolina. Non per nulla rimprovera a Laura d'avere due bambine e basta, e le concede tremila lire genovesi all'anno se partorisce il maschio che non è stata ancora capace di dare al marito. Come ritratto il testamento è anche l'involontaria autocaricatura d'un bigotto che ha un gran terrore di finire all'Inferno, sicché cerca di guadagnarsi almeno il Purgatorio comprandosi la benevolenza di tutti e lusingando tutti: Dio, la Chiesa, la Repubblica di Genova, i familiari, gli amici, i conoscenti, gli scritturali, i servitori, i poveri che conosce. A Dio rivolge infatti un profondo atto di contrizione: gli dice d'essere stato un gran peccatore, si dichiara pentito d'averlo offeso, e per ottenere il suo perdono implora Gesù Cristo, la Vergine, i Santi, le Sante, il suo Angelo Custode. Alla Chiesa lascia un mucchio di soldi e l'incarico di celebrare ben tremila Messe in suffragio della sua anima. Vale a dire una Messa al giorno per quasi nove anni. Alla Repubblica di Genova lascia seicentomila lire per costruire due strade carreggiate, una sulla Riviera di Levante ed una sulla Riviera di Ponente, o per armare la flotta che combatte i pirati barbareschi. Ai familiari e agli amici proibisce ogni forma di lutto e, pur nominando Francesco Maria erede del titolo e del patrimonio, a ciascuno di essi lascia un ricordino. A Laura, per esempio, una biblioteca colma di libri e manoscritti antichi. (Questa, non condizionata dalla nascita del maschio). All'avvocato, un orologio d'oro e una tabacchiera d'oro. Al notaio, una *Madonna col Bambino* della Scuola di Raffaello e una *Annunciazione* dipinta da un discepolo del medesimo. Agli scritturali lascia invece sei rolli di cioccolata sopraffina: una volta all'anno e vita natural durante. Ai servitori di Genova le livree, i cappelli, le scarpe, il guardaroba che usano ma che appartiene alla casa, più somme che oscillano fra le quattrocento e le seicento lire pro capite. A quelli di Roma e Madrid, la stessa cifra. Allo staffiere personale, mille lire più i suoi abiti e i suoi merletti. Ai poveri che conosce, infine, l'intero ricavato dell'asta con cui ordina di vendere i gioielli, gli ori, le pietre preziose, le argenterie. Con la richiesta, ovvio, di pregare per lui ed assistere alle tremila Messe in suffragio. Ergo: non è possibile che un moribondo così attento al ricordo di sé e così timoroso del castigo eterno abbia volontariamente respinto o ignorato una figlia che sembrava mandata da Dio per facilitargli l'accesso al Purgatorio. La colpa non può essere che del gatto.

In ogni caso Montserrat aspettò una settimana al Croce di Malta, e quel che fece durante l'attesa non mi è mai stato chiaro. Rimase sempre lì a disperarsi sulla lettera carpita, chiedersi se fosse stata consegnata, sperare che il padre la chiamasse, oppure passò le giornate a rallegrarsi del modo in cui s'eran svolte le cose e ad augurarsi che non la chiamasse mai? La voce appassionata e pietosa non me lo diceva, e il fantasma al balcone della Torre de' Marchi nemmeno. Anche dopo il guaio che aveva combinato la vedevo sì sporgersi dalla finestra dell'ultimo piano e guardare la nave ancorata nella darsena di fronte, cercar con gli occhi l'uomo da dimenticare. Però in maniera diversa, quasi che lo scintillante salone con l'orgia di specchi e lampadari e cristalli avesse suscitato in lei un contrasto di sentimenti: da una parte una specie di irritazione che acuiva il rimpianto di Francesco e dall'altra una specie di seduzione che lo affievoliva. Su un fatto, comunque, non esistono dubbi: l'orgoglio è un gran salvagente, e spesso le creature docili sono capaci di impennate fenomenali. Lampi di rivolta che sparano miracoli. Allo scadere della settimana, cioè poco prima che l'*Europa* salpasse, Montserrat capì che bisognava scoprire se Gerolamo l'avrebbe ricevuta o no. Mise di nuovo l'abito di broccato color tortora, la gorgiera di merletto francese, la parrucca bianca, la rosa di tulle, e tornò a Palazzo Grimaldi. Qui venne subito cacciata dal guardiaporta ormai ben istruito, il-signor-duca-non-c'è, il-suo-signor-nipote-nemmeno, andate-via-altrimenti-se-la-pigliano-con-me, e l'orgoglio emerse. Il miracolo avvenne. Con tale grandiosità, oltretutto, che un po' confusa mi chiedo se essa fosse davvero la pavida ragazza che mia madre dipingeva: se dietro la coltre della sua mansuetudine e della sua debolezza non si nascondesse una donna a suo modo forte e a suo modo ardita. (Sospetto che si ripeterà). Perché, invece di abbandonarsi alle solite lacrime, rientrò a testa alta in albergo e scrisse a don Julian una lettera che era un'autentica dichiarazione di indipendenza. Peccato che non ne abbia il testo, che debba riassumerla, sul ricordo del racconto tramandato: «Caro don Julian, mio padre non mi ha ricevuto e non mi riceverà. Perciò ora son io che lo ripudio, che lo cancello dalla mia vita e dai miei pensieri, che

233

non voglio più udire il suo nome e che mi rammarico di portarne il cognome. Per favore informatelo voi che la mamma è morta, e nel farlo aggiungete che sono morta anch'io. Con ciò vi saluto, vi ringrazio e vi invio una lieta novella: non dovrete venire a riprendermi. Ho incontrato un uomo che vale mille duchi e marchesi, lo amo, e so che da oggi mi proteggerà lui». Poi mandò a chiamare Francesco che naturalmente arrivò in un baleno. E che risolse tutto senza perder tempo.

«Ascoltatemi bene» scandì. «Voi avete diciott'anni e siete una gran signora. La figlia d'un nobile ricco e potente. Io ne ho quasi quaranta e non sono che un marinaio. Il figlio d'uno schiavo morto sgozzato. E che i cani randagi non si accoppiano con i levrieri ve l'ho già detto. Ma se mi volete, se vi accontentate, chiedo al capitano Reymers di reimbarcarvi sull'*Europa*. Vi porto a Livorno e vi sposo.»

11

È straordinario come a questo punto la loro storia sembri una fiaba a lieto fine, come non lasci prevedere né gli affanni e le sventure che perseguiteranno quel matrimonio né la tragedia che ricalcando in maniera raggelante il mancato naufragio nel golfo di Lion lo sbriciolerà vent'anni dopo. Della fiaba a lieto fine contiene addirittura lo schema dei buoni che vincono e dei cattivi che perdono, nonché i tipici segni che annunciano un fausto futuro. Il primo perché, accecato dalla passione per i cavalli e le scommesse, Francesco Maria dilapidò in un batter d'occhio l'eredità e crepò in miseria. I secondi perché domenica 10 agosto, quando l'*Europa* giunse a Livorno, le nuvole nere che per due settimane avevano abbuiato il Tirreno si dileguaron di colpo. Il sole riapparve e il cielo divenne più terso d'un vetro pulito. Ce lo dice il cronista

234

Pietro Bernardo Prato che dal 1764 al 1813 redasse con la sua penna d'oca un rozzo ma accurato diario del porto e della città, e che a pagina 68 del Cinquantanovesimo Tomo comunica l'arrivo della nave danese elencandone le varie tappe da Gibilterra in poi e citando il capitano Johan Daniel Reymers. La voce appassionata e pietosa chiamava questa fase «la breve parentesi di felicità», ed è con un sorriso finalmente divertito che posso guardarli mentre sbarcano in quel sole. Lui, ubriaco d'amore e fiero d'esser visto con la gran signora cui la gente lancia occhiate di ammirazione. «Che regina! Che dea! O dove l'avrà trovata il sor Launaro?!?» Lei pazza di gioia per il possesso dell'uomo che vale mille duchi e marchesi, e stordita dal baccanale di vita con cui la nuova patria l'accoglie. Tutto le sembra una promessa di bene, tutto. Il puzzo di pesce e di marcio che si leva dal putridume della darsena, il fracasso che assorda, i facchini che imprecano, le prostitute che adescano, la babilonia di lingue che non ha mai udito. Arabo, greco, armeno, copto, russo, yiddish. Il guazzabuglio di indumenti che non ha mai immaginato. Barracani, caffettani, burnus, turbanti, fez, pantofole con la punta arricciolata e completata da una buffa nappa. E, anche fuori del porto, una baraonda così allegra che in confronto Barcellona appare l'anticamera d'un cimitero. La stessa Genova, un posto tranquillo. Carrozze, portantine, lettighe, landò. Buoi che trascinano barrocci colmi di mercanzia, asini che ai lati del basto portano barili d'acqua da vendere un soldo al bicchiere, negozi con ogni bendiddio. Senza contare i bei canali che conducono il mare sotto casa, i bei navicelli, i ponti graziosi, e i muri tappezzati da manifesti che danno una notizia incredibile: il prossimo volo di una mongolfiera il cui pallone misura ottanta braccia. «Nobilissimi signori, il fortunato innalzamento della Macchina Aerostatica fuggita dalle mani degli immortali Montgolfier ha richiamato le più colte nazioni a confermare con lo studio e le applicate esperienze l'utilità della scoperta. Gli esperimenti d'un piccolo globo eseguiti a Firenze hanno risvegliato in zelanti soggetti il desiderio d'una grande macchina capace di elevar tre persone, e non già per appagare la curiosità degli astanti bensì per effettuare esatte e filosofiche osservazioni consigliate dal celebre americano filosofo Benjamin Franklin il quale affida alla suddetta scoperta le sue note ricerche. A tal scopo viene prescelto il macchinista Carmine Fedele...» Meraviglia delle meraviglie! Quattro anni fa i tentativi d'un certo Giuseppe Batacchi, di mestiere chirurgo ma di vocazione aeronauta, sono falliti. La prima volta il pallone non s'è alzato, la seconda s'è alzato solo per ricadere su un tetto, la terza per finire dentro una fogna, e il governatore Barbolani di Montauto ha proibito ciò che definisce un gioco da fanciulli: pericolosissimo-a-causa-del-fòco-che-il-pallone-portaseco. Ma ora che la prova di Firenze è riuscita, il divieto è revocato. L'audace impresa dovrebbe ripetersi il 31 agosto, per facilitarla gli organizzatori invitano la cittadinanza a concorrere con generose offerte di denaro, e Carmine Fedele è un vecchio amico. «Forse per una cinquantina di scudi accetterà di prenderci, e il volo in mongolfiera sarà il nostro viaggio di nozze» dice Francesco sistemandola alla Locanda dell'Aquila Nera.

* * *

La sistemò alla Locanda dell'Aquila Nera, stavolta: un albergo che durante l'occupazione napoleonica sarebbe divenuto l'Hotel de l'Aigle Noir, assai costoso però vicino a quello nel quale teneva la camera fissa. E lo fece chiarendo che stavolta l'avrebbe pagato di tasca sua: «D'ora innanzi a voi ci penso io, e non parlatemi di dote perché le vostre quattromila lluras io non le voglio. Non le vorrò mai e non le toccherei neanche se morissi di fame». L'indomani tornò a bordo, ritirò la paga, informò un esterrefatto capitano Reymers che non ripartiva con l'*Europa* perché sposava la passeggera spagnola, e privo di rimpianti abbandonò la nave su cui aveva trascorso il periodo meno travagliato della sua travagliatissima vita. Insieme alla nave, le comode rotte nei mari del Nord e le amanti di Amburgo, Rotterdam, Copenaghen, Le Havre, Brest. (Poverine, lo aspettano ancora). Poi andò dal parroco della Chiesa di Sant'Antonio: la medesima dove nel 1774 s'era Dio sa come confessato nonché comunicato per imbarcarsi sull'*Austria,* e l'unica dove avesse mai messo piede. Gli mostrò la lettera di garanzia con cui María Isabel Felipa dichiarava che Montserrat era nubile e non fidanzata, le testimonianze scritte da cui risultava che lui era ugualmente libero, si procurò gli altri fogli necessari a sposarsi, e le due settimane seguenti le impiegò in una triplice fatica: preparare il matrimonio che voleva suntuoso, convincere Carmine Fedele a prenderlo con la moglie sulla mongolfiera, e comprare una casa che fosse degna della figlia d'un duca. Problema grosso, il terzo. Nel 1788 Livorno contava quarantaquattromila abitanti, l'affluenza degli stranieri disposti a pagare qualsiasi cifra per un buon alloggio aveva moltiplicato il prezzo degli immobili, e l'acquisto rischiava di mangiarsi tutto o quasi tutto il denaro che teneva in banca: i risparmi accumulati grazie alle sue fatiche di nostromo. Ma la cosa non lo impaurì e dopo molte ricerche comprò una palazzina a due piani, tre stanze per piano, sul canale che scorreva lungo gli Scali del Monte Pio: nel quartiere di Nuova Venezia e a pochi passi da via Borra. La zona dei ricchi. La comprò da un mercante inglese che nel sottostrada dell'edificio cioè al livello del canale possedeva anche un magazzino, e la scelse perché gli parve che corrispondesse alla descrizione della villetta in Carrer del Bonaire. Sebbene non avesse un patio era infatti già arredata, e con una certa eleganza. Nella camera principale c'era una bella alcova coi tendaggi di pizzo e nel soggiorno un lampadario le cui candele illuminavano tre grandi specchi più due canapè di velluto che a suo giudizio evocavano addirittura i fasti di Palazzo Grimaldi. Il guaio è che il mercante inglese non trattava né a rate né facendo sconti agli innamorati. L'acquisto si mangiò davvero quasi tutto il denaro in banca e il poco che rimase finì nelle altre spese: il conto dell'albergo, l'ingaggio d'una sguattera chiamata Alfonsa e d'una domestica chiamata Ester, e l'offerta dei cinquanta scudi che Carmine Fedele accettò senza garantire l'imbarco. La paga appena ritirata se ne andò invece nell'addobbo della chiesa, nel pranzo di nozze, nell'abito suo e di Montserrat. E in ciò che gli costò chiamare da Firenze il famoso parrucchiere Gasparo Filistrucchi, affidare a lui il compito di pettinarla secondo una moda del tempo. Cioè con un'acconciatura sormontata da un veliero di cartapesta. (Sì, lo stesso che fino alla terribile notte del 1944 mia madre custodiva nella cassapanca di Caterina: chiuso dentro lo scatolone sul cui coperchio spiccava il minaccioso «Non Toccare»).

Oh, il veliero di cartapesta! Mi ha sempre sedotto a tal punto quel veliero di cartapesta che quando presi a riflettere sul passato della mia esistenza, chiedermi chi e che cosa avesse plasmato il mosaico di persone che da un lontano giorno d'estate costituiva il mio Io, incominciai proprio di lì le ricerche su Francesco e su Montserrat. Possibile che la mia arcavola se lo fosse messo come un cappello, pensavo, possibile che una simile moda imperasse? Frugai tanto per accertarmene. Frugai finché scoprii che nel 1785 Maria Antonietta aveva dato a Versailles un gran ballo in onore di Jean-François Lapérouse, appena incaricato da Luigi XVI di esplorare le coste americane ed asiatiche del Pacifico settentrionale, e che in quell'occasione s'era presentata con uno strano ornamento sul capo: il modellino, quarantatré centimetri di lunghezza per sedici di larghezza e trentadue d'altezza, della *Belle Poule*. La fregata con cui Lapérouse era stato per anni a servizio del re. L'acconciatura aveva avuto enorme successo, col nome di «Coiffure Belle Poule» o «Coiffure Marie Antoinette» aveva invaso ogni salotto d'Europa, e a Firenze il Filistrucchi la eseguiva così bene che lo chiamavano anche a Venezia: città dove esistevano più di ottocentocinquanta parrucchieri da signora. La Belle Poule o Marie Antoinette era infatti difficilissima. Lo era in quanto non si poteva farla con una parrucca: date le dimensioni e il peso del modellino, la parrucca cadeva o finiva a sghimbescio. Perché il tutto tenesse ci volevano i capelli veri mischiati a posticci di mezzo metro, e questo richiedeva una bravura fuori del comune. Lo si capisce dalle istruzioni contenute nei testi dell'epoca. «Dividere i capelli con una riga che girando intorno alla sommità della nuca vada da tempia a tempia, lasciar penzolare le ciocche frontali e laterali e posteriori, creare sul davanti una seconda riga perpendicolare alla prima e di tre centimetri circa. Intrecciare i capelli del cocuzzolo, costruire con essi una base e appuntarvi il sostegno di ferro detto castelletto. Unire le ciocche posteriori ai posticci, avvolgerle intorno al castelletto, piazzarvi il veliero. Prendere la metà delle ciocche laterali e portarle a prua con un'ampia voluta, a poppa con una voluta stretta. Inanellare orizzontalmente l'altra metà, tre boccoli a destra e tre boccoli a sinistra, con questi mascherare la chiglia...» Poi bisognava tirar su le ciocche frontali, arricciolarle a spuma e incipriare, laccare, rinforzare la stabilità dell'insieme con nastri di seta e fili di perle, infine drappeggiare veli azzurri o verdolini in modo che imitassero le ondate: dieci ore di lavoro a dir poco. E, concluso il lavoro, incominciava il martirio della poveretta che portava in testa quel marchingegno. Guai a voltarti di scatto, guai a chinarti, guai a stenderti, guai a non camminare con estrema lentezza, a non tenerti intirizzita e più dritta d'un palo. Non per nulla il Filistrucchi lasciò Firenze tre giorni prima del matrimonio, viaggiando a cavallo giunse a Livorno la sera prima della vigilia, l'indomani lavorò dalle sei del mattino alle sei del pomeriggio, e la notte Montserrat non andò a dormire. «Si mise su una poltrona e su quella restò fino all'alba. Senza mai muovere il capo, senza mai appoggiarlo» narrava la voce appassionata e pietosa. Però non spiegava i motivi che avevano indotto un uomo serio come Francesco a imporle un tale sacrificio. L'ansia di provarle che per lui era davvero una regina, la sua Maria Antonietta? Il desiderio di evocare la nave sulla quale s'erano conosciuti? Forse. Il veliero che stava nella cassapanca di Caterina era un tre alberi simile all'*Europa*, e sul pennone di maestra aveva due bandierine. Quella della Catalogna, quattro strisce rosse in campo giallo, e quella del Granducato di Toscana. Due fasce rosse in campo bianco con lo stemma dei Lorena e le palle dei Medici.

Si sposarono sabato 30 agosto, e nella Chiesa di Sant'Antonio addobbata con trecento candidi gigli c'eran tutte le conoscenze che il sor Launaro aveva nel porto e in città. Marinai, scaricatori, prostitute, pesciaioli, mendicanti, fiaccherai, ex galeotti, e due schiavi convertiti. Di conseguenza il pubblico non era molto elegante. Lui invece sì: giacca attillata e pantaloni al ginocchio di raso viola, calze rosa, camicia adorna d'un mastodontico jabot, panciotto lilla da cui ciondolava un orologio d'oro e un parrucchino che nascondeva i capelli ancora neri come le penne d'un corvo. Infatti un pesciaiolo disse: «Pare un cicisbeo. Quella donna lo rovinerà». Quanto a Montserrat, nonostante la notte insonne toglieva il fiato più di sempre. Neanche il veliero di cartapesta riusciva ad imbruttirla, neanche le due bandierine sul pennone di maestra riuscivano a ridicolizzarla. La lentezza e la rigidezza con cui l'acconciatura la costringeva a camminare aumentava la sua regalità, e l'abito che col Filistrucchi aveva tanto contribuito a vuotare le tasche dello sposo raddoppiava la sua leggiadria. (Una robe à l'anglaise di gros verde-acqua, ricamata in canutiglia d'oro e d'argento, col corpetto scollato fino a metà seno, le maniche strette che al gomito si allargavano in pregevoli volants di trina Valencienne, la gonna molto gonfia sui fianchi e il dorso drammatizzato da un panneggio che si concludeva in uno strascico lungo settanta centimetri, ho sempre sentito raccontare). La cerimonia nuziale fu degna della strabiliante toilette. Oltre all'addobbo coi candidi gigli Francesco aveva voluto una Messa cantata, ma-cantata-bene-perché-di-musica-la-mia-futura-moglie-se-ne-intende-e-non-bisogna-far-figuracce, così il parroco aveva scelto il meglio del meglio. All'organo c'era il giovane Filippo Gragnani, figlio del liutaio livornese Antonio Gragnani e musicista assai promettente, il coro era composto di trenta giovinetti nonché d'un bravissimo castrato, e i brani includevano molte arie di Bach. Ad ascoltarle perfino il pesciaiolo che aveva detto «quella donna lo rovinerà» pianse di commozione. Ugualmente suntuoso, il banchetto che a base di cacciucco e champagne dell'abbazia di Hautvillers si svolse alla Locanda dell'Aquila Nera con un gruppo di invitati ben selezionati onde evitar imbarazzi. Fra costoro v'era il console spagnolo De Silva, il mercante inglese, un nipote del libraio Coltellini, e al brindisi qualcuno declamò una poesia di cui conosco i primi versi perché mia madre li cantava spesso su motivo d'uno stornello toscano: «Coppia felice / che il dolce amore unì / con salde e indissolubili catene / Pura come la luce, lei / vergine bella / forte come una roccia lui / eroe del mare / Giorno di gioia è questo / e di piacer». L'unica cosa che andò male fu il progettato viaggio di nozze sulla mongolfiera. Domenica 31 agosto, infatti, i neosposi si prepararono invano a volare con Carmine Fedele. Altrettanto invano i livornesi gremirono le strade, le finestre, i tetti, i bastioni, la piazza d'Arme da cui la Macchina Aerostatica cara al celebre-americano-filosofo Benjamin Franklin doveva levarsi con tre persone a bordo. Il governatore Barbolani di Montauto aveva posto un mucchio di restrizioni, in seguito a ciò le offerte dei cittadini non erano state generose, e all'ultimo momento l'audace impresa venne annullata. Francesco ci rimise anche i cinquanta scudi. Tuttavia l'alcova coi tendaggi di pizzo lo aiutò a non crucciarsene troppo, e alla piccola amarezza seguì un'estatica luna di miele che lasciando Montserrat incinta durò un mese intero. Cioè fino al giorno in cui Francesco s'accorse d'aver compiuto quel che a Panzano si chiamava il passo più lungo della gamba, e non avere più un soldo.

<h2 style="text-align:center">12</h2>

Scoperta disperante, la scoperta di non avere più un soldo. Il tenore di vita che Francesco aveva stabilito nella palazzina sugli Scali del Monte Pio esigeva guadagni considerevoli, e per non ricorrere alla dote della moglie (le-vostre-quattromila-lluras-io-non-le-voglio, non-le-vorrò-mai, non-le-toccherei-neanche-se-morissi-di-fame) ci voleva ben altro che un ingaggio qualsiasi. La prima cosa che fece, dunque, fu impegnare di nascosto l'orologio d'oro nonché il bastone col pomo d'avorio e il completo di raso viola. La seconda, chiedere un prestito alla banca presso la quale aveva tenuto per anni il conto ora dissolto. La terza, cercarsi l'ingaggio su una nave che gli fornisse i guadagni considerevoli. E le sole navi che rientravano in questa categoria erano quelle che compravano gli schiavi lungo le coste africane per portarli in America dove i proprietari delle piantagioni li pagavano a peso d'oro. Insomma le navi negriere.

Durava da almeno un secolo il via-vai delle navi negriere: nell'Atlantico il traffico degli schiavi neri non aveva nulla da invidiare al commercio degli schiavi bianchi che funestava il Mediterraneo. Semmai era peggiore perché non includeva riscatti e baratti, interventi dei Trinitari e rappresaglie delle navi corsare, e perché a tenerlo vivo non erano i pirati barbareschi: erano gli stessi africani. I re delle varie tribù, i ministri, i capoclan. A volte, gli stessi familiari: i genitori e i fratelli delle creature vendute. I familiari, per alleviare la povertà e fronteggiare le carestie. I re delle varie tribù, i ministri, i capoclan, per arricchirsi. Tant'è vero che le loro guerre avevano lo scopo esclusivo di catturar prigionieri cioè schiavi da vendere, e negli intervalli di pace i loro soldati si procuravan le vittime rubandole nei villaggi indifesi o cacciandole con le reti e le trappole nelle foreste. (Tutte cose che oggi vengono spesso dimenticate). Era peggiore, quel traffico, anche perché era più prospero del commercio su cui la Barberia fioriva grazie agli schiavi bianchi: verso la fine del millesettecento il solo Gambia esportava in America tremila schiavi all'anno. Il solo Senegal, circa quattromila. La Costa d'Oro e la Costa d'Avorio, seimila a testa. E durante le guerre o le carestie, il doppio. Ben per questo si calcola che la Costa d'Oro e la Costa d'Avorio ne attingessero un utile superiore agli introiti che la Toscana ricavava dall'olio e dal vino, la Svezia dal baccalà, la Norvegia dallo stoccafisso, e l'India dalle spezie. Naturalmente il profitto variava a seconda del sesso, dell'età, della salute, della richiesta. Però sui vari tipi di «merce» esistevano prezzi piuttosto costanti. Un «pezzo d'India» cioè un giovane ben fatto e sano valeva quasi sempre quarantacinque pezze di stoffa. (Seta di Nîmes o cotone di Rouen). Una coppia con gli stessi attributi e l'aspetto prolifico, due pezzi d'India più venti rotoli di tabacco. Quattro ragazzine non deflorate, quanto mezzo pezzo d'India più otto barili di acquavite. Un uomo o una donna sulla trentina ma senza malattie e denti guasti, press'a poco lo stesso. Che altro? Bè, le formalità della vendita erano identiche a quelle che si subivano in Barberia: per esaltare la «merce» i fornitori li rasavano, li ungevano, li presentavano ignudi, e invitavano l'acquirente a palpargli i muscoli o guardargli in bocca o esaminargli i vari orifizi. L'imbarco e il trasporto, no: erano particolarmente infami. Legati due a due con un legno che imprigionava il collo di entrambi, quindi più scomodo del collare di ferro che gli algerini avevano messo al mio arcinonno Daniello, li buttavano nell'interponte o nella stiva e qui li tenevano spalla a spalla: compressi come sardine in salamoia. Se poi cercavan di uccidersi o di ribellarsi, gli sparavano addosso con cannoncini armati a sale e ceci e lenticchie. Se rifiutavano di mangiare, li ingozzavano con lo *speculum oris*: una specie di imbuto che si vendeva nei porti di Londra, Bristol, Liverpool. Ed eccoci ai marinai che volenti o nolenti finivano sulle navi negriere.

Partivano quasi tutte da Londra o da Bristol o da Liverpool, le navi negriere. Se cercavi l'ingaggio, dovevi andar lì. Se non lo cercavi, invece, facevi bene a starne lontano. I marinai ci venivano spesso imbarcati con la frode o con la forza, specialmente gli ubriaconi avevano molte probabilità di svegliarsi a bordo senza sapere in che modo ci fossero capitati, e da quell'istante c'era di che maledire la disgrazia d'essere al mondo. Capitani brutali e crudeli che alle consuete frustate, le consuete torture, i consueti giri di chiglia, aggiungevano uno scudiscio a nove punte chiamato «gatto a nove code» e che sulle piaghe inferte ci mettevano il pepe. Cibo più schifoso di quello che si ingurgitava sui mercantili normali, pochissima acqua da bere, niente amache per dormire. Malattie moltiplicate dal clima torrido e umido: febbre gialla, dissenteria, oftalmia purulenta, vaiolo, mortalità a iosa. Interminabili scali dinanzi alle coste africane, soste di due o tre mesi per aspettar che la «merce» non ancora catturata arrivasse e che i fornitori gliela portassero con le piroghe. (Guai a scendere un giorno a terra. In molti villaggi c'era il cannibalismo e rischiavi di ritrovarti in un pentolone o allo spiedo). Logoranti sorveglianze all'imbocco dell'interponte o della stiva, disgustosi controlli del carnaio da cui si levava un puzzo nauseabondo di vomito e di sterco. A parte il gatto a nove code, tutti orrori che il nostromo subiva quanto la ciurma anzi il doppio. Sulle navi negriere, infatti, il nostromo non era il personaggio speciale che abbiamo visto finora. Non mangiava lo stesso cibo del comandante, non disponeva d'una cabina, non godeva i privilegi del suo status. Viveva con la ciurma, come la ciurma. Però gestiva la «merce». Era lui che la riceveva, la ispezionava, la palpava, la ammassava spalla a spalla, la puniva con le cannonate di sale e ceci e lenticchie, la nutriva con lo *speculum oris*. E grazie a ciò guadagnava un mucchio di soldi. Oltre alla paga mensile, assai vicina a quella del capitano, la percentuale del due per cento su ogni schiavo rivenduto e la mancia d'un pezzo d'India da smerciare a Norfolk o a Charleston o a Savannah. Cioè nei porti americani dove di solito avveniva la rivendita. Se pensi che su una nave da duecento tonnellate potevi stipare anche quattrocento schiavi, su una da cinquecento anche mille, se calcoli che a Norfolk o a Charleston o a Savannah il prezzo d'uno schiavo non scendeva mai sotto i trenta scudi toscani, ne deduci che su un carico di quattrocento schiavi il nostromo ne intascava duecentoquaranta. Su un carico di mille, ben seicento. Non contando la paga e il pezzo d'India, ripeto. Così, a metà ottobre, Francesco partì. Sebbene Montserrat fosse incinta andò a Liverpool e si cercò l'ingaggio. Sarebbe tornato il settembre dell'anno successivo, quando il primogenito aveva già quattro mesi. Peggio: a bordo delle navi negriere sarebbe rimasto quasi nove anni. Quelli durante i quali nacquero i loro figli. (Cinque maschi e fuorché l'ultimo tutti bellissimi. Forti, ben costruiti, con gli occhi grigio-azzurri di lei e i capelli neri di lui o con gli occhi neri di lui e i capelli biondi di lei, nonché simpatici e intelligenti). «Partiva lasciandola incinta, restava via un anno o due, tornava coi soldi, trovava il bambino nato, si tratteneva due o tre settimane e ripartiva lasciandola incinta di nuovo» diceva con biasimo la voce appassionata e pietosa.

Un biasimo che non condivido. In quei nove anni ho sempre visto un atto d'amore sconfinato, la prova che per amore si può davvero fare di tutto. Anche tradire sé stessi. Ragioniamoci su: per un uomo che era figlio d'uno schiavo, che a causa della schiavitù era andato in guerra, s'era avvelenato l'esistenza, non dev'esser stato facile passar nove anni a caricare e scaricare e seviziare creature che sembravano la copia carbone di suo padre. Infatti non lo disse mai a nessuno che si guadagnava il pane con le navi negriere. Montserrat non lo seppe mai che per mantenerla come una signora si degradava con un lavoro ignominioso. La verità venne a galla molto tempo dopo l'immane tragedia e la morte di lei, quando ormai vedovo e senza più famiglia la confessò all'unico figlio che gli fosse rimasto, e confessandola rivelò lo strazio che gli era costato tradire sé stesso. «Io il pezzo d'India non lo rivendevo, no. Appena in porto gli regalavo la libertà più qualche soldo per comprarsi i vestiti e mangiare. Io lo *speculum oris* non lo adopravo, no. Se uno rifiutava il cibo, lo ingozzavo con le mani. E di sale, nel cannoncino, ce ne mettevo poco. Di ceci e di lenticchie pure. Porca miseria! Ogni volta mi pareva di sparare al mi' babbo, di seviziare il mi' babbo. E mi vergognavo tanto. Perché seguitavo, allora, perché rimanevo sulle fottutissime navi? Perché non c'era nulla che non potessi fare per tua madre, ragazzo. Nulla. L'amavo troppo.»

Oh, sì: anziché scandalizzarmi, quel Francesco mi commuove.

* * *

Però mi commuove anche la Montserrat per cui egli si degradava col lavoro ignominioso: la giovane moglie che in quei nove anni lo ebbe al suo fianco due o tre settimane all'anno e basta, per un totale di cinque o sei mesi e basta, e questo mentre il suo bel corpo si gonfiava, si sgonfiava, si rigonfiava, si risgonfiava. Un figlio in braccio ed uno nel ventre, un altro figlio in braccio ed un altro figlio nel ventre. Lo dimostra l'elenco del quale mi piace esclusivamente il bizzarro succedersi delle stagioni e l'ancor più bizzarra scelta dei nomi che si concludono sempre in *ele*. Il primogenito, Raffaele, nacque nella primavera del 1789. Il secondogenito, Gabriele, nell'autunno del 1790. Il terzogenito, Emanuele, nell'inverno del 1792. Il quartogenito, Daniele, nella primavera del 1794. E il quintogenito, Michele, di nuovo in estate: il 29 giugno del 1796.

Mi commuove perché la maternità divenne lo scopo della sua vita, il riscatto d'ogni sua disgrazia, il mestiere attraverso il quale espresse la sua vera natura: la sua indole di donna che fino a quel momento era parsa priva di qualsiasi talento e che invece un talento ce l'aveva. Quello di allevare figli, curarli, educarli, adorarli. Dalla minchiona incapace di togliere un ragno dal buco emerse infatti una mamma eccezionale, così ammirevole che per i suoi pronipoti tale virtù sarebbe diventata leggenda e se voleva elogiarsi mia madre diceva: «Io sono una mamma come Montserrat». Se voleva criticarsi diceva: «Non sono una mamma come Montserrat». E poi mi commuove per la solitudine nella quale visse le interminabili assenze del marito, l'eterna attesa del suo ritorno. Durante la luna di miele, la breve parentesi di felicità, non c'era stato tempo di coltivare amicizie. Inoltre la sua timidezza non favoriva i contatti con la gente e le persone conosciute al pranzo di nozze si contavano sulle dita d'una mano: il console De Silva che era troppo importante per frequentarla, il nipote del libraio Coltellini che era troppo occupato per cercarla, il musicista Filippo Gragnani che s'era trasferito a Parigi, il mercante inglese che aveva venduto la palazzina e che agli Scali del Monte Pio ci veniva ogni tanto per dare un'occhiata al magazzino sottostrada. Eccetto Ester ed Alfonsa, le due domestiche che la aiutavano a partorire, non aveva dunque nessuno a cui rivolgersi. Nel soggiorno col lampadario e i tre specchi e i canapè di velluto non ci entrava mai un cane, e bambini a parte le sue giornate assomigliavano molto a quelle di María Isabel Felipa: non usciva che per fare la spesa o andare alla Messa. Tutt'al più, per recarsi al santuario di Montenero ed offrire un ex voto alla Madonna patrona dei marinai. Interrotti i rapporti epistolari con don Julian, simbolo d'un passato da dimenticare, in quegli anni non seppe nemmeno che Gerolamo era morto e che il cugino aveva dilapidato il patrimonio. A volte mi chiedo addirittura se seppe che Maria Antonietta era finita sulla ghigliottina e Robespierre lo stesso: l'unico interesse parallelo al suo impegno materno era il liuto che continuava a suonare con molta maestria e di ciò che accadeva nel mondo non gliene importava nulla. Di ciò che accadeva a Livorno, idem. Nel luglio del 1789, ad esempio, arrivarono undici fregate spagnole al comando del viceammiraglio Texada. Dalla Fortezza Vecchia il loro attracco venne salutato con centotré colpi di cannone cui Texada rispose con altri centosei, e a questo seguì una memorabile festa. Per assistere all'imponente parata che si celebrò sulla piazza d'Arme e partecipare al veglione che si svolse al Teatro degli Avvalorati, giunse anche Pietro Leopoldo con la granduchessa e l'amante. Ma dubito che Montserrat fosse tra la folla che gremiva le strade. Oltretutto Raffaele era appena nato. Nel maggio del 1790 ci fu un tumulto popolare per l'arbitraria chiusura di tre chiese, quella di Santa Giulia, quella di Sant'Anna, quella della Purificazione, e poi la vendita ai negozianti ebrei degli arredi in oro e argento. Coinvolgendo centinaia di donne, il tumulto durò per giorni. Le ribelli riaprirono le chiese, invasero le botteghe dei negozianti ebrei, si ripresero i sacri arredi, li rimisero sugli altari, e perfino Ester era fra loro. Ma dubito che ci fosse Montserrat. Oltretutto era incinta di Gabriele.

Infine mi commuove perché quando la vedo intenta a partorire, allattare, cullare, imboccare, aspettare aspettare aspettare, sento in lei una gran paura. La paura che un bambino si ammali. La paura che la nuova gravidanza si concluda con un aborto. La paura che nella casa non protetta da un uomo qualcuno la aggredisca. La paura che Francesco la dimentichi o muoia in un naufragio, non torni... D'una nave in viaggio, a quel tempo, non avevi mica notizie. E tantomeno conoscevi la data del ritorno, sempre condizionato dalle tempeste e dai vari disastri o imprevisti. Un bel giorno si udiva un bercio, il-talbastimento-sta-rientrando, il-tal-bastimento-è-rientrato, il porto si riempiva di poveracce che chiamavano a squarciagola il figlio o il marito o il padre magari morto o catturato dai barbareschi, e amen. Per essere informati d'un naufragio, poi, bisognava spesso attendere anni. Che François Lapérouse non avesse mai completato l'esplorazione delle coste americane e asiatiche del Pacifico settentrionale perché nel 1788 era naufragato contro gli scogli dell'isola di Vanikoro e qui era stato mangiato dagli

249

indigeni con l'intero equipaggio si scoprì ad esempio nel 1827: trentanove anni dopo. Quanto alla posta, non funzionava meglio di oggi. Per ricevere una lettera da Liverpool ci volevano un paio di mesi. Per riceverla dall'America, almeno tre o quattro. E dalle coste africane non arrivava nemmeno il vento. Comunque ciò che mi impressiona di più, in questa Montserrat, è il dramma che la travolse nel giugno del 1796 cioè quando Napoleone invase la sua nuova patria.

13

Nel 1796 i programmi militari e strategici di Napoleone, allora comandante supremo delle Armate francesi in Italia, includevano due punti: la riconquista della Corsica, l'inquieta isola che ventotto anni prima la Repubblica di Genova aveva ceduto alla Francia ma che dal 1793 cercava l'indipendenza attraverso l'aiuto degli inglesi, e il presidio di Livorno. Il secondo perché, oltre ad assicurargli il trasporto del grano in Provenza, il porto gli serviva a controllare il Tirreno dove il suo acerrimo nemico Orazio Nelson spadroneggiava e dove il re di Napoli favoriva l'Inghilterra al punto di tenersi un primo ministro inglese: l'ormai famoso John Acton. E il nuovo granduca di Toscana, Ferdinando III cioè il figlio di Pietro Leopoldo, lo sapeva bene. Non meno bene sapeva che Livorno era una città anglofila, che amava il suo nome inglese Leghorn, che la maggior parte delle sue ditte di importazione-esportazione erano inglesi, metà dei bastimenti all'ormeggio e delle belle ville sul lungomare lo stesso, e che a parte un gruppo di intellettuali sedotti dalle idee giacobine i suoi abitanti detestavano a morte i francesi. Li chiamavano mozzateste, cacaboria, sciupafemmine, nei processi si rifiutavano di testimoniare a loro favore, nelle bettole ci attaccavano rissa, in darsena gli impedivano a volte di attraccare. Sapendolo, ed essendo un uomo assai pavido, non dimenticava mai di esprimere alla Francia la sua amicizia e faceva di tutto per mantenere la neutralità. In febbraio aveva addirittura respinto la richiesta, avanzata da suo fratello l'imperatore d'Austria, di installare alla Fortezza Vecchia una guarnigione scelta da John Acton e composta di napoletani. In marzo, però, era scivolato su una buccia di banana. Aveva nominato governatore di Livorno il marchese Spannocchi, noto per la sua antipatia verso i francesi, e segretario di stato il conte Serratti: certo il miglior amico che Londra avesse a Firenze. Non solo: in maggio aveva consentito a lord Nelson di ancorare nella rada quarantun navi da guerra più l'ammiraglia *Agamemnon* forte di cinquecento uomini e sessantaquattro cannoni. Sicché il 23 giugno era giunta a Palazzo Pitti una lettera con cui Napoleone informava Ferdinando III d'averne abbastanza. «Altezza Serenissima! Onde far rispettare l'onore della bandiera francese, entro quattro giorni le mie truppe entreranno a Livorno.»

Quel che accadde in quei quattro giorni ce lo dice il diario di Pietro Bernardo Prato nelle pagine che trascrivo in parte e purgandole dei vocaboli più incomprensibili. Venerdì 24 giugno: «Alle ore sette di stamani s'è ufficialmente inteso che una colonna di truppe francesi pervenute dalla strada di Modena è entrata in Toscana e s'è acquartierata a Pistoia. Una tal nuova ha posto in grandissimo allarme la nazione inglese qui dimorante e tosto essa ha principiato a darsi sollecito moto per imballare i suoi effetti personali e caricarli sulle imbarcazioni pronte a far vela. Il timore e l'allarme s'è profuso anco nel popolo livornese e specialmente tra le donne che ora trovonsi in stato di estrema agitazione...». Sabato 25 giugno: «Cresce nella nazione inglese qui dimorante il sollecito moto per allestir la partenza, e alle 3 di sera è stata affissa ne' soliti luoghi la seguente notifica: "Cittadini! Avendo presentito che in città e in porto v'è allarme e rumore a causa di false o equivoche novelle sulle truppe francesi acquartierate a Pistoia e destinate a Livorno, l'illustrissimo signor marchese Gaetano Spannocchi nostro Governatore ci fa sapere d'aver appreso ne' giorni decorsi da Sua Altezza Serenissima che nonostante l'avvicinamento di dette truppe la neutralità della Toscana sarà rispettata..."». Domenica 26 giugno: «Quantunque festa che i protestanti inglesi osservano come i cattolici, anco oggi domenica s'è visto un considerevole trasporto di effetti personali e mercanzie e mobili sui bastimenti a scopo di sottrarli al pericolo della venuta francese in questa nostra città che la nazione inglese considerava sua nello spirito. Al tramontar del sole tutti i componenti di tal nazione si son resi a bordo col poco che hanno potuto prendere data la ristrettezza del tempo, e i primi bastimenti veleggian ora alla volta della Corsica dove cercheranno rifugio...». Lunedì 27 giugno: «Alle ore una di sera è arrivata in questa città la cavalleria francese. Intesosi che essa sostava presso Porta a Pisa, il popolo livornese ha serrato ogni bottega e ogni uscio delle case. In via Grande non è rimasta aperta neanche l'Asta Pubblica, e lo scompiglio è totale. Composte da mezze compagnie di soldati e comandate da un tenente, le pattuglie a piedi o sui carri si sono poscia sparse per molti quartieri e in numero di trecento hanno attraversato la via Grande per bivaccare nella piazza d'Arme. In numero di centocinquanta e senza punto fermarsi un distaccamento di cavalleggeri ha percorso la suddetta via per dirigersi al porto dove s'è impossessato della Fortezza Vecchia e dove alle 5 e tre quarti ha principiato a far guerra contro le ultime navi inglesi che lasciavano la nostra piaggia. Verso le 7 e mezza di sera sono arrivati anco trenta dragoni con Napoleone Buonaparte, supremo comandante delle Armate francesi in Italia. Insieme alle sue uffizialità e guardie il generale s'è fermato nello spiazzo di Porta a Pisa dove ha convocato immantinente il Signor Governatore e Marchese Spannocchi...».

Ciò che accadde da quel momento in poi ce lo raccontano invece le *Memorie Patrie* di Giovan Battista Santoni, e quelle meno patrie di Marcelin Pellet, console di Francia a Livorno. I centocinquanta cavalleggeri diretti al porto erano guidati da Gioacchino Murat e avevano il compito di bloccare le navi inglesi ancora nella rada. In particolare, la nave che portava il denaro ritirato dalle banche e duecentoquaranta bovi da macello coi quali la truppa avrebbe mangiato per settimane. Ma prima che Murat raggiungesse il molo tutte presero il largo. Invano cannoneggiate dalle batterie della Fortezza Vecchia e ben protette dalle fregate di Nelson che rispondevano al fuoco si allontanarono, e chi ci rimise le penne fu il fiero Spannocchi. Anziché in alta uniforme seguito dalla scorta delle grandi occasioni, si presentò infatti in borghese e accompagnato da un semplice segretario. Col cappello in mano ma appoggiandosi con noncuranza al suo bastoncino chiese a Napoleone perché fosse venuto, perché lo avesse convocato, e Napoleone perse la testa. Già pazzo di rabbia con Murat che s'era lasciato scappare la nave coi soldi e i duecentoquaranta bovi, urlò che era venuto a proteggere il popolo di Livorno anzi a liberarlo dalla schiavitù impostagli da un governatore imbecille. Minacciando di prenderlo a schiaffi aggiunse d'averlo convocato per dirgli che oltre ad essere un imbecille era un furfante da ghigliottina, un coquin, e quando Spannocchi gli rispose «Io sono un uomo d'onore e il furfante da ghigliottina è lei» lo arrestò. In stato d'arresto lo mise nelle grinfie d'un fanatico giacobino, il negoziante Mario Perù, che lo coprì di botte. Subito dopo cacciò il vescovo di Pisa che con cupa viltà era corso a porgergli i suoi omaggi. «Ditegli di tornare domani e di mettersi in fila

253

con gli altri.» Nominò governatore il generale de Lavillette, si installò nel palazzo del granduca, si lavò, si cambiò, andò a teatro, fece una scenata perché il pubblico non lo applaudiva, tornò tutto inviperito a palazzo. Firmando editti, ordinando sequestri furti saccheggi, insomma gettando le basi dell'occupazione, vi rimase fino alla sera di mercoledì 29 giugno. Cioè finché lasciò Livorno per recarsi a San Miniato al Tedesco e passar qualche ora con uno zio canonico, don Filippo Bonaparte, che grazie a tanto nipote sperava di veder beatificare un certo antenato di nome Bonaventura. Di lì raggiunse Firenze dove come sappiamo Ferdinando III lo ospitò in Borgo Pinti, gli mostrò le gallerie d'arte che tre anni più tardi avrebbe depredato, gli offrì il pranzo suntuoso, ascoltò servilmente il discorso sul privilegio d'avere gli avi toscani. E dove Caterina incinta del mio trisnonno paterno, Donato, si gettò contro la sua carrozza gridando che-statue-sei-venuto-a-rubarci-che-guerre-sei-venuto-a-portarci, uccellacciorapace.

Francesco mancava dal dicembre del 1795 e dopo una tormentosissima sosta dinanzi a un villaggio della Costa d'Avorio era approdato a Charleston, qui stava scaricando settecento schiavi da rivendere ai piantatori di tabacco della Virginia, quando questo avvenne. Raffaele aveva sette anni, Gabriele sei, Emanuele quattro, Daniele due e Montserrat completava il settimo mese di gravidanza. Quella del mio trisnonno materno, Michele.

* * *

Lo completava senza problemi. Le sue gravidanze erano sempre eccellenti, la rendevano addirittura più bella, grazie al vigore dei suoi ventisei anni sopportava la quinta con particolare naturalezza e in una bovina placidità aspettava il nuovo bambino. Sia chiaro: stavolta lo sapeva ciò che stava accadendo. Per quattro giorni aveva guardato i cortei di barrocci e le processioni dei navicelli che colmi di masserizie si dirigevano al porto, le navi protette da lord Nelson e pronte a scappare in Corsica. Sabato sera, inoltre, il mercante inglese che teneva il magazzino sottostrada se n'era andato con metà della merce. «I take the most I can, prendo il più che posso. Farewell, addio, signora Launaro.» Però l'indomani Ester aveva detto che sui manifesti il governatore Spannocchi parlava di false ed equivoche novelle, anzi informava la cittadinanza d'aver appreso dal granduca che alla Toscana non sarebbe stato torto un capello, e dalle finestre della palazzina piuttosto lontana da Porta a Pisa quel lunedì pomeriggio non si notavano cose preoccupanti. Concluso il fluire dei fuggiaschi, il quartiere sembrava immerso in una quiete densa di buoni auspici. Senza titubanze s'avvolse dunque nello scialle di trina col quale nascondeva il pancione, affidò alle domestiche il suo asilo infantile, uscì a fare la spesa. Senza sospetti o timori si incamminò lungo gli Scali del Monte Pio, girò a sinistra, costeggiò gli Scali del Ponte di Marmo, entrò in via Borra. Senza accorgersi che le strade apparivano troppo deserte raggiunse via Traversa cioè il vicolo che conduceva al mercato degli Scali del Pesce. Intontita dalla bovina placidità non si chiese nemmeno perché ogni casa avesse le persiane serrate, le porte sbarrate, e soltanto quando vide che il mercato degli Scali del Pesce era chiuso si impensierì. Che il governatore si fosse sbagliato a parlare di false ed equivoche novelle? Che tanta quiete fosse dovuta all'arrivo dei francesi? Ma in tal caso bisognava trovare un negozio aperto, procurarsi almeno il pane e il latte per i bambini! E con questa idea, sempre trovando strade deserte e persiane serrate e porte sbarrate, continuò a camminare. Raggiunse via del Corso, girò a destra, attraversò via dei Lavatoi dove le parve di udire un gran brusio che saliva dalla piazza d'Arme, poi via della Doganetta dove le parve di cogliere anche un eco di tamburi, poi via delle Galere dove le parve che l'eco si rinforzasse, percorse via de' Greci dove si incanalava uno strano fracasso che veniva dalla perpendicolare via Grande, un rintronare di passi e di zoccoli, fu in via Grande e, Madre de Deu!, i francesi. Erano arrivati i francesi! A centinaia e centinaia avanzavano coi carri, i muli, i cannoni e suonando i tamburi. Il tratto compreso tra Porta a Pisa e via de' Greci n'era tutto intasato, e a precederli c'erano due squadroni di cavalleggeri che guidati da un bellissimo ufficiale con la giacca adorna di alamari d'oro (Gioacchino Murat) correvano a briglia sciolta in direzione del porto. Correndo travolgevano qualsiasi cosa gli ostruisse il passaggio, cani, gatti, ceste, veicoli abbandonati, e urlavano ai rari passanti di togliersi dai piedi.

«Déblayez le chemin, parbleu, déblayez le chemin!»

Si fermò smarrita. Si schiacciò contro il muro, si portò le mani sul ventre come a proteggerlo. E ora? Che fare, ora? Tornare indietro per le strade già percorse cioè per il tragitto lungo ma privo di francesi oppure proseguire per via Grande, sboccare nella piazza d'Arme ormai vicinissima, lì prendere via del Porticciolo che distava pochi passi dagli Scali del Monte Pio, cioè scegliere il tragitto breve ma infestato di francesi? Meglio il secondo, decise. Tanto era incinta, chi molesta una donna incinta? E senza pensare che lo scialle di trina le nascondeva il pancione, che la soldataglia non va per il sottile, non bada se sei incinta o no, proseguì per via Grande. Sboccò nella piazza d'Arme, puntò verso via del Porticciolo, e stava per entrarci quando un gruppo di soldati che bivaccavano la circondò.

«Regarde ce que nous avons ce soir!»

«Où vas-tu, jolie femme?»

«Viens ici, laisse-toi baiser!»

Poi incominciarono a toccarla, brancicarla, sballottarla. La chiusero dentro un cerchio di sghignazzate, la buttarono in terra, e che cosa le fecero non lo so. La voce appassionata e pietosa si limitava a dire che d'un tratto era esploso un colpo di pistola, che a colpi di pistola un tenente l'aveva salvata dal peggio. Comunque in questo caso la voce appassionata e pietosa non serve. Il volo della fantasia nemmeno. Perché anche un tentato stupro è uno stupro. Se la violenza non ti oltraggia il corpo ti oltraggia la mente, te la sporca, te la ferisce con un incubo che non puoi dimenticare. E perché al posto di Montserrat vedo una giovane donna che non le assomiglia, che da lei e da suo marito ha ereditato solo i geni del mal dolent, e che centosettantaquattro anni dopo subisce lo stesso abominio a Saigon. È notte, centosettantaquattro anni dopo a Saigon. Il coprifuoco è già incominciato e le strade sono deserte come a Livorno il 27 giugno del 1796. Nessuno, fuorché i militari, può transitarvi. Ma la giovane donna si trova lì come corrispondente di guerra: col suo zaino in spalla è appena tornata dal fronte, una camionetta l'ha appena lasciata in rue Pasteur, e qui cammina per rientrare in albergo. Cammina pensosa, distrutta dalla stanchezza e dagli orrori che ha vissuto durante la battaglia. Nel suo cuore c'è una gran misericordia per gli esseri umani e in particolare per quelli che indossano l'uniforme. "Poveri ragazzi. Domani toccherà a loro ammazzare e farsi ammazzare" si dice passando dinanzi a un bivacco di soldati vietnamiti. E li saluta con un lieve cenno del capo. Allora i poveri-ragazzi lasciano il bivacco. A due a due saltano su motorette che al buio lei non aveva notato. Con queste prendono a girarle intorno, chiuderla in un recinto mobile che le toglie ogni possibilità di scampo. Intanto sghignazzano regarde-ce-que-nous-avons-ce-soir, où-vas-tu, jolie-femme, viens-ici-laisse-toi-baiser. Poi il recinto mobile diventa un recinto immobile. Scendono dalle motorette e incominciano a toccarla, brancicarla, sballottarla. Mani e braccia che sembrano tentacoli d'un polipo affamato. Lei si difende. Coi pugni, con le pedate, con l'ira che viene dalla rabbia e dall'impotenza. Però lo zaino la impaccia, la appesantisce quanto una gravidanza di sette mesi, e non può toglierlo. Non lo toglierebbe nemmeno se potesse, del resto: contiene il suo lavoro. I nastri che ha inciso, le pagine che ha scritto, le fotografie che ha scattato. Ciò le impedisce di battersi bene, e i tentacoli del polipo affamato son troppi. Tutti insieme la avvinghiano, la bloccano, la gettano a terra, cercano di spogliarla. La salveranno due americani che a bordo d'una jeep pattugliano rue Pasteur. Per caso. Dopo averla salvata, la accompagneranno anche in albergo. Col suo prezioso zaino. Montserrat, invece, a casa ci tornò da sola. Senza americani, senza jeep, senza lo scialle di trina. (Segno che il pancione lo avevano visto). E, anziché con uno zaino in spalla, con un figlio nel ventre. Un figlio da salvare.

«Mettetemi a letto. Ho paura che le acque si rompano.»

In via del Porticciolo, infatti, aveva avvertito una minacciosa contrazione all'inguine. Sulle scale della palazzina ne aveva sentita un'altra. Nessuno meglio di lei sapeva che le contrazioni uterine precedono la rottura delle acque, il parto, e se questo fosse avvenuto il bambino sarebbe nato prematuro. Era così raro, a quel tempo, che un bambino prematuro sopravvivesse. Di solito moriva venendo alla luce.

* * *

Mentre Raffaele e Gabriele ed Emanuele e Daniele piangevano terrorizzati perché al porto continuava lo scambio di cannonate e il fracasso li spaventava, Alfonsa ed Ester la misero a letto. Nella speranza che le acque non si rompessero la curarono con le *Ave Marie*, i *Pater*

Noster, i decotti di camomilla. Né potevano far di meglio. La soldataglia aveva invaso il quartiere, sugli Scali del Monte Pio la udivi schiamazzare e cantare la *Marsigliese*, ça-ira, ça-ira, e uscire in cerca di aiuto sarebbe stato follia. Poi, all'alba, le contrazioni si placarono. La soldataglia si allontanò, Ester andò a chiamare il medico. Ma non riuscì a trovarlo, perfino i medici si nascondevano, e rientrò solo per portar cattive notizie. Napoleone aveva piazzato l'artiglieria pesante sulle terrazze dei bastioni, disse, e chiuso le strade principali. Inoltre aveva ordinato di sequestrare i beni degli inglesi, degli austriaci e dei russi cioè dei loro alleati, e con l'aiuto dei giacobini locali le sue truppe stavano compiendo un mucchio di abusi. Vuotavano le scuderie, saccheggiavano il mercato, rubavano le brande degli ospedali. Perquisivano i retrobottega per portarsi via le merci lasciate dai fuggiaschi, si prendevan le ville sulle colline e sul lungomare per alloggiarvi gli ufficiali. Nel frattempo molestavan le donne, in via Borra avevano dato noia anche a lei, e correva voce che molte si preparassero a svignarsela travestite. La cosa peggiore comunque era un'altra: con la promessa di farli saltare in aria al minimo gesto di rivolta o disubbedienza, minavano i magazzini degli stranieri. Dinanzi a quello sottostrada avevan già messo i barili con le polveri, sicché la palazzina era alla mercé d'una miccia che rischiava d'essere accesa in qualsiasi momento. E a udir questo Montserrat dimenticò ogni cautela. Singhiozzando non-è-possibile, non-è-possibile, balzò dal letto. Corse fuori ad accertarsene, ruzzolò giù per il pendio che scendeva al canale, e le acque si ruppero. Non per avviare le doglie del parto, tuttavia: per seviziarla con spasmi che sarebbero durati l'intera giornata, l'intera notte, l'intera mattina seguente. Cioè per aprire una lunghissima attesa che diminuiva le già scarse speranze di salvare il bambino. Perché guai se il parto non avviene entro dodici o al massimo ventiquattr'ore, quando le acque si rompono. L'utero si dilata, a quel punto. Dilatandosi espone il liquido amniotico ai germi che prima non lo raggiungevano, e quasi sempre il feto finisce con l'infettarsi. La madre con lui. Montserrat se ne rendeva ben conto, e in quell'angoscia si dilaniò fino a mezzogiorno di mercoledì: l'ora in cui gli spasmi divennero le doglie del parto. Ma soltanto alle nove di sera, trentotto ore dopo che le acque s'erano rotte, lanciò il gridò che la liberava.

«¡Llega, arriva, llegaaa!»

Nacque un bambino piccolo piccolo. Così piccolo che non misurava nemmeno quaranta centimetri, non pesava nemmeno un chilo e mezzo. E così asfittico, così cianotico, che a veder la luce non emise nemmeno uno strillo. Mugolò impercettibilmente e basta. Però aveva gli occhi spalancati di chi è deciso a vivere, due bellissimi occhi celesti nei quali si annidava una voglia disperata di farcela, e tagliandogli l'ombelico Ester esclamò: «Secondo me, questa briciola ci sotterra tutti!». Poi lo immerse in un bagno tepido, lo massaggiò con dolcezza, lo rese un po' più roseo, e dai minuscoli polmoni esalò un debole vagito. Il pigolio d'un uccello appena uscito dal guscio. Gli inventò anche una specie di incubatrice: una scatola da scarpe imbottita di lana e cinta di mattoni bollenti nella quale lo tenne sei settimane. Infatti ci mise sei settimane a raggiungere i due chili e mezzo che gli assicuravano la sopravvivenza, povero trisnonno Michele. E nelle prime tre fu nutrito con la cocca d'un panno intriso di latte, gocciolina per gocciolina, visto che non riusciva a succhiare. Quanto a Montserrat, espulsa la placenta ebbe un'emorragia che minacciò di spedirla in Paradiso. Ad essa seguì una gran febbre dovuta alla setticemia che s'era presa durante le trentotto ore e, quando finalmente arrivò il medico, disse che non avrebbe potuto avere altri figli.

14

Restarono dieci mesi, i francesi. Dieci mesi d'inferno. Quotidiane requisizioni delle derrate alimentari che presto lasciarono la città senza pane. Delazioni e vendette dei giacobini locali, perfidie in confronto alle quali le prepotenze commesse a Greve in Chianti da Giuseppe Civili diventavano cortesie. Stupri sempre più numerosi, editti assurdi come quello con cui si intimava la consegna delle armi da taglio incluse le forbici e i coltelli da cucina. Coprifuoco al calar della sera, arresti, rappresaglie, condanne ai lavori forzati e alla gogna. (Pena che consisteva nel venire esposti in piazza con un cartello al collo che ammoniva: «Ha osato rivoltarsi all'Armata Francese e al Governo Democratico»). Suicidii di commercianti costretti a versare cinque milioni di lire per evitar che l'invasore spulciasse i loro libri cassa e i loro conti in banca. Erario dissanguato dalle spese per mantenere la truppa, spese completamente a carico del municipio. Porto bloccato da Nelson che accompagnati i fuggiaschi in Corsica era riapparso per gettar l'àncora nella rada e non lasciava entrare o uscire neppure i pescherecci. Se uno ci provava, le sue navi sparavan cannonate che giungevano fino al Ponte di Marmo cioè all'angolo con gli Scali del Monte Pio. E, nel caso di Montserrat, anche l'incubo del magazzino minato: epicentro di ogni angustia. Di pretesti per dar fuoco ai barili di polvere ne capitarono infatti tre. Il primo fu la mancata consegna delle armi da taglio, delitto incoraggiato da Ester con la celebre frase «Il pane non si fa a fette col cucchiaio». Un giacobino di via Borra s'era assunto l'incarico di perquisire i vicini casa per casa, oltre ai coltelli da cucina trovò le forbici che eran servite a recidere l'ombelico di Michele, e per puro miracolo l'incauta non finì col cartello al collo. Il secondo fu la festa che il nuovo governatore celebrò il 14 luglio per commemorare la presa della Bastiglia: palco eretto sulla piazza d'Arme, trofei con la scritta Liberté-Égalité-Fraternité, Statua della Libertà col fascio in pugno, discorsi del commissario Garrau cioè il frate francescano che s'era battuto per mandare alla ghigliottina Luigi XVI e Maria Antonietta poi era passato al servizio del Direttorio, nonché l'ordine di illuminar le finestre con torce o candele. L'adorabile Ester vi reagì con un'alzata di spalle, le-candele-costano, il giacobino si arrabbiò, e soltanto la febbre puerperale di Montserrat lo indusse alle benigne parole: «La prossima volta vi mozzo la testa». Il terzo fu il cadavere d'un soldato francese ucciso a sciabolate e lasciato proprio accanto al magazzino minato. Una striscia di sangue andava dalla sponda del canale all'osteria situata sugli Scali del Monte Pio, sia il garzone che l'oste erano stati arrestati, e la palazzina si salvò perché all'ultimo momento scoprirono che era morto in una rissa fra commilitoni.

Intanto, grazie all'amore di Montserrat e alla sapienza di Ester, Michele cresceva. Male, intendiamoci: sempre afflitto da bronchiti e inappetenze e anemie, con un gran testone che gli ciondolava come la corolla d'un fiore appassito, e la schiena gobba. Però cresceva. A settembre era tre chili e mezzo, a novembre cinque, a dicembre sei, e il giorno in cui i francesi se ne andarono aveva raggiunto quasi i nove chili. Se ne andarono il 14 maggio del 1797, i francesi, esigendo una buonuscita di due milioni tondi da Ferdinando III in persona. A giugno Francesco tornò, e vorrei che la saga della coppia più sfortunata e infelice cui debba la vita si concludesse qui.

* * *

Invece non si conclude qui. Il peggio deve ancora venire, purtroppo. E a pensarci il sospetto che su entrambi gravasse una specie di maledizione, che la loro cattiva stella sia alla base di ciò che è andato torto nel corso della mia esistenza, si rafforza. Acuisce la paura cui alludevo all'inizio. Col cuore stretto, dunque, mi accingo a raccontare il resto. In maniera sbrigativa riassumo i dodici anni che precedono la tragedia finale, li spiego in un paio di episodi e basta, incomincio col dire che il ritorno di Francesco non fu certo giulivo. Quando vide quel bambino con la schiena gobba e il testone che ciondolava come la corolla d'un fiore appassito poi quando udì che cosa era successo a Montserrat, pianse le lacrime che non aveva mai pianto e i suoi capelli neri divennero grigi di colpo. Tuttavia il trauma ebbe il merito di strapparlo alle navi negriere e tenerlo in casa per oltre un anno e mezzo, a curar la famiglia che per troppo tempo non aveva curato e a godersi i soldi che con le copie carbone del padre s'era guadagnato. Il secondo semestre del 1797, il 1798, e i primi mesi del 1799 furono infatti piuttosto sereni. Montserrat continuava, sì, ad abortire e a confermar ciò che il medico aveva predetto. Michele continuava, sì, ad essere uno scricciolo malaticcio e deforme. Ma Raffaele, Gabriele, Emanuele, Daniele compensavano il suo scontento. «Con quattro figli così uno dimentica qualsiasi disgrazia.» Il guaio è che nel marzo del 1799, si sa, i francesi invasero di nuovo la Toscana. A Livorno si installarono col generale Miollis, ripresero a spadroneggiarvi con raddoppiata arroganza, e lungi dal dimenticare qualsiasi disgrazia Francesco ricordò ciò che avevano fatto a sua moglie e al suo quintogenito. Riesumando l'odio che aveva avuto per gli algerini si unì alla resistenza che ferveva nella vicina Viareggio, qui reclutò tre giovani agricoltori cui si affezionò molto, i fratelli Pietro e Lorenzo e Luigi Marchetti, li trascinò nella rivolta di fine aprile, e...

Fu una bella rivolta, la rivolta di Viareggio: ben più eroica e più nobile delle sommosse che in maggio sarebbero esplose ad Arezzo e a Cortona coi Viva Maria. Bruciati gli alberi della falsa libertà e cacciati gli opportunisti vestiti da giacobini, gli insorti disarmarono l'intera guarnigione e conquistarono la fortezza senza uccider nessuno fuorché il cavallo d'un ufficiale. Però erano pochi. Quelli che si sacrificano per combattere le tirannie sono sempre pochi. Al quarto giorno Miollis riuscì a piegarli e ventuno fra cui i tre fratelli Marchetti furono catturati, condotti in catene a Livorno, rinviati a giudizio insieme a cinque contumaci. Il processo si svolse il 16 Pratile cioè il 4 giugno, a porte chiuse e in un'aula improvvisata: la Casa del Rifugio dei Poveri. Lo celebrò un tribunale della Commissione Militare presieduto da un certo colonnello Pinot e composto da sei ottusi che come lui non sapevano l'italiano: i capitani Coquerant, Santvaille, Guy, il tenente Danos, il sergente maggiore Albesia, il cancelliere Arnaud. Poiché gli imputati non sapevano il francese durò appena mezza giornata e comunque la sentenza era già stata scritta. Sette condanne a tre anni di ferri e un'ora di gogna, otto a cinque mesi di carcere, due assoluzioni e dieci condanne a morte «per il tentato omicidio d'un cavaliere francese e l'abbattimento del di lui cavallo». Dei dieci, solo cinque erano in aula: il navicellaio Saverio Belli, il marinaio Luigi Soldini, il contadino Giovanni Catturi, e Pietro e Lorenzo Marchetti. Li fucilarono l'indomani mattina, con la teatralità che piaceva a Napoleone. Al rullar dei tamburi il capo brigata Varas li prelevò dal Palazzo Pretorio e li condusse sulla piazza d'Arme dove li aspettavano cento fanti cisalpini, cento piemontesi, cento della Garde National, i loro ufficiali in alta uniforme, e la Compagnia della Misericordia e il sinistro cappuccio calato sul volto. Aperto da una banda che suonava la marcia funebre, il corteo imboccò via Grande. La percorse lentissimamente, si diresse verso il bastione di San Cosimo, il luogo scelto per giustiziarli, e sia il Belli che il Soldini che il Catturi si comportarono con sbalorditivo coraggio. Durante l'intero tragitto camminarono a testa alta e gridando: «Moriamo per una causa che i posteri capiranno! Moriamo per aver tentato di liberarci e di liberarvi dal giogo dello straniero! Abbasso gli usurpatori dell'Italia, abbasso quel maiale di Napoleone!». Pietro e Lorenzo Marchetti, no. Al contrario. Si rifiutavano di camminare, puntavano i piedi, respingevano il cappellano Mantovan che porgendogli il crocifisso e ripetendo siate-forti-presto-volerete-in-cielo pretendeva di consolarli. Urlavano disperati: «Aiuto, gente, aiuto! Diteglielo voi ai francesi che non vogliamo morire! Diteglielo voi che non abbiamo ammazzato nessuno, che abbiamo sparato solo al cavallo!». E nascosto tra la folla Francesco vide tutto, udì tutto. Con conseguenze disastrose. Perché il rimorso d'averli reclutati e d'essersi salvato anientò completamente l'indomabile personaggio che le traversie e le iniquità non erano mai riuscite a mettere in ginocchio. Abbandonata la lotta precipitò dentro un'abulia che spense in lui ogni fierezza, ogni lampo di volontà. Anche la sua possanza fisica prese a declinare, la sua passione per Montserrat a languire, e in pochi mesi divenne il rudere di sé stesso. Un vecchio amaro, uno sconfitto che apriva bocca solo per denigrarsi.

«Colpa mia, colpa mia. Tutto ciò che tocco si sciupa o muore.»

Nel 1799, insomma, era già pronto per la tragedia finale che incominciò a delinearsi cinque anni dopo. Cioè quando faceva di nuovo il nostromo su modeste filughe che andavano a caricar sale in Sicilia, e quando sulla Toscana trasformata in Regno d'Etruria nonché regalata da Napoleone ai Borboni imperava Maria Luisa: la stupida donna della quale il destino si sarebbe servito per avviar quella tragedia. Come? Presto detto. Nel 1804 giunse a Livorno un vascello spagnolo, l'*Anna Maria Toletana*, il cui carico includeva trenta piume di struzzo per il guardaroba di Maria Luisa. Il vascello veniva da Vera Cruz dove c'erano stati diversi casi di febbre gialla, ed aveva già diffuso il contagio nei porti di Cadice e Barcellona. Stando alle leggi sanitarie, avrebbe dovuto restare in quarantena almeno un mese. Ma la stupida donna voleva subito le sue piume di struzzo, a quanto pare indispensabili per il bavero d'un abito da cerimonia: ordinò che il mese fosse ridotto a tre giorni e l'epidemia esplose uccidendo seicento persone tra cui Alfonsa. Allora Francesco mandò i tre figli minori sulle montagne di Sarzana con Ester e Montserrat. Si prese i due maggiori, li mise sulla sua filuga, ce li tenne finché l'epidemia durò, e se non fosse stato per questo né Raffaele né Gabriele avrebbero mai avuto modo di scoprire se navigare gli piaceva o no. Montserrat li mandava a una scuola che offriva accesso all'università, e il primo progettava di laurearsi in legge a Pisa. Il secondo, in medicina a Firenze. Grazie a Maria Luisa e alla febbre gialla, però, l'inattesa esperienza ci fu. Navigare con quel padre che a terra non aveva nulla da dirgli e a bordo aveva tutto da insegnargli li sedusse, e al ritorno le due lauree non rientravano più nei loro piani. «Vogliamo fare il mestiere del babbo.» Annuncio al quale Francesco non si oppose, che addirittura approvò compiaciuto. Chi è tanto minchione da preferire un tribunale o un ospedale a un veliero? Quanto a Montserrat, neppure con le lacrime e con le proteste riuscì a dissuaderli, e nel 1806 toccò ad Emanuele. «Il mare piace anche a me.» Nel 1807 toccò a Daniele, che a forza di strepitare perché-loro-sì-e-io-no divenne mozzo, e nel giro di poche stagioni la casa sugli Scali del Monte Pio si spopolò per consegnare al vecchio amaro e sconfitto i quattro figli sani e robusti. A Montserrat non rimase che consolarsi col suo gobbino, Michele: a undici anni ancora sottopeso e sottomisura e malaticcio ma con la testa finalmente dritta e tanto buono quanto intelligente. «Non crucciatevi per me, mamita. Forse il Signore mi ha fatto così affinché non andassi in mare e vi tenessi compagnia quando i miei fratelli non ci sono.»

Raffaele, Gabriele, Emanuele, Daniele volevano assai bene a Michele. Lo trattavano come se fosse bellissimo e picchiavano chiunque alludesse alla sua infermità. Si volevano assai bene anche tra di loro. Per firmare gli ingaggi pretendevano che il capitano li assumesse in blocco e non si separavano mai. «O tutti o nessuno.» Nel porto di Livorno stava diventando una leggenda quella dei quattro giovani Launaro che si imbarcavano insieme, sbarcavano insieme, non si separavano mai. E vederli arrivare e partire, a braccetto o in fila dietro il padre nostromo, era uno spettacolo che scaldava il cuore. Sempre più aitanti, sempre più esuberanti, simpatici, sembravano l'uno la copia dell'altro: l'immagine stessa della concordia. Cosa che inorgogliva molto Montserrat. Unico suo cruccio, averli troppo di rado con sé. Le stanze semivuote vibravano nuovamente di vita solo quando dalle scale saliva il festoso bercio siamo-tornati, siamo-qui, i suoi giovanottoni irrompevano seminando allegria, e folle di gioia lei ricominciava a occuparsi dell'intera famiglia. Le piaceva tanto dar una mano ad Ester, sostituire Alfonsa la domestica uccisa dalla febbre gialla. «¡Siete platos, siete! Sette piatti, sette!» canterellava ogni volta che metteva i piatti in tavola. Poi venne il 1808. Nella Toscana ora annessa all'Impero francese esplose il dramma delle coscrizioni con cui Napoleone si procurava la carne da macello per le sue guerre e mentre i ventunenni riempivano le caserme, mentre i Garnisaires arrestavano i renitenti e i tribunali militari li condannavano a morte, a Livorno si sparse la voce che all'inizio del 1809 la leva si sarebbe estesa ai ventenni e ai diciannovenni. Lo abbiamo già visto nella saga di Carlo e Caterina. La chiacchiera bastò a sollevar nei coniugi Launaro le angosce che già assillavano i Fallaci di San Eufrosino o chiunque avesse un figlio reclutabile: nel 1809 Raffaele e Gabriele avrebbero avuto venti e diciannove anni. Per prevenirne l'arruolamento, dunque, Francesco scelse di portarli a Gibilterra e di lì in America, a Charleston o a Savannah dove conosceva persone importanti e certo disposte a ospitarli. «Vi accompagno io.» Il guaio è che Raffaele e Gabriele rifiutarono di separarsi dagli altri due fratelli. Obbiettando che bisognava esser lungimiranti cioè mettere in salvo anche Emanuele e Daniele dichiararon che senza di loro non sarebbero partiti, e l'ormai bonario Francesco si lasciò convincere. Anzi fece di peggio. Poiché non era mai facile trovare un mercantile che accettasse la pretesa del tutti-o-nessuno, firmò l'ingaggio su un fragile pinco da ottanta tonnellate che per l'appunto cercava un nostromo e quattro marinai: il *Santa Speranza*.

Al comando d'un capitano sempre ubriaco e per questo soprannominato Padron Trinca, il *Santa Speranza* sarebbe salpato il 17 dicembre e meraviglia delle meraviglie: per raggiungere Gibilterra avrebbe ripetuto all'inverso la rotta seguita dall'*Europa* nel fatale viaggio del 1788. Genova, Marsiglia, Barcellona. Il che includeva, ovvio, la traversata del golfo di Lion. L'insidioso golfo di Lion, il cimitero di velieri sul quale il mistral piombava con furia assassina e nel quale Francesco aveva evitato per un pelo il naufragio.

15

La scelta spaventò Montserrat. L'indimenticabile notte in cui aveva capito di amare l'affascinante demonio in bilico sulla cima dell'albero maestro restava nella sua memoria con l'ambiguità d'un ricordo insieme splendido e mostruoso, sicché immaginarli tutti e cinque nel golfo di Lion le dava il batticuore. Inoltre Marsiglia stava in Francia, anche Barcellona e il resto della Spagna appartenevano a Napoleone che proprio in quei giorni vi scorrazzava per domar le rivolte, Francesco aveva quasi cinquantott'anni e da qualche tempo era afflitto da un misterioso male che lo infiacchiva. «Ho paura. Non prendete quel pinco. Non portateli laggiù, ve ne prego» disse al marito elencando i fattori avversi. Ma lui replicò che un marinaio non si fa fermare dal vento, che a Marsiglia e a Barcellona i suoi giovanottoni non avrebbero corso rischi perché non avevano ancora l'età della leva, che infine lui non era né un matusalemme né un moribondo. E Raffaele Gabriele Emanuele Daniele lo spalleggiarono sbraitando che cinquantott'anni o no, misterioso male o no, egli era il nostromo più bravo del mondo: in grado di governare qualsiasi catorcio e rimediare agli errori di qualsiasi sciacquabudella. Apparivano molto eccitati. L'idea di svignarsela in modo avventuroso e recarsi a Charleston o a Savannah li divertiva, il pensiero di ripetere all'inverso il viaggio durante il quale i loro genitori s'erano innamorati li inteneriva, e sfidare il mistral li preoccupava meno che finire in Austria o in Prussia a crepare per il tiranno. Del resto sarebbero tornati, no? Bonaparte non era eterno ed essi non avevano alcuna voglia di stabilirsi in America, rinunciare alla loro bellissima mamma. Così il tentativo di bloccarli fallì, i convulsi preparativi impedirono di riaffrontare il discorso, e giunse il 16 dicembre: giorno in cui Montserrat preparò un gran pranzo d'addio, mise in tavola i piatti migliori, e invece di canterellare siete-platos-siete mormorò a Francesco: «Sento che non li rivedrò. Credete sul serio che non intendano stabilirsi in America?». L'indomani li accompagnò al porto. Non era mai successo che li accompagnasse al porto. Non aveva mai avuto il coraggio di assistere a una partenza. Stavolta lo ebbe. E senza versar lacrime, lei che piangeva per niente. Camminando composta li seguì fino al *Santa Speranza,* pallida come una morta ma con gli occhi asciutti si fermò sulla banchina ad aspettare che incominciasse il disormeggio, e neppure lì si regalò un singhiozzo o un lamento o un gesto che alleviasse la sua gelida disperazione. Durante la lunga attesa si mosse due volte e basta. Una per tossire e una per rabbrividire. Faceva freddo, quel giorno. Sulle montagne Apuane era caduta la neve e in città la temperatura era scesa quasi a zero. Poi, prima che togliessero la passerella, Raffaele e Gabriele ed Emanuele e Daniele scesero ad abbracciarla. Sempre senza una lacrima li strinse a sé uno a uno, e a ciascuno mormorò: «Torna, amore mio. Anche se in America ti sposi o fai fortuna, torna. Se non ti rivedessi, impazzirei». Subito dopo richiamò indietro Raffaele. Gli indicò Francesco che in piedi presso l'albero di maestra mostrava qualcosa a un omuccio dall'aria balorda, Padron Trinca, e gli disse: «È molto invecchiato, molto cambiato. Non dovrebbe navigare. Tu sei il maggiore: te lo affido». Con un gran bacio Raffaele rispose non-preoccupatevi-mamita, ve-lo-rimanderò-sano-e-salvo, quindi risalì a bordo. Si piazzò accanto ai fratelli che sporgendosi dall'impavesata sventolavano i fazzoletti, e tutti insieme la salutarono con un esultante urrà.

«Per la nostra bellissima mamma, ip, ip, urraaà!»

Non l'avrebbero rivista, non li avrebbe rivisti, mai più. Ed ecco come andò.

* * *

La merce caricata a Livorno pesava poco. Tè, caffè, noce moscata, cannella, pepe, altre spezie. Così avevan dovuto riempire la stiva con un mucchio di zavorra. Sacchi di rena, casse di sabbia, pietre, pattume da buttar via a Genova dove c'era da imbarcare cento barili d'olio e cento di vino. Ma a Genova giunsero in ritardo, una burrasca invernale li aveva costretti a rimanere due giorni nel porto di La Spezia, e Padron Trinca non volle buttar via nemmeno uno spillo. Berciando che il tempo è denaro ordinò di sistemare i barili d'olio e di vino sottocoperta, legarli con le rizze agli anelli delle paratie interne, e nella sua perpetua ubriachezza non pensò che il *Santa Speranza* aveva due caratteristiche negative per la stabilità: la poppa assai alta e lo scafo piuttosto piatto, perciò capace di scarsa immersione. Dimenticò perfino che la base del trinchetto si trovava proprio sottocoperta: se uno di quegli anelli avesse ceduto, i barili sarebbero andati a sbattere contro l'albero provocando la rottura delle sue sartie. E invece di ricordarglielo, convincerlo a liberarsi della zavorra, trasferire il carico nella stiva, Francesco si limitò a bofonchiare: «Capitano, per non perder tempo si perde la vita!». Arrivarono in ritardo anche a Marsiglia, una seconda burrasca aveva diminuito l'andatura mentre doppiavano le isole di Hyères, sicché nemmeno a Marsiglia l'ubriacone volle liberarsi della zavorra e trasferire il carico nella stiva. Nemmeno a Marsiglia Francesco tentò d'imporsi. Anzi, e nonostante le proteste dei figli, ribellatevi-babbo-ribellatevi, accettò di sistemare sottocoperta altra merce pesante tra cui sette dozzine di barilozzi d'assenzio. Con quell'ulteriore azzardo ripartirono, costeggiarono il golfo di Lion, mentre Padron Trinca dormiva fradicio di grappa raggiunsero il tratto compreso tra le foci dell'Aude e Carcassonne. Il mistral li colse qui, esattamente nel punto in cui vent'anni prima aveva colto l'*Europa*, e alla stessa velocità: trenta nodi che in breve divennero quaranta, cinquanta, sessanta. Gli piombò addosso da destra, stavolta. Quel che è peggio, accompagnato da un temporale spaventoso. Tuoni, fulmini, saette, e inutile raccontar di nuovo l'incubo che conosciamo: su quel fragile pinco sì che le ondate sembravano muraglioni di ferro, gigantesche pareti d'acqua che avanzavano per crollar sulla nave. Con quell'instabilità esasperata dal peso sottocoperta sì che la nave virava, sbandava, sprofondava di prua nell'abisso, a capofitto come una balena impazzita. Raffaele era al timone. Ogni volta che la balena impazzita risaliva, ne perdeva il controllo. Gli alberi oscillavano, le sartie si tendevano, i tonfi i cigolii gli scricchiolii gli schianti si moltiplicavano, e non serviva a nulla che Francesco si sgolasse.

«Va' all'orza, Raffaele, va' all'orza con tutta la barraaa!»

«A riva, voi, salite a rivaaa!»

«Imbrogliate le vele alte, i fiocchi, la trinchettinaaa!»

«Issate la trinchettina di fortuna, terzarolate le vele basseee!»

«Mollate sopravvento le rande, il velaccio, il controvelacciooo!»

I medesimi ordini che vent'anni prima aveva dato il capitano Reymers e che lui aveva trasmesso col fischietto. Quando il mistral gli era piombato addosso da destra, Francesco aveva ben capito che la situazione era identica a quella del 1788. Non a caso era subito corso a svegliar l'ubriacone, e non essendoci riuscito aveva assunto il comando. Il fatto è che il rischio superava di gran lunga quello corso nel 1788 dal robusto brigantino *Europa*: la tempesta era troppo indomabile. Il *Santa Speranza,* troppo vulnerabile. Appena i sessanta nodi divennero settanta, ottanta, la cima che reggeva la randa di maestra si ruppe. La randa si lacerò, trattenuta solo da due o tre brandelli la sua antenna si mise a ruotare falciando ogni ostacolo che si trovasse sul suo cammino, e scoperchiando la sottocoperta falciò anche il piancito del ponte. Dopo, si abbatté sull'impavesata da cui Raffaele e Gabriele ed Emanuele e Daniele avevano lanciato l'esultante urrà. Per la nostra bellissima mamma, ip, ip, urrà. Ne spaccò un grosso pezzo, aprì una grossa falla, ed entrando dalla falla poi dal piancito divelto il mare irruppe nella sottocoperta: sui barili d'olio e di vino, i barilozzi d'assenzio. Vi irruppe con tale veemenza che gli anelli delle paratie interne cedettero, le rizze con cui il carico era stato fissato agli anelli si sciolsero, i barili e i barilozzi rotolarono via e presero a sbattere contro la base del trinchetto. Bang! Bang! Bang! Quel che Francesco aveva previsto bofonchiando capitano, per-non-perdere-tempo-si-perde-la-vita.

«La falla! Tappare la fallaaa!»

«La sottocoperta! Pompare l'acqua sottocopertaaa!»

«I barili, i barilozzi! Legarli, bloccarliii!»

«Presto, lumaconi, coglioni, prestooo!»

Gli ordini si fecero frementi, rabbiosi. Una rabbia ingiusta, oltretutto, perché la falla gliela tappavano e bene. Sui bordi dello squarcio una squadra che includeva Daniele inchiodava teli imbevuti di lardo, e con questi arginava abbastanza gli scrosci. Però dopo qualche minuto il mare li schiodava, l'acqua entrava di nuovo, e bisognava ricominciare daccapo. Pompavano bene anche il lago che sommergeva la sottocoperta: un lavoro diretto da Gabriele che s'era calato giù con altri marinai. Ma erano pompe a mano, le pompe dei velieri, e aspirare il lago con quelle era come illudersi di vuotare il golfo di Lion con un cucchiaio. Quanto ai barili e ai barilozzi, tentavano sì di legarli e bloccarli. Ma molti s'erano spaccati, col vino e l'assenzio s'era versato l'olio, e unti d'olio sgusciavano dalle mani. Tornavano a sbattere contro la base del trinchetto. Bang, bang, bang. Successe per questo. D'un tratto le sartie del pennone basso e del pennone centrale si spezzarono, a sostener l'albero non rimasero che le sartiole dell'ultimo, e sottoposta allo sforzo eccessivo una si sfilacciò. Come vent'anni prima. E come vent'anni prima Francesco gridò ci-penso-io, come vent'anni prima ghermì un rotolo di corda, se lo passò intorno al busto, si lanciò su per le griselle. Il guaio è che Montserrat non sbagliava a definirlo molto invecchiato, molto cambiato, e a

273

dire che non avrebbe più dovuto navigare. Anche sulle sue gambe gravavano i travagli che dopo la fucilazione dei fratelli Marchetti lo avevano reso il rudere di sé stesso, anche sulle sue braccia pesava la debolezza che lo aveva indotto a subir docilmente le bestialità d'un capitano sempre ubriaco, e su tutto il corpo il misterioso male che lo infiacchiva intensificando una decadenza ormai irrimediabile. Alla sesta grisella scivolò. Ruzzolò con un gran capitombolo e Raffaele se ne accorse: d'impeto cedette il timone, corse dal padre. Tu-sei-il-maggiore: te-lo-affido. Non-preoccupatevi-mamita, ve-lo-rimanderò-sano-e-salvo. Lo rimise in piedi, gli tolse il rotolo di corda, a sua volta se lo passò intorno al busto, si lanciò su per le griselle. Ma non era un pennoniere, lui. Non conosceva l'arte di arrampicarsi con leggerezza, tenersi in equilibrio sui cavi, bilanciare il peso, misurare i gesti. Si arrampicò male. Si piazzò male sui cavi, bilanciò male il suo peso, sul pennone fece una serie di movimenti sbagliati, e le sartiole rimaste cedettero. Il pennone cadde trascinandolo giù, fracassandogli il cranio. Allora il trinchetto sostenuto da nulla si incrinò, si schiantò, precipitò sull'impavesata dell'esultante urrà dove aprì un altro squarcio. Un'altra falla. Irrompendo dalle due falle il mare si rovesciò senza freno sul *Santa Speranza,* si abbatté sugli alberi di mezzana e di maestra, riempì fino all'orlo la sottocoperta e la stiva, e il naufragio ebbe inizio.

«Calare la lancia, abbandonare la naveee!»

Fu Padron Trinca, all'improvviso svegliatosi dal suo sonno di piombo, che urlò quell'ordine inutile. La lancia era stata strappata subito dalle apocalittiche ondate e abbandonare la nave serviva a ben poco: la prua era già sommersa, la poppa stava sollevandosi, e il naufragio avveniva con inesorabile rapidità. Morirono tutti meno Francesco. Raffaele, Gabriele, Emanuele, Daniele, in maniera particolarmente straziante. Raffaele venne succhiato da una risacca che spazzò il ponte mentre cercavano di trascinarlo in un punto meno pericoloso. (E va da sé che sarebbe morto comunque. La ferita al cranio era troppo profonda e il suo corpo esanime respirava appena). Gabriele rimase imprigionato tra i barili e i barilozzi della sottocoperta e morì nel lago sozzo di vino e d'olio e d'assenzio che aveva tentato invano di pompare. Emanuele affogò. All'urlo di Padron Trinca s'era tuffato con l'intenzione di issarsi su un relitto che galleggiava non molto lontano ma essendo un pessimo nuotatore non riuscì ad arrivarci e scomparve tra i flutti. Quanto a Daniele, avrebbe potuto salvarsi. Paralizzato dal panico e dall'inesperienza dei suoi quindici anni era quasi sempre rimasto accanto al padre sicché saltarono in mare insieme. Insieme raggiunsero il relitto che Emanuele non era riuscito a raggiungere. Ma qualche istante dopo il *Santa Speranza* si inabissò e la corrente se lo portò via. Il gorgo se lo inghiottì mentre un urlo disumano squarciava l'aria.

«Babbooooo!»

Tutto il resto della sua vita Francesco si sarebbe chiesto perché la corrente non avesse portato via anche lui, perché il gorgo non avesse inghiottito anche lui. Perché si reggeva meglio al relitto? Perché era più pesante, perché il Padreterno non gli aveva mai perdonato la storia dei venti algerini sgozzati e i nove anni trascorsi sulle navi negriere? Perché il destino esiste e il suo voleva che bevesse fino all'ultima goccia il veleno del dolore? Tre giorni e tre notti andò alla deriva come un sughero spinto dal vento, senza aver nemmeno la forza di scivolare in acqua e annegarsi, anzi assaporando con cupa voluttà il sollievo di spengersi piano piano: ucciso dalla fame, dalla sete, dal freddo. Poi il relitto approdò alla spiaggia di Carcassonne. Lo raccolsero, lo curarono, lo imbarcarono su una nave francese che andava a Livorno, e qui scese a metà marzo:

inebetito, scheletrito, coi capelli e la barba e i baffi non più grigi ma bianchi, e terrorizzato dall'idea di affrontare la moglie. Infatti rimase una settimana a vagare nel porto, dormire sul molo. Soltanto quando un viaggiatore lo scambiò per un mendicante e gli ficcò in mano una moneta da venti soldi si decise. A capo chino si incamminò verso gli Scali del Monte Pio, arrivò alla palazzina, per la prima volta invocando l'aiuto dell'Onnipotente si fece il segno della croce, entrò in casa e disse le tremende parole che avrebbero acceso la pazzia di Montserrat.

16

«Sono morti tutti e quattro» disse.

Seguì un lungo, lungo silenzio durante il quale non si udì che il gemito soffocato di Ester. Poi Montserrat schiuse le labbra.

«No es verdad, non è vero» rispose con un quieto sorriso.

«Sono morti in mare. Sotto i miei occhi.»

«No es verdad, non è vero» ripeté sempre col quieto sorriso. «Sono andati a Gibilterra col *Santa Speranza*, e da Gibilterra in America. Ora sono a Charleston o a Savannah.»

«In America non ci sono mai arrivati, Montserrat. E nemmeno a Gibilterra. Il *Santa Speranza* è affondato nel golfo di Lion.»

«Se è affondato e voi state qui, vuol dire che ci stanno anche loro. E tra poco li vedrò» ribatté senza scomporsi. Poi canterellando siete-platos-siete mise i sette piatti in tavola e incominciò ad aspettarli.

Sorda ai singhiozzi di Ester e alle suppliche del marito, Montserrat-non-fatemi-questo, non-fatemi-questo, li aspettò l'intero giorno e l'intera notte: lo sguardo perduto nel vuoto e il quieto sorriso incollato alle labbra. All'al-

276

ba si scosse. Più che mai tranquilla sparecchiò, andò a letto, si addormentò, e appena alzata apparecchiò di nuovo. Di nuovo canterellando siete-platos-siete mise i sette piatti in tavola, e riprese ad aspettarli. Verso sera, lo stesso. L'indomani, pure. L'indomani cambiò addirittura i lenzuoli nelle camere di Raffaele e Gabriele, Emanuele e Daniele, lavò e stirò i vestiti che avevano lasciato, gli cucinò una gran cena coi cibi che preferivano. I giorni successivi, idem. Era come se il rifiuto di accettare la loro morte avesse retrocesso l'orologio della memoria per ricondurlo ai tempi in cui dalle scale saliva il festoso bercio siamo-tornati e i suoi giovanottoni irrompevano seminando allegria. Un delirio quasi giocondo, carico di solerzia e sempre più avulso dalla realtà. A poco a poco, infatti, il suo subconscio eliminò anzi seppellì qualsiasi ricordo che potesse ricondurre alle parole sono-morti-tutti-e-quattro. Il ricordo delle coscrizioni napoleoniche, della leva estesa ai ventenni e ai diciannovenni, dell'ingaggio sul *Santa Speranza*, della fuga a Gibilterra, dell'addio sulla banchina. E mentre il delirio partoriva miraggi che per la sua povera mente ammalata avevano una consistenza fisica, passò a vivere nella certezza che Raffaele e Gabriele ed Emanuele e Daniele non fossero mai partiti. Prese a vederli in casa, cioè, a comportarsi come se li avesse lì. Il cibo glielo metteva nei piatti, ad esempio, e senza accorgersi che restava intatto o che Ester lo rovesciava nella pattumiera li guardava mangiare. Ci parlava. Prendete-ancora-un-po'-di-pollo, porgetemi-il-sale. Una notte andò ad accertarsi che dormissero bene. Su ciascun letto si chinò per accarezzare un volto che non c'era e dopo esclamò: «Che gioia tenerseli accanto. Bisogna che porti un ex voto alla Madonna di Montenero per ringraziarla». Michele, al contrario, non lo vedeva. Oppure lo vedeva e non lo riconosceva. «E tu chi sei, piccolino? Che hai sulla schiena?» Né serviva a nulla che lui si disperasse, protestasse: «Sono io, mamma, sono il vostro Michele!

Non lo sapete che ho la gobba?».. Poi Francesco chiamò un medico. Gli chiese che doveva fare e con molte perplessità, sarebbe-meglio-non-contrariarla, sarebbe-meglio-lasciarle-credere-quel-che-vuole-credere, il medico lo autorizzò a dirle che i quattro figli erano partiti. «Ma con cautela, mi raccomando, con delicatezza. E niente dettagli che favoriscano improvvisi ragionamenti, subitanee reminiscenze. Ricondurla alla realtà in modo brusco potrebbe essere molto, molto pericoloso.» Si giunse così al giorno in cui notò che il cibo dei quattro piatti finiva nella pattumiera e levò un volto sorpreso.

«¡Virgen Santa! Perché glielo buttate via?»

«Perché non lo mangiano» rispose Francesco.

«E perché non lo mangiano?»

«Perché non ci sono» rispose Francesco.

«E perché non ci sono?»

«Perché sono partiti» rispose Francesco.

«E perché sono partiti?»

«Perché li ho mandati in America» rispose Francesco dimenticando la raccomandazione sui dettagli che favorivano improvvisi ragionamenti o subitanee reminiscenze. E di colpo nella povera mente ammalata guizzò un barlume di luce, quasi la fiammella d'una candela che cerca senza sapere quello che cerca.

«In America...»

«Sì. Via Gibilterra, col *Santa Speranza*» specificò Francesco. E allora la candela illuminò il nascondiglio dove il subconscio aveva sepolto il ricordo dell'addio sulla banchina. Un ricordo confuso, incerto, e sganciato dalle parole sono-morti-tutti-e-quattro. Eppure sufficiente a convincerla che sì: erano proprio partiti.

«Avete ragione... Però strano che da Gibilterra non mi abbiano scritto. A meno che non abbiano consegnato la lettera al capitano. Quando torna il *Santa Speranza*?»

«Non lo so, Montserrat.»

«Domani vado al porto e lo chiedo.»

Oh, Francesco fece capriole per impedirglielo. Le rammentò che le navi non tornavano mai a una data precisa e quindi nessuno avrebbe potuto darle quell'informazione. La sequestrò nella palazzina, per settimane non si separò da lei un solo minuto, cercò di toglierle l'idea dalla testa. Ma non ci riuscì e un pomeriggio dovette assentarsi, affidarla ad Ester. «Non lasciatela uscire neanche se la casa va a fuoco.» Distratta da Michele invece Ester la perse un attimo di vista, e Montserrat uscì. Andò al porto.

«Quando torna il *Santa Speranza?*»

Glielo disse un tipo senza peli sulla lingua.

«Il *Santa Speranza?* Signora bella, in che mondo vivete?!? Il *Santa Speranza* naufragò lo scorso gennaio mentre si dirigeva a Gibilterra. Morirono tutti meno il nostromo. I quattro fratelli Launaro cioè i suoi figli inclusi. Non lo sapevate?»

* * *

La crisi che di solito accompagna il passaggio da una pazzia mansueta a una pazzia violenta viene definita da alcuni psichiatri il ruggito del topo. Ma quello di Montserrat non fu il ruggito d'un topo: fu il ruggito d'una tigre sitibonda di sangue. Perché il brusco ritorno alla realtà riaprì la ferita che aveva subito chiuso dicendo no-es-verdad, non-è-vero, riaprendola restituì alla memoria i ricordi sepolti insieme all'addio sulla banchina, e questi le fornirono il capro espiatorio da accusare processare condannare. La preda da sbranare. Francesco. Sì, era lui il colpevole! Lui che con la scusa della febbre gialla aveva sottratto Raffaele e Gabriele all'università, li aveva portati in mare, indotti a invaghirsi del suo pericoloso mestiere! Lui che non pago d'una simile scelleratezza le aveva rubato anche gli altri due figli belli e sani, l'aveva lasciata con lo scricciolo deforme e basta! Lui che nonostante le sue lacrime, i suoi ho-paura, non-prendete-quel-pinco, non-portateli-laggiù-ve-ne-prego, li aveva imbarcati sul catorcio ai comandi d'un ubriacone e condotti nel cimitero dei velieri! Lui che s'era salvato, che era tornato! Le parve imperdonabile soprattutto il fatto che si fosse salvato, che fosse tornato. E la sua sterminata dolcezza svanì, la sua infinita bontà si spense. La passione per l'uomo che aveva tanto amato si trasformò in un odio feroce, ingiusto, bestiale.

«Li avete ammazzati voi, assassino!»

Gli gridò questo, appena fu in casa e lo rivide. Poi impugnò l'ascia che serviva a spaccar la legna, cercò di colpirlo al cuore, lo ferì a un braccio, e neanche quando venne disarmata da Ester il suo furore si placò. La pazzia violenta era ormai esplosa e come il mistral si abbatteva su qualsiasi cosa o persona trovasse: il lampadario di cristallo, gli specchi, i canapè del salotto, i tendaggi dell'alcova, i vicini che a udire il trambusto s'eran precipitati per offrire aiuto, lo stesso Michele che piangendo mammano cercava di difendere il padre. Dovettero chiamare la Compagnia della Misericordia per immobilizzarla, dalla casa distrutta condurla al Santa Barbara e qui soccorrerla. Soccorrerla? A Livorno era l'unico ospedale nel quale si potessero ricoverare le donne e i pazzi, il Santa Barbara, e quello dove l'ignoranza si associava maggiormente alla crudeltà. Li consideravano creature di Satana, i malati di mente. Reprobi in preda agli spiriti maligni, malvagi da punire. E per punirli li picchiavano, li ingiuriavano, li sbeffeggiavano. Li tenevano coi malati di tigna e di rogna, li trattavano secondo il metodo detto *Fame et Vinculis et Plagis* cioè digiuno e catene e frustate, li buttavano in sporche vasche di ghiaccio o d'acqua bollente. La soccorsero così. Quindi la legarono per i polsi e le caviglie alla branda, e qui rimase quattro mesi a invocare aiuto o urlare che suo marito era un assassino e le aveva ucciso quattro figli. Durante le visite, Francesco non poteva nemmeno avvicinarsi: doveva accontentarsi di guardarla da lontano, nascosto dietro un pilastro della corsia, col suo braccio ferito e la morte nel cuore. Infatti per capire se la picchiavano troppo, la frustavano troppo, la tenevano troppo a digiuno, un giorno portò Michele. Cerca-di-interrogarla. Ma la povera mente dormiva di nuovo, le sevizie l'avevano ricondotta nel buio, e l'espediente fallì. «Chi sei, nanerottolo? Che cosa vuoi?» «Sono vostro figlio, mamma! Sono venuto a chiedervi...» «Io non ho figli. I miei figli sono morti ammazzati dal loro padre. Va' via.» Poi Francesco scoprì che a Firenze esisteva un ospedale unico al mondo: l'Istituto di San Bonifazio. Unico al mondo perché era diretto da uno studioso, Vincenzio Chiarugi, secondo il quale la demenza non andava considerata un crimine da punire bensì un malanno da curare coi sistemi d'una nuova scienza detta psichiatria. Tesi ben espressa nel regolamento che il Chiarugi aveva scritto nel 1789, quando sotto gli auspici di Pietro Leopoldo il San Bonifazio era stato fondato. «Supremo dovere medico e umano è il rispetto della persona fisica e morale dell'infermo. Che niun chirurgo o dottore o speziale o assistente o inserviente o garzone ardisca giammai di percuotere o ingiuriare o provocare i mentecatti nel corso delle furie o prima o dopo. Per niuna ragione e niun pretesto. Che lungi dal venir costretti in catene essi sieno lasciati liberi di muoversi e socializzare, circolare nei nostri locali e nei nostri giardini, applicarsi a qualche lavoretto. Che quelli incapaci di cibarsi da per loro sieno amorevolmente assistiti e imboccati, che le vivande abbiano la dose e la quantità stabilita, che anche la dieta stretta includa un uovo da bere, che la carne sia della migliore e il pane sia fresco e il vino sia puro, che il servizio sia compiuto senza strepito e senza sussurro. Che niuna finestra sia chiusa da inferriate...»

Ce l'accompagnò con una comoda carrozza tirata da quattro cavalli, insieme ad Ester e Michele, e per non esser visto da lei rimase sempre a cassetta col cocchiere. Il viaggio più difficile della sua vita. Ogni poco Montserrat dava in escandescenze, dibattendosi tra le braccia di Ester minacciava di buttarsi giù dal finestrino, e Michele doveva imbottirla di laudano misto a valeriana. «Bevete, mamma, bevete.» «Non sono la tua mamma!» «Bevete lo stesso, signora.» Oppure bisognava fermarsi, cercare una locanda dove non di rado veniva respinta. «Qui i pazzi non li accettiamo!» In due giorni le successe tre volte: a Pontedera, a Empoli, a Scandicci. Dio, che sollievo arrivare a Firenze: entrare in via San Gallo, la strada del San Bonifazio, veder quel bell'edificio col porticato ad archi e i balconi di pietra serena e le finestre senza le inferriate! Che conforto lasciarla lì sapendo che d'ora innanzi sarebbe stata curata in un luogo civile! Ah, sì: civile. Aveva i locali del manicomio ben separati dal settore dei tignosi e dei rognosi, il bell'edificio, e i pazienti dell'uno non si incontravano mai coi pazienti dell'altro. Sul retro, poi, aveva graziosissimi orti e vasti giardini per passeggiare. All'interno, sale luminose e corsie pulite nonché varie camere a pagamento. E ovunque offriva le premure d'un personale ben addestrato che includeva quaranta monache col diploma di infermiera. Dieci per il Reparto Agitati, dieci per il Reparto Amenti cioè i malati afflitti da amnesie o allucinazioni o deliri, dieci per il Reparto Melanconici, e dieci per i casi speciali. La misero in una camera a pagamento. «Che abbia il meglio del meglio, io non bado a spese» aveva detto Francesco depositando quattrocento scudi presi in prestito al Monte di Pietà. La affidarono a una monaca addetta ai casi speciali, suor Cunegonda, e la assegnarono al Reparto Agitati. Scelta inevitabile perché oltretutto strillava che era figlia d'un granduca, e le spettava il titolo di granduchessa, che così dovevan chiamarla sebbene avesse sposato il figlio d'uno schiavo, e ora che non aveva più le catene si feriva con le unghie o qualsiasi oggetto che le capitasse. Lo splendido volto era continuamente graffiato, sfregiato. Però nel 1811 gli attacchi di furore si trasformarono in crisi di misticismo. Prese a identificarsi con Santa Teresa d'Avila, consumarsi in preghiere, indirizzar lettere d'amore a Gesù, e la trasferirono nel Reparto Amenti. Quindi al Reparto Melanconici dove con la leggendaria bellezza ritrovò sprazzi di lucidità e un giorno disse: «Voglio il mio liuto».

Lo ebbe. Glielo portò Francesco che una volta al mese andava a Firenze per chiedere sue notizie e portarle un anonimo mazzo di gigli. Che-non-sappia-mai-chi-glieli-manda-per-carità. E riaverlo la rese quasi felice. Lo suonava ancora bene, quando eseguiva le suites di Bach perfino i pazzi frenetici si mettevano ad ascoltarla, e suor Cunegonda esclamava: «Con quel liuto potreste resuscitare i morti!». Fu questo ad ammazzarla, la notte di Natale del 1814, a quarantaquattro anni. Lusingata dal complimento aveva infatti preso a suonare dinanzi alla stanza mortuaria in fondo ai giardini. Che fosse estate o inverno, che piovesse o splendesse il sole scappava sempre lì a resuscitare i morti, e nel dicembre del 1814 fece molto freddo a Firenze. Per due settimane il termometro scese a quindici gradi sotto zero, per una nevicò, e molti rimasero assiderati. «Che nessun paziente lasci le stanze riscaldate» aveva ordinato il professor Chiarugi. E con suor Cunegonda era stato ancor più preciso: «Non perdete d'occhio la signora Launaro. State attenta che non esca, che non vada a resuscitare i morti». La notte di Natale, invece, suor Cunegonda la perse d'occhio. Con la scusa del freddo bevve un bicchiere di troppo, si addormentò come

Padron Trinca, e preso il suo liuto Montserrat uscì. Scalza e seminuda corse a suonare per il suo pubblico preferito, a resuscitare i morti. La ritrovarono all'alba, congelata. Sembrava una bellissima statua di ghiaccio caduta sulla neve.

* * *

Francesco lo seppe l'ultima settimana di gennaio, quando col solito mazzo di gigli si recò al San Bonifazio per la visita mensile. Licenziata Ester e venduta la palazzina sugli Scali del Monte Pio, ormai si guadagnava i soldi per campare e pagar la camera di Montserrat facendo il navicellaio cioè il barcaiolo tra Pisa e Livorno. Sul navicello mangiava, dormiva, ci teneva Michele, sicché non aveva più un indirizzo e dopo la disgrazia non avevan potuto rintracciarlo. «Portateli al camposanto» gli dissero vedendo i fiori. «È morta un mese fa.» E il dolore lo distrusse a tal punto che la sua salute declinò del tutto e visse altri due anni appena. Quelli durante i quali raccontò a Michele ciò che ho raccontato finora. Però nemmeno in quei due anni smise di lavorare, sfacchinare, e grazie al navicello rivide Filippo Mazzei che rientrato in patria abitava a Pisa dove scriveva le sue memorie e dove fiero della sua scienza agraria si presentava col nome di Pippo l'Ortolano. Lo rivide per caso, il giorno in cui andò a consegnargli un plico giunto a Livorno da Norfolk. (Probabilmente la lettera che il 9 agosto del 1815 Thomas Jefferson gli aveva scritto per informarlo che spedire in Toscana il denaro ricavato dalla vendita dei suoi possessi in Virginia era un grosso problema per via della bancarotta in cui naufragavano numerose banche americane. E la stessa nella quale si esprime con inaspettata misericordia su Napoleone sconfitto a Waterloo e in procinto di venir spedito a Sant'Elena). «Sor Mazzei, c'è posta dall'America!» furono le parole con cui a distanza di mezzo secolo Francesco salutò l'uomo che lo aveva aiutato a imbarcarsi sul *Triumph*, superare la morte del padre. E stando alla voce appassionata e pietosa l'ultraottuagenario Mazzei impiegò alcuni minuti per riconoscer nel decrepito sessantacinquenne il gagliardo marinaio col coltellaccio alla cintola e l'orecchino d'oro al lobo sinistro che ai Tropici aveva dissetato le pecore con la sua ciotola d'acqua, quindi lo abbracciò e lo intrattenne per ore col racconto delle sue fortunate avventure. La Rivoluzione Americana cui aveva partecipato, la Rivoluzione Francese che aveva visto da vicino, gli incontri con Washington e Lafayette e Robespierre e lo zar di Russia e il re di Polonia al cui servizio era stato. Un vanesio monologo che escludeva qualsiasi interesse per qualsiasi cosa fosse successa nel frattempo a Francesco e che si concluse con una domanda.

«Lo avete mai letto *Dei delitti e delle pene* del Beccaria, il libro che vi regalai con la dedica?»

Ma Francesco scosse la testa.

«Sor Mazzei,» rispose «di delitti io ne ho commessi a quintali e di pene ne ho sofferte tante che non ho avuto né il bisogno né la voglia di leggere quelli e quelle del Beccaria.»

Poi gli voltò le spalle e tornò al navicello.

La sua storia finisce qui. Sugli eventi che seguirono la lapidaria battuta si sa solo che morì il 17 gennaio del 1816 e che morendo scoprì qual era il male misterioso con cui dal 1799 duplicava le sue infinite infelicità: il mal dolent. Lo spietato mal dolent che aveva ucciso María Isabel Felipa, che attraverso i suoi cromosomi e quelli di Montserrat avrebbe ucciso un mucchio di gente in famiglia, e che prima o poi ucciderà anche me. A lui era venuto alla gola. Quanto a Michele, nel 1816 un ventenne sensibile e pronto ad affrontare le perfidie della vita, lasciò subito il navicello. Portandosi dietro il liuto rimasto accanto alla bellissima statua di ghiaccio si stabilì a Pisa, e con le quattromila lluras (le intonse quattromila lluras che anche in miseria Francesco s'era rifiutato di usare) aprì una bottega di strumenti musicali. Divenne un esperto liutaio. Ma rimase sempre uno sgorbio, povero trisnonno Michele. Un nano gobbo, rachitico, e brutto. Di bello non ebbe mai che i grandi occhi celesti dentro i quali Ester aveva visto che sarebbe sopravvissuto, che avrebbe sotterrato tutti. Insieme agli occhi il coraggio con cui sposò una giovane donna alta un metro e settantanove, quindi non meno audace di lui, e continuò la progenie.

PARTE TERZA

1

Ricordo solo tracce del loro ardore patriottico, della loro febbre rivoluzionaria, quando cerco nella memoria i cimeli lasciati dai Cantini e custoditi dentro la cassapanca di Caterina. Una bandiera tricolore consunta e rattoppata, una pezzuola rossa stinta e ammuffita, un pacco di lettere scritte prima e dopo la battaglia di Curtatone e Montanara, (tesoro del quale posseggo graziaddio la copia che da scolara feci per un tema sulle guerre d'Indipendenza), e vari fogli di propaganda risorgimentale tra cui un'indimenticabile invettiva piena di parolacce. «Austria puttana che ci levi il respiro / Morte a te, brutta troia / Morte ai tuoi sbirri sozzi di fango / W l'Italia / W il sangue del Popolo / che se la piglia sempre in culo ma trionferà.» I poveri molto poveri, i reietti davvero reietti, non lasciano federe ricamate e liuti con gli intarsi di madreperla. Libri con la dedica di Filippo Mazzei e residui d'acconciature alla Maria Antonietta. Visto che anche dai cimiteri li sfrattano, spesso non lasciano nemmeno le ossa. E quei miei antenati che si battevano per la patria, la giustizia, la libertà, i sogni di cui i bugiardi d'oggi si servono per dar la scalata al Potere o gestirlo, erano molto poveri. Davvero reietti. Così poveri che al confronto i Fallaci di Panzano potevano considerarsi signori, i Launaro sugli Scali di Monte Pio nababbi. Così reietti che lo stesso impegno politico li avrebbe fottuti, la stessa speranza d'un mondo migliore li avrebbe traditi, e la fame gli sarebbe stata compagna per generazioni. Fino al nonno Augusto cioè al padre di mia madre, diciamo, che nel 1947 si spense in un lercio ospedale stringendo tra le mani tutto ciò che possedeva: una pipa d'argilla, un paio d'occhiali a pince-nez, un inquietante ritratto a matita del trisnonno Giobatta a quindici anni, la sua tessera di anarchico e cinque lire. Le cinque lire, accompagnate dal seguente biglietto: «Vi prego di consegnarle a suor Veronica, l'infermiera del Reparto Diabetici, che è tanto buona e di nascosto mi rifilava la minestra doppia». (Eh! dev'esser per questo che verso il denaro nutro una specie di rancore misto a disagio, verso la miseria un odio misto a ribrezzo, per i falsi apostoli dell'uguaglianza un disprezzo illimitato). E a proposito: è del nonno Augusto la voce che ascolterò per ricostruire le vite che vissi in quel passato di paria. Una voce calda ed amara, seducentissima, che usava spesso per cantare inni sovversivi.

«Finché siam gregge è giusto che ci siaaa / cricca padrona a leggi decretar! / E se non splende il Sol dell'Anarchiaaa / voi vi farete ovunque trucidaaar...»

L'invettiva piena di parolacce e le lettere scritte prima e dopo la battaglia di Curtatone e Montanara erano di Giobatta. La bandiera tricolore, la pezzuola rossa, i fogli di propaganda risorgimentale erano del suo presunto zio Giovanni: l'arcavolo col quale apro la saga dei Cantini. Una saga con pochi misteri, stavolta. Già nel milleseicento gli *Status Animarum* me li registrano a San Jacopo in Acquaviva, sobborgo situato fuori le mura di Livorno ed abitato dalla plebe più retrograda della regione. So dunque

che l'8 giugno del 1774 il ventiquattrenne Natale, barroc-
ciaio e fittavolo d'un orto chiamato Orto del Fabbri, im-
palmò la sedicenne Bernarda Pacinotti di mestiere sguattera. Che il 23 novembre del 1775 n'ebbe una femmina
cui venne imposto il nome di Margherita, il 2 luglio del
1781 un maschio cui venne imposto il nome di Gasparo, il
6 dicembre del 1783 un altro maschio cui venne imposto
il nome di Giovanni, il 29 marzo del 1789 un'altra femmina cui venne imposto il nome di Vigilia. So che il 13 marzo del 1804 Bernarda morì nell'epidemia di febbre gialla
causata dalle piume di struzzo giunte da Vera Cruz per la
stupida regina d'Etruria, che l'anno successivo l'arzillo
Natale la sostituì con la diciannovenne Rina Nuti di mestiere cenciaiola, e che il 4 febbraio del 1814 il trentatreen-
ne Gasparo sposò la venticinquenne Teresa Nardini di professione sarta. Di Gasparo e Teresa esiste perfino il certificato matrimoniale, documento dal quale risulta che entrambi non sono capaci di fare la firma. (Il patetico sgorbio che con una *i* mal collocata spicca a piè di pagina è
del genitore e suocero: «Naitale Cantin»). Di Giobatta,
partorito da Teresa nel 1823, esiste perfino l'atto di nascita. E pazienza se contiene un'inesattezza, cioè se attribuisce la paternità dell'infante al legittimo consorte. In famiglia non era un mistero per nessuno che le cose si fossero
svolte in modo diverso. «Macché Gasparo, macché Gasparo! Noi si discende da Giovanni!» urlava il nonno Augusto
a chi fingeva di ignorarlo. Poi, per rinforzare la messa a
punto, ripeteva quel che Teresa aveva rivelato a Giobatta
morendo: «Non posso andarmene senza confessarti la verità, figliolo. Tuo padre non era tuo padre. Tuo padre era
tuo zio». Sordo alle proteste dei parenti infastiditi, spiffe-
rava addirittura i dettagli più intimi dell'adulterio. A suo
avviso, una grande storia d'amore. No, non era stata una
volgare tresca, diceva. Il fuoco s'era acceso assai prima che
Teresa diventasse la moglie di Gasparo, e per quasi un de-

cennio i due innamorati avevan tentato di spengerlo evitando d'incontrarsi o cercando di guardarsi in cagnesco. Ma un fatale giorno d'inverno quel balordo di Gasparo li aveva mandati insieme a Lucca e...

«Cari miei, al destino non si sfugge.»

San Jacopo in Acquaviva. Oh, non m'è difficile riveder quel sobborgo al tempo in cui ero Giovanni. E farlo mi dà i brividi. Perché laggiù non te lo godevi l'incanto dei canali sormontati dai ponti di marmo, delle case a cinque piani, delle strade affollate e illuminate dai lampioni a torcia. Non te lo gustavi lo spettacolo del mare e del porto colmo di navi, il baccanale di colori e di odori e di suoni che aveva stregato Montserrat al suo arrivo. Il paesaggio si componeva esclusivamente di campi dove crescevan gli ortaggi da vendere in piazza delle Erbe, il porto non si scorgeva, il silenzio stagnava con la malinconia, e niente canali. Niente lampioni, niente strade, niente case. Al posto delle case, certi tuguri che a entrarci ti si rovesciava lo stomaco. Certe stamberghe che un contadino del Chianti non ci avrebbe chiuso nemmeno i maiali. Alte appena un paio di metri, anguste, prive di finestre e quindi d'aria, di luce. In quella dei Cantini mancava anche l'uscio. A cosa sarebbe servito, del resto? A scoraggiare i ladri? Se escludi il barroccio che per prudenza Natale parcheggiava ogni sera nel buco che chiamava camera-da-letto, l'unico possesso d'un certo valore era il vaso da notte che Bernarda aveva portato in dote con due asciugamani e una catinella e un sapone. Di maiolica portoghese, largo dieci pollici e fondo sette, dipinto a fiorellini celesti e anziché adibito al suo scopo tenuto sul tavolo di cucina a mo' d'addobbo. (Tanto i tuoi bisogni li scaricavi all'aperto). In cucina c'era qualche pentola, è vero. Qualche piatto di legno, qualche posata d'alluminio. A parte il tavolo col vaso da notte, però, di mobilio non ci trovavi che sei sgabelli e tre scaffali. Nella cosiddetta camera da letto (una per tutti sicché quando Natale s'accoppiava con Bernarda sia i figli che le figlie assistevano all'evento) solo i sacchi per dormire e i chiodi per appenderci il guardaroba. Guardaroba? Per le donne una sottanuccia di stame, una blusa di cotone, o di lana, uno scialle per ripararsi dalla pioggia o dal sole. Per gli uomini una giubba di fustagno, una camicia di felpa, un paio di pantaloni spesso retti con lo spago. E ai piedi, gli zoccoli. (I poveri molto poveri non portavano scarpe. Portavano gli zoccoli. Oppure andavano scalzi). Quanto al mangiare, oddio. Dal lunedì al venerdì, minestre di verdure cotte senz'olio e senza sale. (L'olio costava troppo. Il sale, una fortuna). La domenica, polenta gialla col baccalà e l'aringa. Le feste importanti, pesce di scarto o frattaglie che i pescivendoli e i macellai ti cedevano in cambio degli ortaggi. Il pesce fresco e la carne buona, mai. Le uova e il pane, di rado. Nell'Orto del Fabbri il grano non si coltivava e allevare i polli era proibito per via delle piante in germoglio. Non avendo i polli, non avevi le uova. Non avendo il grano, non avevi la farina. Non avendo la farina, non avevi il pane. E il fornaio te lo faceva pagare dieci crazie la libbra. Quasi la paga giornaliera d'un operaio.

Che altro? Ah, sì: la fede in Dio, il saper leggere e scrivere. I preziosi cibi della mente e dell'anima, le spirituali ricchezze che dovrebbero compensare le pene del corpo. Ma a educar la mente e a salvare l'anima i Cantini di San Jacopo in Acquaviva ci pensavan poco. Gli archivi della parrocchia dimostrano che in chiesa entravano solo per battezzarsi cioè per essere inseriti negli elenchi dello stato civile, e il certificato matrimoniale di Gasparo e Teresa dimostra (lo sgorbio «Naitale Cantin» non conta) che erano analfabeti. Unica eccezione, Giovanni. Spinto da chissà quale slancio di civiltà, infatti, nel 1793 Natale aveva mandato il dodicenne Gasparo e il decenne Giovanni alla scuola pubblica dei barnabiti. E Gasparo s'era coperto di vergogna. Nel giro di tre o quattro settimane il maestro lo aveva messo alla porta berciando: «Torna a tirare il barroccio, testa di rapa! Te per cervello hai una rapa!». Giovanni, al contrario, aveva imparato a leggere in un solo semestre. A leggere e basta, d'accordo. Nelle scuole pubbliche non si seguiva il sistema usato da Carlo con Caterina: metterti subito la penna in mano, insegnarti a leggere e a scrivere contemporaneamente. Prima ti insegnavano a leggere, fatica che durava due anni, poi a scrivere. Fatica che ne durava tre. E i bambini della plebe lavoravano, allora. Non potevan consentirsi il lusso di frequentar la scuola così a lungo. Ergo, compiuta l'impresa il genio della famiglia aveva dovuto battere in ritirata. Tuttavia sui registri di quindici anni dopo accanto al suo nome c'è sia la *L* del «Legge» sia la *S* dello «Scrive». Particolare dal quale deduci che, Dio sa come, nel 1808 sapeva anche scrivere.

* * *

Siamo nel 1808, l'anno in cui le coscrizioni napoleoniche scatenano lo scompiglio a San Eufrosino di Sopra e sugli Scali del Monte Pio. L'Italia, rammenti, appartiene all'Impero francese. Livorno è la capitale della provincia chiamata Dipartimento del Mediterraneo, piazza d'Arme è place Napoléon, via Grande è rue Napoléon, e Giovanni un venticinquenne che ce l'ha a morte col Nappa. Nomignolo che in Toscana sta per Napoleone. D'aspetto è scarno, denutrito. Non a caso lo chiamano Stecco e se toglie la camicia gli conti le costole. In compenso misura un metro e settantanove d'altezza, ha i denti sani, una bella grinta da seduttore, e nessuna malattia. Di carattere è inquieto, ritroso, ostile. Il tipo che parla poco e mugugna molto. Né posso dargli torto: saper scrivere non gli serve a nulla, saper leggere non gli serve che a decifrar gli editti e i proclami con cui il Nappa tormenta i suoi sudditi, e per campare sgobba sedici ore su ventiquattro. All'alba scarica le verdure in piazza delle Erbe dove Natale e Gasparo tengono il banco da ortolano del Fabbri, la mattina raccoglie la merda dei cavalli nelle scuderie, il pomeriggio prepara la calce per Onorato Nardini, un muratore piuttosto agiato che abita nell'attiguo sobborgo di Salviano, e la sera spazza le strade. Mestieri che non gli rendon nemmeno quel che ci vuole per pagarsi una serata in osteria o qualche minuto al bordello. La fidanzata non ce l'ha. Il suo sogno è sposare Teresa, la graziosissima e diciannovenne figlia di Onorato Nardini: dacché la conosce si consuma d'amore per lei, buondì-Teresa, i-miei-rispetti-Teresa, ed anche un cieco s'accorgerebbe che lei contraccambia il suo sentire... Gli risponde con certe occhiate! A volte, arrossisce. Però porta le scarpe, Teresa. Sta in una casa con l'uscio e otto finestre, fa la sarta, si veste da signora. (Ha perfino un cappello). E quando porti gli zoccoli, quando vesti da pezzente, quando puzzi di merda di cavallo, quando vivi in un tugurio col vaso da notte sul tavolo della cucina, in quale angolo del tuo cuore trovi il coraggio di dire Teresa-mi-garbate-tanto-e-vorrei-sposarvi? In quale tasca trovi i soldi per mettere su famiglia? Se lo chiede ogni giorno, povero Giovanni. Con quella domanda s'addormenta, si sveglia, lavora, e in questo momento si ferma a leggere il proclama che oggi 22 luglio tappezza i muri della città. «Toscani! Napoleone I, per grazia di Dio e delle Costituzioni imperatore de' Francesi e re degli Italiani, ha decretato che nei tre dipartimenti sia indetta una leva di milleduecento coscritti nati tra l'1 gennaio e il 31 dicembre del 1788 e che trecentocinquanta di essi siano forniti dal Dipartimento del Mediterraneo. Gli è così che anco i giovani della vostra regione diventeranno depositari della Grandezza Nazionale e, più fortunati dei francesi che li precedettero, si uniranno alle Gloriose Falangi solo ora che l'epoca dei perigli è trascorsa e facili successi li attendono. Toscani! Fra breve voi pure farete parte delle Trionfanti Legioni che coprono l'Europa e alle quali ormai basta apparire per vincere. Toscani! Fra breve i Francesi vi daranno il titolo di Fratelli!»

Accanto al proclama, un avviso del prefetto Louis Chapelle. «Livornesi! Rivolgendo tale appello ai figli che ha di recente adottato, Sua Maestà l'Imperatore e Re d'Italia si comporta da Padre affettuoso. Ma se osaste disconoscere la di Lui volontà, egli userebbe il linguaggio del Padre severo e terribile. Inevitabili castighi colpiranno i coscritti refrattari, i disertori, i fuggiaschi. Galera nonché ammenda di 1500 franchi, arresto dei parenti prossimi, condanna da pubblicare in tutti i comuni e comunelli: ecco la sorte che attende chi oltraggia l'onore della Patria.»

2

Li lesse in preda a uno strano miscuglio di sdegno e d'invidia. Padre?!? Non ci teneva ad aver per padre quel boia, quel vanesio, quel tiranno che cianciando di libertà e uguaglianza e fraternità s'era messo la corona in capo e terrorizzava mezzo mondo. Fratelli?!? Non ci teneva ad aver per fratelli quei teppisti, quei ladri, quei bellimbusti che ora ti molestavano Margherita e Vigilia, ora ti fregavano i cavoli e le cipolle, ora ti requisivano il barroccio del Fabbri. Allez-allez, ça-sert-à-l'Armée. Eppure gli dispiaceva non essere nato tra l'1 gennaio e il 31 dicembre del 1788. Chi ha le toppe al culo non può mica andare per il sottile, accidenti. E visto che l'epoca dei perigli era ormai trascorsa, visto che solo facili successi attendevano le gloriose falangi e le trionfanti legioni, se avesse avuto vent'anni si sarebbe presentato di corsa. Di corsa! Mangiavano così bene, i militari del Nappa. Pane bianco la mattina e la sera, carne di bue innaffiata col vino, contorni cotti con l'olio e col sale, formaggi. Roba che a San Jacopo in Acquaviva non te la sognavi neanche di notte. Inoltre alloggiavano in caserme che parevan regge. Brande coi lenzuoli, latrine col bugliolo, bacili per lavarsi... Calzavano stivaletti da togliere il fiato, vestivano uniformi talmente ricche di alamari e cordoni e bottoni che non capivi mai se fossero soldati o generali, e ricevevano una mercede da capogiro. Una lira al giorno, pensa! Il doppio di quel che lui guadagnava nei periodi di grassa! Una lira al giorno fa trenta lire al mese, capisci. Trenta lire al mese fanno trecentosessanta lire all'anno, pari a cinquantun scudi e un baiocco. Non dovendo spendere per il cibo e per gli indumenti, lo sai quante voglie ti levi con cinquantun scudi e un baiocco? Per incominciare, quella di metter l'uscio al tugurio del tuo babbo. Poi, quella di non misurar più la crazia. Infine, o soprattutto, quella di pronunciar la fatale frase Teresa-mi-garbate-tanto. E, a congedo avvenuto, sposarsi.

Lo sdegno durò poche ore. L'invidia, neanche una settimana. Cioè fino a mercoledì 27 luglio, quando in città apparve un secondo avviso che dopo i vari preamboli diceva: «Si esentano dalla leva i giovani che misurano meno d'un metro e cinquantaquattro d'altezza, che hanno i denti guasti o la salute debole, che rivelano scarsa robustezza o difetti incompatibili con le fatiche dell'esercito. Si esenta inoltre chiunque sia orfano di entrambi i genitori o sia figlio unico e sostenga col proprio lavoro una madre vedova o un padre ottuagenario, e chi ha contratto matrimonio prima della presente data, chi appartiene a un ordine religioso, chi sta per diventare diacono. Tutti gli altri, gemelli compresi, saranno inclusi nelle liste da rendere pubbliche entro domenica 31 luglio: data in cui i richiamati dovranno presentarsi nel luogo scelto dal signor Prefetto e qui procedere di propria mano ad una estrazione a sorte. Per dimostrare che la legge è imparziale, che non ammette favoritismi o ingiustizie, il reclutamento verrà infatti affidato alla sorte e i richiamati decideranno il proprio destino estraendo la scheda alla cieca, da un'urna. Ogni scheda sarà numerata, e quelli a cui capiterà un numero basso partiranno subito. Quelli a cui capiterà un numero alto saranno tenuti a Livorno e avranno molte probabilità di restarvi. Nondimeno è ammessa la sostituzione, vale a dire lo scambio d'un numero basso con un numero alto. Scambio che deve svolgersi seduta stante, con una trattativa privata fra due coscritti della stessa statura e dello stesso quartiere». E fin qui nulla di straordinario. Certe messe a punto non lo riguardavano. Subito dopo, però, l'avviso conteneva qualcosa che lo riguardava assai da vicino: un'appendice sottolineata in neretto. «Le summenzionate norme interessano pure i cittadini che non essendo nati tra l'1 gennaio e il 31 dicembre del 1788 risultano esclusi dall'arruolamento ma intendono offrirsi come rimpiazzo. E a costoro il signor Prefetto fornisce le seguenti informazioni. 1) Il rimpiazzo consiste nella delega della chiamata a un volontario che non è di leva e che, dietro compenso da sancire dinanzi al notaio, prende il posto del coscritto. 2) Per il rimpiazzo non è necessario che il Rimpiazzante abbia la stessa statura del Rimpiazzato ed abiti nello stesso quartiere. Basta che appartenga allo stesso dipartimento e che la sua età oscilli tra i ventuno e i ventisei anni compiuti. 3) A parte l'età suddetta, occorre che il Rimpiazzante esibisca una fedina penale non macchiata da condanne di alcun tipo e documenti da cui risulti in possesso dei requisiti richiesti a un normale coscritto. Certificato medico, stato civile. Quanto alla statura, in questo caso deve superare il metro e sessantaquattro. Infatti non verranno ammessi Rimpiazzanti al di sotto del metro e sessantacinque.»

Eh, sì: la scappatoia con la quale Carlo e Caterina avrebbero sottratto il secondogenito alle campagne napoleoniche. Il crudele espediente che in barba alla legge imparziale e allo slogan Liberté-Égalité-Fraternité favoriva i ricchi a spese dei poveri: i primi li aiutava a salvare la pelle e i secondi li mandava a morire. (Il rimpiazzo esisteva già al tempo della Rivoluzione Francese e Napoleone lo aveva solo perfezionato). Nonostante ciò, a Giovanni parve di toccare il cielo con un dito. Che altro chiedere alla fortuna? Sembrava inventata per lui quella postilla che insieme al vantaggio di mangiar bene, calzare gli stivaletti, indossare una bella uniforme e ricevere la mercede d'una lira al giorno gli assicurava un compenso-da-sancire-dinanzi-al-notaio! Coi cresi che c'erano in città, non gli sarebbe stato difficile trovarne uno ansioso di delegare il servizio militare del figlio a un disgraziato stufo di portar gli zoccoli. E ignorando che il compenso aveva tariffe molto precise, che in Francia esse toccavano i quattromila franchi cioè le cinquemila lire toscane, nel Dipartimento del Mediterraneo almeno le duemilaseicento o le tremila, si mise in cerca d'un cliente a cui vendere la propria vita. Cosa che in famiglia scatenò un concerto di lamenti e reclami e sconforto. Perbacco, lo capivano anche i bambini che con le sue ciance sui facili successi e i trascorsi perigli il proclama del Nappa mirava a fottere i creduloni. Lo sapevano anche gli ignoranti che questa leva faceva parte d'un reclutamento europeo promosso per rastrellare centosessantamila vittime da spedire in Spagna. Non si parlava d'altro, al mercato! Il 2 maggio, a Madrid, era avvenuta una sanguinosa rivolta. In quattro e quattr'otto s'era propagata al resto del paese poi al Portogallo, e l'intera penisola iberica guerreggiava contro Sua Maestà l'Imperatore. Peggio: l'Inghilterra sosteneva gli insorti, lungo le coste della Catalogna un certo ammiraglio Cochrane bombardava senza tregua i presidii, in Estremadura un certo generale Wellesley avanzava con orde di fanteria, sicché i soldati napoleonici ne buscavano ovunque. Stragi da rizzarti i capelli in testa. «Sei briaco, Stecco?!? Vuoi diventar carne da macello?!?» urlò Natale. E Gasparo supplicò ripensaci-Stecco-ripensaci, Margherita e Vigilia singhiozzarono ascoltali-Stecco-ascoltali, la matrigna Rina sentenziò: «A parer mio siete un citrullo». Ma invano. Munito dei documenti girava pei quartieri ricchi e: «C'è nessuno che gradisce un rimpiazzo?». Oppure andava nelle chiese, nelle sinagoghe, e: «Sor parroco, sor rabbino, se conoscete uno che ha bisogno del rimpiazzo eccovi il mio indirizzo». Alla fine il messaggio giunse a destinazione e il 31 luglio, quando venne pubblicata la lista dei coscritti da sorteggiare, un distinto signore in marsina apparve dinanzi al tugurio senz'uscio. Il cavalier Isacco Ventura, commerciante in gioielli e padre del ventenne Beniamino Ventura. Lanciando uno sguardo incredulo al vaso da notte varcò la soglia, si presentò, e scandì la domanda agognata.

«Sta qui il rimpiazzo?»

«Sta qui» rispose Giovanni ergendosi in tutto il suo metro e settantanove.

Seguì un mugugnìo titubante.

«L'altezza c'è... Però vi trovo un po' secco.»

«È il secco della salute, sor Ventura» rispose Giovanni sventolando il certificato medico.

Seguì un respiro di sollievo.

«E gli altri fogli, gli altri requisiti?»

«Ce l'ho, sor Ventura, ce l'ho» rispose Giovanni mostrando i denti sani, la fedina penale, lo stato civile.

Seguì un gorgoglìo compiaciuto.

«Bene. Se rimpiazzate mio figlio, vi dò mille lire.»

Seguì un grido estatico.

«Mille...?!?»

«Mille. Da versarsi in cinque rate. Una, appena conclusi gli esami di leva cioè a rimpiazzo accettato dalle autorità. Quattro, ogni dodici mesi e mediante un deposito bancario. Purché vi impegniate a rinnovar la ferma dopo il primo biennio: chiaro?»

«Chiaro...»

«E domani si va dal notaio. Si firma.»

Bè: di fronte alla tariffa minima di duemilaseicento, mille lire sfioravano il furto. Quanto ai termini dell'accordo, costituivano un'autentica carognata. Ma le tariffe, ripeto, Giovanni non le conosceva. E per lui mille lire erano una cifra talmente esagerata, iperbolica, che l'idea di raddoppiarle anzi triplicarle non lo sfiorò davvero. Quella di contestare il pagamento a rate e il rinnovo della ferma, nemmeno. Così porse la destra, felice.

«Affare fatto, sor Ventura!»

Gli esami di leva si tennero dal 9 all'11 agosto nella Chiesa dei Domenicani, per l'occasione riempita di gendarmi e spogliata d'ogni sacro arredo. Via i crocifissi, via i quadri e le statue dei santi, via l'ostensorio, e coperto da un bandierone francese l'affresco di San Domenico che riceve la corona dalla Madonna. Trasformato in una specie di palestra, il presbiterio. Al centro, l'urna con le schede da estrarre. In fondo, la pedana col misuratore a due montanti e l'asta fissata sul metro e cinquantaquattro. Ai lati, i tavoli pei funzionari: il prefetto Chapelle, i cancellieri, gli scrivani, i medici addetti al controllo clinico dell'arruolando. I coscritti e i loro parenti stavano in un recinto della navata centrale, e molti piangevano o imprecavano disperatamente. «Ah, me tapino!» «Ah, me infelice!» «Va' all'inferno, Nappa della malora!» Ce lo raccontano i diari compilati con la penna d'oca. Ci raccontano anche come procedeva la cosa. All'appello fatto in ordine alfabetico da un gendarme francese, il richiamato lasciava il recinto e raggiungeva il presbiterio. Mentre ai gemiti e alle imprecazioni si univano gli scongiuri tocca-ferro, tocca-legno, toccati-le-palle, si avvicinava all'urna delle schede.

Tutto impaurito estraeva il numero, lo passava ai cancellieri che lo passavano agli scrivani, poi si spogliava. Saliva sulla pedana con l'asta del misuratore fissata sul metro e cinquantaquattro, e se la sua testa non la sfiorava era salvo. Qualunque fosse il numero estratto, lo cacciavano in tale fretta che a malapena aveva il tempo di rivestirsi. «Sortez, sortez! Nous n'avons pas besoin de nains. Non abbiamo bisogno di nani.» Se invece la sua testa sfiorava l'asta o la superava, e se oltre a goder buona salute aveva estratto un numero basso, era fritto. Dopo una guardatina in bocca i medici lo cedevano a Chapelle che lo dichiarava idoneo e lo assegnava ad uno dei due reggimenti toscani già impiegati sul fronte spagnolo: il Ventottesimo Cacciatori a cavallo e il Centotredicesimo Fanteria di linea. Però a quel punto l'infame giurisprudenza t'offriva la scappatoia, cioè diventava lecito sostituire il numero basso con un numero alto oppure proporre il Rimpiazzante che a un cenno del prefetto avanzava coi fogli per sottoporsi a sua volta all'esame. E questo è ciò che accadde nel pomeriggio di giovedì 11 agosto: giorno in cui Beniamino Ventura, bel donzello di media statura nonché in ottima salute e detentore d'uno scomodo numero 7, fu dichiarato idoneo e assegnato al Centotredicesimo Fanteria di linea. Giovanni avanzò coi fogli, si spogliò, salì sulla pedana, esibì l'inconfutabile prerogativa del suo metro e settantanove, e pazienza se l'eccessiva magrezza suscitò non poche perplessità. Pazienza se alcuni medici pronunciarono le parole insufficienza-toracica e il più critico aggiunse io-non-l'accetterei. Chapelle ribatté che le bistecche dell'esercito l'avrebbero reso robusto, e col tono di chi non ammette repliche gli intimò di partire entro dodici ore cioè l'indomani mattina per Parma. La città dove le reclute venivano smistate, addestrate, e dove quelle appartenenti al Dipartimento del Mediterraneo erano attese la prossima settimana.

Oddio, son poche dodici ore. In dodici ore puoi riscuoter le duecento lire della rata iniziale, consegnarle al babbo, alleviarne la mestizia osservando che da oggi non dovrà misurare la crazia. Puoi asciugar le lacrime di Margherita e Vigilia che belano sconsolate Stecco-ripensaci-Stecco. Puoi rivolgere un predicozzo a Gasparo che da solo non riesce a cavare un ragno dal buco: raccomandargli d'aver giudizio, prendere in moglie una brava ragazza non una cui piacciono i soldi del cognato. Ma non puoi sciogli er l'atroce dilemma nel quale ti rodi dacché hai capito che in Spagna il Nappa ti ci manda davvero. Andarci o no a Salviano dalla Nardini, pronunciarla o no la fatale frase Teresa-mi-garbate-tanto? Perché pronunciarla significa avviare un discorso serio. Significa impegnarla, legarla con una promessa di matrimonio. «Al sor Ventura mi son venduto soprattutto per voi, per metter su famiglia con voi, Teresa. Aspettatemi, ché appena torno ci si sposa.» E se poi non torni o torni con un braccio in meno, una gamba in meno? Che fai, la rendi vedova mentre è ancora zittella? La mariti con un monco o uno zoppo? D'altronde potresti tornare. E intero. Se non la impegni, quando torni intero rischi di trovarla sposata a un rivale... Ergo: le dodici ore le passò a chiedersi ci-vado-non-ci-vado, glielo-dico-non-glielo-dico. L'indomani mattina partì senza averle detto nulla, senza averla neanche salutata, e il viaggio a Parma si svolse con quella pena in cuore. Un viaggio di otto giorni. A piedi. Con gli zoccoli.

* * *

A Parma lo misero nei granatieri del Secondo Battaglione comandato dal colonnello Casanova. (I granatieri dovevan essere alti, la maggior parte delle reclute non toccava il metro e sessanta, sicché i cipressi come lui Casanova li prendeva a occhi chiusi. Insufficienza toracica o no).

E dopo averlo messo nei granatieri gli dettero un rancio così sostanzioso che gli venne subito l'indigestione. La prima indigestione della sua vita. Gli dettero una branda, col materasso e i lenzuoli, il primo materasso e i primi lenzuoli della sua vita, gli dettero un paio di scarpe con le ghette fino al ginocchio, le prime scarpe della sua vita, e un'uniforme da togliere il fiato. Giacca di panno blu con le rovesce bianche, le manopole rosse, le spalline rosse, i bottoni dorati. Panciotto bianco, calze bianche, cintura rossa, sciarpa blu, copricapo a colbacco. In pelo nero col pennacchio di piume nere, i paraorecchi guarniti di lucenti squame metalliche, i paraguance arricchiti da una cordicella argentea. Tutte cose che lo distrassero dalla sua pena ed attenuarono il suo odio per il Nappa. Ma presto gli fecero giurar fedeltà alla bandiera del reggimento. Un quadrato di seta francese coi colori francesi, le scritte francesi, le insegne francesi. (A destra, due triangoli rossi. A sinistra, due triangoli blu. Al centro, un rombo bianco che da una parte aveva il motto «Valeur et Discipline» e dall'altra la dicitura «L'Empereur des Français au Cent-treizième Régiment d'Infanterie de ligne». In cima all'asta, l'aquila con le ali spiegate e gli artigli che stringevano un fascio di folgori napoleoniche). Gli ficcarono in mano uno schioppo a pietra focaia, presero a rimbecillirlo con gli esercizi di tiro e gli assalti alla baionetta e i presentat'arm. Infine lo inclusero in un contingente formato da ottocentoquaranta tra fucilieri e granatieri e volteggiatori, i granatieri agli ordini del capitano livornese Trieb, e l'8 settembre lo assordarono con un bercio che rinverdì l'odio attenuato dalle scarpe e dall'uniforme: «In fila, si parte!». Di nuovo a piedi e stavolta portandosi addosso uno zaino che avrebbe stroncato un bove lasciò Parma. Incominciò la lunghissima marcia che attraverso la Valle Padana poi la Liguria poi la Provenza poi le zone costiere della Linguadoca, Montpellier, Béziers, Narbonne, in due mesi lo condusse a Perpignan cioè al confine con la Catalogna. La regione in cui il generale Reille, comandante in capo del Settimo Corpo d'Armata, radunava e impiegava le truppe del neo-Regno d'Italia. Ci arrivò il 30 ottobre, a Perpignan. E appena giunto scoprì che il contingente fornito in precedenza dal Centtreizième aveva perso proprio ottocentoquaranta uomini, che dunque il suo era venuto a sostituire i morti. Da un pisano scampato all'ecatombe ed ora a riposo in una caserma della città seppe anche ciò che Casanova e Trieb s'eran guardati bene dal rivelargli: se esisteva al mondo un mattatoio dove crepavi senza avere il tempo di dire ahi, questo era la Catalogna. Montagne boscose e boscose colline che nascondevano migliaia di partigiani ossia un nemico che sarebbe stato l'incubo di qualsiasi esercito addestrato per le grandi battaglie campali e quindi non abituato alla guerriglia. Assoluta mancanza di strade, impervi sentieri che impedivano il trasporto dell'artiglieria pesante. Gole e anfratti che riservavano sempre qualche agguato, fiumi e torrenti che non potevi attraversare per via delle acque troppo impetuose o profonde. Fragili ponti che sotto il peso dei carriaggi crollavano come castelli di carta e che se li ricostruivi solidamente ti venivano distrutti in un battibaleno. Coste infestate dalla flotta inglese, conseguente impossibilità di ricevere i rifornimenti via mare sicché il cibo dovevi procurartelo coi sequestri o con le razzie. E a qual prezzo, esclamò il pisano, a qual prezzo! Settimane addietro una pattuglia di volteggiatori era andata a requisir vettovaglie nella borgata di San Miguel e allora, suonando le campane a stormo, i paisanos avevano avvertito El Verdugo. Un capo partigiano che i prigionieri li catturava solo per eliminarli a colpi di scure, decapitarli. Per questo lo chiamavano El Verdugo, nome che in spagnolo significa Il Boia. Bè, al suono delle campane El Verdugo era uscito coi suoi fidi dal bosco. Era piombato sui volteggiatori, li aveva ammazzati tutti, e a proposito: se n'era accorto, a Parma, che lo schioppo del Centotredicesimo non valeva una cicca? Solo a centocinquanta o a duecento metri colpiva il bersaglio, perdio! A trecento lo mancava nove casi su dieci, a quattrocento non lo raggiungeva nemmeno, mi spiego? Se ai Verdugo non gli tiri da lontano, voli in Paradiso prima di ricaricare. Quanto alla popolazione, meglio tenersene alla larga. Donne e vecchi e bambini inclusi. A metà giugno Reille aveva posto sotto assedio Saragozza, agli inizi di luglio Girona, e ci crederesti? Dopo mesi di resistenza condotta anche dalle donne, dai vecchi, dai bambini, sia a Girona che a Saragozza gli assediati erano irrotti fuori dalle mura. Avevan costretto gli assedianti alla fuga. Gente dura, mi spiego? Indomita e indomabile, pronta a pagare in qualsiasi modo il prezzo della libertà. Infatti gli capitava spesso di pensare porca miseria, questo è un popolo che lotta per la sua libertà! E più ci pensava più si rendeva conto di star lì a fare una guerra ingiusta. Più se ne rendeva conto, più combatteva malvolentieri cioè con un disagio che sfiorava il rimorso. Ah, se non fosse stato un militare di carriera! Ah, se avesse potuto svignarsela!

«Granatiere, siete qui di rimpiazzo?»

«Eh, sì» rispose Giovanni.

«E perché avete commesso una sciocchezza simile?!?»

«Perché, come dice la mia matrigna, sono un citrullo» rispose Giovanni.

Ma era ormai tardi per abbandonarsi al rammarico d'essere un citrullo o per logorarsi nel rimorso di partecipare a una guerra ingiusta, aggiunse. Il rammarico non cambiava nulla e il rimorso gli sembrava un lusso alquanto pericoloso. Da quel che aveva capito mentre li addestravano a Parma, in guerra s'obbedisce alla legge dell'o-me-o-te. A chi ci spara si spara, insomma. Che sia giusto o no. E accantonati i rimpianti, i problemi di coscienza, gli scrupoli, s'accinse ad affrontare un calvario che esteso alla Germania sarebbe durato fino all'estate del 1814.

3

La voce calda ed amara non raccontava quasi nulla di quel calvario. Descrivendo Giovanni il nonno Augusto preferiva sottolineare il dramma del suo ossessivo amore per Teresa, il sorgere della sua febbre politica, le tappe del suo doloroso impegno rivoluzionario, e alle sofferenze del periodo spagnolo alludeva poco o solo con la storia del ciuffo di capelli bianchi. «Successe appena giunsero in Catalogna, durante il battesimo del fuoco che il Secondo Battaglione si beccò a Selva del Mar: un villaggio lungo la costa. Sostenuti da El Verdugo gli inglesi v'erano sbarcati per installare le batterie in cima a una collina, di lì martellavano il presidio francese, e il compito di sloggiarli toccò al colonnello Casanova che decise di lanciare un assalto alla baionetta. Ragazzi-questa-collina-bisogna-pigliarla. Buttatevi-e-dimostrategli-che-noi-non-abbiamo-paura. Convinto di vedersela con gli inglesi e basta Giovanni si buttò, e a metà crinale chi trova? El Verdugo in persona. Con la scure in pugno. Risultato, di paura n'ebbe tanta che sulla tempia sinistra gli venne un gran ciuffo di capelli bianchi. Ciuffo che lo rendeva riconoscibile anche a un miglio di distanza e che al tempo dei carbonari tingeva con l'inchiostro o col nerofumo per non dar nell'occhio agli sbirri.» Tutto qui. In compenso, sulle vicende del Centotredicesimo Fanteria nato dalla leva del 1808 le cronache dell'epoca offrono molte notizie. Testimonianze preziose. Grazie ad esse posso colmare il vuoto, e nel colmarlo penso: ma come fece, povero Stecco, a uscirne vivo?

Sono cronache allucinanti, testimonianze da cui risulta che per sei anni il Secondo Battaglione fu davvero carne da macello. Infatti la collina la presero, al terzo giorno. Sia pure al prezzo di parecchi morti e parecchi feriti, gli inglesi li sloggiarono. Con gli inglesi, El Verdugo. Però da quel momento il generale Reille non gli concesse un attimo di respiro, e li usò nella maniera che segue. Da Selva del Mar li mandò a Rosas per conquistare un caposaldo difeso da tremila spagnoli dell'esercito regolare, la fortezza di El Botón, e incurante delle perdite ce li tenne finché riuscirono ad aprire una breccia cioè indurre il nemico alla resa. Da Rosas li mandò a Barcellona per soccorrere il presidio caduto in mano agli insorti e, sempre incurante delle perdite, gli impose di battersi finché non lo avessero liberato. Da Barcellona (siamo ormai nel gennaio del 1809) li mandò a Castellón de Ampurias per recuperar venti cannoni catturati a Rosas da El Verdugo e con questi li costrinse a guadare un fiume in piena nel quale un'intera compagnia di volteggiatori affogò. Da Castellón de Ampurias anzi dal fiume in piena li mandò a Girona per rimettere la città sotto assedio, impresa che li impegnò due mesi e che a parte i soliti morti gli costò un'epidemia di colera. Da Girona li mandò a Bañolas dove infuriato per il recupero dei venti cannoni El Verdugo gli piombò alle spalle con cinquemila partigiani e ne fece scempio. Da Bañolas li catapultò in Castiglia dove un terzo dei sopravvissuti finiron massacrati a Talavera de la Reina: la famosa battaglia nella quale, sgominando le truppe del maresciallo Victor, Arthur Wellesley si guadagnò il titolo di duca di Wellington. È inutile aggiungere il resto, inutile spiegare quel che nel frattempo accadeva al Primo Battaglione usato con uguale cinismo: per il Centotredicesimo il 1809 fu un anno così terribile che di milleseicentottanta uomini, il totale degli effettivi partiti da Parma coi due contingenti, a settembre non ne rimanevano che cinquecento. Non a caso lo stesso Nappa si impietosì e ordinò di spedirli in Francia, a Orléans, con una licenza di sei settimane. Vino e prostitute a volontà. Il guaio è che rientrando da Orléans si videro affibbiare un rinforzo di milletrecento reclute fresche cioè arruolate con la nuova leva, e nel 1810 tutto ricominciò daccapo. In Catalogna, in Castiglia. Nelle Asturie, ora, nel Léon. Regione al confine col Portogallo e quindi soggetta agli attacchi del neoduca di Wellington. (Uno a Benavente, uno a Zamora, uno a Puebla de Senabria dove insieme a due battaglioni di svizzeri e tre compagnie di polacchi vennero accerchiati da seimila tra spagnoli e portoghesi). Quanto al 1811, dal maggio di quell'anno ebbero addosso anche i partigiani a cavallo del generale Castaños. Tipi che i prigionieri non li eliminavano alla svelta, con la scure di El Verdugo. Li ammazzavano piano piano, mozzandogli le gambe e le braccia poi lasciandoli lì a dissanguare.

Lo rivela il Diario degli Eventi che nel 1811 martoriarono il Centotredicesimo. «Giovedì 2 maggio. I guerrilleros-caballeros di Castaños attaccano i granatieri del Secondo Battaglione che col capitano Trieb si dirigono verso la città di Astorga. Sei morti, sei feriti, sedici prigionieri dissanguati mediante il taglio degli arti.» «Sabato 4 maggio. I guerrilleros-caballeros di Castaños attaccano il Primo Battaglione che con un traino di carri attraversa la vallata di Vegamian. Per un giorno e una notte impegnano le otto compagnie che facendo quadrato riescono a respingerli ma una compagnia viene sgominata e l'indomani dei prigionieri non si ritrova che il tronco.» «Domenica 12 maggio. I guerrilleros-caballeros di Castaños attaccano una pattuglia di dodici fanti che cercano viveri alla periferia di Balaguer. Esaurite le cartucce i dodici si rifugiano sul campanile d'una chiesa ma vengono scoperti e uccisi con l'usuale supplizio.» «Martedì 21 maggio. I guerrilleros-

309

caballeros di Castaños attaccano tre compagnie del Secondo dirette ad Alcamar e si portano via una squadra di volteggiatori per ammazzarli nel modo consueto.» E in giugno c'è la strage di Villadangos: cento fucilieri che agli ordini d'un certo tenente Bertini dai guerrilleros-caballeros si difendono ventiquattr'ore, ma ad uno ad uno muoiono tutti. Cinquanta in combattimento, cinquanta per ciò che il diarista chiama l'usuale-supplizio o il-modo-consueto. (Bertini, beato lui, per una pallottola in bocca). A luglio c'è l'eccidio di Torre Hermada: altri cinquanta granatieri che si fanno sorprendere con due bovi razziati e indovina che gli succede. Nei mesi successivi c'è anche la battaglia di Ortigo, la battaglia di Dueñas, la battaglia di Magaz. Ogni volta una tale carneficina che nonostante un ulteriore rinforzo di mille reclute fresche il colonnello Casanova viene colto da un'acuta crisi depressiva, con questa trasferito a Parigi, e per consolare i superstiti il generale Corsini pronuncia un fervido encomio. Una gran tirata con cui paragona il Centotredicesimo alle più gloriose legioni dell'Impero e lo definisce un corpo di eroi. Il maresciallo Bessières vuole addirittura passarlo in rassegna e ringraziare personalmente gli-intrepidi-figli-della-Toscana. Tuttavia l'anno peggiore fu il 1812, cioè l'ultimo che passarono in Spagna. Perché nel gennaio del 1812 il duca di Wellington conquistò Ciudad Rodrigo: l'importantissimo nodo strategico che in luglio lo avrebbe condotto a Salamanca, poi a Valladolid e il 12 agosto a Madrid. E il Primo Battaglione svanì come una boccata di fumo. Metà creparono difendendo strada per strada e casa per casa Ciudad Rodrigo, metà furon catturati e con le navi di Cochrane deportati in Inghilterra da dove non tornarono più. (Non solo: di loro si perse qualsiasi traccia, non si seppe mai che fine avessero fatto). Il Secondo Battaglione invece fu impiegato da Marmont nel disastroso scontro di Arapiles, e il 22 luglio inserito nella ritirata che alcuni storici paragonano a quella avvenuta tre mesi dopo in Russia. Che anzi giudicano il preludio dei rovesci napoleonici.

Ritirata? «Bruciati dal sole che ardeva dall'alba al tramonto, soffocati dalla sete e dal caldo, stroncati dalla stanchezza e dall'abominio, procedevamo in spaventevole e vergognoso disordine. Affamati e laceri, incattiviti, vivevamo di saccheggi e di ruberie. Spesso ci nutrivamo con la carne cruda dei muli e dei cavalli che mancando il foraggio conveniva abbattere. Orde senza speranza e senza disciplina, belve incuranti di quel che significa essere un soldato, arrivammo così alle rive del Mediterraneo, alla lontana città di Valencia» dice il tragico sfogo d'un protagonista. E vari documenti confermano che, inclusa la compagnia di Giovanni, i toscani del Secondo non si comportarono meglio delle orde-senza-speranza-e-senza-disciplina. Rapine, diserzioni, omicidi. Violenze, brutalità, sodomie sui propri compagni. Ad Arapiles avevan perso quattro quinti degli ufficiali, tra questi il capitano Trieb che quasi moribondo viaggiava in barella, quindi non c'era quasi nessuno a guidarli ed arginarne il degrado. Dal completo sfacelo fisico e morale si salvarono a malapena quando da Valencia risalirono al Nord e Reille li affidò al generale Caffarellì, un oriundo italiano della Linguadoca che prese a usarli come tappabuchi: sulla Cordigliera Cantabrica per scortare convogli, nei dintorni di Burgos per dar la caccia ai briganti, a Santander per impedire uno sbarco di Wellington che abbandonata Madrid e rientrato in Portogallo preparava l'attacco decisivo. Li chiamavano Régiment Passe-partout, infatti. E va da sé che non erano un reggimento. Non eran più neanche un battaglione, ormai. Dei settemila che di rinforzo in rinforzo erano stati mandati dal 1808 in poi, non ne restavano che centonovanta. I fortunati rottami con cui il 28 febbraio del 1813 Giovanni lasciò finalmente la

Spagna. Lo sparuto gruppetto col quale Giovanni arrivò per l'ultima volta a Orléans dove un anno prima il colonnello Casanova aveva ricostituito il Centotredicesimo Bis dissoltosi in Russia, e dove grazie a ottocentodieci reclute appena rastrellate da Elisa Bonaparte Baciocchi con la leva dei diciottenni si stava formando il Centotredicesimo Tris. Povero Giovanni. A Orléans avrebbero dovuto congedarlo. Ma poiché ad aggiungere centonovanta creature a ottocentodieci si ottiene la cifra tonda di mille bovi da mandar al macello, lo sparuto gruppetto si vide subito inserire nel Centotredicesimo Tris. A questo furono aggregati due battaglioni di mille fanti bavaresi più due di mille cavalleggeri romani, e in maggio il composito branco partì per la Germania. In giugno entrò a Würzburg. Il principato nel quale Ferdinando III d'Asburgo-Lorena viveva l'esilio impostogli dal Nappa nel 1799, la città nella quale si sarebbe svolta la fase finale del calvario.

Neanche di Würzburg il nonno Augusto raccontava molto. Parlandone infatti alludeva solo al particolare che lì Giovanni fosse stato promosso sergente e sfoggiasse un anello di brillanti e rubini destinato a Teresa. «Brillanti veri, eh? Rubini veri. Un senese se l'era sgraffignato, durante il saccheggio di Ciudad Rodrigo, e lui glielo aveva vinto con la roulette russa. Il gioco che si fa mettendo una sola pallottola nella rivoltella a tamburo poi girando a caso il tamburo e puntandosi la rivoltella alla tempia. O la va o la spacca. Sai perché? Perché quell'anello lo voleva per Teresa. E siccome il senese sosteneva che il coraggio di far la roulette russa ce l'hanno in pochi, gli aveva detto: io-ce-l'ho-e-se-il-colpo-va-a-vuoto-mi-becco-l'anello. Ah, Teresa, Teresa! Le occasioni di levarsela dalla testa non gli erano mancate di certo in quegli anni. La Spagna traboccava di belle ragazze e Orléans di postriboli. Eppure non era mai riuscito a superare il dolore d'averla lasciata senza pronunciare le fatali parole Teresa-mi-garbate-tanto, aspettatemi-ché-appena-torno-ci-si-sposa. Nonostante ciò credeva di ritrovarla zittella, pronta a fidanzarsi, e... Per fidanzarsi un anello ci vuole, no?» Nient'altro. Tuttavia anche sul Centotredicesimo Tris esistono testimonianze preziose, con esse posso colmare di nuovo la lacuna, ed ecco quel che ho scoperto. Per alcuni mesi, a Würzburg, i tremila se la cavarono assai comodamente. Scansarono perfino la micidiale battaglia di Lipsia, quella con cui dal 16 al 19 ottobre le armate dell'alleanza Austria-Prussia-Russia-Svezia-Inghilterra misero in ginocchio Napoleone e lo costrinsero a un'ennesima ritirata. Ma il 20 ottobre le cose cambiarono. Per sbarrare il passo all'esercito in marcia verso la frontiera nord-occidentale, impedirgli di rientrare in Francia dalla valle dell'Aine, il generale austriaco von Schwarzenberg piazzò infatti sei divisioni intorno a Francoforte e Mannheim. Con una di queste pose sotto assedio la vicina Würzburg, e sia i mille fanti bavaresi che i mille cavalleggeri romani passarono subito dalla sua parte. I mille del Centotredicesimo Tris, al contrario, le opposero una resistenza feroce. Sotto il fuoco di ottanta cannoni che concentravano il tiro sulla cittadella di Marienberg, la fortezza nella quale s'erano arroccati, per tre giorni tennero a bada ben quindicimila prussiani. E pare che tra i combattenti più animosi vi fosse un sergente con un ciuffo di capelli bianchi sulla tempia sinistra. «Non voleva arrendersi, no» riferisce l'anonimo narratore. «Come un pazzo, saltava di baluardo in baluardo, e se i compagni li vedeva stanchi o scoraggiati urlava: Ne cédez pas, ne cédez pas, non cedete! Démontrez au monde que nous sommes du Cent-treizième, dimostrate al mondo che noi siamo del Centotredicesimo!» Lo dimostrarono. Il primo giorno ne morirono duecento. Il secondo, trecento. Il terzo, quattrocento. Al quarto i cento superstiti segnalarono al nemico che si sarebbero ar-

313

resi solo se gli avessero concesso l'onore delle armi, richiesta che venne accettata, e dalla cittadella uscirono sfilando tra due file di austriaci che li salutavano col presentat'arm. L'alfiere, reggendo la bandiera quadrata coi colori francesi e le insegne francesi e il motto «Valeur et Discipline» nonché la dicitura «L'Empereur des Français au Cent-treizième Régiment d'Infanterie de ligne».

L'indomani però li rinchiusero nei sotterranei d'un castello abbandonato, coi topi che li divoravano a morsi. E nonostante varie suppliche inviate a Ferdinando III, Altezza-Serenissima-siamo-toscani, aiutateci-Voi, chiedete-a-Vostro-fratello-l'imperatore-di-mandarci-in-una-caserma, ci rimasero sei mesi. Finché Napoleone capitolò e firmò il Trattato di Fontainebleu. Soltanto allora, per l'esattezza il 23 aprile del 1814, furono scarcerati e trasferiti a Strasburgo dove il sergente col ciuffo di capelli bianchi sulla tempia sinistra si congedò poi incominciò il viaggio di ritorno. Una lunghissima camminata che attraverso l'Alsazia, la Svizzera, il Piemonte, la Liguria, si concluse l'ultima settimana d'agosto. Un rimpatrio del quale la voce calda ed amara diceva tutto.

* * *

Aveva trentun anni, diceva, quando tornò. Era diventato un bell'uomo muscoloso che nessuno si sarebbe sognato di chiamare Stecco, parlava il francese meglio dell'italiano, col francese un ottimo spagnolo, un decente tedesco, e sul suo volto stagnava una smorfia di smarrito stupore. Lo stupore di chi non capisce più nulla e ha perso l'orientamento. Santiddio, il mondo s'era capovolto mentre lui languiva nei sotterranei del castello coi topi che lo divoravano a morsi e poi mentre si faceva la lunghissima camminata. Capovolgendosi era caduto dalla padella nella brace, e la nuova realtà sembrava un'allucinazione. Chi l'avrebbe mai immaginato che le cose finissero così? Ora il Nappa viveva in esilio all'isola d'Elba, i sovrani che aveva cacciato si spartivano un'altra volta l'Italia, quelli che aveva installato o tollerato partecipavano con cinismo al banchetto, e a Vienna si preparava un congresso che (lo sapevano cani e porci) intendeva sancire anzi aggravare lo scempio. Il Veneto e la Lombardia agli austriaci che sostenuti dagli inglesi si comportavano già da padroni. Il Piemonte ai Savoia che naturalmente conservavano Nizza e la Sardegna ma pretendevan pure la Liguria. Il Lazio, le Marche, l'Umbria, le Romagne e Bologna al papa cioè allo Stato Pontificio. Il Regno di Napoli cioè la Campania, gli Abruzzi, la Calabria a Gioacchino Murat che pur di mantener quel trono regalatogli dal Nappa aveva seguito l'esempio dato in Svezia da Bernadotte ed era passato dalla parte dei vincitori. La Sicilia ai Borboni che chiotti chiotti aspettavano di beccarsi anche il piatto di Murat. E la Toscana, ovvio, restituita agli Asburgo-Lorena cioè a quel coglione di Ferdinando III che non aveva nemmeno il coraggio di lasciare Würzburg. «L'Elba è a un tiro di schioppo dal Granducato. Meglio pigliarsela calma, non correre rischi.»

Tornando indossava l'uniforme che nonostante il congedo non riusciva più a levare, e non andò dritto a Livorno. Sebbene gli premesse riveder presto Teresa, accertarsi che fosse rimasta zittella, regalarle l'anello di brillanti e rubini, insomma sposarla, prima di andarci voleva chiarirsi le idee. Si fermò dunque a Viareggio, da un commilitone che lo aveva preceduto viaggiando a cavallo, e questi gli raccontò cose da rimpiangere i tempi di Chapelle. D'accordo, Ferdinando nicchiava a Würzburg. Però a rappresentarlo aveva mandato il principe Giuseppe Rospigliosi, un tipo dalla mente corta e dall'anima nera che la corona gliela teneva in caldo col Buongoverno?!? Una polizia che senza processi pubblici, senza tribunali,

senza istruttorie, senza testimoni, senza avvocati difensori, senza prove, condannava i gesti e i discorsi e i pensieri
contro la Chiesa o il restaurato regime. I pensieri, Cantini, i pensieri! Caro mio, ormai comandavano gli sbirri in
Toscana. I più avevan paura perfino ad aprir bocca, e per
crederci bastava conoscer la barzelletta che da mesi circo-
lava nelle campagne e nelle città. «Scusi, che ora è?» chiede una signora a un passante. «Le cinque, signora. Ma
non lo dica a nessuno, mi raccomando. Non mi compro-
metta» risponde il passante. Il problema grosso, comunque, non veniva dallo strapotere degli sbirri. Veniva dal
fatto che tutti avessero reagito o reagissero alla nuova
realtà voltando gabbana. Indovina chi stava a capo del
Buongoverno, ad esempio, chi puniva i-gesti-e-i-discorsi-
e-i-pensieri: Aurelio Puccini, l'ex governatore giacobino che nel 1799 aveva imposto lo slogan Liberté-Égalité-
Fraternité. E indovina chi preparava le feste per il giorno
in cui Ferdinando si sarebbe deciso a rimetter piede nel
suo Granducato: Girolamo Bartolommei, l'ex sindaco na-
poleonista, il rivoluzionario che in passato ti arrestava se
guardavi torto la bandiera francese! Ora non voleva udire neanche i vocaboli Bonjour o Merci. Per salutarti scan-
diva Guten Morgen, per ringraziarti Danke, e per evitare
equivoci aveva incaricato l'Accademia delle Belle Arti di
pitturare un affresco nel quale il granduca appariva assiso su un cocchio tirato da quattro divinità nonché intento a schiacciare col calcagno una coccarda bianca rossa e
blu. Quanto al popolo, guarda: nel voltagabbanismo batteva addirittura i signori. Specialmente a Livorno. Dopo Lipsia, chi era corso a togliere dalla piazza d'Arme il
cartello place Napoléon e da via Grande il cartello rue
Napoléon? Chi aveva abbattuto le insegne che adornavan
le facciate degli edifici pubblici, le aquile con le ali spiegate e gli artigli stretti sul fascio di folgori napoleoniche, i
bassorilievi col profilo del Nappa? Chi s'era messo a gri-

dare contro sua sorella Elisa Baciocchi, Baciocca-puttana, tre-soldi-la-Baciocca? E lo scorso aprile, quando il generale austriaco Stahremberg era giunto in Toscana con le sue truppe, chi aveva preso a sassate le finestre dei livornesi che rifiutavano di festeggiarne l'arrivo con le luminarie? Chi aveva urlato fòri-le-torce, bucaioli, fòri-le-candele? La plebaglia che dopo Austerlitz o Wagram si rovesciava nelle strade a berciare viva-il-Nappa, bravo-Nappa: evidente. I barrocciai, gli acquaioli, i facchini che ad ogni sua vittoria correvano in darsena per offrire i loro servigi ai marinai francesi insomma procurargli le mignotte! Se ne sarebbe accorto, rientrando. E tanto per restare in argomento: non intendeva mica andarci con l'uniforme, a Livorno?!?

«Certo» rispose Giovanni. «Perché non dovrei?»

Perché i reduci del Nappa non li poteva soffrire nessuno, concluse il commilitone, e Livorno era il centro di tutte le loro disgrazie. La plebaglia non faceva che ingiuriarli, dileggiarli, sputargli addosso, e l'auditore Serafini cioè il capo della polizia li perseguitava in mille modi. Convocandoli all'alba nel suo ufficio, ad esempio, tenendoli per ore in piedi ad aspettar d'essere ricevuti poi cacciandoli con un brusco tornate-domani: malignità chiamata Castigo dell'Umiliazione. Oppure impiegandoli in lavori avvilenti come quello di raccogliere il pesce marcio e la spazzatura, negandogli il passaporto necessario a emigrare, sorvegliandoli passo passo e arrestandoli a qualsiasi pretesto. Nella Fortezza Vecchia ve n'erano una ventina in catene. Uno per aver borbottato al marchese Spannocchi, ora rieletto governatore, la frase: «L'altra volta ti mandarono via i francesi, questa volta ti si manda via noi». Uno per aver alzato il braccio verso l'isola d'Elba e sussurrato: «Si stava meglio quando si stava peggio». Li sorvegliava anche pei reati contro la Chiesa, e se li beccava a bestemmiare o a dar segni d'ateismo li puniva da vivi e da morti. Da vivi, con quindici staffilate nella schiena. Da morti, col divieto di seppellirli in terra consacrata. All'ospedale di Sant'Antonio, in luglio, un tenente sopravvissuto alla ritirata di Russia era spirato senza sacramenti. Non li aveva voluti. «Reverendo,» aveva detto al prete «io non credo più a nulla e dal suo Gesù Cristo non accetto nulla. Mi lasci crepare in pace.» Il prete aveva riferito la cosa al vescovo, il vescovo all'auditore Serafini, e il cadavere del ribelle era stato sepolto al Mulinaccio. Cioè al deposito dell'immondizia.

«Da' retta a me, Cantini. Comprati un paio di brache, una giubba, e vestiti da civile.»

Ma lui scosse la testa. Gli pareva inverosimile che il Serafini trattasse i reduci a quel modo. Gli pareva inconcepibile che la plebaglia ossia il popolo li ingiuriasse, li dileggiasse, li prendesse a sputi. E troppe volte, durante il calvario, aveva rincorso il miraggio di tornare a casa in uniforme. Esibendo l'orgoglio, il senso di rivincita, di autostima, di dignità, che l'uniforme gli dava. Guardatemi, gente. Forse ho sbagliato a vendere la mia vita per mille lire, a rovinare la mia gioventù in una guerra ingiusta, a servire la megalomania del Nappa. Però sei anni fa ero un paria con gli zoccoli, un lazzaro che sapeva solo tirare il barroccio o raccattare la merda dei cavalli, ed oggi sono un soldato. So andare all'assalto d'una fortezza, so marciare per mesi nel caldo e nel freddo, so affrontare belve come El Verdugo e i guerrilleros-caballeros di Castaños, so tenere a bada quindicimila prussiani che mi martellano con ottanta cannoni, e il generale Corsini mi ha chiamato eroe. Il maresciallo Bessières mi ha definito un intrepido figlio della Toscana, il principe Schwarzenberg mi ha reso l'onore delle armi. Merito rispetto, merito considerazione. Così a Livorno ci tornò vestito da granatiere. Peggio: giunto dinanzi alla Porta a Pisa, anziché tenersi fuori delle mura cioè recarsi direttamente a San

Jacopo in Acquaviva, entrò in città. Spinto dalla voglia di rivedere il porto si infilò in via Grande e...

Il primo fu un vecchio che chiedeva l'elemosina.

«Servo del Nappa, è finita la pacchia!»

Il secondo fu un ragazzaccio.

«Giro girotondooo / il Nappa ha perso il mondooo / ha perso anche i soldatiii / li ha morti o rimandatiii...»

Dopo il ragazzaccio, due prostitute.

«Te la sei fatta addosso, bel fico, eh? Ti son venuti, i capelli bianchi!»

Dopo le due prostitute, un fornaio da cui voleva comprare una ciambella di pane.

«Che volete?!?»

«Una ciambella.»

«Qui ai francesi e agli infranciosati non si vende né il pane né il companatico, intesi?!?»

Dopo il fornaio, lo sputo. Lanciato da chissacchì insieme a un triplice urlo.

«Mercenario! Giannizzero! Giacobino!»

Non ci arrivò, al porto. Dopo lo sputo deviò in una serie di stradine semideserte e, protetto dal buio che calava, uscì dalla Porta dei Cappuccini. Imboccò il viottolo che attraverso i campi conduceva all'Orto del Fabbri. Però soltanto quando fu lì riuscì a vincere il trauma dell'oltraggio e della conferma, dirsi che non doveva pensarci. Presto sarebbe stato a casa, perdio. Una casa con l'uscio e magari rimessa a nuovo. Salutata la famiglia sarebbe corso a Salviano da Teresa che (all'improvviso lo sentiva con ogni fibra del suo cuore) era rimasta davvero zittella, e avrebbe realizzato il suo sogno. Anche se il Serafini perseguitava i reduci, anche se il popolo li maltrattava, anche se il Rospigliosi imperava e il voltagabbanismo trionfava, poteva consentirselo ormai! Dentro la sua bisaccia c'era la mercede di sei anni, duemila franchi francesi pari a duemilatrecento lire toscane, e in qualche banca lo aspettavano le ottocento lire di Isacco Ventura. O almeno la parte che in casa non avevano usato. E con un coraggioso sorriso si lanciò tra i filari di cavoli, di cipolle, di fagioli.

«Babbo! Son tornato, babbo!»

«Gasparo! Son tornato, Gasparo!»

«Margherita, Vigilia, Rina, son qui!»

Gasparo non c'era, strano. Quanto alla casa, uscio a parte tutto appariva come il giorno in cui era partito. Vaso da notte incluso. E dopo i baci, gli abbracci, le lacrime di gioia, Natale gli spiegò perché.

«Le rate non sono mai state versate, figliolo.»

«Mai?!?»

«Mai. Nel 1809 tutti i Ventura moriron di tifo, e non puoi mica reclamare i debiti da chi sta sottoterra!»

Seguì un lungo silenzio allibito. Poi il sorriso coraggioso riapparve. «E Gasparo dov'è?»

«Gasparo non sta più con noi. S'è sposato, vive con la moglie a casa del suocero.»

«Sposato? Ecco una bella notizia! Quando?»

«Sei mesi fa, il 4 febbraio.»

«Bene! Ne son lieto. Con chi?»

«Con una di Salviano. La figlia di Onorato Nardini.»

«La figlia di Onorato Nardini?!? Teresa?!?»

Sissignore, Teresa, confermò Natale. E capiva la sua meraviglia: era una ragazza che avrebbe potuto sposare un adone o un intelligentone o un ricco di via Borra, Teresa. Bellina da morire, garbata, sempre vestita alla moda con le scarpe e il cappello. Era anche sveglia di comprendonio, sebbene non sapesse leggere né scrivere. Faceva la sarta e per fare la sarta il comprendonio ci vuole, no? Gasparo, invece... Povero Gasparo. A trentatré anni suonati, otto più della consorte, era ancora ciò che il maestro di scuola aveva sentenziato nel 1793. Una gran testa di rapa, un tal coglione che se gli regalavi un uovo mangiava l'albume e buttava via il torlo. Di soldi non ne parliamo, e quanto al fisico via: con quell'aria macilenta e quel visuccio di tartaruga non eccelleva proprio in bellezza. In compenso era tanto buono! L'uomo più dolce, più docile, più mite che una donna potesse desiderare. Un pan di zucchero, un santo più santo dei santi del calendario. Mai che si ribellasse, mai che disubbidisse, mai che ti negasse un favore, mai che ti infliggesse un dispiacere. A frequentarlo dimenticavi ogni sua manchevolezza e dal 1809, anno in cui Onorato Nardini se l'era preso in casa come manovale fisso, Teresa lo aveva frequentato parecchio. L'aveva conosciuta per filo e per segno la sua bontà. Non che i due si fossero fidanzati in quattro e quattr'otto, intendiamoci. Per quasi un lustro non ci avevan nemmeno pensato. Teresa non voleva sposare nessuno, chissà per quale ragione respingeva chiunque la corteggiasse, e te l'immagini Gasparo che canta la serenata? Lo scorso gennaio, però, s'era detto: "E se ci provassi io? E se a me rispondesse sì? Renderei felice mio fratello. Prima di partire mi raccomandò di metter giudizio, prendere in moglie una brava ragazza, e dove la trovo una ragazza meglio di Teresa?". Poi s'era proposto, lasciando tutti di stucco lei aveva risposto sì, e attualmente era incinta di cinque mesi. Che andasse a salutarla, a controllar di persona. Sarebbe stata così contenta di scoprire che Stecco non era morto. Perché in quegli anni non aveva fatto che domandargli: «Sor Cantini, sapete nulla di Stecco? Sor Cantini, ci son notizie di Stecco?». Perfino in municipio, il giorno delle nozze, gliel'aveva chiesto. A udir l'ennesimo «no» le era cascata una lacrima. Poi aveva sospirato: «Si vede che è proprio morto!».

4

«Corpo esile e flessuoso. Collo lungo e lineamenti delicati. Grandi occhi neri come i capelli che pettinava alla Joséphine cioè con la frangetta e i riccioli corti. Pelle bianchissima, squisite mani che nemmeno il lavoro più ingrato riusciva a sciupare. Bellina, sì, e benedetta da un'eleganza che esulava dai vestiti. A guardarla non l'avresti certo creduta una popolana dei sobborghi, la figlia d'un muratore. Di carattere, quieta e introversa. Il tipo che parla sempre in tono sommesso, che ride poco, che non s'abbandona mai a gesti sguaiati e non lascia mai trapelare i propri pensieri o i propri sentimenti. E poi qualcosa di speciale doveva averlo, no, se Giovanni ne fu innamorato per tutta la vita.» Il nonno Augusto la dipingeva così, Teresa, e l'immagine è molto precisa. Dovrebbe bastarmi a reinventarne il personaggio, ricordare l'esistenza che ebbi attraverso di lei. Eppure la sua vera identità mi sfugge, e ogni volta che tento di raccontarmi chi ero quando ero lei mi perdo in una nebbia di interrogativi. Che cosa si nascondeva dietro la sua grazia, la sua compostezza? Una colomba o una tigre? Una creatura timida e indifesa o una persona forte e sicura di sé? Che cosa l'aveva indotta ad accontentarsi d'un minchione che d'un uovo mangiava l'albume e buttava via il torlo, che cosa l'aveva spinta a concludere con una simile scelta i sei anni spesi nell'assurda attesa d'uno spasimante partito senza chiederle d'aspettarlo? Davvero l'angelica bontà che Natale ammirava in Gasparo oppure un masochismo nato dall'idea che Stecco fosse morto e accompagnato dal pregiudizio di restargli fedele sposandone il fratello? E in che modo reagì a scoprir che era vivo, a incontrarlo di nuovo? Scoppiò in lacrime, svenne, lo salutò con gentile distacco? (La terza ipotesi è la più probabile. Quasi certamente riuscì a controllarsi, e ringraziare Iddio se i grandi occhi neri si permisero un lampo di gioia mista a costernazione). Boh! Soltanto due certezze emergono dalla nebbia: il romantico amore nel quale s'era a sua volta cullata durante l'assurda attesa e il tragico errore che aveva commesso a diventar comunque la signora Cantini. Perché diciamolo subito: non sarebbe scaturito nulla di positivo da quel matrimonio insensato. Nemmeno i figli che, stando alla pertinacia delle sue gravidanze, desiderava. Maria Domenica, la primogenita di cui era incinta nell'agosto del 1814, nacque il 30 dicembre e subito morì per un difetto cardiaco. Antonio, il secondogenito, nacque il 26 ottobre del 1815 e l'indomani morì per caseosi polmonare. Con la medesima fretta nel 1817 morì la terzogenita Natalizia, nel 1819 il quartogenito Cesare, nel 1821 la quintogenita Eufemia, nel 1822 il sestogenito Eligio. Tra i due coniugi esisteva infatti un'incompatibilità genetica in seguito alla quale i figli venivano al mondo tarati da anomalie che li uccidevano in un batter di ciglia.

No, io non la capisco Teresa. Mi sembra di rincorrere un fantasma che non vuole essere disturbato, una parte di me che non vuole essere rivelata, a tentar di raccontarmi chi ero quando ero Teresa. E l'esistenza che ebbi attraverso di lei mi è oscura, indistinta come un oggetto che si intravede nel buio. Quella che ebbi con Giovanni al contrario mi è chiara come uno specchio d'acqua di cui si scorge il fondo, i sassi e i detriti che giacciono sul fondo, e di lui capisco anche che cosa fece dopo il deludente ritorno. Che cosa? Bè, per incominciare decise di tenersi alla larga da Salviano: evitare il più possibile quei grandi occhi neri che forse lo avevan guardato con un lampo di gioia mista a costernazione. Poi giurò di non sposarsi mai. (Impegno che mantenne sino alla fine dei suoi giorni). Strinse i denti e s'organizzò in maniera da vivere senza una donna al fianco, senza un'uniforme addosso, senza i soldi mai versati da Isacco Ventura. Vendette l'anello di brillanti e rubini, con quel guadagno e coi duemila franchi della mercede affittò una stanza e una stalla in via dell'Olio cioè dentro le mura, quindi comprò due cavalli nonché una bella carrozza e si mise a fare il vetturale. Mestiere che lo sottraeva un poco ai controlli del Serafini e che lo autorizzava a possedere un salvacondotto per spostarsi di città in città. Ma, soprattutto, si mise a fare ciò che il Buongoverno vietava con tanta ferocia: pensare. Ragionare sulla nuova realtà, cercar la propria coscienza, pensare. Non a caso proprio quell'autunno prese a bazzicar la bottega del liquorista Ginesi, a gettar le basi dell'arduo cammino che lo avrebbe portato nelle file della Carboneria poi dei Veri Italiani. (Il gruppo rivale della Giovine Italia). Era un nido di frammassoni bonapartisti, la bottega del Ginesi. Vi andavano gli ex giacobini e i nostalgici che con la scusa di bere il bicchierino d'assenzio si scambiavano gli scritti provenienti dall'isola d'Elba, invocavano la rivincita del loro idolo in esilio. E vederlo lì non mi meraviglia. Ormai del tutto smembrata dal Congresso di Vienna, l'Italia non esisteva più. (Regno del Lombardo-Veneto, regno di Sardegna con il Piemonte, regno delle Due Sicilie, granducato di Toscana, Stati Pontifici, e cinque staterelli controllati dagli austriaci: il ducato di Parma e Piacenza, il ducato di Modena e Reggio, il ducato di Massa e Carrara, il ducato di Lucca, la Repubblica di San Marino). E trionfava la Restaurazione. Però del calvario vissuto a combattere sotto la bandiera bianca rossa e blu del Centtreizième restava a Giovanni qualcosa che nessun uomo in cerca della propria coscienza avrebbe potuto ignorare: le idee che nonostante le corone di re e imperatore, nonostante i titoli nobiliari e i troni distribuiti come caramelle ai parenti e agli amici, nonostante le guerre ingiuste e i massacri compiuti dalla sua cupidigia e dalla sua megalomania il Nappa aveva paradossalmente diffuso anzi inserito nell'anima delle sue stesse vittime. Le idee di libertà, di progresso. I principii rivoluzionari, i concetti di unità e d'indipendenza che nella bottega del Ginesi avevan prodotto il brindisi «Patria nostra dalle Alpi allo Ionio». Che fosse diventato bonapartista, del resto, lo dimostra la frase per cui venne malmenato al ritorno di Ferdinando III.

«Che applaudite, citrulli? Espèce de cons, balourds! Vale più il Nappa quando dorme che quel bischero di granduca quando sta sveglio.»

Purtroppo non ho quasi nulla sull'inizio dell'arduo cammino. Cioè sugli impegni politici che cercò dopo la fuga dell'idolo dall'Elba, dopo i Cento Giorni, Waterloo, insomma durante il primo biennio della Restaurazione. Di questa fase rimane soltanto la memoria d'un manifesto scritto nel 1816, anno in cui il Nappa era già a Sant'Elena, e di Cantini in Cantini custodito insieme ai poveri cimeli che mia madre avrebbe chiuso dentro la cassapanca di Caterina. Un manifesto in francese: «Vive Napoléon! Vive l'union du peuple toujours prêt à suivre ses ordres!». Non ho nulla nemmeno sulle avventure amorose o i legami affettivi coi quali in quel periodo alleviò la sua solitudine, tentò di togliersi dalla testa Teresa. Argomento che il nonno Augusto liquidava con una breve battuta: «Macché avventure, macché legami. Le strade abbondavano di mignotte, e un uomo col cuore a pezzi s'accontenta di poco». Sul suo passaggio dal Bonapartismo alla Carboneria invece non si risparmiava, e forniva un racconto preciso. Nel 1818, diceva, Giovanni andava spesso a Pisa: città che con la carrozza a doppio tiro, da Livorno si raggiungeva in un paio d'ore. A Pisa cercava clienti al Tre Donzelle, un albergo amato dai forestieri, e nel maggio del 1818 al Tre Donzelle arrivò una coppia di inglesi simpatici: Percy Bysshe Shelley e la moglie Mary. Quella di *Frankenstein*. «Siete libero, brav'uomo?» chiese Shelley che l'italiano lo parlava piuttosto bene. «Per il Buongoverno, no. Per voi sì» rispose Giovanni. E poiché con tale messa a punto s'erano capiti in pieno, al suo servizio ci rimase due mesi. Lo portò pure ai Bagni di Lucca. Ma non come uno che tiene le redini dei cavalli e basta: come un segretario tuttofare, una persona di fiducia e con la quale t'intendi. Sor Shelley qui, sor Shelley là. Sor Giovanni qui, sor Giovanni là. Divennero intimi, capisci? Tanto intimi che, se non pioveva o se Mary non c'era, anziché starsene comodo nella carrozza gli sedeva accanto cioè a cassetta. Prendeva a parlargli di politica e roba del genere. Bè, se per due mesi scarrozzi a quel modo un uomo gioviale che oltre ad essere un gran poeta è un tipo che ce l'ha coi despoti, che ti parla della Costituzione, che ti spiega chi sono i carbonari, impari a pensare meglio che nella bottega del Ginesi. E se mentre pensi meglio ascolti cose che non avevi mai udito, ad esempio che i manifesti Vive-Napoléon-et-l'union-du-peuple-prêt-à-suivre-ses-ordres non servono a nulla, non servirebbero nemmeno se il Nappa avesse vinto a Waterloo in quanto la libertà bisogna conquistarsela da soli, la bottega del Ginesi smetti di bazzicarla. Poi Shelley andò a Venezia dal suo amico Byron, di lì a Roma e a Firenze o chissaddove, e lasciò il neodiscepolo nei dubbi. L'anno dopo però riapparve, e in giugno si piazzò con Mary a Livorno per restarci l'intera estate. Giovanni ricominciò a scarrozzarlo, ascoltarlo, a riascoltarlo si persuase che la libertà bisogna conquistarsela da soli, ed entrò a far parte della Carboneria.

Oh, sulla commovente intesa fra il gran poeta e il rozzo vetturale il nonno Augusto diceva molto di più. Che i due avevan cessato di vedersi solo nel luglio del 1822 cioè il mese in cui l'appena ventinovenne Shelley era naufragato col suo schooner dinanzi a La Spezia, che

quando il corpo era stato ritrovato sulla spiaggia di Viareggio l'affranto Giovanni aveva pianto come una donna, che per onorarne la memoria s'era studiato un po'
d'inglese e in inglese recitava sempre una strofa d'una
sua poesia... (Quale poesia, quale strofa? Forse perché
contiene il vocabolo *van* che in alcuni casi significa carrozza, sospetto che fosse l'epilogo di *Liberty*. «From spirit
to spirit, from nation to nation, / from city to hamlet thy
dawning is cast, / and tyrants and slaves are like shadows
of night, / in the van of the morning light.» Intraducibi-
le, inimitabile canto che col dovuto imbarazzo renderò
così: «Di anima in anima, di paese in paese, / di città in
villaggio / la tua alba si spande, / e schiavi e tiranni di-
vengono ombre della notte, / dentro la carrozza del luminoso mattino»). A volte si divertiva anche a dire che
nel 1821 Shelley lo aveva presentato a Byron appena
giunto a Pisa con una corte di domestici, uccelli esotici,
altri animali tra cui numerose scimmie, e che Byron non
gli era piaciuto. Gli era parso un mariuolo di lusso. Però
il suo narrare si condensava sui due mesi che maestro e
discepolo avevan trascorso insieme dopo l'incontro al
Tre Donzelle, sull'estate seguente cioè l'estate che al discepolo aveva sciolto gli ultimi dubbi, e sul passo che a
quel punto egli aveva compiuto. Questo mi autorizza a
concludere che nel 1819 Giovanni era già carbonaro.
Quanto all'anno successivo, ne ho la prova assoluta. Quella che per puro caso ho trovato negli sconfinati archivi del
Buongoverno e dalla quale risulta che il 27 luglio del 1820
il giudice Paoli, successore del Serafini, ricevette una folle autodenuncia accompagnata da sganganherate minacce
in versi: «Contro chi chiede la Costituzione / carcere e
ingiurie adoperar fellone? / Trema a sollevare la nostra
vendetta / e se continui crudel morte aspetta». Sotto un
triangolo celeste rosso e nero, i colori della prima Carboneria, la folle autodenuncia elenca infatti quindici nomi

di carbonari livornesi. Coi nomi fornisce il numero dei proseliti raccolti da ciascuno nelle varie città della Toscana, e al dodicesimo posto c'è lui che di proseliti ne dichiara quattordici a Lucca.

«Cantini Giovanni. Lucca 14.»

* * *

Si associa all'idea del martirio, la parola carbonaro. Evoca il ricordo delle forche, dei plotoni di esecuzione, delle prigioni disumane, dei patrioti che muoiono gridando Viva l'Italia. Ed anche quello del perverso rigore con cui la setta disciplinava i suoi affiliati, della ferocia con cui puniva chiunque violasse i suoi precetti. Chi eseguiva male un incarico, ad esempio. Chi non ubbidiva agli assurdi rituali, chi si lasciava sfuggire un gesto sbagliato, chi non aiutava i compagni in pericolo, chi risultava spergiuro o vigliacco. Una pugnalata nel ventre, una rasoiata alla gola, e via. Al cimitero. Voglio dire: in nome della libertà accettavano norme spietate, i carbonari, si sottoponevano a sacrifici mostruosi. E soprattutto rischiavano la Corte Marziale, i Tribunali Speciali. Così, quand'ero bambina, bruciavo d'orgoglio a sapere che il mio avo Giovanni era stato uno di loro. Me ne vantavo, mi pareva d'essere la pronipote d'un eroe. Oggi no, mi impressiona assai meno, e la folle autodenuncia del 27 luglio 1820 mi strappa un sorriso. Perché il 1820 è l'anno in cui nel Lombardo-Veneto la rete carbonara di Silvio Pellico e Piero Maroncelli venne scoperta ed entrambi finirono in carcere, nonché l'anno in cui i carbonari napoletani fecero la rivoluzione e ottennero la Costituzione. In Toscana, invece, non accadde nulla. Il 1821 è l'anno in cui quella rivoluzione venne domata, quella Costituzione abrogata, quei carbonari sgominati. Nonché l'anno in cui i carbonari piemontesi insorsero per vedersi tradire da Carlo Alberto, i carbonari milanesi furono arrestati con Federico Confalonieri, e sia nell'Italia del Nord che nell'Italia del Sud si eressero i primi patiboli. In Toscana, invece, non accadde nulla. Il 1822 è l'anno in cui la repressione si scatenò e a Palermo nove carbonari furono decapitati, le loro teste messe in gabbie di ferro ed esposte sulla pubblica piazza come ammonimento, e a Modena altri nove furono condannati al capestro, a Verona ben trentatré, a Napoli trenta fra cui gli autori della rivolta cioè i sottotenenti Michele Morelli e Giuseppe Silvati che sempre come ammonimento penzolarono dalla forca sei giorni. Inoltre è l'anno in cui Pellico e Maroncelli furon chiusi allo Spielberg. Un carcere dove per crepare non avevi bisogno del boia. In Toscana, invece, non accadde nulla. E si potrebbe continuare: il 1823 è l'anno in cui la repressione si consolidò con dieci fucilati a Napoli, tre impiccati a Catanzaro, tre a Capua, cinque a Palermo, sette a Verona. In Toscana invece...

Non si impiccava nessuno, non si decapitava nessuno, non si fucilava nessuno, in Toscana. La pena di morte non esisteva nemmeno. Malgrado gli abusi giuridici, lo strapotere degli sbirri, il Buongoverno non era sanguinario. E malgrado i legami familiari, le pretese di Vienna, Ferdinando III non era un tiranno. Non meritava il disprezzo espresso da Giovanni con la battuta vale-più-il-Nappa-quando-dorme-che-quel-bischero-di-granduca-quando-sta-sveglio. Appena rientrato aveva tolto ogni autorità al nefasto principe Rospigliosi, proibito di perseguitare gli atei, i reduci, i dissidenti, e da allora faceva capriole per non trasformarsi nel proconsole di suo fratello Francesco I imperatore d'Austria. Nel 1820 Francesco aveva imposto al conte di Fiquelmont, l'ambasciatore austriaco, di presentarsi a Ferdinando con una lista di toscani da arrestare. E strappandola poi gettandola nel fuoco lui aveva risposto: «Ella riferisca al suo sovrano, come io il dirò a mio fratello, che de' miei sudditi io sol dispongo. Lo informi eziandio, come io lo informerò, che anco i ribaldi i cui nomi ho testé bruciato sono miei amatissimi figli». Non solo: offeso dalla richiesta, aveva ordinato d'accogliere tutti gli esuli che cercavan riparo nel Granducato. Ben per questo, dopo essersi compromesso coi carbonari di Ravenna e con la congiura diretta dal padre della sua amante Teresa Gamba Guiccioli, Byron s'era trasferito a Pisa. Ben per questo Shelley preferiva Pisa e Livorno e Firenze a Napoli o Roma o Venezia. Ben per questo la Toscana veniva chiamata Paradiso degli Esuli, Regno del Bengodi. Quanto ai carbonari cui s'era legato Giovanni, sarebbe inesatto affermare che si sottoponevano a norme spietate o che si distinguevano per eccezionale coraggio o attitudine al martirio. Ho dinanzi a me un rapporto che la polizia redasse sull'interrogatorio di trentanove indiziati, e l'unico caso ammirevole è quello del poeta estemporaneo Francesco Benedetti che per la paura di parlare scappò dalla prigione e andò ad ammazzarsi in un'osteria. Accanto ai nomi degli altri c'è quasi sempre un umiliante «reo confesso con sincerità e pentimento», «reo confesso con ingenuità e rammarico». Meglio: sedici di loro risultano scarcerati subito e affidati alla custodia della famiglia. Venti, processati ma condannati a pene lievi: tre o quattro mesi di galera senza staffilate, cinque o sei di domicilio coatto o di bando in Maremma. E *dulcis in fundo*: dal fascicolo che la contiene si deduce che la folle autodenuncia del 27 luglio 1820 non ebbe conseguenze. Anziché un ordine d'arresto, ad essa è accluso un laconico «Accertarsene» del giudice Paoli e un elenco di ragguagli per i funzionari che condurranno l'accertamento. «Rammentare che gli adepti della succitata setta portano spesso la cravatta nera e un ombrello verde con la punta aguzza. Oggetto che usano come arma. Rammentare che per salutarsi osservano un rituale grottesco. Il salutante si toglie il cappello con la sinistra, quindi lo appoggia alla bocca, lo abbassa, lo striscia lungo la gamba, e intanto tende la destra. Il salutato lo stesso, e stringendo la mano del confratello ne gratta la palma con l'indice. Il salutante invece ne preme il muscolo adduttore cioè la base del pollice. Infine pronunciano il motto. Fede, bisbiglia il salutato. Speranza, bisbiglia il salutante. Carità, bisbigliano insieme. E si abbracciano.» (Ragguagli, oltretutto, per cui viene spontaneo domandarsi se quei mancati eroi avessero il cervello a posto).

Però l'eroismo non è il metro con cui si misura un uomo, il martirio non è il requisito necessario a giudicarne il valore, i rituali grotteschi non bastano a vanificare un sogno. E i meriti di Giovanni non diminuiscono perché gli sbirri non presero sul serio la sua sfida, o perché in Toscana i carbonari non venivano né impiccati né decapitati né fucilati. Tantomeno, perché indulgevano ad abitudini assurde e note alla polizia o perché i più dimostravano scarso coraggio. Povero Giovanni, un contributo al sogno lo dette ugualmente. Si capiva anche dai manifestini che stavan dentro la cassapanca di Caterina, da quei patetici e strazianti foglietti con la scritta «Libertà o Morte», «Costituzione o Morte». (Gli altri non li ricordo, ma rovistando fra le copie custodite negli archivi del Buongoverno ho riconosciuto il testo di due che si rivolgevano ai militari. Uno, in versi come le minacce al Paoli: «Or che diritti umani Costituzion ci addita / risorge a nuova vita / chi schiavo e vil non è. / E al grido lusinghiero dorme il toscan guerriero / inoperoso sta?». Uno, in forma di proclama: «Soldati toscani, scuotetevi! Non abbiate vergogna di chieder la Costituzione! Non abbiate paura dell'Austria che ha da badare ai fatti suoi!»). Erano gli appelli con cui la Carboneria s'illudeva di aizzare nel Granducato i moti già esplosi nell'Italia del Nord e del

Sud, e ammettiamolo: Regno del Bengodi o no, Paradiso degli Esuli o no, si rischiava la galera a diffonderli. Eppure sembra che lui lo facesse con disinvoltura e audacia: lanciandoli dal loggione del Teatro Carlo Lodovico, attaccandoli all'ingresso dei postriboli e delle chiese, gettandoli dinanzi alle caserme poi dileguandosi a gran velocità con la carrozza a doppio tiro... Del resto eseguiva a menadito qualunque compito gli affidassero, e stando alla voce calda ed amara fallì un'unica volta: il 16 giugno del 1822, quando non riuscì ad uccidere Carlo Alberto di Savoia. Dopo aver appoggiato i moti piemontesi e (da reggente) concesso la Costituzione nonché chiamato al governo il patriota Santorre di Santarosa, Carlo Alberto era infatti fuggito da Torino. Aveva cinicamente abbandonato gli insorti alla furia dei monarchici sostenuti dall'Austria e con la giovane moglie Maria Teresa d'Asburgo-Lorena, l'ultimogenita di Ferdinando III, s'era rifugiato a Firenze. Cioè sotto le ali del suocero granduca. Offeso dalle attività galanti con cui umiliava di continuo sua figlia, però, Ferdinando non gli forniva nemmeno una guardia del corpo. Lo teneva come un ospite qualsiasi, lasciava che girasse la Toscana senza scorta o protetto solo da uno scudiero ottantenne. E quell'anno un gruppo di carbonari aveva deciso di vendicare i compagni caduti incaricando il livornese Giovanni Cantini e il genovese Giuseppe Malatesta di eliminarlo a Pisa dove, mischiato alla folla, ogni 16 giugno assisteva alla luminaria in onore del patrono San Ranieri. «Impresa facilissima» diceva il nonno Augusto. «Che ci vuole a tirare una coltellata nella pancia o nella schiena d'uno stronzo che mischiato alla folla si guarda la luminaria? Il guaio è che prima di sera il Malatesta, un cacadubbi oppresso dal senso di colpa, ci ripensò. Entrò nel Duomo, si infilò in un confessionale, e spiattellò tutto al penitenziere. Il penitenziere spiattellò tutto all'arcivescovo, l'arcivescovo al governatore, il governatore a Sua Altezza che la luminaria andò a guardarsela con la polizia da una barca in mezzo all'Arno, e addio coltellata. Se non ci credi, leggi il *mea culpa* che il Malatesta recitò da vecchio.»

Ci credo, ci credo. Ci ho sempre creduto. E a tal punto che a scuola non perdevo mai l'occasione di vantarmene con gli insegnanti: «Io sono la pronipote d'un carbonaro che doveva uccidere Carlo Alberto!». (Parole alle quali loro rispondevano, freddi: «Vergognati!»). Mi son sempre chiesta, inoltre, che piega avrebbe preso la storia d'Italia se quand'ero Giovanni avessi potuto ammazzare in santa pace il Savoia specializzato nei voltafaccia. Ma a questo punto arriva qualcosa che mi interessa più di tale domanda. Perché siamo al 1823, perbacco. L'anno in cui Giovanni s'arrese al suo caparbio amore per Teresa, Teresa al suo caparbio amore per Giovanni, e si realizzò l'adulterio senza il quale sarebbe venuto a mancare un indispensabile anello della catena cui devo il mio passaggio nel Tempo.

5

Oh, erano cambiate tante cose dacché il mondo s'era capovolto per rimetter sul trono i padroni del passato. Il 5 ottobre del 1818, ad esempio, nella rada di Livorno era apparsa una nave da cui si levava un gran fumo. «Brucia la nave, brucia la nave!» aveva gridato l'intera città. E il capitano del porto aveva allestito un gozzo per domar l'incendio che evidentemente i marinai a bordo non riuscivano a spengere. Ma la nave non bruciava per nulla. Alimentato da una strana caldaia piena d'acqua bollente il fumo usciva da un comignolo detto ciminiera, e la nave era il primo piroscafo a vapore che solcasse il Mediterraneo. L'avevan varata a giugno a Napoli, col nome di

Ferdinando I, presente il re. Proprio così: per attraversare i mari e gli oceani ora non ti servivi più del vento. Non usavi più i bei velieri su cui Francesco Launaro aveva vissuto le poche gioie e le molte tragedie della sua esistenza. Usavi i piroscafi a vapore, assai meno vulnerabili ai naufragi e sinonimo di velocità allucinanti. Dall'Europa all'America, tre settimane invece di quattro mesi. Dall'Europa alle Indie Orientali, un mese o due invece d'un anno. Ben per questo ci si accingeva a servirsi del vapore anche pei viaggi via terra, e dopo il varo del *Ferdinando I* un esaltato redattore della «Gazzetta Universale» aveva scritto: «La forza motrice dell'acqua che a bollire si volatizza e spinge la nave senza bisogno di spiegar le vele supera la scoperta del fuoco e della ruota. Nelle mani dell'Uomo c'è ormai la potenza di mille cavalli, ed egli è davvero il Signore del Cosmo. Sappia, il gentile pubblico, che alcuni scienziati inglesi e americani vagheggiano d'installare lunghi binari di ferro definiti railways ossia strade ferrate, e su di essi far scorrere una fila di carrozze trascinate non da quadrupedi bensì dal vapore. Numi del Paradiso! Quantunque l'esecuzione di tale progetto paia inverosimile, niuno osa scartare l'ipotesi che entro una decade il prodigio si materializzi».

Il prodigio? Non si contavano più i prodigi, i progetti di prodigi, le ricerche, i cambiamenti. Oltre a ciò che un giorno si sarebbe chiamato treno, si studiava il modo di sostituire le torce e le candele col gas. Invisibile e impalpabile materia che chissà per quale sortilegio potevi infiammare, e che una volta infiammata illuminava quanto il sole. Si studiava anche un sistema per sfruttare l'invenzione del telegrafo elettrico: diavoleria costituita da un filo che a toccarlo ti dava una scossa terribile o addirittura ti carbonizzava, e che in compenso ti portava i messaggi nel giro di pochi minuti. Né finisce qui. In Germania, infatti, il signor Drais von Sauerbronn aveva costruito un veicolo individuale con un paio di ruote e un manubrio. Arnese che per ora consentiva solo di spostarsi stando seduti ma che in futuro, con l'aggiunta di due pedali, sarebbe diventato il biciclo cioè il padre della bicicletta. In Francia il signor Jacques Daguerre s'era accorto che con un processo chimico associato alla luce si poteva fissare le immagini sopra una lastra di metallo, sicché giurava che presto sarebbe stato in grado di ritrarre le persone e gli oggetti e i paesaggi com'erano nella realtà e non come li interpretava il capriccio o l'inesattezza d'un pittore. In almeno tre paesi si cercava di dar vita a un antico desiderio dei sarti, la macchina da cucire, e meraviglia delle meraviglie: sia il francese Eugène Souberain che l'inglese George Guthrie che il tedesco Justus Liebig assicuravano d'aver quasi scoperto un soporifero per anestetizzare chi subiva un intervento chirurgico. Cioè il cloroformio. (Dico: se pensi che perfino quando dovevi farti segare una gamba o aprire il ventre o trapanare il cranio ti rintontivano con un po' di rhum e basta, capisci che razza di cambiamento era questo). Quanto alla moda, già mutata al principio del secolo col declino e poi la scomparsa delle parrucche, dei corpetti, dei nèi artificiali, non si riconosceva più. Al posto del tricorno, gli uomini portavano il cappello a cilindro. Al posto della calzamaglia che con impudica disinvoltura rivelava perfino il calibro dei genitali, portavano rigidi e dignitosi pantaloni a tubo. E al posto dei civettuoli vestiti lanciati dalla linea Impero, scollature vertiginose, maniche corte, lievi stoffe da cui trasparivan le gambe, le donne portavano abiti quasi monacali. Chiusi fino al collo, con le maniche lunghe e la gonna rinforzata dalla sottoveste, la cintura all'altezza dello stomaco per nasconder le forme. In testa, nizzarde o pamele fissate con un grande fiocco alla gola. Era cambiata, o meglio cambiava, anche l'agricoltura. I contadini più arditi (s'è visto con Caterina) incominciavano a coltivare le patate e i pomodori, cibi che avrebbero rivoluzionato l'arte culinaria. Ma una cosa non era cambiata e non cambiava: il caparbio amore di Giovanni per Teresa e di Teresa per Giovanni. Dramma che mi smarrisce, mi intenerisce, mi commuove.

Mi smarrisce perché quattordici anni (tanti ne trascorsero dal giorno in cui si persero al giorno in cui si ritrovarono) non sono pochi. Perché è molto, molto difficile tener vivo così a lungo un amore che non si nutre di contatti o di speranze. Mi intenerisce perché nel 1823 Giovanni era un quarantenne indurito dai travagli e dai dispiaceri, intristito dalla solitudine, distratto dall'impegno politico. Teresa una trentaquattrenne probabilmente sfiorita dalle rinunce e certamente sfiancata dall'inutilità delle sue gravidanze, lo strazio di concepir sempre bambini che nascevano solo per morire in un batter di ciglia. Non eran più quelli di prima, insomma. Non avevan più l'energia che ci vuole per abbandonarsi a una passione, sopportarne le gioie e i supplizi, pagarne il fio. Mi commuove perché dentro il dramma c'è Gasparo. Il buon Gasparo, lo stupido Gasparo, l'ignaro Gasparo che non capiva mai nulla e che non sospettava né avrebbe mai sospettato nulla. Infatti al fatale evento m'accosto quasi con timidezza, paura di far torto ad uno dei tre, e in esso non vedo un cornuto da sbeffeggiare o due adulteri da condannare: vedo una vittima da commiserare e due amanti da rispettare. Anzi da rispettare e, nel mio caso, da ringraziare. Cari, sventurati, pietosi arcinonni di cui mi porto addosso miserie e cromosomi: vorrei abbracciarli ora che stanno per ritrovarsi e contribuire alla mia futura esistenza, al mio arduo passaggio nel Tempo. È un sabato di metà febbraio. Senza alcun entusiasmo Giovanni stamani va a Lucca dove lo aspettan le critiche dei proseliti extraterritoriali. Ci va anche Teresa, e chi oserebbe negare che le vie del Signore non hanno limiti? Da mesi trionfano le maniche a gigot cioè a coscio d'agnello: larghe e gonfie all'attaccatura, affusolate all'avambraccio, strette al polso. Complicatissime. Lo scorso gennaio Teresa ha accettato di cucire un abito con le maniche a gigot per una cliente lucchese che a Livorno ci viene di rado, e lo scorso mercoledì s'è accorta che il modello è un rompicapo: l'abito ha bisogno d'una prova immediata. Vinta dal panico ha quindi chiesto il passaporto per Lucca e prenotato un posto sulla diligenza che tutti i giorni fa la spola tra i due stati, e proprio mentre stava per partire ecco Gasparo. «La diligenza?!? Ci mette un secolo, la diligenza, e so che sabato Giovanni deve andare proprio a Lucca. In meno di quattro ore vi ci accompagna lui!» Teresa, ovvio, ha resistito. No, non-lo-disturbate, non-serve, preferisco-andarci-da-sola. Giovanni, ovvio, ha cercato di negarsi. Forse-non-potrò, forse-avrò-un-passeggero, lascia-che-prenda-la-diligenza. Ma lui ha continuato ad insistere finché non si sono arresi. Povero Gasparo, ci tiene tanto a offrir loro un'occasione per diventare amici: smussare l'antipatia che li divide. Antipatia, sì. Chissà per quale motivo, Giovanni tratta Teresa come una nemica. Mai che le rivolga un sorriso, uno sguardo d'affetto, una garberia. E Teresa tratta Giovanni come un estraneo. Lo scansa, lo saluta con cortese distacco, quasi non lo guarda. Solo ai funerali del sesto bambino morto appena nato si comportarono in maniera diversa. Accarezzando la minuscola bara lei singhiozzava basta, sei-son-troppi, basta, e d'un tratto emise un urlo inspiegabile: «Oh, Giovanni, Giovanni!». Allora Giovanni le cinse le spalle e la consolò.

«Non piangete» le disse. «Il prossimo vivrà.»

Lo ricordo bene quel sabato di metà febbraio. Dalle nebbie della memoria stavolta emerge perfino Teresa, che sfiorita o no oggi ha un'aria più graziosa di sempre e davvero elegante. Princesse grigio-chiaro e mantellina grigio-scuro, indumenti ricavati dagli avanzi ma cuciti dal suo buongusto e dalla sua bravura, scarpe di pelle col tacco a rocchetto, le medesime che calzava al matrimonio però ancora buone, e in testa una pamela di velluto rosa con le falde interne foderate di trina. Sotto la gola, un immenso fiocco di taffetas anch'esso rosa: colore che si addice perfettamente al nero dei capelli e delle pupille. Oh, se non fosse per lo scatolone che contiene l'abito da provare la crederesti sul serio una signora. Oggi è elegante pure Giovanni, del resto. Pantaloni avana, giacca antracite, camicia di seta, stivaletti con le ghette gialle. In testa un bel cilindro alto dieci pollici, e pazienza se è roba vecchia: comprata ieri al Monte de' Pegni e puzzolente di naftalina. Sono partiti presto, stamani. Entrambi voglion tornare entro mezzanotte. E nel salutarli Gasparo gongolava di gioia mista ad orgoglio. La gioia, l'orgoglio, d'aver provocato un approccio così necessario. Li ha addirittura esortati a pigliarsela calma. «Non importa se non potete tornare stasera! Domani è meglio!» Invito al quale Teresa ha risposto con un'occhiata carica di sgomento e Giovanni con una bestemmia a fior di labbra: «*Merde!*». Portarsela dietro lo turba più che l'idea d'incontrare i suoi proseliti extraterritoriali, dopo l'acquisto del completo puzzolente di naftalina ha compreso d'essere vulnerabile al desiderio di piacerle ancora, sicché ha deciso che la salvezza sta nel rimanerci insieme il meno possibile e a Salviano era molto nervoso. Non c'è stato che un avaro «buondì» a precedere la partenza. Peggio: approfittando del fatto che l'interno della carrozza chiusa non comunica in alcun modo con la serpa cioè col sedile del cocchiere e che il non lungo viaggio può svolgersi senza tappe, durante il tragitto non si sono mai visti né parlati. Lei è rimasta sempre lì dentro a pensarlo con le redini in pugno e il vento in faccia, lui è rimasto sempre là fuori a rodersi e a cullarsi nella smania d'averla accanto come il signor Shelley quando saliva a cassetta per discutere sulla libertà. Solamente ora che hanno raggiunto il casello dove la polizia di frontiera controlla i lasciapassare dei vetturali e i passaporti dei passeggeri, il silenzio si rompe. Giovanni scende dalla serpa, s'accosta allo sportello, e: «Siamo arrivati, Teresa. Mostrategli quel foglio». Poi, esaurite le verifiche della dogana, si rimette alla guida. Entra in città, la conduce a casa della cliente, e porgendole lo scatolone si congeda.

«Sarò impegnato fino al tramonto...»

«Sì...»

«Ripasserò a prendervi verso le sei...»

«Sì...»

«Auguri per le maniche a gigot...»

«Sì...»

Niente che annunci un esplodere del trasporto amoroso, insomma, niente che denunci il successo dell'approccio provocato da Gasparo. Se il destino volesse, esso andrebbe sprecato. Ma il destino non vuole. Deve nascere un figlio, da loro. E dal figlio un nipote, un bisnipote, una trisnipote, cioè mia madre, e da mia madre io. Di conseguenza gli incontri coi proseliti extraterritoriali durano più del tempo stabilito: alle sei del pomeriggio il carbonaro Cantini Giovanni non si presenta all'appuntamento. Alle sette lo stesso, alle otto pure. È ormai buio fondo e Teresa non sa a che santo votarsi. Come una farfalla impazzita corre su e giù per il marciapiede col suo scatolone, tende l'orecchio al trotto dei cavalli, sobbalza all'avvicinarsi d'ogni carrozza, al suo allontanarsi si dispera, e i grandi occhi neri son pieni di lacrime. Non tanto per il freddo che stasera è acuto e la intirizzisce, non tanto per la fame che sta diventando rabbiosa e la morde, non tanto per la stanchezza che dopo le ore trascorse ad aggiustare le dannate maniche a gigot e a subire i rimproveri della cliente le piega i ginocchi, quanto per la paura che a Giovanni sia successo qualcosa di brutto. Oddio, lo sanno tutti in famiglia che tra lui e il restaurato regime non corre buon sangue. Lo hanno capito tutti che il Teatro Carlo Lodovico lo frequenta per lanciare i manifesti sovversivi non per ascoltare la musica, che al futuro re del Piemonte e della Sardegna vorrebbe fare del male, che a Pisa ci andò per questo e che nel ducato di Lucca ha un giro poco chiaro. Se ne rende conto anche Gasparo che a volte ha bizzarri attacchi di sagacia e che ieri ha detto: «Boh, chissà che ci va a fare mio fratello a Lucca. Secondo me appartiene alla setta di quelli con l'ombrello verde. Se lo beccassero gli sbirri, domani, rientrate con la diligenza». E se fosse successo davvero? Supponiamo che a Lucca ci sia venuto proprio per abbordare quelli che ce l'hanno coi tedeschi e sognano la rivoluzione, si ripete, supponiamo che gli sbirri lo abbiano sorpreso in qualche convegno proibito... E quando lo vede arrivare, balzare giù dalla serpa, perde ogni controllo. Lascia cadere lo scatolone, a braccia aperte gli corre incontro, gli si butta fra le braccia.

«Giovanni, Giovanni, credevo che vi avessero incarcerato!»

Lo perde anche lui, il controllo. Rinuncia anche lui alla commedia che recita da quasi due lustri. Con tenera voce si scusa, spiega che no: è stato solo trattenuto da una contrarietà. Con teneri gesti si scioglie dall'abbraccio, la spinge verso la carrozza, qui l'avvolge in una coperta. Le toglie le scarpe, le massaggia i piedi gelati, e al diavolo Carlo Alberto. Al diavolo i carbonari, gli impegni solenni, la patria, le promesse, i doveri.

«Avete preso freddo, avete preso freddo...»

«Siete sfinita, siete esausta...»

«Dovete rifocillarvi, riposarvi un po' al caldo...»

Poi la conduce in una buona trattoria. Quella del piccolo albergo nel quale alloggia se si ferma a Lucca: la

Locanda del Filon d'Oro che a terreno ha la sala da pranzo e ai piani superiori le camere. Scelta pericolosa, lo sente. Lo sentono. Imprudenza che ancor più dell'abbraccio, ancor più del massaggio ai piedi gelati, rischia di vanificare gli sforzi compiuti in quegli anni. Però appena rifocillati partiranno in fretta, pensano entrambi. Questa parentesi si chiuderà e per non aggravare le cose basta schivare certi discorsi, evitare di guardarsi in faccia. Senza titubanze, infatti, scendono dalla carrozza e portandosi dietro il patetico scatolone avanzano nella sala da pranzo. Di nuovo contegnosi, vigili, padroni di sé, siedono in un angolo con poca luce. Spostano la candela che stando al centro del tavolo li illumina troppo, chiedono la cena, e volutamente zitti anzi col capo chino sul piatto incominciano a mangiare. Il guaio è che l'oste del Filon d'Oro ha riconosciuto l'avventore col ciuffo di capelli bianchi, e mentre mangiano zitti anzi col capo chino sul piatto s'avvicina per offrirgli due bicchieri di spumante.

«Alla salute della vostra bella moglie, sor Cantini!»

«Alla salute del vostro bel marito, sora Cantini!»

Giovanni impallidisce. Accetta il dono con un mezzo sorriso, non ribatte nulla. Teresa arrossisce e fa lo stesso. Ma oppressa dal silenzio che ora è diventato una cappa di piombo, vinta dal bisogno di chiarire la scena avvenuta per strada, presto schiude le labbra. Pone una domanda che equivale a un fiammifero acceso e buttato su un bosco pronto a bruciare fino all'ultima foglia.

«Perché non vi siete sposato, perché non vi sposate, Giovanni?»

«Lo sapete bene perché» risponde, deciso, Giovanni. Quindi allunga una mano verso la candela spostata. La riporta al centro del tavolo.

Si guardano finalmente in faccia. Si affrontano finalmente come due adulti consapevoli di ciò che acca-

drà. Con muto rimprovero gli occhi di Giovanni accarezzano il volto sfiorito dell'insostituibile donna che lo
stregò quand'era un timido venticinquenne, e che nemmeno la guerra e la febbre politica e il trascorrer del
tempo e le molte avventure cui s'è certo abbandonato
han potuto strappargli dalla mente e dal cuore. Con
aperto rimpianto quelli di Teresa fissano il volto indurito dell'insostituibile uomo che la incantò quand'era
un'ingenua diciannovenne, e che nemmeno sei bambini perduti han potuto renderle indifferente. Sicché la
barriera che avevan rizzato di nuovo fra loro crolla, e
più impetuosa d'un fiume in piena la verità che lui ha
da confermare straripa. Cristo, da giovane avrebbe dato
l'anima per dirle Teresa-mi-garbate-tanto! Erano i suoi
zoccoli, la sua goffaggine, la sua miseria, a impedirglielo. Cristo, s'arruolò per lei nell'esercito del Nappa! Si
vendette per lei a quel pidocchio di Isacco Ventura, a
quello spilorcio che piuttosto di pagargli le rate preferì
finir sottoterra con tutta la famiglia! Ci andò per lei a
combattere El Verdugo e Castaños e lord Wellington e i
quindicimila prussiani di Würzburg! Ci andò senza salutarla, sì, senza pronunciare le parole Teresa-aspettatemi-
ché-al-mio-ritorno-ci-si-sposa. Gliene mancò il coraggio,
e nella sua coglioneria s'illudeva che lei lo avrebbe aspettato ugualmente. Cristo, per chi pensava che fosse l'anello di brillanti e rubini con cui s'era comprato i cavalli e
la carrozza: per chi?!? D'accordo, non si può pretendere
che una ragazza aspetti sei anni uno che se n'è andato
senza aprir bocca, e l'inconfessata paura che avesse sposato un altro esisteva. Però mai avrebbe creduto di trovarla sposata a suo fratello, mai! Oh, Cristo! Cristo, Cristo! Perché aveva sposato Gasparo, proprio Gasparo, perché?!? E qui Teresa lo interrompe. Quasi non volesse
udire il tremendo interrogativo a cui non c'è risposta,
frena quell'alluvione d'amore e di dolore opponendovi

il suo. No, mormora mentre le lacrime cadono a piccoli tonfi sul piatto, non si può pretendere che una ragazza aspetti sei anni uno che se n'è andato senza aprir bocca. Eppure per sei anni lei l'aveva aspettato. Sorda a chi insinuava Stecco-dev'essere-morto, a-quanto-pare-Stecco-è-morto, in quell'attesa aveva sprecato la sua gioventù e anche storpio se lo sarebbe preso. Anche monco, anche orbo. Il fatto è che a un certo punto s'era persuasa che fosse morto davvero, e i grandi dispiaceri inducono spesso a sbagli irreparabili. Del suo matrimonio con Gasparo potevi dire soltanto che era stato uno sbaglio irreparabile. Uno sproposito di cui pagava in mille modi il fio. Con l'acquiescenza a doveri coniugali squallidi e sgraditi, lo pagava. Col peso d'una convivenza incresciosa. Col desiderio ossessivo di lui... La continua voglia di vederlo, ascoltarlo, toccarlo. Perfino di passar le mani sul suo ciuffo di capelli bianchi. E, soprattutto, lo pagava con le minuscole bare che ogni anno o due portava al cimitero.

«Oh, Giovanni, Giovanni! Che il Signore me li ammazzi per punirmi d'amare il fratello di mio marito?»

Allora Giovanni afferra le belle mani che il lavoro più umile e ingrato non riesce a sciupare. Se le passa sul ciuffo dei capelli bianchi, sul viso, sul cuore. Poi annuncia che a Livorno ci torneranno domattina e chiede all'oste una camera per sé e per sua moglie. Cosa possibile, nonostante i controlli che la polizia esercita sulla moralità pubblica, in quanto i lasciapassare e i passaporti son molto prolissi nel fornire i connotati e il mestiere e il domicilio: non nel chiarire lo stato civile. Quello di lui non dice se è scapolo o coniugato, quello di lei è intestato a Teresa Nardini nei Cantini e basta. È quasi mezzanotte. Ma la stanchezza è passata. Il freddo è divenuto intenso. Ma il vino li ha scaldati e in camera c'è un gran caminetto col fuoco acceso. Come due sposi in viaggio di nozze vi entrano. Come in gioventù non hanno mai sognato d'amarsi, per una notte si amano. E il trisnonno Giovanni Battista poi chiamato Giobatta nascerà il 18 novembre del 1823. Esattamente nove mesi dopo il viaggio a Lucca.

* * *

Era un bambino sano e robusto il bambino che nacque nove mesi dopo il viaggio a Lucca. Niente difetti cardiaci, niente insufficienze polmonari, niente anomalie congenite. E a vederlo Gasparo toccò il cielo con un dito, tutti i Cantini e tutti i Nardini gridarono al miracolo, alcuni corsero a offrire un ex voto d'argento alla Madonna di Montenero. Era anche un bambino assai bello. Aveva i grandi occhi neri e la grazia indefinibile della madre, le gambe lunghe e i lineamenti del padre (identico il naso, identica la bocca, identica la struttura facciale), e di conseguenza non assomigliava per nulla all'infelice che credeva d'averlo messo al mondo. Ma l'unica a notarlo fu la matrigna Rina. «Strano. Invece che il figliolo del su' babbo sembra il figliolo del su' zio!» Gli altri non se ne accorsero, e non sospettarono mai che dietro al miracolo ci fosse un adulterio. Quanto a Giovanni e a Teresa, bè: dal lieto evento non trassero un conforto assoluto, una gioia incondizionata. Anzitutto perché recitar la commedia dei cognati amichevoli risultò più difficile che sostenere la parte dei cognati ostili. La matrigna Rina osservava ogni loro mossa, registrava ogni loro sguardo o sorriso, e a non misurare i gesti correvano il rischio di riaccenderne i sospetti. Poi perché Gasparo si impadronì del bel bambino e travolto dall'orgoglio perse la sua mitezza. Se Giovanni andava a Salviano per vedere il nipote, tenerlo un po' in braccio, si ingelosiva. Non-baciarlo, non-strapazzarlo, che-vuoi, lo-hai-già-visto-ieri. Oppure: «Ridammelo! È mio!».

Infine perché il bel bambino tolse ai genitori la possibilità di riprovar l'estasi goduta nella camera col fuoco acceso cioè di dormire ancora una volta insieme. Quando c'è un figlio da allattare, curare, allevare, una donna povera non può concedersi il lusso di convegni amorosi che con la scusa delle maniche a gigot durano dalla sera alla mattina. Non può indulgere a elaborati e romantici *tête-à-tête*. Schiava dei doveri materni che le donne ricche delegano alle balie, non può nemmeno sostituire la Locanda del Filon d'Oro con la stanza che l'uomo amato tiene in via dell'Olio. Il massimo che può regalare a sé stessa e a lui è un abbraccio furtivo. Un incontro fuggevole, un amplesso veloce. (Di sicuro la notte di Lucca fu l'unica notte della loro vita). Eppure, o proprio per quello, tra i due amanti si stabilì un'intesa profonda: un vincolo che andava ben oltre i limiti del desiderio, della passione. Quasi volesse compensare l'assenza di intimità fisica, infatti, dopo la nascita di Giobatta il carbonaro Cantini Giovanni non tacque più nulla a Teresa. Non le nascose più il suo impegno patriottico, gli incarichi che riceveva, i pericoli che affrontava. E a poco a poco essa divenne una specie di proselite, una compagna di fede, la depositaria dei suoi sogni e dei suoi segreti.

Il casto o quasi casto rapporto basato sull'intesa profonda durò un decennio, cioè fino al 1834. Anno in cui, distrutto dai travagli e dai dispiaceri, dalle sconfitte e dalle speranze deluse, Giovanni abbandonò la lotta e sparì da Livorno senza lasciar tracce di sé. Senza neanche preoccuparsi di bruciare le prove del suo passato rivoluzionario. Tra queste, un vessillo che ispirandosi al bianco rosso e blu della bandiera francese la Repubblica Cispadana aveva innalzato nel 1796 per chiedere un'Italia unita ed opporsi alle tesi federaliste del Direttorio, che sotto l'impero del Nappa aveva perduto il suo significato, che con la Restaurazione era stato abolito e proibito, che nei moti del Ventuno era riapparso in Piemonte e in Romagna. E che ora molti sovversivi usavan di nuovo come simbolo di unità e indipendenza nazionale, guerra al giogo straniero. Una bandiera bianca rossa e verde, insomma. Il tricolore stinto e rattoppato che stava nella cassapanca di Caterina. (Glielo aveva cucito Teresa coi soliti avanzi di stoffa. E lo capivi a guardarlo. Perché il rettangolo verde era di lana, quello bianco di tela, quello rosso di seta).

6

Bisogna rifarsi agli eventi che caratterizzarono quel decennio in Toscana per comprendere il dramma che avrebbe indotto Giovanni ad abbandonare la lotta e sparire senza lasciar tracce di sé nonché ignorando quella bandiera. Eventi che prima gli regalarono nuove scoperte, nuovi entusiasmi, poi lo fecero impazzire come un cavallo che stufo di ricever frustate si libera delle redini e scappa. Nel 1824 Ferdinando III morì di malaria contratta ad ispezionare i lavori di bonifica nell'insalubre Maremma. A lui successe l'altrettanto mansueto figlio Leopoldo sicché il Granducato nel quale non si impiccava nessuno, non si decapitava nessuno, non si fucilava nessuno, continuò ad essere ciò che molti definivano Regno del Bengodi. Basti pensare alla tolleranza che Leopoldo dimostrava verso gli intellettuali. In quel periodo a Firenze trionfava il bel mensile che l'editore Pietro Vieusseux aveva fondato con l'aiuto di Gino Capponi, l'«Antologia», e le migliori menti della cultura italiana vi collaboravano con saggi o articoli che nonostante i giri di frase non eran certo graditi al potere. Trionfava anche il Gabinetto scientifico-letterario che Vieusseux teneva in piazza Santa Trinita, a Palazzo Buondelmonti. Una sorta di raffinatissimo club dove i collaboratori e gli ospiti di passaggio si riunivano ogni giorno per discutere e spettegolare. Tra i collaboratori, uno scrittore milanese che a Firenze c'era venuto per risciacquare in Arno i panni d'un romanzo che non si stancava mai di elaborare e al quale aveva dato il titolo *I promessi sposi*. Alessandro Manzoni. Uno studioso dalmata che si accingeva a pubblicare un geniale *Dizionario dei sinonimi* e che nel 1848 sarebbe diventato l'eroe del Risorgimento veneziano. Niccolò Tommaseo. Un letterato gobbo di Recanati che rompeva sempre le scatole con le sue malinconie, la sua pessima salute, la sua scarsa fortuna con le donne, ma che era molto riverito per la sua vena poetica. Giacomo Leopardi. Un filologo piacentino che la duchessa di Parma e Piacenza (Maria Luisa d'Asburgo, la seconda moglie del Nappa) aveva processato e cacciato. Pietro Giordani. Tra gli ospiti di passaggio, Henri Beyle: un dotto francese che voleva fare il console a Trieste o a Civitavecchia e che firmava i suoi libri con lo pseudonimo di Stendhal. Nonché una bizzarra scrittrice parigina che si vestiva da uomo e usava un nome da uomo, George Sand, amica dei patrioti e a quel tempo amante d'un giovane poeta chiamato Alfred de Musset. Chi con distacco chi con fervore, discutevano e spettegolavano di tutto al Gabinetto Vieusseux. E soprattutto parlavano male degli austriaci, dei Borboni, dei Savoia, del papa, dei vari tiranni e tirannelli, degli stessi Lorena. Eppure Leopoldo si guardava bene dal punirli o dal perseguitarli, e nel medesimo modo si comportava nel resto del Granducato. Per esempio a Pisa dove gli studenti universitari eran considerati ribelli perché al Caffè dell'Ussero declamavano i versi di Ugo Foscolo da poco morto in esilio e in miseria a Londra. Non per nulla Alphonse Lamartine, allora ambasciatore di Francia a Firenze, avrebbe scritto nelle sue memorie: «Mai vidi tanto liberalismo come quegli anni in Toscana».

Il cosiddetto Regno del Bengodi sembrava insomma un placido stagno appena mosso dal vento delle idee moderate. Un limbo estraneo alle audaci rivolte e alle cupe tragedie che insanguinavan l'Italia. Eppure qualcosa bolliva anche lì, e la pentola di quel qualcosa era proprio Livorno: non più la città che aveva accolto con gli applausi Ferdinando III e con gli insulti i reduci del Centotredicesimo Fanteria o del Ventottesimo Cacciatori a cavallo. Si stava svegliando, Livorno, e non per declamare i versi di Ugo Foscolo e basta. Non per spettegolare o attaccare il potere coi giri di frase e basta. Sebbene Leopoldo la beneficiasse con notevoli privilegi e notevoli lavori di edilizia (abbattimento delle antiche mura, inclusione dei sobborghi nel cerchio di quelle nuove, abolizione dei dazi per le merci provenienti dal mare), capitava spesso di udirvi il vocabolo che altrove veniva considerato una bestemmia. Il vocabolo repubblica. Vi si stampava anche l'«Indicatore livornese», bisettimanale simile all'«Indicatore genovese», che di repubblica parlava a chiare note negli articoli inviati dal carbonaro Giuseppe Mazzini. E a farlo erano tre giovanotti amici di quest'ultimo. Francesco Domenico Guerrazzi, Giovanni La Cecilia, Carlo Bini. Un avvocato roso da smanie politico-letterarie, troppo tracotante però assai sagace, il primo. Un giornalista espulso da Napoli in seguito ai moti del Ventuno, troppo disinvolto però carico di entusiasmi sinceri, il secondo. Un autodidatta bravo a tradurre Byron e Schiller, troppo mansueto però così impavido da rischiar ogni sera la pelle nelle bettole che frequentava per istruire la gentaglia, il terzo. Inoltre, ecco il punto, a Livorno viveva un discepolo di Filippo Buonarroti. Il celebre rivoluzionario toscano che nel 1796 aveva partecipato alla congiura di Babeuf cioè al tentativo di sopprimere il Direttorio e imporre un regime comunistico detto Repubblica degli Eguali. L'irriducibile barricadero che dal suo esilio di

Bruxelles continuava a diffondere le teorie a cui mezzo secolo dopo si sarebbe ispirato il marxismo, e che ormai settantenne ma vispo come un galletto riusciva a controllare l'ala sinistra del Risorgimento europeo. Si chiamava Carlo Guitera, quel discepolo. Era il secondogenito d'un nobile còrso che a Livorno possedeva preziosi immobili, aveva fama di scavezzacollo, e molti lo giudicavano un *enfant gâté*. Un innocuo figlio di papà. Invece gli scritti del Buonarroti se li era studiati bene, e di ardore sovversivo ne possedeva più dei tre giovanotti amici del carbonaro Mazzini. «I nemici dei poveri non sono i soldati che con le loro baionette negano la libertà. Sono i signori che coi loro privilegi negano la giustizia» diceva. «L'autentico patriota non si limita a lottare contro lo straniero: si batte per una repubblica democratica, chiede un ordine sociale gestito dal popolo e non dagli aristocratici o dai borghesi.» Oppure: «Sono dannose le idee moderate di chi vuole la Costituzione e basta, il voto e basta, l'uguaglianza giuridica e basta. Rallentano la marcia degli oppressi. La bloccano. Bisogna mettersi in testa che senza l'uguaglianza economica, senza la giustizia sociale, sia la libertà che l'unità e l'indipendenza servono solo a chi ha lo stomaco pieno». E Giovanni gli si accodò con l'impeto d'un neofita che ha finalmente trovato il suo apostolo.

«Io sto con lui.»

Successe nel 1830. Data che mi sorprende perché il 1830 è l'anno in cui le barricate di Parigi cacciarono Carlo X e lo sostituirono col liberale Luigi Filippo d'Orléans, il neomonarca dichiarò che la Francia si sarebbe opposta a chiunque rintuzzasse gli altrui moti costituzionalisti o indipendentisti, e questi si riaccesero ovunque sfociando nelle sanguinose rivolte del Trentuno. Soprattutto, mi sorprende perché nel 1830 Carlo Guitera aveva appena ventidue anni. Pochi per far deviare dalla propria strada un uomo che ne aveva quarantasette, che al sogno dell'unità e dell'indipendenza nonché della Costituzione vista come panacea d'ogni male aveva dedicato le sue energie d'adulto, che per di più era poco incline alle utopie e distratto da un tormentoso pasticcio familiare. Infatti mi sono chiesta spesso quale sia stata la molla che all'età dei capelli grigi lo spinse a sposar idee così estremiste ed estranee alle cose in cui aveva finora creduto, cioè il culto della patria e della libertà tout-court. La catapecchia dov'era nato e cresciuto e dove il suo vecchio padre continuava ad abitare? L'immagine del vaso da notte sul tavolo della cucina, il ricordo degli zoccoli e della sua vita venduta per mille lire? Il particolare che, Carlo Bini a parte, i mazziniani tenessero a distanza i plebei e che sul loro impiego il carbonaro genovese avesse impartito disposizioni forse necessarie ma odiose? («La responsabilità della lotta non deve e non può essere estesa a chi non sa leggere e scrivere. Gli ignoranti vanno usati con cautela e agli analfabeti dev'esser proibito il compito della propaganda»). La consapevolezza che dei martiri aristocratici o borghesi si parlasse sempre e di quelli con lo stomaco vuoto da secoli quasi mai? Cristo, l'intero paese aveva temuto per la sorte di Federico Confalonieri e Silvio Pellico e Piero Maroncelli, però dei popolani che il Santissimo Padre ossia Leone XII aveva decapitato nel medesimo periodo a Ravenna e a Roma e a Faenza si conosceva a malapena il nome. (Angelo Targhini: cuoco. Luigi Zanoli: calzolaio. Angelo Ortolani: fornaio. Leonida Montanari: barbiere. Gaetano Rambelli: cappellaio. Abramo Forti: merciaio. Domenico Zauli: garzone di bottega). Comunque sia andata, una cosa è certa: scoprire che alla parola Libertà bisognava aggiungere la parola Giustizia, alle parole Unità e Indipendenza la parola Uguaglianza, lo fulminò come un San Paolo sulla via di Damasco. E nel 1831, quando Mazzini fondò La Giovine Italia, si guardò bene dall'aderirvi. Al contrario, quando Buonarroti fondò la Società dei Veri

Italiani e Carlo Guitera aprì a Livorno la sezione chiamata Famiglia Diciassette, vi entrò senza titubanze. Chiese addirittura che gli affidassero il settore detto Quinto Reparto, nucleo armato e composto principalmente di analfabeti. Macellai, vinai, marinai, facchini del porto.

Non valeva granché la Famiglia Diciassette. Carlo Guitera la dirigeva a tempo perso, come vice impiegava un certo Alessandro Foggi che di mattina era brillo e di sera ubriaco, e se non fosse esistita sarebbe stato lo stesso. Il Quinto Reparto, in compenso, scoppiava di vitalità. A Giovanni piaceva tanto occuparsi degli ignoranti più ignoranti di lui, addestrarli all'uso dei fucili o delle pistole con cui un giorno avrebbero eliminato re e regine, conti e contesse, banchieri e latifondisti, nonché instaurato il paradiso terrestre che Buonarroti definiva Repubblica degli Eguali. Per eseguir l'incarico li radunava nella Fattoria del Limone, una tenuta in cima alle colline di Montenero che il console greco e compagno di fede Bartolomeo Palli aveva preso in affitto. Li travestiva da cacciatori e levando una pezzuola rossa, oggetto cui teneva molto perché si raccontava che sulle barricate di Parigi gli insorti del 1830 avessero alzato i vessilli rossi con cui il 10 agosto 1792 la plebe era andata all'assalto delle Tuileries, li guidava nei boschi. A spese delle lepri e dei fagiani gli insegnava a sparare. (Lo confermano gli archivi della polizia. In particolare, un rapporto che parla di «strani individui dediti all'arte venatoria e scortati da uno strano guardiacaccia con un ancor più strano drappo vermiglio, forse il medesimo vetturale che or sono quattro lustri frequentava la bottega del Ginesi»). Gli piaceva anche educarli, gli ignoranti più ignoranti di lui. E per far questo li caricava sulla barca d'un pescatore di ostriche autosoprannominatosi Ammazzasbirri, li portava in alto mare cioè lontano dagli orecchi indiscreti, gli declamava gli scritti del Guitera. «Destati, o Popolo! Guardati attorno. Ti pare che i liberali, i moderati, i borghesi, vogliano liberarti dalla miseria? A loro i mestieri comodi, il buon cibo, gli onori. A te le fatiche, le lacrime, la servitù. Ragiona, o Popolo! Rinuncia alla tua pazienza. Ti basterebbe un campicello per sopravvivere, ma se t'azzardi a reclamarlo ti deridono. Se te lo pigli ti buttano in prigione, e l'unico pezzettino di terra su cui puoi contare è il rettangolo che servirà alla tua sepoltura. Ribellati, o Popolo...» Oppure li portava nella sua stanza in via dell'Olio e con l'aiuto d'un fiasco di vino, agitando la pezzuola rossa, gli illustrava a suo modo i principii del babuvismo. «Dovete smetterla d'ascoltare gli egoisti che parlano di patria e basta, libertà e basta! Che ve ne fate d'una libertà che vi lascia con lo stomaco vòto e gli zoccoli ai piedi e le toppe al culooo?!?»

Oltre le frontiere della Toscana, intanto, accadevano cose grosse. Negli Stati Pontifici e nei Ducati quegli «egoisti» disarmavan le truppe di Gregorio XVI, di Maria Luisa, dell'infame Francesco IV. Conquistavano le città, vi issavano il tricolore, lo dichiaravano bandiera nazionale. Senza curarsi del principio espresso dalla Francia, il principio di non-intervento, gli austriaci correvano in soccorso dei tiranni cacciati. Gli riprendevano le città e ovunque si scatenava la nuova ondata di repressione. Le condanne a morte come quella di Ciro Menotti impiccato con Vincenzo Borelli sui bastioni di Modena, i forzati espatrii come quello di Mazzini che assolto al processo di Genova era stato ugualmente costretto all'esilio ed ora vagava tra Ginevra e Marsiglia, le angherie, le chiusure dei giornali. (L'«Antologia» e l'«Indicatore livornese» inclusi). Lui però non pensava che al Quinto Reparto, alla Famiglia Diciassette, alla chimera del paradiso terrestre per il quale Babeuf era finito sulla ghigliottina, e in quegli anni niente lo distolse dalla sua pezzuola rossa. Niente. Nemmeno l'arrivo del generale Johann-Joseph Radetzky, mandato da Vienna ad assumere il comando dei centocinquemila militari con cui l'Austria soggiogava il Lombardo-Veneto e sosteneva gli alleati. Nemmeno l'ascesa al trono dell'odiato Carlo Alberto e la disinvoltura con cui quel mascalzone fucilava i liberali, ad esempio il furiere Giuseppe Tamburelli accusato di leggere la stampa della Giovine Italia e il tenente Efisio Tola accusato di diffonderla. Nemmeno il legame con Teresa e la presenza del bel bambino che cresceva, e che a crescere gli assomigliava sempre di più. Nemmeno la morte dell'ultraottuagenario Natale che l'8 gennaio 1833 si spense nel tugurio di San Jacopo in Acquaviva bisbigliando un'atroce domanda. «Giovanni, ma è vero quel che pensa la Rina? Giovanni, di chi è Giobatta?»

Poi giunse la crisi. E con la crisi, la scomparsa. La fuga.

* * *

Giunse per due delusioni che quasi di colpo spensero la sua febbre politica, diceva il nonno Augusto. La prima, infertagli da Buonarroti e da Mazzini. La seconda, dai suoi stessi compagni analfabeti. Fondando la Società dei Veri Italiani, infatti, Buonarroti aveva ben chiesto un patto di fratellanza con La Giovine Italia. Mazzini aveva ben risposto che sì, bisognava stabilire un fronte comune. «L'ideale repubblicano ci unisce.» Ma appena firmato il patto era esploso l'alterco ideologico sulla parola Uguaglianza. Anzi più che un alterco una rissa accompagnata da reciproci furti di adepti, reciproci insulti, reciproche calunnie ed accuse. Tu-che-sei-un-residuo-del-passato, un-arrogante, un-tiranno-alla-Robespierre. Tu-che-sei-il-tipico-prodotto-del-presente, un-pauroso, un-furbo-protettore-dell'aristocrazia. E nel luglio del 1833 la pseudofratellanza si ruppe, l'entusiasmo di Giovanni prese a vacillare. Porca miseria, che razza di lotta era una lotta i cui capi si azzannavano come cani idrofobi? Che senso aveva sacrificarsi se dai loro sicuri rifugi all'estero quei vanesi seminavano zizzanie e alimentavano meschine rivalità? Due mesi dopo, messa sull'avviso da una sbadata lettera con cui Mazzini ordinava ai toscani d'insorgere, la polizia piombò nelle case degli indiziati che il Buongoverno chiamava «teste calde». Nulla di drammatico, intendiamoci. Al Buongoverno ora comandava un brav'uomo, il giurista Gianni Bologna, che condannava solo sulle prove e in ogni caso con mano leggera. Il guaio è che coi mazziniani Carlo Bini e Francesco Domenico Guerrazzi a Livorno arrestarono, sembra per sbaglio, Alessandro Foggi. E a parte la perpetua ubriachezza il Foggi era un autentico cretino. Anziché difendersi, protestare io-che-c'entro-con-La-Giovine-Italia, denunciò Carlo Guitera. Dichiarò che apparteneva a un movimento nato per rovesciare Leopoldo e instaurare un regime comunistico. Peggio: invitò gli affiliati a confermar la cosa e molti lo fecero. «Sì, sì: quello non ce l'ha con gli austriaci e amen. Vuol tagliar la testa a Cristi e Madonne, papi e granduchi. Pigliarvi i soldi, la terra, i gioielli, e renderci tutti signori.» Risultato, Bini e Guerrazzi se la cavarono con dodici settimane all'isola d'Elba. Castigo reso ancor più mite da comode celle arredate da un tappezziere, pasti abbondanti e completi di vino, visite di parenti e amici, insomma i riguardi elargiti alle teste calde che commettevan solo meri peccati veniali. Guitera venne invece messo in catene, tradotto a Firenze, scaraventato nelle sinistre cantine del Bargello dove nonostante i coraggiosi non-lo-so-e-se-lo-sapessi-non-ve-lo-direi restò dieci mesi a subir feroci interrogatori nonché a nutrirsi di pane ed acqua, quindi sottoposto a un processo che per la prima volta nella storia del Granducato vide il Pubblico Ministero chiedere la pena di morte. Pena a cui lo stesso Leopoldo s'oppose costringendo il giudice a pronunciare una sentenza in confronto assai lieve: due lustri di carcere duro a Volterra. Ma per Giovanni questo non fu sufficiente, concludeva il nonno Augusto. Vinto dallo sdegno e dal dolore, dall'ira per coloro che avevan tradito, abbandonò la politica. Rinunciò a quel che era diventato lo scopo della sua vita, il conforto della sua solitudine, il riscatto delle sue disgrazie. E ciò lo distrusse. Lo rese un uomo arido e vuoto, un misantropo a cui non interessava che emigrare, dimenticare, andarsene. Lo demolì a tal punto che se un ex compagno gli si avvicinava lo prendeva a frustate e rinnegava sé stesso.

«Via, delatore, vigliacco, viaaa! Non voglio più starci nel vostro merdaio! Non voglio più udirle le vostre ciance sulla fottuta patria, la fottuta uguaglianza, il fottuto popolo! Con la pezzuola rossa mi ci soffio il naso, col tricolore mi pulisco le scarpe, capitooo?!?»

Tesi verosimile, sì. Chi alla politica si dà in buona fede e non per sete di potere o vanagloria, chi nella politica pensa di realizzare l'irraggiungibile sogno d'un mondo davvero libero e giusto, non si espone solo al pericolo di finire in galera o al capestro. Rischia anche quello di patire il non riconosciuto martirio che ha nome Delusione. Inaridisce, la delusione. Demolisce. Sia che te la imponga un individuo o un gruppo, sia che te la infligga una speranza o un'idea, t'annienta. (Peccato che la retorica dell'eroismo non ne abbia mai tenuto conto, peccato che a fianco dei monumenti al Milite Ignoto le piazze di questa terra non offrano mai un monumento al Milite Deluso). Eppure credo che a distrugger Giovanni sia stato qualcos'altro, cioè una cosa di cui la voce non parlava mai: l'assillo in cui si logorò dopo la nascita di Giobatta. Lo credo perché me lo sussurra la memoria racchiusa nei cromosomi che mi vengono da lui, il ricordo di quando una parte di me esisteva attraverso di lui, ero lui, e col cuore gonfio d'angoscia guardavo crescer quel figlio che mi chiamava zio. Soffrivo tanto a sentirmi chia-

mare zio da Giobatta, a non potergli rispondere chiama-
mi-babbo. Sono-il-tuo-babbo. Ne soffrivo più che a nascondere il mio amore per Teresa, più che a reprimere il
mio rancore per Gasparo. L'ottuso Gasparo che malgrado le insinuazioni di Rina continuava a non sospettar
nulla, e che di Giobatta s'era impadronito in ogni senso.
Senza mandarmelo a scuola, però. «Siamo gente semplice, noi. A che ci serve la scuola?» E inutile spiegargli che
gli ignoranti non li rispetta nessuno, che di leggere e
scrivere i poveri hanno maggior bisogno dei ricchi. Ti replicava: «Il babbo son io, sicché decido io. Il barroccio lo
tira e se non ti va, arrangiati. Concepisci una progenie
tua». Alla fine crollai. Caddi in una crisi che mi sco-
glionò. Ci caddi nel 1833: l'anno in cui Natale morì bisbigliando la domanda atroce (gli risposi o no?) e i due
vanesi s'azzannaron come cani idrofobi, quel Giuda del
Foggi denunciò il Guitera e non pochi lo imitarono. O
mi sbaglio? Forse mi sbaglio. Forse la crisi vera e propria
esplose nel 1834 cioè l'anno in cui Guitera finì quasi sulla forca ed io conclusi che i poveri non sono meglio dei
ricchi, che ricchi o poveri gli esseri umani non meritano
un cazzo, che battersi per loro è da ingenui o da imbecilli. Poi arrivò il 1835. Avevo cinquantun anni suonati, nel
1835, e sebbene cinquantun anni non siano molti in
quell'assillo m'ero così incanutito che il ciuffo di capelli
bianchi non si vedeva più. Sembrava che avessi la neve in
testa, perdio. M'ero invecchiato anche nell'anima e nelle parti basse, sai. Ora Teresa mi pareva una sorella e non
la desideravo più. Incontrandola le davo la mano. Di
conseguenza presi a dirmi: ma che ci sto a fare, io, qui?
Che mi tiene, a Livorno? Un figlio che mi chiama zio e
sul quale non ho diritti? Un'amante che ormai mi pare
una sorella? Un ideale che s'è spaccato in mille pezzi? E
una mattina di marzo corsi a dare un ultimo abbraccio a
Giobatta, un'ultima stretta di mano a Teresa. Mentre lei

singhiozzava vi-capisco-amor-mio-vi-capisco vendetti carrozza e cavalli, lasciai la stanza di via dell'Olio, andai al porto, e mi imbarcai.

Su quale nave, per quale paese? Questo non lo ricordo. (O preferisco non ricordarlo: mi garantisce un po' di pace l'inspiegabile mistero che circonda la mia scomparsa). Secondo un facchino che mi riconobbe perché era uno dei babbei cui mi dedicavo ai tempi del Sogno, si trattava d'un vapore diretto a Bona in Algeria. Cosa probabile in quanto i pirati barbareschi erano ormai un incubo del passato, una leggenda da raccontare a veglia. Nel 1816 gli inglesi avevan distrutto la loro flotta e costretto i governatori ottomani a liberar gli schiavi, nel 1830 i francesi avevan completato il ripulisti conquistando Algeri, tant'è vero che il dey Hussein Pascià viveva col suo harem a Livorno, e in Algeria ci si andava a piacer nostro. Specialmente a Bona dove Buonarroti teneva alcuni adepti. Tuttavia il mese successivo un marinaio pisano asserì d'avermi visto dinanzi alla moschea di Rabat in Marocco, un commerciante lucchese spifferò d'avermi sorpreso in un bordello di Gibilterra (due ipotesi da non scartare in quanto gli esuli stufi di sacrificarsi invano finivano spesso da quelle parti), e il fratello della cognata del Foggi giurò d'essere stato picchiato da me in un saloon di New York. Cosa ancor più probabile in quanto chiunque fosse parente del Foggi io lo consideravo un tipo da picchiare, e in quegli anni New York ospitava numerosi fuoriusciti italiani. C'era scappato ad esempio il futuro inventore del telefono cioè il fiorentino Antonio Meucci, nel 1833 vi s'era stabilito Piero Maroncelli cioè il carbonaro condannato e poi graziato con Silvio Pellico. E proprio nel 1835 il neoimperatore d'Austria nonché re del Lombardo-Veneto, Ferdinando I, aveva concesso un'amnistia ai prigionieri politici disposti ad espatriare in America. Amnistia di cui s'erano approfittati in parecchi e tra questi il conte Federico Confalonieri. Comunque può darsi benissimo che avessero ragione tutti e quattro: facchino, marinaio, commerciante, e parente del Foggi. È possibile, insomma, che da Livorno mi sia recato a Bona, da Bona a Rabat, da Rabat a Gibilterra, da Gibilterra a New York. Oppure no? Mah! L'unica cosa certa è che da quel giorno di me non si seppe più nulla. Neanche dove e quando crepassi. Nessun documento fornisce la data e il nome del posto in cui mi congedai da questa valle di lacrime e di fregature nella quale avevo lasciato, ahimè, il seme della mia infelicità.

Ed eccoci a Giobatta.

7

Ce l'ho io il ritratto a matita di Giobatta quindicenne. Il piccolo ed inquietante ritratto che con la tessera d'anarchico, la pipa d'argilla, gli occhiali a pince-nez, le cinque lire accompagnate dal bigliettino per suor Veronica, il nonno Augusto stringeva tra le mani spirando nel lercio ospedale. E mi descrive il volto d'un adolescente bellissimo, d'un piccolo dio sceso dall'Olimpo per sedurre senza misericordia chiunque capiti sulla sua strada. Fronte alta e spaziosa, accarezzata da capelli molto chiari e molto luminosi. Naso dritto e perfettamente modellato, guance lisce e squisitamente incavate. Labbra da baciare ed occhi stupendi. Lucidi, enormi, chiari quanto i capelli, stupendi. Ma c'è qualcosa in quel volto, in quegli occhi, che mi disturba. Perché è un qualcosa che mi appartiene, in cui mi riconosco, e che non mi piace. Il mio rapporto con la Morte. Io odio la Morte. L'aborro più della sofferenza, più della perfidia, della cretineria, di tutto ciò che rovina il miracolo e la gioia d'essere nati. Mi ripugna guardarla, toccarla, annusarla, e non la capisco.

Voglio dire: non so rassegnarmi alla sua inevitabilità, la sua legittimità, la sua logica. Non so arrendermi al fatto che per vivere si debba morire, che vivere e morire siano due aspetti della medesima realtà, l'uno necessario all'altro, l'uno conseguenza dell'altro. Non so piegarmi all'idea che la Vita sia un viaggio verso la Morte e nascere una condanna a morte. Eppure l'accetto. Mi inchino al suo potere illimitato e accesa da un cupo interesse la studio, la analizzo, la stuzzico. Spinta da un tetro rispetto la corteggio, la sfido, la canto, e nei momenti di troppo dolore la invoco. Le chiedo di liberarmi dalla fatica d'esistere, la chiamo il regalo dei regali, il farmaco che cura ogni male. Tra me e lei c'è un legame fosco ed ambiguo, insomma. Un'intesa equivoca e buia. Ed è quel legame che scorgo nel volto, negli occhi, di Giobatta. Quell'intesa. Nel suo caso, esasperata dalla dimestichezza che con la Morte ebbe fin da bambino. E, forse, acuita dalla consapevolezza di fornirle presto una doppia vittoria. (Aveva solo trentotto anni quando le si consegnò in una via di Livorno. Trentasette, quando lasciò che gli rubasse l'altra parte di sé stesso, la trisnonna Mariarosa). E chiarito questo punto torniamo al 1835.

Siamo nella seconda metà del 1835. Giovanni è scomparso da circa sei mesi e a Livorno è arrivato il colera che durante la repressione dei moti di Varsavia i militari russi portarono in Polonia, dalla Polonia passò in Germania, dalla Germania in Francia e nel resto dell'Europa. È arrivato il 9 agosto, con una nave proveniente da Marsiglia. In poche settimane ha mietuto centinaia di vittime e, sebbene il suo furore si stia placando, la Morte si vede ovunque. Sui marciapiedi dove i becchini col cappuccio calato sulla faccia raccolgono i cadaveri e li portan via su carriole coperte da un cencio nero, nelle chiese dove c'è sempre un catafalco e le campane suonano i sordi rintocchi che annunciano un nuovo decesso, nei lazzaretti dove il nuovo decesso viene accolto con sollievo perché libera un letto cioè consente d'adagiarvi un malato disteso per terra, negli edifici pubblici dove il puzzo dell'aceto sparso per disinfettare t'appesta invano. D'un tratto ti viene un gran vomito, a questo segue una gran diarrea poi una serie di dolorosissimi spasmi che rattrappiscono in modo grottesco le braccia e le gambe, il corpo diventa ghiaccio, e voli al Creatore. Specialmente se fluttui nella miseria e nell'ignoranza che favoriscono il contagio, ovvio. Novantanove ricchi su cento son fuggiti a Pisa o sulle colline di Montenero o sulle montagne di Carrara. In città son rimasti i paria che non si lavano, non bollono l'acqua, non leggono i cartelli con cui l'Ufficio d'Igiene distribuisce consigli o raccomandazioni, e l'epidemia si concentra su loro. In agosto è morta pure la matrigna Rina. E ai primi di settembre son morti sia Onorato Nardini che sua moglie: i genitori di Teresa. Teresa piange di continuo e ne ha ben donde: col padre e con la madre le è venuto a mancare anche il relativo benessere nel quale viveva. Una casa per cui non pagava la pigione, ad esempio. Il lavoro di Gasparo che, ricordi, aiutava il Nardini come manovale vitto e alloggio compresi. Incapace di mandar avanti la modesta impresa del suocero, il citrullo ha ripreso a scaricar le verdure al mercato e ringraziare Iddio se la sera rientra con qualche cavolo e qualche crazia. Se Giobatta non tirasse il barroccio, i soldi per la pigione non ci sarebbero. D'accordo: lei continua a fare la sarta. Ma col colera in agguato e le signore a Pisa o a Montenero o a Carrara, chi te li ordina più i vestiti. Tre sono addirittura scappate senza saldare il conto, una è finita al cimitero lasciandole un mantello di velluto celeste che non riesce a vendere nemmeno sottoprezzo, e la clientela è ridotta a un pugno di squattrinati che portano solo robaccia da rattoppare. Quasi ciò non bastasse, ora c'è una quarta bocca da nutrire. Mariarosa Mazzella, un'orfana dall'età incerta (tredici, quattordici, quindici anni?) che lo scorso gennaio il priore di Salviano le offrì con l'aria di renderle un grosso favore. «Prendetela. È buona, affettuosa, volenterosa. Nonché brava nei soppunti ed eccezionale nei rammendi.» Mariarosa fa parte della famiglia, ormai, e non si può mica cacciarla perché le finanze vanno a rotoli!

Sì, la tristezza si taglia a fette in casa Cantini. Unico conforto, Giobatta. Ah, Giobatta, Giobatta! Non ha ancora dodici anni e già te ne innamori. Mariarosa, ad esempio, non smette mai di contemplarselo. Un soppunto e un'occhiata, un soppunto e un'occhiata. Senza contare i complimenti che gli rivolge, le attenzioni di cui lo copre. Né puoi darle torto. Bellezza a parte, è un bambino così speciale. Pensa che vorrebbe diventar scultore e per diventarlo pretende di copiar le statue dei Quattro Mori. Con la mollica del pane, la cera delle candele, il fango dei campi. Inutile rimproverarlo, Giobatta-il-fango-ti-sporca, Giobatta-il-pane-si-mangia, Giobatta-le-candele-costano. T'oppone un sorriso che toglie il fiato e dalle sue piccole mani escono lo stesse rozze figurine di uomini intenti a rompere le catene. È anche molto vivace. Teresa teme sempre che scopra la cesta in fondo alla quale ha riposto gli oggetti lasciati in via dell'Olio. La bandiera bianca rossa e verde, la pezzuola rossa, i manifesti antiaustriaci, gli scritti del Guitera e l'uniforme del Cent-treizième. Se li trovasse, crescerebbe con quelle idee in testa e a sua volta si rovinerebbe. Ma, soprattutto, è intelligente. Lo si capisce dai suoi discorsi e dalla perseveranza con cui insegue il miraggio inculcatogli dallo zio: andare a scuola. Quanto ci tiene a imparare a leggere e scrivere! Almeno quanto ci teneva Caterina. Il guaio è che Gasparo continua a fare il sordo, e obbiettivi ostacoli lo impediscono: su ventisettemila abitanti tra i sette e i quattordici anni (tanti se ne contano dentro la cerchia delle nuove mura) solo trecentoquarantaquattro sono iscritti alle elementari, e solo duecento le frequentano regolarmente. Qui i bambini lavorano come gli adulti, e se lavori dove lo trovi il tempo di andare a scuola?!? Dura sei anni, la scuola. S'apre l'11 novembre, si chiude il 30 settembre, sicché su dodici mesi non ti lascia che cinque settimane e mezzo di pausa. Inoltre funziona sia la mattina che il pomeriggio. La mattina, dalle otto al tocco cioè l'una. Il pomeriggio, dalle due all'ora del Vespro cioè le cinque passate. Ogni giorno. Fuorché a quella che chiamano scuola del Camposanto Vecchio.

* * *

«Mamma, quando torna lo zio?»

«Non lo so, Giobatta...»

«Perché lo zio diceva sempre che gli ignoranti non li rispetta nessuno, che di leggere e scrivere i poveri ne hanno più bisogno dei ricchi, che la scuola è un dovere, e il babbo non mi ci manda!»

«Lo so, Giobatta, lo so...»

«Perché non mi ci manda, mamma?!?»

«Perché chi va a scuola non lavora, Giobatta...»

«Potrei andare a quella dove si studia solo di mattina, mamma!»

«Non c'è una scuola dove si studia solo di mattina, Giobatta...»

«C'è, mamma! C'è! La scuola del Camposanto Vecchio!»

La stringevano in pugno i barnabiti, la scuola del Camposanto Vecchio. Si chiamava così per un motivo molto preciso e aveva una caratteristica orripilante. Espulsi dall'illuminismo di Pietro Leopoldo e riammessi dalla bigotteria di Ferdinando III, nel 1814 i barnabiti erano infatti tornati a gestire il pubblico insegnamento ed avevano ottenuto il permesso di costruire una scuola sul terreno del cosiddetto Camposanto Vecchio: ormai zeppo e quindi in via di demolizione. Peggio. Insieme a quel permesso avevano ottenuto l'appalto del redditizio obitorio (mezzo scudo a cadavere) che si trovava nel recinto del cimitero. Di conseguenza le tombe eran state vuotate, le ossa trasferite al Camposanto Nuovo, l'obitorio era invece rimasto e... Per risparmiare sulle spese edilizie, i mascalzoni vi avevano annesso le aule. Con quali risultati, è facile immaginarlo. Anzi è spiegato chiaro e tondo in una delle lettere che il maestro Lombardi, insegnante di lettura nella prima classe, mandava ogni anno al governatore. «Signoria Vostra Illustrissima! Essendo afflitto da perpetuo mal di stomaco e cachessia, infermità dimostrate dall'accluso certificato medico e dovute alle circostanze a Voi note, ancora una volta oso lamentarmi dei putridi effluvi che ammorbano questo sventurato luogo. Vogliate credermi, Eccellenza: più o meno tollerabili a seconda del numero dei cadaveri, della stagione, del verso in cui va il vento, tali effluvi sono drammaticamente nocivi alla mia salute e a quella dei miei alunni. Signoria Vostra Illustrissima! La scuola ha posto per cinquanta ragazzi e non ne vengono che venti o trenta imperocché, oltre a non sopportare il fetore e aver continua voglia di vomitare, i tapini pargoli provan ribrezzo a trattenersi ciascun dì in un sito che alla loro giovinezza rammenta l'umana distruzione. S'atterriscono, Eccellenza, all'idea di stare presso i freddi corpi che giacciono nella Stanza de' Morti.» Ma quel particolare Giobatta non lo conosceva, e a un bambino povero lo sventurato luogo offriva appunto il vantaggio di funzionare solo la mattina. Cioè di lasciarlo lavorare dal tocco in poi.

«Ne sei certo, Giobatta?»

«Sì, mamma, sì! Me l'ha assicurato il priore di Salviano!»

«E dov'è questa scuola?»

«Dove c'era il cimitero. Tra la Chiesa di Sant'Andrea e la Chiesa di San Giuseppe.»

«Ci sei stato, l'hai vista?»

«Da lontano, sì. Sembra nuova!»

«Uhm... Non sarà mica una scuola da ricchi?»

«No, mamma, no! È gratuita, è pubblica. Ditelo al babbo!»

«Glielo dirò, Giobatta...»

«Ditegli anche che recupererò le ore lavorando fino a tarda sera!»

«Glielo dirò, Giobatta...»

E l'ultima domenica d'ottobre, quando a Livorno il colera cessò di colpo sicché i ricchi fuggiti a Pisa o a Montenero o a Carrara rientrarono restituendo a Teresa la clientela che le permetteva di pagar la pigione, Gasparo cedette. Senza ragguagliarsi, ovvio. Senza chiedere di quale scuola si trattasse. Tanto provvedeva il parroco a firmare i fogli, iscrivere il ragazzo.

«Il babbo ha risposto sì, Giobatta...»

«Oh, mamma!»

«Ma per un anno e basta, Giobatta. Due gli son parsi troppi...»

«Non importa, mamma, non importa! Imparerò in un anno e basta! Lo zio imparò in un semestre!»

«Quando s'apre questa scuola, Giobatta?»

«L'11 novembre, mamma!»

Guardalo, la mattina dell'11 novembre. Il suo primo giorno di scuola. Guardalo bene perché a scuola non ci andrà per un anno. Non ci andrà neanche per una settimana. È un mercoledì, dice il calendario, e piove a catinelle. Le strade sono allagate, segno di cattivo auspicio, e in città circola un opuscolo dei contribuenti che chiedono d'abolire l'insegnamento pubblico: troppo costoso e causa di tasse supplementari. «Non è giusto costringerci a versar soldi per istruir la marmaglia! Non è giusto to-

gliere a chi ha per dare a chi non ha! Di tal passo s'arriva
sul serio all'uguaglianza.» Inoltre stamani Gasparo ne ha
combinata una delle sue. Anziché rallegrarsi col figlio, in-
coraggiarlo, lo ha informato che a scuola se ne busca.
Che il maestro picchia. «Vedrai che bastonate, che busse!
Nero ti renderanno, nero!» Ma dalla pioggia lui si ripara
con l'ombrello verde dello zio. Dell'opuscolo non se ne
cura, non sa nemmeno che esiste. Alla storia delle bastonate non crede in quanto non capisce per quale motivo il
maestro dovrebbe picchiarlo, renderlo nero. E tutto con-
tribuisce alla sua felicità. Il senso di trionfo che ha provato svegliandosi e pensando ho-vinto-io, ho-vinto-io. Il bel
bagno che s'è fatto nella conca del bucato per rispettar la
norma con cui il municipio impone agli studenti plebei
di non puzzare, di non aver le croste e i pidocchi, le unghie sporche e le cimici. Il bel completo che la mamma
gli ha cucito in gran fretta col velluto celeste del mantello
lasciatole dalla cliente morta nell'epidemia. (Giacchettina redingote e bavero alto, panciottino chiuso da sette
bottoni, pantaloncini affusolati. Così elegante, così scic-
coso, che oggi non lo prenderesti davvero per un barroc-
ciaio). Infine, i due strepitosi regali di Mariarosa: un
quinterno quasi nuovo, trovato chissaddove, e una penna
d'oca sottratta a chissacchì. «Tenete e imparate anche per
me.» «Oh, Mariarosa! Grazie, Mariarosa!» Povero Giobatta, non gliel'ha spiegato nessuno che l'assurdo metodo
in vigore nelle scuole dissocia la lettura dalla scrittura.
Che per due anni impari solo a leggere, che solo al terzo
anno ti mettono la penna in mano. S'illude di scriver subito le parole e smaniando d'impazienza aspetta d'udire
le campane che alle otto meno un quarto, dalla Chiesa di
San Sebastiano, chiamano la scolaresca. Sono campane
molto pesanti, le campane della Chiesa di San Sebastiano,
e più che un rintocco il loro è un boato lento e minaccioso. Dun-dun... Dun-dun... Ad ascoltarlo i bambini trema-

no, gli adulti s'abbandonano agli scongiuri. «Menano gramo, accidenti, menano gramo!» A lui è sempre parso un concerto di angeli, invece, un suono più festoso del dindon che a Pasqua annuncia la Resurrezione, e appena gli investe i timpani esplode in uno strillo d'esultanza.

«Le campane, mamma, le campane!»

Poi spalanca l'ombrello verde. Con l'impeto d'un piccolo falco che ad ali spiegate salta dal nido e vola a cercar l'azzurro si stacca dalla soglia, si tuffa nell'acquazzone. Din-don! Un anno di scuola, Gesù, un anno di scuola. Potrà decifrare gli indirizzi, i nomi delle strade e delle persone, dopo un anno di scuola. Potrà leggersi il *Lunario del Barbanera*, l'*Almanacco* di Sesto Caio Baccelli, i giornali, i libri, gli avvisi, gli editti che ora fissa chiedendosi invano che-diranno, che-pretenderanno. Din-don, din-don! Potrà firmare i fogli che ora firma il parroco, annotare i messaggi, i pensieri, i ricordi: scrivere. Scrivere, scrivere, scrivere! Perché leggere è una gran cosa, bisogna riconoscerlo. Procura un mucchio di informazioni, leva un mucchio di curiosità, e serve a scoprire ciò che pensa o vuole la gente. Scrivere serve ad esprimere ciò che pensi tu, che vuoi tu, in compenso. Serve a darle, le informazioni. A levarle, le curiosità. E a parlare con chi non c'è, a confidarti e a sfogarti e a tenere rapporti con chi non conosci o con chi sta lontano. Con lo zio, ad esempio, che in marzo si dileguò come un gatto nel buio ma che all'improvviso potrebbe farsi vivo: mandarti un recapito e domandar tue notizie. Lo sai che gioia esser capace di comporre una lettera diretta allo zio? «Carissimo zio, con la seguente vengo a Voi per riferirVi che la mamma è riuscita convincere il babbo e che ho imparato a leggere e scrivere, che non sono più ignorante e mi sento rispettato. Carissimo zio, devo raccontarVi che a Livorno c'è stato il colera e che ha portato via parecchi cristiani tra cui i nonni Nardini e la matrigna Rina e la signora del mantello eppure a me e alla mamma e al babbo e a Mariarosa non è successo nulla. Non abbiamo avuto né un brividino né un dolorino alla pancia né una cacchina sciolta: fortuna grazie alla quale siamo vivi ed io cresco. Cresco talmente alla svelta che ai pantaloni cuciti col mantello della signora la mamma ha fatto l'orlo doppio per allungarli, e alle maniche della giacca idem. Mi piacerebbe mostrarVelo. Carissimo zio, mi mancate. Dacché siete partito tutti hanno il muso, e a sorridere non è rimasta che Mariarosa. La mamma muove le labbra solo per sospirare e il babbo solo per grugnire che il maestro picchia. Tornate, ve ne prego, tornate! Vostro affezionatissimo nipote Cantini Giobatta.» E vagheggiando quei ragionamenti, quelle fantasie, corre verso il suo Paradiso. Sguazzando nelle pozzanghere, incontrando altri scolari chiamati dalle campane, raggiunge la scuola a cui finoggi non s'è mai avvicinato. Irrompe nel recinto, din-don, din-don, din-don, e qui la felicità si spenge soffocata da qualcosa che toglie il respiro. Esce uno strano odore, un pessimo odore, dalle finestre dell'edificio al quale la scuola è attaccata. Ma che ci sarà lì dentro?

«La Stanza dei Morti» rispondono gli altri scolari.

La Stanza dei Morti?!? Gesù. Questo non se l'aspettava, non se l'immaginava. E non gli piace. Perché lo sa bene che la Morte è una cosa cattiva: il dispetto dei dispetti, la fine di tutto. Negli affreschi e nei dipinti delle chiese è ritratta con le sembianze d'uno scheletro che armato di falce insegue la gente per consegnarla ai diavoli e di lei ha tanta paura che, quando durante il colera i becchini passavan con le carriole, voltava la testa per non vederli. Quando morì il nonno Natale fece lo stesso, e quando morirono i nonni Nardini idem. Si ferma confuso, incerto se andare avanti o tornare indietro. Si tappa il naso, s'interroga sulle ulteriori disgrazie che forse accompagneranno la brutta sorpresa. E se il babbo avesse ragione? E se insieme ai morti qui si beccassero anche le busse, le bastonate che rendono nero, se il suo Paradiso fosse un Inferno? Meglio rinunciare, in tal caso, meglio battere in ritirata e restar ignoranti. Poi si riprende. Condannandosi per quella parentesi di debolezza sale le scale della scuola, entra nell'aula del maestro Lombardi che subito capisce e gli va incontro. Lo rincuora.

«Vieni, ragazzo, vieni. A poco a poco ti ci abituerai. Quanto al resto, non temere. Io non sono il tipo che picchia, che infligge i castighi corporali.»

Vero. Il fatto è che alla scuola del Camposanto Vecchio non comanda il maestro Lombardi. Comanda un barnabita che si chiama don Agostino. Ed è lui che punisce, che infligge i castighi corporali e non corporali. Con tale perfidia, tale crudeltà, che (ce lo dicon le cronache di Livorno) l'anno scorso un suo scolaro di nove anni si legò una pietra al collo e si buttò nel Fosso Reale. S'affogò.

8

Sulle dita delle mani mia madre aveva un mosaico di cicatrici. Lunghe, sottili, rosee, da ultimo un po' alleggerite dalla vecchiaia ma ancora visibili. Così un giorno gliene chiesi il motivo, e con mestizia lei mi rispose: «Sono le bacchettate che da bambina prendevo a scuola». Eh, sì. Fino a buona parte del millenovecento i maestri picchiavano gli scolari. Quanto al milleottocento, bisogna ammettere che una volta tanto Gasparo non aveva detto una cretineria: allora il castigo corporale era sinonimo di scuola. Era una prassi senza età e senza frontiere, consolidatasi secoli addietro cioè quando la Chiesa l'aveva imposta come pena da infliggere agli alunni che essendo poveri non potevan pagare le multe ricevute pei cattivi voti o per la cattiva condotta. «Che in caso di mancato esborso l'aio costringa il pargolo con la verga. Che il pargolo sappia di dover subire la verga se non salda in pecunia l'ammenda commi-natagli» dice il testo pedagogico *De pueris ad Christum trahendis* scritto nel 1402 dal teologo francese Jean le Charlier de Gerson. E cent'anni dopo lo statuto del colle-gio cattolico di Tours dice la medesima cosa anzi la rinca-ra: «Che i parvuli non in grado di sborsare la moneta ri-chiesta per le loro colpe siano puniti con la verga. Che la dose sia raddoppiata, nei casi in cui gli strilli turbino la pa-ce del quartiere, finché il punito taccia o svenga». Nel mil-leseicento, poi, il sistema s'era esteso agli alunni d'ogni classe sociale. Aristocratici inclusi. I precettori inglesi ave-van preso a considerarlo l'unico mezzo per forgiare il ca-rattere e addestrare all'autocontrollo, quelli tedeschi l'uni-co strumento per abituare al coraggio e alle durezze della vita, quelli italiani la base di qualsiasi disciplina, e solo nel millesettecento (grazie all'Illuminismo e alla Rivoluzione Francese) l'infamia era un po' diminuita. Però la Restau-razione l'aveva riportata al punto di prima, e per capire che accadeva al tempo di Giobatta basterebbe legger *La causa dei ragazzi di Piacenza*. Cioè la requisitoria che Pietro Giordani pubblicò nel 1819 per arginare «l'esecrabile co-stume in seguito al quale alcuni bambini muoiono ed altri restano mutilati». Con questa, le furenti lettere che egli spediva ai magistrati del ducato. «Nelle nostre scuole la carne umana vien trattata peggio della carne dei porci. Perché i porci s'ammazzano in un colpo e d'uopo. I nostri scolari invece vengono seviziati di continuo e per ludibrio. Qui si tratta di frenare la ferocia della vilissima e ignoran-tissima canaglia che tormenta il settore più rispettabile del genere umano: l'infanzia.»

In Toscana, lo stesso o quasi. Ho dinanzi a me la «Guida dell'Educatore», il bimensile fondato da Pietro Vieusseux, e nove numeri su dieci s'aprono con un saggio sul tema dei castighi corporali. Ma non sempre per condannarli, no. Per discuterli, il più delle volte. Per esaminarne la necessità o l'utilità, la qualità o la quantità. Le percosse sono davvero una barbarie, si chiede nel numero di gennaio-febbraio 1836 un anonimo articolista, oppure riflettono un'esigenza obbiettiva come si sostiene in Inghilterra? Poi conclude che se la protervia del ragazzo è inguaribile, se nessun comportamento civile riesce a piegare il ribelle e nessuna amorevolezza a rabbonirlo, le percosse diventano un sistema opportuno ed efficace. «Tutti sentono il dolore fisico, tutti vi cedono. Solo quando la carne è domata un reo riconosce la sua colpa.» Nel numero di luglio-agosto si parla invece d'un ragazzo che non studia perché si ritiene perseguitato e d'un maestro che cerca invano di raddrizzarlo coi ragionamenti, ma il ragazzo non ascolta e allora... «Ahimè, a qualunque discorso il briccone rispondeva con frasi sconce o iraconde. Non voleva proprio cambiare strada. Sicché una mattina il maestro gli chiuse la bocca con una labbrata e il gesto fu così rapido, così acconcio, così giustificato, che anche gli altri alunni lo commentarono col plauso e con l'assenso.» Nei numeri successivi il tono non cambia. Si consiglia agli insegnanti di non minacciare mai a vuoto sennò il loro prestigio decade e la scolaresca li giudica donnicciuole-dal-cuore-tenero. Si studiano le varie punizioni, se ne vagliano gli effetti positivi e negativi, si suggerisce di usare con maggior frequenza quelle psicologiche perché al colpevole incutono vergogna e senso di ridicolo e paura. «Umiliano. E umiliando correggono.» Sì, al bimensile collaboravan pure pedagoghi che la vedevano in modo alquanto diverso. Enrico Meyer, per incominciare: l'ideatore degli asili d'infanzia e delle scuole di mutuo insegnamento. Sì, al posto dei castighi Enrico Meyer raccomandava i premi e gli elogi. «Premiate invece di punire. Elogiate invece di rampognare. E sarete sorpresi dal vostro successo.» Sì, contro la canaglia bollata dal Giordani si batteva chiunque credesse in un mondo civile. Ma pochi ascoltavano. E mentre nel ducato di Parma e Piacenza era passata una legge che proibiva di picchiare gli scolari, in Toscana l'abuso trionfava come nel resto dell'Italia e dell'Europa. Soprattutto a Livorno, e in particolare alla scuola del Camposanto Vecchio dove in seguito ai suoi eccessi don Agostino era stato ribattezzato Belzebù il Carnefice.

Aveva una figura allampanata, un volto pallido e secco, una voce che sembrava un sibilo di ghiaccio e due nerbi di bue, Belzebù il Carnefice. Il cosiddetto nerbo inglese, molto elastico e quindi adatto a staffilare le mani, e il cosiddetto nerbo moscovita: molto rigido e quindi adatto a bastonare sulla schiena e sui glutei. Aveva anche un debole per la bellezza infantile, quella dei bambini non delle bambine, ed oltre a gestire la scuola insegnava catechismo. Di sabato, nella prima classe. Infatti di sabato al maestro Lombardi subentrava lui che per l'intera mattina costringeva a recitar salmi, litanie, preghiere, liste di peccati veniali o mortali, e guai se qualche incauto reagiva alla noia con uno sbadiglio o un guizzo di brio. Impugnava i nerbi di bue e: «Porgi le mani. Cala le brache». Comunque c'era una cosa che lo aizzava più d'uno sbadiglio o un guizzo di brio: l'eventuale attrazione che, raddoppiandogli le già copiose probabilità di finire all'Inferno, alcuni esercitavano sulla sua pedofilia. Se un alunno gli piaceva troppo, insomma, lo demoliva: colpevole o no. Lo puniva sia coi castighi corporali sia con le sevizie definite castighi psicologici. Esattamente ciò che accadde il 14 novembre ossia il sabato in cui si trovò davanti Giobatta.

* * *

Crudeltà della sorte: nonostante il grosso dispiacere provato a scoprire che per due anni la penna non si toccava, sicché la lettera vagheggiata non l'avrebbe scritta nemmeno se lo zio gli avesse spedito l'indirizzo, quel sabato Giobatta si sentiva ancora un ragazzo felice. Il puzzo proveniente dalla Stanza dei Morti continuava, d'accordo, e altre sgradevolezze turbavano il supposto Paradiso. Il fatto che egli fosse il più vecchio della classe e che per questo i compagni lo guardassero con un certo disagio, anzi lo escludessero dalle chiassate a cui si abbandonavano appena arrivati, ad esempio. O il particolare che la parete principale dell'aula fosse immalinconita dal crocifisso più straziante che avesse mai visto: un Nazzareno con lo stomaco aperto e la faccia distorta dal dolore. Però il maestro Lombardi era proprio buono. Bravo e buono. In quei tre giorni non gli aveva tirato nemmeno uno schiaffo e gli aveva insegnato un mucchio di meraviglie. Che esistono le vocali e le consonanti, che per imparare a leggere bisogna memorizzare i caratteri corrispondenti al suono delle vocali e delle consonanti. Che le vocali sono *a*, *e*, *i*, *o*, *u*. Che la *a* si pronuncia aprendo la bocca come quando si emette un respiro, la *e* schiudendo le labbra come quando si abbozza un sorriso, la *i* tirandole come quando una cosa ci infastidisce, la *o* dilatandole come quando una cosa ci stupisce, la *u* porgendole come quando si dà un bacio... Gli aveva anche raccontato la storia del fuoco e della ruota, spiegato che il fuoco e la ruota costituiscon due tappe dell'umanità. E le prossime settimane gli avrebbe parlato delle consonanti, delle maiuscole, delle minuscole, dei numeri, della geografia e dei vari paesi tra cui l'America. Argomento al quale teneva moltissimo perché appena alludevi allo zio il babbo borbottava: «Secondo me se n'è andato in America». Oggi no, purtroppo. A sostituire il maestro Lombardi oggi c'era il maestro di catechismo, un certo don Agostino del quale la gente diceva un gran male tant'è vero che lo avevano ribattezzato Belzebù il Carnefice. Ma la gente esagera sempre, e dopo il sabato viene la domenica. Ah, sarebbe stata una bella domenica quella di domani. Dato che il 18 novembre cioè il giorno in cui era nato cadeva di mercoledì, il suo compleanno lo avrebbero infatti festeggiato domani. Col pollo, pensa. Il pollo e un terzo regalo di Mariarosa. Una pallina di creta per modellare. «Così non sciupate il pane e le candele!» Senza aspettarsi nulla di brutto e addirittura carico di ottimismo, entrò dunque nell'aula. Stamani, più chiassosa del solito: risate, strilli, abbecedari che volavano di parete in parete. Senza accorgersi che uno aveva centrato il crocifisso sicché ora il Nazzareno pendeva a testa in giù sedete al suo banco, e nello stesso momento una figura allampanata si delineò sulla soglia. Un frate dal volto pallido e secco avanzò verso la cattedra, vi posò due nerbi di bue, e un sibilo di ghiaccio lacerò l'aria.

«Chi è stato?»

Ci fu una pausa di silenzio impaurito. Poi si levò un coro di dinieghi, io-no, io-no, io-no, e il sibilo si ripeté.

«Se non è stato nessuno, pagherà il più vecchio. Chi è il più vecchio, qui?»

Il coro di dinieghi si trasformò in un frastuono accompagnato da braccia tese, indici puntati verso Giobatta. «Lui, lui! È lui!» Con la sua giacchettina e i suoi pantaloncini di velluto celeste, la sua pericolosa bellezza, Giobatta si alzò. S'offrì al debole di don Agostino che lo avvolse in uno sguardo intenso, affamato, e per un istante il sibilo parve addolcirsi.

«Bene. Avvicinati, bene. Lo sai il *Confiteor*?»

Lo sapeva, graziaddio. Lo aveva imparato dalla mamma che lo recitava spesso, manco avesse una colpa da farsi perdonare. E sorridendo, credendo di cavarsela con quello, s'avvicinò.

«Sissignore! Confiteor, Deo omnipotenti et vobis, fratres, quia...!»

Ma il sibilo lo interruppe.

«Calma, giovanotto, calma. Prima rimetti a posto il crocifisso.»

Lo rimise a posto. Sempre sorridendo, sempre credendo al suo abbaglio, riprese dal punto in cui s'era fermato.

«Quia peccavi nimis cogitatione, verbo, opere et omissione: mea culpa, mea culpa, mea maxima culpa...»

Ma il sibilo lo interruppe di nuovo.

«Calma, giovanotto, calma. Prima porgi le mani. E zitto.»

Sconcertato, deluso, tuttavia rassegnato al suo ruolo di capro espiatorio, le porse. E per dieci volte il nerbo inglese s'abbatté sulle piccole dita. Ogni colpo una striscia paonazza che sputava sangue, un gemito represso, un fiotto di lacrime che gocciolavano sulla camicia. Toc! Toc! Toc! Poi il nerbo inglese tornò sulla cattedra e don Agostino impugnò il nerbo moscovita.

«Ora cala le brache e appoggiati al muro.»

Rosso di vergogna, d'imbarazzo, di rabbia, le calò. S'appoggiò al muro e per dodici volte il nerbo moscovita s'abbatté sulle piccole terga. Ogni colpo un'altra striscia paonazza che sputava sangue, un altro gemito represso, un altro fiotto di lacrime che gocciolavano sulla camicia, toc-toc-toc. Poi anche il nerbo moscovita tornò sulla cattedra e don Agostino ghignò soddisfatto.

«Bene, bel culetto, bene. Rivestiti che è giunto il momento di recitar fino in fondo la preghiera del rimorso.»

Si rivestì. Convinto d'aver esaurito le sue sofferenze si preparò ad ubbidire, ma Belzebù il Carnefice lo prevenne.

«Eh no, bel culetto, no. Mica qui. Nella Stanza dei Morti.»

Quindi lo ghermì per un braccio. Lo trascinò all'obitorio, ce lo scaraventò, ce lo lasciò, e...

Ce n'era una dozzina, quel sabato. Come statue dimenticate e sdraiate per terra giacevano nudi sui tavoli di marmo, e della Morte Giobatta aveva una gran paura: rammenti? La credeva davvero uno scheletro che armato di falce inseguiva la gente, e in carne ed ossa non la conosceva. Si rifiutava di guardarla. Così appena fu dentro chiuse gli occhi e giurò di non riaprirli. Però assai presto la curiosità vinse, li riaprì, e Gesù! Possibile che i morti fossero una cosa simile?!? Negli affreschi e nei dipinti gli eran parsi individui talmente pieni di vita e di energia! Correvano, si agitavano, lottavano coi diavoli che volevan bruciarli o infilarli coi forconi, e a giudicar dalle bocche spalancate urlavano con tutto il fiato che avevano in corpo. Questi invece non facevano nulla, non dicevano nulla. Dormivano e basta, puzzavano e basta. E con quei volti composti, quelle palpebre abbassate, quelle gambe e quelle braccia irrigidite in una rispettosissima posa di attenti, sembravano le persone più innocue del mondo. Le più indifese, le più incapaci di nuocere. Eppure di sotto le palpebre parevan scrutarti con odio, il loro silenzio tradiva un'ostilità infida, e dalla loro immobilità emanava una tale minaccia che a osservarli provavi l'impulso di scappare. Esaminò la stanza, smarrito. Scappare? La porta era sbarrata dall'esterno, le finestre stavano ad almeno due metri d'altezza: non poteva scappare. Poteva fare soltanto ciò che doveva cioè recitar fino in fondo la preghiera del rimorso, e dominando il bruciore alle mani e ai glutei ci provò. Si buttò in ginocchio, congiunse le palme, riprese il discorso tre volte interrotto ma invano. Un sospetto acuto, improvviso, gli spense subito la voce in gola. E se don Agostino lo avesse tenuto lì l'intera giornata, l'intera notte? Puzzo a parte, con tanto tempo a disposizione i morti avrebbero potuto svegliarsi. Avrebbero potuto scendere dai tavoli di marmo, agguantarlo come lo scheletro armato di falce agguantava la gente nei dipinti o negli affreschi, e addio Giobatta. Si rialzò di scatto. In un crescendo di terrore si mise a cercare uno sgabello, un oggetto che gli permettesse d'arrampicarsi su una finestra, fuggire da quell'unica via di scampo. Non lo trovò e allora, disperato, decise di usare il tavolo più vicino alla parete lungo la quale le finestre si aprivano. Un tavolo su cui giaceva un vecchio suicidatosi tre giorni prima. Riuscendo a scansarne il corpo vi salì, rizzandosi sulla punta dei piedi ghermì il davanzale, vi si issò, incominciò a scavalcarlo. Ma proprio mentre lo scavalcava perse l'equilibrio. Scivolò all'indietro, cadde su qualcosa di atrocemente molle, atrocemente fetido, atrocemente freddo, e per il ribrezzo svenne.

* * *

Era ancora svenuto e disteso sul cadavere del suicida quando don Agostino tornò a riprenderlo, e ciò che accadde a quel punto io non lo so. (Probabilmente, nulla di eccezionale. Un paio di schiaffi per fargli riprendere i sensi, una pedata nel sedere per farlo camminare, un guai-a-te-se-non-ti-cheti per zittirne i singhiozzi). Però so che a casa rientrò con una gran febbre, che la febbre portò presto il delirio, e che per una settimana in famiglia lo credettero impazzito. Ogni poco saltava dal letto, gridando aiuto-aiuto correva alla finestra, tentava di scavalcarla, e alla domanda che-t'è-successo reagiva declamando il ritornello del *Confiteor*. «Mea culpa, mea culpa! Mea maxima culpa!» Gasparo voleva chiamar l'esorcista, Teresa il dottore, e solamente il prezzo che entrambi chiedevano li indusse a rinunciarvi. Poi, grazie alle cure di Mariarosa che con gli impacchi d'olio caldo gli medicava l'anima e le ferite, il sabato successivo la febbre scomparve. Il delirio cessò, e mentre le campane della Chiesa di San Sebastiano diffondevano il cupo dun-dun dal letto si levò una vocina triste e decisa.

«Che suonano a fare? Tanto a scuola io non ci vò più.»
Né ci andò più.
Tuttavia, dice il proverbio, il male non vien sempre per nuocere. E quando in città si seppe che Belzebù il

Carnefice aveva superato sé stesso, qualcuno si impietosì. Tra questi, lo scultore Paolo Emilio Demi che informatosi su Giobatta lo mandò a chiamare.

«È vero che modelli le statuine col pane e con la cera?»

«Sì, signor Demi.»

«Ti garberebbe incidere il marmo e la pietra con me?»

«Oh, signor Demi!»

«Cerco un apprendista scalpellino che per un po' mi faccia anche da garzone di bottega, che oltre a imparare il mestiere trasporti il lavoro col barroccio. Se vuoi, il posto è tuo.»

«Oh, signor Demi!»

«Sei assunto per una lira al giorno e incominci domani.»

9

Un testo dell'epoca definisce Paolo Demi «un livornese impetuoso e generoso, sentimentale e selvatico, in ugual misura capace di benignità e di iracondia». Ed uno schizzo del suo contemporaneo Pasquale Romanelli conferma il giudizio. Volto largo e rude, reso severo dai baffoni a foca e dal pizzo a capra. Sorriso tenero e insieme duro, strani occhi nei quali annega un'infinita dolcezza e un gran bisogno di menar le mani. Nel 1835 aveva trentasette anni, dieci aiutanti, e uno studio di quattro locali in via Borra. I suoi concittadini lo chiamavano «il tosco Fidia», Stendhal «un autentico artista», e la sua fama toccava l'apice. Gonfi di gratitudine pei benefici concessi a Livorno da Leopoldo II e da Ferdinando III i ricchi avevano infatti deciso di erigere a ciascuno dei due un monumento, e il concorso per quello a Ferdinando III era stato vinto dal fiorentino Francesco Pozzi con sei voti su nove. Il concorso per quello a Leopoldo, dal Demi con nove vo-

ti su nove. Al trionfo eran seguite, sì, le diatribe dei corti-
giani cui non piaceva il bozzetto nel quale Leopoldo appariva seduto e senza scettro né corona d'alloro. Alle diatribe era seguita, sì, una scenata del Demi e la sua minaccia di ritirarsi. Ma poi il bozzetto era stato modificato, il
granduca messo in piedi e munito di scettro, cinto d'alloro, avvolto in una toga regale. La rissa s'era placata ed ora,
nell'attesa di venir tradotto in marmo, il modello in gesso
troneggiava nel primo locale dello studio. Un gigante alto più di quattro metri ed umanizzato da due particolari
geniali di cui i cretini non s'erano accorti: le braccia abbassate in un gesto di stanco abbandono e la testa china
come a chiedere scusa.

Nel primo locale trovavi anche le opere a cui nel 1835
il Demi stava lavorando. La statua di Galileo Galilei commissionatagli dall'ateneo di Pisa per il congresso scientifico che presto avrebbe riunito le migliori menti d'Italia, la
statua di Dante Alighieri commissionatagli dal comune di
Firenze per le Logge degli Uffizi, i bronzi commissionati-
gli dal Parlamento brasiliano cioè le allegorie della Verità,
della Fedeltà, della Fermezza, della Segretezza, e quel che
ancor oggi è ritenuto il suo capolavoro: il gruppo della
Madre educatrice composto da un'incantevole donna che
parla, da un bel bambino che tiene l'abbecedario sotto-
braccio, e da una bella bambina che l'abbecedario lo appoggia sul cuore. Nel secondo locale invece trovavi una
squisita coppia intenta a baciarsi, il gruppo detto *Amore e
Armonia,* e una festa di gioiose sculture che mettevano addosso la voglia di gridare viva-la-Vita. Procaci naiadi che
gonfiando i seni e allargando le gambe invitavano al peccato, baldi guerrieri che vestiti solo d'un elmo e d'una foglia di fico puntavano l'arco o sguainavan la spada, cavalli
scalpitanti, pargoli ridenti, angeli con le ali briosamente
spiegate. E furono quei locali che Giobatta vide il giorno
in cui il Demi lo chiamò per assumerlo e consolarlo. Il

guaio è che nel terzo e nel quarto, situati sul retro e quindi seminascosti, trovavi roba ben diversa. Croci, cippi, lapidi, colonne infrante, fiaccole spente. Busti di defunti, bassorilievi di tibie e di teschi. Nel migliore dei casi, statue di vedove piangenti e di angeli con le ali chiuse dal dolore. Insomma la roba pei cimiteri. Perché era sulla roba pei cimiteri, non sulle gioiose sculture o sulle opere pregevoli, che come ogni altro studio lo studio di via Borra fioriva. E il motivo è semplice. Abolita l'usanza di buttare i cadaveri dentro le fosse comuni delle chiese, qui lasciarli mischiati e senza nome, senza una parola che li ricordasse, nel milleottocento i cimiteri erano tornati di moda. Tornando di moda avevan rilanciato il culto dei morti, e avere la tomba individuale era ormai il desiderio di chiunque. Con la tomba, un epitaffio che sotto il nome elencasse virtù vere o presunte ed esaltasse l'angoscia dei parenti inconsolabili. Con l'epitaffio, almeno un simulacro che attirasse gli sguardi di chi fra le tombe ci andava a passeggio. Così era nata un'arte nuova e redditizia, s'era sviluppata una lugubre industria da cui nessun scultore o marmista o scalpellino osava prescindere. Soprattutto a Livorno dove i cimiteri esistevano da sempre (il Cimitero degli Inglesi, degli Olandesi, degli Ebrei, dei Turchi, degli Armeni, dei Greci, dei Cattolici), e dove grazie al mare i monumenti sepolcrali si esportavano a iosa. In America, in Inghilterra, in Francia, in Scandinavia, in Russia, in Polonia. Apprendistato a parte, il neogiovine di bottega serviva nel terzo e nel quarto locale.

«Ragazzo, porta il teschio con le tibie al Camposanto.»

«Ragazzo, porta il busto del morto alla nave che salpa per Londra.»

Stoico, eroico Giobatta. Superò quel secondo trauma in un batter di ciglia. Non tanto per la lira al giorno (cifra da capogiro se pensi che al giorno un adulto esperto prendeva tre lire) quanto per le speranze che l'impiego offriva al suo ottimismo. Svanito il sogno della scuola restava l'ansia di diventar scultore, capisci, e per diventarlo non avrebbe potuto trovarsi un posto più adatto. V'erano montagne di creta, nello studio di via Borra. V'erano le spiegazioni del Demi e dei dieci aiutanti, le scoperte quotidiane e sbalorditive. Che la creta si adopera per modellare il bozzetto della statua o del bassorilievo da scolpire, ad esempio. Che sul modello di creta si cola il gesso liquido, che in tal modo si ricava uno stampo da segare e da riempire a sua volta di gesso, che il risultato di questo è la forma da tradurre in marmo... Che il marmo ha le stesse caratteristiche delle persone, che ora è tenero ed ora duro, ora ordinario ed ora pregiato, nonché di numerosi colori: bianco, nero, giallo, verde, rosa, rosso, cipollino... Che alla pari d'un corpo umano ha vene, nel suo caso chiamate venature, che le venature le rompi facilmente e se le rompi sei fritto: il pezzo non si riattacca. Che prima di scolpire il marmo bisogna tagliarlo, arrotondarlo, sbozzarlo. La pietra pure... Tra una sbarrocciata e l'altra, ragazzo-porta-il-teschio-con-le-tibie, imparò addirittura a tagliare arrotondare sbozzare. E per tagliare aveva solo la sega a mano. Per arrotondare, solo il tornio azionato da una ruota che girava come un ciuco messo alla macina d'un mulino. Per sbozzare, ovvio, solo il pesante mazzuolo con cui si batte sullo scalpello. Dio che fatica. È una fatica tremenda, sbozzare. Un tormento. A forza di battere le braccia s'indolenziscono, i polsi s'intorpidiscono, le dita si gonfiano, e le palme si sbucciano fino a colar sangue. La sera Mariarosa deve medicarle con l'olio caldo o l'aceto che frizza, fasciartele, e per il male cadi quasi svenuto. Nel medesimo tempo però è una gran felicità. Perché a veder la forma che si delinea sotto lo scalpello ti sembra di dare l'anima a un sasso, regalargli il pensiero e il respiro. Ti par d'essere un padreterno, ti senti già un artista capace di crear meraviglie uguali a quelle del signor Demi.

Al bel vecchio che con la mano sinistra regge la Terra e con la mano destra la indica per dire eppur-si-muove. Alla bella signora che insegna ai due bambini con l'abbecedario, beati loro. Alle procaci naiadi, i baldi guerrieri, i cavalli scalpitanti, insomma le gioiose sculture del secondo locale. Le statue pei vivi. Oh, fu un buon periodo il periodo dell'apprendistato. Distratto dalla felicità in quel periodo non s'accorse nemmeno che lo studio tirava avanti grazie alle statue pei morti, che le statue pei vivi non le comprava quasi nessuno e rimanevano lì a impolverarsi come il gigantesco Leopoldo di cui qualcuno aveva finalmente notato la testa china e le braccia abbassate. Sicché il permesso di tradurlo in marmo non arrivava mai e i soldi idem. Ma appena l'apprendistato si concluse, ahimè, appena il giovine di bottega diventò lavorante, l'equivoco finì.

«Ragazzo, fai una colonna infranta.»

«Agli ordini, signor Demi.»

«Ragazzo, fai una fiaccola spenta.»

«Agli ordini, signor Demi.»

«Ragazzo, fai una croce copta.»

«Agli ordini, signor Demi.»

«E se non la rompi, ti premio.»

«Davvero, signor Demi?!?»

«Sì, ti lascio incidere gli epitaffi.»

Commovente, scalognato Giobatta. Aveva quindici anni, l'età a cui chissacchì ritrasse il bellissimo adolescente con la Morte negli occhi (fu lo stesso Demi?), quando prese a sfornare colonne infrante e fiaccole spente. Ne aveva sedici quando passò alle croci. (Ben più complicate delle fiaccole e delle colonne perché portate a rompersi nel punto in cui i segmenti s'incontrano). Ne aveva diciassette quando toccò l'ambìto traguardo degli epitaffi e incise quello che dopo molte indagini ho rintracciato su un sarcofago del Cimitero de' Greci. Trentacinque parole in lapidario-romano cioè a lettere maiuscole, piene di borraccina e seminascoste dalle fronde d'un bell'albero cresciuto accanto.

«MARGHERITA ARGISI DI LIVORNO / CONSORTE DI ALESSANDRO PATRINO / SEMPRE INVITTA / COL MARITO SAGGIA E AFFETTUOSA / COI FIGLI MADRE AMOROSA / RELIGIOSA E BENEFICA / DI COSTUMI CASTA SI SPENSE / IL QUATTRO APRILE DEL MILLEOTTOCENTOQUARANTA / FIAT VOLUNTAS DEI»

Dopo lunghe indagini, sì. In famiglia dicevano che il primo epitaffio Giobatta lo aveva inciso per una certa Margherita Argisi sepolta nel Cimitero degli Ebrei, così lo cercavo lì. Di nome in nome, di tomba in tomba, ostinata. Invece stava sotto l'albero del Cimitero de' Greci dove lo scoprii per caso un piovoso pomeriggio d'ottobre, e a guardarlo mi venne un nodo alla gola. Lo stesso che ho ora. Certo dovette farsele disegnare dal Demi o da un aiutante del Demi, le trentacinque parole, e quali umiliazioni gli costò lavorarci senza comprenderne il significato? Nel 1840 era ancora analfabeta, perbacco. A malapena distingueva le vocali e forse neppure quelle, visto che in tre giorni di scuola il maestro Lombardi aveva avuto solo il tempo d'insegnargli a ravvisarle nei caratteri minuscoli della scrittura corrente. Inoltre non è facile incidere a mano il marmo o la pietra. Sulla O, sulla U, la B, la C, la D, la G, la P, la Q, la R, la S, insomma sulle lettere tonde, lo scalpello scivola facilmente. Assai più facilmente che sulla A, la E, la I, la F, le altre lettere angolose. Se sbagli un colpettino, se scavalchi i contorni della lettera disegnata dal Demi o dal suo aiutante, non puoi mica correggere o rabberciare. Anche se sei arrivato al FIAT VOLUNTAS DEI devi raschiar via tutto. Devi spianare cioè abbassare l'intera superficie, levigarla di nuovo, ricominciare daccapo. E nello sproloquio della signora Argisi di lettere tonde ve ne sono parecchie. Tanto per dare un'idea, diciannove O e quindici S e quindici R. Dio sa quante volte sbagliò e dovette raschiar via tutto. Spianare, abbassare, levigar di nuovo, ricominciare daccapo. Con molte probabilità, a ricominciar tante volte ruppe anche la lapide. Si beccò un nocchino ed una sequela di insulti, imbecille-incapace-babbeo, ci rimise addirittura un mese di stipendio. «Chi rompe paga.» Eppure quella che trovi nel Cimitero de' Greci è perfetta. Se stacchi un ramoscello dell'albero e con questo pulisci le parole piene di borraccina, scopri che nemmeno le lettere tonde contengono difetti o sbavature. Le O sembrano scavate col compasso, le curve delle B spiccano per la loro esattezza, gli archi delle S per la loro sicurezza. E ciò spiega la fama che per l'intera vita ebbe come epitaffista. Perché vedi: un vero scultore non lo fu mai. Nonostante la disinvoltura con cui da bambino modellava e l'entusiasmo con cui da ragazzo sbozzava, come scultore si sarebbe sempre distinto poco e male. Qualche bassorilievo abbastanza riuscito, qualche busto abbastanza azzeccato, e da ultimo le patetiche statuette di alabastro che vendeva ai turisti per non morir di fame. Come epitaffista, invece, nessuno lo avrebbe superato sia nella qualità che nella quantità. Tonnellate di ineguagliabili QUI GIACE, QUI RIPOSA, QUI DORME, chilometri di ineccepibili elegie e trinodie. (D'una che con le opportune varianti usava pei morti affogati ho il testo completo, e a leggerlo c'è da cadere in una crisi depressiva. «Oh, figlio mio! Oh, mio unico figlio che ventitreenne e buono e caro e fidanzato fosti inghiottito dal mare! Per mesi e mesi supplicai le acque crudeli di restituirmi le tue ossa, lasciarmele deporre in un sepolcro per piangere ogni dì abbracciata alla tua croce! Oh, Signore Onnipotente e Onnisciente! Parlami, dimmi a quale scopo recidi i fiori in boccio!»). Nello studio di via Borra lo chiamavano il-Canova-del-piagnisteo, e ch'io sappia solo una volta si tolse la soddisfazione di esercitare la sua abilità per una persona viva. Nel 1846 cioè quando, esaurite le polemiche sulla testa china e sulle braccia abbassate del Leopoldo in gesso, al Demi concessero l'agognato nullaosta per scolpire la statua in marmo e a lui l'alto onore di eseguir l'epigrafe che impreziosiva il piedistallo.

«LEOPOLDO II / CON STUDIO E SOMMO ZELO / TUTELÒ IL COMMERCIO E AMPLIÒ E ABBELLÌ / QUESTO EMPORIO / RESE FECONDE PALUSTRI TERRE / VIVIFICÒ POPOLI E AGRICOLTURA E INDUSTRIA»

Epigrafe, peraltro, che in uno scoppio di furia rivoluzionaria accesa da un comizio di Mazzini egli avrebbe deturpato nel 1849 e che oggi non esiste più. Al suo posto, stupidi e volgari graffiti a pennarello che il municipio non si cura di cancellare. «W la Juve.» «W la fica.» «Franco boia.» «Pisa merda.» «Jenny telefona al 236323.» «Mario ho telefonato e non c'eri.»

* * *

La cosa straordinaria è che proprio attraverso gli epitaffi sconfisse il suo analfabetismo, realizzò il sogno a cui per colpa di don Agostino aveva rinunciato. Grazie a quei chilometri di elegie e trinodie, infatti, grazie a quelle tonnellate di QUI GIACE, QUI RIPOSA, QUI DORME, entrò in dimestichezza con l'alfabeto. Si familiarizzò con le consonanti, le sillabe, capì a quali suoni corrispondevano i misteriosi segni di cui ignorava il significato, e memorizzando la grafia delle parole che capitavano con maggior frequenza imparò a riconoscerle. Ossia a rendersi conto di ciò che meccanicamente scriveva col mazzuolo e con lo scalpello. Nomi, cognomi, vocaboli, verbi. Per esempio, se gli chiedevano a-che-punto-sei, non rispondeva più sono-alla-terza-riga o alla quarta o alla quinta. Rispondeva: «Sono

alla G del verbo piangere. Sono alla F del vocabolo fiore».
Poi, il giorno del suo diciottesimo compleanno, si provò a
tracciare con la matita regalatagli da Mariarosa un QUI
GIACE. Alla meglio ci riuscì, a poco a poco si impratichì, e
nel giro di alcune settimane imparò pure a disegnarsi le
parole da incidere. Soltanto in maiuscolo cioè nei caratteri
del lapidario-romano, s'intende: nelle minuscole della
scrittura corrente, rammenti, distingueva a malapena l'a-e-
i-o-u del maestro Lombardi. Però con l'aiuto del Demi
(che fino al dramma dell'epigrafe deturpata rimase suo
protettore e amico) colmò presto l'angosciosa lacuna, e
nel 1842 era già in grado di vergare una frase con le maiuscole e con le minuscole. Nel 1844 poteva leggere corretta-
mente un giornale e un libro nonché scrivere un biglietto
senza molti sfondoni, e nel 1846 comporre un manifestino
che stava nella cassapanca di Caterina. «Austria puttana
che ci levi il respiro / Morte a te, brutta troia / Morte ai
tuoi sbirri sozzi di fango / W l'Italia / W il sangue del Popolo / che se la piglia sempre in culo ma trionferà.» Se non
fosse stato per gli epitaffi e pei cimiteri, insomma, non
avrebbe neanche dimostrato a sé stesso quanto fosse vero
lo slogan dello zio: «Un ignorante in meno è un patriota in
più». Forse non avrebbe seguito la sua strada, non sarebbe
diventato il rivoluzionario che diventò. E va da sé che a
questo contribuì in maniera determinante Mariarosa.
L'unica donna della sua vita, l'unica donna che amò.

10

   Ah, Mariarosa! Purtroppo ho scarse notizie sulle origini della mia cara, simpatica trisnonna Mariarosa. Perfino la sua data di nascita è incerta. Secondo un rozzo censimento svoltosi nel Granducato a metà del secolo, era venuta al mondo il 17 febbraio del 1820. Secondo i registri

parrocchiali, il 17 febbraio del 1821. Secondo l'atto di matrimonio, il 17 dicembre del 1822. (Comunque io ho sempre sentito dire che aveva due o tre anni più di Giobatta e penso che la data del 1821 sia giusta. Quella del 1820 trascritta a casaccio da funzionari inetti, e quella del 1822 alterata dalla sposa per sembrare un po' meno vecchia del marito nato nel 1823). È incerto anche il suo cognome da nubile. Nel rozzo censimento si legge Mazzetti. Negli archivi parrocchiali, Mazzelli. Nell'atto di matrimonio, Mazzella. «Mariarosa Mazzella del fu Pasquale e della fu Lucia Mendoli.» Quanto a loro due, mi risulta solo che fossero contadini emigrati da un villaggio della Liguria per cercar fortuna a Livorno dove lui era morto di tifo e lei di parto. Ben a causa di questo la poverina era cresciuta nell'istituto di monache dal quale all'inizio del 1835 il priore di Salviano l'aveva tolta per affidarla a Teresa. Ignorando il nome dell'istituto, non ho neppure una traccia su cui ricostruire la sua infanzia. Tuttavia ho ciò che serve a capire perché Giobatta l'amò tanto e ne fece l'unica donna della sua vita.

Bella non lo era, no, diceva il nonno Augusto. Se escludi i denti sani e gli occhi vispi, marroni e lucidi come gli occhi d'un furetto, in senso fisico lasciava molto a desiderare. Faccione eccessivamente rotondo, naso eccessivamente piccolo e corto, guance eccessivamente paffute e ahimè: doppio mento e corpo pingue. (Una disfunzione glandolare trasformava in grasso qualsiasi cosa mangiasse o non mangiasse, e pur essendo bassa di statura da giovinetta pesava già ottanta chili). Inoltre sopra la tempia destra era quasi calva. A quel tempo infatti i rammendi invisibili si eseguivano coi capelli. Brevi gugliate di capelli bianchi o neri o grigi o fulvi o castani che compravi dal merciaio a dieci crazie la dozzina. Per non spender soldi e visto che i suoi erano d'un biondo slavato cioè adatto a vari colori di stoffa, se li strappava senza pietà e diventava sempre più spelacchiata. Ma guai a suggerirle di coprire il vuoto con un ciuffo o una pettinatura opportuna. «È l'emblema del mio mestiere! Si chiama alopecia delle rammendatrici!» Sebbene usasse le parole emblema ed alopecia, non era nemmeno un pozzo di sapienza. Nell'orfanotrofio le monache non le avevano insegnato che a cucire e non sapeva leggere, non sapeva scrivere, per firmare tracciava un'asta ossia la sagoma d'un ago. In compenso era intelligente. Insieme a una memoria prodigiosa possedeva la sagacia che viene dal buonsenso e dall'intuito, al suo lavoro si dedicava con la sensibilità d'un artista, e quanto ai rammendi meritava davvero il giudizio dato dal priore: «Eccezionale, fenomenale». Sia che il tessuto danneggiato fosse di ruvida lana sia che fosse di delicatissima seta, in un battibaleno te lo riparava con tale finezza che del buco o dello strappo non restava il minimo segno. Non a caso Teresa le permetteva d'avere una clientela privata, e questa includeva gli esigenti turisti dell'Hotel Peverada: il più lussuoso della città. Non fu al Peverada, del resto, che nel 1846 ebbe la lusinghiera avventura di cui in famiglia si parlava con malcelato compiacimento? «È arrivata una coppia di forestieri che hanno un mucchio di roba da accomodare. Sali al terzo piano, camera 38, e guarda d'accontentarli» le ordinò il portiere. Lei salì, e indovina chi erano i forestieri: Robert Browning ed Elizabeth Barrett, da poco sposati e via Le Havre-Parigi-Lione-Marsiglia-Genova giunti a Livorno per stabilirsi in Toscana. Stando al racconto che udivo da bambina, ben sette camicie da notte lacerate dagli amplessi della luna di miele le consegnò Robert. Ben sette mutandoni sfondati e sei corsetti stracciati le consegnò Elizabeth. Eppure in un paio di giorni i malconci indumenti tornarono nuovi. E i neoconiugi ne rimasero così impressionati che le offrirono di andar con loro a Pisa, dove intendevano passar l'inverno, e fargli da governante: aggiustargli l'intero guardaroba. Onore che lei rifiutò per non allontanarsi da Giobatta ma del quale si vantò per tutta la vita.

«Io da ragazza avevo la stima dei poeti e delle poetesse.» Era anche allegra, gioviale, benedetta dall'eterno buonumore che spesso caratterizza le persone grasse. Il suo faccione rotondo non appariva mai triste, ad ogni contrarietà o disgrazia reagiva con una festosa risata, il-mondo-va-preso-com'è, e cantava sempre. Arie di Rossini, Donizetti, Bellini. La *Cenerentola*, per esempio. «Cenerentola vien qua, Cenerentola va' là / Cenerentola va' su, Cenerentola va' giù...» La *Lucia di Lammermoor*: «Verranno a te sull'aureee i miei sospiri ardeeentiii...» E la *Sonnambula* di cui le piaceva il particolare che Amina, la protagonista, fosse una ragazza felice. «Care compagne e voi teneri amici / che alla gioia mia tanta parte prendete...» Oppure brani tolti dalle opere d'un giovane musicista che i critici consideravano un compositore incapace, un corruttore della melodia, e per il quale il pubblico impazziva d'entusiasmo: Giuseppe Verdi. Trionfava il suo *Nabucodonosor* poi ribattezzato *Nabucco*, in quegli anni. Nella tragedia degli antichi ebrei oppressi dagli assiri la gente aveva colto in pieno la metafora cioè la tragedia degli italiani oppressi dallo straniero, il coro del terzo atto era diventato un inno patriottico, e lei non faceva che gorgheggiarlo. «Va', pensieeerooo, sull'ali doraaaateee...» Trionfavano pure *I Lombardi*, il dramma sui primi crociati che vanno a liberare il Santo Sepolcro. Il coro del quarto atto non era meno significativo, e finito il Va'-pensiero lei attaccava subito con quello. «Oh, Signor che dal tettooo natioooo...» Infatti aveva un'ottima voce di soprano leggero, amava la musica in maniera quasi maniacale, e appena guadagnava otto crazie (il prezzo d'un biglietto in loggione) correva al Teatro Carlo Lodovico o al Teatro degli Avvalorati per godersi un'opera. Grazie alla sua prodigiosa memoria, impararsela da capo a fondo. In ugual modo però amava la scienza, le scoperte che stavano delineando il futuro, e col cuore in gola seguiva l'evolversi delle due che la appassionavano di più: il mirabolante veicolo che gli inglesi chiamavano Railway, i francesi Train cioè traino o treno, i toscani Velocifero, e lo stupefacente congegno che gli inglesi chiamavano Sewing Machine, i tedeschi Nähmaschine, i francesi Machine à Coudre, i toscani Cucitora di Ferro. Insomma la macchina da cucire. Oh, sapeva tutto sulla macchina da cucire. Che tentativi per realizzarla erano già stati compiuti nel 1755 da un certo Karl Weisenthall e nel 1790 da un certo Thomas Saint, entrambi sostenitori dell'ago a doppia punta ed entrambi sconfitti dalla sua incapacità di ottenere suture robuste. Che nel 1830 un certo Barthélemy Thimonnier ne aveva brevettata una con l'ago a uncino e con quella s'era messo a produrre uniformi militari dalle suture altrettanto deboli, che mentre s'accingeva a correggerla i sarti sostituiti dall'ago a uncino si erano vendicati bruciandogli il laboratorio. Che da quel momento le ricerche erano passate in America dove Walter Hunt, il padre della spilla da balia, aveva elaborato senza successo un ago da usare in senso orizzontale. Sapeva addirittura che il problema dell'ago stava per esser risolto dal signor Isacco Singer di Boston, e se tra i turisti del Peverada ne capitava uno di questa città gli andava subito incontro per tormentarlo con le domande.

«Mister, a che punto è il signor Singer?»

«Mister, è pronta o no la Suin Mascìn del signor Singer?»

Quanto al Velocifero, oddio: c'era cresciuta, ci viveva, nell'attesa del Velocifero. Nel 1826 l'industriale Ginori Lisci aveva presentato a Leopoldo un progetto per costruire la strada ferrata tra Livorno e Pisa, e Sua Altezza aveva risposto con una smorfia. «Io non spreco soldi in stravaganze.» Nel 1837, quando i Borboni si accingevano a inaugurare la Napoli-Castellammare di Stabia cioè la prima ferrovia italiana, l'economista Luigi Serristori e l'ingegnere Carlo Dini Castelli eran tornati all'attacco col progetto chiamato «Leopolda» ossia la linea Livorno-Firenze via Pisa-Cascina-Pontedera-Empoli. Carte e conti alla mano s'erano chiusi nel suo ufficio di Palazzo Vecchio e per settimane gli avevano illustrato i benefici che ne sarebbero derivati. Quello di ridurre a sole cinque ore un viaggio che con la carrozza tirata da quattro cavalli durava dall'alba al tramonto e magari fino a metà notte. Quello di ricevere o spedire nel medesimo spazio di tempo le merci che tra Livorno e Firenze si trasportavan da secoli sul fiume Arno, vale a dire coi lentissimi navicelli. Quello di poter quindi moltiplicare gli scambi, i guadagni. E di nuovo Sua Altezza aveva risposto con una smorfia. «Costa troppo.» (La spesa prevista era trenta milioni di lire pari a quattro milioni e mezzo di scudi d'oro). Ma allora il banchiere Emanuele Fenzi e Pietro Senn, nipote di Pietro Vieusseux, erano intervenuti dichiarandosi disposti a fondare una società anonima: procurare il denaro. Al colpo di scena Sua Altezza aveva stavolta reagito firmando un *motu proprio* che autorizzava l'impresa, i lavori erano incominciati, e ormai in Toscana non si parlava d'altro. A bocca torta, intendiamoci. Con la malevolenza o la rabbia che ovunque accompagnavano l'avanzata del treno. Specialmente a Livorno e nelle campagne tra Livorno e Pisa vi si opponevano a centinaia, migliaia. Navicellari, vetturali, proprietari terrieri, contadini, campanilisti. I navicellari e vetturali perché, come aveva previsto Giovanni, il Velocifero gli avrebbe tolto l'impiego cioè portato via il pane. (Non per nulla lo chiamavan Lucifero). I proprietari terrieri perché in nome del pubblico interesse venivano espropriati o costretti a vendere per misero prezzo i poderi situati lungo il percorso della ferrovia. I contadini perché coi poderi perdevano le case, le stalle, il bestiame, e dovevano emigrare in città o in zone a loro sconosciute. I campanilisti perché il granduca aveva affidato i lavori a due inglesi, Robert Stephenson e William Hoppner, i quali s'erano portati dietro dozzine di compatrioti e con la scusa della lingua non assumevano gli ingegneri locali. Infatti molti non si limitavano a mugugnare o imprecare. Si organizzavano in bande armate di manganelli, schioppi, esplosivi, e contro il nuovo nemico conducevano una lotta senza quartiere. Bastonavano gli operai, gli sparavano. Distruggevano le massicciate, i binari. Oppure se la prendevano con l'Imbarcatojo-Sbarcatojo di Livorno ossia la stazione che Hoppner costruiva fuori Porta San Marco. Vetri rotti, tettoie spaccate. Muri abbattuti, selciati divelti. Sabotaggi d'ogni tipo. E Mariarosa si imbestialiva.

«Retrogradi, parrucconi, residui del passato!»
«Zucche vuote, reazionari, nemici del progresso!»
«Vi meritate la merda dei cavalli, pezzenti!»
Guai a toccarle il domani, insomma. In quel senso assomigliava a Caterina. Però più del Velocifero e della Cucitora di Ferro, della Suin Mascìn, più della musica e di Verdi, di Rossini e Donizetti e Bellini, amava Giobatta.

Lo amava fin da quando lui era un dodicenne vestito di velluto celeste e lei una quattordicenne (o quindicenne o tredicenne) appena entrata a far parte della famiglia Cantini: si sa. Un soppunto e un'occhiata, un soppunto e un'occhiata. Lo amava irrefrenabilmente, incondizionatamente, e non come una sorella maggiore cioè con affetto fraterno. Come una donna. Con gli ardori, i desideri, gli appetiti carnali d'una donna. Cosa che del resto non si curava, non s'era mai curata di nascondere. E che al contrario esibiva, ostentava dinanzi a tutti (Teresa inclusa) con strilli gioiosi.

«Ah, se non fossi una trippona!»

«Ah, se non fossi una racchiona!»
«Ah, se non fossi una vecchiona!»
«Di baci vi mangerei, di corsa vi sposerei!»
Sicché qui ci vuole una messa a punto.

* * *

Teresa non aveva mai dato peso agli strilli gioiosi.
Forse sviata da uno scarso acume, forse accecata da un
eccesso d'orgoglio, li aveva sempre considerati innocui
scoppi d'esuberanza o dovuti omaggi alla bellezza del
piccolo dio sceso dall'Olimpo per sedurre chiunque capitasse sulla sua strada. Per la medesima ragione non s'era
mai opposta al torrente di regali e premure che la quasi
figlia adottiva rovesciava su Giobatta, non aveva mai contrastato la tenera complicità stabilitasi fin dall'inizio tra i
due. Così anche ora che il piccolo dio era diventato uno
splendido giovanotto pronto a cercar moglie, non se ne
preoccupava. Bè, di tanto in tanto avvertiva una campanella d'allarme: è vero. Aguzzava gli occhi, gli orecchi, e
con l'intuito delle madri a loro volta innamorate rimugi-
nava qualche sospetto. Santiddio, che invece di dovuti
omaggi o innocui scoppi d'esuberanza si trattasse di
fiammate amorose? Che nonostante le autoaccuse trippona, racchiona, vecchiona, Mariarosa cullasse davvero
il sogno di sposarlo? Peggio: che Giobatta stesse al gioco
e che il gioco racchiudesse un inconfessato trasporto sentimentale? Gli indizi non mancavan, perbacco. L'ansia con
cui egli la chiamava, la cercava, ad ogni pretesto. Mariaro-
sa-dove-siete, Mariarosa-venite-qui. La sollecitudine con cui
ogni domenica le offriva la sua compagnia. Mariarosa-a-
Messa-vi-ci-porto-io, Mariarosa-a-teatro-vi-ci-accompagno-
io. E lo stesso particolare che le altre ragazze non le guardasse nemmeno. Cosa strana in quanto Livorno traboccava di belle figliole, a Salviano quelle in età da marito gli

svolazzavano attorno come mosche attratte dal miele, e in via Borra si diceva che perfino la primogenita del Demi lo circuisse. Subito dopo, però, ci ripensava. Scoteva la testa e concludeva impossibile: Mariarosa era una specie di sorella per lui, e quale scapolo di buon gusto si sarebbe perso dietro a una poverina a tal punto sprovvista di attrattive fisiche? Poi rasserenata lasciava che stessero insieme, che insieme andassero a Messa o a teatro, e solo se gli strilli si facevano un po' troppo insistenti o l'intesa un po' troppo tenera interveniva. Li redarguiva con bonarietà.

«Mariarosa, non dire sciocchezze.»

«Mariarosa, non esagerare.»

«E tu non incoraggiarla, Giobatta.»

Il fatto è che in Mariarosa l'adulto Giobatta non vedeva una specie di sorella o una poverina alla quale preferire la primogenita del Demi, le corteggiatrici di Salviano, le belle figliole della città. Vedeva la Vita. Vedeva l'ottimismo che vince sullo sconforto, l'allegria che vince sulla malinconia, l'intelligenza che vince sulla balordaggine, la compagna di cui aveva bisogno per sperare nel domani e dimenticare lo ieri. I don Agostini, le stanze dei morti, le croci, i cippi, le colonne infrante, le fiaccole spente, gli epitaffi QUI GIACE, QUI RIPOSA, QUI DORME. E non gliene importava nulla che fosse grassa, brutta, mezza calva. Non gliene importava nulla che fosse o non fosse più vecchia. A lui piaceva così, lui l'amava così. Ogni volta che udiva i suoi di-baci-vi-coprirei, di-corsa-vi-sposerei, si sentiva allargare il cuore e da anni aspettava il momento giusto per dirglielo.

Momento che (grazie a lei, inutile sottolinearlo) giunse quattro giorni dopo l'inaugurazione della Livorno-Pisa-Livorno. Il tratto iniziale della Leopolda.

11

La Livorno-Pisa-Livorno venne inaugurata mercoledì 13 marzo 1844. Un unico binario sul quale si poteva sfiorare l'incredibile velocità di venticinque miglia all'ora e, malgrado i rallentamenti imposti dalle curve, coprire le undici miglia del tragitto in appena quindici minuti. Roba da mozzarti il fiato. Il Velocifero (alcuni esterofili lo chiamavan già treno) partì da Pisa condotto dagli stessi Robert Stephenson e William Hoppner. Portava ottocento invitati scelti con gran cura ed era composto da quattro carrozze di prima classe, otto di seconda, una di terza. Nelle carrozze di prima, le autorità politiche e religiose. Nelle carrozze di seconda, i cittadini benemeriti. Nella carrozza di terza, la Banda Municipale dei Dilettanti che suonava brani dalla *Gazza Ladra* e dalla *Semiramide* di Rossini. Il viaggio fu ottimo, privo di incidenti. Per evitar gli attacchi dei facinorosi Leopoldo aveva ordinato che l'intero percorso fosse difeso dalle truppe granducali, lungo le undici miglia si schieravan quasi tremila soldati e nessuno poté tirare una sassata. Fu ottimo anche l'arrivo all'Imbarcatojo-Sbarcatojo di Porta San Marco. Qui per prevenire tumulti il governatore aveva piazzato mille guardie con la sciabola, e quando la locomotiva si fermò molti gridarono «Viva il Velocifero, viva la civiltà». L'indomani incominciarono le corse regolari. Partenza da Pisa, alle 7 e alle 9 del mattino poi alle 2 e alle 4 del pomeriggio. Da Livorno, alle 8 e alle 10 del mattino poi alle 3 e alle 5 del pomeriggio. (Domeniche comprese). Prezzo del biglietto, solo tre paoli cioè otto crazie in prima classe. Solo due paoli in seconda, solo un paolo in terza. Con le corse regolari, però, il basso costo si rivelò una beffa. La divisione delle classi era infatti spietata, per sottolinearla il treno della prima si muoveva con cinque minuti di anticipo sul treno della seconda, il treno della seconda con cinque minuti di anticipo su quello della terza, e comprare un biglietto da tre paoli non ti garantiva il posto in prima. Comprarlo da due paoli non ti garantiva il posto in seconda. Sai perché? Perché in prima eri ammesso esclusivamente se «acconciato con adeguatezza». Vale a dire se oltre a buoni vestiti e s'intende le scarpe avevi i guanti e il cappello, il bastone e la borsa. In seconda, se non ti mancavan che i guanti e il bastone e la borsa. Chiunque avesse gli zoccoli e l'aria plebea, finiva in terza. Quasi ciò non bastasse, le carrozze di prima erano chiuse nonché fornite di finestrini coi vetri e sedili imbottiti. Sui sedili imbottiti, pizzi e merletti di Bruxelles. Le carrozze di seconda eran chiuse ma senza vetri ai finestrini e coi sedili di legno. Le carrozze di terza, del tutto scoperte e con pancacce di ferro. Così a destinazione giungevi con la schiena a pezzi e, se pioveva, fradicio. Per infradiciarti un po' meno dovevi viaggiare con l'ombrello aperto. Comunque il disagio maggiore non veniva dall'eventuale pioggia. Veniva dalle faville che, per via della caldaia alimentata a legna e non a carbone, in terza ti investivano da capo a piedi. A volte causando ustioni gravissime o incendiando i capelli, i baffi, la barba. Eppure nemmeno questo scoraggiò Mariarosa che il sabato successivo comprò due biglietti di andata e ritorno proprio in terza classe. Uno per sé ed uno per Giobatta.

«Domani noi due si va a Pisa.»

Ci andarono col treno che coi dovuti ritardi lasciava Livorno alle otto del mattino e rientrava da Pisa alle quattro del pomeriggio. (Dettaglio fornitomi da due scontrini ritrovati fra le schegge della cassapanca, grandi press'a poco quanto le odierne banconote del dollaro, con un bel bordo a fregi e la scritta «Addì 17 marzo 1844. Strada Ferrata Leopolda. Carrozze di Terza Classe. Vettura Numero Uno. Livorno, ore 8 antimeridiane. Pisa, ore 4 pomeridiane»). E che avventura, Gesù, che avventura! Perché non pioveva quel giorno, capisci. C'era il cielo più azzurro che il Buondio avesse mai mandato sulla Toscana. Di conseguenza oggi non rischiavi di infradiciarti e l'Imbarcatojo straripava di gente. Uomini, donne, bambini. Famiglie intere che approfittando della domenica volevano esperimentare il discusso veicolo, comitive che approfittando del sole volevano visitare la città ora tanto vicina, e al di là dei cancelli protetti dalle guardie con la sciabola una turba di scalmanati che pretendevano di viaggiar gratis. «Macché biglietto, macché biglietto! Vogliamo entrare!» La solcarono a fatica, tra gli insulti e gli anatemi di chi li credeva passeggeri di seconda classe. Per onorar l'evento s'eran vestiti a festa, e lui indossava un'ottima palandrana di panno grigio, col basco dello stesso colore e le scarpe di cuoio. Lei un grazioso completo di stame blu, con la gonna a cupola e la mantellina a bavero alto. In testa una nizzarda gialla col sottogola a fiocco. Dopo averla solcata raggiunsero le carrozze di terza, facendosi largo a pedate e a gomitate salirono sulla Vettura Numero Uno dove riuscirono a conquistarsi due posti laterali cioè a belvedere, e qui ci fu la prima emozione. Ogni viaggio doveva infatti essere preceduto da una prova della locomotiva non ancora agganciata al convoglio, senza avvisar nessuno il macchinista la mise in moto, avvolto in una densa nube di fumo nero si allontanò, ed entrambi temettero che li avesse piantati in asso. «È partito da solo! Ci ha dimenticato!» Percorsi cento metri invece si fermò. Innestò la retromarcia, tornò indietro, agganciò la locomotiva e: «Taaa-taratataaa!». Il capotreno suonò la tromba che dava il segnale della partenza. A questo seguirono esclamazioni festose, sventolare di fazzoletti, convulsi addio-arrivederci-addio. Con un lunghissimo fischio poi un'altra densa nube di fumo nero il Velocifero si mosse, e mentre la turba degli scalmanati raddoppiava gli anatemi uscì dall'Imbarcatojo. Irruppe nella campagna dove prese a bombardarli di faville talmente fitte che una finì subito dentro la nizzarda gialla, ci lasciò un buco irreparabile. Una, nella palandrana di panno grigio che rimase rovinata per sempre. E va da sé che nessuno dei due se ne crucciò. Lui era troppo occupato a godersi il paesaggio che fuggiva, il vento che li investiva, il rumore che li stordiva, e lei a cantare la sua felicità.

«Care compagne e voi teneri amiciiiii / che alla gioia mia tanta parte prendeteeeee...»

Non c'erano mai stati a Pisa, non s'erano mai spinti oltre le mura di Livorno. Però sapevano che a Pisa ci scorreva l'Arno, cosa d'enorme importanza in quanto a Livorno ci scorrevan solo i canali ed entrambi avevano una gran voglia di capire che fosse un fiume. Sapevano che nella piazza detta piazza dei Miracoli v'era un magnifico Duomo, un magnifico Battistero, una famosa Torre Pendente, un celebre Camposanto Monumentale, e che nel cortile dell'università si poteva ammirare il Galileo in marmo del Demi, che dinanzi all'Albergo Tre Donzelle lo zio Giovanni aveva conosciuto un simpatico poeta inglese di nome Percy B. Shelley. Carichi di entusiasmo, dunque, scesero dalla Vettura Numero Uno: neri di fuliggine e mezzi bruciacchiati saltarono su un calesse che per dieci crazie portava a spasso i turisti, gli mostrava le bellezze della città. Escluso il Camposanto Monumentale a cui rifiutaron d'avvicinarsi opponendo un deciso no, i-cimiterino, videro tutto e Gesù!, che sorprese, Gesù! Chi l'avrebbe mai immaginato che un fiume fosse una specie di lunghissimo lago in confronto al quale i canali di Livorno sembravan ruscelli?!? Chi l'avrebbe mai sospettato che la piazza dei Miracoli fosse così impressionante e la Torre Pendente così pendente?!? Per qualche crazia in più il fiaccheraio li portò pure a guardarsi il Tre Donzelle e il Galileo in marmo poi a rifocillarsi in un'osteria dove mescevano un vino che al secondo bicchiere conduceva dritto in Paradiso. Una scalessata indimenticabile, credi. Ma la Grande Occasione, il momento che Giobatta aspettava, venne dopo. Perché, rapita dal secondo bicchiere e dimentica del suo peso, dopo la scalessata Mariarosa volle salire sulla torre: lanciarsi su pei duecentonovantaquattro e ripidi scalini dei sette piani a spirale. Boccheggiando, rantolando, ogni scalino uno sforzo che le toglieva il respiro e le stroncava le gambe riuscì ad arrivare in cima e... C'è un terrazzo in cima alla torre. Un ballatoio cinto da una ringhiera piuttosto bassa e nel punto di maggiore pendenza assai pericolosa. Forse per calcolo forse per avventatezza lei andò a riprender fiato proprio lì, in tono ambiguo cinguettò son-davvero-una-trippona-indegna-divoi, quasi-quasi-mi-butto-di-sotto, e Giobatta colse la palla al balzo. Strappandola dalla ringhiera e chiudendola in un abbraccio ben poco fraterno le disse che trippona o no per lui era la Vita. La donna più bella del mondo, anzi l'unica donna del mondo, la Vita. Le disse che l'amava col corpo e con la mente, che aveva bisogno di lei, che se non ci fosse stata lei sarebbe morto di noia e di malinconia. E seduta stante si fidanzarono.

«Volete sposarmi, Mariarosa?»

«Che domande, Giobatta! Subito.»

Subito? Senza il consenso dei genitori, a quel tempo, un uomo non poteva sposarsi prima d'avere trent'anni. (Una donna, quaranta). Nel marzo del 1844 Giobatta ne aveva appena ventuno, e quando seppe cos'era successo in cima alla Torre Pendente Teresa cadde in deliquio. Fidan-za-ti?!? Promessi sposi, fidanzati, la luce dei suoi occhi e la scorfana di cento chili che aveva accolto e che teneva in casa per pietà cristiana? Dunque non si sbagliava a coltivar sospetti, temere che la menassero per il naso! Non si sbagliava ad allarmarsi, annusare puzzo di bruciato! E pensar che a Pisa li aveva lasciati andare col sorriso sulle labbra, andate-andate, divertitevi e non prendete freddo! Stupida, balorda, pazza! «Ma il consenso non ve lo dò, capitoooo? Non ve lo dò, non ve lo dòooooo!» Reagì male anche Gasparo, ormai del tutto rimbambito e completamente succube della moglie. «La mamma ha ragione, ragazzo. Coi fior di pollastrelle che ci sono in giro, è da bischeri accasarsi con quel baule spelacchiato. Quel grillo canterino.» Per alcuni giorni rischiò addirittura l'ostracismo, il baule spelacchiato. Il grillo canterino. «Torna dalle tue monache, svergognata.» «Torna al tuo istituto, ingrata.» E per impedirlo Giobatta dovette ribaltar la minaccia.

«Se la mandate via, se va via, me ne vado con lei.»

Ergo, di matrimonio, non si parlò più fino al 1847.

* * *

Fino al 1847, sì. Ci sarebbero voluti, ci vollero, ben tre anni perché Teresa realizzasse che opporsi era inutile e ingiusto. Tre anni appesantiti, bada bene, dalla rigorosa castità che allora accompagnava un fidanzamento. («Vergine come Giobatta prima che sposasse Mariarosa! Vergine come Mariarosa prima che sposasse Giobatta!» diceva il nonno Augusto per descrivere un oggetto intonso o una persona illibata). Eppure nemmeno questo li scoraggiò. Anzi rafforzò quell'amore beffato, umiliato, e mano nella mano vissero l'attesa del matrimonio. Con l'attesa, le vicende che via via li confortarono. L'estendersi della Leopolda che da Pisa avanzava verso Firenze e intanto si ramificava su Lucca, Montecatini, Pistoia, ad esempio. Ogni nuovo tratto un pretesto per correre all'Imbarcatojo di Porta San Marco, ripetere l'avventura, e pazienza se tutte le volte Teresa sospirava dove-andate-scellerati-dove-andate... L'imporsi del telegrafo elettrico, eccitante prodigio che grazie a pali e fili posti lungo la ferrovia trasmetteva in un baleno strani messaggi detti telegrammi, e pazienza se loro i telegrammi non li mandavano a nessuno. Pazienza se nessuno li mandava a loro... L'avvento dell'illuminazione a gas, esaltante sortilegio che prometteva d'abolire le puzzolentissime torce e le tetre candele... Oh, l'illuminazione a gas! Nell'estate del 1844 un ingegnere della ditta francese Cottin-Tumel-Mongolfier-Bodin, Eugène du Plessis, aveva iniziato i lavori per sostituire con milleseicento lanterne a incandescenza i duecentocinquanta lampioni ad olio che nelle notti prive di luna rischiaravano le strade di Livorno. Annunciando che col gas si sarebbe potuto leggere un libro a sedici braccia di distanza il 10 aprile del 1845 ne esperimentò dieci proprio a Salviano, e indovina chi c'era a guidar la folla degli spettatori increduli. Per vedere se il sor Duplessì raccontava le balle o la verità, Mariarosa s'era addirittura comprata il libro: un romanzo che secondo i ben informati narrava le traversie di un'altra coppia a cui non riusciva sposarsi. Tali Renzo e Lucia, fidanzati lombardi. Quando le dieci lanterne s'accesero lo porse a Giobatta, Giobatta lo aprì alla prima pagina, e Gesù! Senza alcuno sforzo lesse: «Quel ramo del lago di Como, che volge a mezzogiorno, tra due catene non interrotte di monti...». Ma, soprattutto, mano nella mano si incamminarono lungo la strada dello zio Giovanni. Strada che scoprirono nel 1846 e che non avevano mai pensato di percorrere.

12

Non ci avevano mai pensato perché il giogo sotto il quale l'Italia languiva gli era sempre parso una calamità naturale come le malattie e i terremoti. Una disgrazia irrimediabile come la miseria e la morte. C'erano nati in quella calamità, quella sventura. C'erano cresciuti. Quel che è peggio, ignorando che si potesse combatterla: nel 1846 non sapevan nemmeno che lo zio Giovanni fosse stato carbonaro e che la cesta degli avanzi custodisse un tricolore. Di politica, infatti, a casa non se ne parlava. Temendo che le portasse via pure il figlio Teresa evitava perfino di pronunciare il vocabolo patria, e credendo di compiacerla l'ottuso Gasparo rintuzzava perfino gli innocenti «Va' pensiero sull'ali dorate» di Mariarosa. «Uffa, che lagna! Ma che vol dire?» In via Borra, idem. La statua di Leopoldo doveva ancora essere installata, nonostante le sue idee liberali il Demi stava ben attento a non fornir pretesti ai nemici, e se alludevi al giogo venivi subito zittito. «Chiudi il becco, balordo! Non lo sai che noi si sta nel Regno del Bengodi?» In parole diverse, era mancato a entrambi lo stimolo necessario a far scattare la molla che sveglia la coscienza, e non dimentichiamo che il Regno del Bengodi non offriva molti motivi per ribellarsi. Niente forche, al solito. Niente patiboli, niente plotoni di esecuzione. Al posto di tutto ciò un granduca che sembrava mandato dal Buondio. Non si considerava neanche austriaco, Leopoldo. «Io sono fiorentino e la Toscana è la mia patria adorata, l'italiano la mia lingua» diceva. In segreto detestava la terra degli avi e in quegli anni non la sentivi davvero la sua stretta parentela con gli Asburgo di Vienna. La sua cuginanza con l'imperatore Ferdinando I. Inoltre, ammettiamolo, era un brav'uomo. Un bonaccione incapace di vivere nella pompa e di trattare il prossimo con alterigia. A piedi e senza scorta girava per le vie di Firenze, accompagnava la moglie alla Messa, andava a teatro dove anziché nel palco reale sedeva in platea mischiato al pubblico. Con infinita pazienza si lasciava avvicinare da chiunque volesse presentargli una protesta o chiedergli un favore, e i suoi svaghi eran semplici quanto la sua anima. Gli piaceva fare il tipografo, ad esempio, da solo s'era stampato una splendida raccolta delle opere di Lorenzo il Magnifico, e ancor più gli piaceva fare il falegname. Appena possibile usciva da Palazzo Pitti, quatto

quatto si recava in via Maggio, entrava nella botteghina del suo amico ebanista Lorenzo Parrini, e qui restava per ore a fabbricar mobili o a intagliar cornici. Gli intellettuali, d'accordo, non lo potevan soffrire. Lo accusavano di inadeguatezza, lentezza mentale, mancanza di carattere, mediocrità. «Due ginocchi piegati che sbucano da un soprabito nero e sul bavero del soprabito una testa da mettere e levare a proprio piacimento» scriveva in un crudele ritrattino Carlo Collodi, il futuro autore di *Pinocchio*. Lo sbeffeggiavano coi nomignoli Grand'Oca, Gran Ciuco, Gran Grullo, Canapone. (Quest'ultimo dovuto al fatto che fosse alto circa due metri e che avesse i capelli gialli come la canapa). Gli rimproveravano la ritrosia, la mansuetudine, gli rinfacciavan le tasse che imponeva pei lavori pubblici. «Il Tòsco Morfeo vien lemme lemme / di papaveri cinto e di lattuga, / ei che per smania d'eternarsi asciuga / tasche e maremme» incominciava una non meno crudele poesia del Giusti. Il popolo, invece, gli voleva bene. Lo rispettava, lo chiamava Babbo, e guai a toccarglielo.

«A noi il Babbo ci garba così.»

Quasi ciò non bastasse, dopo il 1835 la strada dello zio Giovanni aveva perduto i capi e il mordente. Dissolti i Veri Italiani, sciolta La Giovine Italia. Morto di vecchiaia, Filippo Buonarroti. Stroncato da un infarto cardiaco, Carlo Bini. Scarcerato ma costretto a emigrare in Francia, vegetare nella rinuncia, Carlo Guitera. Neutralizzato dalla carriera forense e dalle sue personali ambizioni, Francesco Domenico Guerrazzi. Ed esule a Londra, per lungo tempo chiuso dentro la crisi da lui definita tempesta-del-dubbio, Giuseppe Mazzini. Nel 1840, è vero, Mazzini aveva ricostituito alla meglio La Giovine Italia e nel 1843 s'eran visti tre episodi insurrezionali. Uno a Salerno, uno a Savigno, uno a Imola. Nel marzo del 1844, è vero, una cinquantina di audaci aveva proclamato la Costituzione a Cosenza e in giugno due ufficiali veneziani della Marina austriaca, i fratelli Attilio ed Emilio Bandiera, erano sbarcati in Calabria per dare il via a una rivolta repubblicana. Però, quei tentativi non avevan portato che condanne a morte, cantando chi-per-la-Patria-muor-vissuto-è-assai anche i fratelli Bandiera erano stati fucilati con sette compagni, e lungi dal riaccendere il fuoco ciò aveva scatenato rancore per l'unico leader rimasto. «Quel fanatico che da Londra continua a organizzar congiure, immolare la nostra gioventù. Quell'esaltato che pretende di comandarci stando all'estero e che con le sue letterine, le sue chiacchiere, i suoi errori, ci procura solo carcere e capestri. Basta coi sacrifici inutili! Basta col martirio a ogni costo!» Ripresi i moti, versato altro sangue, era avvenuto insomma un ripensamento. Ora i rivoluzionari venivan definiti esaltati, fanatici, a opporli c'era il partito dei moderati cioè di coloro che volevano agire in maniera pacifica, e sul palcoscenico della gran tragedia recitavano attori nuovi. Personaggi ben lontani dal povero mondo di Giobatta e di Mariarosa. Il filosofo Vincenzo Gioberti che col suo *Primato morale e civile degli Italiani* proponeva una confederazione di stati indipendenti e guidati dalla Chiesa, il conte Cesare Balbo che col suo *Delle speranze d'Italia* proponeva la medesima confederazione da affidare ai Savoia, il marchese Massimo d'Azeglio che lo affiancava pubblicizzando le discutibili virtù di Carlo Alberto... E a Firenze il conte Gino Capponi, il marchese Cosimo Ridolfi, il giurista Vincenzo Salvagnoli che ugualmente stanchi delle sconfitte auspicavano caute riforme da effettuarsi col beneplacito di Leopoldo.

Non usava neanche più il tricolore, in Toscana. Gli stessi liberali lo consideravano pericoloso, nocivo. «Santo cielo, siete rincitrulliti? Non vi rendete conto che a servirsene si provoca l'Austria, si raddoppia le sue mire sul Granducato?» scriveva Pietro Vieusseux agli amici cui sarebbe piaciuto riesumarlo. In Toscana, soltanto a Pisa e a Livorno la pentola continuava in qualche modo a bollire. Comunque a rimaner calda. A Pisa, coi professori e gli studenti universitari che si riunivano al Caffè dell'Ussero per declamar le poesie di Ugo Foscolo o urlare fuorilo-straniero. A Livorno, con un fiero salumaio che oltre a sognare di cacciar gli austriaci voleva far piazza pulita dei ricchi e dirigeva un partitino battezzato Società dei Progressisti: Enrico Bartelloni detto il Gatto. (Per via del corpo agile e felino, sembra, della camminata silenziosa e degli occhi che nel buio luccicavano come gli occhi d'un gatto).

Ma i professori e gli studenti Giobatta e Mariarosa non li frequentavano davvero, e il Bartelloni ancor meno. «È un Cristo destinato a esser crocifisso con chi lo segue. Meglio starne alla larga» diceva il Demi. Poi il 1846, anzi l'estate del 1846, arrivò. Gregorio XVI, il Santissimo Padre che i patrioti li impiccava e li decapitava, rese l'animaccia al Creatore. Nonostante i veti di Vienna il cardinale Mastai Ferretti, mansueto e benevolo romagnolo a cui non dispiacevano le idee del Gioberti, fu eletto col nome di Pio IX. Appena eletto concesse un'amnistia che scarcerava i detenuti politici, richiamava gli esuli, annunciava le riforme che nei mesi successivi avrebbero spinto Leopoldo e Carlo Alberto a imitarlo sicché, senza immaginar le brutte sorprese che la sua mansuetudine teneva in serbo, i voltafaccia di cui la sua benevolenza era capace, tutti se ne innamorarono. Ubriachi d'entusiasmo, trascinati dal mito del papa liberale, mito che gli stessi mazziniani accettavano ad occhi chiusi, tutti si misero a gridare viva-Pio-Nono. Tutti corsero a sventolare le bandiere bianche e gialle dello Stato Pontificio. Laici, mangiapreti, baciapile. Esaltati, moderati, indifferenti. Anche a Pisa. Anche a Livorno dove per la prima volta Giobatta e Mariarosa realizzaron che il giogo sotto il quale l'Italia languiva non era né una calamità naturale né una disgrazia irrimediabile bensì un'infamia da combattere, una vergogna da eliminare. Tra le bandiere dello Stato Pontificio riapparve perfino il tricolore. Il pericoloso tricolore che grazie ai prudenti non usava più. E una sera d'autunno, mentre cercava un po' di stoffa per farsi una coccarda bianca e gialla, Mariarosa scoprì quello cucito da Teresa ai tempi della grande passione.

«Giobattaaa! Venite a vedere che ho trovato, Giobattaaaa!»

Roso dalle tarme e mangiucchiato dai topi giaceva in fondo alla cesta degli avanzi che, ricordi, lo nascondevano insieme alle altre cose lasciate in via dell'Olio. La pezzuola rossa, i manifestini antiaustriaci, i proclami del Guitera, e in famiglia non lo ignorava nessuno che Giovanni avesse indossato l'uniforme del Cent-treizième. Volente o nolente Teresa dovette ammettere che si trattava di roba appartenuta allo zio. L'ammissione scatenò le domande, i mamma-parlate-mamma, sia pure attenta a non tradirsi cioè a non sollevar sospetti sui motivi per cui conosceva tanto bene la storia del cognato l'infelice parlò. Rivelò che lo zio era stato carbonaro, che con quel tricoìore sfidava i poliziotti e le spie, con quella pezzuola pilotava nel bosco i compagni cui insegnava a sparare. Raccontò che quei manifestini li attaccava alle porte delle chiese e dei bordelli oppure li lanciava dalla carrozza o dal loggione del Carlo Lodovico. Spiegò che quei proclami li leggeva agli ignoranti sulla barca del pescatore di ostriche. Non tacque nulla, sicché l'inevitabile accadde. Giobatta e Mariarosa capirono che la lotta andava al di là degli osanna a Pio IX, cercarono Enrico Bartelloni, ne divennero seguaci, e nel 1847 ci irruppero da rivoluzionari. Lui issando il vecchio vessillo rammendato e rattoppato, lei gorgheggiando la canzone che inaugurò il suo nuovo repertorio musicale.

«Il candido è la fè che c'incantenaaa, / il rosso è l'allegria de' nostri cuoriii. / Ci metterò una foglia di verbenaaa / ch'io stessa alimentai di freschi umoriii. / E gli dirò che il bianco e il rosso e il verdeee / gli è un terno che si gioca e non si perdeee!»

* * *

Fu l'anno in cui la febbre rivoluzionaria li divorò all'unisono, il 1847. L'anno in cui si batterono insieme e vissero trascinati dalla medesima frenesia. Dimostrazioni, provocazioni, cortei. Alterchi, tafferugli, risse. E grazie al miracolo che Giobatta aveva compiuto imparando a leggere sugli epitaffi, grazie all'estro col quale Mariarosa riscattava il suo analfabetismo, sfide come la sfida della parola scritta. Nel mese di febbraio, infatti, il Bartelloni li aggregò alla Banda della Domenica: turbolenta combriccola che ogni domenica invadeva le strade per tenere in caldo la città, distribuire fogli sovversivi, scagliar sassate contro la residenza del console austriaco Tausch. A distribuire i fogli sovversivi s'accorsero che la parola scritta aveva più forza delle sassate, e allora composero il feroce manifestino che stava dentro la cassapanca di Caterina. «Austria puttana che ci levi il respiro / Morte a te, brutta troia / Morte ai tuoi sbirri sozzi di fango / W l'Italia / W il sangue del Popolo / che se la piglia sempre in culo ma trionferà.» Nel mese di agosto il cancelliere Klemens von Metternich inviò al conte Dietrichstein la famosa lettera dove dichiarava che l'Italia era una mera espressione geografica, un vocabolo da usare solo in riferimento alla lingua, un termine privo di qualsiasi significato politico. La cosa si riseppe e allora composero la sgangherata ma efficace invettiva che nel 1848 avrebbe segnato il passo dei volontari toscani in marcia verso i campi di battaglia lombardi. «Io vorrei che a Metternicche / gli strappassero le budella; / ne facessero bretella / per le brache del su' re. / Io vorrei che a Metternicche / gli segassero i coglioni; / ne facessero bottoni / per la giacca del su' re. / Io vorrei che a Metternicche / gli tagliassero la testa; / ne facessero minestra / per la mensa del su' re.» Nel mese di maggio Leopoldo dette il via alle riforme. Sordo agli allarmati dispacci da Vienna, Altezza-Serenissima-non-ascoltate-quei-manigoldi-che-mirano-a-travolgere-la-monarchia-e-a-instaurare-la-scelleratezza-chiamata-democrazia, attenuò la legge sulla censura e permise di pubblicare giornali politici. All'evento Livorno reagì con un chiassoso corteo che finì disperso dalle sciabolate dei militari e allora, insieme, composero il geniale appello che ho ritrovato negli archivi del Buongoverno. «Soldati, non picchiateci, per cortesia! Non prendeteci a sciabolate! Diobono, non ve lo dice nessuno che siete Italiani pure Voi, Popolo pure Voi, e che presto combatteremo al vostro fianco contro i nemici della nostra Patria?» Nel mese di luglio, invece, si distinsero negli slogan. Perché in luglio Pio IX concesse ai romani la Guardia Civica cioè l'ambita milizia che delegava ai cittadini la custodia armata dell'ordine pubblico, il comandante delle forze austriache in Italia generale Radetzky rispose occupando Ferrara, e chi diffuse il motto col quale la Banda della Domenica scatenò i tumulti ordinati dal Bartelloni? «Se il vile tedesco / non lascia Ferrara / prepari la bara / che scampo non ha.» In agosto, lo stesso. Perché in agosto Livorno insorse per reclamare ciò che i romani avevano ottenuto, e chi fornì il grido che per giorni incendiò la città?

«Brucia, brucia, brucia! S'ha da vincere o morir!»

Il 1847 fu anche l'anno in cui il Leopoldo del Demi venne collocato sulla piazza del Voltone e per dodici indimenticabili ore gli illusi credettero d'aver già vinto. La cerimonia si svolse infatti l'8 settembre, settantadue ore dopo la conquista della Civica, tutti ne approfittarono per abbandonarsi al giubilo e Gesù!, che festa, Gesù! Strade zeppe di gente venuta perfino dalle campagne, campane che suonavano a distesa, fiori e biscotti e coriandoli che volavano dalle finestre, bandiere d'ogni tipo incluse quelle gialle e rosse dei Lorena e quelle bianche rosse e verdi del sogno... E in piazza una folla da far paura. Sul palco eretto accanto al monumento da una settimana nascosto sotto un gran lenzuolo, le autorità con gli invitati. Il sindaco, il governatore, il vescovo, l'arcivescovo, i notabili venuti da Firenze, i vari consoli eccetto Tausch. Nonché il Demi che piangeva di gioia, si-son-decisi-alla-fine-si-son-decisi, e due signori con la sciarpa tricolore al collo che gli si erano accodati alla chetichella: il professor Giuseppe Montanelli e il professor Francesco Ferrucci, noti piantagrane dell'ateneo pisano. Dinanzi al palco, il Bartelloni che con uno strano sorriso gli lanciava occhiate d'intesa. Ai piedi del monumento, Giobatta che col secondo e il terzo marmista doveva tirar giù il lenzuolo. E nella calca Mariarosa che pazza d'orgoglio strillava: «L'epigrafe l'ha incisa il mio fidanzato! Vedrete che capolavoro, che meraviglia!». Il lenzuolo cadde alle sei del pomeriggio, quando le milleseicento lanterne a gas si accesero insieme a duemila torce regalate dai fiorentini, e appena il colosso di marmo emerse con la sua plastica magnificenza esplose un tale applauso che a stento il governatore riuscì a pronunciare il suo discorso e l'arcivescovo a impartire la trina benedizione. Viva-il-Babbo, viva-il-Babbo, viva-il-nostro-granduca. A quel punto però i due signori con la sciarpa tricolore al collo si fecero avanti. Si tolsero le sciarpe, svelti le gettarono sul braccio destro della statua anzi sulla mano che reggeva lo scettro. Il Bartelloni tuonò un Viva-l'Italia che deviò l'entusiasmo, le bandiere bianche rosse e verdi presero il sopravvento su quelle gialle e rosse dei Lorena, e la festa si trasformò in un baccanale rivoluzionario. Urla abbasso-Radeschi-abbasso-

Metternicche, fuori-lo-straniero, Unità-e-Indipendenza. Baci, abbracci, frenetici girotondi. Balli improvvisati, fuochi d'artificio, luminarie. Infine, l'impressionante fiaccolata condotta dal giovanotto che aveva inciso l'epigrafe e da una simpatica cicciona che a squarciagola cantava «E la bandie-e-e-ra di tre colo-o-o-ri / è sempre stata la più bellaaa! / Noi vogliamo sempre quella, / noi vogliam la libertà! / La libertà, la libertàaaa!». Ma, soprattutto, il 1847 fu l'anno in cui Teresa capì che opporsi al loro amore era inutile. L'anno in cui vi si arrese e dette l'agognato consenso.

«D'accordo, sposatevi.»

Presente lei e Gasparo e l'intera Banda della Domenica, testimoni il Bartelloni e il Demi che a statua installata poteva concedersi il lusso d'ammettere le sue idee liberali, si sposarono sabato 9 ottobre nella Chiesa di San Pietro e Paolo. E non si trattò d'una giornata molto tranquilla. All'altare, infatti, Mariarosa arrivò indossando l'abito più sfacciatamente patriottico che Livorno avesse mai visto. Gonna verde, blusa bianca, corpetto rosso, nonché un'acconciatura di camelie bianche e rosse cinte da un serto di verdissime foglie. Giobatta, esibendo una coccarda tricolore grande quanto una ciambella e la pezzuola rossa dello zio Giovanni. Ciò non piacque al parroco il quale si mise a strepitare che-carnevalate-son-queste, non-siamo-mica-in-piazza, siamo-nel-tempio-del-Signore, con-quella-roba-addosso-io-non-vi-accaso, poi si barricò in sacrestia. «Cercatevi un altro sacerdote.» Ergo, nonostante le suppliche di Teresa, le proteste dei testimoni, le contumelie degli invitati, dovettero cercarlo davvero. Dovettero addirittura procurarsi una dispensa vescovile che autorizzava la sostituzione, e a unirli in matrimonio provvide un giovane prete sovversivo che in segreto frequentava la Società dei Progressisti cioè era amico del Bartelloni. Don Battista Maggini. Con tre ore di ritardo, però, e senza

Messa. Senza suonate d'organo, senza liturgie d'alcun tipo. Dalla sacrestia giungevano urli furibondi, fate-presto-ribaldi, uscite-presto-dalla-mia-chiesa-razza-di-Robespierre, e il rito tanto atteso durò pochi minuti. Il tempo di sentirsi chiedere «Vuoi tu Giobatta Cantini prendere in moglie la signorina Mariarosa Mazzella, vuoi tu Mariarosa Mazzella prendere in marito il signor Giobatta Cantini» e rispondere sì, scambiarsi in fretta e furia gli anelli, firmare in fretta e furia il registro. (Lei, tracciandovi l'asta che pareva la sagoma d'un ago). Dopo non ci fu nemmeno il pranzo di nozze. La settimana precedente il ducato di Lucca era stato annesso al granducato di Toscana, evento sempre contrastato dal duca di Modena che Lucca la voleva per sé. Nella speranza di placar le sue ire Leopoldo gli aveva promesso un tratto di territorio attiguo alla frontiera modenese ossia le cittadine di Pontremoli e Fivizzano, nell'impazienza d'occuparle l'infame s'era rivolto agli austriaci, e proprio mentre don Maggini pronunciava l'Ego-vos-coniungo-in-nomine-Patris-et-Filii-et-Spiritus-Sancti qualcuno portò la notizia che Radetzky stava per intervenire. Addio pranzo. Guidati dal Bartelloni e tallonati dalla Banda della Domenica, volaron subito in piazza a tirar sassate. «Pontremoli e Fivizzano son nostre e guai a chi le tocca.» «Ci sottovaluti, caro Radeschi, coraggio avanza coi tuoi tedeschi.» Corsero anche alla residenza del console Tausch dove travolsero i gendarmi, ammainarono la bandiera gialla e nera con l'aquila bicipite degli Asburgo, le dettero fuoco. La sera, peggio. Perché sabato 9 ottobre agli Avvalorati si dava una nuova opera di Verdi, il *Macbeth*, ed entrambi lo sapevan bene che il *Macbeth* raccontava la storia d'un tiranno contro il quale gli scozzesi insorgevano. In marzo alla Pergola di Firenze c'era stata la prima allestita dallo stesso Verdi, e il coro che apriva il quarto atto era diventato famoso quasi quanto quello dei *Lombardi* o del *Nabucco*. «Patria oppressa, patria oppressa, il dolce nome no, di madre aver non puoi.» Inoltre il repertorio di Mariarosa ora includeva un inno le cui parole, scritte da un certo Goffredo Mameli discepolo di Mazzini, sembravano concepite per accendere un bel trambusto a teatro. Così la sera comprarono i soliti due biglietti in loggione, al quarto atto balzarono in piedi, si schiariron la gola, e via.

«Fratelli d'Italiaaa, l'Italia s'è destaaa! / Dell'elmo di Scipio s'è cinta la testaaa...»

Furono immediatamente arrestati per schiamazzi in luogo pubblico, identificati come la coppia che nel pomeriggio aveva bruciato la bandiera del console, e chiusi nei sotterranei della Fortezza Vecchia. Lui coi ladri e lei con le prostitute. Qui restarono cinque giorni e cinque notti cioè finché il Demi riuscì a farli scarcerare, e di conseguenza il matrimonio lo consumarono solo il giovedì successivo. (Particolare toccante se pensi che nei tre anni di fidanzamento non eran mai andati al di là dei timidi abbracci che si scambiavano di nascosto a Teresa). Tuttavia a questo seguì un'intensa luna di miele durante la quale Mariarosa rimase incinta, e il bisnonno Tommaso era già un embrione di sei settimane quando sull'Italia e sull'Europa si abbatté il 1848. Il fatale Quarantotto la cui tempesta rivoluzionaria avrebbe squassato l'ordine stabilito dal Congresso di Vienna e avviato le guerre d'Indipendenza. Il folle Quarantotto dal quale sarebbero nate le espressioni è-successo-un-quarantotto, è-stata-una-quarantottata, è-un-tipo-quarantottesco. L'eroico Quarantotto che al liceo il mio professore di storia insegnava ruggendo: «Levatevi il cappello e sturatevi gli orecchi, ignoranti! Si parla del Quarantotto!». E guai se non ne imparavi a memoria le date, guai se non ne conoscevi a menadito gli eventi. Mercoledì 12 gennaio: rivoluzione a Palermo dove gli insorti chiudono i soldati borbonici nelle fortezze e costringono Ferdinando II, il re delle Due Sicilie, ad annunciare la Costituzione che firmerà il 7 febbraio. Martedì 8 febbraio: impaurito dall'esempio di Palermo, Carlo Alberto incarica i suoi ministri di stendere la carta costituzionale che il 4 marzo emanerà col nome di Statuto Albertino. Venerdì 11 febbraio: Leopoldo concede *motu proprio* la Costituzione. Martedì 22 febbraio: rivoluzione a Parigi dove Luigi Filippo d'Orléans perde il trono e, presidente Lamartine, viene instaurata la Seconda Repubblica. Lunedì 13 marzo: rivoluzione a Vienna dove Metternich si dimette e lascia il paese per rifugiarsi a Londra. Mercoledì 15 marzo: rivoluzione a Berlino dove il re di Prussia promette la Costituzione. Il giorno prima, a Roma, l'aveva firmata Pio IX. Sabato 18 marzo: incominciano le Cinque Giornate di Milano dove armato solo di archibugi napoleonici, bastoni, coltelli da cucina, spade rubate nei musei, il popolo riuscirà a cacciare per oltre quattro mesi gli austriaci. Lunedì 20 marzo: spinto dalle sommosse il duca di Modena fugge da Modena e il duca di Parma fugge da Parma. Mercoledì 22 marzo: abbandonata Milano, Radetzky si ritira nel quadrilatero Peschiera-Mantova-Legnago-Verona. Carlo Alberto ammassa l'esercito lungo il Ticino e superando i consueti dubbi, le consuete incertezze, il consueto doppio gioco, si prepara a entrare in Lombardia. Sempre mercoledì 22 marzo: a Venezia la Guardia Civica occupa l'arsenale, gli austriaci se ne vanno, e Daniele Manin instaura la Repubblica di San Marco. Ancora mercoledì 22 marzo: Leopoldo rinuncia ai titoli di arciduca d'Austria, principe imperiale d'Austria, principe reale di Ungheria e Boemia, e con un incredibile proclama invita i sudditi a combatter contro la terra dei suoi avi. «Toscani, la Santa Causa dell'indipendenza d'Italia si decide sui campi della Lombardia! Toscani, già i milanesi si son conquistati la libertà col proprio sangue, già i piemontesi muovono alla gran tenzone! Italiani ed eredi di antiche glorie, non potete cullarvi in ozio vergognoso!» Sicché nel Granducato si aprono gli uffici di reclutamento e si presentano i primi volontari. Giovedì 23 marzo: Carlo Alberto si decide. Dichiara la guerra all'Austria, passa il Ticino e...

* * *

Di quei giorni il nonno Augusto non parlava mai e gli archivi della polizia non offrono materiale che mi autorizzi a fantasticare. Però so che il 23 marzo Giobatta s'arruolò con don Maggini (lui come cappellano) nel corpo dei volontari toscani, che il 2 aprile era già a metà strada per la Lombardia, e che qui partecipò alla tremenda battaglia di Curtatone e Montanara.

Risulta dalle sue lettere. Le preziose lettere che stavano nella cassapanca di Caterina e il cui testo esiste ancora, graziaddio, perché un anno prima che la cassapanca saltasse in aria ebbi la buona idea di trascriverle sul mio quaderno di scuola.

13

Eccole. Tutte dirette a Mariarosa che a quanto pare se le faceva leggere ogni volta dal Demi, e purtroppo purgate delle eresie grammaticali che contenevano nonché arricchite d'una punteggiatura che nell'originale non esisteva. (Abuso che commisi con l'autorizzazione anzi l'incoraggiamento di mia madre. «Che ne dici, mamma, ce lo metto qualche punto e virgola? Che ne dici, mamma, la correggo questa frase, questa parola? Lo cambio col congiuntivo questo condizionale?» «Sì, sì, aggiustale un po'. Ripuliscile. Sennò si vede che aveva imparato a scrivere con lo scalpello, e si fa una figuraccia»). Una viene da

Pontremoli, una da Reggio Emilia, una da Marcaria sull'Oglio, tre da Curtatone, l'ultima da Brescia. E per capir bene la tragedia che con tanto candore raccontano ci vuole un piccolo preambolo.

Armati di spade arrugginite e di miseri schioppi a pietra focaia, per artiglieria nove cannoncini e una ventina di mitraglie, i tremilacentosessantun volontari toscani partirono nel giro di poche ore cioè senza aver ricevuto il minimo addestramento. I più non sapevan nemmeno prendere la mira e pigiare il grilletto. Partirono anche senza viveri, senza coperte, senza maglie di lana, senza calzature militari. Nella gran maggioranza dei casi, addirittura senza zaini e senza uniformi. Al posto degli zaini portavano sacchetti da ortolano o borse per far la spesa, al posto delle uniformi vecchie giubbe austriache o francesi cui eran stati tolti gli alamari, e Giobatta quella dello zio Giovanni con le insegne del Cent-treizième. Sessanta disertarono durante il viaggio. Duecento chiesero e ottennero l'esonero appena furon dinanzi a Mantova o quando giunse la notizia che Pio IX aveva rifiutato di entrare in guerra con l'Austria e ordinato il rientro dei volontari pontifici, insomma tradito. (Ne rimasero infatti duemilanovecento). A guidarli c'era un imbecille, il generale D'Arco Ferrari, che troppo tardi venne sostituito con l'ottimo De Laugier. A deprimerli, una popolazione che nelle campagne tifava per gli austriaci e sul tricolore ci sputava. Ad aumentarne le sofferenze, il comando piemontese che li trattò quasi con disprezzo. Li piazzò proprio sotto il naso del nemico, appunto Curtatone e Montanara, non gli fornì neanche una cartuccia, durante la battaglia non gli mandò i rinforzi promessi, e guardandoli a debita distanza col canocchiale lasciò che finissero massacrati come bovi al macello. Tuttavia è vero che si comportarono stupendamente, che il loro eroismo riscosse le lodi dello stesso Radetzky, «Io credevo che fossero almeno dieci o quindicimila», che il loro sacrificio permise a Carlo Alberto di vincere a Goito poi a Peschiera. E tale sacrificio include quello di Giobatta che da Curtatone e Montanara tornò col bellissimo volto sfregiato per sempre.

* * *

«Addì 2 aprile, domenica. Moglie mia adorata che nella pancia porti il nostro bambino, oggi siamo arrivati a Pontremoli e siccome domani si passa gli Appennini il maggiore Belluomini ha detto: ragazzi, oggi ci si riposa. Parole sante in quanto son parecchi giorni che si cammina. A Fivizzano molti protestavano sor maggiore, s'ha male ai piedi, vogliamo fermarci, e d'un tratto si son fermati davvero. Si son buttati in terra e a Pontremoli ci son venuti per conto suo, alla spicciolata. Io no. Volevo esser degno dello zio Giovanni che in Spagna si faceva certe marce da restarci secchi e per dimenticare il male ai piedi mi son messo a cantare. Prima la tua tirata contro Metternicche che il passo lo segna proprio bene, e dopo una canzone nòva che di sicuro conosci meglio di me. Addio mia bella addio, ché l'armata se ne va, e se non partissi anch'io la sarebbe una viltà. Moglie mia, mi fa tanta impressione trovarmi a Pontremoli. Mi ricorda noi che il fausto giorno del nostro sposalizio si sbraitava in piazza Pontremoli e Fivizzano son nostre, guai a chi le tocca, poi si correva a Villa Tausch per bruciar la bandiera gialla e nera dei porci Asburgo, poi agli Avvalorati per urlare Fratelli d'Italia, l'Italia s'è desta, e anziché a letto si finiva alla Fortezza Vecchia in celle separate. Pontremoli è un bel posto. Ci ha le mura più antiche di Livorno e la gente è bòna. Quando siamo entrati ci hanno buttato i fiori e le caramelle, ci hanno gridato Viva i Volontari Toscani, Viva Pio Nono, e io mi son sentito così orgoglioso d'andare a combattere per la nostra Patria: pronto a unirmi con gli alleati piemontesi e a sparruccare i tedeschi. Però quassù siamo accanto alle montagne e fa freddo. Con la scusa della primavera che incomincia il 21 marzo le coperte non ce l'hanno date, la roba di lana idem, e la giubba dello zio Giovanni mi scalda il core e basta. Menomale che c'è don Maggini. La notte appiccico le spalle alle sue e tremo meno. L'unico inconveniente è che invece di dormire lui prega per il Bartelloni. Non ci hanno dato neanche le scarpe da soldato. Quelle che s'aveva alla partenza si son rotte e ieri ho visto uno che marciava col pollicione fuori della tomaia. Il mangiare è poco. Di giorno una scheggia di baccalà col pane, di sera una minestruccia tutta brodosa, sicché tanti son pentiti d'aver risposto sì alla chiamata. Altri se la svignano e infatti questa lettera te la mando per un livornese che zitto zitto torna a casa. Inutile spiegargli che per amar la Patria ci vole una gran pazienza. Ma ora devo lasciarti, moglie mia, ché a scrivere ci si stanca più che a incidere il marmo. Ti prego di salutare i miei genitori, ti raccomando di stare attenta alla pancia che custodisce il nostro bambino, e a proposito: se nasce maschio, ti piacerebbe chiamarlo Pio? Tuo devoto e affezionato marito Cantini Giobatta.

Post Scriptum. Vi ringrazio, sor Demi, di leggere le mie parole a Mariarosa e Vi porgo i miei ossequi. W l'Italia.»

«Addì 15 aprile, sabato. Moglie mia, madre del mio bambino, anche questa volta la lettera ce l'avrai grazie a uno che scappa e io ti prego di non trattarlo male. Poero figliolo, lui credeva di venir qui a fare una passeggiata e a strillar subito evviva, s'è liberato l'Italia dai barbari, evviva. Poi s'è accorto che alla guerra non si mangia il pollo, s'è scoraggiato, e siamo onesti: se non fosse per l'amor patrio e la rabbia che s'ha in corpo, a casa ci si tornerebbe tutti. Perché le cose non vanno mica bene, sai. Parecchi hanno consumato le suole delle scarpe e camminano con le pezze ai piedi, parecchi hanno rotto i pantaloni già lisi e girano con le mutande, le uniformi non ce l'hanno ancora date, a sparare non ci hanno ancora insegnato, e le ultime due settimane sono state un inferno. Pensa che da Pontremoli si doveva andar dritti a Parma varcando gli Appennini al Passo della Cisa. Ma il governo di Parma ci mandò a dire che a Parma non ci voleva, il mio colonnello venne costretto a puntar su Reggio Emilia cioè varcar gli Appennini al Passo del Cerreto, e per pigliar quello dovette riportarci a Fivizzano. Trenta miglia fatte d'un fiato. Anzi d'un fiatone, visto che alcuni ci misero diciotto ore. A Fivizzano il rancio si consumò a mezzanotte e ringraziare Iddio se i magnanimi fivizzanesi ci lasciaron dormire nelle loro case. Il Passo del Cerreto fu una tribolazione. Una tal fatica che mi chiedo se lo zio Giovanni abbia sofferto tanto a varcare i Pirenei. I sentieri erano così ripidi che in salita non si riusciva a tirare i carriaggi, quasi ciò non bastasse pioveva, tirava un gran vento, e molti si sentirono male. Don Maggini svenne e mi toccò costruirgli una specie di slitta, con una corda trascinarmelo dietro fino a Castelnovo. Ora siamo a Reggio, città dove le donne ci vennero incontro col caffellatte e gli òmini col tricolore. Son bravi, i reggiani. Ogni giorno ci rifocillano col cacio reggiano e le pastasciutte, siccome non s'ha tende per rizzare un accampamento ci tengono nelle chiese, e appena possono ci rinfrancano con le buone notizie. Ad esempio quella che Mazzini non è più in esilio, dal 7 aprile si trova a Milano, e che a Milano la gente sta sempre dinanzi al suo albergo per applaudirlo. Però noi si resta nella situazione che ho detto e se non s'arriva presto in Lombardia, se non si riceve presto le uniformi, se non si impara presto a sparare, son guai. E con ciò t'abbraccio forte forte, spedisco i soliti saluti ai genitori, i soliti ringraziamenti al sor Demi, e come sempre mi firmo tuo devoto e affezionato marito Cantini Giobatta.

417

Post Scriptum. Data l'accoglienza di Reggio, che è una città pontificia, se nasce un maschio bisogna davvero chiamarlo Pio.»

«Addì 22 aprile, vigilia di Pasqua. Moglie amatissima, quello che prende la lettera oggi è un gran lavativo. Non vede l'ora di svignarsela, mi ripete sbrigati, sbrigati, ci ha il fòco al culo. Devo quindi riassumere a rotta di collo le molte cose che ho da raccontarti e la prima è che siamo arrivati in Lombardia. Sì, in Lombardia finalmente, in Lombardia! Dinanzi a Mantova e al completo. Due battaglioni di fiorentini, due di livornesi e di viareggini, uno di senesi, uno di lucchesi, uno di studenti pisani, e con noi i 4615 dell'esercito regolare che erano partiti per conto suo. La seconda è che ci hanno dato le uniformi. Sì, le uniformi finalmente, le uniformi! Giacca blu coi risvolti bianchi e la cintura, pantaloni blu affusolati, berretto a visiera, scarpe a mocassino. Sicché non si sembra più un branco di pezzenti, si sembra autentici militari. La terza è che hanno incominciato ad addestrarci. Ora si sa caricare il fucile, imbracciarlo, pigliar la mira, e anche andare all'assalto con la baionetta. Ergo, sono felice. Mi sento le farfalle dentro lo stomaco e mi par d'essere un Crociato che va a liberare Gerusalemme. Marcaria sull'Oglio, il paesino dove siamo stati messi coi viareggini e gli studenti pisani, è interessante. Ci passano i soldati lombardi che hanno disertato l'esercito austriaco, e siccome parlano volentieri ho raccolto un mucchio d'informazioni. Che nell'esercito austriaco i più cattivi sono i croati, per incominciare. Che mentre si ritiravano a Mantova e Peschiera e Verona e Legnago, il quadrilatero dove s'è asserragliato il Radeschi, ne hanno combinate di tutti i colori. Incendi, omicidi, stupri, rapine. Che gli ungheresi son meglio, che tanti non vogliono stare con l'Impero austro-asburgico, e che il Radeschi non li può soffrire. Che gli austriaci veri e propri ce l'hanno a morte con noi toscani in quanto ci ritenevano mezzi parenti per via di Leopoldo e non ci perdonano l'entrata in guerra. Che noi volontari ci chiamano Briganta Nera, i regolari invece li chiamano Briganta Bianca. Inoltre ho saputo che i contadini di qui non assomiglian per nulla ai milanesi e che col tricolore ci vanno poco d'accordo. Però a questo non ci voglio credere sennò sciupo la mia contentezza. E con ciò ti saluto, moglie mia, perché il lavativo mi tira la giacca. Vuole levar le tende, non mi lascia continuare, e ho solo il tempo d'aggiungere una cosa: indovina chi c'è con gli studenti di Pisa! Il professor Ferrucci e il professor Montanelli cioè i due che quando si inaugurò la statua buttaron le sciarpe bianche rosse e verdi sullo scettro di Leopoldo e dettero il via al bordello. L'ho scoperto per caso e credi: mi son commosso. Baci e abbracci dal tuo devoto e affezionato marito, Cantini Giobatta.

Post Scriptum. Speriamo che la contentezza duri. L'ho detto anche a don Maggini che per scongiuro ha recitato un'Ave Maria.»

«Addì 3 maggio, mercoledì. Moglie mia, ti scrivo da un posto che si chiama Curtatone e dò la lettera a uno che a casa ci torna col permesso del colonnello. Nonostante le uniformi quelli che vogliono tornare a casa son sempre di più e per evitar che disertino il colonnello gli firma un foglio che dice: Esonerato Per Gravi Motivi Familiari. Meglio così, sennò come farei a mandarti le notizie in libertà? La posta normale ce la censurano, e ogni volta che ho voglia di scriverti chiedo: c'è nessuno che molla, c'è nessuno che scappa? Curtatone è un paesino piccino piccino con qualche casa colonica e basta. Sta a un tiro di schioppo da Mantova, quattro chilometri circa, e si trova presso un lago pieno di canne sicché le zanzare ci mangiano vivi. Menomale che non siamo d'estate. D'estate le canne marciscono, le acque diventano pestilenziali, e ci si becca le febbri maremmane che durano cinque o

419

sei anni. Me l'ha spiegato uno dei senesi che hanno messo qui con noi livornesi. E va da sé che le febbri si beccano anche per via del fosso che sta alle nostre spalle, un fosso largo e lungo e profondo di nome Osone, e per via delle paludi che dalla parte del lago son numerose. Dalla parte di Mantova, no: le paludi non ci sono. Però ci sono i campi di grano, e dentro il grano il nemico potrebbe nascondersi per attaccarci. A Montanara, lo stesso. Montanara è l'altro paesino occupato dai toscani. Sta due chilometri a sud di Curtatone e lì ci hanno messo i fiorentini coi lucchesi e centocinquanta volontari di Napoli. Gli studenti di Pisa, invece, li hanno messi col Comando alle Grazie: una borgata che sta un chilometro e mezzo indietro, vicino al fiume Mincio. Li hanno messi lì perché son troppo giovani, poerini. Alcuni hanno appena sedici anni e i genitori si son tanto raccomandati. Moglie mia, questo posto non piace a nessuno e infatti noi non ci si doveva venire: da Marcaria sull'Oglio si partì per andare dritti a Mantova e strapparla allo straniero. Ma al bivio ci presero a cannonate e il generale Ulisse d'Arco Ferrari cioè il nostro comandante in capo se la fece nelle mutande. Ordinò il dietro-front, ci portò a Curtatone e Montanara. Quel generale è un disastro. Numero uno, è pauroso. Sa che nel quadrilatero il Radeschi non ha abbastanza uomini né armi né cibo, sa che aspetta rinforzi da Vienna, che senza rinforzi si difende male, eppure non ci manda all'attacco. Ci tiene qui a scavar trincee e la sua unica preoccupazione è avere una carrozza pronta a metterlo in salvo se il nemico arriva. Numero due, è scemo. Basti dire che il grano dei campi di grano si vorrebbe tagliarlo, e col grano certi boschetti che non son meno pericolosi, ma lui non ci autorizza perché teme che i proprietari s'offendano. Per lo stesso motivo non ci lascia costruire un ponte sull'Osone dove non c'è che una palancola stretta stretta, e inutile spiegargli che in caso di ritirata bisogna passare di lì. Numero tre, è vecchio. Non vecchio alla maniera di Radeschi che a ottantadue anni suonati, che Dio lo maledica, ha l'energia d'un ventenne e in sella ci sta meglio d'un giovanotto. Vecchio alla maniera de' vecchi davvero vecchi. Ha sempre sonno, in sella ciondola tutto, e se non lo reggono casca. Quanto ai piemontesi, chi li vede mai? Son vicini, sì. Re Tentenna alias Carlo Alberto s'è accampato sul Mincio, tra Goito e il lago delle zanzare. Però non pensano che a pigliarsi Peschiera e noi non ci cacan nemmeno. Ci trattano come se non s'esistesse o si fosse solo uno scudo tra loro e Mantova. E con ciò mi cheto, moglie mia. Il resto non te lo racconto sennò piangi. Ringrazia il Demi, saluta la famiglia, baci e abbracci dal tuo devoto e affezionato marito Cantini Giobatta.

Post Scriptum. Riapro la lettera, moglie mia, per rivolgerti un avvertimento della massima urgenza e importanza: se il bambino nasce maschio, non azzardarti a chiamarlo Pio. Proprio mentre ti scrivevo ci è giunta la notizia che il 29 aprile scorso il papa ha dichiarato di non voler entrare in guerra con l'Austria nonché ordinato al generale Durando cioè il capo dei suoi volontari di sciogliere le fila, e sebbene Durando non abbia sciolto un bel nulla io ho un diavolo per capello. Razza di Giuda, infame traditore! Chi l'avrebbe sospettato quando si diventava fiochi a berciare viva Pio IX? Ora non mi fido più d'alcun regnante incluso re Tentenna che, ci scommetterei, sul Mincio s'è accampato per arraffarsi l'Italia: piazzare i Savoia al posto degli Asburgo e dei Borboni eccetera, impiemontesarci, infranciosarci, fregarci. Perché io non le dimentico mica le nefandezze che fino a ieri ha fatto ai liberali! Non li dimentico mica i patrioti che ha fucilato! Non lo dimentico mica che parla e scrive in francese! Moglie mia, a questo punto mi chiedo addirittura se ci si possa fidare degli italiani e siccome ho voglia di sfogarmi ti racconto quello che intendevo tacerti! È vero, è vero che i contadini lombardi non assomigliano ai milanesi! È vero, è vero che col tricolore ci vanno poco d'accordo! Se gli si domanda di venderci un òvo ci sputano in faccia, se gli si regala un buongiorno ci rispondono con le pernacchie. A noi s'accostan solo per spiare, spifferare agli austriaci quanti siamo o non siamo, che armi abbiamo o non abbiamo, e lo sai che cantano? Viva Radeschi e viva Metternìk, ch'el Radeschi m'ha salvé la vita e Metternìk la tasca. Ma che italiani sono?!? Per chi siamo venuti a morire?!?»

«Addì 27 maggio, sabato. Amatissima moglie, non t'ho più scritto perché qui non scappa più nessuno. I lavativi se ne sono andati e questa lettera te la mando per don Maggini che s'è beccato le febbri maremmane. Non riesce a guarire, è di peso, e il colonnello gli ha detto: cappellano, la torni a Livorno che noi di problemi se n'ha abbastanza e col Padreterno ci si intende da soli. Poero don Maggini. C'è rimasto male e io pure. Averlo qui rimpiazzava un poco l'assenza del Bartelloni. Amatissima moglie, le cose da riferirti oggi sono parecchie e la prima è che il 4 mattina noi s'ebbe il battesimo del fòco. Resi audaci dalla fame gli austriaci ci attaccarono per rubarci il mangiare e io ammazzai un croato. Lo stesi secco con una schioppettata e se vuoi saper che provai, ecco. Lì per lì un gran sollievo perché lui stava per ammazzare me e se non moriva lui morivo io. Poi una specie di vergogna mista a dispiacere perché croato o no l'era un òmo come me. Mi assomigliava pure, ci crederesti? Stessa altezza, stessa corporatura, stessa età. Sui venticinque anni insomma. Sicché a vederlo morto per mano mia mi pareva d'essermi suicidato. Comunque l'attacco si respinse, e dopo si catturò un ungherese ferito che parlava l'italiano alla perfezione. In italiano strillava non sparruccatemi per carità, non son tedesco sono ungherese, a casa mia i tedeschi non ce li voglio nemmeno io e la mia ragazza è di Monza. Così invece di sparruccarlo gli si medicò le ferite. Gli si dette una minestra di fagioli e si lasciò andare. Va' a Monza, vai. La seconda cosa è che all'alba del 13 ci attaccaron di nòvo. Di nòvo noi si respinsero ma da quel giorno non fanno che tirarci le cannonate e ogni tanto si finisce sottoterra o all'infermeria. La terza è che ieri il generale Ulisse d'Arco Ferrari è stato sostituito dal generale elbano Cesare De Laugier, e che il De Laugier ci garba proprio. È animoso, vispo di comprendonio, di guerra se ne intende dato che pure lui combatté in Spagna dove si prese un mucchio di medaglie, e d'età non tocca i sessanta. Ci garba anche la risposta con cui ha chiuso il becco al D'Arco Ferrari quando il D'Arco Ferrari ha ringhiato lo vedremo che saprete fare, lo vedremo. Senti che risposta: sempre più di voi e meglio di voi, esimio collega. La quarta, bè, la quarta è che purtroppo Radeschi ha ricevuto i rinforzi da Vienna. Ormai dispone di cinquantatremila òmini ben nutriti e ben armati e pronti a saltarci addosso, e noi siamo parecchio preoccupati. Perché a Curtatone e Montanara noi volontari non s'arriva a tremila, capisci, dell'esercito regolare non ci sono che duemilaquattrocento fanti che però stanno alle Grazie, e i piemontesi continuano a non cacarci. Non ci prestano neanche un fucile a percussione, una cartuccina, e nelle armi si fa schifo. Pensa che s'ha ancora le spadacce e gli schioppacci a pietra focaia che s'aveva alla partenza. D'artiglieria, quei nove cannoncini e quelle dieci mitraglie. Di cavalleria, cento bellimbusti granducali che secondo me se la daranno a gambe. A ciò aggiungi i fottuti campi di grano e i boschetti che per riguardo ai proprietari il bischero non ci autorizzò a tagliare. Aggiungi l'Osone cioè il fosso lungo e largo e profondo che ci sta alle spalle con una palancola stretta e basta. Aggiungi il fatto che non c'è più tempo di rimediare, che nemmeno il De Laugier può farci nulla... Al campo circolan voci che la battaglia scoppierà presto, forse domani o dopodomani, e oggi il tenente ci ha detto: ragazzi, queste saranno le nostre Termopili. Poi ci ha spiegato che le Termopili sono un posto dell'antichità dove trecento greci guidati da un certo Leonida resistettero a trentamila persiani guidati da un certo Serse e creparono tutti. Mah! In tal caso speriamo che le future generazioni parlino di noi con gratitudine e con rispetto. Speriamo che si rendano conto di quanto ci costò unire l'Italia, renderla libera, indipendente. E per quel che riguarda noi due, moglie mia, se morissi ricorda che t'ho voluto tanto bene. Che per me un'altra donna non c'è mai stata, che mi sei sempre piaciuta te come sei. Bella cicciona e bòna come il pane e forte e canterina. E al nostro bambino digli che all'idea di morire senza conoscerlo mi piangeva il còre, ma quando c'è di mezzo la patria non si può né scappare né chieder l'Esonero Per Gravi Motivi Familiari. Col che bacio te e bacio lui, bacio il babbo e la mamma e il Demi, e mi firmo tuo fedele marito Cantini Giobatta che tra le varie speranze ci ha quella di restare vivo.

Post Scriptum. W l'Italia.»

«Addì 12 giugno, lunedì. Brescia. Moglie mia, ti scrivo per informarti che sono vivo. Col viso bruciacchiato e sfregiato da un razzo che piombando sulla cassa delle polveri ci massacrò a dozzine ma vivo. Parecchio deluso e avvilito ma vivo. Infatti la battaglia c'è stata, noi l'abbiamo persa. Qui per consolarci dicono che non l'abbiamo persa, che l'abbiamo vinta perché s'è fermato il Radeschi che credeva di darci una gomitata e passare in quattro e quattr'otto e sorprendere i piemontesi, rimandarli a Torino. Dicono che siamo stati bravi come i greci di Leonida alle Termopili e quando siamo arrivati a Brescia che è una città a nord-est di Milano ci hanno ricevuto con le guardie a cavallo e il sindaco sulla porta del municipio e i tappeti alle finestre e la minestra calda, nonché un bel bandierone tricolore con le seguenti parole: Le Donne Milanesi agli Eroici Volontari Toscani. E d'accordo: Radeschi s'è fermato davvero. S'è tenuto lì sette ore e per questo re Tentenna ha potuto prendere Goito e Peschiera. Però la battaglia s'è persa lo stesso, e tanti di noi sono morti. Il professor Francesco Ferrucci, quello della sciarpa, ad esempio. Tanti son rimasti mutilati, tanti prigionieri, tanti dispersi, professor Montanelli incluso, e io mi trovo nel modo summenzionato. Successe due giorni dopo che ti mandai la lettera per don Maggini, beato lui che non ha visto nulla. Le voci che circolavano al campo eran vere e lunedì 29 maggio Radeschi ci piombò tra capo e collo con ben quarantatré battaglioni e cinquantaquattro squadroni, c'è chi dice ventimila òmini e chi dice trentacinquemila, più centocinquantun cannoni da 16 e una caterva di razzi Congrève che sono un'arma nòva. Una specie di fochi artificiali che scoppiano per via del fosforo. Ora ti racconto tutto. D'un tratto, alle nove e mezza del mattino, s'udì un gran vociare. Porca Italia, porca Italia! Briganta, briganta! E si videro uscire dai campi di grano dove s'eran nascosti. A centinaia. Centinaia. Eppure non ci si scoraggiò. Perché a sentirci insultare la Patria e chiamare briganta ci andò il sangue al cervello. Si salì sulla cresta dell'argine dietro il quale si stava acquattati e replicando Figli di Puttana, W l'Italia, Figli di Puttana, gli si scaricò addosso i fucili a pietra focaia. De Laugier non voleva che si sparasse a quel modo, sai. Pazzo di rabbia, incurante delle palle che gli fischiavano attorno correva su e giù col suo cavallo e gridava: imbecilli! Sparate tenendovi al riparo, imbecilli! Ma noi s'era troppo offesi, troppo incazzati, e al riparo ci si tornò dopo averli respinti. Anzi per aspettare i rinforzi piemontesi che all'inizio dell'attacco il generale Bava cioè l'òmo di fiducia del re Tentenna ci aveva promesso con le seguenti parole: voi tenete duro e io vi manderò valido soccorso. Invece il valido soccorso non venne, e a mezzogiorno gli austriaci uscirono un'altra volta dai campi di grano. Porca Italia, porca Italia. Briganta, briganta. Un'altra volta si respinsero, Figli di Puttana, Figli di Puttana, e quanti se ne ammazzò moglie mia! Specialmente tra gli ufficiali, sai. De Laugier ci aveva detto tirate agli ufficiali, gli ufficiali son quelli col cappotto e la sciabola, sicché noi si tirò soprattutto a loro e anch'io ne feci fòri un paio. Senza provar le sensazioni che il 4 maggio provai ad ammazzare il croato, ci crederesti? Morto il primo ci s'abitua, e in battaglia un òmo non mi pare più un òmo. Mi pare un bersaglio, una cosa. Poi, siccome se n'era ammazzati tanti, si lasciò che i preti tedeschi se li portassero via con le carriole insieme ai feriti. E ci si mise ad aspettar di nòvo i piemontesi. Ma di nòvo i piemontesi non vennero. Al posto delle truppe il Bava ci mandò un capitano che quando De Laugier gli chiese dove sono i rinforzi, dove sono, rispose: che rinforzi? A me hanno dato questo messaggio e basta: resistere. Resistere a tutta possa. Il terzo attacco ce lo fecero alle due del pomeriggio, e incominciò con un bombardamento così grosso che a ripensarci mi si volta lo stomaco. Tende e pagliai in fiamme, alberi che si stroncavano come stecchini da denti. Fracasso da diventar sordi, lamenti mamma m'hanno beccato mamma. Gambe e braccia che schizzavan via come fuscelli, òmini che ridotti a torce viventi si rotolavan piangendo spengetemi per carità spengetemi. La nostra artiglieria che se ne andava in fumo. Trenta cannonate al minuto, capisci, e trenta Congrève al secondo. Infatti fu allora che il fottuto razzo cascò sulla cassa delle polveri e ci massacrò a dozzine e io rimasi sfregiato. Che vampata, moglie mia, che vampata! Menomale che si son salvati gli occhi. D'istinto li avevo chiusi, sicché solo le palpebre si son bruciate un po'. Il bombardamento finì alle tre. E subito gli austriaci avanzarono in forze. C'è chi dice diecimila e chi dice quindicimila. Avanzarono zitti, questa volta. Niente porca Italia, niente briganta briganta. Ma che successe a quel punto non lo rammento bene. A evocar quello sciame silenzioso mi si gela il sangue e non vedo che scene sparse. Il De Laugier che ritto sulle staffe ci grida: resistereee! A costo di morire, resistereee! Il colonnello Campia che con la pistola in pugno va incontro al nemico e dopo pochi passi stramazza al suolo rantolando: maledizione! Muoio, maledizione! Il foriere Gaspari che tutto nudo e nero di fuliggine per via del razzo che gli ha strappato di dosso i vestiti spara l'ultimo cannoncino e a ogni colpo abbaia: pigliatevelo in culo, tedeschi di merda! Il colonnello Chigi che agitando un moncherino sanguinolento balbetta: la mia mano, la mia mano, ho perso la mano. Una voce roca che urla: dove sono i cento bellimbusti della cavalleriaaa? E una voce aspra che sghignazza: rintanati all'albereta! Il tenente ci ha fatto sapere che lui al macello non ci viene! Di nòvo il De Laugier che ordina al suo aiutante d'andare a prendere gli scolari di Pisa bloccati al crocicchio delle Grazie per riguardo ai genitori: voglio anche loro! Servono anche loro! L'aiutante che parte al galoppo e presto torna dicendo generale, al crocicchio non ci sono più! Mezz'ora fa il professor Ferrucci e il professor Montanelli li hanno portati qui e sette son già morti col Ferrucci, poerini! Si combatteva alla sgangherata, mi spiego. Ciascuno a modo suo, a cazzo suo. Incluso me che rimbecillito dal bruciore delle ustioni mancavo quasi sempre la mira, sprecavo un mucchio di cartucce. E non dimentichiamo che s'era decimati dalle perdite, stremati dalla stanchezza e dalla fame in quanto da ore non si mangiava. Non dimentichiamo che spesso ci si doveva difendere con la baionetta. Mentre i piemontesi stavano a guardare. Alle quattro si fu accerchiati. Alle cinque s'ebbe l'ordine di ritirarci dall'unica parte possibile cioè dal fosso Osone, e la ritirata fu brutta. Sai perché? Perché sulla stretta palancola i cento bellimbusti si buttaron per primi e coi cavalli travolsero tutti. Perfino De Laugier che sguainata la spada ansimava vigliacchi, vigliacchi, e voleva infilare il tenente. Lo calpestarono, lo piantarono lì svenuto, e menomale che il Radeschi non ci corse dietro! Anziché camminare io mi trascinavo, e alle Grazie non ebbi nemmen la forza di cercare un infermiere. M'addormentai ai piedi d'un albero e la faccia me la medicarono la sera dopo nel fortino di Goito che nel frattempo era stato conquistato da re Tentenna. Me la ripulirono, sai. Me la unsero, me la fasciarono lasciando due buchi per gli occhi e uno per la bocca, sicché ora sembro una mummia. Poi da Goito ci si spostò qui a Brescia dove mi trovo all'ospedale e il mangiare lo bevo con la cannuccia e mi sento meglio. Il guaio è che a non ripulirle presto le ustioni si sono infettate. Dal cranio al collo son tutto una piaga e le piaghe puzzano. La gente mi scansa. In più la notte non fò che sognare i morti, la guerra m'è diventata antipatica, e siccome quando si sta meglio ci rimandano al fronte stamani mi son tolto le fasce. Senza fasce sono andato dal foriere che s'occupa dei congedi e ho sollecitato l'Esonero Per Gravi Motivi Familiari. Che motivi, ha chiesto lui tappandosi il naso e guardando il muro. A metà luglio mi nasce un figliolo, ho risposto, e guardami in faccia. M'ha guardato, è arrossito, e ha detto: a che ti serve l'esonero? Non te l'ha spiegato il dottore che con cotesta faccia ti ci vorrà un anno a guarire e che in coteste condizioni al fronte non ti ci possono rimandare? Pensa a curarti, piuttosto. Ci penso. Un anno, moglie mia, un anno. Baci e abbracci da tuo marito Cantini Giobatta che a casa ci torna, t'avverto, con una gran rabbia in corpo.»

* * *

A Livorno la notizia della battaglia perduta giunse all'alba di giovedì 1 giugno con un telegramma da Firenze che fece subito il giro della città. «Giornata di lutto è questa. Il governo ha appena saputo che lunedì scorso a Curtatone e Montanara le nostre truppe sono state attaccate da milizie di gran lunga superiori e che dei nostri volontari è stato fatto orrendo massacro.» Quasi contemporaneamente le campane presero a suonare a morto, su ogni edificio pubblico apparvero i drappi neri e le bandiere a mezz'asta, in ogni chiesa s'eressero immensi catafalchi con la scritta Addio-martiri-addio, e dal balcone di Palazzo Pretorio il sindaco dichiarò che non v'erano superstiti. L'indomani, è vero, il «Corriere Livornese» lo corresse pubblicando che le perdite ammontavano a milleottocentosessantadue cioè che i superstiti eran circa un migliaio. Ma nessuno fornì l'elenco dei caduti, per circa un mese il governo lo tenne nascosto, e ad arrivar da Brescia la posta normale impiegava un'eternità. Fino alla fine di giugno, dunque, anche Mariarosa e Gasparo e Teresa si consumarono nella disperazione. E quando Giobatta tornò con la sua rabbia in corpo...

Povero Giobatta. Il volto ancora bendato come il volto d'una mummia e sotto le bende ancora coperto di piaghe, croste, vescicole acquose, assomigliava ben poco allo splendido venticinquenne che in marzo era partito col miraggio di liberar la patria. (Non gli sarebbe più assomigliato, del resto. Sulle guance e sul naso gli sarebbero sempre rimaste cicatrici così disgustose che per darne un'idea il nonno Augusto diceva: «Manco avesse avuto la lebbra»). Però meno che mai assomigliava all'amabile giovanotto delle lettere coi baci e gli abbracci. «Se vi fò schifo vado a stare per conto mio e non rompete i coglioni coi piagnistei» fu il saluto che pronunciò varcando la soglia. E neppure la nascita del bel bambino che Mariarosa partorì il 18 luglio e che la settimana seguente don Maggini battezzò col doppio nome di Tommaso Temistocle poi abbreviato in Tommaso servì a placarlo. Qualche giorno dopo litigò con Gasparo che aveva mugugnato una delle sue sciocchezze, Austria-o-Spagna-purché-si-magna, e sordo alle suppliche di Teresa lasciò la casa di Salviano. Caricò moglie e figlio e masserizie su un barroccio, si trasferì in due stan-zucce di via San Carlo 15. Una strada dietro la darsena, quindi lontana dalla quiete della periferia e vicina alle piazze dove la rabbia in corpo si poteva scatenare nei quo-tidiani tumulti che ormai tormentavano la città. Durante la sua assenza, infatti, a Livorno la pentola s'era rimessa a bollire. Già prima di Curtatone e Montanara il prezzo del pane era salito da un soldo a due soldi la libbra, il prezzo del sale da due soldi a tre soldi. I democratici avevano ri-preso il sopravvento col Guerrazzi, il Bartelloni aveva fon-dato un Circolo del Popolo, e altro che Banda della Do-menica! Erano una faccenda seria, i Circoli del Popolo. Una novità importante. Agli ardori patriottici affiancava-no infatti le rivendicazioni sociali, e il Bartelloni gestiva il suo a meraviglia. Vi teneva assemblee serali, vi riuniva ope-rai e artigiani, li istruiva sui diritti dei poveri, gli leggeva i giornali sovversivi che da quando Leopoldo aveva abolito la censura infiammavano il Granducato. Lo «Stenterello», ad esempio. Il «Popolano», la «Vespa». In particolare l'«Al-ba» che traduceva e pubblicava gli articoli della «Neue Rheinische Zeitung»: rivista diretta da un certo Karl Marx e da un certo Friedrich Engels, autori d'un libro apparso in Inghilterra col titolo *Manifesto del Partito Comunista*. Non a caso in quelle assemblee si pronunciavano strane parole, termini mai uditi come «proletari, masse lavoratrici, lotta di classe, sciopero». Non a caso sulla facciata del Circolo si esibiva il minaccioso vessillo col quale i giacobini del 1792 erano andati all'assalto delle Tuileries e gli insorti di feb-braio eran saliti sulle barricate della Seconda Repubblica Francese. Insomma la bandiera rossa.

Incominciano qui i dieci mesi che vedono lui trasfor-mato in un rivoluzionario feroce, un uomo senza rispetto per gli avversari, un fanatico che in nome della patria o degli oppressi picchia e devasta e uccide. Un Giobatta di cui mi vergogno. Lei, ridotta a una creatura spenta e incolore. Una povera donna chiusa nel ruolo di madre e di moglie, una Mariarosa che non canta più e non si batte più. Un personaggio che non ha più nulla da dire. «Ma lei, intanto, che faceva?» domandai un giorno al nonno Augusto che a questo punto raccontava solo storie di Giobatta. Risposta: «Cosa vuoi che facesse? Allattava e cuciva, cuciva e piangeva. Con un neonato in braccio non puoi mica scendere in piazza. E con un marito che di mestiere fa il fascista rosso la voglia di cantare passa».

14

Dio, quanti archivi ho consultato, quante biblioteche ho frequentato, quanti antichi documenti ho sfogliato per spiegarmi il Giobatta di cui mi vergogno! Entravo in quelle sale immobili e mute dove il fruscìo d'una pagina sembra lo scoppio d'una cannonata, sedevo dinanzi a quelle pile di carta che per un secolo e mezzo avevan dormito nel loro letto di polvere, e non mi stancavo mai di cercarlo dentro i tristi eventi che dall'estate del 1848 alla primavera del 1849 avevano nutrito la sua rabbia quindi agevolato la sua violenza. Il 25 luglio Carlo Alberto venne sconfitto a Custoza. Inseguito da Radetzky si ritirò dai territori conquistati dopo Curtatone e Montanara, a Milano venne sconfitto di nuovo, e il 9 agosto firmò l'armistizio. L'umiliante armistizio di Salasco che in pratica concluse la prima guerra d'Indipendenza. (Presto rinunciò a combattere anche Garibaldi che accorso da Montevideo aveva assunto il comando d'un battaglione lombardo. Circondato da quindicimila austriaci si rifugiò in Svizzera, e a tener duro rimasero solo i veneziani). Allora le truppe di Radetzky occuparono Modena e Bologna e Reggio Emilia, pronte a varcar gli Appennini e invadere la Toscana. Pur d'impedirlo Leopoldo si piegò a un trattato con cui si impegnava a non riattaccare l'Austria, Guerrazzi ne approfittò per esasperar lo scontento, Bartelloni per passare all'azione. A Livorno esplose l'inferno e Giobatta vi si tuffò senza esitare. S'era iscritto al Circolo del Popolo, naturalmente. Gli articoli di Marx ed Engels li conosceva a memoria, e la bandiera rossa la issava più volentieri del tricolore.

Esplose il 25 agosto, l'inferno, e il 30 settembre era già esploso a Firenze. Assalti alle prigioni e alla Camera dei Deputati appena eletta, soprusi al grido di abbasso-i-reazionari, abbasso-i-Lorena, scontri coi militari. Tant'è vero che il governo del conservatore Cosimo Ridolfi era caduto e al suo posto ora c'era quello del moderato Gino Capponi. Però a Firenze i rivoltosi non avevano né ammazzato né commesso vandalismi mostruosi. A Livorno, invece! Con l'aiuto di Giobatta distrussero la stazione ferroviaria, affondarono navicelli, incendiarono uffici. (Risulta da un rapporto della polizia nel quale si parla d'un «giovane energumeno col volto fasciato»). Devastarono la Fortezza Nuova dove si impadronirono di cinquemila fucili, la caserma della Guardia Civica dove ne presero tremila, l'arsenale di Porta Murata dove portaron via tutte le munizioni e i barili di polvere. Poi distribuirono le armi a chiunque le volesse, la città impazzì, il Bartelloni non riuscì a controllarla e... Sentinelle sgozzate. Gendarmi linciati. Funzionari abbattuti come fagiani a una partita di caccia. Cortei che trascinavan cadaveri legati alle sedie e imputriditi dal caldo... Non ci riuscì neanche Leonetto Cipriani, valoroso ufficiale di Curtatone e Montanara che al settimo giorno piombò con un reggimento, del resto. Appena giunto venne catturato, persi centosedici uomini il reggimento si sciolse, e con gran diletto della «Neue Rheinische Zeitung» che in un articolo di Engels definì Livorno «l'unica città italiana nella quale il popolo fosse insorto con l'eroismo di Milano» le mostruosità continuarono fino all'8 settembre. Cioè fino a quando Capponi nominò governatore

Montanelli, tornato dalla prigionia ed entrato nel partito dei democratici. Tuttavia agli inizi d'ottobre i tumulti ripresero, stavolta accompagnati dal grido sinistra-al-potere, vogliamo-la-repubblica, abbasso-i-moderati. Capponi si dimise, uno smarrito Leopoldo lo sostituì con Montanelli, Montanelli chiamò al suo fianco Guerrazzi, la carica di governatore passò al loro amico Carlo Pigli: un cretino sempre ubriaco di ponce e di rhum e per questo chiamato Carlo Ponce Rum. Arsa dai quotidiani comizi che Carlo Ponce Rum teneva dal balcone di Palazzo Pretorio la città impazzita cadde in una raddoppiata anarchia, e fu a quel punto che Giobatta si scatenò. Diventò un fascista rosso. Tanto il tempo non gli mancava. Nello studio del Demi il lavoro non lo aveva ripreso perché filtrando attraverso le bende la polvere di marmo gli avrebbe inasprito le piaghe ancora aperte, la fasciatura a mummia gli consentiva di far l'invalido quindi il disoccupato, e le giornate poteva spenderle a piacer suo. Non gli mancavano nemmeno gli aiuti necessari a sopravvivere. Per pagare la pigione di via San Carlo 15 c'era l'amore di Teresa, per mangiare c'era la salumeria del Bartelloni, e per tirare avanti i rammendi di Mariarosa. L'infelice Mariarosa che allattava e cuciva, cuciva e piangeva...

«Accidenti alla patria. Accidenti al popolo. Accidenti a Marx. Accidenti a Mazzini. Accidenti a Garibaldi. Accidenti a tutti. E accidenti a me che trovai quel cencio in fondo alla cesta e sturai la latrina della politica e mi sciupai il marito.»

* * *

Il nonno Augusto dava la colpa a Garibaldi. Salpato da Genova per andare a Palermo e accendervi l'insurrezione con settantasette legionari e Anita, il 24 ottobre Garibaldi si fermò infatti a Livorno. O meglio, nel porto di Livorno. Per caricare acqua, sostengono alcuni. Per congratularsi con gli autori dell'inferno che aveva portato la sinistra al potere, sostengono altri. Per saggiare l'opportunità di recarsi a Firenze, chiedere a Montanelli e a Guerrazzi la guida dell'esercito toscano, sostiene un pettegolezzo custodito negli archivi. Qualunque fosse il motivo, i livornesi ne furono immediatamente informati. Sventolando le bandiere rosse corsero alla nave, urlando scendi-cittadino-generale-scendi lo supplicarono di sbarcare, e dimentico dei siciliani lui sbarcò. Insieme ad Anita e ai settantasette legionari si lasciò condurre all'Hotel delle Isole Britanniche in via Grande dove Carlo Ponce Rum lo persuase ad arringare la folla, e di lì in via Borra: a casa del ricco commerciante Carlo Notary che volle ospitarlo. Osannato e protetto da sedici guardie del corpo fornite dal Bartelloni, ci rimase una settimana a Livorno. E tra i sedici c'era un giovanotto con la faccia bendata che dal suo fianco non si staccava un istante. No-no, a-dormire-io-non-ci-vado. No-no, di-riposare-io-non-ne-ho-bisogno. Sicché, una fatale mattina...

«Chi sei, ragazzo, come ti chiami?»

«Cantini Giovanbattista, cittadino generale.»

«Che t'è successo alla faccia?»

«La vampata d'un Congrève a Curtatone, cittadino generale.»

«Por dios, eri nella battaglia del 29 maggio!»

«Signorsì, cittadino generale.»

«Bravo, por dios, bravo. Eri anche nei tumulti di quindici giorni fa?»

«Signorsì, cittadino generale. E nella rivolta d'agosto-settembre.»

«Bravo, por dios, bravo. Sei un fior d'italiano, Cantini Giovanbattista. Continua così. Non mollare.»

Poi gli strinse la mano, lo abbracciò, e ogni volta che raccontava l'episodio il nonno Augusto mugugnava: «Colpa sua, colpa sua. Fu quel discorso a fotterlo. Del resto son sempre quei tipi lì che fottono i Giobatta».

Forse. Nel 1848 Garibaldi era già un mito per le guerre d'Indipendenza che aveva combattuto in Brasile e in Uruguay. I rivoluzionari toscani lo adoravano e sebbene Montanelli lo ritenesse un-guastafeste-pericoloso, Guerrazzi un-volgare-avventuriero, una sua parola poteva trasformare un angelo in demonio. Però questa tesi non tiene conto delle violenze compiute senza l'incoraggiamento del continua-così-non-mollare, ed io non me la sento d'attribuire all'Eroe dei Due Mondi la responsabilità di ciò che Giobatta fece nei mesi seguenti. Con un crescendo inesorabile, oltretutto, il ritmo d'un ciclone che avanzando ingrossa e moltiplica la sua furia... Il 15 novembre, a Roma, fu assassinato Pellegrino Rossi: il primo ministro pontificio. All'assassinio seguì la selvaggia sommossa in cui cinque guardie svizzere vennero trucidate e monsignor Palma, il segretario del papa, si beccò una pallottola in cuore. Il Circolo del Popolo sollecitò i suoi adepti a promuovere manifestazioni di giubilo, ed ecco Giobatta che va a suonare le campane a festa poi modella e appende ai lampioni di via Grande sette fantocci impiccati. Uno coi baffi e la marsina di Pellegrino Rossi, uno con la tonaca e il crocifisso di monsignor Palma, cinque con le uniformi delle guardie svizzere. Il 24 novembre Pio IX fuggì a Gaeta. In Toscana i democratici tornarono a gridare Abbasso-i-moderati, ed ecco Giobatta che irrompe nelle loro case. Come i fascisti che il secolo dopo perseguiteranno i suoi bisnipoti li picchia, li bastona, li purga. L'1 gennaio Pio IX emanò da Gaeta un documento con il quale minacciava di scomunicare chiunque parlasse di repubblica. A Livorno il grido Abbasso-i-moderati diventò Morte-ai-moderati, ed ecco Giobatta che organizza una spedizione punitiva contro Empoli: la città del moderato Vincenzo Salvagnoli, integerrimo patriota che nel 1833 è stato in carcere col Guerrazzi ma ora ha il torto di criticarlo. Rifiutando di pagare i biglietti del treno sale su un vagone di prima classe con la sua squadraccia e giunto ad Empoli dà fuoco ai negozi. Pugnala i sostenitori del Salvagnoli, terrorizza i suoi familiari... Eppure nel gennaio del 1849 le piaghe erano guarite, la fasciatura a mummia non alimentava più la sua rabbia. Che cosa lo incattiviva, dunque? L'orrido ricamo di cicatrici che al posto delle bende gli deturpava la faccia? Gli insegnamenti robespierriani del Bartelloni, i pungoli marxisti della «Neue Rheinische Zeitung», un crollo d'intelligenza? O il veleno a cui alludeva il nonno Augusto cioè l'implacabile potere che l'autorità dei messia esercita sui Giobatta da usare e mandare allo sbaraglio? Fra le carte ingiallite ho trovato un'immagine di Mazzini ritratto durante il comizio che l'8 febbraio tenne dal balcone di Carlo Ponce Rum, e perbacco! Dà un Mazzini ben diverso dal Mazzini delle fotografie scattate negli anni in cui era un incantevole vecchio con gli occhi tristi e la barba bianca, il volto ammorbidito dai dispiaceri e la fama santificata dalle sconfitte. Gli occhi sono freddi, lì, spietati. Il volto è durissimo, incupito da neri baffoni alla Stalin, e dal suo fascino tetro emana un'imperiosità che ipnotizza. Spaventa. Guai-a-te-se-non-mi-ubbidisci. Nelle medesime carte ho trovato il parere d'un avversario pisano e perbacco! Malanimo a parte, spiega assai bene il ritratto. «Oggi ho sentito l'avvocato Mazzini, causa principale dei nostri scompigli e delle nostre disgrazie, e devo ammettere che a resistergli si dura una gran fatica. È un oratore sconvolgente, un demagogo straordinario. Ha una voce che soggioga come il canto d'una sirena, fa gesti che stregano come le carezze d'una ganza innamorata, e se non stavo attento mi scaldavo anch'io. Finivo anch'io con l'eseguire i suoi ordini.» Non fu dopo quel comizio, del resto, che Giobatta distrusse l'epigrafe del monumento a Leopoldo?

La sua bella epigrafe. La sola epigrafe che il Demi gli avesse commissionato per una persona viva non per un cimitero, la preziosa epigrafe che il pomeriggio della festa coi tricolori Mariarosa indicava al formicaio strillando: «L'epigrafe l'ha incisa il mio fidanzato! Vedrete che capolavoro!». Incapace di controllare il governo Montanelli-Guerrazzi e invano rincorso dalle loro letterine, torni-Altezza-Serenissima-torni, non-ci-lasci-soli, Leopoldo s'era infatti ritirato a Siena. E da Siena, il 7 febbraio, scappò a Porto Santo Stefano: prima tappa della fuga che lo avrebbe condotto a Gaeta, in esilio col papa. Rimasti in balia degli scalmanati che volevano occupare Palazzo Pitti l'8 febbraio Montanelli e Guerrazzi formarono un triumvirato col repubblicano Mazzoni, ansioso di gestire gli eventi Mazzini piombò via mare a Livorno, e altro che visita di Garibaldi! L'avversario pisano non dice quali furono gli ordini che il messia con la voce di sirena e i baffoni alla Stalin impartì dal balcone di Carlo Ponce Rum, però le cronache ufficiali informano che la sua foga oratoria non risparmiò nessuno. Feroci invettive alla Svizzera che incolpò (non a torto, intendiamoci) di fornire mercenari al nemico e cacciare gli esuli dal cantone tedesco. Furibondi anatemi a Pio IX che invitò a ghigliottinare. Infamanti accuse al buon Leopoldo che definì un ipocrita, un corrotto, un ladro uso a mischiarsi coi sudditi per rubargli il borsellino, un delinquente capace di qualsiasi turpitudine inclusa quella di stuprarsi la figlia. Sicché, bastonati dieci preti e una dozzina di svizzeri, migliaia di facinorosi invasero piazza del Voltone per abbattere il monumento. Imbrachiamolo-con-le-funi, tiriamolo-giù. Erano talmente decisi a buttarlo giù che vinto dalle lacrime e dalle preghiere del Demi, sor-Mazzini-fermateli-voi, Mazzini intervenne. Nonostante un gelido signor-Demi, le-giuste-ire-degli-oppressi-è-d'uopo-capirle, suggerì d'avvolgerlo in un lenzuolo nero e di metterci sopra un cartello intimidatorio. «Rispettate l'Opera dell'Artista.» Compito al quale, in mancanza di lenzuoli neri, due volenterosi si piegaron rubando una vela grigia dal museo delle navi corsare. Il guaio è che la vela grigia non era abbastanza lunga. Copriva la statua, sì, ma lasciava scoperto il piedistallo e perciò l'epigrafe «Leopoldo II / con studio e sommo zelo / tutelò il commercio e ampliò e abbellì / questo emporio / rese feconde palustri terre / vivificò popoli e agricoltura e industria». Ancora imbestialita la folla continuava a sbaccanare, coi pugni tesi urlava noi-lo-sproloquio-a-quel-sudicione-che-si-stupra-la-figliola-e-ci-frega-il-borsellino-non-vogliamo-vederlo, e d'un tratto dal frastuono si levò una specie di ruggito: «Non lo vedrete più! Io l'ho fatto ed io lo distruggo». Poi Giobatta salì sui gradini del piedistallo. Categorico chiese che gli procurassero un mazzuolo e un barattolo di vernice rossa. A colpi di mazzuolo spianò le ventisei parole del suo capolavoro, e a gran lettere di vernice rossa nel riquadro scrisse l'epiteto che aveva avviato il linciaggio morale di Leopoldo.

«IPOCRITA»

L'indomani la Costituente Romana proclamò la Repubblica. Mazzini si precipitò a Firenze per indurre Montanelli e Guerrazzi e Mazzoni a fare lo stesso, e quando i tre gli risposero che ciò equivaleva a chiamare in casa gli austriaci passò al sodo. Approfittando d'un banchetto offerto sotto le Logge degli Uffizi a seicento livornesi coi fucili e le bandiere rosse, tenne un altro comizio di fuoco. Un altro bombardamento a tappeto. Non risparmiò nemmeno De Laugier, stavolta. L'ingenuo De Laugier che nella vana speranza di respingere un ormai inevitabile attacco di Radetzky s'era schierato alla frontiera col suo minuscolo esercito e aveva lanciato un appello col quale, pur ribadendo la fedeltà al granduca, invitava la destra e la sinistra a unirsi. Destra-o-sinistra-siamo-tutti-toscani-e-insieme-dobbiamo-difendere-la-nostra-patria. Megafono alla bocca gridò che era un traditore, un venduto, un vigliacco sulla cui testa bisognava porre una taglia. Di Leopoldo invece ribadì che era un borsaiolo, un avanzo di galera, un vizioso dedito a innominabili dissolutezze, quindi aggiunse che l'ora di proclamare la Repubblica era arrivata e cedette il megafono all'attore Gustavo Modena che in nome del Popolo Re la proclamò. Disse addirittura che si sarebbe fusa con quella di Roma, e il triumvirato se n'ebbe a male. La sera stessa Mazzoni si dimise, Montanelli dichiarò che gli annunci del signor Modena esprimevano un desiderio non una realtà in quanto simili decisioni spettavano all'Assemblea Nazionale e dovevano esser ratificate da un referendum, Guerrazzi corse all'Hotel Porta Rossa dove Mazzini alloggiava e ci litigò a morte. Gli dette di despota, di pavido che si riparava dietro le spalle dei guitti, di incosciente. Gli sputò in faccia la famosa frase: «Già tu fosti sempre l'estrema rovina d'Italia». Tuttavia la mattina dopo ne sollecitò il perdono, Montanelli lo accontentò ponendo una taglia di millecinquecento scudi sulla testa di De Laugier, entrambi permisero che Carlo Ponce Rum proclamasse la Repubblica Indipendente di Livorno, e addio Giobatta. Attratto dai millecinquecento scudi, per una settimana andò perfino alla caccia dell'uomo col quale aveva diviso lo strazio di Curtatone e Montanara. Non lo reggeva nessuno, ormai. Neppure il suo mentore Bartelloni, neppure il suo amico don Maggini. E tantomeno il Demi che offeso dalla faccenda dell'epigrafe rifiutava di parlargli, tantomeno Mariarosa che neutralizzata dall'impotenza si limitava a ripetergli sei-guarito-torna-a-lavorare. (Lavorare?!? Ora che il potere stava dalla sua parte e niente gli impediva di gustarselo a proprio arbitrio?). Me ne ricordo bene... Anche se in questa fase delle mie molte vite non mi riconosco, non voglio riconoscermi, non l'ho mica dimenticato chi ero quand'ero il Giobatta di cui mi vergogno... Gli ultimi giorni di febbraio, ad esempio, il Circolo del Popolo m'affidò l'Operazione-Alberi-della-Libertà: stupidaggine che consisteva nel piantare i soliti alberini dinanzi ai sagrati delle chiese, adornarli con la bandiera rossa o il berretto frigio, ed esigere che i passanti gli rendessero omaggio. Le donne, facendo un inchino. Gli uomini, togliendosi il cappello. Così passavo il mio tempo a controllare che il rituale venisse rispettato, e se non veniva rispettato io punivo. Le donne le costringevo a inginocchiarsi, e gli uomini li obbligavo a leccare il tronco.

«Leccalo, reazionario della malora, leccalo!»

Poi giunse la primavera. La fatale primavera in cui gli austriaci marciarono su Livorno per annientarla, schiacciarla come una formica travolta dalle zampe di mille elefanti. La tragica primavera in cui un branco di ubriachi eccitati dalla scritta sul piedistallo demolì la statua del Demi. E smisi, smise, d'essere quel Giobatta. Ritrovò sé stesso. A qual prezzo, però, a qual prezzo.

* * *

Devo riaffogare nell'insensato guazzabuglio che ha nome Storia, rientrare nelle sale immobili e mute dove il fruscìo d'una pagina sembra lo scoppio d'una cannonata, per raccontarmi quale fu il prezzo. Il 12 marzo Carlo Alberto dichiarò di nuovo guerra all'Austria. Il 23 marzo, a Novara, venne di nuovo sconfitto. Il medesimo giorno abdicò in favore del primogenito (Vittorio Emanuele II) che dovette piegarsi a un altro umiliante armistizio, e Radetzky poté raddoppiare le truppe ammassate da Konstantin d'Aspre lungo la frontiera della Toscana. Una Toscana che la stolida taglia sulla testa di De Laugier aveva privato anche del minuscolo esercito granducale. Allora, incurante della figuraccia, Montanelli scappò a Parigi. Rimasto solo Guerrazzi assunse pieni poteri, la qualifica di Dittatore, e cercò volontari. Attraverso un furioso discorso che bizzarramente tenne dal pulpito del Duomo, li cercò soprattutto nella Livorno rossa: «Irresponsabili, scimuniti! Che cazzo ve ne fate degli alberi della libertà?!? Restituitemi le armi che avete rubato alle caserme e agli arsenali, piuttosto! Mandatemele a Firenze coi vostri fottuti figlioli, preparatevi a combattere il nemico che presto avremo sul groppone, imbecilli!». E congedatosi dagli alberini, dalle prepotenze, dai lecca-lecca, Giobatta si arruolò. Partì con la compagnia dei reduci raccolti dal maggiore Giovanni Guarducci. Militare serio, eroe di Curtatone e Montanara. Il guaio è che insieme a quei volontari partirono orde di sciagurati. Ragazzacci scalzi e cenciosi, pezzenti ai cui occhi la guerra all'Austria era un mero pretesto per viaggiare gratis e riscuotere i soldi della mercede, detenuti evasi, celebri teppisti. Nonché centocinquanta manigoldi che si autodefinivano Colonna Infame e che appena scesi dal treno presero a tormentare la gente con ogni sorta di angherie. Eran proprio il fondo della plebaglia di laggiù, dice Giuseppe Giusti nelle sue memorie. Fucile a tracolla e stiletto alla cintola razziavano negozi, requisivano carrozze, molestavano le donne. Oppure bivaccavano nelle osterie e bevevano senza pagare, mangiavano senza pagare. Picchiavano, provocavano con ingiurie e bestemmie da fermare il sole. Sicché, l'11 aprile, Firenze si ribellò.

Stando al nonno Augusto, fu Giobatta ad accender la miccia. Sfuggendo alla custodia del maggiore Guarducci che per prudenza aveva accampato i suoi uomini dentro la Fortezza da Basso e gli aveva proibito di uscire, mischiarsi alla teppa, la sera del 10 andò infatti a cenare dalla Bella Gigia. Una bettola di via Borgognissanti che la Colonna Infame vessava con particolare diletto. Forse resa ostile dall'orrendo ricamo di cicatrici la Bella Gigia gli servì il peggior cibo che avesse in cucina poi gli presentò un conto di venticinque lire, cifra con cui banchettavi per un mese nel miglior ristorante dell'elegantissima via Tornabuoni, e da ciò nacque una rissa (nasi rotti e fiaschi di vino in frantumi) che lui risolse rientrando alla Fortezza da Basso ma che la Colonna Infame continuò ed estese al resto della città esasperata. Rissa? Col prezioso appoggio degli altri sciagurati, quella notte i centocinquanta imperversarono come non avevano mai imperversato. Furti, incendi, saccheggi. I più bestiali invasero addirittura le case dei temerari che dalle finestre osavano insultarli o difendere la Bella Gigia, e ne stuprarono le mogli. Le sorelle, le figlie. «Svergogniamogli le femmine. Ingravidiamole con autentici rivoluzionari.» Ergo, all'alba le strade si riempirono di fiorentini che urlavano basta. A-questi-livornesi-bisogna-dargli-una-lezione, basta. Ben istruiti da chi era deciso a rimetter sul trono Leopoldo, urlavano anche abbasso-Guerrazzi. Abbasso-i-comunisti. Rivogliamo-Canapone, rivogliamo-il-Babbo. E subito passarono al sodo. A loro volta bestiali, aggredirono gli aggressori che invano si difesero a fucilate. Invano si dispersero e cercarono scampo nei conventi e nelle chiese. Al grido piglialo-è-un-livornese-piglialo li strapparono perfin dagli altari, dalle sacrestie, dai confessionali, e qualsiasi oggetto era buono per ammazzarli. Forchette, pentole, forbici. In via Gora gli lanciavano contro i gatti arrabbiati. «Sbranalo, micio, accecalo!» In via Goldoni, l'acido muriatico. «Beccatevi un po' di fòco, beccatevi!» In via de' Banchi, i sampietrini del selciato. Arma di cui fu vittima lo stesso Guerrazzi accorso al galoppo con due squadre di gendarmi. Erano braccianti e manovali, proletari devoti al partito dei democratici, quelli di via de' Banchi, e a vedersi colpir da loro il Guerrazzi esclamò: «A me?!?». «Proprio a te, figlio di puttana,» gli risposero scagliandone uno che lo buttò giù da cavallo «e viva Leopoldo.» Poi da Porta Romana e da Porta San Frediano irruppero i contadini del Chianti mandati a completare la rappresaglia con le falci e le zappe e i forconi. Un massacro che fornì ai Fratelli della Misericordia dozzine di corpi straziati. In pratica si salvò soltanto la compagnia del Guarducci cioè il gruppo chiuso nella fortezza dove Giobatta era rientrato dopo aver acceso la rissa, e chi riuscì ad aggregarvisi: prendere il treno speciale che verso mezzanotte se la portò via di nascosto. La mattina seguente Guerrazzi venne arrestato. Preludio a un calvario che lo avrebbe tenuto in carcere per anni. Carlo Ponce Rum se la dette a gambe, al governo ci tornarono i moderati, e nonostante l'assenza di Leopoldo si ristabilì a poco a poco il regime degli Asburgo-Lorena. Unica eccezione, Livorno. Ormai condannata all'inevitabile arrivo degli austriaci.

Inevitabile perché tra febbraio e marzo un sempre più smarrito Leopoldo aveva inviato tre letterine a Francesco Giuseppe: il neo e diciottenne imperatore d'Austria a cui durante i moti di Vienna il padre Ferdinando era stato costretto a cedere il trono. Una da Siena, una da Porto Santo Stefano, una da Gaeta, e ogni volta per piagnucolare aiuto-carissimo-nipote-aiuto. Ogni volta per essere umiliato dal suo sprezzante silenzio. Alcuni giorni prima che Firenze cacciasse i livornesi, però, quel silenzio s'era rotto. Sia pure sdegnosamente chiedendogli come fosse stato possibile per un Asburgo-Lorena abbandonarsi a ridicole-infatuazioni-quarantottesche, rinnegare il nome del proprio casato, dimenticare i vincoli di sangue e i trattati internazionali, dichiarare guerra al suo-vero-paese; Francesco Giuseppe gli aveva promesso l'aiuto. Ma certo che avrebbe tutelato i diritti della famiglia sul feudo toscano! Certo che avrebbe provveduto mandando l'esercito! Con gelido sarcasmo gli aveva anche ricordato che le truppe del generale d'Aspre non s'erano ammassate alla frontiera per giocare a bocce, che insomma stavan lì ad aspettare il momento opportuno, e quale momento poteva essere più opportuno di quello che Livorno forniva da metà aprile? Oltre all'assurdo status di repubblica indipendente cioè avulsa dal resto della Toscana, un caos in confronto al quale l'anarchia di sempre diventava ordine e legge. Scioperi giornalieri, giornalieri comizi e cortei. Cantieri vuoti, fabbriche serrate, porto paralizzato. Assalti ai forni privi di pane, alle macellerie prive di carne, alle pescherie prive di pesce, e nemmeno un cane che osasse porre un freno o dire basta. Comandavan tutti e non comandava nessuno dacché Carlo Ponce Rum se l'era data a gambe. Il governo non esisteva e la città era alla mercé di chiunque salisse sul palcoscenico della sua follia. L'inesauribile Bartelloni che per tenere in caldo la pentola aveva venduto il negozio di salumaio e fondato la «Bandiera del Popolo» minuscolo quotidiano diretto dal comunista Stefano Cipri e letto da chiunque conoscesse un po' d'alfabeto. (Usava un linguaggio talmente semplice, la «Bandiera del Popolo», e costava solo una crazia). L'ingenuo don Maggini che per imitare il Bartelloni aveva inaugurato i Circoli Parrocchiali, strane congreghe dove invece del *Pater Noster* e dell'*Ave Maria* si declamavano i vecchi articoli di Karl Marx. Il mazziniano La Cecilia, eterno factotum del «Corriere Livornese», che per restare sulla cresta dell'onda pubblicava bugie da rizzar i capelli in testa e aizzava più del Cipri. Due nuovi beceri con la tonaca, l'abate Zacchi e padre Meloni, che gelosi di don Maggini predicavano l'Apocalisse Proletaria cioè lo sterminio fisico degli avversari. E perfino Giobatta che invelenito dalla rappresaglia fiorentina si atteggiava a tribuno e voleva rizzare le forche... A Palazzo Pretorio s'era installata, sì, una Giunta Municipale presieduta da Paolo Emilio Demi e da Giovanni Guarducci. Ma né l'uno né l'altro avevano l'esperienza e l'energia necessarie a risolvere una tal situazione, e il 30 aprile Konstantin d'Aspre varcò la frontiera. Scese a Pontremoli e via Carrara-Pietrasanta-Viareggio la mattina del 5 maggio piombò a Pisa.

Vi piombò con venticinquemila uomini, in maggioranza croati anzi i croati che alla caduta di Milano avevano eseguito gli eccidi, e sessanta pezzi di artiglieria pesante nonché le consuete centinaia di mortai e migliaia di Congrève. A Pisa installò il Quartier Generale, con un proclama annunciò d'esser venuto a ristabilire la quiete pubblica, e tagliati i fili del telegrafo, bloccato il traffico ferroviario e stradale, convocò l'arcivescovo. Gli intimò di riferire ai livornesi che erano sotto assedio: se entro cinque giorni non si arrendevano e tornavano a far parte del Granducato, gli scagliava addosso l'esercito di Sua Maestà l'Imperatore. Aut-aut al quale il Guarducci rispose ordinando di scavare a rotta di collo trincee, alzar barricate, costruir ballatoi, prepararsi a combattere. Bartelloni, fornendo i difensori. E fu a quel punto, sosteneva il nonno Augusto, che Giobatta ritrovò sé stesso. A quel punto? Fu davvero l'arrivo e il messaggio del d'Aspre a spengere il Giobatta delle forche oppure ciò che accadde nelle ore seguenti, quando a causa sua (o anche sua) gli ubriachi demolirono la statua del Demi e stroncato dal dolore il Demi lo maledì poi impazzì? Le pile di carta ingiallita, le cronache del doppio episodio, mi autorizzano a pensarlo. Perché, raccontano, all'arcivescovo molti non avevan creduto. Macché-assedio, macché-austriaci, saranno-Carciofi-o-Infarinati. (Data l'uniforme bianca i militari toscani li chiamavano Infarinati, data l'uniforme verde i mercenari di sostegno li chiamavano Carciofi). Sul calar della sera però un fiaccheraio che a suon di scudi era riuscito a passare i posti di blocco rientrò da Pisa e disse: «Non illudetevi, gente. Non sono né Carciofi né Infarinati. Piazza dei Miracoli straripa di tedeschi che parlan tedesco». A costui credettero e in pochi minuti le osterie si spopolarono per partorire un corteo di imbecilli decisi a riconquistare piazza dei Miracoli, liberarla dallo straniero. «Avanti, compagni / siam giovani e freschi / di scannar tedeschi / paura non s'ha.» Cantando a squarciagola si diressero verso Porta San Marco, la porta che immetteva alla strada per Pisa, e giunti al Voltone ecco il monumento infagottato nella vela grigia. Ecco il piedistallo imbrattato dalla scritta di Giobatta. Appeso troppo in alto e ormai sbiadito dalle intemperie, il piccolo cartello con il «Rispettate l'Opera dell'Artista» non si notava nemmeno. Situato all'altezza giusta e ancora intatto, l'immenso «IPOCRITA» di vernice rossa splendeva invece come una fiammata. Sicché, di colpo, il corteo si fermò. L'inno cessò, divenne un tuono di voci che latravano «Ipocrita, ipocrita, ipocrita». Poi i più scalmanati si munirono di torce, scale, mazze ferrate. Con le torce incendiaron la vela e il Rispettate-l'Opera-dell'Artista, con le scale si arrampicarono sopra la statua, con le mazze ferrate presero a mutilarla. Impresa non facile in quanto i drappeggi dell'infrangibile clamide incorporavano la gamba sinistra fino alla caviglia, la gamba destra fino al ginocchio, il braccio sinistro fino al polso, e dall'ascella al gomito il braccio destro aderiva al busto. La mutilarono nelle parti vulnerabili, infatti. La mano sinistra, lo scettro, il piede sinistro, l'avambraccio destro, la mezza gamba destra. E poiché la testa resisteva, non voleva lasciarsi mozzare, un po' per volta le distrussero la faccia. Via il mento, via la bocca, via il naso... Via le guance, via gli occhi, via la fronte cinta d'alloro... Quindi ridussero in polvere i pezzi staccati, sennò-il-Demi-li-riappiccica, e completarono la fatica appendendovi un nuovo cartello.

«PENA CONDEGNA ALL'IPOCRITA»

Il Demi lo seppe l'indomani mattina, e subito corse al Voltone. Sperava che il danno fosse superficiale, povero Demi, e correndo ripeteva: «La aggiusterò! Rimedierò! Basta recuperare i pezzi staccati!». Ma quando si trovò dinanzi alla sua creatura linciata e s'accorse che i pezzi eran ridotti in polvere, cacciò un urlo disumano e uscì di senno. Si rotolava per terra come un animale, dicono le carte ingiallite. Si rialzava, cadeva, piangeva, si strappava i capelli, e ora indicando la scritta IPOCRITA ora il cartello PENA CONDEGNA ALL'IPOCRITA mugghiava cose che nessuno capiva. Discorsi che per i presenti non avevano alcun senso. «Maledetto! È stato lui, li ha attirati lui, maledetto! Li ha chiamati lui, li ha ispirati lui, delinquente! Barbaro! Ingrato! Far questo a me che lo tirai fuori dalla merda, lo strappai al barroccio, gli insegnai il mestiere, lo salvai! A me che lo tolsi dal carcere insieme alla moglie, a me che lo consideravo un figlio!» E inutile chiedergli di chi parlasse, a chi si riferisse. Inutile tentar di incutergli coraggio. Sordo ad ogni domanda, ad ogni parola di conforto, accecato dall'odio per il misterioso colpevole, continuava a indicare il cartello o la scritta e: «C'è il male, in lui, c'è il male! Aveva ragione don Agostino a picchiarlo! Aveva ragione a chiuderlo nella Stanza de' Morti! Io non lo perdonerò mai. Mai! Mai!». Poi cadde in deliquio, svenne. Lo portarono a casa, lo misero a letto, qui rimase due giorni a smaniare, e al terzo giorno tentò d'ammazzarsi con un punteruolo. Al quarto, vigilia dell'attacco austriaco, si placò. Mormorò un mesto vaffanculo-il-popolo, e abbandonando la Giunta Municipale, lo studio di via Borra, l'Italia, la lotta, salì su un vapore diretto a Marsiglia. Da Marsiglia andò a Parigi dove per mesi continuò ad affliggere il prossimo con la storia d'una bellissima statua distrutta a causa d'un marmista ingrato. Da Parigi al Cairo dove impazzì del tutto, diventò un vagabondo che campava di elemosine, e lo scultore non lo fece più. A Livorno riapparve nel 1862, qualche mese dopo la morte di Giobatta, circa un anno dopo la morte di Mariarosa, e appena sceso sulla banchina si mise a ringhiare: «Dov'è quel delinquente del Cantini, quel barbaro, quel maledetto che non perdonerò mai?!?».

«Sottoterra» gli risposero. «Sua moglie, pure.»

Tacque un attimo e poi, senza raccogliere il sua-moglie-pure, alzò sdegnosamente le spalle.

«Non lo perdono lo stesso.»

E con ciò mi preparo ad abbandonarla, questa scomoda coppia di paria maltrattati da vivi e da morti. Mi accingo a congedarli, questi singolari trisnonni annidati in chissà quale angolo del mio Io. Prima, però, devo vederli (vedermi) nell'uragano che sta per determinare gli ultimi anni della loro breve esistenza. Un uragano dentro cui si muovono come due entità anonime, insignificanti. Due trascurabili foglie sbatacchiate dal vento dell'umana perfidia e dell'umana stoltezza.

15

Il vento si levò domenica 6 maggio, quando d'Aspre chiuse anche le strade che portavano a Firenze e al Sud, sicché per lasciar Livorno rimase soltanto la via del mare e le navi entrate nottetempo nel porto incominciarono a riempirsi di fuggiaschi. Navi francesi, inglesi, russe, americane, che a prezzi scandalosi affittavano cabine, brande e cuccette. Garantivano l'asilo politico e, se pagavi il doppio, l'espatrio. Fu a quel punto infatti che la situazione prese a precipitare, e gli stolti accesi dal rifiuto che Guarducci aveva opposto all'aut-aut impedirono di salvare il salvabile. L'abate Zacchi e padre Meloni, ad esempio, s'impadronirono dei Circoli Parrocchiali. Li trasformarono in caotici Comitati di Difesa il cui slogan era Meglio-Morire-Che-Arrendersi, e lo spodestato don Maggini ne assunse il controllo al grido di «Ci batteremo fino all'estrema cartuccia». Sulla «Bandiera del Popolo» Stefano Cipri stampò un cubitale «Guai a chi molla, guai a chi scappa». Sul «Corriere Livornese» Giovanni La Cecilia lo superò con un fiero «Noi non abbiamo paura, noi vinceremo». E tra le vittime della demagogia la bellicosità raggiunse un tale livello che l'onesto Bartelloni s'indignò. Tenne un comizio e disse: «Gente, chi non ha paura è un grullo e chi crede di vincere è un bischero. Qui non si tratta di negar la paura o di vincere, qui si tratta di salvar la faccia. Calarsi le brache ora che s'è respinto l'aut-aut sarebbe una vergogna, il disonore dei disonori. Ergo, smettiamola di cicalar cazzate e prepariamoci a resistere finché si può». Poi, martedì mattina, i consoli dei vari paesi andarono a Pisa per chiedere al d'Aspre di non bombardare le residenze degli stranieri. Sia Guarducci che Bartelloni ebbero un ripensamento, ai consoli accodaron cinque delegati con l'incarico di intavolare le trattative, e martedì sera i cinque tornarono con la risposta del d'Aspre. Niente trattative. O gli offrivano la resa incondizionata, o alle 7 antimeridiane di giovedì 10 maggio lui attaccava. Mercoledì mattina entrambi decisero d'accettar l'ultimatum, il vescovo di Livorno monsignor Gavi saltò su una carrozza per correre, informarne il nemico, ma a Porta San Marco i seguaci degli stolti lo fermarono. Lo picchiarono, lo sequestrarono, e... Demi a parte, indovina chi fu il primo a svignarsela. Giovanni La Cecilia, quello del noi-non-abbiamo-paura-noi-vinceremo. Indovina chi fu il secondo. Stefano Cipri, quello del guai-a-chi-molla-guai-a-chi-scappa. Indovina chi furono il terzo e il quarto. L'abate Zacchi e padre Meloni, quelli del meglio-morire-che-arrendersi. Insieme a loro, quasi tutti i gerarchi e i gerarchetti della repubblica rossa. Quasi tutti i paladini della resistenza a oltranza. Gli intellettuali, i giornalisti. I discepoli di Mazzini e di Garibaldi e di Marx. Per imbarcarsi sulle navi che a prezzi scandalosi garantivan l'asilo e l'espatrio, da domenica 6 maggio s'erano procurati il passaporto. In alcuni casi, addirittura le lettere credenziali e il certificato medico. «Il patriota Tal dei Tali è malato e ha bisogno di curarsi all'estero.» Mercoledì se la svignò chiunque avesse i soldi per salire su qualcosa che galleggiasse, del resto. Al tramonto la rada era già otturata da un semicerchio di scialuppe, barche, barchette, chiatte, tartane, paranze, navicelli. Una piccola flotta per tre scudi a testa ospitava mezza Livorno. A terra, coi difensori, non restavano che i poveri molto poveri. Tra questi, Gasparo e Teresa ormai in trappola a Salviano. E in via San Carlo 15, superfluo sottolinearlo, Tommaso e Mariarosa. L'infelice Mariarosa che col suo bambino in braccio ogni poco usciva per andare in cerca di Giobatta, da sabato sempre alle costole del Bartelloni e dacché avevan distrutto la statua doppiamente immemore della famiglia.

«Avete visto mio marito? Sono cinque giorni che non viene a casa, e io non so più che fare, a che santo votarmi.»

I difensori erano seicento, armati in modo irrisorio. I soliti schioppi a pietra focaia, imprecisi e lenti da caricare, le solite sciabole arrugginite, le solite mitragliacce, nonché tre vecchi cannoncini che il bersaglio lo colpivano per combinazione e due patetici cannoni che risalivano al periodo napoleonico. Uno fisso alla piattaforma della Fortezza Nuova, uno mobile e quindi spostato ora qua ora là, ed entrambi di scarsa efficacia a causa dell'otturatore difettoso. Peggio: ai venticinquemila austriaci coi sessanta pezzi di artiglieria pesante, le centinaia di mortai, le migliaia di razzi, fuori della città non potevano opporre che l'antica Torre del Marzocco. Caposaldo situato sugli scogli della costa settentrionale ed affidato a otto fucilieri inesperti. Dentro la città, soltanto le fortificazioni allestite dal Guarducci a rotta di collo e spesso con nessun criterio. Le inutili barricate poste all'ingresso delle vie principali, le vane trincee scavate dove capitava, i malfermi ballatoi a ridosso delle mura interne. Inoltre la cinta costruita nel 1838 per includere i sobborghi era piuttosto lunga. Toccando gli apici del porto si snodava su un arco di nove chilometri, e per proteggerne l'intero circuito ci sarebbero voluti diecimila uomini. Seicento bastavano appena a tenere i punti su cui il d'Aspre avrebbe concentrato l'attacco. Porta a Mare cioè la porta sud che conduceva alle darsene e all'imbocco di via Grande. Porta Maremmana (detta anche Barriera Maremmana) cioè la porta sud-est che immetteva nel quartiere di San Jacopo in Acquaviva. Porta San Leopoldo cioè la porta est che immetteva nel quartiere di Salviano. Porta Fiorentina (detta anche Barriera Fiorentina) cioè la porta nord-est che immetteva nel rettilineo chiamato Borgo Reale. E l'infausta Porta San Marco cioè la porta nord che guardava la ferrovia e la strada Livorno-Pisa. Giobatta stava a Porta San Marco, santuario del Bartelloni, e fu lì che Mariarosa lo trovò quando verso mezzanotte andò per l'ennesima volta a cercarlo col bambino in braccio. Un incontro breve, freddo, durante il quale lui si limitò a rivolgerle qualche consiglio, qualche raccomandazione, e lei a rispondere mesta va-bene. Mesta? Mi correggo. Impavida. E aggiungo: manca un altro monumento nelle piazze di questa terra. Un monumento non meno congruo, non meno giusto, di quello che dovremmo erigere al Milite Deluso compagno e rivale del Milite Ignoto. Il monumento alle Marierose. Alle impavide donne che le guerre le fanno senza fucile, scappando sotto le bombe coi bambini in braccio. Alle eroiche mogli, alle epiche mamme che le battaglie le vincono lottando da sole contro la paura e lo strazio. Alle martiri che lasciate in balia di sé stesse rispondono sempre va-bene. Va-bene, va-bene...

«Verranno domattina. L'ultimatum dice alle sette. Comunque dai ballatoi noi li vedremo arrivare e subito passeremo la voce. Voi in città sarete avvertiti dal suono delle campane.»

«Va bene...»

«Prepara un canestro con un fiasco d'acqua, una coperta, un po' di cibo, e appena senti le campane agguantalo. Corri con Tommaso al porto.»

«Va bene...»

«Sul porto non tireranno per via delle navi straniere. Tenta di salire su una barca e se non ti riesce mettiti ai piedi dei Quattro Mori, restaci finché dura il bordello. Tanto non durerà molto. Non possiamo resistere più d'un giorno o due.»

«Va bene...»

«Entreranno in forze, e non avranno pietà. A quel punto torna a casa. Chiuditi col chiavistello e qualsiasi cosa succeda non uscire più. Non ricominciare a cercarmi.»

«Va bene...»

«Se non muoio, dovrò nascondermi. E può darsi che debba rimaner nascosto per un mese o due.»

«Va bene...»

* * *

Con teutonica puntualità d'Aspre si presentò davvero alle sette, e la prima a suonare fu la martinella di Palazzo Pretorio. La medesima che dava l'allarme al tempo dei pirati. Ai suoi convulsi din-din seguirono i grevi dindon dei campanoni del Duomo, i sinistri dun-dun delle campane di San Sebastiano, e allora da tutte le chiese si levarono rintocchi disordinati. «Don-don-don, don! Don! Don! Don!» Dalla Chiesa di San Benedetto, di San Giuseppe, di San Giovanni, di San Pietro e Paolo, di Sant'Antonio, degli Inglesi, degli Olandesi, dei Copti, dei Greci, degli Armeni... Poi a quel frastuono si sovrappose un coro allucinante di gemiti, singhiozzi, berci: «Gli austriaci! Sono arrivati gli austriaci!». Una fiumana di creature accecate dal terrore si rovesciò sulle strade. Qualcuno per rifugiarsi nella cattedrale, i più per dirigersi al mare. Poveracci che trascinavano viveri e masserizie, poveracce che trainavano figli e capre da latte, pezzenti che arrancavano con le stampelle. «Il mare, il mare! Meglio il mareee!» C'era anche don Maggini tra loro. Dimentico del guerresco Ci batteremo-fino-all'estrema-cartuccia procedeva lungo via del Giardino, la strada parallela a via Grande, e sul tricorno da ecclesiastico portava le insegne di cappellano granducale. Sulla tonaca, un grosso stemma degli Asburgo-Lorena. In mano, una borsa colma di soldi. I fondi dei Circoli Parrocchiali. Procedeva rapido, ansioso d'unirsi all'abate Zacchi e a padre Meloni che lo aspettavano a bordo d'un vapore francese, e attento a tenere la testa bassa per non farsi notare. Agli Scali della Pescheria però si concesse una sosta per ripigliar fiato. Alzò la testa, due giovinastri lo riconobbero, e: «Guarda chi c'è!». Poi gli saltarono addosso, gli strapparono lo stemma degli Asburgo-Lorena, le insegne di cappellano granducale. Gli confiscarono la borsa, la aprirono. Berciando razza-di-bandito, scappava-con-la-refurtiva, se-la-svignava-coi-quattrini-del-popolo, lo rintontirono di pugni e di ceffoni. Lo buttarono su una zattera rimasta sul canale, con questa lo portarono alla Fortezza Vecchia, e sordi ai suoi strilli aiuto-vogliono-uccidermi-aiuto lo scaricaron dinanzi al cancello del lato sud. Quello che si apriva sulla darsena attigua al mare. Lo consegnarono al profosso Baroncelli, il guardiano del carcere. Il medesimo che la sera del 9 ottobre 1847 s'era divertito a gettar tra i ladri e le prostitute una virginea coppia di sposi colpevoli d'aver bruciato la bandiera austriaca e disturbato il coro del *Macbeth* sovrapponendovi l'*Inno di Mameli*.

«Eccovi un ladro da impiccare, Eccellenza. Un traditore, un coniglio che dopo aver messo i tonni nella rete voleva darsela a gambe col malloppo.»

Mortale accusa alla quale costui rispose scaraventando il reo dentro una cella dei sotterranei.

«Ora il tonno sei tu, pretaccio. E dalla mia padella non esci che fritto.»

Mariarosa si trovava poco lontano, quando ciò accadde. Al din-din della martinella aveva agguantato Tommaso e il canestro, era corsa al porto, e spinta dalla fiumana era finita proprio sul margine della darsena attigua al mare. In linea d'acqua, circa quaranta metri dal punto in cui si svolgeva la consegna. Ma le cannonate avevan già preso a battere la cinta, il suo sguardo era diretto alle colonne di fumo che si levavano dalle zone colpite, e non vide la zattera che proveniente dal canale si fermava dinanzi al cancello sud della Fortezza Vecchia per offrire al Baroncelli la preda catturata agli Scali della Pescheria. Non vide lo sfortunato capro espiatorio che ne scendeva, il misero tonno che si dibatteva nella rete dei due giovinastri. Stordita dal fracasso delle esplosioni, dal pandemonio dei fuggiaschi, dal frastuono delle campane che continuavano assurdamente a suonare, non udì neppure gli strilli aiuto-vogliono-uccidermi-aiuto. O forse li udì e non li ascoltò. Forse vide o intravide anche il misero tonno e non lo associò all'immagine dello spavaldo sacerdote che aveva accettato di celebrare il suo matrimonio, militato coi volontari di Curtatone e Montanara, predicato sommosse e rivolte, incitato con tanta foga a resistere. E voltate le spalle alla scena, al cupo edificio che le ricordava i cinque giorni passati in prigione con le prostitute, si diresse verso la banchina dove ormeggiavano le ultime barche. Qui un'invalicabile muraglia di corpi le impedì di salire sull'unica che caricasse gratis, e allora tornò indietro. Costeggiando la darsena interna andò a cercar rifugio sui gradini del Monumento ai Quattro Mori, col canestro in mano e Tommaso in grembo vi si accucciò. Vi restò. A maledire il suo destino di paria, suppongo. A seguire il bailamme che di minuto in minuto aumentava, a piangere, a chiedersi se Giobatta fosse vivo ed illeso... Lo era. Ritto sui ballatoi sparava, sparava, insieme ai suoi compagni tentava di frenar le orde che appena giunte s'erano impadronite della ferrovia e le loro pallottole non lo toccavano mai. Il fatto è che toccavano gli altri. Alle nove

Porta San Marco sembrava un deposito di morti e di moribondi. La Barriera Fiorentina, la Barriera Maremmana, Porta San Leopoldo, Porta a Mare, lo stesso. Non a caso nei quartieri meno deserti le staffette del Guarducci percorrevan le strade gridando: «Sveglia, branco di pusillanimi, sveglia! Venite ad aiutare chi crepa sulla cinta, porca miseria boia! Mostrate un po' di palle, brutte cicale bòne a far chiasso e basta!». Quanto al caposaldo esterno, la Torre del Marzocco, taceva. Alle sette e tre quarti una lancia da guerra inglese s'era accostata agli scogli, trentasei marinai di Sua Maestà la regina Vittoria eran scesi per saltare addosso agli otto fucilieri, e in ottimo italiano gli avevano detto: «Il nostro comandante v'informa che se non la piantate di tirare agli austriaci bombarda Livorno. Ve la spiana al suolo». Poi, fingendosi offesi dalla replica il-vostro-comandante-che-c'entra, con-quale-diritto-ficca-il-naso-nelle-faccende-degli-italiani, li avevano disarmati e trasferiti sul vascello del mascalzone.

«Il diritto dei forti. A lui piace d'Aspre.»

Malgrado l'attacco a tenaglia, la penuria delle forze, l'eccesso delle perdite, gli ospedali che traboccavan di vittime, i difensori ressero fino al calar delle tenebre: ora in cui d'Aspre sospese il fuoco. (Lo sospese di colpo, lungo l'intero perimetro delle mura, e il motivo nessuno lo conosce. Che ritenesse d'aver chiarito a sufficienza l'aut-aut? Che sperasse nella resa, che volesse evitare il massacro di cui si macchiò il giorno seguente? Alcuni storici lo sostengono, e aggiungono che Leopoldo lo aveva implorato di non infierire). Subito dopo, però, incominciò a piovere furiosamente. Una bufera senza eguali s'abbatté sopra la città. Le inutili trincee divennero serbatoi d'acqua, le deboli barricate caddero, i malfermi ballatoi cedettero, e tutti abbandonarono le postazioni. Si ritirarono lasciando le porte incustodite. «Meglio levar le tende, ragazzi, asciugarci un po' e farci un sonnellino.» Esausti, avviliti, convinti che il Padreterno si fosse alleato con gli austriaci, molti tornarono addirittura in famiglia. «Io ci rinuncio. Accidenti alla Repubblica e a chi ce la ficcò nella testa.» A tener viva la questione d'onore rimase solo il Bartelloni. L'intemerato Bartelloni che riuniti i superstiti di Porta San Marco, ventitré uomini tra cui Giobatta, li portò sul campanile della vicina Chiesa di San Giuseppe ad aspettare l'eventuale assalto notturno. E questo mi dà il nodo alla gola. Perché la Chiesa di San Giuseppe era accanto alla scuola del Camposanto Vecchio, all'obitorio dentro il quale don Agostino aveva rinchiuso l'incolpevole dodicenne vestito di velluto celeste, capisci. Nel 1849 non funzionava più la scuola del Camposanto Vecchio, non funzionava più l'obitorio. Tuttavia il fabbricato esisteva ancora, e frugando tra le carte ingiallite ho scoperto che al tramonto un Congrève ne aveva bruciato il tetto. Dal campanile, dunque, Giobatta lo vedeva assai bene il sinistro locale che quattordici anni prima gli aveva messo la morte negli occhi: le pareti che avevano visto i suoi sforzi di recitare il *Confiteor*, i tavoli di marmo dai quali i cadaveri irrigiditi nell'assurda posa militaresca lo avevano terrorizzato col loro silenzio e la loro immobilità, la finestra da cui era scivolato per cascare e svenire sopra la fetida salma... Di lassù poteva vedere altre cose, del resto. Altre tappe del suo tormentoso passato e del suo incerto presente. Il sobborgo di Salviano, la casa dov'era nato e dove Gasparo e Teresa vivevan da un anno come oggetti dimenticati, buttati via. Piazza del Voltone, la statua distrutta a causa sua. La Fortezza Nuova, l'arsenale dove un giorno d'agosto aveva rubato le armi ed inaugurato la stagione della violenza. E in lontananza la Fortezza Vecchia dove don Maggini languiva in attesa d'essere ucciso, la rada con la piccola flotta che ospitava mezza Livorno, il porto con le navi che tenevano in salvo i codardi e gli sleali, il Monumento ai Quattro Mori sotto il quale Mariarosa sedeva dal mattino con Tommaso in grembo. Fradicia di pioggia, ormai, stremata dalla fame e dal freddo e dalla paura, non meno sconfitta di lui che stanotte si sentiva l'uomo più sconfitto del mondo eppure non cedeva. A sua volta affamato, infreddolito, impaurito, stava lì a redimersi. Ad aspettare l'eventuale assalto notturno. (Oh, sì. Sono fiera di quel Giobatta. Lo ammiro).

Alle cinque, quando capì che l'assalto sarebbe avvenuto alla luce del sole, il Bartelloni fece scendere i ventitré dal campanile. Li condusse all'imbocco di via Augusta Ferdinanda, una delle strade che a raggiera si diramavano dallo slargo di Porta San Marco. Li sistemò dietro ciò che restava d'una barricata, disse: «Li riceveremo qui. Sparategli finché avete cartucce poi gettate il fucile e dileguatevi. In particolare te, Cantini, ché con cotesta maschera di cicatrici ti riconoscerebbe anche un cieco». Guarducci invece chiamò le staffette che erano andate a gridare sveglia-branco-di-pusillanimi-sveglia e gli affidò un monito da diffondere nei vari quartieri: «Il nemico sarà presto in città. Non uscite di casa e non tirate dai tetti o dalle finestre. Non provocate rappresaglie». Alle sei una parte di quelli che avevan tolto le tende per darsi l'asciugata e farsi il sonnellino riapparvero sulle postazioni disfatte dalla bufera. Alle sei e un quarto il bombardamento riprese e su qualche edificio si alzò la bandiera bianca. Ma era troppo tardi e alle sette gli austriaci schierati lungo la cinta sud e sud-est sfondarono la Barriera Maremmana. Irruppero nel sobborgo di San Jacopo in Acquaviva, da qui dilagarono a Salviano e colsero alle spalle i difensori di Porta San Leopoldo. Alle otto i croati ammassati lungo la cinta nord e nord-est sfondarono la Barriera Fiorentina e invasero il rettilineo che si concludeva alla Chiesa di San Giuseppe. Contemporaneamente aprirono una breccia a Porta San Marco, i massicci battenti si spalancarono, e sulla piattaforma della Fortezza Nuova gli artiglieri del cannone napoleonico ebbero appena il tempo di sparare un ultimo colpo superfluo. All'imbocco di via Augusta Ferdinanda i ventitré uomini del Bartelloni non ebbero nemmeno quello di esaurir le cartucce. Con l'impeto d'un fiume che spacca gli argini, li sormonta, migliaia di uniformi bianche dilagarono nelle strade a raggiera. E mentre Giobatta gettava il fucile, correva a rintanarsi nell'unico nascondiglio possibile, l'obitorio scoperchiato, il massacro incominciò.

* * *

Un massacro degno dell'eccidio compiuto a Milano nel 1848, e forse più intenso. «Ho visto fluire il sangue come l'acqua, Eccellenza. Ho visto creature inermi trucidate come bovi allo scannatoio. Io stesso fui aggredito con tal ferocia che se non fosse passato un colonnello amico del nostro paese le mie cervella sarebbero finite sul marciapiede» avrebbe scritto al suo ministro degli Esteri il viceconsole inglese Henry Thompson. E Pietro Martini, il diarista al quale si devono le preziose *Cronache Livornesi*: «I croati non prendevano prigionieri, e ammazzavano anche se eri disarmato. Quindi non giovava gettare il fucile, arrendersi, essere indifesi. Una bruciatura all'indice, un po' di nerofumo sul viso, un po' di puzzo di polvere da sparo o un semplice strappo alla camicia bastavano a ucciderti seduta stante. Con la pistola, la baionetta, la sciabola. In aggiunta saccheggiavano i magazzini e i negozi, svaligiavano le ville, stupravano le donne, le seviziavano per sapere dove fossero i difensori. Dofe essere briganta, dofe? Parla, brutta facca, o io tagliar tua gola». Nel giro di pochi minuti a Porta San Marco ammazzarono tre dozzine di sospetti briganta. Alla Barriera Fiorentina, tre famiglie di sospetti complici. Il peggio, però, accadde dopo che il grosso della truppa venne accampata in piazza d'Arme. Sordi al monito del Guarducci, non-tirate-dai-tetti-o-dalle-finestre, nove dementi forniti di fucili e guidati da uno scemo di nome Bordigheri s'erano infatti nascosti dietro le persiane d'una soffitta che sovrastava la parte est della piazza cioè la cattedrale. «Bisogna andare alla riscossa, passare al contrattacco.» Mosso dal medesimo intento e dalla medesima sordaggine, un altro scemo di nome Bucalossi s'era nascosto con la pistola dietro la terrazzina d'una casa che guardava la parte ovest cioè il Palazzo Pretorio. All'una del pomeriggio il Bucalossi sparò chissà perché un colpo in aria, il Bordigheri lo credette il segnale della riscossa, le persiane della soffitta si spalancarono, i fucili presero a crepitare, e sebbene nessuno restasse morto o ferito...

Le prime vittime della rappresaglia furono i furbi che nel miraggio di guadagnarsi il favore dei nuovi padroni s'aggiravano intorno ai bivacchi salutando in tedesco e levando il cappello. «Guten Morgen, buongiorno. Willkommen, benvenuto. Ich Freund, io amico!» (Li eliminarono subito, a revolverate). Le seconde, i miseri che s'eran rifugiati nella cattedrale. I vecchi, i malati, gli infermi che non potendo raggiunger le barche avevano affidato la loro salvezza al Santissimo. (Quattordici ne sgozzarono. Un paio, sull'altar maggiore). Poi toccò agli ignari che avevan lasciato il porto e che da via Grande o da via del Giardino sfociavano sulla piazza, poi a chi abitava nel centro, e infine all'intera città. Ho dinanzi a me i rapporti compilati dai Fratelli della Misericordia, i pietosi becchini che tra mille ostacoli provvidero alla raccolta dei cadaveri, e dimostrano che si trattò d'una vera e propria caccia all'uomo. Ecco quello di venerdì: «Stasera le brigate della nostra Confraternita hanno avuto il permesso di recuperare i corpi di alcuni cittadini giustiziati dagli austriaci, lasciati sul luogo dell'esecuzione, e non identificati per mancanza di documenti. Cinque al Voltone, sedici in Borgo Reale, diciassette in via Augusta Ferdinanda, tre nell'Orto del Mainardi, tre in via delle Ancore, uno al quinto piano di via dell'Oriolo 4, sei in via dell'Olio, sei nelle scuderie del governatore...». Ecco quello di sabato: «Oggi sono stati associati alla nostra cappella mortuaria altri quarantaquattro corpi di cittadini giustiziati dagli austriaci in casa e per strada, alcuni ignoti ed alcuni identificati. Dieci sul Voltone, sei in via del Gigante, sette nella piazzetta della Comunità, uno in via Giulia presso il caffè del Bruni, uno al terzo piano di via degli Asini, undici nel parco di Villa Vivoli, uno con l'uniforme della Guardia Civica in via Tetrazzini, uno con la tonaca di sacerdote nella darsena attigua al mare, uno al secondo piano di via del Giardino 2...». Il morto di via del Giardino era il Bucalossi, freddato alla finestra con un colpo in fronte. (Il Bordigheri e i nove dementi invece non furono mai presi e morirono di vecchiaia nel proprio letto). Il morto nella darsena attigua al mare era don Maggini. Lo uccisero venerdì pomeriggio, don Maggini, quando la compagnia incaricata d'occupare la Fortezza Vecchia e innalzarvi la bandiera austriaca arrivò con un tenente croato e la lista dei ribelli da eliminare. «Ho in custodia un capo della repubblica rossa, un celebre ladro che si fa chiamare don Maggini» disse il Baroncelli. Il tenente controllò la lista, vide che conteneva il nome, e rispose: «Portarmi hier, qui». Glielo portarono. Semisvenuto, coperto di graffi e lividi lasciati dai manrovesci dei due giovinastri, e ben consapevole di quel che lo attendeva. «No! Non voglio morire così!» strillava. «Voglio un processo, voglio un sacerdote!» Per avere il sacerdote a un certo punto si inginocchiò. Abbracciò le gambe del tenente. «Bitte, Eccellenza Illustrissima, bitte! Ein Priester, ein Priester!» Ma l'Eccellenza Illustrissima lo respinse con una pedata che lo scaraventò all'indietro, e non si disturbò nemmeno a comporre un plotone di esecuzione. Mentre giaceva supino, lo crivellò di revolverate.

«Keine Zeremonien für briganta, niente cerimonie per i briganta. Ora buttare in acqua, schnell, svelti.»

C'era anche il nome di Giobatta nella lista dei ribelli da eliminare, e grazie a quale santo egli sia riuscito a cavarsela io non lo so. Di quei giorni il nonno Augusto si limitava a dire: «Restò quarantott'ore nell'ex obitorio. Rintanato sotto un tavolo di marmo, senza mangiare, senza bere, senza muoversi mai. Poi sgattaiolò fuori. Si tuffò nei campi di Salviano e passando da una breccia che a nord-est interrompeva le mura scappò. Raggiunse i boschi di Montenero, per tre settimane ci visse come un animale. Dormendo ai piedi degli alberi, nutrendosi di ciò che capitava, ignorando ciò che accadeva alla famiglia e ai compagni». In compenso so perché non se la cavò il capolista cioè il Bartelloni, e quale fu il contributo (involontario, s'intende) che Mariarosa dette alla sua fucilazione. Tornata a casa, infatti, Mariarosa non seguì il consiglio chiuditi-col-chiavistello-e-qualsiasi-cosa-succeda-non-uscire-più, non-ricominciare-a-cercarmi. In via San Carlo la gente urlava che in centro era avvenuta una carneficina, che questa s'era estesa al resto della città, che la città era un lago di sangue, e vinta dal timore che Giobatta fosse tra le vittime al calar del buio uscì. Sempre con Tommaso in braccio andò a cercarlo tra i morti. Lo cercò tutta la notte, raccontava il nonno Augusto, e niente la frenava. Niente. Nemmeno i chi-va-là delle sentinelle che sparavano perfino alle ombre. Nemmeno la consapevolezza del rischio a cui esponeva il bambino, quel povero bambino sbatacchiato peggio d'un fagotto. Nemmeno l'orrore dello spettacolo che il lago di sangue offriva. Appena scorgeva un cadavere correva a guardarlo, accertarsi che non si trattasse di Giobatta, e quando si imbatteva nei corpi ammucchiati posava Tommaso su un marciapiede. Li separava, li esaminava uno a uno. Quando una sentinella sparava, lanciava un bitte-prego-bitte e continuava imperterrita. Lo cercò anche sabato. A un certo punto, anche nella stanza mortuaria della Misericordia dove inciampò nel corpo di don Maggini e si sentì male. Però domenica sera concluse che forse era meglio cercarlo tra i vivi, e andò in via Campanella 16. Uno dei rifugi segreti che il Bartelloni usava al tempo in cui lo chiamavano Gatto, il soprannome datogli per gli occhi scintillanti e la camminata felina. Oh, nessuna logica al mondo l'autorizzava a sperare che ce l'avrebbe trovato. Da venerdì gli austriaci lo braccavano ovunque e quel giorno la caccia s'era intensificata su ordine dello stesso d'Aspre, infuriato dalla notizia che il console americano avesse messo in salvo il Guarducci travestendolo da ufficiale della Marina statunitense e imbarcandolo su una nave salpata subito per Boston. Una caccia meticolosa, compiuta strada per strada, livornese per livornese. «Ti conosciute Partellone, nix? Ti saper dofe abitar Partellone?» Eppure stava lì. Gettato il fucile vi si era chiuso con la sua amarezza, e molti pensano che rimanendovi se la sarebbe cavata. Soltanto gli amici fidati avevan l'indirizzo di via Campanella 16. Il guaio è che a veder Mariarosa stroncata dall'ansia, piangente, a udirla singhiozzare Gatto-aiutatemi-voi-Gatto, ditemi-almeno-se-è-vivo-o-se-è-morto, l'amarezza si raddoppiò. Raddoppiandosi spense ogni residuo di combattività, ogni istinto di sopravvivenza, e dopo aver replicato vattene-donna, io-non-posso-aiutare-né-te-né-me-stesso, egli sbatté la porta. Dopo averla sbattuta bevve una bottiglia intera d'acquavite, abbandonò il rifugio. Come un suicida ansioso di morire prese a girovagar per le strade più sorvegliate dalla truppa, e presso l'Ospedale Civico una pattuglia di mercenari granducali lo fermò. Alt! Dove vai, chi sei.

«Sono Enrico Bartelloni detto il Gatto» rispose. «E vò dove cazzo mi pare.» Poi si lasciò condurre a Palazzo Pretorio dove il d'Aspre venne immediatamente svegliato, e tra i due si svolse il seguente scambio di battute.

«Sei davvero il Bartelloni?!?»

«Lo sono. E da buon italiano, da buon repubblicano, odio i nemici della mia patria. In particolare te, generale.»

«Ti rendi conto di ciò che dici?»

«Me ne rendo conto, me ne rendo conto.»

«Ti stai ammazzando, Bartelloni.»

«Sto facendo la cosa giusta, generale.»

Lo fucilarono l'indomani sera alle sette sullo spalto ovest della Fortezza Vecchia, quello da cui nel Settecento si sparavano i colpi a salve per salutare le navi straniere, e per volontà del d'Aspre la sua fu un'esecuzione in piena regola. La testimonianza del tenente toscano Jacomoli e del capoguardia Pratesi che vi assistettero insieme a tre ufficiali austriaci lo prova. Arrivò quando tutti stavano sull'attenti, riferiscono entrambi, scortato da un picchetto che gli illuminava la strada con le torce e da una squadra di tamburini. Era in maniche di camicia, senza catene, e sorrideva beffardo. Sorridendo beffardo si mise contro il muretto, le spalle rivolte al mare, e qui gli chiesero se voleva un prete. Offerta alla quale reagì quasi con sdegno. «Non ho bisogno di mezzani, io, per andare in cielo.» Allora gli lessero la sentenza, una volta in tedesco e una in italiano. I tamburi rullarono e un soldato si avvicinò per bendarlo. Ma lui lo respinse e sbottonando la camicia mostrò il gracile petto al plotone.

«Coraggio, marmotte! Tirate al cuore.»

Cadde mentre gridava Viva-l'Italia, e non finì di pronunciare la parola Italia. Le pallottole (quattro al torace, una all'occhio destro, una in mezzo alla fronte) lo fulminarono un attimo prima.

«Viva l'Ita...»

Il corpo, però, venne buttato in una fossa comune. (La tomba che gli dedicarono un decennio dopo non lo contiene). Più o meno la sepoltura che nel 1861 sarebbe toccata al suo discepolo ucciso dagli stenti, dalle umiliazioni, dal dolore. E con ciò eccomi all'angoscioso epilogo della difficile esistenza che vissi attraverso Mariarosa e Giobatta.

* * *

Angoscioso, sì. Tanto angoscioso che non mi piace raccontarlo, ricordare lo sfacelo nel quale mi disintegrai durante gli anni che precedettero la loro morte. Quella mia duplice, squallida, prematura morte. Lo riassumerò alla svelta, dunque. Col disagio che mi viene dall'impazienza di cancellare un incubo durato un secolo e mezzo.

16

Dai boschi di Montenero tornò l'8 giugno, Giobatta, nascosto dentro un barroccio di cavoli che lo scaricò in piazza delle Erbe. E non avrebbe potuto scegliere un momento più pericoloso. Nonostante le preghiere di Leopoldo, i quotidiani messaggi con cui si raccomandava di non occupare la capitale, il 25 maggio Konstantin d'Aspre s'era infatti installato a Firenze. Questo aveva rafforzato il giogo di Livorno e, soprattutto pei tipi usi a ribellarsi, le probabilità di sfuggire ai castighi della legge marziale erano diventate quasi nulle. Proibito camminare per le strade in gruppo e frequentar le locande, le osterie, i teatri. Proibito aver ospiti, riunirsi con gli amici in casa. Proibito tenere le persiane chiuse a qualsiasi ora del giorno o della notte e le chiese aperte dal tramonto all'alba. Proibito possedere bandiere tricolori. («Il vessillo del Granducato è quello bianco e rosso degli Asburgo-Lorena. Ad esso può associarsi solo la bandiera gialla e nera con l'aquila bicipite dell'Impero. I contravventori saranno giustiziati *in loco* ed *ipso facto*»). E proibito cantare canzoni patriottiche, ovvio. Proibito stampare libri e giornali, proibito leggere i vecchi fogli rivoluzionari, proibito esprimere opinioni malevole sulla famiglia reale, proibito lanciare occhiate ostili alla truppa e perfino abbandonarsi a risse private. (Un

464

giovane cuoco era stato fucilato per aver difeso con un coltello da cucina la fidanzata aggredita da due ceffi che volevan stuprarla). Al governo militare, inoltre, si affiancava una polizia urbana cui era affidato il compito di rintracciare i rei di lesa maestà. Gli iscritti al Circolo del Popolo e ai Circoli Parrocchiali. I liberali, i repubblicani, i democratici che con Montanelli e Guerrazzi e Carlo Ponce Rum s'eran messi in vista. Nonché alcuni reduci di Curtatone e Montanara. Grazie alla solita rete di spie un farabutto di nome Casastini li individuava, e per loro c'era la bastonatura pubblica. Supplizio che consisteva nel manganellare le piante dei piedi, che veniva inflitto da un giustiziere dell'esercito austriaco, e che si svolgeva alla presenza di quattro funzionari toscani. Il Casastini, un magistrato, un notaio, e un medico addetto al controllo del paziente. (Il condannato lo chiamavan «paziente»).

Tornò, e si fece beccare subito. Subito! Perché il 9 giugno l'ormai ottantatreenne Radetzky andò a Livorno per passare in rivista le truppe del presidio, assistere a una festa in suo onore. Festa per la quale si consentì ai cittadini di accalcarsi nelle strade. Vinto dalla curiosità di guardar da vicino il celebre personaggio che dal 1831 domava il paese Giobatta si mischiò alla folla, e quando al posto d'un terrificante guerriero vide un vecchietto incapace di reggersi in sella esclamò: «Ma che aspetti a tirar le cuoia, brutto spaventapasseri, mummia bavosa?!?». Una spia lo udì. Lo identificò, informò il Casastini, e reperirlo fu facile. Chi non conosceva il braccio destro del Bartelloni, l'ossesso che all'epoca della Repubblica Indipendente costringeva i livornesi a inginocchiarsi dinanzi agli alberi della libertà, leccarne il tronco? Chi non rammentava l'energumeno per colpa del quale avevan demolito la statua, insomma il Cantini, il sovversivo con la faccia bruciata? Lo arrestarono la notte stessa. Mentre dormiva con Mariarosa e il bambino irruppero nelle tre stanzucce di via San Carlo 15, e non si disturbaron neanche a cercarvi le bandiere rosse e tricolori. Non gli dettero neanche il tempo d'infilarsi le scarpe. «Tanto con te i corpi di reato non son necessari, e dove ti portiamo le scarpe non servono.» Scalzo lo condussero alla caserma che gli austriaci definivano Schläger cioè Picchiatoio, e il supplizio si svolse l'indomani mattina in un cortile pieno di marmaglia che per compiacere i nuovi padroni lo insultava in tedesco. «Schmutzig, sudicione! Verbrecher, delinquente! Lump, lazzarone!» Un supplizio da manuale, eseguito con scrupolo e serietà. A ventre in giù lo stesero su una panca larga mezzo metro e lunga due, e per impedire che si agitasse lo inchiavardarono ai fianchi con una morsa di ferro adattabile alle varie corporature. Gli allungarono le braccia sopra la testa, gliele bloccarono legando i polsi alla panca. Le gambe invece gliele immobilizzarono all'altezza delle caviglie con un'altra morsa, in modo da lasciar penzolare i piedi. Poi il giustiziere in uniforme, un certo Pavelić di Zagabria, si fece avanti col bastone e incominciò a manganellare contando i colpi. Freddo, lento, metodico. «Ein... Zwei... Drei... Vier... Fünf... Sechs...» I colpi dovevano essere ottanta. Il fatto è che ben di rado riuscivi a sopportarne ottanta. Ogni volta era come ricevere una scarica elettrica che andava dritta al cervello, il tormento era così insopportabile che toglieva perfin la forza di emettere un urlo o un gemito, sicché svenivi assai prima e il medico doveva sollecitare una pausa o ingiungere basta. Giobatta svenne al quarantesimo colpo, e il medico ingiunse basta. Ordinò addirittura che lo riportassero a casa in barella, che restasse un mese a letto. Ma il tarso e il metatarso e il calcagno del piede sinistro, il piede centrato con maggior veemenza dal bastone, erano frantumati senza rimedio. Un mese dopo, quando il «paziente» si alzò e provò a camminare, s'accorse che non poteva neanche appoggiarvisi. E da quel momento si mosse solo con le stampelle. Tant'è vero che molti lo chiamavan Storpio.

«Vai dallo Storpio. Chiedilo allo Storpio. Lo Storpio abita lì.»

Fu questo a provocarne il crollo, disintegrarlo, avvelenare gli ultimi dodici anni della sua vita? Oppure fu la tragica morte del Bartelloni e di don Maggini, la sconfitta, la delusione che aveva distrutto lo zio? In entrambi i casi, una cosa è certa: il ventiseienne che il 10 giugno del 1849 uscì in barella dallo Schläger era un uomo finito, piegato per sempre. Spiritualmente, un rudere umano. Un secondo Giovanni che di patria e unità e indipendenza, di libertà e giustizia, non voleva più sentirne parlare. Lasciata Roma (dove la Repubblica era caduta sotto le cannonate dei francesi inseritisi nelle faccende italiane per ridare il trono a Pio IX) il 19 luglio Garibaldi passò da Montepulciano per andare in aiuto di Venezia che continuava a resistere. Da Montepulciano diffuse un appello con cui invitava i toscani a seguirlo, e non pochi lo seguirono. Ma Giobatta scosse la testa e disse: «Nemmeno se potessi camminare». Concluso l'esilio di Gaeta, il 24 luglio un rincoglionito Leopoldo sbarcò a Viareggio. Di lì rientrò a Firenze e sorretto dalla presenza degli austriaci riprese a firmare i decreti coi titoli ripudiati: principe imperiale d'Austria, principe reale di Ungheria e Boemia, arciduca d'Austria eccetera. Decreti che legalizzando lo stato d'assedio e quindi gli abusi, gli arresti, gli omicidi, annullavano la Camera dei Deputati e la libera stampa cioè confermavano il suo vassallaggio al nipotino Francesco Giuseppe. Ma Giobatta alzò le spalle e disse: «Non me ne importa». Leccando gli stivali del d'Aspre come cinquant'anni prima aveva leccato gli stivali di Bonaparte, quell'estate l'aristocrazia fiorentina toccò il fondo dell'abbiezione. Nobiluomini o cosiddetti nobiluomini che all'invasore aprivano i loro palazzi, le loro ville di campagna, i loro palchi al Teatro della Pergola, e gli offrivano pranzi suntuosi. Sardanapalesche feste da ballo. (Bisavoli e trisavoli, bada bene, dei vigliacchi che nel 1938 si sarebbero messi in marsina per ricevere Hitler venuto a visitar Firenze con Mussolini). Nobildonne o cosiddette nobildonne che col nemico civettavano, amoreggiavano, fornicavan peggio di prostitute consunte dalla fame. (Bisavole e trisavole, bada bene, delle cretine senza dignità che nel 1938 si sarebbero ingioiellate per correre al Teatro Comunale e strillare a Hitler «Führer, mein Führer!»). E buona parte del popolo, quel popolo che in nome dell'ignoranza viene sempre assolto, giustificato, si coprì di uguale o quasi uguale vergogna berciando «Viva Cecco Beppe che ci ha ridato il Babbo». Ma di nuovo Giobatta scosse la testa, di nuovo scosse le spalle, e disse: «Io che posso farci?». Lo disse anche nel 1850, del resto, quando il governatorato di Livorno passò al generale Folliot de Crenneville: un omiciattolo vanitoso e crudele, figlio d'un patrizio parigino rifugiatosi a Vienna per sottrarsi alla ghigliottina, cui piaceva strappare la barba e i baffi delle sue vittime o spaccargli i denti col calcio della pistola. Lo disse anche nel 1851 quando i fratelli Stratford d'Albourough, tre giovani inglesi devoti all'Italia, furono giudicati con quarantasette livornesi da una Corte Marziale che emise trentotto condanne alla forca. Ed anche nel 1853 quando terminò l'annoso processo a Montanelli e Guerrazzi, al contumace Montanelli dettero l'ergastolo e al detenuto Guerrazzi tre lustri di carcere duro. Nel 1856, poi, quando le truppe austriache lasciarono la Toscana, disse qualcosa di peggio.

«Bah! Stiano o partano, per me non cambia nulla.»

Un secondo Giovanni? No, in questa creatura apatica e rassegnata non vedo nemmeno un secondo Giovanni che imprecando contro i sogni e gli ideali scompare nel nulla. Vedo solo un'ombra che con le stampelle trascina un corpo martoriato e un'anima spenta, uno zoppo al quale è stata tolta perfino la coscienza di soffrire, e nei cui occhi stagna di nuovo la morte. Infatti resto allibita a leggere sui registri anagrafici ciò che il nonno Augusto dimenticò sempre di raccontarmi: dopo la bastonatura nacquero altri cinque figli. L'8 marzo del 1850, Assunta: subito eliminata da un attacco di supertosse. Il 10 maggio del 1851, Alfredo: sopravvissuto. Il 10 dicembre del 1853, Ermenegilda: sopravvissuta. Il 21 ottobre del 1855, Egidio: stroncato a dieci giorni dalla polmonite. Il 16 settembre del 1857, Giuseppe: ucciso a tre settimane dalla difterite. Cinque, perbacco, cinque! Ma dove lo trovava, quel Giobatta, il vigore necessario a mettere incinta la moglie? Nell'unico sentimento che gli fosse rimasto, l'amor coniugale, e nell'impulso biologico che spinge un'ameba a scindersi cioè a procreare? Nella disperata sessualità dei paria che all'amplesso chiedono il conforto delle loro disgrazie, la rivincita sulle loro miserie, e poveri malati reietti producono senza sosta esseri che salvo miracoli saranno a loro volta poveri malati reietti? Era talmente povero, ormai. Forse povero come Natale al tempo in cui i Cantini di San Jacopo in Acquaviva abitavano nel tugurio col vaso da notte sul tavolo della cucina. E certo più povero di quando non lavorava per fare il rivoluzionario sicché la famiglia tirava avanti coi rammendi di Mariarosa, le elemosine di Teresa, i salumi regalati dal Bartelloni. Mica che non lavorasse, ora... Lavorava eccome. A casa. Perduto il Demi e col Demi lo studio di via Borra, faceva l'alabastraio. In alabastro, materiale che essendo tenero non richiede arnesi speciali e sforzi eccessivi, scolpiva le statuine da vendere ai turisti. Procaci ninfe nude, Madonne. Coppiette di innamorati, teste di Dante Alighieri. O minuscole copie dei Quattro Mori e della Torre di Pisa. Poi le metteva dentro un paniere a cono, una gerla, con due cinghie si fissava la gerla alla schiena, e andava in cerca di clienti sul molo o dinanzi agli alberghi. «Souvenirs di Livorno, signori, souvenirs! Alabastro puro, signori, una lira al pezzo! Orsù comprate, signori, bitte! Please, por favor, s'il vous plaît!» Ma la città abbondava di rivali che senza l'impaccio delle stampelle correvano dietro al turista, gli vendevano la stessa roba. E se non lo accompagnava Tommaso, ora un ragazzino di gamba lesta e di mente sveglia, la risposta era quasi sempre una mossaccia. «Nein, gehen Sie weg, nein! I have already bought it, go away! Je viens de l'acheter, ne m'emmerde pas!» L'ho-già-comprato, non-romper-le-scatole, vattene. Zoppaggine a parte, d'altronde, poteva forse dedicarsi a un mestiere più comodo o più redditizio? Per i rei di lesa maestà vigeva una legge non scritta, in quegli anni. La stupida e perfida legge che nel secolo seguente si sarebbe chiamata Epurazione e che i fascisti avrebbero applicato agli antifascisti, gli antifascisti o supposti antifascisti ai fascisti: «Visto che non t'ammazzo, ti tolgo l'impiego. Ti proibisco, ti impedisco di lavorare».

Mariarosa, invece, faceva la lavandaia. E a ripensarci mi torna il nodo alla gola. Perché non le ho dimenticate, no, le umilianti fatiche di quando ero Mariarosa e facevo la lavandaia. Non le ho digerite, no, quelle ceste di lerciume che mi portavo al lavatoio di via de' Lavatoi. Quei lenzuoli puzzolenti, quelle mutande merdose, quelle pezzuole piene di muco che strofinavo insaponavo sciacquavo sbattevo strizzavo per mezza lira a cesta... Cucire? Eh! L'avevano inventata la macchina da cucire. All'Esposizione Universale di Parigi, nel 1855, Isacco Singer aveva vinto il primo premio con una meraviglia chiamata Dorso di Tartaruga e la sua azienda la produceva in serie. La esportava pure a Livorno dove i negozi di via Grande la tenevano in vetrina col prezzo. Millecinquecento lire cioè trecento scudi, il costo di due bovi. Ma se il Padreterno me l'avesse offerta in regalo, l'avrei respinta con un no-grazie. Eran diventati congegni infernali gli abiti da donna, o meglio gli abiti delle donne ricche. Corpetti tenuti da dozzine di stecche e chiusi da lacci che strizzavano il busto fino a ridurre la circonferenza della vita a quaranta centimetri. Mantelli in sbieco, scollature a drappeggio. Fodere su fodere, balze su balze, gonne che sembravan cupole d'una cattedrale. Così larghe, Gesù, così esagerate, che all'orlo non misuravan mai meno di sette metri e neppure la crinolina riusciva a sostenerle. Sotto dovevi sistemarci un'impalcatura di cerchi metallici detta cage o gabbia, e tutto ciò esigeva una maestria a me sconosciuta nonché un laboratorio pieno di aiutanti. Ergo, non cucivo più. Rammendare, sì. Tra un bucato e l'altro rammendavo ancora. Ma i cenci dei miserabili con le toppe al culo, non le trine dei forestieri che alloggiavano al Peverada. Vuole mani ferme, il rammendo, e le mie tremavano continuamente. Per via della denutrizione, credo. (Sai, non ero davvero grassa in quegli anni. A forza di digiuni ero scesa a sessanta chili e la pelle mi ciondolava addosso come quella degli elefanti). O tremavano per via dell'angoscia, dell'infelicità, in cui mi consumavo? Santo cielo, m'ero innamorata d'un uomo bellissimo e mi trovavo accanto uno sciancato con una maschera di sfregi al posto del viso. Avevo sposato una specie di leone che in guerra affrontava orde di austriaci, in pace guidava la folla all'assalto degli arsenali o evangelizzava a botte chiunque la pensasse in modo contrario al suo, e mi trovavo accanto una larva. Un fantasma che sapeva solo mettermi incinta, obbligarmi a partorire figli di cui non gli importava nulla. È inutile protestare Giobatta-non-toccarmi-Giobatta, sono-stanca, non-me-la-sento. (Che avessi cessato d'amarlo? Quel dubbio mi coglieva spesso). Però l'angoscia, l'infelicità, mi venivan anche dalla presenza della mia ex nemica. Teresa. Nel 1853 Gasparo aveva reso l'anima al Creatore, Teresa era rimasta sola, Giobatta me l'aveva portata in via San Carlo 15 dove le eran subito cadute le cataratte e... Nel buio viveva la tapina, nel buio! Bisognava vestirla, spogliarla, imboccarla, aiutarla a sedersi sull'orinale, pulirla, e ogni volta mi domandavo: possibile che un tempo fossi tanto contenta? Possibile che ridessi sempre, che cantassi sempre, che stare al mondo mi divertisse? Poi, senza chiedermi cosa ne sarebbe stato dei miei bambini, pregavo: «Dio, facci morire presto. Me, lui, e la cieca».

Desiderio che con gran cortesia l'Onnipotente incominciò ad esaudire nel 1859. Perché, nel giro di poche stagioni, si volò tutti e tre in Paradiso.

* * *

Teresa ci volò, morì, all'alba del 26 aprile 1859. (Il giorno in cui scoppiò la seconda guerra d'Indipendenza e Firenze insorse, cacciò per sempre Leopoldo e gli Asburgo-Lorena. L'anno in cui i piemontesi guidati dal nuovo astro Camillo Benso conte di Cavour e dal nuovo Savoia cioè Vittorio Emanuele II, nonché alleati con la Francia di Napoleone III, sconfissero gli austriaci a Magenta. Li costrinsero a ritirarsi nel Veneto e a firmare l'armistizio di Villafranca, ma Napoleone III frodò e incontrandosi di nascosto con Francesco Giuseppe si prese la Lombardia). Morì per un attacco d'asma, povera Teresa, e così in fretta che ebbe appena il tempo di rivelare a Giobatta con chi lo aveva concepito. «Non posso andarmene senza confessarti la verità, figliolo. Tuo padre non era tuo padre. Tuo padre era tuo zio.» Parole che l'undicenne Tommaso udì, che da vecchio avrebbe riferito al suo primogenito cioè al nonno Augusto, e alle quali Giobatta rispose con una battuta commovente.

«Grazie, mamma. Questo mi consola.»

Mariarosa morì nell'autunno del 1860. (L'anno in cui per avere la Lombardia, annetterla al Piemonte, Cavour si piegò al ricatto e cedette alla Francia sia Nizza che la Savoia. L'anno in cui anche la Toscana e l'Emilia e le Marche e l'Umbria scelsero l'annessione e attraverso una serie di plebisciti si consegnarono all'erede di Carlo Alberto, ormai considerato il solo che potesse unire il paese. E l'anno in cui Garibaldi sbarcò con le sue mille Camicie Rosse a Marsala, sbaragliando le inette truppe borboniche liberò l'Italia meridionale, col fatale incontro di Teano la regalò a Vittorio Emanuele). Nel caso di Mariarosa dico «autunno del 1860» e basta perché tanto la sua data di nascita è incerta tanto la sua data di morte è incompleta. Il libro dei decessi non fornisce né il mese né il giorno. Tuttavia so che morì, trentottenne o trentanovenne o poco più, di tubercolosi. E che da ultimo sembrava uno scheletro. Pesava quaranta chili. Inoltre so che morì con stile, pronunciando uno sprezzante giudizio sui Savoia e una sorprendente profezia sul loro futuro, quindi dimostrando che in lei la febbre politica non s'era spenta. «Ce l'hanno messa in culo, Giobatta. Invece della Repubblica, ci troviamo sul groppone i discendenti di re Tentenna. Eh! Ci vorranno cent'anni per mandarli via, quei forcaioli.» Infine so che venne sepolta al Cimitero de' Lupi e che non potendo comprarle una lapide Giobatta arricchì la sua tomba con un piccolo blocco d'alabastro sul quale incise a minuscole lettere il seguente epitaffio: «Mariarosa Cantini / patriota / cuore intrepido e generoso / Inchinatevi alla sua memoria / voi che passate». Giobatta morì nel 1861, l'anno in cui una febbre cerebrale uccise Cavour e Vittorio Emanuele II fu proclamato re d'Italia. Morì il 17 novembre, vigilia del suo trentottesimo compleanno, travolto dai cavalli d'una carrozza a doppio tiro. Non era uscito, quel giorno. Pioveva, faceva freddo. Ma in casa non c'era nulla da mangiare, Ermenegilda e Alfredo mugolavano ho-fame-babbo-ho-fame, e verso sera disse a Tommaso: «Resta qui con loro. Io vò a vedere se vendo qualche Torre di Pisa, se rimedio qualche soldo per comprare un po' di cena». Poi riempì la gerla di statuine, se la caricò sulla schiena, e abbrancato alle stampelle lasciò via San Carlo. Si diresse verso l'Hotel Grande Bretagne. La carrozza lo investì all'incrocio di via delle Commedie e via San Sebastiano. Dopo essergli passato sopra il cocchiere proseguì per la sua strada, si dileguò nel buio come se invece d'un uomo avesse schiacciato un cane, e per l'intera notte il corpo rimase lì a inzupparsi di pioggia: la gerla ancora legata alla schiena, le stampelle ancora sotto le braccia, e le statuine in frantumi. Solamente al levar del sole gli spazzini lo raccolsero per scaricarlo nella Stanza Mortuaria della Misericordia, il locale dove l'indomani Tommaso lo ritrovò con un cartellino appeso alla caviglia del piede distrutto dal giustiziere Pavelić di Zagabria. Un cartellino su cui avevano scritto: «Identità, sconosciuta. Età apparente, cinquanta o sessanta. Apparente mestiere, alabastraio. Apparente stato sociale, miserabile». E non servì a nulla che Tommaso si mettesse a piangere questo-è-il-mio-babbo, perfavore-sotterratelo-con-la-mia-mamma. Per aprire la tomba di Mariarosa bisognava pagare sicché lo seppellirono nel camposanto della Confraternita, dentro un'anonima fossa indicata da una croce di legno e basta.

«Qua o là è lo stesso, ragazzo, e il suo nome lo conosce Iddio.»

Tommaso aveva tredici anni e quattro mesi, quando rimase orfano. Alfredo, dieci anni e sei mesi. Ermenegilda, quasi otto anni. In mancanza di parenti il municipio di Livorno li affidò a un ospizio di Pisa, ed infatti è a Pisa che crebbero. È a Pisa che Tommaso diventò a sua volta marmista quindi alabastraio, a sua volta entrò nella politica militando nel Partito d'Azione di Mazzini e partecipando con Garibaldi alla terza guerra d'Indipendenza. A Pisa, inoltre, si sposò. Nel 1873, con la ventunenne Augusta Ciliegioli che in un baleno lo rese vedovo. Nel 1875, con la diciottenne sorella di lei: Zaira. Dal secondo matrimonio nacque il nonno Augusto ed ecco: ora posso cancellarlo l'incubo durato un secolo e mezzo. Posso restituirli al silenzio quei dolorosi fantasmi di me stessa, e cercarmi nelle vite che vissi con l'altro ramo della famiglia. Incominciando dalla fascinosa bisnonna polacca e dall'aristocraticissimo bisnonno torinese la cui storia si svolge, almeno per un po', sullo sfondo della ricchezza e dell'eleganza e del lusso. Alleluja. Alleluja, alleluja!

PARTE QUARTA

1

Il mio primo nome doveva essere il nome della mia bisnonna paterna. Anastasìa. Così voleva sua figlia, cioè la nonna Giacoma, benché Anastasìa le avesse inflitto due torti imperdonabili: abbandonarla appena nata in un orfanotrofio di Cesena e sedurle, vent'anni dopo, il futuro marito cioè il nonno Antonio. «Pazienza. Non lo fece per cattiveria.» Così voleva il nonno Antonio (Fallaci) che di Anastasìa era ancora innamorato nonostante fosse trascorso mezzo secolo, e non lo nascondeva. «Sissignori. M'è rimasta addosso, quella strega.» Così volevano i miei genitori che per Anastasìa nutrivano un'ammirazione incondizionata, e decisi a perpetuarne la memoria attraverso di me si preoccupavano solo dell'accento da porre sulla *a* o sulla *i*. Anastasia o Anastasìa? Tuttavia quando scoprirono il motivo per cui la nonna Giacoma l'aveva perdonata, cioè quando il nonno Antonio gli rivelò che la strega era morta suicida, cambiarono idea. Ripiegando su Proust mi chiamarono come la duchessa di Guermantes, e Anastasia (senza accenti) divenne il mio secondo nome accompagnato dal nome della nonna materna. Oriana

Anastasia Talide. Peccato. M'è sempre dispiaciuto non chiamarmi come la singolare antenata la cui storia non assomiglia ad alcun'altra storia, la straordinaria bisavola all'ombra della cui leggenda ho vissuto questa mia ultima vita.

So molto su Anastasìa. La nonna Giacoma e il nonno Antonio ne raccontavano spesso le traversie e le stravaganze, le avventure e le peculiarità, che lei gli aveva confidato prima di ammazzarsi. So che al posto dell'italiano parlava il francese, per incominciare. Che fumava come un uomo, che ballava il valzer, che era assai intelligente e femminista *ante litteram*. So che il suo cognome era Ferrier, nacque dall'amore d'una adolescente di Torino appartenente alla Chiesa Valdese (di qui il suo parlar francese cioè la lingua che tutti i valdesi del Piemonte parlano dal milleseicento) e d'un giovane polacco di Cracovia, che non conobbe mai il padre ucciso dagli austriaci nella rivolta del 1846 e assai poco la madre spentasi quasi subito di strazio. So che a Torino crebbe in via Lagrange allevata da una zia, la Tante Jacqueline, e protetta da Giuditta Sidoli l'amica di Mazzini. So che con gli uomini non cedeva a timidezze e che a sedici anni ebbe un flirt col coetaneo Edmondo De Amicis. A diciassette una piccola tresca col capo della polizia che l'aveva arrestata durante una sommossa antigovernativa. A diciotto, la furibonda passione per il celeberrimo e ultraristocratico personaggio di cui rimase incinta e al quale in famiglia era proibito alludere. «Silenzio. Lui non conta.» (Invece conta. Mi piaccia o no, è il mio bisnonno. E sebbene sul suo nome intenda mantenere il segreto sempre custodito, non posso ignorare che tra i miei cromosomi ci sono anche i suoi). So inoltre che abbandonato il frutto di quella passione, cioè la nonna Giacoma, fuggì a New York dove giunse due mesi prima dell'assassinio di Lincoln. Qui si accodò a un convoglio di pionieri diretti al Far West e insieme a loro, sparando ai pellerossa, attraversò le praterie del Missouri, del Kansas, del Colorado, si fermò in Utah dove stava per sposare un Mormone che aveva già sei mogli. Dall'Utah andò in Nevada, con uguale disinvoltura si unì a un giocatore d'azzardo e baro. Dal Nevada alla California dove per lungo tempo diresse un saloon (o un postribolo?) di San Francisco. Insomma fu ciò che definivano una Madame. Infine so che dall'America tornò nel 1879 e quell'anno si riprese la figlia con la quale coabitò due lustri cioè fino al matrimonio della nonna Giacoma col nonno Antonio... Di lei ricordo anche una fotografia (poi scomparsa in un trasloco) scattata agli inizi del 1864 nello studio di Henri La Lieure a Torino. E ritraeva una ragazza indimenticabile, il simbolo stesso del fascino a cui non si resiste. Volto stupendo, con gli zigomi alti da slava. Occhi fermi, chiarissimi, forse verde tenue e forse celeste pallido. Naso perfetto, labbra piene e sdegnose, corpo un po' robusto ma ben modellato e assottigliato da un raffinatissimo abito nero. (Gonna a balze, corpetto chiuso da minuscoli bottoni, maniche al gomito e scollatura a trapezio). In testa, un gran cappello adorno di piume nere, piume di struzzo, portato sulle ventitré e impreziosito da una cascata di lunghi capelli biondo oro. Sul seno, una rosa gialla. Il medesimo colore dell'ombrellino per ripararsi dal sole. Quel fascino, però, non veniva dalla sua bellezza e dalla sua eleganza. Veniva dal suo sguardo, dal suo piglio, dalla posa che aveva scelto. Noncurante dell'etichetta che alle donne imponeva di lasciarsi ritrarre soltanto sedute, infatti, s'era messa in piedi: con le spalle dritte e le gambe un po' divaricate. E l'ombrellino non lo teneva nel modo in cui lo tenevano le signore cioè con una mano sola e appoggiandone il puntale per terra. Lo impugnava orizzontalmente, la destra sul pomo, la sinistra sul puntale, e impugnandolo lo stringeva in modo così bellicoso che anziché un ombrello sembrava un fucile.

Prova-a-mancarmi-di-rispetto-e-vedrai. Quanto allo sguardo, oddio! Emanava una tale insolenza da quegli occhi chiarissimi e fermi, una tale sfida, provocazione, che a osservarli sentivo una specie di paura e dimenticavo d'aver dinanzi soltanto un'immagine del mio passaggio nel Tempo.

E tuttavia non ho nulla per dimostrare a me stessa che Anastasìa è esistita e che io sono la sua bisnipote. All'anagrafe la nonna Giacoma risultava «figlia di padre e di madre ignoti», e su Anastasìa non v'è nemmeno il documento che nel 1879 cioè quando tornò dall'America firmò per riprenderla. (Bruciato? Durante la Seconda guerra mondiale, a Cesena, molti archivi dell'orfanotrofio finirono in fiamme. D'inverno le truppe alleate li usarono per accender le stufe, scaldarsi). Peggio: non v'è nemmeno la prova che il suo cognome fosse davvero Ferrier. In quel senso l'unico indizio è fornito dall'anonimo biglietto trovato nel sacchettino multicolore che Anastasìa mise al collo della neonata prima d'abbandonarla all'Ospizio del Santissimo Crocifisso. «Elle est née à minuit. Je vous demande la courtoisie de l'appeler Jacqueline Ferrier.» Il sacchettino è sfuggito alle fiamme, il biglietto no, ma è un fatto che il cognome dato alla figlia-di-padre-e-di-madre-ignoti era Ferrieri (poi storpiato per l'errore d'uno scrivano in Ferreri). È un fatto che Ferrieri è la versione italiana di Ferrier, Giacoma quella di Jacqueline, e che Jacqueline era il nome della «Tante» da cui Anastasìa era stata allevata in via Lagrange. È un fatto, inoltre, che la sua mamma si chiamava Marguerite Ferrier la quale la partorì nel 1846 a diciassette anni senza aver potuto sposare il giovane polacco ucciso dagli austriaci. Lo diceva la nonna Giacoma, perentoriamente aggiungendo che i Ferrier di Torino appartenevano alla comunità valdese di Ville Sèche: borgata della Val Germanasca in Piemonte. E, ammenoché non si tratti d'un caso di omonimia, nei registri di Ville Sèche oggi Villasecca ho trovato la conferma. «Marguerite Ferrier, fille de Thomàs et de Judith Jahiers, née le 14 Mai 1829, le 24 du même mois a reçu le Saint Baptème.» Il guaio è che non mi basta. Anche provando l'identità di Marguerite mi resta un vuoto, un anello della catena... Oh, l'ho cercato: credi. Con caparbietà, disperazione. A Torino, a Cesena. Nelle altre vallate della comunità valdese, in America. L'ho cercato perfino sulle liste degli emigranti che nel 1865 sbarcarono a New York, sugli elenchi dei Mormoni che abitavano a Salt Lake City, sulle rubriche delle Madame che operavano a San Francisco. Migliaia di pagine ho sfogliato e studiato per rintracciar quell'anello. Ma era come rincorrere un'ombra o individuare uno spillo dentro l'oceano. E leggendo ciò che la Chiesa Cattolica faceva in Piemonte ai bambini illegittimi delle valdesi, poi ragionando sull'infanzia di Anastasìa e sul particolare che a New York andò col passaporto falso, ho capito finalmente il motivo. La sua nascita non venne mai registrata, mai denunciata. Le sue generalità non vennero mai legalizzate da un prete o da un pastore o da un impiegato del municipio. Fantasma di carne, per diciotto anni non ebbe mai un foglio che certificasse la sua esistenza. Quel passaporto falso fu il suo primo documento ed in seguito ebbe sempre identità immaginarie, cognomi rubati. A Cesena cioè dopo il ritorno dall'America, per esempio, usava il cognome Brighi: assai diffuso nelle Romagne e soprattutto in quella città. Ma la vera e l'unica Anastasia Brighi annotata dall'anagrafe di Cesena è un'ex colona nata nel 1799, sposata a un certo Amadori Giuseppe, domiciliata in via Carpineta e morta quasi novantenne nel 1887.

Forse la cassapanca di Caterina custodiva qualche traccia della sua autentica identità. Forse custodiva anche qualche prova tangibile delle sue identità immaginarie e delle sue avventure incredibili. Qualche lettera del bisnonno celeberrimo ed arciaristocratico, lo scalpo di un Sioux, la licenza per condurre il saloon (o il postribolo?) di San Francisco, la verità sul suo rapporto col nonno Antonio. Ricordo bene il bustone legato con un nastro verde riposto sopra i cimeli dei Fallaci, dei Cantini, dei Launaro, qualche giorno prima che la cassapanca incominciasse a vagare da un angolo all'altro di Firenze per sfuggire ai bombardamenti. Ma quel bustone io non l'ho mai aperto. Per reinventare la sua saga, quindi, devo accontentarmi di usare il ricordo della fotografia e dei racconti che udivo dal nonno Antonio o dalla nonna Giacoma. (Sonora e allegra la voce di lui, bassa e triste quella di lei). Cosa che faccio partendo dai due giovani e tragici amanti che la concepirono, il trisnonno Stanislao e la trisnonna Marguerite. Morto a ventun anni lui, per mano degli austriaci, e a diciannove lei: annegando in un torrente delle Alpi Cozie.

2

La mia memoria brancola in una specie di nebbia quando torna ai giorni in cui mi chiamavo Marguerite Ferrier, avevo sedici anni, abitavo a Torino, e appartenevo alla Chiesa Evangelica Valdese. La Chiesa che prima ancora di Lutero, di Calvino, dei Grandi Riformatori, aveva contestato il cattolicesimo e rifiutato il papa, i cardinali, i vescovi, i preti, la Madonna, i santi, le sante. E con loro la Messa, l'Eucarestia, il Purgatorio, il digiuno, la confessione. («Cristo è in cielo, non nelle cattedrali, e per pregarlo basta la Bibbia. Maria Vergine era una donna uguale alle altre e l'ostia consacrata non è che un pezzo di pane, il Purgatorio una bugia. La carne si può mangiare anche di venerdì, i propri peccati si confessano al Signore e basta...»). Di ciò che ero allora, Anno Domini 1845, posso dire soltanto che la leggiadria fisica non mi mancava. La sprovvedutezza mentale, nemmeno. Corpo esile come un uccellino e a suo modo adescante. Tratti delicati, occhioni languidi, lisci capelli raccolti in una bella treccia castana, ed abiti graziosamente castigati. Vale a dire il costume della nostra tradizione. Sulle spalle, una mantellina bianca a frange: la pèlerine vaudoise. Sulla gonna nera e lunga fino ai piedi, un grembiule anch'esso bianco: le tablier vaudois. In testa una cuffia a tesa rigida, altrettanto bianca e sul retro adorna di nastri: la coiffe vaudoise. Alle mani i mezzi guanti di refe: les mitaines vaudoises. E nel mio povero cervello il vuoto d'un guscio vuoto. Pur sapendo leggere e scrivere, tra i valdesi l'analfabetismo era meno frequente, non avevo mai posato lo sguardo su un giornale o un romanzo o un libro che non fosse la Bibbia. (A farlo avrei commesso un peccato mortale). Così ignoravo tutto ciò che accadeva al di là del mio piccolo cosmo, non avevo la minima idea di quel che significassero le parole patria o libertà o giustizia, e i miei desideri erano d'una banalità sconcertante: sposarmi, mettere al mondo dei figli timorati di Dio, e andare in Paradiso. Infatti non mi ribellavo mai, non disubbidivo mai, e mi credevo felice. Però rammento che un secolo dopo, quando avevo dieci anni e una parente valdese detta zia Febe mi portava nella sua cappella a Firenze, cadevo in crisi profonde di malinconia. Non tanto perché la cappella era un nudo stanzone arredato solo con le panche e una croce e un leggìo dal quale il pastore in toga si rivolgeva ai fedeli col tono d'un maestro di scuola, cioè perché lì non v'erano né ceri accesi né ori né statue né affreschi con gli angeli né altare col prete vestito come uno stregone o un re delle fiabe, insomma le distraenti teatralità della Chiesa Cattolica, ma perché sentivo di stare in un luogo dove un tempo avevo molto sofferto. «Canta» ordinava ogni poco la zia Febe porgendomi il *Libro dei Salmi* poi indicandomi quello richiesto dall'uomo in toga, e insieme ai fedeli io cantavo. «Su di te, Gesù, divino / agnello immacolato, / depongo il mio passato / colmo di iniquità!» Oppure: «Abbi pietà d'un misero / o Cristo Salvator / ch'io spesi nell'offenderti / e vita e beni e onor». (O roba del genere). Anziché distrarmi, però, questo mi metteva in gola la voglia di piangere: la strana consapevolezza di ripetere un'esperienza angosciosa, tornare a un tempo doloroso e mai dimenticato. Il tempo (ora me ne rendo conto) in cui ero Marguerite Ferrier e portavo il grembiule valdese, la cuffia valdese, i mezzi guanti valdesi simbolo della mia eresia calvinista e causa intrinseca della mia infelicità.

D'accordo, in Piemonte non avevan mai avuto una vita facile i valdesi. Dacché nel milleduecento v'erano giunti per sfuggire ai massacri con cui Innocenzo III li decimava in Linguadoca e in altre zone della Francia, e soprattutto dacché avevano aderito alla Riforma di Calvino, il loro era stato un calvario senza fine. Prima che Emanuele Filiberto gli assegnasse il territorio ai piedi delle Alpi Cozie cioè le vallate di Torre Pellice e di San Martino, i cattolicissimi Savoia li avevano perseguitati con ogni mezzo fornito dall'Inquisizione: arresti, torture, roghi sulla pubblica piazza, capestri. E dopo, lo stesso. Nel 1655 Carlo Emanuele II ne aveva ammazzati tanti che per fermarlo c'eran volute le minacce di Cromwell, nel 1686 Vittorio Amedeo II ne aveva sterminati diciassettemila ed espulso i tremila superstiti che solo grazie all'intervento dei re protestanti avevano potuto rientrare, e nel millesettecento avevano sempre vissuto in una specie di limbo posto sotto assedio dai preti che vi inserivan le loro parrocchie. Unico elemento d'intesa, la lingua che anch'essi parlavano al posto dell'italiano: il francese. Soltanto nel periodo napoleonico, quando gli era stata concessa un'incondizionata libertà di culto e molti s'eran trasferiti a Torino per diventare funzionari statali, avevan vissuto da normali cittadini. Col Congresso di Vienna però quella parentesi di sollievo s'era chiusa e nel 1845, l'anno in cui incomincia la storia di Marguerite, le cose andavan maluccio. Nel 1845 regnava l'ambiguo Carlo Alberto, ricordi? Il suo ministro per gli Affari Esteri era lo spietato conte Solaro, il suo padre spirituale il perfido arcivescovo Franzoni, e per la Religione di Stato ossia la religione cattolica i valdesi erano ancora eretici. Nelle vallate il governo li trattava come sudditi indesiderati e a Torino come ospiti sgraditi. Proibito frequentare le scuole elementari e le università. (Per imparare a leggere e a scrivere dovevano rivolgersi ai familiari o ai correligionari. Per prendere una laurea, recarsi a Losanna o a Ginevra). Proibito seppellire i propri morti nel camposanto municipale cioè in luogo consacrato. (Per seppellirli dovevano accontentarsi d'un recinto tenuto per i suicidi e i giustiziati, oppure portarli nei cimiteri valdesi delle vallate. Viaggio per cui bisognava sborsare una grossa cifra all'erario). Proibito impiegarsi negli uffici pubblici, esercitar la professione di medico o ingegnere o avvocato, esprimere idee ed avanzare diritti politici. Sconsigliato ricoverarsi negli ospedali dove il personale li sottoponeva a ogni sorta di angherie sicché invece di guarire vi crepavano in quattro e quattr'otto. Dato che l'osservanza del culto era tollerata soltanto entro i confini del territorio concesso da Emanuele Filiberto, a Torino non avevan nemmeno un tempio nel quale tenere le funzioni domenicali. Per cantare insieme i Salmi e commentare insieme la Bibbia dovevano andare, di nascosto s'intende, nella Chapelle de Prusse. Cioè nella cappella che un Regio Decreto del 1825 autorizzava a tenere nei locali dell'ambasciata di Prussia per i diplomatici metodisti e anglicani, e dove il pastore veniva prudentemente chiamato Cappellano delle Legazioni. Quanto ai matrimoni coi cattolici, erano un delitto sia a Torino che nelle vallate. Per sposare il cattolico o la cattolica dovevano abiurare, vale a dire cancellare qualsiasi rapporto con la loro famiglia e la loro comunità.

Sia a Torino che nelle vallate, comunque, le infamie maggiori toccavano alle donne. Perché se una valdese restava incinta senza avere un marito e la polizia arcivescovile se ne accorgeva, i preti ne seguivano da vicino la gravidanza e appena avvenuto il parto sequestravano il neonato. Lo strappavano letteralmente dalle sue braccia, lo mettevano nell'Ospizio dei Catecumeni a Pinerolo, e qui lo educavano nella dottrina della Chiesa Cattolica Apostolica Romana. Ammenoché non abiurasse, lei non lo vedeva più. E inutile ricorrere alle scappatoie. Nel 1828 François Gay, pastore di Villar Bobbio, borgata della Val d'Angrogna, aveva battezzato il figlio d'una ragazza nubile: Anne Catalin. Subito era stato denunciato all'autorità giudiziaria e il Moderatore, Pierre Bert, aveva scritto la seguente lettera al ministro degli Interni conte Roger de Cholex. (Riassumo). «Mi consenta, signor ministro, di esprimere qualche osservazione. Ogni rapporto carnale che si svolge al di fuori del matrimonio, si sa, è illecito e condannato dalle leggi divine e umane anche se avviene non per nefandezza bensì per ignoranza o per gli stimoli con cui il caotico impero dei sensi piega purtroppo i deboli. Ben per questo una saggia polizia controlla le donne incinte e cerca di prevenire gli infanticidi. Però dalla denunzia del pastore François Gay si deduce che tutti i bambini illegittimi appartengono alla Chiesa Cattolica Apostolica Romana, che nessun pastore protestante può o deve battezzarli, e onestamente non capisco su quale legge sia basato tale principio. Nei trent'anni che ho trascorso qui sulle vallate non ho mai trovato nulla che lo giustificasse. Ecco dunque il mio parere sull'argomento. Se di sua volontà la madre consegna il figlio all'Ospizio, è chiaro che i suoi diritti sul neonato decadono e noi non possiamo battezzarlo. Se per amor materno o altro buon motivo vuole invece tenerlo, non vedo come si possa impedire a lei di allevarlo e a noi di battezzarlo. Una ragazza che ha il coraggio di tenersi il frutto del suo peccato compie oltretutto un atto di penitenza, e toglierle di forza il neonato è crudele. Con rispetto e ossequio propongo dunque che i figli illegittimi e non abbandonati siano trattati alla pari di quelli legittimi e possano ricevere il nostro battesimo.» Roger de Cholex s'era rivolto a Ferrari di Castelnuovo, Avvocato Generale di Sua Maestà presso il Real Senato del Piemonte, e Ferrari di Castelnuovo aveva risposto picche. (Riassumo). «Monseigneur, ho esaminato la lettera con cui il moderatore Pierre Bert pretenderebbe che all'autrice d'un parto illegittimo fosse permesso far battezzare e allevare il neonato nella cosiddetta chiesa riformata. Pretesa basata sul concetto che la madre possa educare i propri figli nella religione che le pare e piace. Errore. Chiunque sa che una madre non ha patria potestà. I figli nati fuori del matrimonio non ubbidiscono che al Sovrano. È il Sovrano che esercita su di loro l'autorità paterna. E professando il Sovrano la Religione Cattolica, essendo questa la religione dominante nello stato del quale tali figli sono sudditi, giusto è che nella medesima essi siano battezzati e allevati...» Ergo, Anne Catalin era stata derubata per sempre della sua creatura.

A Marie Barboux vedova Fontana, venticinquenne di Torre Pellice, era successo di peggio. Nel medesimo periodo, infatti, Marie aveva messo al mondo un bambino spurio. Il parroco se n'era accorto, il vescovo Charvaz era intervenuto, il giudice del tribunale di Pinerolo aveva ordinato ai carabinieri di sequestrarlo e condurlo all'Ospizio dei Catecumeni, ma attraverso un passaggio segreto lei era riuscita a fuggire: portarselo via. Di monte in monte, di vallata in vallata, ora nascondendosi con lui nei boschi ed ora chiedendo ospitalità ai contadini, dormendo nelle loro stalle e nei loro pagliai, per settimane s'era sottratta agli inseguitori che le davan la caccia con una turba di cani, e a un certo punto il suo pastore aveva inviato al giudice una supplica che conteneva un cavillo giuridico. «Eccellenza, è vero che i figli illegittimi delle valdesi devon riconoscere solo la patria potestà del Sovrano ed essere educati nella Religione di Stato. Tuttavia l'articolo 15 delle Patenti di Grazia rilasciate nel 1655 da Carlo Emanuele II di Savoia stabilisce che nell'età minore la prole non possa essere tolta alla madre, e l'età minore che lì viene indicata dura pei maschi fino a dodici anni. Per le femmine, fino a dieci. Il figlio della vedova Fontana è ultraminorenne in quanto appena nato e io vi imploro, Eccellenza. Per l'ansia, i disagi, il terrore in cui vive, la poveretta rischia di impazzire. Eppure è decisa a resistere e dobbiamo aiutarla.» Allora, perplesso, il giudice aveva sospeso la caccia e passato la supplica al solito Roger de Cholex. Questi s'era rivolto di nuovo all'Avvocato Generale, l'Avvocato Generale s'era consigliato stavolta con Sua Maestà, e il suo verdetto aveva ripetuto il parere già espresso per Anne Catalin. «Il cattolico davvero persuaso che la salvezza venga solo dalla Santa Chiesa sacrifica volentieri gli impulsi di tenerezza, i pietismi, e fedele all'imperscrutabile giudizio di Dio non si permette di interpretare le leggi o il Vangelo secondo le proprie passioni. Che si catturi la rea...» I carabinieri eran dunque tornati a inseguirla coi cani. Sempre di monte in monte, di vallata in vallata, le eran corsi dietro per altre sei settimane. Alla fine l'avevan sorpresa in un capanno di Conca del Pra, e per non staccarsi dal figlio la rea aveva abiurato. «Essendo nata da padre e da madre calvinisti, e da essi essendo stata istruita nell'eresia di Calvino, eresia a cui ho sempre ubbidito credendo che il Purgatorio non esistesse, che soltanto il Battesimo e la Cena costituissero i sacramenti della Chiesa, che si potesse mangiar la carne anche di venerdì, che l'intercessione della Madonna e dei Santi non giovasse, che il Sommo Pontefice non fosse il Vicario di Cristo in terra, ed essendo ormai sicura delle verità fornite dalla Chiesa Cattolica Apostolica Romana nonché delle falsità propagate dalla setta valdese di Calvino, con cuore sincero e fede autentica abiuro. Maledico la suddetta eresia, giuro che non avrò più contatti coi suoi seguaci inclusi i miei parenti. E se mi capitasse (che Dio non voglia) di contravvenire alle cose da me promesse e giurate, fin da oggi mi sottometto a tutte le pene che i Sacri Canoni prevedono per tale delinquenza, amen. Praedicta abiuratio pronunciata fuit a praefatio, de verbo ad verbum et lecturam mei infrascripti notarii...» Il guaio è che un mese dopo, minato dagli stenti sofferti durante la fuga, il bambino era morto.

«Ta faute! Colpa tua.»

Sulle donne gravava anche il giogo della rigida morale calvinista. Prima della Riforma nelle loro comunità le valdesi avevan goduto d'un notevole prestigio. Gli era stato permesso addirittura di predicare cioè di leggere la Bibbia e commentarla. Dopo l'adesione alla dottrina di Calvino, però, le cose erano cambiate. Guai a portare abiti eleganti e gioielli, guai a pettinarsi con civetteria e a imbellettarsi, guai ad aver cura della propria bellezza, guai a salutare un maschio con mezzo sorriso di troppo. (Finivi in prigione). Non era stato Calvino del resto a sostenere che una moglie dev'essere casta, paziente, ubbidiente, economa, cortese, premurosa, non bella? Non era stato lui a coniare la parola libertinaggio, a dire che il peccato più grave del mondo è l'adulterio, a bandire ogni tipo di frivolezza o divertimento, a vedere in ogni piacere umano un atto di lussuria e un invito di Satana? Educate, intristite per secoli da tali principii, nemmeno nel Settecento e cioè quando i costumi s'erano allentati in tutta l'Europa le valdesi avevano ritrovato l'antica libertà. Ed ora

che eran tornati in auge i concetti del perbenismo, apparivano più oppresse delle cattoliche devote a Charvaz.
Anne Catalin, Marie Barboux Fontana? C'è da chiedersi
dove le trovassero le occasioni per disubbidire, peccare.
In città non le vedevi mai per strada da sole, a casa venivan sorvegliate come potenziali complici del demonio,
per marito prendevan sempre un tipo scelto dalla famiglia, di preferenza un cugino o un compare del villaggio
da cui provenivano, e alle funzioni nella Chapelle de
Prusse non potevan nemmeno accostarsi agli uomini. Dovevano stare dalla parte opposta, in una specie di gineceo. Specialmente se erano belline come Marguerite e
avevano un padre come Thomàs.

* * *

Vedo un individuo lugubre, odioso, quando cerco di
dare un volto a Thomàs. Tratti incerti e seminascosti dai
baffoni grigi, le basette grige, la barba bianca e lanugino-
sa, guance d'un pallore cinereo, labbra maligne, occhi
ghiacci, ed espressione sempre accigliata. Figura scarna e
resa ancor più scarna da un eterno completo nero con la
cravatta nera e i guanti neri e il cappello nero. La nonna
Giacoma, che ne sapeva molto grazie ad Anastasìa cui tutto era stato narrato dalla Tante Jacqueline, lo definiva
«qualcosa di mezzo tra un pesce freddo e un cane arrabbiato». Da giovanotto s'era unito infatti al gruppo dissi-
dente dei Momiers, nome che deriva dal sostantivo *momie*
cioè mummia e che tradurrei con la parola Fossile o Incartapecorito. Ciecamente fedeli alla teologia calvinista
cioè al concetto di predestinazione e discepoli di Felix
Neff, il predicatore ginevrino che aveva fondato il Movimento del Risveglio, i Momiers eran sorti nel 1825 per riportare la Chiesa Valdese al primitivo rigore e in certo
senso assomigliavan molto ai Piagnoni del Savonarola.

Non facevano che ammonire, rimproverare, mettere in guardia contro il peccato. Condannavano ogni ricerca della felicità, volevano che perfino gli svaghi più innocenti fossero aboliti, e se la prendevan con chi la domenica danzava sulle aie la *bohémienne* o giocava a bocce o sparava al tirassegno detto toulas. «È una vergogna che la domenica certi confratelli passino il tempo a divertirsi col ballo o le bocce o il toulas. Il giorno del Signore dev'esser dedicato al riposo e alla preghiera, non ai piaceri mondani.» Nel 1840 la Tavola Valdese cioè l'organo che amministrava la Chiesa era riuscito a liberarsene, ma nell'ambito familiare lui continuava ad imperversare e «Ricordate che la scure di Dio è sul vostro collo! Non dimenticate il fardello delle vostre colpe! Pensate che il fuoco dell'Inferno vi aspetta!». Oppure molestava per ore col *Livre de Famille*, il libretto che ogni buon capofamiglia doveva tenere in casa per ripassare con la moglie e i figli la storia della Chiesa Valdese, i punti salienti della sua dottrina, gli inni sacri da cantare prima e dopo i pasti. L'inno per ringraziare il Buondio del frumento. L'inno per ringraziarlo del granturco. L'inno per ringraziarlo della canapa, o dell'uva, o delle mele, delle noci, delle castagne, del fieno, delle verdure, della vendemmia, della mietitura. E, naturalmente, del pranzo o della cena in tavola.

«Unissons-nous pour bénir notre Père / Dont la bonté ne nous laisse jamais / Ouvrant sa main Il verse sur la terre / Mille trésors qui comblent nos souhaits / C'est à toi, Père de toute grâce / Que nous devons chacun de nos repas...»

Molestava anche col suo orgoglio di chiamarsi Ferrier: cognome che a Nîmes aveva dato nel millecinquecento il celebre pastore Jérémie Ferrier, nemico dei gesuiti e di Clemente VIII. E pazienza se per far carriera Jérémie aveva abiurato diventando amico del cardinal Richelieu. Pazienza se i Ferrier da cui lui discendeva non venivano affatto da Nîmes. Venivano da Abriès, villaggio della Val

Queyras nell'Alta Savoia. Verso la metà del millequattro-
cento s'erano trasferiti nella vallata di San Martino anzi a
Ville Sèche-Villasecca, e avevano sofferto ciò che avevan
sofferto i correligionari delle vallate. Nel 1630, ad esempio, la peste di cui parla il Manzoni nei *Promessi sposi*. Nel
1686 le atrocità della soldataglia mandata da Vittorio Amedeo II e poi il forzato esilio a Ginevra. Nel 1689 il Rientro
che li aveva di nuovo chiusi nel ghetto delle vallate, nel
1789 l'esplodere della Rivoluzione Francese, nel 1798 la
fuga dei Savoia e l'arrivo di Napoleone. Contrariamente a
Jérémie non s'erano mai distinti per fama o particolari ta-
lenti o personali imprese, insomma, e la loro sola peculiarità stava nel fatto che durante la primavera del 1801 un
certo Thomàs Ferrier (a Villasecca i Ferrier maschi venivano battezzati otto volte su dieci Thomàs) fosse emigrato
con la moglie Suzanne a Torino dove era diventato un funzionario statale e dove il medesimo anno Suzanne aveva
partorito un altro Thomàs cioè lui: a causa di ciò sempre
vissuto nella capitale e qui residente in via Dora Grossa 5,
al quarto piano d'una casa posta quasi sull'angolo con
piazza Castello. Ma, soprattutto, molestava con la sua me-
schinità e la sua taccagneria: forse i suoi difetti più gravi.
Era così gretto, raccontava la nonna Giacoma, che dopo
aver acceso un fiammifero lo metteva da parte. E sai perché aveva sposato Judith? Perché insieme a cento franchi
d'oro Judith portava in dote la trentacinquenne sorella
cioè la Tante Jacqueline che pur d'uscire dalle vallate e abitare a Torino s'era dichiarata pronta a fargli da governante
e a pagargli due mensili: uno per il vitto e uno per l'alloggio. Peggio: non volendo sostenere il fardello economico
d'una prole numerosa e non sapendo come si fa a evitare
il concepimento, dopo la nascita di Marguerite aveva interrotto ogni rapporto fisico con la moglie ed entrambi vivevano in castità. «Tanto per noi calvinisti il fine del matrimonio non è la procreazione bensì il completamento di

due anime.» Eppure non era povero. Dai genitori morti aveva ereditato, oltre alla casa, un bel conto in banca. Di mestiere faceva il contabile all'Hotel Feder, impiego che gli fruttava un ottimo salario, e di nascosto prestava soldi al quaranta per cento di interesse. Attività che mi par lecito tradurre con la parola usuraio, strozzino. No, non mi piace Thomàs. Lo detesto più di quanto detesti Gerolamo, il padre di Montserrat. E all'idea che nelle mie vene scorra una stilla del suo sangue, rabbrividisco.

Non mi piace nemmeno Judith. Anche quando cerco di dare un volto a Judith vedo una creatura sgradevole. Lineamenti scialbi, sguardo arcigno, carattere vile. Forse era sopraffatta da tanto marito, forse ne aveva paura e non osava imporre la propria volontà. Ma dal modo in cui sostenne anzi approvò il suo comportamento con Marguerite, cioè dal contributo che essa dette al calvario della figlia, deduco che fosse una donna cattiva e che l'amore materno non avesse per lei alcun significato. Mi piace molto, in compenso, la Tante Jacqueline: personaggio di cui la nonna Giacoma diceva un gran bene. Non era bella, sai, la Tante Jacqueline. Sulla fronte aveva un angioma violetto, sul naso una grossa verruca da cui spuntava un robustissimo pelo, e in seguito a una malattia infantile (poliomelite?) la sua gamba destra era più corta della sua gamba sinistra. Camminando, insomma, zoppicava. Per questo aveva voluto lasciar Villasecca dove la chiamavano *avorton*, aborto, e dove nessuno l'aveva mai chiesta in moglie. Però era buona, intelligente, e piuttosto colta. Nella scuola del villaggio aveva studiato con slancio storia e geografia, italiano e aritmetica, sia pure di nascosto leggeva i romanzi francesi, e sapeva a memoria *La Certosa di Parma*. Inoltre non era una fanatica religiosa. Alla dottrina di Calvino non guardava con l'ottusità del cognato o l'obbedienza della sorella. E adorava Marguerite. Adorandola la proteggeva, la favoreggiava, e se non fosse stato per lei nel 1845 non sarebbe successo nulla. Anastasìa non sarebbe stata concepita, non sarebbe mai nata, e di conseguenza non sarebbe mai nata la nonna Giacoma. Non sarebbe nato mio padre, non sarei nata io... Verso la città dove si muovono questi miei Io, ho invece opposti sentimenti. C'è sempre stato uno strano rapporto tra me e Torino, e ogni volta che ci torno quei sentimenti si acuiscono. Da una parte mi sento a casa. Quasi con tenerezza riconosco le strade, i palazzi, il selciato su cui camminavo, le case in cui abitavo. Quasi con nostalgia respiro quell'aria che sa di rimpianto. Dall'altra sento una specie di disagio, e la stessa malinconia che provavo nella cappella valdese di Firenze quando la zia Febe mi ordinava di cantare i salmi.

3

Ah, la Torino di quando ero Marguerite e amavo il mio bel polacco di Cracovia! La mappa stampata nel 1840 dai Fratelli Bousard librai delle Altezze Reali mi restituisce l'immagine di una città austera, severa, contegnosa. Una città che con le città del mio passato non ha nulla da spartire. Piccolissima, inoltre. Più simmetrica d'una scacchiera, chiusa da un cordone di viali dritti come fucilate e interrotta soltanto da qualche piazza rettangolare o quadrata. Mai una piazza rotonda, mai uno spazio privo di spigoli, una strada curva od obliqua. Lì ogni particolare obbedisce a una geometria rigorosa, le strade s'allungano puntualmente parallele o perpendicolari a sé stesse, di concavo vedi solo i due fiumi che si snodano fuori del cordone cioè la Dora e il Po. E un dipinto eseguito nel 1850 da Albert Payne, lo stesso. Qui infatti gli edifici sembrano sempre della medesima forma e della medesima altezza, nella sgomentevole uniformità non scorgi che quattro o cinque cupole e sei o sette campanili, e l'assenza di colori è tale che anziché un agglomerato urbano ti pare d'aver dinanzi una immensa prigione o uno stagno. Grige le case, grigi i palazzi, i tetti, grige le aiole, grigi gli alberi allineati come militari da passare in rassegna. Grigio il panorama delle colline che la sovrastano, dei campi che la circondano, grigio il cielo che a tratti offre sprazzi d'azzurro ma d'un azzurro neutralizzato da grosse nubi gonfie di pioggia. Cosa che mi restituisce anche l'immagine d'una città quasi straniera, così vicina alla Francia e così lontana dall'Italia che non parlava nemmeno italiano. Parlava francese. E non dal momento in cui Napoleone s'era annesso il Piemonte, lo aveva trasformato nella Repubblica Cisalpina poi in una succursale del suo Impero. Da sempre. Da prima che gli eserciti del Re Sole calassero dalle Alpi per rinforzare il loro dominio e rammentare ai Savoia che erano un casato francese, un ex feudo francese. Pensa a Emanuele Filiberto che nel 1568 tenta inutilmente d'introdurre l'italiano nel sistema giudiziario, pensa a Vittorio Alfieri che nel 1776 va in Toscana per «disfrancesarsi». Dopo la caduta di Napoleone, è vero, il restaurato Vittorio Emanuele I aveva imposto una sorta di bilinguismo. Leggi e decreti, ora, venivan redatti in italiano e in francese. Da Sua Maestà e la corte agli ecclesiastici, dai nobili e i borghesi ai bottegai, dai militari e i poliziotti alle prostitute, però, tutti continuavano a parlar francese. Tutti. Incluso Camillo Benso di Cavour che quando doveva servirsi dell'italiano chiedeva aiuto a chi se ne intendeva. «On dit comme ça? Ça va bien comme ça?» L'italiano, guarda, non lo usavano che i letterati. E, di solito, soltanto per scrivere i libri. Non per conversare, discutere, compilare lettere ufficiali o private. Quanto alla plebe, parlava il piemontese: dialetto sorto dalla fusione delle due lingue ma più simile al francese che all'italiano.

Mappa e dipinto mi restituiscono soprattutto il ricordo d'un luogo dove, anche a non essere calvinista, a non avere un padre come Thomàs e una madre come Judith, c'era poco da stare allegri. A quei tempi era una città di provincia, Torino. Una capitale di periferia, un posto ben diverso da quello che sarebbe diventato durante la seconda guerra d'Indipendenza e nei primi anni dell'Unità. Non a caso i viaggiatori stranieri vi si fermavano solo per cambiare i cavalli, prepararsi al Grand Tour cioè ai soggiorni di Firenze Roma Napoli Venezia, Massimo d'Azeglio ammetteva di sentircisi soffocare, e sua cognata Costanza la definiva «monotone et ennuyeuse». Monotona e noiosa. (Nei loro brevi soggiorni Chateaubriand e Stendhal, Madame de Staël e George Sand, Liszt e Michelet e Balzac non avevano detto lo stesso, del resto?). Ma, soprattutto, era il cuore d'un Regno schiacciato dal dominio della chiesa cattolica e della monarchia sabauda, la culla d'uno stato avvelenato dalle idiozie della burocrazia e del militarismo, il prodotto di colui che il carbonaro Giovanni Cantini voleva ammazzare a Pisa con una coltellata nella schiena o nella pancia. Perché non potevi certo considerarlo un tipo che migliora invecchiando come il vino, re Tentenna ossia Carlo Alberto. Nel 1845 sembrava ancora il reggente debole e indeciso che nel 1821 s'era messo con gli insorti e poi li aveva traditi consegnandoli allo zio Carlo Felice anzi agli austriaci chiamati dallo zio Carlo Felice, lasciandoli fucilare o impiccare, abolendo la Costituzione appena concessa quindi rinunciando alla reggenza e scappando a Firenze per mettersi sotto le ali del suocero Ferdinando III. Ed anche l'erede vanesio che nel 1823 s'era arruolato per combattere i costituzionalisti spagnoli, che nel 1824 aveva firmato la promessa di non cambiare nulla quando sarebbe salito al trono, che nel 1831 c'era salito per deludere amici e nemici. Anche il monarca impietoso che nel 1833 aveva esiliato il suo cappellano Vincenzo Gioberti colpevole d'aver scritto una lettera alla rivista «La Giovine Italia» e mandato sulla forca il tenente Efisio Tola colpevole d'aver distribuito due copie della stessa rivista, che nel 1834 cioè l'anno delle fallite rivolte a Genova e in Savoia aveva condannato a morte diciotto persone tra cui Garibaldi. Non amava il suo popolo. Non si curava nemmeno di mandarlo a scuola e di alleviarne un po' le miserie. «Un monarca ha bisogno di sudditi fedeli non di sudditi colti o viziati» diceva, e lo studio lo considerava un invito all'ateismo e alla rivoluzione. La carità, un errore che invitava la plebe alla pigrizia. Infatti permetteva che i gesuiti condannassero chi faceva le elemosine e che Franzoni si scagliasse contro chi leggeva i libri: «La smania di leggere è dannosa all'ordine pubblico e alla morale delle classi inferiori». Inoltre era diventato più ipocrita e bigotto di quanto lo fosse mai stato. Di giorno sempre in chiesa e di notte sempre a puttane. Nonostante il suo odio per l'Austria, paese che minacciava la sua stabilità, in segreto ammirava l'efficienza con cui Metternich teneva in pugno l'Italia e Torino l'aveva resa ciò che qualsiasi persona di buonsenso gli rimproverava: qualcosa di mezzo tra un monastero e una caserma.

Perbacco, avevi addosso ben cinque polizie a Torino. Quella civile che dipendeva dal ministero degli Interni, quella militare che dipendeva dal ministero della Guerra, quella urbana che dipendeva dal municipio, quella arcivescovile che dipendeva dalla Curia, e quella dei carabinieri che dipendevano da lui. E stando ai cronisti dell'epoca la più terribile era quella dei carabinieri. Però la Curia era il filo conduttore di ciascuna, la vera anima di quel mostro a cinque teste, sicché perfino i carabinieri agivano sotto le direttive dei preti. A loro nome irrompevano nelle case, perquisivano, sequestravano, arrestavano, e per farlo non avevan bisogno di trovarti addosso o sotto il tappeto una copia de «La Giovine Italia». Bastava che scoprissero un romanzo proibito o ti sorprendessero a mangiare la carne di venerdì. «Vous êtes en train de manger de la viande pendant le Carême: suivez-nous. Vous possédez un livre licencieux: venez avec nous.» Gli altri sbirri, idem. Sicché guai se al passaggio d'una processione, un funerale, un corteo con la croce, un gruppo di frati, non ti fermavi e non ti buttavi in ginocchio. Guai se vedendo la carrozza dell'arcivescovo o del governatore o d'un membro della corte sabauda non ti levavi il cappello, non abbozzavi la genuflessione. Come minimo ti prendevi una multa di dieci lire: il salario settimanale d'un operaio. (Altro motivo per cui, a Torino, i valdesi avevano una vita più difficile che nelle vallate). La tirannia della Chiesa sposata allo Stato, del resto, non risparmiava nessuno. Nelle università, infatti, erano i gesuiti a controllare i testi e le idee degli studenti e dei professori. Erano i parroci a concedere il placet necessario a frequentar le lezioni o a insegnare. E nelle accademie militari, dove essere mutilato del dito indice non ti dispensava dal servizio, lo stesso. Pensa che gli allievi ufficiali dovevano andare ogni mattina alla Messa, ogni pomeriggio al Vespro, nonché fare il ritiro spirituale almeno una volta all'anno. E naturalmente la libera stampa non esisteva: ogni libro, ogni giornale, ogni foglio era scrutinato dalla censura ecclesiastica e governativa. (Nel 1846 il tremendo Franzoni avrebbe proibito anche di pubblicare certi discorsi di Pio IX). Naturalmente le parole democrazia e repubblica venivan considerate una bestemmia, ogni accenno al progresso un pericolo, ogni novità una minaccia. (Tra le novità, il telegrafo e il treno: strumenti del diavolo in quanto facilitavano i contatti col resto del mondo. In Toscana, ricordi, la Livorno-Pisa era stata finita ed inaugurata nel 1844. A Torino il primo tratto della strada ferrata per Genova sarebbe stato aperto solo nel 1848). Né finiva qui. Perché più che in ogni altra parte d'Italia, a Torino, la società si divideva in tre ceti: l'aristocrazia, la borghesia, la plebe. E inutile sperare di valicarli. Dall'aristocrazia (antichissima e altera, feudale) venivano tutti gli esponenti del potere: i ministri, i magistrati, i diplomatici, i comandanti dell'esercito, i consiglieri del re. Dalla borghesia tutti i professionisti: i medici, gli avvocati, gli ingegneri, gli industriali, i mercanti, i negozianti. Dalla plebe tutti i disgraziati consunti dalla fatica, dai sacrifici, dalla miseria.

Eppure v'era qualcosa, in quella Torino, che non v'era nelle altre città del mio passato. Qualcosa che la rendeva speciale e che ancor oggi m'incanta. La strana bellezza delle sue strade sempre diritte, dei suoi edifici sempre uguali, dei suoi alberi sempre allineati, forse. La dignità e il decoro che riscattavano il suo grigiore, la sua noia. E i pregi degli illustri personaggi che bene o male avrebbero rifatto l'Italia. Perché accanto all'aristocrazia ottusa e beghina trovavi pure un'aristocrazia da ammirare o comunque da rispettare. Piuttosto orgogliosa sì e quindi poco disposta a cedere il passo, livellarsi coi ceti cosiddetti inferiori, caparbiamente monarchica e quindi decisa a restare il più valido appoggio dei Savoia, tuttavia aperta alle nuove idee e non priva di virtù. Il marchese Roberto d'Azeglio marito di Costanza e fratello di Massimo, per incominciare. Nel 1821 Roberto s'era messo coi carbonari, era stato arrestato poi esiliato in Francia, e questo lo rendeva assai sgradito a corte. Però continuava ad agire secondo la propria coscienza. Insieme alla moglie teneva una scuola serale dove insegnava a leggere e scrivere ai bambini e agli adulti analfabeti, con la scuola un'opera di beneficenza, e zitto zitto cercava di convincere il sovrano a emancipare i valdesi: concedergli i diritti civili dei cattolici. Quanto a Massimo, in quegli anni faceva il pittore-che-scrive e stava quasi sempre a Milano o a Roma o in Toscana. Però il suo contributo lo dava con i romanzi. Nel 1833 aveva pubblicato *Ettore Fieramosca*, nel 1841 *Nicolò de' Lapi*, ed ora stava completando un libro sull'eroi-

501

ca rivolta di Rimini: *Gli ultimi casi di Romagna*. Il conte Cesare Balbo di Vinadio cugino dei D'Azeglio nonché amico di Vincenzo Gioberti, per continuare, e il conte Cesare Alfieri di Sostegno cugino di Costanza nonché nemico acerrimo di padre Bresciani cioè il capo dei gesuiti. Dopo i moti del Ventuno lo stesso Balbo aveva pagato con l'esilio l'impegno carbonaro, però nemmeno lui s'era arreso e nel 1844 aveva scosso il paese con un libro importante: *Le speranze d'Italia*. Quanto all'Alfieri, nel 1832 aveva ripudiato la carica a corte (gentiluomo di camera del principe di Carignano) e s'era dato agli studi d'economia esclamando: «L'avvenire è del liberalismo». Camillo Benso conte di Cavour, per concludere, e Giulia Colbert marchesa di Barolo. L'intelligentissimo Camillo che con la sua aria sorniona non lasciava capire a nessuno dove volesse arrivare ma che già allora lo sapeva e che verso il vecchio nutriva fin da ragazzo un disprezzo profondo. «Se scoppiasse una rivoluzione alla francese che cosa farebbero i nostri nobili sorretti dall'arroganza dei loro antenati e non dal loro truce valore? Ve lo dico io: annegherebbero nel fango che si forzano di coprire con le medaglie, i nastri, i ricami.» La dolcissima Giulia che dopo aver letto *Le mie prigioni* s'era presa in casa Silvio Pellico e che invece di godersi la vita dedicava le sue giornate e il suo patrimonio ai carcerati, agli ammalati, alle ragazze orfane o traviate che educava nel suo bel palazzo. Accanto a questa aristocrazia, la borghesia capeggiata da Lorenzo Valerio: l'industriale progressista che Balbo e i D'Azeglio e l'Alfieri avevano ammesso nel loro entourage e che a corte veniva visto come un Robespierre. (Aveva fondato un mensile dal titolo «Letture Popolari», Valerio. E quando Franzoni glielo aveva chiuso era riuscito a stamparlo di nuovo col titolo «Letture di Famiglia» nonché il motto «L'ignoranza è la peggiore delle povertà». Peggio: pagando di tasca sua aveva aperto i Pubblici Scaldatoi, lindi locali dove d'inverno i paria andavano a ripararsi dal freddo. A lavorare, mangiare una minestra calda). Accanto a questa borghesia, un paio di santi che si chiamavano don Cottolengo e don Bosco più un gruppetto di mazziniani poco audaci ma convinti. E tutti insieme quei miti ribelli muovevan le acque. Mettevano le pulci negli orecchi di Carlo Alberto che malgrado i suoi difetti non era cieco e, rivolto al ministro della Giustizia, una volta aveva detto: «Mon cher comte, j'ai peur qu'à un moment donné nous serons obligés de marcher avec le temps. Caro conte, temo che a un certo punto dovremo marciare coi tempi». (Profezia che si sarebbe avverata nel 1848 cioè con la concessione dello Statuto).

Che tu ne convenissi o no, nella Torino che Sua Maestà aveva reso qualcosa a metà tra un monastero e una caserma trovavi anche altri pregi da non sottovalutare. L'estrema pulizia del recinto urbano, per citarne una. Mai un marciapiede avvilito dall'immondizia, mai una strada deturpata dallo sterco dei cavalli, mai un angolo sporco o un cattivo odore. Dalla mattina alla sera i pattumai del municipio spazzavano le strade, raccoglievano lo sterco, lo interravano coi vari rifiuti al di là delle mura, e gli abitanti si comportavano con uguale scrupolo. Tenevano all'igiene, i torinesi. A qualunque ceto appartenessero. Poi, l'eleganza che li caratterizzava. Mai un abbigliamento sciatto o volgare, mai un indumento sdrucito o vistoso, mai un errore di gusto. Perfino le prostitute si vestivano con ricercatezza, e i popolani portavano sempre la giacca con la cravatta e i pantaloni a tubo e le scarpe di cuoio. Le popolane, addirittura il cappello e, di domenica, la borsetta con l'ombrellino. Del resto nemmeno in chiesa ti lasciavano entrare con abiti cenciosi o eccessivamente dimessi, e a teatro nemmeno in loggione ti lasciavano andare se non indossavi la toilette richiesta. Nei giardini reali che i Savoia aprivano da maggio a settembre, idem. A controllarti provvedevano due sentinelle col fucile e un vicario con la pistola. Poi, la buona creanza. Il garbo, la politesse. Sia nel linguaggio che nelle maniere erano molto educati, i torinesi. Molto gentili, molto devoti al galateo, e fin troppo cerimoniosi. «À votre disposition, Monsieur, Madame, je vous en prie. Vous servir est pour moi un honneur. A su' disposisiòn, Monsù, Madamin, per piasì. Servila a l'è dabùn un oner.» Di conseguenza non bestemmiavano mai, non dicevano mai parolacce, e se volevano inchiodarti con un giudizio duro ricorrevano a un innocuo vocabolo milanese: barabba. Poi, l'eccellente cibo. Perbacco, si mangiava bene e si beveva meglio, a Torino. Vini squisiti, pâté, tartufi, prelibatezze degne di Brillat-Savarin. E dolciumi raffinatissimi: la pasticceria superava la patîsserie di Parigi e la cioccolata era la migliore del mondo. (Chi li aveva inventati i gianduiotti, le praline, i cioccolatini al croccante, alla mandorla, alla nocciola, al cedro, al pistacchio, all'arancio, al cognac, al maraschino? Chi aveva perfezionato i biscotti e le caramelle, chi aveva ideato il bicerin cioè la bevanda a base di caffè e latte e cacao magari arricchito da uno spruzzo di liquore?). Infine, il fatto che chiunque potesse abitare dove voleva. Cosa straordinaria, ai bordi dell'incredibile, per una città tanto divisa dalle discriminazioni. Eh, no: a parte il ghetto degli ebrei, da essi stessi mantenuto e difeso per proteggere meglio le proprie leggi e i propri costumi, lì non esistevano zone riservate a un gruppo sociale o religioso. Cioè quartieri per i cattolici e quartieri per i valdesi, strade per la nobiltà e strade per la plebe, case pei ricchi e case pei poveri. Vivevano gomito a gomito. Ammenoché non si trattasse d'un palazzo occupato da un'unica famiglia e dalla sua servitù, come Palazzo Cavour, ogni edificio ospitava persone d'ogni tipo e pazienza se il miscuglio obbediva a regole precise. A pianterreno, i bottegai coi negozi o le famiglie del portiere e del cocchiere che s'occupava delle carrozze parcheggiate nel cortile. A mezzanino, i domestici. Al primo piano (ma spesso pure al secondo) il proprietario che di solito era un aristocratico o un borghese di lignaggio. A quello sopra, l'inquilino danaroso. A quello sopra ancora, diviso in due appartamenti, gli inquilini di mezza tacca. All'ultimo e cioè nelle soffitte, i pigionali poveri. A volte, è vero, i pigionali poveri e gli inquilini di mezza tacca passavan dal cortile, e usavano le scale di servizio. Il proprietario e l'inquilino danaroso passavano dall'ingresso principale e usavano la scala nobile. Nella maggior parte dei casi, però, si servivano tutti del medesimo ingresso e delle medesime scale. Di più: ogni inquilino poteva subaffittare una delle sue stanze e perfino appender l'avviso in cortile.

«Au quatrième étage, chambre à sous-louer.»

Stando alla voce bassa e triste, il racconto della nonna Giacoma, i Ferrier abitavano al quarto piano di via Dora Grossa 5: quasi all'angolo con piazza Castello, la piazza su cui sorge Palazzo Madama e si affaccia il Palazzo Reale, nonché a pochi blocchi da piazza San Carlo. Buon indirizzo, dunque, e non dimentichiamo che nel 1845 via Dora Grossa era proprio una bella strada. Abbondava di antiche chiese, storici edifici, e si distingueva per la sua raffinatezza. Niente botteghe di alimentari, ad esempio. Niente osterie o locande di bassa lega. Al posto di quelle, negozi di oreficeria e celebri caffè come il Cafè des Alpes o il Caffè Barone che a mezzogiorno diventava un restaurant frequentato da giudici e da avvocati. (Oggi via Dora Grossa si chiama via Garibaldi e coi segni della moderna volgarità si porta addosso gli osceni rifacimenti dovuti alle bombe della Seconda guerra mondiale). Era bella anche la casa posta al numero 5. Muri in pietra, balconi in ferro battuto, portone preziosamente intagliato e all'interno una scalinata di marmo che il proprietario cioè il marchese Cacherano d'Osasco lasciava usare a tutti. Loro inclusi. Lui infatti non li trattava da sudditi indesiderati, ospiti sgraditi. E il vicinato (al secondo piano un alto diplomatico dell'ambasciata di Francia, narrano gli archivi, al terzo il padrone d'una pasticceria e il direttore d'una scuola di danza, al quarto un orologiaio, all'ultimo una lavandaia e un pittore fallito) lo stesso. Sempre stando al racconto della nonna Giacoma, la tolleranza degli altri inquilini era tale che se di venerdì la domestica ad ore cuoceva la carne si limitavano a sussurrarle «Attention, bonne femme, si sente il profumo». Se cantando i salmi Thomàs li assordava non dicevano nulla. L'appartamento era grande: il doppio di quello dell'orologiaio che occupava due locali. Si componeva del vasto soggiorno dove la sera si leggeva la Bibbia e il *Livre de famille*, della cucina dove prima di mettersi a tavola si recitavano le preghiere di ringraziamento, d'un bagno con la vasca d'ottone, e di ben quattro camere da letto. Una per i due coniugi, una per la Tante Jacqueline, una per Marguerite, ed una che Thomàs subaffittava ai forestieri di passaggio. In particolare a quelli che avevan l'aria di nasconder qualcosa. Un passaporto fittizio, una missione segreta, un tacito bisogno di venir notati il meno possibile dalla polizia. Motivo di tale preferenza, doppiamente incauta nel caso d'un eretico cioè d'un individuo poco gradito alle autorità, il fatto che costoro pagassero senza ribellarsi cifre esagerate. Di solito ottanta lire al mese o venti lire la settimana, il prezzo d'un buon albergo nel centro. Dai polacchi, i cattolicissimi polacchi, pretendeva tuttavia di più. Né serviva a nulla che la Tante Jacqueline strillasse usuraio, usurier, vous-n'avez-pas-honte, non-ve-ne-vergognate. Rispondeva gelido che il Buondio non proibisce di sfruttare i nemici e, contagiata dalla sua avarizia, Judith lo spalleggiava. «Nous avons besoin d'argent pour la dot de notre fille, abbiamo bisogno di soldi per la dote di nostra figlia!» Fu così che una sera di mezz'agosto la domestica ad ore introdusse nel soggiorno dei Ferrier un bel giovanotto che parlava francese con accento slavo. Stanisław Gurowski o Rogowski o Zakowski, il mio trisnonno polacco. «Bonsoir Monsieur, Mesdames. C'est ici qu'on loue la chambre pour les étrangers, è qui che s'affitta la camera per i forestieri?» Bello, sì. Corpo lungo e magro d'una magrezza nervosa, barba e baffi e capelli biondi d'un biondo che ricordava il grano maturo, guance scavate, zigomi pronunciati (gli zigomi di Anastasìa), pupille celesti, labbra sensuali, nonché un'eleganza accompagnata da un goccio di alterigia. Ponendo la domanda batté i tacchi, abbozzò un inchino, e mentre ciò accadeva i suoi occhi incontrarono gli occhi di Marguerite che restituì lo sguardo come se avesse visto il suo Principe Azzurro.

5

Dico Gurowski o Rogowski o Zakowski perché la grafia esatta non la so. A chi ignora le lingue dell'Europa Orientale quei cognomi pieni di W, di K, di Z, di consonanti triple o quadruple, eufonie impronunciabili, sembrano tutti uguali. Del resto non ho neanche le prove che corrispondesse ad uno dei tre. Se viaggiava coi documenti falsi, può darsi benissimo che quello autentico fosse Pietkiewicz o Cymbryziekiewicz o Marzulewicz. Il primo nome, Władisław o Maksymilian o Leon. (Ipotesi che rende ogni ricerca impossibile, superflua, e comunque per me è sempre stato il trisnonno Stanislao e basta). Grazie alla voce bassa e triste so, in compenso, il poco che serve a capire la brevissima vita che vissi attraverso di lui e accanto al celebre Edward Dembowski. Apparteneva alla media nobiltà di Cracovia, raccontava la nonna Giacoma che aveva avuto questi particolari da Anastasìa alla quale li aveva trasmessi la Tante Jacqueline. La sua famiglia, composta dai genitori e da quattro sorelle, possedeva un piccolo fondo in Galizia e abitava in un palazzetto di via Floriańska dove la servitù includeva il maggiordomo e il cocchiere. Era un aristocratico abbastanza ricco, insomma. Un tipo che avrebbe potuto pigliarsela comoda facendo il signorino. Invece faceva il rivoluzionario con compiti di emissario cioè di agente segreto per la Resistenza. Perché non si trovava davvero in condizioni migliori dell'Italia, la Polonia. Nel 1772 Austria e Prussia e Russia avevano incominciato a smembrarla, divorarla, nel 1795 perfino la parola era scomparsa dalle carte geografiche, e soltanto durante il periodo napoleonico qualcuno aveva creduto che ci potesse tornare. Con Waterloo ogni speranza s'era spenta e nel 1815 il Congresso di Vienna aveva ribadito la spartizione. La zona sud, cioè la Galizia e la Lodomiria, all'Austria. La zona nord-ovest, cioè la Poznania, alla Prussia. La zona nord-est, cioè l'ex Granducato di Varsavia, alla Russia. E nell'antica città di Cracovia, 390 miglia quadrate e 95.000 abitanti, una Repubblica Indipendente che di indipendente non aveva un bel nulla. La controllavano i cosiddetti Sovrani Protettori, lo zar di Russia, il re di Prussia, l'imperatore d'Austria, e la sua esistenza costituiva un semplice strattagemma per impedire a ciascuno dei tre d'incorporarla nel proprio territorio. (Principale pretendente, l'Austria. Non a caso Mazzini sosteneva che la questione polacca era in rapporto diretto con la questione italiana, che quindi i patrioti italiani e polacchi dovevano battersi insieme, e nel 1834 s'era inserito nella Resistenza del paese fondando La Giovine Polonia: con La Giovine Italia, il maggior sostegno della Giovine Europa).

Se i genitori di Stanislao condividessero le sue idee, insomma se il patriottismo gli fosse stato insegnato da loro, la nonna Giacoma non lo diceva. Nel racconto tramandato dalla Tante Jacqueline l'unico dettaglio che li riguardasse era che il padre si chiamava Piotr, Pietro, e la madre Natzka. Diminutivo di Anastasìa. In ogni caso penso che della patria egli ne avesse sentito parlare fin da bambino. Ossia fin dal 1830 quando i cadetti della scuola militare di Varsavia avevano acceso una rivolta che era diventata una vera e propria guerra, che era durata quasi un anno, e che era stata perduta. Nel 1831 infatti i russi avevano riconquistato Varsavia, e a ciò era seguito un regime più oppressivo di prima. Fucilazioni in massa, deportazioni in Siberia, soppressione dell'esercito, bando della lingua polacca dalle scuole e dalle università e dai pubblici uffici, obbligo di parlare e scrivere in russo. Quanto alle zone prussiane e austriache, colpevoli d'aver inviato volontari agli insorti, il giro di vite era stato tremendo. Arresti, processi, espropri. E ovunque a migliaia avevano preso la via dell'esilio. Gli ufficiali che avevan combattuto la guerra, i generali come Chłopicki e Mierosławski e Charnowski che l'avevan diretta. I letterati come Mickiewicz e Slowacki e Krasiński che l'avevan cantata. I musicisti come Chopin, gli storici come Lelewel, gli aristocratici come Sua Altezza Czartoryski. I più erano emigrati a Parigi. Altri in Svizzera, in Belgio, in Inghilterra, in Toscana dove a quel tempo stava Aleksander Walewski, il figlio di Napoleone e di Maria Walewska. Però molti s'eran rifugiati a Cracovia, città che per la sua pseudoautonomia si prestava ad essere il centro ideologico della Resistenza. E v'erano rimasti anche quando, dal 1836 al 1841, essa era stata occupata dagli austriaci. Nel 1838 Stanislao aveva già quattordici anni. Nel 1841 ne aveva diciassette e studiava letteratura (europea) all'ateneo di Jagellonica, nido di ribelli che insieme al dominio dello straniero rifiutava l'arretratezza feudale della Polonia: da una parte l'aristocrazia che deteneva tutti i privilegi della ricchezza, dall'altra la plebe analfabeta che moriva di fame, e nel mezzo nulla fuorché qualche artigiano o qualche bottegaio. Credo dunque che proprio in quel periodo, all'ateneo di Jagellonica, Stanislao fosse diventato un rivoluzionario quindi un emissario. E la cosa mi commuove perché erano rivoluzionari molto speciali, gli emissari. Intelligenti e audaci. Eroi. Travestiti da contadini si recavano nei villaggi ad aizzare i servi della gleba, vestiti da signori andavano all'estero per portar lettere segrete, cercare soldi, sollecitare appoggi, tentar di riportare in patria gli esuli capaci di battersi, e non di rado finivano impiccati per spionaggio oppure assassinati nel buio. «Conoscete questo giovane, questo vecchio, questo vagabondo / questo zingaro, questo galiziano, questo lituano che appare e scompare / che oggi fa il marinaio a Danzica e domani il mercante a Budapest / oggi va a Poznań o a Wilno e domani a Londra o Istambul / oggi sta con un mendico, domani con un Papa, e / ovunque parla d'insurrezione? / Conoscete quest'uomo che si dedica in pieno agli ideali, al popolo, alla giustizia / questo cireneo che gira il mondo rinunciando alla moglie e ai figli e all'amore / questo martire il cui pane è la sofferenza condita d'angoscia e il cui estremo abbraccio è una corda al collo, la forca? / È l'emissario Edward Dembowski / che mentre muore ode le campane della libertà» canta il poeta Anczyc in una ballata composta per metterti le lacrime in gola.

Inoltre credo che a Torino ci fosse stato mandato da Dembowski. Perché agivano almeno tre partiti clandestini, a Cracovia. Quello conservatore di Czartoryski che dalla residenza di Parigi, il famoso Hôtel Lambert, faceva il buono e il cattivo tempo tra gli emigrati. Quello moderato di Lelewel che nel 1834 s'era fatto cacciare dalla Francia e da allora abitava a Bruxelles, dove teneva le fila della Giovine Polonia, e quello radicale di Dembowski cioè la Società Democratica Polacca. Ma escludo che Stanislao stesse con Czartoryski: irriducibile reazionario, già ministro degli Esteri a Pietroburgo quindi un ex lacchè dei russi, e non a torto accusato di mirare al trono rimasto vacante dopo la caduta di Poniatowski. Con qualche riserva escludo pure che stesse con Lelewel, ormai fustigato da tutti per la sua intesa con Mazzini. (Tanto a destra che a sinistra che al centro aveva perso troppo terreno, La Giovine Polonia. Mazzini lo giudicavano un mistico avulso dalla realtà, un generale senza soldati, un fanatico che non ne imbroccava mai una, e Lelewel ne pagava il fio). Specialmente dai coetanei o dai quasi coetanei, invece, Dembowski veniva considerato qualcosa di mezzo tra un santo e un genio. Nel 1845 aveva solo ventitré anni, capisci. Però da almeno cinque scriveva importantissimi libri di filosofia, spopolava tra gli intellettuali, e sebbene appartenesse anche lui a un casato aristocratico non si risparmiava davvero. Coi propri soldi, a Varsavia, aveva fondato il mensile «Przegtąd Naukowy» (Rivista Scientifica) che in pochi numeri era diventato l'organo del pensiero progressista e che per un pelo non gli era costato la Siberia. Sfuggito alla cattura aveva raggiunto Poznań dove s'era alleato con Walenty Stefański, capo della neo-Società dei Plebei cioè d'un partito più a sinistra della Società Democratica, e col suo amico Kamieński il Rosso. Un prete che al grido di Viva-la-Madonna sobillava i poveri delle campagne. Espulso da Poznań s'era messo a viaggiar per l'Europa, lottare nel modo descritto dalla ballata di Anczyc. Poi s'era trasferito in Galizia e dalla Galizia ora andava spesso nell'attigua Cracovia dove si sussurrava che da qualche tempo uno studente di via Floriańska lo sostituisse nei compiti di emissario. (Stanisław Gurowski o Rogowski o Zakowski o Pietkiewicz eccetera?). Bè, nell'estate del 1845 Stanislao aveva un ottimo motivo per sostituirlo nei compiti di emissario. Durante la primavera Stefański e Kamieński avevano annunciato di voler scagliare le masse contadine contro i padroni, e per impedire che al posto d'una guerra patriottica scoppiasse una guerra civile sia i conservatori che i moderati che i radicali avevan deciso l'insurrezione simultanea delle tre Polonie. Spinta da Dembowski la Società dei Plebei s'era unita a loro e sordi ai consigli di Mazzini, non-fatelo, è-troppo-presto, non-siete-pronti, tutti insieme avevan fissato una data così vicina da sfiorare il suicidio. Fine gennaio o metà febbraio del 1846. Peggio: coi tumulti prematuri, i litigi interni, il caos che n'era derivato, lo strano sodalizio aveva partorito molti pettegoli incapaci di mantenere il segreto. Stiamo-per-insorgere, stiamo-per-cacciar-l'invasore, all'inizio-dell'anno-prossimo-ne-vedremo-di-belle. Messe sull'avviso Austria e Russia e Prussia li aspettavano al varco ma la pentola bolliva, ormai, e gli insorgendi non potevan più tirarsi indietro. Meno che mai il responsabile dello strano sodalizio, e di conseguenza Dembowski aveva un disperato bisogno d'aiuto. In uomini, in denaro, in appoggi politici e diplomatici e militari...

Da Torino? Eh, sì. Se leggi i documenti dell'epoca, in particolare i ragguagli delle ambasciate, ti rendi subito conto che ai rivoluzionari polacchi il modesto regno dei Savoia offriva la sola speranza possibile. Credevano infatti che appena esplosa l'insurrezione a Varsavia e a Cracovia e a Poznań il Lombardo-Veneto si sarebbe sollevato, il Piemonte sarebbe corso a sostenerlo con l'esercito, e l'Austria si sarebbe trovata a combattere su due fronti. Non che amassero Carlo Alberto, intendiamoci. Per la Polonia non muoveva un dito, i pochi esuli che teneva li schiacciava con una sorveglianza spietata, e il suo assolutismo non corrispondeva certo agli ideali d'un Dembowski o d'uno Stefański o dello stesso Lelewel. Però nutriva un'intensa antipatia pei russi, non sopportava i prussiani, e pur avendo sposato una Asburgo-Lorena ce l'aveva a morte con gli austriaci. (Non eran stati gli austriaci chiamati dallo zio Carlo Felice a umiliarlo e costringerlo a lasciar la reggenza, nel 1821?). Li odiava a tal punto, lui filofrancese allevato in Francia e in francese uso a scrivere conversare pensare, oltretutto, che non sopportava nemmeno il suono d'una parola in tedesco. «C'est la langue barbare d'un peuple barbare.» E di sua moglie ad ogni pretesto diceva: «Elle ne connaît pas l'allemand. Elle est Florentine». Inoltre possedeva forze armate efficienti, in grado di fronteggiare Radetzky, e odio a parte era l'unico sovrano d'Italia che avesse un vantaggio a impiegarle in una guerra con l'Austria. Non lo capivi al volo che intervenendo nel Lombardo-Veneto i Savoia avrebbero potuto espandersi al di là del Piemonte, della Liguria, della Sardegna, nonché assumere la guida del movimento indipendentista-unitario, e domani ficcarsi in testa la corona d'Italia? Quasi ciò non bastasse, a Torino vivevano i generosi liberali che stavan dalla parte degli oppressi, che nonostante tutto mettevan le pulci negli orecchi di Sua Maestà. E sul particolare che Stanislao fosse venuto per portare qualche lettera a loro, sollecitar da loro gli appoggi di cui a Cracovia e a Varsavia e a Poznań c'era bisogno, non ho dubbi. Quando si parlava del trisnonno polacco, in famiglia, il discorso cadeva sempre su Silvio Pellico o Cesare Balbo o Roberto e Massimo d'Azeglio o Lorenzo Valerio. Cosa che mi inorgogliva moltissimo in quanto di Pellico, a scuola, si studiavan *Le mie prigioni* e di Massimo d'Azeglio *I miei ricordi*. Di Balbo, è vero, non si studiava nulla e a Valerio non si alludeva neanche. Tuttavia del primo mio padre aveva un libro dal titolo *Pensieri ed esempi* e del secondo un numero del giornale «Letture Popolari». Ergo, sul fatale viaggio a cui devo un anello della infinita catena che mi ha messo al mondo rimane da chiedersi solo perché, con tanti torinesi che affittavan la camera agli stranieri di passaggio, l'emissario Gurowski o Rogowski o Zakowski fosse capitato proprio in casa d'un calvinista che i cattolicissimi polacchi li detestava fino a taglieggiarli. O, meglio, d'un uomo che aveva una figlia quasi in età da marito.

Ma voler rispondere a un simile interrogativo sarebbe come voler capire perché il 25 agosto del 1773, a Firenze, un certo Masi del Ponte a Rifredi era passato proprio da piazza Signoria. Con la storia delle stelle che in Virginia cadono sulla testa dei contadini aveva fatto scappare il gruppo reclutato da Filippo Mazzei e allora Carlo aveva atteso invano sotto la Loggia de' Lanzi. Invece d'andare in America e sposare un'americana, era tornato a Vitigliano di Sotto e aveva sposato Caterina. Sarebbe anche come voler capire perché, con tante navi che partivano da Barcellona, Montserrat s'era imbarcata proprio sul veliero di cui Francesco era nostromo. O perché Giovanni aveva dovuto recarsi dai carbonari di Lucca proprio il giorno in cui a Lucca sua cognata Teresa doveva provare alla cliente il vestito con le maniche a gigot. O perché Mariarosa era finita proprio in casa di Giobatta. Perché, prima e dopo, gli altri miei genitori cioè gli altri anelli della catena infinita s'erano trovati o si sarebbero trovati. E con ciò rieccomi in via Dora Grossa dove il bel giovanotto che parla francese con accento slavo ha affittato la chambre-pour-les-étrangers. Cento lire al mese, dato che il passaporto lo definisce polacco dunque cattolico, più un sovrapprezzo di dieci lire la settimana per il petit déjeuner e le eventuali cene da consumare con la famiglia Ferrier nonché recitando ogni volta i salmi propiziatori. Il punto tuttavia non è questo. È che nel momento in cui i suoi occhi hanno incontrato quelli di Marguerite e lei ha restituito lo sguardo nel modo che sappiamo è successo qualcosa che con l'insurrezione della Polonia, i russi, i prussiani, gli austriaci, i piemontesi, i valdesi, i Savoia, il papa, Calvino, la libertà, la giustizia, la patria, non c'entra per niente. È scoppiato il sentimento misterioso, inspiegabile, imprevedibile, incontrollabile, cieco, e spesso inopportuno, che chiamiamo Amore. In un baleno si sono innamorati, perbacco.

* * *

«Unissons-nous pour bénir notre Père dont la bonté ne nous laisse jamais, uniamoci per benedire il Padre la cui bontà non ci abbandona mai.» Occhiata... «Ouvrant sa main Il verse sur la terre mille trésors qui comblent nos souhaits, aprendo la Sua mano Egli versa sulla terra mille tesori che appagan le nostre necessità.» Occhiata... «C'est à toi Père de notre grâce que nous devons chacun de nos repas, è a te Padre di nostra grazia che dobbiamo ogni nostro pasto.» Occhiata...

Suppongo che all'inizio il misterioso sentimento l'abbiano espresso così, quando si vedevano al petit-déjeuner e a cena, o scambiando un saluto quando si incrociavano nel corridoio. «Bonjour, Monsieur.» «Bonsoir, Mademoiselle.» A quel tempo gli innamorati non si comportavano con la brutale disinvoltura d'oggi. Non si possedevano in quattro e quattr'otto contro il muro o dietro la porta. Un bacio era un'audacia sconvolgente e compromettente, il sesso un traguardo prezioso, e l'amore si sapeva rivelare anche senza toccarsi. Inoltre non credo che un tipo come Stanislao e una ragazzina come Marguerite potessero superare con facilità gli ostacoli che si opponevano a un idillio meno platonico. Nel caso di lei, l'ostacolo che nasceva dall'intransigenza spietata di Thomàs e Judith nonché dalla tenera custodia della Tante Jacqueline. Nel caso di lui, dalla missione che era venuto a compiere e dalle delusioni che essa imponeva. Erano persone serie, gli agenti segreti del Risorgimento: l'incarico assegnatogli lo affrontavano con lo scrupolo d'un soldato. Ma questo non bastava ad eseguirlo con successo, e penso che nelle prime settimane l'emissario Gurowski o Rogowski o Zakowski avesse ben altro da fare che sedurre la piccola valdese. Sopportar le delusioni di questo viaggio, ad esempio. Giorno e notte lo vedo con gli esuli residenti a Torino, quasi tutti ufficiali dell'estinto esercito polacco cioè individui che di rivolta in armi se ne intendono parecchio. In uno scantinato di via Porta Nuova, riferiscono i rapporti della Questura custoditi all'Archivio di Stato, ci sta l'accordatore di pianoforti Lev Ospeziewski che nel 1830, a Varsavia, era luogotenente del Quarto fanteria. In una soffitta di via Po, il tappezziere Karol Froziński che nel 1831 era un volontario di Cracovia e partecipò alla battaglia di Ostrołeka. In un misero alloggio di via Emanuele Filiberto stanno Józef Kiaruwski, Florian Popowski, Leon Dewnerowski: tre facchini che, da ufficiali di cavalleria, nella stessa battaglia tennero a bada orde di cosacchi. Di nascosto alle cinque polizie, a volte si riuniscono in assemblee per scambiarsi le notizie e sognare vendette o riscatti. Sicché Dembowski li vorrebbe in patria per rimettergli il fucile in spalla, sfruttarne la sapienza militare. Il guaio è che vennero qui oltre due lustri fa e alcuni si sono creati una famiglia, altri hanno messo su pancia. Allo squallore della rinuncia sono rassegnati, piegati, e non sarà facile convincerli: riportarli indietro.

Lo vedo anche a Palazzo Barolo cioè con Silvio Pellico che nel 1845 ha cinquantasei anni ed è un'icona venerata da tutti. Una leggenda nota perfino in America, un intoccabile mito al quale i turisti rendono omaggio col cappello in mano. Il guaio è che gli eroi non durano. Se non muoiono, metton su pancia come i fuorusciti. E dopo aver scritto il famoso libro l'ex prigioniero dello Spielberg s'è trasformato in un bacchettone pavido e spento, un omino al quale preme solo servir la Chiesa ed esser degno della marchesa Giulia. Due anni fa, per esempio, ha rotto l'amicizia con Vincenzo Gioberti che dall'esilio gli aveva dedicato il *Primato morale e civile degli Italiani*: in un articolo assai applaudito dall'arcivescovo ha preso le difese dei gesuiti a cui Gioberti vorrebbe togliere il potere. Caro-Vincenzo, la-tua-dedica-io-la-respingo. Il quasi im-

516

berbe visitatore che viene da Cracovia e gli porta la lettera d'un sovversivo lo riceve dunque di malavoglia, per pura cortesia. Dominando il fastidio lo introduce in camera sua, una stanza buia e spartana, stigmatizzata da un austero inginocchiatoio, e qui inforca gli occhiali. In fretta legge ciò che preferirebbe ignorare. Poi esala una vocina che sembra il pigolìo d'un passero moribondo e commenta: «Jeune homme, la politique ne m'intéresse plus». Stanislao se ne va a capo chino, sconfitto. Lo vedo anche in corso San Maurizio, a casa di Lorenzo Valerio che graziaddio si comporta in modo completamente diverso. Ha trentacinque anni, Valerio, una bella testa di leone arrabbiato e un coraggio pari alla sua elevatezza d'animo. Per di più prima di far l'industriale, possedere il setificio che lo ha reso ricco, è stato a lungo nei paesi slavi. I polacchi li conosce bene, sa addirittura che si accingono a scatenare la nuova rivolta, e il jeune-homme lo accoglie a braccia aperte. Ruggendo festosi venez-venez lo spinge in una stanza piena di luce, di volumi proibiti, di giornali mal sopportati. E sul tavolo rischiarato da due lampade a gas (il gas non ce l'ha ancora nessuno in Piemonte) un teschio che mostra sghignazzando: «Amo illudermi che sia quello di Metternich. Ma se fosse quello dello Zar andrebbe bene lo stesso». La lettera di Dembowski lui la legge con attenzione, entusiasmo, e dopo averla letta gli dice che contribuirà con una forte somma di denaro. Il denaro per comprare le armi a Istambul e attraverso il Mar Nero poi i boschi della Moldavia introdurle in Galizia. Al suo neoprotetto dice pure che lo presenterà a Cesare Balbo e ai fratelli D'Azeglio. In particolare a Massimo che non la pensa affatto come Pellico, vuole darsi alla politica, ed è ascoltato dal sovrano. Massimo non abita a Torino, città che definisce un-posto-per-creparci-di-sbadigli. Con la scusa di scrivere e dipingere, in realtà per seguire gli eventi, sta sempre a zonzo per l'Italia. E attualmente si trova a Roma dove Gregorio XVI ha un piede nella tomba e presto si eleggerà un nuovo papa. Però in settembre verrà a restaurare certi quadri di Palazzo Reale, vedrà Carlo Alberto, e nei suoi orecchi metterà un'ennesima pulce. La pulce della Polonia, del Lombardo-Veneto, della guerra all'Austria. N'est-ce pas? Così lo vedo anche portar la lettera a Cesare Balbo e prepararsi all'incontro col prezioso Massimo d'Azeglio. Incarichi troppo importanti, troppo delicati, per consentirgli un rapporto amoroso che andasse al di là delle occhiate durante le cene e i petits déjeuners. E tuttavia, tuttavia, quella platonica fase non durò a lungo. Perché la chambre-pour-les-étrangers era tra la camera di Marguerite e la camera della Tante Jacqueline, non accanto a quella di Thomàs e Judith. Perché la Tante Jacqueline aveva il cuore morbido e il sonno duro. Cioè non si opponeva all'idillio della nipote, non la custodiva per niente. E perché alla fine d'ottobre Marguerite sapeva già d'aspettare un figlio.

«J'attends un enfant, mon amour.»

Mi vengono i brividi, a raccontarmelo. E coi brividi una specie di rancore per Stanislao: indispensabile anello della catena infinita, sì, ma altro che cireneo costretto a vivere senza affetti! Altro che martire il cui estremo abbraccio è una corda al collo, la forca! Chi è la vittima, qui: il bel giovanotto che morirà tra sei mesi o la ragazzina che tra otto o nove partorirà? Incinta a sedici anni, mioddio. E da nubile, da eretica esposta alle crudeltà d'un padre cerbero e della Curia? Che le crisi di malinconia in cui bambina cadevo nella cappella valdese di Firenze non venissero dal nudo stanzone arredato solo con la gran croce e le panche pei fedeli bensì dal ricordo di quando ero rimasta incinta a sedici anni ed essendo nubile, essendo eretica? Di sposare il responsabile, infatti, neanche a parlarne. Anche se non fosse stato uno straniero di passaggio, un agente segreto che quasi certamente viaggiava col passaporto falso, qualsiasi prete e qualsiasi pastore evangelico si sarebbe rifiutato di celebrare il matrimonio tra un cattolico e una calvinista. Un'eretica. Era contro la legge. Era inammissibile, inconcepibile, impossibile. Per gli uni e per gli altri. Su quel punto perfino i liberali più liberali si dimostravano intransigenti. Costanza d'Azeglio, l'intelligentissima Costanza che condannava la crinolina protestando ma-questa-è-l'epoca-del-treno, bisogna-essere-moderni, non permetteva e non avrebbe mai permesso che suo figlio Emanuele sposasse una protestante. Il poverino era un diplomatico, e questo lo conduceva in città protestanti come Monaco o l'Aja o Londra. Qui si innamorava regolarmente della luterana o dell'anglicana o della metodista o della calvinista, e quando scriveva Maman-je-veux-la-marier, voglio-sposarla, Maman rispondeva picche. «Mon cher fils, il me coûte de devoir contrarier tes idées. Caro figlio, mi pesa contrariare le tue idee.» Oppure: «Mon cher fils, tu n'as pas rencontré celle qui t'est destinée. Non hai incontrato quella che t'è destinata». E nel 1856: «Que dans toute l'orbe catholique il n'y ait pas une femme qui te convienne, cela me semble bien fort. Che in tutto il mondo cattolico non vi sia una donna conveniente per te mi sembra davvero grave». Infatti il docile Emanuele non si sarebbe sposato mai: quel ramo dei D'Azeglio si sarebbe estinto con lui. E Thomàs la pensava come Costanza. Quanto all'aborto, per carità. A quel tempo l'aborto veniva eseguito con mezzi rozzi da rozze mammane che nove volte su dieci ti spedivano al cimitero, e in quei casi le donne preferivano assoggettarsi alla gravidanza poi tenersi-il-frutto-della-colpa o abbandonarlo in un orfanotrofio. Ma per una valdese, si sa, ciò significava subire il calvario di Anne Catalin e Marie Barboux vedova Fontana. O-abiuri-e-accetti-d'allevar-tuo-figlio-nel-cattolicesimo-o-te-lo-portiamo-via. Non era cambiata una virgola dopo la tragedia di quelle due povere donne. Semmai la caccia alle peccatrici eretiche ed incinte s'era intensificata: a Pinerolo l'Ospizio dei Catecumeni traboccava di bambini sottratti alle ragazze-madri.

La frase j'attends-un-enfant-mon-amour fu pronunciata da Marguerite la settimana in cui Stanislao comprese che la sua missione era praticamente fallita. Se escludi il denaro fornito da Valerio, nessun progetto aveva funzionato. Era fallito infatti l'arruolamento dei fuorusciti residenti a Torino, e soprattutto quello dei cinque ex ufficiali a cui mirava Dembowski. Forse resi perplessi dalla giovinezza dell'interlocutore, nonostante le giornate e le nottate trascorse a discutere sia Ospeziewski che Froziński che Kiaruwski che Popowski e Dewnerowski avevan finito per dire no. «Tengo moglie, tengo famiglia, e non ho voglia di crepare.» Gli ex insorti da cui era andato dopo di loro, lo stesso. «Mi sento stanco, mi sento vecchio, preferisco rimanere qui.» L'incontro con Cesare Balbo, l'uomo che più di chiunque capiva quanto le vicende in apparenza estranee alla realtà italiana influissero sulla lotta risorgimentale, era servito a ben poco. Da gran signore, Balbo aveva ricevuto con grazia il giovane protetto di Valerio. Aveva esaminato con simpatia la lettera di Dembowski. Ma poi s'era limitato a concludere ciò che aveva già concluso con l'emissario parigino del principe Czartoryski: «Perché il Lombardo-Veneto si sollevi, bisogna che accada qualcosa in Italia. E perché il nostro sovrano intervenga bisogna che un altro intervenga prima di lui». (Analisi esatta, visto che a Milano e a Venezia il Quarantotto sarebbe esploso dopo le sommosse di Palermo e Napoli anzi in seguito alle speranze suscitate da Pio IX. Profezia impressionante, visto che il Piemonte avrebbe dichiarato guerra all'Austria ventiquattr'ore dopo la Toscana). Quanto a Massimo d'Azeglio, a Torino c'era arrivato in ottobre e aveva avuto il colloquio con Carlo Alberto. Un colloquio durante il quale gli aveva portato le suppliche dei patrioti italiani e, sia pure indirettamente, di quelli polacchi. «Maestà, sono persuasi che privi di forze armate non si possa agire, che in Italia le forze armate ci siano solo in Piemonte, e che neppure queste abbian modo di intervenire se l'Europa mantiene il suo ordine attuale.» Discorso al quale, lasciandolo di stucco, Carlo Alberto aveva risposto: «Faccia sapere a quei signori che devono star quieti, non muoversi. Pour le moment il n'y a rien à faire, non c'è niente da fare. Siano certi però che presentandosi l'occasione la mia vita, la vita dei miei figli, il mio esercito, le mie ricchezze, qualsiasi cosa possegga sarà speso per la causa italiana». Ergo, e belle parole a parte, per ora non esistevano intenti bellici. E quando Massimo d'Azeglio ne aveva informato gli interessati, sull'emissario Gurowski o Rogowski o Zakowski era caduta anche questa doccia fredda.

«Il re è con voi, ma oggi come oggi sul suo aiuto non potete contare.»

La consapevolezza d'aver praticamente fallito coincise con l'immediato ritorno in Polonia. La data scelta per l'insurrezione si avvicinava a gran passi, grazie al dono di Valerio si poteva risolvere almeno il problema delle armi, ed oltre a non durare gli eroi sono sempre egoisti. Agli ideali per cui si battono danno proprio tutto fino all'ultimo respiro. Ai singoli individui e in particolare alla persona che li ama, per esempio la sedicenne che hanno messo incinta, non danno un bel nulla. Peggio: la persona che li ama la coinvolgono nel loro sacrificio, la trascinano nel loro martirio, e spesso la distruggono. Senza pietà, senza rimorsi. Non se la possono permettere la pietà, capisci. Non se li possono permettere i rimorsi. Se ci rifletti bene, non posson permettersi neanche l'amore: guinzaglio dei guinzagli, freno dei freni. (Infatti non sono pronta a giurare che quello di Stanislao fosse davvero amore. Forse era solo voglia di amare in un letto, ansia di scordare i tormenti e godersi l'ingenua ragazzina che lo guardava come un Principe Azzurro). Saper che Marguerite custodiva nel ventre un bambino non lo distrasse dunque dai suoi programmi, i suoi doveri di eroe. Non gli fece rinviar la partenza, non lo indusse a cercare un qualsiasi rimedio, e tantomeno lo spinse ad affrontare Thomàs: subirne i fulmini e in compenso impedire il castigo della peccatrice. «Io sono stato pazzo, Monsieur, però guai a voi se la condannate, se la maltrattate.» Si limitò a giurarle che un giorno l'avrebbe condotta col figlio a Cracovia dove i cattolici potevan sposare le protestanti e che lì avrebbero vissuto felici nel palazzetto di via Floriańska. Poi l'affidò alla zia, soyez-une-mère-pour-elle, siate-una-madre-per-lei, e lasciò via Dora Grossa 5 con queste parole.

«Se nasce maschio, chiamalo Piotr: Pietro. Se nasce femmina, chiamala Natzka: Anastasìa. Sono i nomi dei miei genitori. Attends-moi, je reviendrai. Aspettami, tornerò.»

Invece non tornò mai più. E ciò che segue è la storia di come morì. La si deve alla Tante Jacqueline che nel 1849 la ebbe da un polacco venuto in Italia per aggregarsi all'esercito piemontese e partecipare alla prima guerra d'Indipendenza.

* * *

Da Torino andò a Genova e salì su una nave diretta a Istambul. Qui sbarcò a metà novembre e comprò le armi da portare in Galizia attraverso il Mar Nero poi i boschi della Moldavia. Faticosissima impresa che realizzò con alcuni rivoluzionari turchi, prima nascondendo le casse dei fucili e delle cartucce su un mercantile in rotta per Odessa poi caricandole sul dorso di dodici muli, e che in Moldavia divenne un calvario per via dei cosacchi che pattugliavano i sentieri. A Cracovia ci giunse all'inizio dell'anno nuovo, appena in tempo per assistere al meeting che il 12 gennaio i tre comandanti dell'ormai prossima insurrezione tennero nella sacrestia della cattedrale. (Per la Polonia austriaca, Edward Dembowski. Per la Polonia russa, Bronisław Dąbrowski: figlio del Dąbrowski che nel periodo napoleonico aveva fondato la Legione Polacca. Per la Polonia prussiana, Ludwik Mierosławski: uno dei generali che nel 1831, dopo la caduta di Varsavia, erano emigrati a Parigi con Czartoryski). Ci giunse anche in tempo per capire che le cose si mettevano male: mentre lui viaggiava con le armi da portare in Galizia, la polizia di Poznań aveva arrestato Stefański e Kamieński nonché tre quarti degli aderenti alla Società dei Plebei. E questo costituiva un dramma perché Stefański e Kamieński erano i soli in grado di gestire la servitù della gleba, inserirla nella lotta. Senza di loro gli insorti rischiavano di trovarsi contro le masse contadine che ai nobili e non agli invasori attribuivano l'intera responsabilità delle proprie miserie. Eccitati dalla presenza di Dembowski, inoltre, a Cracovia gli studenti coinvolti nei preparativi avevan perso ogni ritegno e in città tutti sapevano tutto. Meglio di chiunque lo sapeva Klemens von Metternich che presto avrebbe scritto all'imperatore: «Maestà, dai primi di gennaio v'è un fosco moto sovversivo tra i giovani delle distinte famiglie di Cracovia. I cittadini dabbene non escono di casa per timore degli attentati, le autorità sono intimorite dalle minacce che apertamente ricevono, e sembra che la rivolta debba scoppiare a Carnevale. I giovani delle distinte famiglie hanno ricevuto l'ordine di tenersi pronti per il 18 febbraio. Ho quindi incaricato il generale Collin capo delle forze imperiali a Podgórze, la città dirimpetto a Cracovia, d'accingersi a entrare nella Repubblica Indipendente prima che gli straripamenti invernali del fiume Vistola ci impediscan di spostare le truppe...». E al suo Stato Maggiore avrebbe detto: «Piuttosto che Collin bisogna usare i contadini. Odiano a morte i nobili, i padroni, e contro di loro si scateneranno con maggior forza dei nostri soldati. Ciò costerà almeno tre giorni di sangue ma con tre giorni di sangue ci assicureremo cent'anni di pace». Che l'insurrezione fosse destinata a fallire lo si vide subito dopo, del resto. Il 14 febbraio, infatti, i prussiani catturarono Mierosławski che non resse all'interrogatorio e spifferò ogni dettaglio della congiura. Chi ne faceva parte dovette arrendersi, anche a Varsavia la Società Democratica annullò il piano stabilito. Incurante delle glorie paterne Bronisław Dąbrowski se la dette a gambe e dal caos che ne seguì emerse un gruppo di partigiani che per riscattarne la figuraccia commisero un grave errore: attaccare i russi nella superfortificata città di Siedlce dove vennero sgominati, messi in catene, e consegnati alla Corte Marziale. (Il loro capitano, Pantaleon Potocki, sarebbe stato impiccato lì a Siedlce. I luogotenenti Zarski e Kociszewski, a Varsavia. Cinque dei condannati all'ergastolo sarebbero morti nel giro di pochi mesi in Siberia). A tentar la rivolta che doveva svolgersi simultaneamente nelle tre Polonie non rimase dunque che la Galizia con Cracovia, cioè la zona al comando di Edward Dembowski. E Dembowski non si tirò indietro, no. Puntualissimi, il 18 febbraio i suoi uomini assaltarono Pilsno e bloccaron le truppe di Collin a Podgórze. Il fatto è che l'ordine di Metternich, piuttosto-che-Collin-bisogna-usare-i-contadini, era stato eseguito a puntino da collaborazionisti che per settimane avevan battuto i villaggi predicando: «Sturatevi gli orecchi, minchioni. I nobili vogliono mandar via gli austriaci per raddoppiare la vostra schiavitù e aumentarvi le tasse». Armati di falci e coltelli e marre gli ex discepoli di Stefański circondaron gli insorti coi carri tirati dai bovi, e non servì a nulla parlarci: illustrargli i concetti di giustizia e di libertà, ripetergli noi-lottiamo-per-voi. In risposta levaron le falci, i coltelli, le marre, ed uno ad uno ne sgozzarono centoquarantasei.

Quindi li mutilarono fino a renderli irriconoscibili: via il naso, via le braccia, via le gambe, via il pene e i testicoli. Li buttarono sui carri tirati dai bovi e li portarono al commissario di Tarnów, barone von Wallersten, che ordinò al suo tirapiedi cioè al colonnello Benedek di compensarli con 1460 gulden d'argento. Dieci gulden a morto. Peggio: infastidito dalla pila dei cadaveri, Benedek gli disse che non dovevano scomodarsi a trascinare fin lì i corpi interi. La testa mozza era sufficiente e per le teste mozze, in futuro, gli avrebbe dato la medesima somma. Quarantotto ore dopo Collin mandò le truppe a Cracovia. Due reggimenti in assetto di guerra. Ma chissà perché, forse per un ennesimo e infernale calcolo di Metternich, vi rimase solo un giorno e una notte. All'alba del 21 febbraio raccattò i residenti stranieri e i funzionari statali, con loro ripassò la Vistola, e lasciò la città nelle mani dei rivoluzionari. Cosa in seguito alla quale Dembowski, il geniale ma immaturo Dembowski, firmò la sua morte. E quella di Stanislao.

La firmò con l'inetto governo che improvvisò ed affidò a un oscuro avvocato (Jan Tyssowski) il quale pretese subito la qualifica di dittatore e come tale si mise subito a far prepotenze, sciocchezze. La firmò con l'incendiario quanto inutile appello che rivolse alle altre due Polonie ormai domate dai russi e dai prussiani, quindi insensibili alla retorica delle parole. «Polacchi, l'ora della rivolta è suonata! Dalla tomba le ceneri dei nostri padri invocan vendetta, dalla culla i vagiti dei nostri neonati domandan la patria voluta da Dio! Siamo venti milioni, fratelli. Combattiamo uniti e nessuna forza al mondo ci schiaccerà.» La firmò col manifesto che diffuse per fissare il suo irrealistico e ingenuo programma: abolizione delle classi sociali e della proprietà privata, consegna della terra a chi la coltivava, perdono ai contadini che in Galizia avevan commesso e continuavano a commettere eccidi. A sgozzare, a strozzare, a tagliar nasi e braccia e gambe e soprattutto teste da vendere a Benedek. A quel punto, infatti, non si limitavan più a massacrar gli insorti che volevano dargli la terra. Per i dieci gulden eliminavan chiunque fosse vestito bene o andasse in carrozza o abitasse in una casa comoda e apparisse nutrito. Giovani, vecchi, donne, bambini. Lattanti inclusi. In molte borgate e cittadine le strade erano letteralmente zeppe di corpi mutilati e decapitati. Nel giro d'una settimana avevano trucidato duemila persone, i boia. A Dęmbica avevan lasciato vivi solo tre abitanti. E questo non include le ville o i castelli (quattrocento) che con la scusa di cercar le armi avevano saccheggiato poi demolito fino alle fondamenta, bruciato, sebbene contenessero opere d'arte preziose. Affreschi secolari, dipinti da museo. Eppure Dembowski li perdonava. In un battito di ciglia, tout court. Con la cecità (o la faziosità) degli idealisti che le infamie le vedono sempre da una parte e basta, sicché son sempre pronti a condannare chi le ordina e mai chi le esegue, chi comanda e mai chi ubbidisce, anziché boia li considerava innocenti. Meri strumenti degli austriaci e quindi fratelli da assolvere, da redimere. Per sottolineare questa sua certezza, sul barone von Wallersten mise addirittura una taglia che moltiplicava per mille il premio dei dieci gulden d'argento. «Io sottoscritto Edward Dembowski pongo una taglia di 10.000 gulden d'oro sul commissario del Distretto di Tarnów e sul mio onore giuro di pagare tale cifra in contanti a chiunque me lo consegni vivo o morto.» Ma nessuno lo prese sul serio. Agli occhi dei contadini l'empio von Wallersten era un benefattore, un amico, e allora il 27 febbraio egli decise d'andare ad affrontarli. Mettersi alla guida d'un corteo composto di pie donne, preti, individui pacifici, e con esso uscire dalla città. Recarsi nelle campagne della Galizia, spiegargli che avevano torto.

«Voglio gente disarmata. E guai se qualcuno lancia una pietra o una minaccia.»

Stando al polacco che nel 1849 venne in Italia per partecipare alla prima guerra d'Indipendenza e raccontò tutto alla Tante Jacqueline, Stanislao non esitò un istante a seguirlo. Dal giorno in cui era rientrato a Cracovia gli era rimasto sempre accanto come un cane fedele, e come un cane fedele lo accompagnò nell'ultima follia. Insieme a lui che levava la bandiera bianca e rossa della Polonia aprì il corteo. Cinquecento agnelli che portando crocifissi, ceri, ostensori, immagini della Madonna salmodiavano l'Ave Maria. Insieme a lui che con la bandiera li conduceva, uscì dalla città. Attraversò il ponte, si diresse verso il più vicino villaggio. E mentre lo guardo avanzare col suo corpo lungo e nervoso, i suoi capelli biondi, i suoi baffi biondi, la sua barba bionda, la sua eleganza accompagnata da un goccio d'alterigia, mi chiedo a che cosa pensasse durante la marcia insensata. Alla patria, alla giustizia, alla libertà, i bei sogni che se raggiunti finiscon traditi dall'umana cretineria o cattiveria, oppure alla piccola valdese che in via Dora Grossa 5 s'era portato a letto spero per amore? Alla trappola della parola Popolo, alla ciurma che secondo gli idealisti non ha colpa e va assolta anche nei casi in cui sgozza o decapita per un tanto a testa, oppure al figlio (la figlia) che la piccola valdese teneva in grembo? Mah! Forse per le scarse notizie che ho su questo trisnonno d'un paese a me non familiare, o forse per il distacco che ormai provo verso gli eroi, non riesco a penetrarne l'anima. Non riesco a frugare bene nella memoria di ciò che pensavo, che sentivo, che ero, quand'ero Stanislao anzi Stanisław Gurowski o Rogowski o Zakowski. E ogni volta che cerco di ricordare quella mia morte rammento solo la consapevolezza d'aver vissuto troppo alla svelta, d'esser durato troppo poco. Degli altri e del paesaggio che mi circondava rammento molte cose, al contrario. Il cielo grigio, gli alberi nudi, la Vistola così gelata da sembrare un interminabile nastro di ghiaccio. La pianura coperta di neve, il corteo che nella neve camminava lentissimamente e quasi in fila indiana. Le voci che alle mie spalle ripetevan monotone Ave-Maria-piena-di-grazia, sia-benedetto-il-tuo-nome-e-il-frutto-del-tuo-ventre. Un bambino che piangeva mamma-torniamo-a-casa-mamma, un vecchio che mugolava ho-freddo-fa-freddo, e all'orizzonte qualcosa o qualcuno che ci aspettava. I contadini? Credevano che fossero i contadini. Invece erano due squadroni di ussari e una compagnia di fanti. Gli austriaci avvertiti da loro. Ben dritti in sella, gli ussari, e con la sciabola già in pugno. Accovacciati sulla neve, i fanti, e col fucile già puntato. Per intimorirci, rimandarci indietro? «Andate avanti, non vi fermate, così vedono che siamo inermi, indifesi!» gridò Dembowski. Continuammo e dato che ci precedeva, che era il più esposto, il più distinguibile, il primo a morire fu lui. Si prese una pallottola in cuore, povero Edward. Cadde stecchito con la bandiera. Il secondo fui io che raccolta la bandiera continuavo la marcia, gridavo per suo conto andate-avanti-non-vi-fermate. Perché appena i fanti smisero di sparare e i cavalli degli ussari ci vennero incontro al galoppo, un tenente con la sciabola sguainata mi piombò addosso e mi tagliò di netto la testa.

Trofeo che qualche ora dopo un individuo cencioso, coi piedi fasciati di stracci e l'aria affamata, raccolse. E che in malafede consegnò a Benedek il quale, sospettando l'imbroglio, gli dette solo cinque gulden di rame.

6

«Je viens d'une famille honorable, moi! Vengo da una famiglia onorata, iooo!»
    «Oui, papà...»
    «Le mien aussi est un nom honorable! Anche il mio è un nome onoratooo!»

«Oui, maman...»

«Et ce ne sera pas une dévergondée de ton espèce à nous déshonorer, e non sarà una svergognata del tuo tipo a disonorarciii!»

«Oui, papà... Oui, maman...»

Fu proprio alla fine di febbraio, quando Stanislao stava per morire o moriva sulla pianura coperta di neve dove la sua testa sarebbe stata raccolta e venduta per cinque gulden di rame, che i coniugi Ferrier processaron la figlia. Fino al quarto mese, infatti, la gravidanza di Marguerite era trascorsa quasi inosservata. Il suo ventre era cresciuto in rapporto al corpo esile cioè in modo poco evidente, e per nasconderne la lieve gonfiezza c'era le tablier vaudois. Il grembiule valdese.

C'era la pèlerine vaudoise, lo scialle valdese, e la sagacia della Tante Jacqueline che non sapendo a qual santo votarsi cercava di deviare i sospetti. «Et bien, elle engraisse. Tant mieux. Ebbene, ingrassa. Tanto meglio.» Al quinto mese, però, la storia dell'ingrassamento non resse più. Judith capì la verità, e il dramma esplose. Dramma? Chi vive nel Duemila, anzi nelle sconfinate e sgomentevoli licenze del Duemila, non può immaginare che cosa significasse nell'Ottocento (ma anche nel Novecento) la gravidanza d'una donna nubile, la nascita d'un cosiddetto figlio illegittimo. Significava il peccato dei peccati, lo scandalo degli scandali, la vergogna delle vergogne, il disonore dei disonori. L'etica disinvolta del Settecento illuminista e la spigliatezza sessuale del periodo napoleonico avevano ceduto il passo alle ipocrisie retrograde della Restaurazione, e neanche le idee innovatrici dei moti risorgimentali erano riuscite o sarebbero riuscite a scalfirne gli effetti. Trionfava il moralismo puritano della regina Vittoria la cui camicia da notte aveva uno sportello che si apriva per eseguire i doveri coniugali, a quel tempo. Le mutande femminili arrivavano alle caviglie, in nome del pudore alcuni coprivano le gambe dei tavoli, sulle statue nude altri mettevan la foglia di fico. E gli uomini moderni potevano farsi fucilare per la libertà, non accettare l'onta di quel peccato. Di quello scandalo, quel disonore. Figuriamoci due genitori calvinisti cioè appartenenti a una Chiesa che il puritanesimo lo aveva praticamente inventato, e soprattutto un padre come Thomàs: calvinista appartenente alla setta dei Risvegliati, cioè dei pazzi per cui anche giocare a bocce o ballare il girotondo era un fallo da punire con l'Inferno.

«Avec qui as-tu taché ton corps et ton âme, avec qui? Con chi ti sei sporcata il corpo e l'anima, con chi?!?»

«Avec personne, con nessuno, papà...»

«Personne?!? Où est-il, l'infâme, où? Dov'è l'infame, dove?»

«Il n'est pas infâme, non è infame, maman...»

«Tiens, sentila! Elle fait même l'avocat défenseur, l'effrontée. Fa anche l'avvocato difensore, la sfacciata.»

«Il faut chercher quelqu'un d'autre, alors! Bisogna cercare qualcun altro, allora!»

«Je ne comprends pas, maman... Je ne comprends pas, papà...»

«Tu ne comprends pas qu'il faut réparer, non capisci che bisogna rimediare?»

Naturalmente i sospetti eran caduti subito sul bel polacco che in ottobre, data alla quale risaliva il concepimento, dormiva nella chambre-pour-les-étrangers. E ben sapendo che il matrimonio con un cattolico non sarebbe stato possibile neppure se il responsabile fosse rimasto a Torino, prima del processo Thomàs e Judith avevano ben studiato il progetto di trovare un valdese disposto a toglierli d'impaccio sposandola. Soluzione assai possibile visto che per comprarsi un marito potevano darle una dote sostanziosa, che nei registri di Torre Pellice i battesimi dei neonati messi al mondo pochi mesi dopo le nozze non erano affatto infrequenti, e che il cinismo non ha né patria né religione. Qualche ora avanti avevan perfino compilato una lista di candidati che includeva un cugino scemo e un vecchio celibe. Ma quando toccarono quell'argomento la mansueta, la timida, la dolce Marguerite si stizzì. Diventar la moglie d'un altro? Rinunciare al suo amore, al suo Principe Azzurro che un giorno sarebbe riapparso e l'avrebbe condotta a Cracovia dove insieme al loro bambino sarebbero vissuti felici e contenti nel palazzetto di via Floriańska? «Jamais, mai. Plutôt je me tue. Piuttosto m'ammazzo.» Così il processo si chiuse, e la sentenza venne emessa. Una sentenza che indigna non tanto per Thomàs, individuo dal quale non c'era da aspettarsi mai nulla di buono, quanto per Judith. Moglie ubbidiente, sì. Complice codarda. Tuttavia una madre. (Oddio, davvero nelle mie innumerevoli vite sono stata anche Judith?). Di solito le madri non cacciano i figli, la figlia appena adolescente e incinta. Onore o no, setta dei Risvegliati o no, prendono le sue parti. La difendono, la proteggono da chiunque. Padre incluso. Lei invece si schierò fino in fondo con Thomàs e: «Hai una settimana di tempo per trovarti un tetto, allontanarti da questa casa e da questa famiglia. Onde evitar che per campare tu chieda l'elemosina o tu ti prostituisca, tu getti altro fango sul nome dei Ferrier, riceverai una sostanziosa somma di denaro. Però da oggi vogliamo scordarci che nelle tue vene scorre il nostro sangue. Quindi guai a te se ci parli, se ci chiedi uno spillo. Guai a te se mangi alla nostra tavola, guai a te se ti unisci alle nostre preghiere. E una volta partita guai a te se cerchi di rivederci, di coinvolgerci in qualsiasi modo nella tua vergogna. Nell'onta del tuo bastardo». Però qui entra in scena la Tante Jacqueline. La buona, la brutta Tante Jacqueline che a Villasecca chiamavano avorton-aborto perché aveva la gamba destra più corta della sinistra e sulla fronte uno sgradevole angioma violetto, sul naso una grossa verruca da cui spuntava un robustissimo pelo. La colta, l'intelligente Tante Jacqueline che aveva studiato storia e geografia, leggeva di nascosto i romanzi francesi, conosceva a memoria Stendhal. La ribelle, la libera Tante Jacqueline che amava Marguerite meglio d'una madre, e che a udir quelle mostruosità s'infuriò come una leonessa. Si scagliò contro il cognato e la sorella, risolse il problema.

«Et moi je vous laisse avec elle, espèce de salauds. E io vi lascio con lei, razza di sudicioni. Nous irons ensemble. Ce ne andremo insieme.»

Se ne andarono allo scadere dell'ultimatum, quando con le labbra serrate e gli occhi rivolti altrove Thomàs consegnò alla figlia la sostanziosa somma di denaro cioè milleseicento lire. Equivalente della dote che in caso di nozze riparatrici avrebbe consegnato al cugino scemo o al vecchio celibe, e quanto bastava per non gravare troppo sulle finanze della zia. (Il che lo riscatta un pochino, attenua la sua ferocia con una goccia di civiltà). All'alba dell'8 marzo salirono su una carrozza guidata dal cocchiere della Cappella Prussiana, correligionario di fiducia, e per la Tante Jacqueline la partenza coincise coi primi indizi sulla fine di Stanislao. Il giorno precedente i quotidiani torinesi avevan pubblicato che il 27 febbraio era avvenuta in Galizia la strage d'un corteo composto di creature inermi e che in seguito a ciò il governo di Jan Tyssowski era fuggito, gli austriaci erano entrati coi russi a Cracovia. Sebbene Stanislao fosse stato ben attento a non rivelar le sue idee tutti in casa avevan capito che si trattava d'un patriota, sicché a leggere quelle notizie la Tante Jacqueline dedusse che con molte probabilità nella strage era morto anche lui. Se non era morto si preparava a morire in un carcere della Polonia o in un campo della Siberia, e in entrambi i casi Marguerite avrebbe atteso invano il ritorno del suo Principe Azzurro. Eh! Ora sì che bisognava proteggerla, impedire che il bambino venisse sequestrato e condotto nell'Ospizio dei Catecumeni, pensò mentre lasciavano la città. Poi con un gran sospiro chiuse le tendine della carrozza che si dirigeva verso le Alpi coperte di neve. Naturalmente la soluzione migliore sarebbe stata sistemarla in Toscana o in Francia o in Inghilterra, povera Marguerite. Ma per uscire dal Piemonte ci voleva il passaporto, per ottenere il passaporto una minorenne doveva esibire il consenso dei genitori, e del consenso non se ne parlava nemmeno. Guai-a-te-se-ci-chiedi-qualcosa, se-ci-coinvolgi-nella-tua-vergogna, nell'onta-del-tuo-bastardo. Ergo, l'unico rifugio possibile era quello che aveva già scelto e nel quale la stava portando. Rodoretto anzi Rodoret, sperduto paesello delle vallate valdesi.

* * *

Sono tre le vallate valdesi, ed oggi portano i nomi dei fiumi che le percorrono: Val Pellice, Val Chisone, Val Germanasca. Nel secolo scorso, no. Portavano quelli in uso fin dal milleduecento cioè dal tempo in cui i seguaci di Valdo vi s'erano installati per sfuggire alle persecuzioni che subivano nella Linguadoca: Val Luserna anzi Louserne, Val Perosa anzi Perouse, Val San Martino anzi Saint Martin. Quest'ultima chiamata spesso Valle Oscura o Vallée Sombre per via delle gole strette e oscure che la caratterizzano. (Le doppie denominazioni si devono al fatto che nelle vallate abitassero anche molti cattolici, tant'è vero che in ogni villaggio c'era una parrocchia cattolica e una parrocchia valdese, un prete cattolico e un pastore valdese, e i cattolici parlavano l'italiano). Si trovano a sud-ovest di Torino. Hanno una superficie di appena ottantamila ettari e la forma d'un triangolo la cui base tocca la Francia e il cui apice sfiora Pinerolo. Fanno parte delle Alpi Cozie e ciascuna delle tre racchiude a sua volta valli e vallette percorse da fiumi minori o ruscelli o torrenti che unendosi al Pellice o al Chisone o al Germanasco fluiscono nel Po. Con le valli e le vallette, alture e montagne che non di rado oltrepassano i tremila metri. Con le alture e le montagne, dirupi e burroni e precipizi in fondo ai quali la luce non arriva che per pochi minuti a mezzogiorno. A volarci sopra infatti quel paesaggio sembra un mantello grinzoso, un luogo inospitale, e a visitarlo d'inverno deprime. Spaventa. D'estate, al contrario, ammalia. Offre splendidi boschi di castagni e di larici, di pioppi e di abeti, di olmi tra cui si aggirano gli stambecchi e i daini e gli scoiattoli. Regala dolci pascoli di lavanda e verbena, prati di narcisi e mammole ed anemoni, cespugli di lamponi e di mirtilli. E nella Valle Oscura, piccoli laghi o limpidi stagni dove il secolo scorso andavano a bagnarsi le fate. A Rodoretto, caverne dove vivevano insieme agli elfi e agli gnomi. Perché il secolo scorso la Valle Oscura e in particolare Rodoretto erano un regno di streghe e di fate, lì le trovavi dappertutto e guai a dubitarne. Che tu ci creda o no, esistono eccome le streghe e le fate. Una fata si riconosce dai capelli d'oro, dal visino delicato, dai piedi minuscoli e dal corpo esile. (Talmente esile che anche durante la gravidanza, stato non impossibile visto che le fate amano i bei giovanotti e restano incinte allo stesso modo delle comuni mortali, pesa poco più d'un myosotis). Una strega si identifica dalla macchia violetta che le deturpa la fronte, dalla verruca che ha sul naso, e dalla gamba destra più corta della sinistra. Difetti che non la rendono necessariamente cattiva. Tant'è vero che a beneficio degli umani esegue incantesimi di gran prestigio e spesso viaggia in compagnia d'una nipote.

Per quale motivo le streghe e le fate preferissero la Valle Oscura e in particolare Rodoretto, io lo ignoro. A pensarci meglio non erano un granché quegli stagni, e i piccoli laghi avean l'unico pregio d'ospitar granchi e trote: roba che alle streghe e alle fate non piace. (Entrambe mangiano frutta, fiori, verdure, latticini). Non erano un granché neppure le caverne. Grondavano di pipistrelli, puzzavano di muffa, e la loro unica attrattiva consisteva nella leggenda dei tesori lasciati dai valdesi che nel 1686 cioè l'anno della grande persecuzione in Piemonte i Savoia avevano espulso. (Scrigni colmi di gioielli ed orci pieni di monete d'argento che secondo le fiabe dei vecchi eran stati sepolti insieme alle carte di Valdo ma soltanto le streghe e le fate sapevano dove). Inoltre la buona stagione era così corta, lassù. Durava da giugno ad agosto. Al massimo, da metà maggio a metà settembre. L'inverno si mangiava quasi tutta la primavera, quasi tutto l'autunno, e per otto o nove mesi portava il finimondo. Dense nebbie dentro le quali non potevi avventurarti sennò ti ci perdevi dopo pochi passi e nessuno ti trovava più. Nubifragi che ti annegavano, fulmini che ti incenerivano, bufere che ti imprigionavano dentro due o tre metri di neve sicché se non t'eri messo da parte il cibo e la legna crepavi di fame e di freddo. Temperatura che scendeva a quindici gradi sotto zero, sicché la neve diventava impenetrabile ghiaccio, valanghe che travolgevano qualsiasi cosa incontrassero lungo il cammino. E una pace da cimitero. Ben sapendo che ad avviare le valanghe basta un tenue spostamento d'aria, un lieve rumore, in quei mesi si evitava addirittura di sbatter le porte o attaccare i chiodi. Ci si muoveva lentissimamente, ai bambini si proibiva di ridere e di strillare, la Bibbia si leggeva a bassissima voce, i salmi si cantavano a bocca chiusa, il pastore rinunciava al rito domenicale, il parroco non suonava mai le campane. Si viveva in un letargo, insomma, una sorta di dormiveglia, e ciò rendeva gli abitanti della Valle Oscura una razza a parte. Una comunità taciturna, misantropa, intrisa di pessimismo o di rassegnazione. «L'om al ê na për süfrir, la donno cò. L'uomo è nato per soffrire, la donna pure.» «La vitto l'ê mëc uno tribulasioùn. La vita non è che un tormento.» «Qui meur à finì dë tribulà. Chi muore ha finito di soffrire.» «Lo Monsiùr nën vol pâ gî de countënt sû quetto tero. Il Signore non vuole contento nessuno su questa terra.» (La lingua delle vallate è il patois. Misterioso miscuglio di italiano, francese, occitano cioè oc: l'antico dialetto provenzale). Quanto a Rodoret, oddio! «È un misero, sudicio, laido paese» sono le parole con cui nel suo libro di memorie il teologo Amedeo Bert apre il capitolo su Rodoret, e nonostante l'iperbole impietosa quel giudizio contiene parecchia verità. Il rifugio scelto dalla Tante Jacqueline sorgeva nella valletta più alta e disgraziata della regione. Stava ai piedi del ripido monte Apenna. Cosa per cui d'inverno i quindici gradi sotto zero diventavan venti, i due o tre metri di neve diventavano quattro o cinque, e coi primi disgeli le valanghe si abbattevano ogni settimana. Nel marzo del 1844 una era caduta sul presbiterio di Daniel Buffa, il pastore che lì abitava insieme alla moglie e la domestica e il figlioletto, e soltanto a giugno i corpi erano stati recuperati in fondo alla cosiddetta Gola della Scalaccia. Si componeva di poche casupole costruite coi sassi e coperte da rozze lastre d'ardesia nonché prive di latrina. Non aveva sindaco e contava trecento abitanti. Quasi sempre pecorai analfabeti, semplicioni ossessionati dalla speranza d'imbattersi in una fata o in una strega che li aiutasse a trovare lo scrigno colmo di gioielli o l'orcio pieno di monete d'argento. Infine era così isolato dagli altri villaggi, così difficile da raggiungere, che non ci andava mai un cane. Neanche l'ombrellaio, il seggiolaio, lo stagnaio, l'arrotino. Gente che andava dappertutto.

Essendo cresciuta nella capitale della Valle Oscura cioè Villasecca-Ville Sèche, la Tante Jacqueline conosceva bene gli svantaggi della sua scelta. Però non meno bene ne conosceva i vantaggi. Di quei trecento abitanti, infatti, appena cinquanta seguivano il credo di Santa Romana Chiesa ed a curarne l'anima provvedeva un sacerdote che era stato in buoni rapporti con Daniel Buffa. Un brav'uomo che nel misero-sudicio-laido-paese veniva tenuto dalla Curia a causa della sua tolleranza verso gli eretici, vale a dire per castigo. Don Stefano Faure. Non solo: dacché la valanga aveva ucciso Buffa, a curare l'anima degli eretici provvedeva il pastore Michel Morel. Intelligente e coraggioso ventisettenne laureato a Ginevra che coi suoi atteggiamenti sfidava perfino il Sinodo Valdese. «Siamo nati per disubbidire», «Le regole vanno infrante», «Non mangiar carne il venerdì giova alla salute». Era un tale ribelle, Morel, che il presbiterio finito nella Gola della Scalaccia lo aveva ricostruito non lontano dalla parrocchia di Faure. Ed altro che buoni rapporti, ora! I due esibivano la loro amicizia facendosi vedere insieme anzi chiamandosi per nome, mon-cher-Stephan, mio-caro-Michele, e se una ragazza nubile restava incinta il primo fingeva di non sapere. Il secondo risolveva il problema nascondendo la peccatrice e il frutto della colpa. Quasi ciò non bastasse, i fedeli di Morel appartenevan tutti a quattro clan imparentati fra loro: il clan dei Tron, il clan dei Pons, il clan dei Pascal, il clan dei Jahier. Ciascuno di essi proteggeva gli altri coi denti, e se un Tron o un Pons o un Pascal o un Jahier si metteva nei guai la tribù alzava un muro di omertà per rompere il quale ci sarebbe voluto l'intero esercito piemontese e l'intera polizia arcivescovile: «Ni a tort ni a razùn fai-te pâ butâ en prizoùn. Né a torto né a ragione fatti buttar in prigione». Ergo, negli otto giorni concessi da Judith e da Thomàs, la Tante Jacqueline s'era organizzata a puntino. Attraverso Amedeo Bert, nemico acerrimo della setta dei Risvegliati e in quegli anni cappellano della Chapelle de Prusse, aveva chiesto a Morel se nella valletta di Rodoret vi fosse una famiglia disposta (dietro lauto compenso, s'intende, diciamo cinquecento lire all'anno) a ospitare nel più assoluto segreto due correligionarie cioè una zia e una nipote che a rotta di collo dovevano stabilirsi laggiù. Matura zittella, la zia. Vedova giovanissima e incinta del figlio lasciatole dal marito scomparso, la nipote. Naturalmente Morel aveva mangiato la foglia, e dopo una rapida inchiesta tra i componenti della tribù aveva risposto che sì: la famiglia c'era. Quella di Jacques e Jeanne Tron, semplicioni dall'anima pura che insieme ai rispettivi genitori e suoceri cioè il vecchio François e la vecchia Suzanne vivevano in una casa con tre stanze da letto. Ottimo domicilio non tanto perché garantiva un paio di nutrici abituate a tenere la bocca chiusa quanto perché la casa dei Tron non distava dalla casa dei Pons, e Jeanne era una Pons. La casa dei Pons non distava dalla casa dei Pascal, e la vecchia Suzanne era una Pascal. La casa dei Pascal non distava dalla casa dei Jahier, e una cugina del vecchio François aveva sposato un Jahier. In caso di necessità la giovanissima vedova avrebbe potuto sgattaiolare dagli uni o dagli altri. Questo senza tener conto del dettaglio che, sempre in caso di necessità o per pura prudenza, Jacques e Jeanne sarebbero stati pronti a denunciare il bambino col cognome dei Tron. Insomma a dichiarare che lo avevano messo al mondo loro.

Il viaggio fu duro. Non tremendo come quello che nel 1769 María Isabel Felipa aveva fatto da Madrid a Barcellona con Montserrat nel ventre, d'accordo, ma duro. Per non esporle alle indiscrezioni che sarebbero sorte a noleggiare una carrozza col cocchiere il pastore Morel era venuto a prenderle col suo calesse tirato da un solo cavallo, e a raggiungere Rodoret con un calesse tirato da un solo cavallo ci volevan circa quindici ore di azzardi e disagi. Da Torino andavi a Pinerolo, l'impietosa Pignerol dove le spie assoldate dall'Ospizio dei Catecumeni individuavano le peccatrici con grande abilità. Da Pinerolo, a Saint Germain cioè San Germano dove si incominciava a salire e a slittare sulla neve ghiacciata. Da Saint Germain, a Pomaret cioè Pomaretto poi a Ville Sèche cioè a Villasecca dove la Tante Jacqueline rischiava di venir riconosciuta. («Che ci fate nelle valli, Jacqueline? E questa bella biondina chi è? Vostra nipote Marguerite? Parbleu, aspetta un figlio!»). Da Ville Sèche a Perrier cioè Perrero che essendo un villaggio completamente cattolico costituiva una tappa non meno scomoda di Pinerolo. E dopo Perrier bisognava prendere la spaventosa strada chiamata vio di Mort, cammino della Morte. Più d'una strada, un sentiero che si snodava su per la montagna costeggiando solo precipizi. Una ripidissima pista dove anche nella buona stagione i passeggeri eran costretti a scendere, scaricare i bagagli, portarseli per mezzo chilometro sennò la carrozza si rovesciava e finiva giù nel vuoto... Sventurate donne. Mi si stringe il cuore a veder quelle due sventurate donne, una zoppa e una incinta, che sul vio di Mort scendono dal calesse del pastore Morel, mentre lui tiene il cavallo riottoso scaricano le valige e inciampando nelle lunghe ingombranti sottane, affondando nella neve, scivolando sul ghiaccio, se le trascinano per mezzo chilometro. Sono esauste, impaurite, intirizzite dal freddo, e certo si chiedono se valga la pena imporsi un tale tormento per non abiurare: per restar fedeli a Calvino. Si sentono vinte, schiacciate dall'umana perfidia e dall'umana cretineria che le hanno condotte lassù, e certo pensano che ogni chiesa è un identico imbroglio. Una identica bugia per piegarti, usarti. Così vorrebbero tornare indietro, inginocchiarsi dinanzi al vescovo, arrendersi. «Praedicta abiuratio pronunciata fuit a praefatio, de verbo ad verbum et lecturam mei infrascripti notarii...» Ma quando furono a Rodoret una luce si accese nel buio della loro infelicità. Perché erano davvero semplicioni dall'anima pura, i Tron. Alle streghe e alle fate credevano assai più che al Paradiso, all'Inferno, a Valdo, a Calvino, e Marguerite la presero per una fata. La Tante Jacqueline per una strega che viaggiava con una fata. Incinta di un'altra fata, per giunta. Boeundieu! Caratteristiche fisiche a parte, guarda come si mescevano volentieri il latte caldo e addolcito col miele! Non è forse vero che il latte addolcito col miele si chiama bevanda delle fate o vino delle streghe? Boeundieu! Guarda come si allarmavano all'idea che qualcuno le avesse viste arrivare e com'erano circospette, sospettose, nei riguardi dei Pons e dei Pascal e dei Jahier! Non è forse vero che alle fate e alle streghe esser viste dagli estranei non piace, che per questo si nascondono nelle caverne con gli elfi e gli gnomi e dagli eventuali albergatori esigono il più assoluto segreto? Oh! Bisognava custodirlo sul serio, il segreto. E metterle nella camera migliore, servirle, riverirle, rammentare che sia le fate sia le streghe s'impermaliscono facilmente. La minima indiscrezione e la minima mancanza bastano a irritarle, e se ciò accade ti abbandonano. In un batter d'occhio volan via attraverso il fumaiolo del caminetto. Se le tratti coi guanti, al contrario, se ne rispetti gli ordini o i desideri, diventan membri della tua famiglia e ti fanno un mucchio di cortesie. Ti mantengono il fuoco acceso e il formaggio fresco, ti deviano i fulmini e il vento, e la nebbia, ti proteggono le pecore perdute nei boschi, ti guariscono le malattie. E in certi casi ti aiutano a trovare i tesori lasciati dagli avi nel 1686.

No, non fu il lauto compenso promesso poi pagato dalla Tante Jacqueline a impedire i pettegolezzi e assicurare l'ospitalità dei Tron nonché la complicità dei Pons e dei Pascal e dei Jahier. Fu la loro certezza d'avere accolto una fata (incinta di un'altra fata per giunta) e una strega. Certezza che nei mesi successivi tutto contribuì a irrobustire. Il fatto che don Stefano non si vedesse quasi più, ad esempio. Boeundieu! Prima che le due fiabesche creature sbucassero dalla neve, capitava spesso d'incontrarlo nel territorio dei quattro clan. Dietro la casa dei Jahier v'era una scorciatoia che scendeva al borro, e per andar a pescarvi le trote lui passava di lì. Magari si fermava anche a salutarti e a ribadire la sua amicizia per il collega eretico. Ora invece passava dalla parte opposta o tirava di lungo. Solo una volta s'era girato un attimo per gridare a Jeanne Tron la strana frase auguri-Jeanne-so-che-aspettate-un-bambino, ed è noto che le fate hanno il magico potere di tener lontano chi volente o nolente può metterti nei guai. Le streghe, quello di indurti a credere cose non reali. Oppure il fatto che con la scusa del freddo Marguerite e la Tante Jacqueline non uscissero mai. Con la scusa del silenzio da osservare per via delle valanghe, non rispondessero mai a una domanda. Da-quale-caverna-venite, quali-elfi-o-gnomi-conoscete. Sempre lì zitte zitte. La prima a ricamar cuffiette, la seconda a leggere i libri che s'era portata dietro. Ed è noto che le fate amano ricamare, le streghe leggere misteriose carte da cui traggono consigli o formule per gli incantesimi, entrambe soffrono parecchio il freddo e detestano parlare agli umani. Infine il fatto che per un bizzarro capriccio sorto con la gravidanza Marguerite volesse nutrirsi con cibi a base di fiori, e che da quando era finito l'inverno la Tante Jacqueline glieli preparasse con una bravura di cui sono capaci soltanto le streghe. Minestrine di nasturzi o di borragine, frittelline di sambuco o di biancospino, insalatine di mammole e rose e viole, salsine di primule o di lillà. Ed è noto che i fiori sono il vitto preferito delle fate: che quelli li mangiano ancor più volentieri dei mirtilli e dei lamponi. Ma, soprattutto, il fatto che a fornirglieli ci pensasse il pastore Morel. Sissignori, Morel! Non pago d'aver convinto don Stefano a propagar la balla della prossima maternità di Jeanne Tron, ogni giorno si presentava con un bellissimo mazzo di nasturzi o di sambuco o di rose eccetera. Con un gran sorriso lo porgeva a Marguerite, e: «Pour votre déjeuner, per il vostro pranzo. Pour votre dîner, per la vostra cena». Boeundieu, boeundieu, boeundieu! Che in seguito a qualche malìa eseguita dalla strega si fosse segretamente innamorato di lei? Se lo chiedevano anche i Tron. Se lo chiedevano anche i Pons e i Pascal e i Jahier. E a un secolo e mezzo di distanza me lo chiedo anch'io.

D'accordo: era ciò che sappiamo, Morel. Un tipo molto, molto speciale. Non per nulla dodici anni dopo avrebbe avuto il coraggio di recarsi fra gli indios dell'Uruguay poi del Perù, e rischiando la pelle lì fondare le prime due colonie valdesi dell'America Latina. Non a caso ventidue anni dopo i suoi superiori lo avrebbero ufficialmente biasimato per le sue iniziative e costretto a ritirarsi, morire in amarezza. Però sono troppo insolite le cose che fece per Marguerite. Le imprudenze, le follie che commise per risparmiarle la tragedia toccata a Marie Fontana e ad Anne Catalin. Voglio dire: vanno troppo al di là del comportamento evangelico, dell'amore cristiano. E con ciò eccoci alla nascita della bisnonna il cui nome doveva essere il mio primo nome.

7

Alle quattro del mattino di venerdì 10 luglio 1846 (data che ricavo dall'unico documento sul quale sia riuscita a posar le mani) Marguerite partorì l'altra fata, e nemmeno sul fatto che si trattasse di un'altra fata nessuno ebbe dubbi. Il frutto-della-colpa che strillando uscì dal suo ventre era la bambina più bizzarra e incantevole che si fosse mai vista nelle vallate. Aveva gli occhi trasparenti come i laghetti dei ghiacciai, la pelle bianca come il latte di mucca appena munto, i capelli d'oro come l'oro dei tesori nascosti nelle caverne. Profumava di rose, gigli, mughetti, insomma di tutti i fiori che sua madre aveva mangiato, e poteva già compiere sortilegi. Quando secondo l'uso le due Tron la fasciarono dal collo ai piedi perché non crescesse con le gambe torte e la schiena curva, si liberò in un batti-baleno. E quando sbalordite la fasciaron di nuovo, si liberò di nuovo. Poi rimase lì nuda a guardarle con una tale aria di sfida che Marguerite bisbigliò: «Elle ressemble à son père. Assomiglia a suo padre». La Tante Jacqueline esclamò: «Je crois qu'elle nous donnera beaucoup de problèmes. Credo che ci darà molti problemi». La nascita scatenò gran festa. Dimentichi d'ogni prudenza Jeanne e Jacques infiocchettarono la casa di nastri verdi e gialli e rossi e viola, pei valligiani simbolo di letizia, la vecchia Suzanne cucinò un capretto, il vecchio François stappò sei bottiglie di vino. Sia i Pons che i Pascal che i Jahier portarono doni di formaggio, di burro, di ricotta, e dopo la strippata anzi la sbevazzata cantarono l'Ottavo Salmo sul prato. «C'est à Noè, ce digne patriarche / et conservateur du genre humain dans l'arche / que nous devons cet arbre précieux / dont nous taillons la grappe merveilleuse... È a Noè, degno patriarca / e conservatore del genere umano nell'arca / che dobbiamo quest'albero prezioso / di cui tagliamo il grappolo meraviglioso.» Arrivò anche il pastore Morel, inutile dirlo, e a udirli cantare l'Ottavo Salmo sul prato si sentì piegare i ginocchi. Parbleu! Con quel fracasso chiunque avrebbe potuto accorrere, accorgersi che a partorire non era stata Jeanne, e la supposta vedova non possedeva alcun foglio che attestasse le sue nozze col supposto valdese morto. Se la cosa fosse giunta agli orecchi del vescovo Charvaz, neanche la correa amicizia di don Stefano Faure avrebbe potuto evitare che l'infante finisse all'Ospizio dei Catecumeni. Bisognava salvarle subito l'anima, dunque, battezzarla nel credo di Valdo e Calvino prima ancora di registrarla sotto una falsa maternità e paternità. E licenziati i Pons, i Pascal, i Jahier, basta-con-gli-schiamazzi-basta, via-via, ghermì una brocca d'acqua. Incurante della regola che imponeva di celebrare il rito di domenica e al tempio, non a domicilio, si chiuse coi Tron e con la Tante Jacqueline nella stanza dove Marguerite giaceva esausta a fianco della culla.

«Come volete chiamarla?»

«Natzka, Anastasìa Ferrier...» rispose Marguerite.

«Bene. E chi vuol essere la madrina di Anastasìa Ferrier?»

«Io» rispose la Tante Jacqueline.

«Chi vuol essere il padrino?»

«Io» rispose il vecchio François.

«Bene. Prendetela in braccio. Presentando questa bambina alla nostra Chiesa, la Chiesa Protestante Valdese, vi impegnate a farla crescere nella dottrina che il Signore ci ha rivelato attraverso le Sacre Scritture dell'Antico e del Nuovo Testamento?»

«Sì» rispose la Tante Jacqueline.

«Sì» rispose il vecchio François.

«Vi impegnate inoltre a istruirla nei comandamenti della nostra Chiesa, la Chiesa Protestante Valdese, ossia ad amare il Signore con tutta l'anima, a seguire l'esempio di Gesù Cristo Salvatore, a respingere le tentazioni e a reprimere i cattivi desideri?»

«Sì» rispose la Tante Jacqueline.

«Sì» rispose il vecchio François.

Allora Michel Morel tuffò le dita nella brocca e versò tre gocce d'acqua sulla testa della piccola fata che lo esaminava beffarda. (Respingere le tentazioni, reprimere i cattivi desideri? Ma era pazzo costui, non lo sapeva che le tentazioni e i cattivi desideri sono il sale della vita?).

«Anastasìa Ferrier, io ti battezzo in nome del Padre, del Figlio, dello Spirito Santo. E che Dio ce la mandi buona.»

Nove giorni dopo, lasso di tempo necessario per assicurarsi la totale complicità di ciascun Pons e Pascal e Jahier, Anastasìa venne battezzata una seconda volta. Stavolta, come Jeanne Tron. (Ai valligiani piaceva essere confusi coi propri genitori, e i casi di omonimia erano assai fre-

544

quenti. Marie-fille-de-Marie, Madeleine-fille-de-Madeleine, Barthélemy-fils-de-Barthélemy). La frode si svolse nel tempio di Rodoret, alla presenza dei quattro clan e senza intoppi. Risulta dall'atto di nascita che a forza di indagare frugare penare ho rintracciato tra le carte ingiallite e col quale si afferma che domenica 19 luglio 1846 Jacques Tron e Jeanne Pons nei Tron, montanari di culto protestante ed uniti in legittimo matrimonio, registrarono col prenome Jeanne e il cognome Tron la figlia nata alle quattro antimeridiane di venerdì 10 luglio. Steso nella lingua ufficiale delle parrocchie valdesi, il francese, in basso a sinistra il documento porta l'incerta crocetta degli analfabeti e accanto ad essa le parole «Firma di Jacques Tron». In basso a destra, un autografo pieno di svolazzi: «Michel Morel, pastore». Alla frode seguì la scoperta del tesoro cioè la ricompensa della Tante Jacqueline che con un colpo di genio sistemò nella caverna detta Antro degli Gnomi la collana di perle, il bracciale di ametiste, il cammeo col profilo della madama reale Luisa, e ne informò il vecchio François: «Stanotte il vento mi ha rivelato che nell'Antro degli Gnomi c'è un discreto tesoro. Andate a cercarlo. Lo troverete sotto un masso». Il vecchio François andò, cercò sotto i massi, e boeundieu! Lo trovò davvero. Alla scoperta del tesoro seguì un magnifico agosto durante il quale la piccola fata con due nomi e due mamme e una madrina che in sostanza era una terza mamma confermò la sua precocità facendo pernacchie a chiunque la chiamasse Jeanne. Poi cadde la neve, l'estate finì, e sul modo in cui trascorsero gli otto mesi di silenzio non ho notizie. Però so che quell'inverno Marguerite accusò i sintomi della misteriosa malattia che, sia pure indirettamente, l'avrebbe uccisa. Perpetua stanchezza, debolezza. Carenza di fiato, perdite di equilibrio, continui svenimenti. Un difetto cardiaco? L'ho chiesto a vari medici e tutti mi hanno risposto che quasi di sicuro aveva un difetto congenito al cuore, una lesione atriale che al cuore impediva d'irrorare i polmoni e quindi ossigenare il cervello con abbastanza sangue. Tara che si manifesta soltanto nell'età adulta, che a vivere in luoghi freddi e situati sopra i millecinquecento metri si aggrava, e che nel suo caso s'era inasprita con la gravidanza, il parto, i disagi. Povera Marguerite. D'un tratto si portava la mano al petto, mormorava je-ne-peux-pas-respirer, non-posso-respirare, e perdeva l'equilibrio. Si accasciava svenuta. Stanchezza e debolezza la rendevano inoltre sonnacchiosa, insensibile, e verso la bella creatura che con tanto eroismo aveva sottratto alle grinfie del vescovo Charvaz mostrava quasi indifferenza. Distacco. Non la cullava mai, non le cantava mai una ninna-nanna, spesso l'abbandonava alle cure delle due Tron e ad allattarla soffriva. «Ce petit vampire qui me suce l'âme. Questo piccolo vampiro che mi succhia l'anima.» Oppure: «Basta, Natzka. Ça suffit». Del resto non aspettava nemmeno più il ritorno di Stanislao. Sebbene fosse all'oscuro della strage fatta dagli austriaci in Galizia, sospirava sempre «Il est mort, je sens qu'il est mort. È morto, sento che è morto». E l'unica cosa che la ravvivava era scendere al borro nel quale don Stefano andava a pescare le trote. «C'est tellement beau, è così bello.» Durante la buona stagione e l'inverno successivo, lo stesso. Quel che è peggio, senza che nessuno (Morel incluso) se ne allarmasse. Anche le fate svengono ed hanno crisi di malumore, no? Lo ammetteva perfino la strega.

«Ça passe, succede. Il ne faut pas s'inquiéter. Non bisogna preoccuparsi.»

La Tante Jacqueline, infatti, non aveva capito che la misteriosa malattia era grave. Credeva che i disturbi derivassero dallo stato depressivo in cui alcune donne cadono nel corso dell'allattamento, e troppe cose la distraevano dal sospetto che essi denunciassero invece un rischio micidiale. L'amore che in certo senso aveva trasferito su Anastasìa, ad esempio, la responsabilità di allevarla in quella baita gelida ed esposta alle valanghe. La paura che qualcuno tradisse e qualche altro scoprisse la frode dell'atto di nascita intestato a Jeanne Tron figlia di Jeanne Tron. La passione per ciò che avveniva al di là delle vallate... Grazie a Pierre Bonjour, pastore della Val Perosa nonché suo amico e cognato di Amedeo Bert il cappellano della Chapelle de Prusse, Morel riceveva i numerosi giornali che ora si stampavano a Torino. Il «Mondo illustrato», le «Letture di Famiglia», il «Risorgimento», quotidiano fondato e diretto, con il contributo di Cesare Balbo, dal nuovo astro Camillo Benso di Cavour. E col «Risorgimento» la battagliera «Concordia» di Lorenzo Valerio, la democratica «Gazzetta del Popolo» di Giambattista Bottero, la moderata «Opinione» di Giacomo Durando. Dopo averli letti li passava a lei, e lei se li divorava. «Mes journaux, i miei giornali, mes journaux!» Di ciò che avveniva o era avvenuto al di là delle vallate, dunque, sapeva tutto. Che con l'avallo della Russia e della Prussia nel novembre del 1846 la Repubblica Indipendente di Cracovia era stata annessa all'Impero austro-asburgico cioè aveva cessato di esistere. Che nel medesimo anno l'amnistia concessa dal nuovo papa agli esiliati e ai detenuti politici aveva scatenato quasi ovunque uno speranzoso scompiglio. Viva-Pio-Nono, viva-Pio-Nono. Che l'anno seguente e cioè nell'ottobre del 1847 lo scompiglio s'era propagato al Regno sabaudo dove col viva-Pio-Nono i piemontesi s'erano messi a gridare abbasso-i-gesuiti. «Via Franzoni, via Charvaz, basta col potere che quei barabba hanno sui Savoia, con lo strapotere che esercitano sui giudici e sui poliziotti, sui militari e sui funzionari.» Che ad Asti e ad Alessandria il grido era stato represso con le baionette e allora Carlo Alberto aveva dovuto cacciare un paio di ministri tra cui l'infame conte Solaro, poi avviare lievi eppure significative riforme come le nuove leggi comunali e provinciali o come la magistratura di cassazione. Ma, soprattutto, grazie a Morel che lo aveva appreso da Bonjour che a sua volta lo aveva appreso da Amedeo Bert, la Tante Jacqueline sapeva che Roberto d'Azeglio si preparava a risolvere il problema dei valdesi. Degli ebrei e dei valdesi. Perché avevan ragione quelli che definivano il marito di Costanza e fratello di Massimo un gran brav'uomo, un tipo che per gli oppressi faceva più dei rivoluzionari. Non era lui che ogni estate si aggirava quieto quieto pei villaggi e parlava coi pastori, coi preti, visitava le scuole, consolava i pecorai? E non era stato lui che col pretesto di inaugurare la Chiesa di San Maurizio nel 1844 aveva accompagnato Sua Maestà a Torre Pellice, qui lo aveva indotto a licenziar la scorta dei carabinieri e a pronunciar la celebre frase je-n'ai-pas-besoin-de-gardes-au-milieu-des-vaudois. «Non mi servono guardie quando sono tra i valdesi.» Non era stato lui che udendo l'abbasso-i-gesuiti aveva inviato al clero una lettera in cui asseriva che i non-cattolici avevano il diritto d'esser trattati come gli altri cittadini, e implorava di aiutarlo a ottenere le loro libertà civili?

«On va s'amuser, ci divertiremo» ripeteva, cieca agli svenimenti di Marguerite, la Tante Jacqueline.

E non si sbagliava. Il 15 novembre del 1847 Roberto d'Azeglio si recò da Amedeo Bert e gli disse che aveva buoni motivi per ritenere che i suoi sforzi stessero per andare in porto. Sebbene Franzoni e Charvaz avessero reagito alla lettera come si reagisce a un insulto cioè definendola perniciosa, invereconda, blasfema, ben sessantacinque ecclesiastici l'avevano giudicata sacrosanta e s'erano impegnati a sostener la lotta. «L'emancipazione degli israeliti e dei protestanti è un atto di carità e di civiltà, quindi la Chiesa Cattolica Apostolica Romana non deve temerla.» Parole di cui tutti i liberali s'erano impadroniti e sulle quali Sua Maestà incominciava a ragionare. Subito dopo, insieme a Cavour e a Balbo e a Valerio e ad Alfieri di Sostegno il brav'uomo redasse una supplica che oltre alla loro firma portava quella dei sessantacinque ecclesiastici nonché di cinquecentotrenta personaggi torinesi. La mise in una busta e il 23 dicembre la presentò a Carlo Alberto. Infine, il 27 dicembre, Amedeo Bert venne invitato al simposio che col pretesto di osannare le lievi eppure significative riforme i firmatari della supplica avevano indetto alla Camera di Commercio. Quando Bert li ringraziò commosso, seicento bicchieri si levarono a salutarlo con un brindisi che per il suo fragore rischiò d'incrinare i vetri e i lampadari e gli specchi: «Alla libertà di culto! All'emancipazione dei protestanti e degli israeliti! Al vero progresso italiano!». Poi venne il Quarantotto. Il folle Quarantotto, il fatale Quarantotto, levatevi-il-cappello-e-sturatevi-gli-orecchi-ignoranti! Si-parla-del-Quarantotto. Il 5 gennaio Carlo Alberto incontrò i membri della Tavola Valdese, gli rivolse la non meno celebre frase: «Assurez mes regnicoles vaudois que je les aime comme les autres et que pour eux je ferai tout mon possible. Assicurate ai miei regnicoli valdesi che li amo alla pari degli altri e che per loro farò tutto il mio possibile». Sia pure a denti stretti l'8 febbraio promise lo Statuto che si sarebbe deciso a emanare il 4 marzo. Il 12 febbraio convocò i ministri, e poiché nello Statuto la religione cattolica continuava ad essere definita Religione di Stato disse: «Trovatemi il modo d'accontentare anche i valdesi». Glielo trovarono. Il 17 febbraio le Regie Patenti per l'Emancipazione dei Valdesi erano già pronte. Il 24 febbraio la «Gazzetta Piemontese» avvertì i suoi lettori che l'indomani ne avrebbe pubblicato il testo, e Gesù!, chi se l'immaginava che quella faccenda rallegrasse tanta gente, che Franzoni e Charvaz avessero tanti nemici? V'erano appena seicento valdesi in città. Se a loro aggiungevi un centinaio di calvinisti svizzeri, una quarantina di luterani tedeschi e olandesi, una trentina di ugonotti francesi, una ventina di anglicani, la somma degli eretici che vivevano a Torino e quindi potevano manifestar gioia per il decreto toccava le ottocento persone. Invece a migliaia si rovesciarono nelle strade e nelle piazze, dinanzi alla reggia e al palazzo della famiglia d'Azeglio, dinanzi alla casa di Amedeo Bert e alle ambasciate d'Inghilterra, d'Olanda, di Prussia, cioè dei paesi protestanti. A migliaia sconfessarono quel vescovo e quell'arcivescovo alzando fiaccole e candele, sventolando il proibito tricolore, portando sulla mantella o sulla giacca la coccarda sabauda, inneggiando ai Savoia che finalmente ne avevano combinata una giusta.

«Con l'azzurra coccarda sul petto / con italici palpiti in core / come figli d'un padre diletto / Carlalberto veniamo al tuo piè / E gridando esultanti d'amore / Viva il re, viva il re, viva il re.»

Nelle vallate la notizia giunse il 25 mattina. E a portarla furono due corrieri a cavallo, il laureando in teologia Jean Jacques Parander e il cioccolataio Stefano Malan, ai quali Amedeo Bert aveva affidato un frettoloso biglietto per il pastore Bonjour e gli altri colleghi. «Mon cher beau-frère, mes chers confrères! Je vous envoie un exprès pour que vous le sachiez très vite et pour que demain vous puissiez allumer les feux sur nos montagnes... Mio caro cognato, miei cari fratelli! Vi mando un espresso affinché lo sappiate alla svelta e domani possiate accendere i fuochi sulle nostre montagne...» Era un'antica tradizione quella d'accendere i fuochi per dare una lieta novella, glorificare un evento. Ma di liete novelle i valdesi delle vallate ne avevano sempre avute pochine, e da almeno due secoli il fuoco lo accendevano solo in casa per scaldarsi o cuocere il cibo. Così Parander e Malan galopparono l'intera notte. A briglia sciolta, senza fermarsi mai. Senza mai cedere al sonno che li intontiva, al freddo che li intirizziva. Esausti e semicongelati all'alba consegnarono il biglietto a Bonjour che subito informò le varie parrocchie, i vari villaggi. E al tramonto i fuochi erano accesi su ogni montagna, su ogni altura, ogni colle, ogni poggio. Centinaia e centinaia di fuochi che nel riverbero della neve luccicavano come immensi rubini, giganteschi topazi, avrebbe raccontato Anastasìa alla nonna Giacoma, e che squarciavano il buio come una stupenda aurora boreale. Anastasìa aveva diciannove mesi e quindici giorni, il 25 febbraio del 1848. Nonostante le sue arti magiche, la sua precocità, era troppo piccola per rendersi conto di ciò che accadeva e immagazzinarlo nella memoria. Eppure, a quanto sembra, è proprio questo che fece. E quarant'anni dopo, quando era ormai una donna delusa che non si stupiva di nulla perché nella sua pazzesca vita aveva visto di tutto, ne parlava ancora con emozione. Diceva che nemmeno i convogli dei pionieri diretti al Far West, nemmeno le battaglie con gli Apaches e i Sioux, nemmeno le praterie del Kansas, le rocce e i deserti dell'Utah, gli incanti e le frivolezze di San Francisco l'avevano impressionata quanto lo spettacolo di quei rubini, quei topazi, quell'aurora boreale fatta di legna che bruciava. Dell'inobliabile evento ricordava anche molte altre cose. Il pastore Morel che ubriaco di gioia saliva su per il crinale urlando in patois: «Siete liberi, siamo liberiii! Ringraziate il Signore, accendete i fuochiii!». I Tron e i Pons e i Pascal e i Jahier che correvano a prendere le fascine, i ceppi, i tronchi da usare per scaldarsi e cuocere il cibo poi li accatastavano in pile alte un metro o due. «Non importa se restiamo senza, non importa!» Le fiammate che si alzavano in un crepitìo di scintille, il vecchio François che brindava, la vecchia Suzanne che piangeva, la Tante Jacqueline che rideva, rideva, lei che in braccio a Jeanne farfugliava: «Maman, les feux! I fuochi, les feux!». E maman che confusa, smarrita, più confusa e smarrita di sempre, guardava con l'aria di non capirne le conseguenze.

«Qu'est-ce que ça veut dire, che vuol dire?»
«Ça veut dire qu'à la fonte des neiges tu rentreras à Turin, ma belle au bois dormant! Vuol dire che allo sciogliersi della neve tornerai a Torino, mia bella addormentata nel bosco» rispose la Tante Jacqueline.
Ma su questo si sbagliava.

* * *

Ne accaddero di tutti i colori nelle settimane seguenti, preludio alla prima guerra d'Indipendenza, ricordi? A Parigi le barricate che abolirono la monarchia di Luigi Filippo d'Orléans e portarono alla Seconda Repubblica, a Vienna le sommosse che causarono la fuga di Metternich, a Berlino quelle che instaurarono un regime liberale o quasi. In Italia la rivolta di Palermo, le Cinque Giornate di Milano, la cacciata degli austriaci da Venezia, la Costituzione nel regno delle Due Sicilie, negli Stati Pontifici, nel ducato di Parma, nel granducato di Toscana dove Leopoldo rinnegò i titoli e il casato degli Asburgo cioè si schierò contro la propria famiglia, e in Piemonte... Se ne videro di belle in Piemonte. Il 2 marzo i gesuiti furono espulsi. Il 4 marzo Carlo Alberto emanò lo Statuto promesso l'8 febbraio. Il 16 affidò la presidenza del governo a Cesare Balbo, il 19 concentrò alla frontiera con la Lombardia il suo esercito pronto ad attaccare Radetzky, il 23 dichiarò guerra all'Austria e passò il Ticino. Il 29 gli ebrei ottennero i diritti civili già concessi ai valdesi e, *dulcis in fundo*, i tumulti costrinsero l'arcivescovo Franzoni a espatriare in Svizzera. Però nella Valle Oscura l'evento memorabile fu un altro: l'improvviso sciogliersi delle nevi. Quasi che le centinaia e centinaia di fuochi avessero scaldato l'aria, posto fine all'inverno, il 31 marzo la temperatura salì infatti a undici gradi. E poiché di neve n'era caduta parecchia, su Rodoret si rovesciò una quantità d'acqua inaudita. Il borro caro a

Marguerite si ingrossò fino all'inverosimile e si fece così impetuoso che don Stefano smise d'andare a pescarci le trote, i fiumiciattoli strariparono, molti pascoli smottarono, molte strade franarono, e uscir di casa diventò un tale azzardo che il pastore Morel pregò la Tante Jacqueline di rinviare la partenza. «Meglio aspettar l'estate.» Il guaio è che la Tante Jacqueline aveva finalmente preso sul serio i sintomi della misteriosa malattia e incoraggiata dalla nuova situazione, dalla tolleranza che ormai andava di moda a Torino, voleva rientrar senza indugio: piombar di sorpresa in via Dora Grossa 5, mettere Thomàs e Judith con le spalle al muro, e costringerli a rimangiarsi il ripudio. Riprendersi la figlia, averne cura. «Se si tratta d'una cosa grave non c'è da perder tempo, Michel, e io non basto. Per curarla ho bisogno anche di loro.» La partenza venne dunque fissata per il 15 aprile e seguite dalle lacrime dei Tron, dei Pons, dei Pascal, dei Jahier, quel giorno la fata e la strega risalirono con la fatina sul calesse che nel 1846 le aveva condotte lassù. Au-revoir, au-revoir, non-dimenticateci, attente-al-vio-di-Mort, menomale-che-non-dovete-guadare-il-borro. Il borro? Ah, il borro, il suo borro! E proprio mentre Morel si accingeva a frustare il cavallo, incominciare il viaggio, Marguerite scese a terra. Sorda alle proteste, ai richiami, si diresse verso la scorciatoia.

«Marguerite, Marguerite! Qu'est-ce que tu fais, che fai?!? Il y a le ravin au fond de ce sentier, c'è il borro in fondo a quel sentiero!»

«Je le sais, lo so, Tante Jacqueline. Je vais lui dire adieu, le remercier. Vado a dirgli addio, ringraziarlo.»

«Marguerite, Marguerite! Arrêtez-vous, fermatevi! Ne m'obligez pas à lâcher les rênes et vous suivre, non mi costringete a lasciar le redini e seguirvi!»

«J'ai dix-neuf ans, ho diciannove anni, Michel. Je peux bien me promener une minute toute seule. Posso ben camminare per un minuto da sola!»

«Marguerite, Marguerite!»

«Maman, maman!»

«Je reviens immédiatement, torno subito, Natzka.»

Appena s'accorsero che non tornava, si precipitarono tutti. I Tron, i Pons, i Pascal, i Jahier. E la cercarono ovunque. Nei cespugli, sotto gli alberi, dentro le pozzanghere, tra i sassi. Ma non la trovarono e non ci volle troppo a capire che giunta al borro aveva avuto uno dei suoi svenimenti, che era caduta in acqua e che la furia dell'acqua se l'era portata via. Nella speranza che presto si fosse riavuta, fosse riuscita ad aggrapparsi a qualche ramo o qualche sporgenza, percorsero l'intera sponda del borro poi del grosso torrente che si formava dal borro, e a Perrier si gettava nel fiume Germanasca. Ma di nuovo non la trovarono e allora, stavolta nella speranza di recuperare almeno il corpo, la cercarono nel Germanasca. Scandagliarono l'alveo fino alle rapide con cui il Germanasca si getta nel Chisone. Guidati da Morel, Jacques Tron e il vecchio François scandagliarono pure l'alveo del Chisone. Ma passato Pinerolo il Chisone confluisce nel Po, ed è così lungo il Po. Seicentocinquantadue chilometri, perdio. Dal Piemonte va in Lombardia, dalla Lombardia in Emilia, dall'Emilia nel Veneto, e qui si divide in cinque fiumi deltizi che ramificandosi in quattordici estuari sfociano nel Mare Adriatico. Come lo rintracci, nel Po, un esile corpo di fata?

«Inutile insistere» singhiozzò dopo Pinerolo il pastore Morel. «Il s'est envolé avec son âme au Paradis. È volato con la sua anima in Paradiso.»

Poi tornò a Rodoret e fu a quel punto che la Tante Jacqueline divenne l'unica mamma anzi il babbo e la mamma di Anastasìa. Perché, superato lo strazio e respinte le appassionate preghiere dei Tron, restate-con-noi-o-lasciatela-a-noi, decise di recarsi ugualmente a Torino. Per allevarla a Torino si prese due sorelle di Prarustin,

Suzanne e Marianne Gardiol, e con loro a metà giugno partì. Tagliò per sempre i ponti con la Valle Oscura e le ingenue creature che ad Anastasìa avevano dato il proprio nome. «Moi je ne veux la partager avec personne. Io non voglio divederla con nessuno.»

E a proposito: Thomàs e Judith non seppero mai che Marguerite era volata anima e corpo in Paradiso. Quando Morel andò a informarli, infatti, scoprì che al quarto piano di via Dora Grossa 5 ora ci abitava un maestro di ballo. Nel 1847, disse l'orologiaio della porta accanto, i coniugi Ferrier s'erano trasferiti all'estero. In quale paese? Boh! Secondo alcuni, la Francia. Secondo altri, l'Olanda. L'indirizzo lo conosceva Iddio.

8

La casa in cui Anastasìa trascorse l'infanzia, anzi abitò fino a diciotto anni con la Tante Jacqueline, esiste ancora. Ed ogni volta che mi fermo lì mi commuovo, con occhi appannati vedo lei che bambina poi adolescente poi giovane donna esce dal massiccio portone ormai chiuso. Da bambina, dando la mano a due ragazzette che indossano il costume valdese. Da adolescente reggendo il braccio d'una vecchia signora che zoppica. Da giovane donna camminando spedita e quasi con protervia esibendo i suoi capelli d'oro, il suo fascino slavo, e le fruscianti crinoline con cui sostituiva la jupe vaudoise e lo châle vaudois, gli audaci cappellini che portava al posto della coiffe vaudoise, sicché gli uomini la guardavano come gatti in calore e non di rado le andavano dietro. «Madamin... Mademoiselle...» È una casa con la quale la guerra e i secoli sono stati generosi. Venne costruita nel periodo napoleonico eppure sembra fabbricata ieri. Durante i bombardamenti del 1943 venne colpita da molti spezzoni incendiari, l'interno bruciò, eppure l'esterno rimase intatto. Non crollaron nemmeno i terrazzi di ferro battuto. Ha cinque piani. Si trova a metà di via Lagrange (a quel tempo via dei Conciatori) dove occupa lo spazio segnato col numero 12 (a quel tempo 23) cioè il tratto che fa angolo con via dell'Ospedale ed è attiguo a piazza San Carlo, ed oggi appartiene al comune di Torino. Ci stanno i vigili urbani della Sezione Centro che anziché il massiccio portone usano il brutto ingresso aperto su via dell'Ospedale. Nel secolo scorso apparteneva invece al conte Ottavio Thaon de Revel, firmatario dello Statuto, ministro di Carlo Alberto, deputato poi senatore pei liberali di destra, che v'era nato e vi occupava il secondo e il terzo e il quarto piano. (A terreno ci teneva il cocchiere, al primo piano o piano rialzato la servitù, e al quinto cioè all'ultimo l'inquilino). Indirizzo prestigioso, dunque, domicilio che conferma le possibilità finanziarie della Tante Jacqueline, e in più nel cuore della zona chic. Oltre ad essere attiguo a piazza San Carlo, infatti, l'edificio distava appena due blocchi da piazza Carignano e quindi da Palazzo Carignano ora sede del Parlamento. Appena quattro blocchi da piazza Castello e quindi da Palazzo Madama ora sede del Senato, dal palazzo dei ministeri, dal palazzo del re. E solo un blocco dalla residenza di Camillo Benso di Cavour, situata all'incrocio di via Lagrange con via dell'Arcivescovado. Non a caso i racconti della nonna Giacoma includevano sempre la scenetta di Cavour che per recarsi al Parlamento o al Senato o ai ministeri o dal re percorreva a piedi via Lagrange e passando sotto le finestre di Anastasìa alzava la testa. Si toglieva il cappello, si divertiva a salutarla.

«Bonjour, ma très belle!»

«Bonjour, Monsieur le comte.»

L'appartamento dell'inquilino conteneva tre camere da letto, una stanza da pranzo, un salotto, più la cucina e un bagno con la vasca d'ottone. Vi si accedeva dalle scale di servizio cioè dal cortile dove il cocchiere parcheggiava i cavalli e la carrozza, costava circa duecento lire al mese, e l'amministratore dei Thaon de Revel lo affittava già arredato. Lampade a gas incluse. Per affittarlo inoltre non esigeva atti di famiglia, carte che rischiavan di rivelare la frode compiuta a Rodoret con la registrazione falsa. Gli bastava che tu fossi una persona seria, educata, e solvibile cioè in grado di pagar la pigione. Così la Tante Jacqueline la ottenne senza problemi, nell'estate del 1848 vi si stabilì con Anastasìa e le sorelle Gardiol, e quando mi chiedo se l'arrivo accese qualche curiosità mi rispondo di no. Con molte probabilità il conte Ottavio non s'accorse o quasi del piccolo gineceo che l'amministratore gli aveva messo su al quinto piano. La sua famiglia, idem. Il 27 aprile c'erano state le prime elezioni del Regno sabaudo, l'8 maggio s'era inaugurato il primo Parlamento, il 18 maggio il primo Senato. Il 29 maggio c'era stata la battaglia di Curtatone e Montanara, il 30 Carlo Alberto aveva battuto gli austriaci a Goito, il 31 s'era impadronito della fortezza di Peschiera. In quel turbine di guerra, di politica, di vittorie, cosa gliene importava ai Thaon de Revel della bella bambina e della signora zoppa e delle due domestiche in costume valdese che passando dalle scale di servizio eran venute ad abitare sulla loro testa? Peggio: il 25 luglio le truppe piemontesi furono travolte a Custoza, incalzate da Radetzky presero a ritirarsi dalla Lombardia liberata, il 4 agosto Carlo Alberto abbandonò alla sua sorte Milano, il 9 agosto accettò l'armistizio di Salasco. A ciò seguì il disastroso 1849, e il 1849 è l'anno in cui denunciato l'armistizio ed affidato il comando supremo dell'esercito al generale polacco Chrzanowsky Carlo Alberto riaprì la guerra ma subito finì sconfitto a Novara: ricordi? L'anno in cui abdicò, si esiliò in Portogallo, ci morì, e il ventinovenne Vittorio Emanuele II salì al trono. È anche l'anno in cui Leopoldo di Lorena scappò a Gaeta raggiungendo Pio IX, in cui gli austriaci occuparono Firenze e schiacciarono l'eroica rivolta di Livorno, in cui a Roma fu proclamata la Repubblica Romana e Mazzini vi costituì il triumvirato ma il nipote del Nappa cioè il neopresidente della Repubblica Francese intervenne per riconsegnare la corona al papa. Le sue truppe posero sotto assedio la città e a cannonate, uccidendo centinaia di difensori tra i quali Goffredo Mameli, la conquistarono. Infine, l'anno in cui bombardata dal mare e dalla terra e dal cielo (dal cielo coi palloni aerostatici) Venezia s'arrese. Tutta l'Italia s'arrese, fuorché in Piemonte il giogo straniero tornò ad infierire, e allora sì che agli occhi del conte Ottavio e della sua famiglia il piccolo gineceo assunse i contorni di un'entità trascurabile. Che cosa doveva indurli a occuparsene, domandarsi se le insolite inquiline erano in regola con lo stato civile, del resto? Pagavano regolarmente, non disturbavano in alcun modo, vivevano con decoro e la signora zoppa non riceveva mai nessuno. Ch'io sappia, a parte Michel Morel che ogni tanto piombava col suo calesse, durante l'infanzia di Anastasìa un unico estraneo salì le scale del quinto piano: il capoccia Gardiol ossia il padre di Marianne e Suzanne, le due sorelle assunte dalla Tante Jacqueline, che nel 1853 andò a riprenderle e se le riportò a Prarustin.

Ho scarse notizie sui quattro anni che Anastasìa visse in via Lagrange con le sorelle Gardiol: per ora figure senza rilievo ma in futuro un cardine della sua storia. Di Suzanne la nonna Giacoma non parlava mai. Di Marianne, soltanto nei casi in cui si riferiva al periodo che Anastasìa trascorse a Salt Lake City come promessa sposa del mormone John Dalton: l'uomo del quale rischiò di diventare la settima moglie.

E al loro proposito gli archivi raccontano poco. Che Marianne era nata nel 1834, Suzanne nel 1830, che quindi erano state assunte una quattordicenne e una diciottenne, che appartenevano a un clan poverissimo e che entrambe pesavano quaranta chili, misuravano un metro e cinquanta d'altezza. Che nel 1850 il missionario protestante Lorenzo Snow visitò le valli per procurar proseliti alla Chiesa di Gesù Cristo dei Santi dell'Ultimo Giorno cioè al mormonismo: bizzarra setta fondata nel 1830 da un certo Joseph Smith ed arroccata col suo pontefice Brigham Young nei territori dell'Utah nonché dedita alla poligamia. Che spinto dal miraggio dell'America cioè dalla speranza di diventar ricco e avere tante mogli il capoccia Gardiol fu tra i centottantasette valdesi che subito dopo abiurarono e abbracciarono la nuova fede. Che per questo nel 1853 andò a riprendersi le figlie e non molto tempo dopo Marianne emigrò a Salt Lake City dove diventò la sesta signora Dalton... Nulla, insomma, che tocchi da vicino Anastasìa e mi aiuti a vedere quella fase della sua infanzia. (Per immaginarla devo guardare un famoso quadro di Monet. Quello che ritrae una deliziosa bambina seduta a tavola col cucchiaio in mano e circondata da tre donne intente a coccolarla, viziarla: la mamma, la domestica, e la balia asciutta). Sugli anni che seguirono l'addio delle sorelle Gardiol, so invece varie cose. Ad esempio che nell'autunno del 1853 Anastasìa fu iscritta alla scuola elementare valdese del pastore Amedeo Bert, e qui incominciò a confermare l'indocilità dimostrata quando appena partorita aveva compiuto il sortilegio di togliersi le fasce: restar libera e nuda dentro la culla. Erano scuole civili, le scuole di Torino. Niente frustate, lì, niente bastonate col nerbo di bue, niente infamie simili all'infamia subìta a Livorno da Giobatta. Il regolamento municipale proibiva le pene corporali, e il massimo castigo che vi veniva inflitto consisteva nel Banco del Disonore. Cioè nel relegar l'alunno o l'alunna colpevole di indisciplina in un banco isolato, di solito posto accanto alla lavagna o presso la cattedra. Però sia quelle cattoliche che quelle valdesi davano molto spazio alla religione. Alle nove del mattino si diceva la prima preghiera, alle dodici la seconda, alle quattro la terza, e tutti i pomeriggi dovevi studiarti un'ora di catechismo e di storia sacra. Inoltre le classi femminili includevano i lavori donneschi. Maglia, cucito, ricamo. Bè, i lavori donneschi Anastasìa non li poteva soffrire. Le preghiere e la storia sacra ancor meno. («Ça m'ennuie, mi annoia» protestava quando la Tante Jacqueline tentava di farle cantare un salmo). Sicché ad ogni rifiuto finiva nel Banco del Disonore e a un certo punto esso divenne il suo banco fisso. Entrando in classe ci si accomodava subito e se glielo impedivano si stizziva.

«C'est mon banc privé, è il mio banco privato. Moi j'aime le déshonneur, io amo il disonore.»

So anche che grazie al maestro Varisco, un esule veneto convertitosi al calvinismo e addetto all'insegnamento dell'italiano, lì imparò finalmente la lingua del paese nel quale era nata. Lingua con cui non aveva mai avuto nessuna dimestichezza e che per questo avrebbe sempre parlato male nonché con un fortissimo accento straniero colmo di doppie erre mosce. Buonase*rr*a-ca*rr*o-signo*rr*e. E poi so che grazie a lui e ai maestri di scrittura, lettura, aritmetica, geografia, a scuola scoprì una razza sconosciuta cioè sempre intravista da lontano e basta o per strada e basta. La razza dei misteriosi individui con la barba e i baffi e pantaloni, la razza degli uomini. So che a frequentarli ne rimase incantata e che subito prese a sedurli con le sue doti di piccola maliarda. La sua bellezza, la sua sfacciataggine, la sua eleganza. (L'eleganza in quanto il costume tradizionale lei non voleva indossarlo. Se le imponevi la coiffe vaudoise o le tableau vaudois si metteva a strillare ça-ne-me-plaît-pas, non-mi-piace, e la Tante Jacqueline doveva vestirla alla moda. Attillate giacchettine, gonne sostenute dalla crinolina, sotto la gonna i pantalettes ossia i mutandoni di pizzo lunghi fino alla caviglia, e ai piedi le scarpine con le ghette. In testa graziose nizzarde adorne di fiocchi e fiori). Ma, soprattutto, so che in quegli anni scoprì d'essere una creatura priva di qualsiasi entità giuridica. Una cittadina che per la società non era mai nata, un individuo di cui la legge ignorava la presenza e guai a rivelargliela. A Torino infatti la Tante Jacqueline s'era guardata bene dal regolarizzare il suo ruolo di tutrice, notificare l'orfana. All'amministratore dei Thaon de Revel l'aveva presentata semplicemente come nipote, a scuola l'aveva registrata col nome scelto da Marguerite per battezzarla cioè Anastasìa Ferrier, e del resto l'anagrafe non esisteva. In caso di dubbio sarebbe stato difficile stabilire se si trattava d'un nome legittimo o no. Sulla nascita della creatura priva di qualsiasi entità giuridica, però, una prova esisteva. Era il foglio che custodito nella parrocchia valdese di Rodoret la definiva Jeanne Tron figlia di Jacques Tron e di Jeanne Pons nei Tron. La frode che Jacques aveva sottoscritto con la croce degli analfabeti, Michel Morel con la sua firma a svolazzi. E tale prova, non eliminabile in quanto il retro della pagina certificava il battesimo di altri due neonati, costituiva un falso in atto pubblico. Delitto che non andava in prescrizione, che si estingueva soltanto con la morte del reo, e che se fosse venuto a galla avrebbe messo nei guai i responsabili. Insieme a loro, colei che s'era appropriata della supposta Jeanne Tron. Se l'era portata via e da allora se la teneva senza il consenso d'un magistrato.

Guai e basta? Il Codice Penale non lasciava spazio ad equivoci. «Chi nell'esercizio del suo ufficio esegue un falso in atto pubblico con alterazioni o scambi di persona è punito coi lavori forzati a tempo o a vita» diceva a proposito della frode compiuta da Morel. «Chi con ingannevoli dichiarazioni o mendaci sottoscrizioni esegue un falso in atto pubblico è punito con cinque anni di carcere o dieci anni di lavori forzati» diceva a proposito di quella compiuta dai Tron. «Chi si appropria d'un infante e ne altera o ne occulta l'identità è punito con sette anni di carcere o dieci anni di lavori forzati» diceva a proposito dei pasticci che la Tante Jacqueline aveva combinato. Ma il pastore Morel non se ne preoccupava, i Tron non si rendevan nemmeno conto d'aver commesso un crimine, e la Tante Jacqueline non ci pensava o non voleva pensarci. Anastasìa a parte, troppe cose la distraevano da quella spada di Damocle sospesa sulla sua testa. La metamorfosi di Torino che coi liberali e Vittorio Emanuele II aveva cessato d'essere una città grigia e noiosa, quasi di colpo era diventata una capitale moderna: esperimenti di luce elettrica, strade ferrate che portavano a Genova e a Susa, caffè zeppi di avventori che discutevano senza paura, allegre feste di Carnevale e pei valdesi un grosso tempio eretto sul viale del Re. L'ascesa di Cavour ora primo ministro e così potente da potersi permettere d'irritare il sovrano. Il raddoppiato piacere di vederlo uscire dal palazzo all'angolo di via dell'Arcivescovado e col suo cappello a tuba, i suoi occhiali a stanghetta, il suo sorrisino ironico, la sua camminata lenta percorrere via Lagrange. Bonjour-ma-très-belle, bonjour-Monsieur-le-comte. Il dramma dell'Italia ricaduta sotto il giogo degli austriaci e dei reazionari, i vani moti promossi da Mazzini, le forche di Milano e di Mantova dove i patrioti venivano impiccati a cinque o a dieci per volta, i processi di Firenze dove Leopoldo aveva riesumato la pena di morte e le truppe di Radetzky scorrazzavano indisturbate. La questione d'Oriente, la guerra in Crimea... Nel 1853 lo zar aveva invaso la Moldavia e la Valacchia: i principati danubiani che appartenevano al sultano di Costantinopoli cioè alla Turchia. Schieratesi con quest'ultima, Francia e Gran Bretagna gli avevano dichiarato guerra poi occupato la penisola dell'Ucraina detta Crimea e per procurarsi appoggi contro l'Austria (da sempre alleata con la Russia) Cavour s'era unito a loro. Nel 1855 anche il piccolo Regno sabaudo era entrato in guerra, quindicimila piemontesi erano sbarcati a Balaclava, e come ignorare un fatto simile? Come non essere distratti dalle notizie che i quotidiani pubblicavano a caratteri di scatola? L'assedio di Sebastopoli. L'epidemia di colera che subito aveva colpito il corpo di spedizione uccidendo milletrecento soldati tra cui il generale Alessandro Lamarmora. L'eroica battaglia della Cernaia. La vittoria finale. E nel 1856 il congresso di Parigi: Cavour seduto accanto ai rappresentanti delle grandi potenze europee per discutere con parità di diritti i termini della pace...

Ma poi venne l'estate del 1857, e il 4 luglio Vittorio Emanuele II rese esecutiva una legge che aveva emesso nel 1855 cioè durante la guerra in Crimea. Quella relativa al censimento che allo scopo di contare i sudditi, individuarli, catalogarli, si sarebbe tenuto la notte tra il 31 dicembre 1857 e l'1 gennaio 1858.

* * *

Il censimento più minuzioso, più meticoloso, prolisso, che fosse mai stato concepito in Italia. E il trabocchetto più insidioso, più minaccioso, letale, che la Tante Jacqueline avesse mai osato supporre. Perché, nei due anni durante i quali lei s'era distratta con l'assedio di Sebastopoli e la battaglia della Cernaia e il congresso di Parigi, il ministero degli Interni aveva studiato tutte le mappe catastali che in mancanza dell'anagrafe potessero localizzare una dimora o un domicilio. Con queste aveva composto la topografia esatta d'ogni centro urbano, ogni villaggio, ogni quartiere, ogni cascinale, ogni locale abitato o abitabile. Poi aveva stampato le schede da distribuire, e la loro consegna si svolgeva in modo che nessuno riusciva a sfuggirvi. Specialmente nella disciplinata, organizzata Torino. A effettuarla provvedevano infatti espertissimi agenti che in molti casi conoscevan già l'identità di chi stava al tal piano del tale edificio della tale strada. Scortati da una guardia municipale o da un funzionario di polizia si presentavano con un registro su cui segnavan l'avvenuto o non avvenuto recapito, e fingere di non essere in casa non serviva a nulla. Se la porta restava chiusa, tornavano finché si apriva. Oppure interrogavano il proprietario, e che fai quando il proprietario si chiama Ottavio Thaon de Revel? Gli spieghi che sei nei guai con la legge, che rispondendo al censimento rischi di svelare la frode commessa nel 1846 e i pasticci combinati in seguito? Lo implori di non riferire che alloggi al quinto piano, lo preghi di nasconderti in cantina o dietro i tendaggi del suo salotto? Rifiutare la scheda o non riempirla era d'altronde un fallo punibile con l'arresto. Riempirla con informazioni inesatte o mendaci, un delitto uguale al delitto di falso in atto pubblico. Era anche una scappatoia pressoché impossibile: l'indiscreto foglio poneva domande assai precise. Voleva sapere il numero delle stanze occupate, quello dei congiunti che componevano il nucleo familiare, quello delle persone che in casa vivevano come ospiti o come domestici. Di ciascuno esigeva il nome e cognome, l'età, il luogo di nascita e di residenza, il credo a cui apparteneva, la lingua che parlava, il grado di alfabetismo o analfabetismo che aveva, le tare fisiche (cieco o sordomuto) di cui soffriva. E degli eventuali visitatori, ad esempio degli amici venuti a festeggiare il Capodanno con te, lo stesso. «La presente scheda includerà pure gli estranei che la notte fra il 31 dicembre 1857 e l'1 gennaio 1858 si troveranno in questa casa per avventura» specificava una nota a piè di pagina. Sperar di cavartela recandoti qualche ora in casa altrui era una sciocchezza, insomma: agli agguati delle precise domande ti sottraevi soltanto uscendo dal Regno sabaudo. Per uscire dal Regno sabaudo, però, ci voleva il passaporto. Chiedere il passaporto significava rivolgersi alla Questura, sottoporsi a indagini ancor più capillari, cadere dalla padella nella brace. Quando ricevette la scheda, dunque, la Tante Jacqueline si svegliò di colpo. Realizzò che il pericolo di finire in galera o ai lavori forzati aveva preso corpo, e colta dal panico decise di prevenirne Anastasìa: confessarle la verità incominciando da quella sui suoi genitori.

«Il faut que je te parle, bisogna che ti parli, ma petite...»

Anastasìa aveva undici anni nel 1857. Se il cervello ti funziona, a undici anni capisci un mucchio di cose. Il suo funzionava a meraviglia, si sa, e lei capì anche troppo. Col coraggio che già la distingueva, l'istinto di sopravvivenza che già la caratterizzava, suggerì addirittura l'unica soluzione possibile.

«Veux-tu dire que le mien est un nom abusif, Tante Jacqueline, que je ne suis pas vraiment Anastasie Ferrier? Vuoi dire che il mio è un nome abusivo, che non sono davvero Anastasìa Ferrier?»

«Oui, ma petite...»

«Veux-tu dire que malgré ça je ne suis Jeanne Tron non plus? Vuoi dire che malgrado ciò non sono nemmeno Jeanne Tron?»

«Oui, ma petite...»

«Veux-tu dire que pour le monde je n'existe pas, je ne suis jamais née? Vuoi dire che per il mondo io non esisto, non sono mai nata?»

«Oui, ma petite. Pourtant je dois t'enregistrer quand même, eppure devo registrarti ugualmente...»

«Non. Tu ne dois pas, non devi, Tante Jacqueline. On ne peut pas enregistrer une personne qui n'est jamais née, non si può registrare una che non è mai nata.»

«Mais la loi, ma la legge...»

«Moi je m'en fiche de la loi, io me ne infischio della legge, Tante Jacqueline.»

«Et le Bon Dieu, il Buondio...»

«Moi je m'en fiche du Bon Dieu, io me ne infischio del Buondio. Quelle espèce de Bon Dieu est un Dieu qui laisse tuer mon père et noyer ma mère, qui te fait pleurer et m'oblige à vivre en contumace? Che razza di Buondio è un Dio che lascia ammazzare mio padre e annegare mia madre, che ti fa piangere e mi costringe a vivere in contumacia?»

«Oh, ma petite!»

«Écoute-moi, ascoltami, Tante Jacqueline.»

Erano ventiquattro i volumi nei quali, concluso il censimento, gli scrivani del municipio avevano copiato i dati dei 179.635 abitanti che secondo le schede dimoravano a Torino nel 1858. Irrobustiti da una massiccia rilegatura in cuoio rosso bordeaux stavan chiusi dentro un forziere dell'archivio comunale e sembrava che dovessero durare per sempre. Invece quando sono andata a consultarli ne ho trovati sedici e basta. Otto mancano, e fra gli otto anche quello di via Lagrange. (Perduto, perduti in qualche trasloco? Finito, finiti in polvere? In polvere, credo. La carta dei sedici superstiti è in pessimo stato. Venne fabbricata con un impasto di cellulosa che non resiste al tempo ed appare così friabile che a sfogliar le pagine ti si disintegra fra le mani). Ergo, non ho prove per sostenere che la Tante Jacqueline seguì l'amaro consiglio. Visto che in galera non ce la misero, ai lavori forzati nemmeno, posso solo supporre che l'abbia seguito e che nessuno se ne sia accorto. Tuttavia so che scoprirsi un'orfana partorita di nascosto anzi un'illegittima priva di qualsiasi diritto civile, una clandestina alla quale il Codice Penale impediva di asserir la propria esistenza, provocò nell'anima di Anastasìa un autentico terremoto. Un trauma che si estese ben oltre il precoce rifiuto di Dio. Perché fu tale scoperta, non la sua congenita indocilità, a scatenarla e a porla sulla strada dove avrebbe incontrato l'uomo cioè il bisnonno di cui non posso parlare.

9

La prima immagine di quest'Anastasìa è quella d'una incantevole adolescente in scarpette da ballo e tutù, allieva presso la Scuola di Danza del Teatro Regio ed ansiosa di esibirsi sul palcoscenico: il mezzo che ha scelto per uscire dall'anonimato. Non era facile entrare alla Scuola di Danza del Regio. Il corso preparatorio accettava solo una decina di nuovi studenti all'anno e per presentarsi all'esame d'ammissione bisognava possedere caratteristiche assai speciali. Grazia fisica, figura snella. Muscolatura solida e magra, salute perfetta. Polpacci di ferro, caviglie d'acciaio, piedi arcuati. E orecchio musicale, doti recitative, amor dell'arte, nonché un'età che per le bambine oscillava tra gli otto e i dodici anni. Peggio: l'esame veniva condotto con spietato rigore da un medico, un chirurgo, un violinista, un maestro di ballo, uno di mimica, uno di francese, (in aula si parlava esclusivamente francese), e se fallivi non potevi ripeterlo. Non era facile nemmeno ottenere il consenso della Tante Jacqueline, donna di larghe vedute sì ma ancora ligia a certi pregiudizi e oppressa da giustificate paure. Il tutù, si sa, non è una tonaca da novizie. Il corpetto denuda le spalle e le braccia, la gonna di tulle rivela in trasparenza le cosce, e a saltare si solleva. Scopre perfino le mutande. Inoltre la danza si nutre di sensualità, pathos, sottile lascivia... Pensa ai suoi gesti morbidi e allusivi, ai movimenti quasi onanistici degli assolo, ai palpeggiamenti quasi erotici dei *pas-à-deux*. Il partner che per agevolarti la piroetta ti stringe la vita, per alzarti nel volo d'angelo t'afferra sotto le gambe, per tenerti sospesa a mezz'aria ti ghermisce il pube. Nelle ballerine i bigotti vedevano dunque una categoria di femmine invereconde, il simbolo stesso del peccato. Chi cercava l'avventura si rivolgeva volentieri a loro, e quelle del Regio eran come un vaso di miele messo in mezzo a covi di tafani. (Sai, i mosconi che non ti danno pace finché t'hanno bucato, succhiato). Il teatro sorgeva infatti dinanzi a Palazzo Madama cioè in piazza Castello. A destra aveva il ministero degli Interni, a sinistra l'Accademia Militare, e a pochi metri il Club dei Nobili. Giro giro, i caffè cari ai magnati della capitale. Di conseguenza l'ingresso brulicava sempre di marsine e di uniformi. Deputati, senatori. Alti funzionari, ministri. Ufficialetti, generali, dongiovanni incalliti. I più famelici varcavano addirittura la soglia, con la scusa d'assistere alle prove si appostavano nel ridotto, e in che modo respingerne le galanterie? A volte erano signori talmente autorevoli. Massimo d'Azeglio che per corteggiare le alunne si riempiva le tasche di caramelle. «Un bonbon, mignonne?» Camillo Cavour che essendo scapolo non temeva scandali e al posto delle caramelle dispensava affettuose pacche sul sedere. «Quel joli derrière, che bel culetto!» Carlo Alfieri di Sostegno che avendo la moglie brutta mendicava conforto. Urbano Rattazzi che avendola vivace tentava di vendicarsi. E da Genova, dove comandava un reggimento di cavalleria, l'irresistibile Ulrico di Aichelburg: eroe della guerra in Crimea e autore del celebre motto «La spada si infila nel fodero se il fodero si lascia infilare». Da Parigi, il bellissimo Costantino Nigra: gran complice di Cavour e amante dell'imperatrice Eugenia. Dalla reggia, Sua Maestà Vittorio Emanuele II che era proprio un monarca alla mano. Parlava piemontese cioè il dialetto del popolo. Passeggiava per la città da solo, si intratteneva con chiunque, e si portava a letto tutte le suddite che gli capitavano sottomano. Bionde, brune, grasse, magre. Aristocratiche, borghesi, plebee. Col tutù e senza tutù. Però la Scuola di Danza offriva anche il vantaggio di non chiedere l'atto di nascita o altri fogli indiscreti. Per denunciar l'età e l'identità bastava una firma del genitore o del parente che ti accompagnava, e quando mai la Tante Jacqueline era riuscita a imporre una censura all'adorata nipote? Nel marzo del 1858 Anastasìa aveva superato l'esame ed ora frequentava i corsi del triennio di tirocinio.

«Je montrerai au monde que je suis née, que j'existe. Mostrerò al mondo che sono nata, che esisto.»

Mi commuove vederla in tutù. E mi riconduce agli anni che prepararono il fatale incontro col bisnonno di cui non posso parlare, con l'insigne tafano che sconvolse la sua vita. Quella mia vita. («Sono nata per colpa d'un tutù» diceva, un po' aspra, la nonna Giacoma). Perché del periodo in cui ero Anastasìa bambina e andavo alle elementari del pastore Bert, non volevo indossare l'abito valdese e mi divertivo a occupare il Banco-del-Disonore, ricordo assai poco. Dei mesi successivi al censimento, nulla. Degli anni in cui ero allieva al Regio, il periodo dell'adolescenza, ricordo invece dettagli molto precisi. L'aula all'ultimo piano del teatro, troppo fredda d'inverno e troppo calda d'estate, gli odiosi specchi che riflettevano tutti gli errori. Il maestro di danza, un ex ballerino stizzoso e maligno, che nonostante il divieto d'infliggere castighi corporali ci sferzava con la canna per segnare il tempo e intanto ci insultava. Ci umiliava. «Balordo, balourd! Pigra, paresseuse!» Oppure ci controllava la magredine con crudeli pizzicotti al bicipite. «Qu'est-ce que c'est ce gras, che è questo grasso? Vous devez manger des légumes, des légumes, des légumes! Dovete mangiare verdura, verdura, verdura!» La disciplina spietata che la scuola imponeva anche nelle sciocchezze. Proibito arrivare con mezzo minuto di ritardo, proibito alterare il vestiario con fiocchi o nastri, proibito mettersi orecchini o collane, e proibito chiacchierare con le compagne o i compagni di classe, proibito ridere. Il tedio degli esercizi alla sbarra cioè dei *pliés*, i piegamenti, e la sofferenza di farli con le stecche di balena che irrigidiscono il corpetto. La fatica degli esercizi al centro cioè di quelli che esegui senza la sbarra e dinanzi agli specchi, incominciando dall'improbo *en-dehors*. Testa eretta, schiena dritta, braccia levate nel gesto di reggere un paniere all'altezza del seno. Pancia in dentro, sedere stretto, gambe unite fino alla caviglia, piedi che al tallone si scostano l'un dall'altro formando un angolo di centottanta gradi, e guai se perdi l'equilibrio. «Mollasson, pappamolle! Qu'est-ce que tu as à la place des muscles, che hai al posto dei muscoli? Du beurre, il burro?» La tortura dell'*écart* cioè della spaccata: il movimento che consiste nell'allargare le cosce finché le gambe aderiscono al suolo in tutta la loro lunghezza e ogni tendine sembra implorare pietà. Il supplizio del *grand-jeté* cioè della spaccata in aria: il salto che fai con le gambe completamente divaricate, tese, e guai se pieghi un pochino i ginocchi. «Bête, bestia, bête!» Il travaglio di ballare sulle punte, realizzare ad esempio l'*arabesque*: l'impossibile posa grazie a cui il corpo si stende in senso trasversale, una gamba si solleva all'indietro per almeno novanta gradi, una sta in bilico sulla cuspide del piede, sicché se l'alluce è più corto delle altre dita (il mio lo era) si schiaccia contro il rinforzo delle scarpette. Disarticola l'intero metatarso e senti un male! Cristo, chi l'avrebbe mai detto che ballar sulle punte fosse così difficile e doloroso? All'inizio m'eran venute perfino le galle, e con le galle non puoi nemmeno camminare. Zoppicando lasciavo l'aula, scendevo nel ridotto dove i tafani in marsina mi chiudevan dentro le loro occhiate vogliose. Zoppicando uscivo, imboccavo il portico di piazza Castello dove i tafani in uniforme mi tallonavano coi loro inviti licenziosi.

Zoppicando percorrevo via Accademia delle Scienze, attraversavo piazza Carignano, tornavo a casa dove la Tante Jacqueline mi medicava e mi massaggiava sospirando.

«Mon petit soldat, mio piccolo soldato...»

La seconda immagine, parallela alla prima eppure molto diversa, è quella d'una pensosa ragazzina immersa nella lettura dei libri che per diciotto lire al semestre la Tante Jacqueline noleggia alla Biblioteca Circolante dei fratelli Reycend in via Po. *La Dame aux Camélias* di Dumas figlio, ad esempio. *Madame Bovary* di Flaubert, *Les fleurs du mal* di Baudelaire. Roba su cui una fanciulla dabbene non dovrebbe nemmeno posar lo sguardo. (Ma lo sai chi è la Dame aux Camélias o Signora delle Camelie?!? Una mantenuta, parbleu. Una puttana di lusso che si vende al miglior offerente, che sperpera soldi in feste, che seduce un bravo giovanotto, e che Dio punisce facendola crepare di tisi! Lo sai chi è Madame Bovary?!? Una sciagurata che mette le corna al marito, che rinnega i suoi doveri di sposa e di mamma, che a condurre una vita onesta si annoia e alla fine s'ammazza! Non per nulla Flaubert è finito in tribunale e ringraziare il cielo se un cavillo giuridico l'ha assolto. Quanto a *Les fleurs du mal* o *I fiori del male* si tratta di poesie così scandalose che i cavilli giuridici non sono serviti. Baudelaire è stato riconosciuto colpevole di oltraggio al pudore e condannato a trecento franchi di multa). Naturalmente i romanzi proibiti e i libri di poesie scandalose la Tante Jacqueline li noleggia per sé, non per la nipote. Se li gode di soppiatto e la sera li tiene sotto il guanciale. Però Anastasìa s'è accorta che il suo sonno è duro, e appena la sente russare li prende. Li porta in camera sua e al lume della lampada a gas li legge, impara cose assai più interessanti dell'*écart* o del *grand-jeté* e dell'*arabesque*. Che i rapporti tra uomini e donne sono complicati da un arduo problema chiamato sesso, per incominciare. Che il sesso è il motivo per cui Massimo d'Azeglio si riempie le tasche di caramelle, Cavour distribuisce pacche sul sedere, e a subir le loro occhiate vogliose o a esser tallonata dagli ufficialetti lei prova una specie di formicolio. Che le donne hanno gli stessi desideri degli uomini, le stesse facoltà mentali, gli stessi bisogni fisici e intellettuali. Che malgrado ciò vengono considerate creature inferiori e vivono con la corda al collo. Non possono ribellarsi alla tirannia del padre o del marito, denunciarne gli abusi. Non possono né votare né coprire cariche pubbliche, diritto dal quale la legge le esclude insieme ai detenuti e i pazzi e gli analfabeti. Non possono iscriversi all'università, diventare medici o avvocati o ingegneri... Di mestiere possono fare le maestre, le governanti, le cantanti, le attrici, le ballerine, le prostitute, le serve, le poetesse e le romanziere. (Quest'ultime in incognito, magari. Cioè con uno pseudonimo maschile come le sorelle Emily e Charlotte e Anne Brontë che il loro primo libro lo hanno pubblicato coi nomi di Ellis e Currer e Acton Bell. O come Mary Ann Evans che si firma George Eliot, come Aurore Dupin che si firma George Sand). Legge anche George Sand. L'audace George Sand che non paga dello pseudonimo maschile si veste da uomo, pantaloni e giacca e cravatta e cappello a cilindro, fuma il sigaro, si porta a letto chi le pare, e tra le sue infinite conquiste c'è un musicista polacco: Chopin. Legge anche «Le Tour du Monde»: rivista che pubblica gli articoli dei grandi viaggiatori e che in ogni numero parla del grande paese nel quale puoi inventarti l'identità che desideri cioè fregartene del censimento. Gli Stati Uniti d'America. Infine rifiuta di andare al tempio, studiare la Bibbia, cantare i Salmi, aver rapporti col Padreterno. E sollevando le gelosie della Tante Jacqueline frequenta una signora coi capelli bianchi e l'ombrellino nero che abita in via Borgonuovo 12, la strada in fondo a via Lagrange. Giuditta Sidoli, la donna amata da Giuseppe Mazzini.

«Où vas-tu, dove vai, Anastasìa?»

«Chez madame Giudittà, Tante Jacqueline.»

«Où as-tu été, dove sei stata, Anastasìa?»

«Chez Madame Giudittà, Tante Jacqueline.» Si sono conosciute per caso in piazza Castello, un giorno che i tafani in uniforme tormentavano la neoallieva del Regio con complimenti esagerati, e l'ombrellino nero s'è abbattuto sulla schiena del più importuno. «N'avez-vous pas honte de molester une mineure, non si vergogna di molestare una minorenne, Monsieur?» Donna eccezionale, la Sidoli. Un tipo che per distinguersi non ha bisogno di fumare il sigaro e usare i pantaloni, la giacca, la cravatta, il cappello a cilindro. Da sempre patriota e coinvolta nei moti risorgimentali, dal 1828 vedova del carbonaro Giovanni Sidoli nonché incarcerata, perseguitata, cacciata dai vari regni e ducati e granducati, nel 1852 s'è stabilita a Torino e inutile dire che la polizia la sorveglia. Spesso le piomba in casa e fruga tra le sue carte. Però questo non la scompone e con serafica calma ammette i suoi principii repubblicani. Senza paura mantiene i rapporti con l'esule di Londra, l'uomo al quale in gioventù era legata da una passione irrefrenabile. Gli scrive, gli manda i gianduiotti, lo vede ogni volta che viene nella capitale. (E grazie ai passaporti falsi, all'abilità di cospiratore, ci viene spesso. Chiedi la conferma a Cavour che lo odia ma non vuole arrestarlo. «Lo renderei un martire, gli farei un regalo»). Anastasìa ne subisce il fascino anzi le vuole bene, e l'affetto è ricambiato perché... Nel 1831 l'allora ventisettenne Giuditta fu espulsa da Reggio Emilia, la sua città. Insieme a un gruppo di repubblicani romagnoli guidati da Luigi Amedeo Melegari si rifugiò a Ginevra poi a Marsiglia. Qui incontrò l'allora ventiseienne Mazzini, ne divenne l'amante, ne rimase incinta, e solo pochi intimi sanno che l'11 agosto 1832 partorì un bambino. Che il 14 agosto il vicesindaco Pierre Marius Massot lo registrò all'anagrafe di Marsiglia come Joseph Démosthène Adolphe Aristide figlio di genitori ignoti e quindi privo di cognome. Che i genitori ignoti se ne liberarono subito consegnandolo a una pessima balia di Montpellier. Che dieci mesi dopo, cioè quando lui partì per tornare a Ginevra e lei per rientrare clandestinamente in Italia, lo affidarono al consigliere comunale Démosthène Ollivier padre del futuro presidente del Consiglio francese Émile Ollivier. Che Démosthène lo riportò a Marsiglia e se ne liberò a sua volta, a sua volta mettendolo in mano a una pessima balia. Che il 21 febbraio 1835 la povera creatura morì di colera e di incurie. Passeranno sessant'anni, infatti, prima che Émile spifferi in un libro il segreto: «Mazzini delegò a mio padre la custodia del figlio che aveva avuto da una bella connazionale di Reggio, sua compagna d'esilio». E passerà un secolo prima che un discepolo di Gaetano Salvemini trovi negli archivi di Marsiglia l'atto di nascita e di decesso, attraverso le lettere dei due amanti ricostruisca il dramma del brutto abbandono e cerchi di giustificarlo. (Erano-entrambi-braccati-sicché-non-potevano-sposarsi, non-potevano-riconoscerlo-o-tenerlo). Però la signora coi capelli bianchi e l'ombrellino nero lo sa che la verità non è questa, che quel figlio lo abbandonarono per evitare lo scandalo cioè per non appannare l'aureola dell'apostolo col cilicio. E a ricambiare l'affetto dell'orfana, occuparsene, le sembra di lenire il rimorso in cui si rode da allora.

Occuparsene, sì. Oltretutto le loro case sono talmente vicine. Uscendo da via Lagrange 23 vai dritto fino in fondo alla strada poi giri a sinistra, attraversi piazza Bodoni, ed eccoti in via Borgonuovo 12. Ergo, la invita spesso nel suo salotto dove si discute di politica e si parla italiano. «Niente francese, qui, signorina Ferrier!» E dove all'ora del tè si riuniscono letterati d'ogni tipo, esuli d'ogni paese, patrioti d'ogni corrente. Democratici e conservatori, monarchici e repubblicani. Nel gran calderone Luigi

Amedeo Melegari che ormai è deputato di centro-destra e consigliere di Cavour, ormai pensa che l'unità d'Italia sia una chimera ma per liberarla dallo straniero venderebbe l'anima. Oppure va a prenderla al Regio, sottraendola ai tafani la porta a Palazzo Carignano, la fa assistere alle sedute del Parlamento. (I biglietti con cui si accede al recinto del pubblico o alla tribuna delle signore glieli dà il Melegari). La educa, insomma. Le insegna ciò che la zia non le ha mai insegnato perché agli occhi dei valdesi la patria è sempre stata più matrigna che madre, e a certi eventi hanno sempre partecipato di riflesso. Stando alla nonna Giacoma, infatti, fu all'ombra della Sidoli e non della Tante Jacqueline che fiorì l'adolescenza di Anastasìa.

10

Un'adolescenza senza la quale non si spiegherebbe la giovane donna della leggenda, e durante la quale Anastasìa assistette agli eventi più straordinari della sua epoca. La seconda guerra d'Indipendenza, per incominciare. Il 14 gennaio del 1858, a Parigi, il mazziniano Felice Orsini aveva tentato d'uccidere Napoleone III. Insieme a tre compagni di fede aveva lanciato una bomba contro la sua carrozza. Il 13 marzo era finito col lucchese Giuseppe Andrea Pieri sulla ghigliottina, ma prima di morire aveva scritto una nobile lettera in cui sconfessava il gesto e invitava l'ex nemico a sostenere la causa italiana. Con la solita spigliatezza Cavour se n'era servito per attuare il suo piano di cacciare gli austriaci dal Lombardo-Veneto, allargare il Regno sabaudo fino alle Romagne e alle Marche, e in luglio s'era incontrato col mancato morto a Plombières. Lo aveva convinto a entrare in guerra a fianco del Piemonte, per compensarlo del favore gli aveva promesso Nizza e la Savoia. S'era pure impegnato ad arrangiare il matrimonio di Clotilde, la sedicenne figlia del re, con suo cugino Gerolamo Bonaparte. Un pingue trentasettenne che chiamavano Plon-Plon. Ed escogitato il *casus belli* (l'insurrezione di Massa e Carrara ancora presidiate dalle truppe austriache), firmato il segretissimo accordo, tra le due capitali era incominciata una tresca da far incanutire un calvo. In dicembre Napoleone III aveva perfino riveduto il testo del discorso col quale Vittorio Emanuele II avrebbe palesato le sue intenzioni all'Austria. Di proprio pugno ci aveva inserito la frase «Nous ne pouvons pas rester insensibles aux cris de douleur qui viennent jusqu'à nous de tant de points de l'Italie. Noi non possiamo restare insensibili alle grida di dolore che ci vengono da tante parti d'Italia». Con modifiche impercettibili, ad esempio sostituendo la parola «grida» con «grido», il 10 gennaio del 1859 Vittorio Emanuele l'aveva detta all'apertura delle Camere e...

Assistervi e basta? Da quegli eventi Anastasìa era rimasta così impressionata che nell'ultima fase della sua vita quel giorno lo rammentava ancora con un brivido. Il brusio della folla che messa sull'avviso dai giornali s'aspetta qualcosa di grave e gremisce piazza Castello. Il maestro di danza che presto interrompe gli esercizi alla sbarra e trascinandosi dietro le allieve si affaccia alla finestra. Il re che tra un rullio di tamburi e lo squillare delle trombe entra a Palazzo Madama, lei che lo guarda incantata perché oggi è talmente diverso dal rozzo individuo cui piace irrompere nel ridotto del Regio per dar noia alle ragazzine in tutù. Veste l'alta uniforme di cavalleria: giacca di panno turchino, pantaloni azzurri, casco con pennacchio bianco. Ha il gran petto coperto di medaglie e onorificenze, e le sue pupille dardeggian saette di maschia bellicosità. I suoi comici baffoni neri sembrano le ali spiegate d'un corvo pronto ad aggredire stormi di aquile asburgiche. E lo scroscio degli applausi che a un certo punto infiamma la piazza. La folla che singhiozza di gioia, il maestro di danza che eccitato ripete c'est-la-guerre, c'est-la-guerre. Rammentava anche l'annuncio ufficiale dell'alleanza con la Francia e il precipitoso matrimonio di Clotilde e Plon-Plon. Il corteo nuziale che nel pomeriggio del 30 gennaio passa sotto la casa di Thaon de Revel, la Tante Jacqueline che impietosita dal visuccio mesto della sposa esclama: «Pauvre agneau, ils l'ont sacrifié sur l'autel de la patrie. Povero agnello, l'hanno sacrificata sull'altare della patria!». Subito dopo, i preparativi d'una guerra voluta da tutti fuorché da Mazzini che a Londra scrive furibondi comunicati e tuona: «La libertà non si conquista con gli aiuti stranieri!». (Però la Sidoli scuote la testa e replica: «Pippo sbaglia, stavolta sbaglia»). I volontari che a decine di migliaia piovono dalla Lombardia, dal Veneto, dalla Toscana, dall'Emilia, dall'Umbria, dal Regno delle Due Sicilie. Sicché locande e camere d'affitto sono stracolme, il municipio non sa dove sistemarli. Il fratello di Felice Orsini che arriva da New York, Giuseppe Montanelli che arriva da Le Havre e nonostante l'età (si avvicina ai cinquanta) riesce ad arruolarsi come soldato semplice. Giuseppe Garibaldi che arriva da Caprera, l'isola nella quale s'era chiuso in un fiero autoesilio, e che appena giunto all'Hotel Feder si leva il poncho. Infila la marsina, corre da Vittorio Emanuele, ottiene il comando dei Cacciatori delle Alpi. E lei che invece d'andare alla Scuola di Danza s'apposta davanti all'albergo. (Così giurava la nonna Giacoma ed io ci credo). Lei che sorda alle proteste della Tante Jacqueline e ai moniti di Madame Giuditta cammina sola nelle strade ora colme anche di tafani pronti a morir per l'Italia, e con le sue graziose erre mosce canta: «Evviva i nostri guerrieri / evviva le nostre bandiere / che balde schiere / portano a pugnar». Lei che a mezzanotte del 31 marzo (la storia preferita della nonna Giacoma) scende dal quinto piano di via Lagrange 23 e s'aggrega a cinquecento entusiasti riuniti intorno a Palazzo Cavour per acclamare il presidente del Consiglio appena rientrato da Parigi con la notizia che le truppe francesi sono già in viaggio. Mentre strilla bravo-Cavour una mano pesante le tira i biondi capelli, un omaccione col berretto da operaio e il volto semicoperto da una lurida sciarpa le dice qualcosa in dialetto, ed è il re che di nascosto s'aggira tra i sudditi per ascoltarli. Tastargli il polso.

«E il re no, bela tousa? E l'è nen brau chiel, non è bravo lui?»

«Oui, Maestà...»

«Ssst! Ma mi 't conosso, 't ses la citina valdeisa dël Regiu, parbleu! Ma io ti conosco, sei la piccinina valdese del Regio, perbacco!»

Il 19 aprile Cavour ricevette l'ultimatum dell'imperatore Francesco Giuseppe: disarmo immediato, congedo dei volontari, ripudio della provocatoria alleanza. Il 26 aprile rispose no, il 27 Massa e Carrara insorsero. Con sorpresa di molti il medesimo giorno insorse Firenze e abbandonando il trono che gli Asburgo-Lorena avevano tenuto per centoventidue anni il buon Leopoldo se ne andò. Salutato da due cordoni di popolo che in alcuni casi gli faceva un commosso inchino, in altri una pernacchia beffarda, lasciò per sempre l'adorata città che chiamava la-mia-patria e l'umile laboratorio di via Maggio dove i suoi arnesi di falegname rimasero accanto a una sedia non finita. Rinunciando al ruolo che la Toscana aveva tenuto per quasi mille anni e con esso ad ogni progetto di repubblica il governo provvisorio chiese al figlio di Carlo Alberto d'assumere la dittatura, regalò l'ex Granducato ai Savoia. Il 29 aprile duecentomila austriaci al comando del feldmaresciallo Gyulai, un tipo che al defunto Radetzky assomigliava quanto un pollo assomiglia a uno sparviero, varcarono la frontiera. Contemporaneamente i centoventimila francesi guidati dallo stesso Napoleone

III presero a calare dal Moncenisio per unirsi ai cinquantaseimila italiani guidati dallo stesso Vittorio Emanuele II, e la guerra esplose. La breve guerra che in poco più d'un mese condusse alla vittoria di Magenta, alla ritirata di Gyulai, alla caduta di Milano dove Napoleone III e Vittorio Emanuele II entrarono in carrozza. («Non a me dovrebbero dedicarlo, bensì a Gyulai!» esclamò il secondo quando seppe che i milanesi volevano erigergli un arco di trionfo...). La sanguinosa guerra che il 24 giugno partorì i macelli di Solferino e San Martino ossia le atroci battaglie in cui gli austriaci persero ventitremila uomini, i francesi dodicimila, gli italiani cinquemila. E che senza dir nulla agli alleati l'ambiguo Napoleone III concluse l'11 luglio offrendo all'Austria l'armistizio col quale, a Villafranca, Francesco Giuseppe gli dette la Lombardia da cedere al Regno sabaudo ma conservò il Veneto più le fortezze di Mantova e di Peschiera. Sicché Cavour si dimise indignato, sui muri di Torino apparve il ritratto di Felice Orsini, e Giuditta Sidoli disse: «Pippo non sbagliava»... La fatidica guerra che, malgrado quel tradimento, nell'Italia centrale portò al disintegrarsi degli stati ancora retti dallo straniero quindi ai plebisciti con cui nel 1860 la Toscana e l'Emilia e Parma e Piacenza e Modena e Reggio scelsero d'annettersi al Piemonte. Sicché Cavour tornò a dirigere il governo e mentre Nizza e la Savoia passavano alla Francia (il debito contratto a Plombières) Garibaldi avviò l'incredibile impresa che bene o male avrebbe realizzato la chimera cioè l'unità d'Italia. Con mille pazzi in camicia rossa e un paio di vaporiere rubate sotto gli occhi dei carabinieri sbarcò in Sicilia. A nome di Vittorio Emanuele II ne assunse la dittatura, liberò Palermo, formò un esercito di volontari che grazie agli arruolamenti promossi dal mazziniano Partito d'Azione in cinque mesi sarebbero saliti a cinquantamila. E invano ostacolato da Cavour che oltre a un nuovo conflitto europeo temeva il prevalere dell'anarchia attraversò lo stretto di Messina, irruppe in Calabria e nella Basilicata, prese Napoli, cacciò i Borboni, e allora con magistrale sgambetto Cavour mandò le sue truppe nell'Umbria e nelle Marche. Trentamila professionisti che in quattro e quattr'otto sbaragliarono le forze mercenarie del papa. Poi a rotta di collo ordinò i plebisciti necessari ad annettere quegli ex Stati Pontifici nonché l'ex Regno borbonico, e il 26 ottobre i due eserciti si incontrarono a Teano. Garibaldi consegnò l'Italia del Sud a Vittorio Emanuele II che il 27 febbraio del 1861, sia pure senza il Veneto e senza Roma, il primo Parlamento nazionale proclamò re d'Italia.

«Per favore chieda i biglietti al signor Melegari e andiamo a vedere, Madame Giuditta.»

Anastasìa aveva quasi quindici anni e stava completando il triennio della Scuola di Danza, si preparava a entrare nel Corpo di Ballo del Regio, quando nell'aula provvisoria di Palazzo Carignano (costruita in gran fretta per far posto ai trecentosessanta deputati eletti nelle varie regioni) vide proclamar re d'Italia il baffuto quarantunenne che la notte del 31 marzo 1859 s'era degnato di dirle ma-mi-'t-conosso-'t-ses-la-citina-valdeisa-dël-Regiu. Cioè quando incominciò a capire che a questo mondo tutto è possibile e guai a dimenticarsene. Né quella fu la sola lezione impartitale dagli straordinari eventi. Nella medesima aula, infatti, il 18 aprile vide il feroce affronto che Garibaldi rivolse a Cavour: incominciò a capire che eroi o no gli uomini son davvero ingiusti e finiscon sempre col deluderti. Nel 1861 Garibaldi odiava ciecamente Cavour. Lo odiava perché aveva ceduto Nizza, sua città natale. Lo odiava perché aveva avversato l'incredibile impresa e compiuto il magistrale sgambetto. Lo odiava perché aveva respinto la sua istanza di rimaner a Napoli con pieni poteri civili e militari cioè lo aveva restituito all'autoesilio di Caprera. Perché lo aveva obbligato a sciogliere il corpo dei cinquantamila volontari, perché non li riconosceva, non gli dava nemmeno un po' di paga... L'attuale governo lo definiva «una banda di pusillanimi, di vigliacchi, un'assemblea di lacchè», e la seduta del 18 aprile gli offriva un'occasione d'oro per vendicarsi. Era la prima volta che a Palazzo Carignano entrava da deputato. I garibaldini erano giunti in massa fin dal mattino, e il recinto del pubblico straripava. Straripavano anche le tribune della stampa, dei ministri, dei diplomatici, delle signore. Con l'istrionismo d'un divo che sa sfruttare il palcoscenico arrivò dunque con mezz'ora di ritardo e la solita camicia rossa, il solito poncho grigio, il solito fazzolettaccio nero. Causando un gran trambusto andò a sedersi nel settore dell'estrema sinistra, pronunciò da solo il giuramento che gli altri avevan già declamato in coro, poi chiese la parola e l'inizio del discorso fu assai penoso. Non gli funzionavan gli occhiali, non riusciva a leggere i fogli con gli appunti, ogni poco incespicava, impasticciava, si interrompeva. Ma d'un tratto i fogli li buttò via, gli occhiali se li tolse e levando il braccio contro Cavour che dal settore della destra lo fissava ironico ruggì: «Io dovrei narrare i gloriosi prodigi dell'armata meridionale. Un'armata offesa dalla fredda e malefica mano di questo ministro che mi rese straniero in patria, che vendette il mio paese al nemico, che fomentò e fomenta guerre fratricide...». Come non imparare da un episodio simile? Cavour che balza in piedi pallido e fremente e che a sua volta puntando l'indice tuona: «Si vergogni!». I deputati di centro e di destra che latrano: «Buffone, mascalzone, vecchio scemo, eroe del cazzo, io ti sfido a duello!». I deputati di sinistra che scendono dagli scanni e vanno a ingiuriarli, aristocratici-di-merda, codardi, cornuti, e a minacciarli col pugno. I garibaldini che applaudono freneticamente, i diplomatici francesi che gli sputano addosso, le signore che svengono. Il presidente della Camera, Rattazzi, che supplica ordinesignori-ordine e quindi scappa. Una voce che in toscano sghignazzava: «Avea ragione Metternicche!». E la Sidoli che sconvolta si asciuga una lacrima.

«Hanno fatto l'Italia e subito la disfanno.»

E poi vide la morte di Cavour, secondo alcuni ucciso proprio da quel trauma. Individuo altrettanto passionale e violento, Cavour s'era imposto uno sforzo disumano a controllarsi cioè a non gettarsi sul suo denigratore e prenderlo a schiaffi. Tornando a casa s'era sentito male, malgrado una serie di salassi non s'era ripreso, e cinque settimane dopo non pareva più lo stesso. Lavorava svogliatamente, mangiava poco e senza appetito, lui che si vantava d'essere uno sgobbone e un insaziabile epicureo. Non riusciva a dormire, trascorreva le notti a leggere o a camminare su e giù per lo studiolo. Mugugnando ripeteva non-lo-perdonerò-mai e non si consolava nemmeno a pensare che conclusa la gazzarra Nino Bixio, il garibaldino dei garibaldini, aveva sconfessato l'Eroe con un predicozzo apologetico. Non-bisogna-prendere-ogni-frase-alla-lettera, Garibaldi-è-un-guerriero-non-un-maestro-dell'oratoria. Qualunque fosse il motivo, sabato 1 giugno lo colse una gran febbre. Finì a letto e i medici non riuscirono a stabilire di che si trattasse. Meningite, tifo, malaria? Nella loro ignoranza continuarono a curarlo coi salassi e lunedì 3 giugno la febbre salì. Le notizie divennero così allarmanti che per non disturbarlo con lo zoccolìo dei cavalli le carrozze smisero di passare da via Lagrange e da via dell'Arcivescovado, per seguir di ora in ora i bollettini clinici una folla silenziosa prese a sostare intorno al suo palazzo. Nella folla, Anastasìa che si disperava. Quel carnoso signore che da anni rispondeva ai suoi bonjour-Monsieur-le-comte togliendosi il cappello ed esclamando bonjour-ma-très-belle le era sempre piaciuto, e non gliene importava nulla che per lealtà a Mazzini la Sidoli lo considerasse un nemico. Mercoledì 5 giugno il misterioso malanno si aggravò.

Al mattino giunse un mesto corteo di frati che suonavano la campanella degli agonizzanti e padre Jacques, un monaco della vicina Chiesa Madonna degli Angeli, impartì all'infermo l'estrema unzione. La sera giunse il re, a piedi e solo solo. Si trattenne dieci minuti, il tempo di dirgli addio, e mentre se ne andava Anastasìa s'accorse che piangeva. Allora rimase lì l'intera notte. Attraverso le finestre spalancate udì il suo delirio, la sua voce che alta e sonora gridava: «Pas de siège, niente assedio! L'Empereur, l'Empereur! Ah, l'Italie! L'Italia, l'Italia...». Spirò verso l'alba, mormorando la parola Italia, e tra i cinquemila torinesi che quel giorno si misero in coda per sfilare dinanzi al catafalco rizzato nello studiolo c'era lei. A Torino diluviava, giovedì 6 giugno 1861. Nello studiolo entravi dopo aver aspettato il tuo turno dentro una pioggia torrenziale. Ma lei si mise in coda lo stesso e arrivata al catafalco si chinò su Cavour, lo baciò sulle labbra.

«Adieu, Monsieur le comte.»

Certe cose non passano a vuoto su un'anima in boccio. Bene o male lasciano un'impronta, un livido. Eppure la singolarità di quell'adolescenza non sta negli eventi straordinari che la segnarono, nelle esperienze eccezionali che la arricchirono. Sta nel paradosso di cui non ho ancora parlato. Ecco qua. Nonostante l'erotismo del tutù e le insidie dei tafani, nonostante i romanzi proibiti e il sempre minor controllo della Tante Jacqueline, fino a diciassette anni Anastasìa rimase più casta d'una monaca casta. Non ebbe nemmeno un flirt, un romanzetto platonico, e quel bacio sulle labbra di Cavour morto fu il primo che dette a un uomo. Quanto al secondo, lo dette non so dove a colui che l'anno seguente inaugurò la serie dei suoi sfortunatissimi amori. Il coetaneo Edmondo De Amicis, il fidanzatino al quale la nonna Giacoma alludeva esclamando: «Ah, se lo avesse sposato! Oggi potrei dire il nome di mio padre e vantarmi d'esser la figlia d'uno scrittore famoso».

* * *

Devo alludervi anch'io? Bè, andò così. Incerto sul suo talento letterario e deciso a intraprendere la carriera militare, nel dicembre del 1862 il sedicenne Edmondo De Amicis lasciò la sua città cioè Cuneo e si trasferì a Torino. Si iscrisse all'Istituto Candellero di via Saluzzo, un collegio che preparava i futuri cadetti agli esami richiesti dalle accademie. A Torino si mise sotto le ali del repubblicano Vittorio Bersezio, amico della Sidoli, sicché conobbe subito Anastasìa e subito se ne innamorò. Fatto di cui non mi stupisco: casta o no nel 1862 Anastasìa non era più una bambina da vezzeggiare con le caramelle. Apparteneva al Corpo di Ballo del Regio, ogni sera si esibiva sul palcoscenico, e il continuo esercizio fisico unito alla dieta scrupolosa nonché al culto che la danza impone per il proprio corpo aveva esasperato la sua bellezza. Semmai c'è da domandarsi che cosa trovò, lei abituata alle galanterie degli uomini raffinati e maturi, nell'acerbo collegiale appena giunto dalla provincia. Che cosa l'attrasse. Il fascino della gioventù, dell'inesperienza? Il misterioso incanto che di solito emana dalle persone destinate alla celebrità? La pelle fresca, i riccioli neri? Una foto scattata nel 1863 suggerisce l'idea d'un ragazzotto goffo e vanesio cui piace atteggiarsi da adulto. Cappello a lobbia, baffi già abbastanza folti, e nella mano sinistra un grosso sigaro. Nella mano destra un bastone al quale s'appoggia con l'aria del se-ti-voglio-ti-piglio. In un profilo agiografico però Bersezio lo descrive timido e impacciato. Il suo volto liscio denunciava una mansuetudine quasi femminea e la sua bocca il riserbo d'una fanciulla, afferma, e i suoi occhi penetranti illuminavano una fisionomia che non poteva non interessare. Inoltre era alto e sottile e aveva bei riccioli neri.

Durò sei mesi, quell'amore, e naturalmente nelle Memorie del personaggio di cui la nonna Giacoma avrebbe voluto essere figlia ho cercato una conferma. Ma le pagine in cui De Amicis si riferisce alle faccende sentimentali sono un'apoteosi di reticenza. Con gran cura egli tace i nomi delle donne che amò o tormentò, sta attento a non fornire indizi, a depistare i sospetti, e sul periodo trascorso a Torino concede un'unica frase rivelatrice: «Dopo mi pareva d'aver vissuto sei anni in sei mesi». Per ricostruirne la storia bisogna dunque ricorrere al racconto che udivo da bambina, la versione di Anastasìa. E se questa è esatta, più che d'un amore si trattò d'un idillio prima intenso poi precario poi nocivo. Si incontravano ogni giorno, all'inizio. Essendo via Saluzzo a pochi passi da via Lagrange, alle cinque del pomeriggio cioè all'ora della libera uscita l'ansioso spasimante era già in casa Ferrier. Qui restava fino alle sette cioè l'ora in cui lei doveva presentarsi al Regio, lui tornare al Candellero. Oppure andavano a passeggiar sotto i portici, a bere il bicerin in una saletta del Caffè Fiorio, e mai che superassero gli angusti confini della carezza o del bacio. Edmondo non la minacciava proprio la virtù della sua preziosa conquista. (Il riserbo cui allude Bersezio? La timidezza che spesso accompagna le cotte furibonde?). In compenso si scambiavano molte confidenze. Lei sapeva tutto di lui e a parte il dramma dell'anagrafe, il fatto che per la legge Anastasìa non esistesse, lui sapeva tutto di lei. Che si portava addosso il marchio di illegittima, che sua madre se l'era portata via un torrente in piena, che suo padre era stato ucciso dagli austriaci fuori Cracovia. Si scambiavano anche difficili cortesie. In primavera, ad esempio, lui le dedicò una delle due orrende liriche composte in onore dei polacchi che il 27 febbraio avevano scatenato una nuova rivoluzione. E non quella detta *Ode alla Polonia* che è un po' meglio: quella intitolata *Italia e Polonia* che è un vero disastro, mioddio. «La treccia d'oro dal sen negletta / sculti sul viso gli intimi affanni / perché languisci, bell'angio-

letta, sul fior degli anni? / Suvvia, rannoda quei bei capelli / suvvia, non piangere, a che giova il pianto? / Parla,
t'è noto che i poverelli mi piaccion tanto...» Ma invece di
buttarla nel fuoco lei giurò che era un capolavoro e se la
imparò a mente. Centodiciannove versi divisi in ventinove
quartine. Si volevano bene, insomma. Del resto dicevan
sempre che si consideravano fidanzati, che appena mag-
giorenni si sarebbero sposati, e il discorso suonava così serio che la Tante Jacqueline smaniava: «Ah, ma petite!
Comment feras-tu pour te marier sans acte de naissance et
les autres papiers, come farai a sposarti senza l'atto di nascita e le altre carte?». A maggio, però, le visite in via Lagrange cominciarono a diradarsi. Le passeggiate sotto i
portici, i bicerin al Fiorio, gli omaggi scritti lo stesso. No-
ieri-non-sono-venuto, avevo-un-rendez-vous-con-Bersezio.
No-domani-non-vengo, vado-a-conoscere-il-critico-della-
«Gazzetta». A giugno Anastasìa capì che dietro Bersezio e
il critico della «Gazzetta» si celava una fatua incostanza.
Con essa, una certa Giannina Milli: fanciulla-prodigio e
poetessa estemporanea che sul palcoscenico del Carignano improvvisava sonetti o epigrammi. Ergo, i rapporti si
raffreddarono. A luglio lui si immatricolò all'Accademia
Militare di Modena. Zitto zitto lasciò Torino, scomparve,
e che era partito senza salutarla lei lo scoprì attraverso
una battuta della Sidoli.

   «Chissà se a Modena ha trovato amici, Edmondo.»
   Serve sottolinearlo? Niente ferisce, avvelena, ammala, quanto la delusione. Perché la delusione è un dolore
che deriva sempre da una speranza svanita, una sconfitta
che nasce sempre da una fiducia tradita cioè dal voltafaccia di qualcuno o qualcosa in cui credevamo. E a subirla
ti senti ingannato, beffato, umiliato. La vittima d'una ingiustizia che non t'aspettavi, d'un fallimento che non me-
ritavi. Ti senti anche offeso, ridicolo, sicché a volte cerchi
la vendetta. Scelta che può dare un po' di sollievo, am-

mettiamolo, ma che di rado s'accompagna alla gioia e che spesso costa più del perdono. Bè, Anastasìa fece proprio quello. E per vendicarsi prese a sedurre chiunque avesse a portata di mano. Il ballerino che la sosteneva nelle piroette e negli *arabesque*. Il violinista col quale eliminò il ballerino. Il pianista col quale eliminò il violinista. Il tenente col quale eliminò il pianista. Il colonnello col quale eliminò il tenente. Da agosto a gennaio, cinque capri espiatorii. Senza concedersi, oltretutto. Divertendosi a lasciarli affamati... In gennaio, però, le carte si rovesciarono e perse la testa per colui che in famiglia chiamavano l'Innominato. L'illustre personaggio di cui non voglio, non posso, non devo parlare. Il mio bisnonno segreto.

11

Lo so chi era, lo so. Ho dinanzi a me il suo ritratto. Uno dei suoi molti ritratti. E mentre l'osservo gli dico: «Possibile che una goccia del mio sangue venga dal tuo sangue? Possibile che uno dei miei cromosomi venga dai tuoi cromosomi? Possibile che debba ringraziare anche te per il dono d'esistere, d'essere nata?». È un estraneo, per me. Un individuo che appartiene ai libri di storia, non al mio passato. Non me lo sento sotto la pelle come Luca e Apollonia, Carlo e Caterina, Francesco e Montserrat, Giovanni e Teresa, Mariarosa e Giobatta, Marguerite e Stanislao, Anastasìa. Quella parte del mio Io affoga in un pozzo di buio, tace dentro una totale amnesia, e della vita che vissi attraverso di lui non ho alcun ricordo. Perché? Forse perché crebbi ignorando chi fosse, appena sospettando che si trattasse d'un uomo molto importante. Una specie di Gerolamo Grimaldi, il marchese e duca ministro del re di Spagna. Un impenetrabile muro di silenzio circondava quel nome. Un mutismo paragonato al quale il ritegno di De Amicis diventava loquacità, la reticenza della mafia un'orgia di pettegolezzo, e guai a porre domande. Zitta, non-ti-riguarda. Zitta, queste-non-sono-cose-da-bambini. Una volta, è vero, lo zio Bruno si lasciò sfuggire un accenno. Fu il giorno in cui sopraffatto dal carattere ferrigno e autoritario della nonna Giacoma mormorò tra i denti: «Mia madre ha inghiottito la spada di suo padre». Ed io vibrai di eccitazione. La spada di chi?!? Di Garibaldi, di Nino Bixio, di Massimo d'Azeglio, di Ulrico di Aichelburg, del re, di Alfonso Lamarmora, di un altro generale o statista o eroe che frequentava il Regio? Per individuare il colpevole, mi feci addirittura un elenco degli italiani illustri che a metà secolo avevano usato o portato la spada. Ma, escluso Mazzini che certa roba preferiva vederla nelle mani degli altri, l'avevano usata o portata tutti. Alla prima guerra d'Indipendenza, la seconda, la terza. Alla guerra di Crimea, l'impresa dei Mille, l'assalto a Porta Pia. E tutti avrebbero potuto invaghirsi di Anastasìa, essere l'Innominato. Per stabilire chi andava messo sotto accusa e chi no, mi misi anche a selezionar quelli che stavano a Torino nella primavera del 1864. Ma escluso Garibaldi che in quel periodo si trovava a Londra, nella primavera del 1864 a Torino ci stavano tutti. Ergo, mi arresi. Poi, ero ormai adulta e scoprir chi fosse l'Innominato non mi interessava più, la quasi novantenne nonna Giacoma si ruppe il femore. Qualcuno mi spiegò che a novant'anni il femore rotto uccide, piangendo corsi da lei, e il mistero svanì. Incredibile nonna Giacoma. La vecchiaia l'aveva come disossata. Sembrava un uccellino con le piume e basta. Eppure la spada di suo padre continuava a sostenerla, irrigidirla. Vedendomi spalancò il suo unico occhio (fin da giovane era cieca da un occhio né qui serve darne il motivo) e...

«Che sei venuta a fare?»

«A salutarti, nonna, a porgerti gli auguri...»

«Bugiarda. Sei venuta a chiedermi chi era il tuo bisnonno.»

«No, nonna, no...»

«Sì, invece, sì. E visto che presto morirò voglio accontentarti. A una condizione, però.»

«Sì, nonna...»

«Che tu non lo riveli mai a nessuno.»

«Sì, nonna...»

«A nessuno. Giuralo.»

«Lo giuro, nonna.»

Ecco perché non voglio, non posso, non devo parlare di lui. Perché sono costretta a ignorarlo, rinnegarlo, escluderlo da una storia che senza di lui mi pare mutilata. Ed è col timore di tradirmi, di fornire qualche indizio cioè qualche dettaglio necessario ma pericoloso, che mi accingo a raccontare come si formò quell'anello della catena. Come fu che il seme di quell'uomo per il quale non sento nulla, del quale non ricordo nulla, generò la madre di mio padre. Contribuì al mio passaggio nel Tempo.

* * *

Anastasìa aveva diciassette anni e mezzo, quasi trenta meno di lui, quando nel febbraio del 1864 egli irruppe nella sua vita. Amoreggiava col quinto capro espiatorio e sul palcoscenico del Regio interpretava una particina che avrebbe attratto gli sguardi d'un cieco. Sia pure in maniera poco ortodossa, insomma, stava uscendo dall'anonimato. Non ne era mai uscita, prima d'allora. Le ballerine che danzano negli «assieme» non attraggono gli sguardi d'un cieco. Sono tutte uguali. Si muovono tutte nel medesimo modo, cioè con sincronia ed uniformità, e il loro nome non appare sul cartellone. Nonostante l'impegno assunto con sé stessa il giorno in cui aveva scoperto che per la società non esisteva, non era mai nata, era rimasta una fra tante. Ed inutile escogitar trucchi per farsi notare. Inutile pettinarsi in modo diverso dalle altre, per esempio, e disubbidire al regolamento portando gli orecchini che sotto le luci brillano quindi inducono a posare gli occhi sulla quarta da destra o la terza da sinistra. Altrettanto inutile augurarsi che una solista si slogasse la caviglia e le cedesse l'assolo, le offrisse l'occasione detta Notte delle Stelle. Non si distingueva per particolare bravura. Se la solista si ammalava, non la sostituivano con lei. A Carnevale però il Regio aveva messo in programma un balletto nuovo: *Cleopatra.* E nell'ultimo atto, l'atto in cui Cleopatra muore morsa dall'aspide, Anastasìa sosteneva il ruolo dell'aspide. Roba da comparse, intendiamoci. Una parentesi che durava appena un paio di minuti e che non conferiva certo il diploma di prima ballerina. L'aspide non doveva neppure accennare un passo, stare sulle punte. Arrivava arrotolato dentro un paniere che gli schiavi depositavano ai piedi di Cleopatra, e una volta lì si snodava. Senza lasciare il paniere si ergeva, con le gambe unite si allungava verso la vittima, e con un guizzo l'addentava. Le iniettava il fatale veleno. Il fatto è che per l'aspide il coreografo non aveva voluto il tutù. Al grido di «s'è mai visto un serpente in tutù» aveva preteso la calzamaglia, indumento che su una donna veniva considerato il simbolo stesso dell'impudicizia, chissà con quali raggiri Anastasìa aveva ottenuto la parte, e se esisteva un corpo che poteva permettersi la calzamaglia questo era il suo. Magro, flessuoso, un po' androgino. In più i gesti dell'aspide dovevano essere ondeggianti, conturbanti, e lei li eseguiva con una lascivia da togliere il fiato. Ergendosi portava le braccia sopra la testa sicché metteva in evidenza i piccoli seni, tendeva il ventre piatto, induriva le natiche. Allungandosi stringeva le gambe già unite e come un uomo contraeva il tronco in ambigui sussulti che sembravano l'ondulare del coito. Poi si fermava di colpo. Piegando le braccia all'indietro si preparava al morso ed il guizzo era così improvviso, così animalesco e vorace, che l'intero teatro ne rabbrividiva. Ergo, durante i due minuti tutti fissavano soltanto lei. E quando lei si arrotolava di nuovo dentro il paniere, scoppiava una grandine di applausi.

«Bravaaa! Bella, brava, bis! Bis, bis!»

Irruppe nella sua vita grazie a questo. Nei salotti di Torino si faceva un gran parlare di quel balletto anzi dell'aspide, vai-a-vedere-l'aspide, val-la-pena-d'andarci-per-l'aspide, e alla fine ci andò. Coi canocchiali. Oh, sì. Dal momento in cui il paniere entrò in scena, non si abbassarono mai quei canocchiali. Anziché uno spettatore nel suo palco, lo avresti detto Napoleone che in sella al suo cavallo osserva le mosse del nemico per saltargli addosso. Annientarlo. E l'indomani l'aspide ricevette un gran cesto di rose. Tra le rose un biglietto privo di firma ma munito di stemma sotto il quale erano tracciate le parole: «Invidio Cleopatra». Alla fine dello spettacolo giunse anche l'invito a cena: omaggio doveroso nel cerimoniale della seduzione. Lo portò un austero cocchiere che si presentò con un profondissimo inchino, e Anastasìa salì sulla carrozza che la condusse fuori Torino, a uno squisito chalet dove il maggiordomo aveva preparato un tête-à-tête a base di tartufi e caviale e champagne, e dove lui l'accolse con una preziosa spilla di brillanti che lei accettò. Leggerezza, curiosità, vanità anzi incapacità di resistere alla lusinga? Cinismo, autolesionismo, inestinguibile sete di lavar l'offesa inflittale dal coetaneo? Qualunque fosse il motivo, quella notte la Tante Jacqueline attese invano che la disinvolta nipote rincasasse. E da quel giorno Madame Giuditta attese invano che la giovane amica si recasse in via Borgonuovo o le chiedesse il biglietto per assistere alle sedute del Parlamento: Anastasìa divenne una specie di favorita al servizio del suo signore e padrone.

Non rifiutava mai gli inviti allo chalet. Correva da lui ogni volta che lui ne aveva voglia. Di mattina, di pomeriggio, di sera, e sempre col sistema della carrozza che ora la prelevava all'ingresso del Regio ora in una piazza vicina ora in via Lagrange cioè sotto gli occhi della Tante Jacqueline che se ne disperava. «Mais qui est-ce qui t'envoie ce carrosse, chi è che ti manda questa carrozza?!? Qui est-ce qui te couvre de cadeaux et de mystère, chi è che ti copre di regali e di mistero?!?» «L'homme que j'aime, l'uomo che amo.» «Tu l'aimes, lo ami?» «Oui, je l'aime, lo amo.» Stando alla nonna Giacoma, lo amava sul serio. Al di là della passione, della convenienza. Non le importava neppure che fosse esageratamente più vecchio di lei, che avesse una moglie gelosa e una prole numerosa, che i regali glieli facesse o no. «Sa famille ne me regarde pas, son âge me plaît, et de ses bijoux je m'en fiche. La sua famiglia non mi riguarda, la sua età mi piace, e dei suoi gioielli me ne frego.» Infatti mi chiedo se anziché un seduttore non vedesse in lui un genitore. Anziché un amante, il padre mai conosciuto. Perché a parte la Tante Jacqueline di mamme ne aveva avute parecchie, ricordi? Jeanne Tron, le sorelle Marianne e Suzanne Gardiol, le balie e le domestiche assunte dopo le Gardiol, la stessa Giuditta Sidoli. Di babbi, nessuno. L'unico a offrirle un'immagine in certo senso paterna era stato, per un po', il pastore Morel... Mi chiedo anche se a lui confidò ciò che non aveva mai confidato a nessuno cioè la frode di Rodoret, i problemi giuridici che accompagnavano la sua illegittimità. E infine mi chiedo se tuffandosi in quell'amore forse freudiano si rendesse conto di rischiare ciò che era successo a Marguerite con Stanislao. I tempi erano cambiati, d'accordo. Nel 1864 la Chiesa Cattolica non minacciava di rapire i neonati delle valdesi senza marito. Però un bambino illegittimo costituiva ancora una vergogna, una sciagura: possibile che non ci si pensasse?

S'accorse assai tardi d'essere incinta. Visto che la nonna Giacoma nacque il 31 dicembre, e visto che la gravidanza umana dura dalle trentotto alle quarantun settimane, nella gran maggioranza dei casi quaranta, di sicuro il concepimento avvenne agli inizi d'aprile. (Secondo il Regolo Ostetrico, calendario basato sui mesi lunari e non solari, tra il 2 e l'8). In maggio o al massimo in giugno, dunque, avrebbe già dovuto sapere che le era toccato lo stesso destino di Marguerite. Invece no. Lo diceva la nonna Giacoma che nell'ansia di scoprire attraverso quali dispetti il Buondio l'aveva portata su questa terra, o meglio su questa valle di lacrime, da Anastasìa s'era fatta raccontare qualsiasi dettaglio. Come molte donne che sostengono continui sforzi fisici e s'impongono diete rigorose, diceva, Anastasìa soffriva di amenorrea cioè mancanza di flussi regolari. Aveva un ciclo anomalo, insomma. Disturbo che non incide sulla fertilità ma che, ovvio, impedisce di controllarla. Così per vari mesi ignorò il suo stato e non dette importanza ai sintomi che lo denunciavano. Le nausee, i conati di vomito, le perdite di equilibrio. Li attribuì agli estenuanti viaggi in carrozza, agli spossanti amplessi nello chalet, alla fatica di dividersi tra lui e il lavoro, alla stessa inquietudine che spesso turba un rapporto clandestino. Sviata da quell'interpretazione, non s'allarmò nemmeno per ciò che accadde alla fine di luglio: quando dietro le quinte fu colta da un forte capogiro e il maestro le proibì di partecipare a un «assieme». Alla fine di luglio il suo bel corpo appariva ancora inalterato. Gambe ancora snelle, seni ancora piccoli, ventre ancora piatto. In agosto però le gambe incominciarono ad appesantirsi, i seni a gonfiarsi, i contorni del ventre ad arrotondarsi. Inseguita dal rimprovero mangi-troppo-ingrassi non poté più indossare la calzamaglia, dovette rinunciare alla parte dell'aspide, e finalmente capì. Confessò tutto alla Tante Jacqueline che piangendo toi-aussi, toi-aussi, anche-te, anche-te, ricorse ai metodi usati nell'Ottocento per provocar le contrazioni uterine ed espellere il feto. Infusi di prezzemolo e ruta, misture di trementina e calomelano, pillole di piombo, bagni bollenti. Mentre lei seguitava a esibirsi in tutù, bada bene, e stringeva sempre di più il bustino con le stecche. Sicché chiusa in quella morsa e indebolita da quegli intrugli, quei bagni bollenti, aveva paura a entrare in scena e ogni *en-dehors* o *pirouette* o *arabesque* diventava un incubo. Ogni salto, un eroismo. Ma né il prezzemolo né la ruta né la trementina né il calomelano né il piombo né l'acqua calda servirono a nulla, e agli inizi di settembre accadde una cosa terribile. Non dietro le quinte, stavolta: sul palcoscenico cioè dinanzi al pubblico. Mentre eseguiva un *pas-de-bourrée* scivolò e svenne. Interruppero perfino il balletto, per questo. Abbassarono il sipario. E lo scandalo fu enorme. Perché il pubblico comprese in pieno il motivo dello svenimento. Dalla platea si levò un brusio di risatine crudeli, nei palchi le signore si scambiarono sguardi di perfida intesa, e in loggione i più malvagi si misero a imitare il pianto dei neonati. «Uè! Uè! Uè!» L'indomani il direttore la chiamò a rapporto. La squadrò con disprezzo, notò le rotondità che col busto era riuscita per due mesi a nascondere, e le pose un gelido aut aut. «Il Regio è un teatro rispettabile, signorina Ferrier, e certi incidenti io non li tollero. O va da una levatrice ed elimina quest'osceno imbarazzo, cosa per la quale concedo ventiquattr'ore di tempo, o son costretto a licenziarla.» Il fatto è che era ormai impossibile eliminare l'osceno-imbarazzo. Compiuto l'esame, la levatrice scosse in maniera sconsolata la testa.

«Troppo tardi, bellezza. A occhio e croce sei al sesto mese e lo partorisci a Natale o a Capodanno. Se lo levassi ora, ti ammazzerei.»

E lui? Quando s'accorse, lui, d'averla messa incinta? O meglio, quando lo disse a lui Anastasìa? Quando non poté più indossare la calzamaglia e dovette rinunciare alla parte dell'aspide? Quando i rimedi della Tante Jacqueline fallirono, quando la levatrice emise il verdetto? E come reagì alla notizia, come si comportò a riceverla? Si spaventò, imprecò, si preoccupò, oppure si commosse e offrì d'assumere le sue responsabilità? Su quel punto la nonna Giacoma sorvolava sempre. Neanche durante l'incontro del giuramento mi fornì particolari precisi. Tuttavia mi raccontò una cosa importante e dalla quale deduco che non si trattava d'un uomo cattivo. Il giorno in cui apprese che era troppo tardi per abortire coi ferri, raccontò, Anastasìa fece ciò che non aveva mai osato. Rimandò indietro la carrozza. Tout court. Niente spiegazioni. I giorni seguenti, lo stesso. Allora, ammantato in un tabarro che lo copriva dal naso ai piedi, una sera lui salì all'ultimo piano di via Lagrange 23. (Atto di umiltà e di coraggio per cui lo ammiro molto). Con gesto sdegnoso respinse la domestica che impaurita dall'imponente figura senza volto tentava di impedirgli l'ingresso, irruppe nel salotto. Si presentò alla Tante Jacqueline che per lo stupore si beccò un mezzo infarto cardiaco, e: «Dov'è? Je vous prie, ve ne prego». Era in camera sua. Dacché il Regio l'aveva licenziata, non sortiva quasi mai. Stava sempre sul letto a guardarsi il ventre. Chiamarla fu vano, però. Appena udì le parole il-est-venu-ici, è-venuto-qui, mon-Dieu, si chiuse dentro col catenaccio. Poi attraverso la porta sbarrata rispose: «Dis-lui de me ficher la paix, digli di lasciarmi in pace. Je ne veux plus le voir, il ne doit plus me chercher. Non voglio più vederlo, non mi deve più cercare». E lui se ne andò a testa bassa. Non la cercò più anzi si limitò a inviarle un ultimo cesto di rose e una busta con diecimila lire (secondo i parametri dell'Istituto di Statistica, settanta milioni d'oggi), cifra lauta a quel tempo, nonché un anonimo biglietto con cui la informava d'aver incaricato un amico di provvedere alle necessità sue e del bambino. Che lo contattasse. Ecco il nome e il cognome e l'indirizzo. (Strano gioco della Sorte o del Caso: era il nome e il cognome e l'indirizzo del marchese fiorentino che la nonna Giacoma avrebbe conosciuto da adulta affittando la casa nella quale son nata. «Mia madre viveva a Torino.» «Davvero? Come si chiamava?» «Anastasìa Ferrier»). Ma Anastasìa non lo fece. Prese le diecimila lire e basta. Sarebbe rimasta schiava d'un legame che ormai rifiutava, a contattarlo, e l'amore era morto. Ucciso dall'umiliazione dello svenimento sul palcoscenico, suppongo, dalle risatine crudeli e dai malvagi uè-uè che certo eran giunti ai suoi orecchi mentre rinveniva. Spento dall'angoscia che l'aveva consumata da agosto in poi, credo, e dalla rabbia che ora la divorava. La rabbia d'aver perso il lavoro, il sogno per cui fin da ragazzina s'era sacrificata. La rabbia di trovarsi nuovamente delusa e stavolta non da un giovanottello a caccia di gloria bensì da un uomo autorevole e maturo, da una specie di padre. La rabbia di non poter buttar via quell'oggetto di carne che inesorabile cresceva, cresceva, cresceva, dentro il suo ventre. Quell'intruso che la rendeva grassa e gonfia e deforme. Quel parassita per cui non provava alcun interesse, alcuna tenerezza, e di cui non sapeva cosa fare. Se tenerlo o abbandonarlo.

Non sapeva nemmeno che fare di sé stessa, del resto. In qual modo risolvere il proprio futuro dopo aver partorito. Convincendo il direttore del Regio a riassumerla, cioè tornando a ballare? Cercando un nuovo amante che malgrado il frutto-del-peccato fosse disposto a mantenerla, cioè imitando la Signora delle Camelie? Accalappiando un brav'uomo che malgrado la frode di Rodoret riuscisse a sposarla, cioè trasformandosi in una Madame Bovary? Oppure lasciando Torino? Quest'ultima soluzione sarebbe stata la più saggia, ovvio. Lo diceva perfino la Tante Jacqueline, ormai troppo anziana per proteggerla come aveva protetto sua madre. «Tu dois partir, devi partire, ma petite. A quoi ça sert de rester avec moi, a che giova restare con me?» Sarebbe stata anche la scelta più logica. Nel Regno unito ci si spostava liberamente, e con le diecimila lire più i disprezzati gioielli avrebbe potuto recarsi ovunque: staccarsi per sempre da un mondo su cui l'Innominato incombeva con la forza del suo potere e del suo prestigio. Il guaio è che fuori Torino lei non conosceva nessuno. A parte le ombre dell'infanzia, i Tron, i Pons, i Jahier, il pastore Morel che dal 1860 viveva in Uruguay, lontano da casa non aveva nessuno cui chieder sostegno. E non se la sentiva di mettersi in viaggio senza un traguardo che includesse un nome familiare, una persona amica. Inoltre le pesava lasciare il suo ambiente. La città nella quale era cresciuta, alla quale era abituata, della quale le piaceva tutto. Il paesaggio, il garbo, la civiltà. Ma poi accadde qualcosa, a Torino. Accadde alla fine di settembre, quando i giornali rivelaron che Napoleone III aveva imposto all'Italia un trattato odioso. Un accordo con cui il governo italiano s'impegnava a subire la presenza delle truppe francesi nello Stato Pontificio (ora ridotto al Lazio) e trasferire la capitale da Torino a Firenze. Indignati dalla notizia la sera del 21 i torinesi corsero a protestare in piazza San Carlo, la sera del 22 in piazza Castello, e spalleggiata dai carabinieri la polizia fece un'inspiegabile carneficina. In due giorni, sessanta morti e centocinquanta feriti gravi. Bambini, donne che passavan di lì per caso. Vecchi che camminavano col bastone, monelli che s'erano uniti ai manifestanti per divertirsi. Studenti e artigiani il cui unico eccesso era quello di gridare governo-vigliacco, governo-barabba, o tirare qualche sassata. E l'edificio dei Thaon de Revel era situato su un angolo da cui si scorgevano entrambe le piazze. Dalle finestre che a nord-ovest guardavan di sbieco piazza San Carlo, a nord-est via Accademia delle Scienze cioè il breve rettilineo (proseguimento di via Lagrange) che sboccava in piazza Castello, Anastasìa vide dunque tutto o quasi. I carabinieri che schierati sotto i portici sparavano alla cieca sulla folla inerme. I poliziotti che armati di daghe squarciavano crani, tagliavano gole e braccia e gambe, inseguivano chi fuggiva nelle strade adiacenti. Le vittime che gemevano pietà-aiuto-pietà, i cadaveri che si ammucchiavano lungo i marciapiedi e intorno al monumento di Carlo Alberto... Tra loro alcuni valdesi che sventolavano il tricolore, e tra quei valdesi un fornaio di Prarustin che insieme al pastore Morel aveva dragato il fiume Germanasca per rintracciare il corpo di Marguerite. Jean Costantin. Sicché, di colpo, smise anche di amare Torino. Le venne un gran bisogno di lasciarla subito, incamminarsi subito verso il traguardo che includesse un nome familiare, una persona amica. E per il solito gioco della Sorte o del Caso, alla cerimonia funebre che otto giorni dopo il tempio valdese tenne per Costantin, ritrovò Suzanne Gardiol. La sua balia asciutta, ricordi? Una delle due sorelle che nel 1848 la Tante Jacqueline s'era portata da Prarustin in via Lagrange e che nel 1853 il capoccia Gardiol s'era ripreso per convertirle col resto della famiglia al mormonismo, condurle in America.

«Suzanne! Non mi riconosci, Suzanne?»

«No, Mademoiselle. Qui êtes-vous, chi siete, Mademoiselle?»

«Anastasìa, Natzka! Anastasìa Ferrier!»

«Oh, Natzka! Anastasìa, Natzka! Che bella donna siete diventata! E formosa, tonda!»

Si coprì meglio con l'ampio scialle che nascondeva il ventre invano strizzato dal busto, cambiò argomento.

«Ho diciott'anni, Suzanne... Ma che ci fai qui al tempio, che ci fai a Torino? Non dovevi convertirti a quella setta americana ed emigrare in Utah?»

«Me ne mancò il coraggio, Mademoiselle.»

«E Marianne?»

«Oh, Marianne sì. Si convertì e partì. Nel 1856, con altre due ragazze delle vallate. Ora sta in un posto che si chiama Salt Lake City ed è sposata a un Mormone.»

«Ah...! E il Mormone come si chiama?»

«John Dalton. Marianne è la signora Dalton.»

«E l'indirizzo qual è?»

«Perché, Mademoiselle? Pensate di andarci?»

«Forse, Suzanne.»

«Ma c'è la guerra laggiù!»

C'era da tre anni e mezzo. L'atroce guerra, la sanguinosa guerra civile detta guerra di Secessione, che letteralmente scatenando fratelli contro fratelli e devastando la parte più bella del paese aveva già causato centinaia di migliaia di morti. (Cinquantaquattromila nella sola battaglia di Gettysburg). E lei lo sapeva meglio di Suzanne: anche in Italia i giornali non facevano che parlare di sudisti e nordisti, confederati e unionisti, del presidente Lincoln, del generale Lee, della Virginia, della Carolina, della Georgia, della Louisiana, dell'Alabama, dei negri da liberare, della schiavitù da abolire, cioè del motivo o del pretesto per cui la guerra era scoppiata. Sapeva perfino che nel 1861 Lincoln aveva offerto a Garibaldi il comando del suo esercito e che Garibaldi aveva risposto no-grazie, che alcuni italiani s'erano uniti ai nordisti, altri ai sudisti, che a quel punto il conflitto stava raggiungendo il diapason della tragedia: in agosto il generale Grant aveva bloccato l'intera costa del Sud, in settembre il generale Sherman avanzava verso Savannah e Charleston... Per l'America, infatti, ora non partiva quasi nessuno. Soltanto qualche audace osava attraversare l'Atlantico per sbarcare a Boston o a New York cioè nei porti più sicuri. E sebbene i combattimenti non toccassero il tragitto che da quelle due città conduceva nel lontano territorio dell'Utah, nessuno avrebbe potuto consigliarle un tale viaggio. Alle parole c'è-la-guerra-laggiù, però, Anastasìa reagì con una scrollata di spalle.

«Non importa. Finirà.»

* * *

Naturalmente per uscir dall'Italia ed entrare in America ci voleva il passaporto che senza l'atto di nascita e il nulla osta della Questura sarebbe stato impossibile ottenere. E naturalmente, per superar l'ostacolo, bisognava procurarne uno falso. Sicché il giorno seguente si recò dall'unica persona in grado di fornirglielo: Giuditta Sidoli. Lo sapevano tutti che il suo amico Mazzini era sempre ricorso ai passaporti falsi, no, e che nel suo passato rivoluzionario lei stessa s'era servita più volte di salvacondotti intestati a Pauline Gérard o Louise Parmentier o Marie Braun... Vi si recò col batticuore. Per troppi mesi l'aveva esclusa, ignorata, ed ora temeva di venir respinta o messa sotto processo con domande indiscrete. Chi-è-l'infame, chi-è-il-responsabile. Invece poche altre donne eran pronte a capirla come quell'austera signora coi capelli bianchi. Quell'infelicissima madre che trentadue anni prima aveva vissuto il medesimo dramma, a causa di quel dramma aveva perso il figlio, a causa di quel figlio si vestiva solo di nero. E quando Anastasìa tolse l'ampio scialle, mostrò il ventre invano strizzato dal busto, una mano affettuosa si tese a sfiorarlo con tenerezza. Quando in tono fermo disse cerco-un-passaporto-falso, un-pezzo-di-carta-per-viaggiare, anziché porre domande indiscrete una voce commossa rispose: «Va bene, lo avrai. Parliamo del bambino». Perché il problema non era il passaporto, aggiunse. Non in Piemonte ma nella sua terra, in Romagna, esistevan parecchi compagni disposti ad aiutarla in quel senso. Repubblicani, socialisti, anarchici, tipi che conoscevano l'arte di beffare le autorità, tanto più che i passaporti non avevan la fotografia. Il problema era il bambino.

«Lo cerchi per te e basta, il pezzo di carta, o per te e per il bambino?»

«Per me e basta, Madame Giudittà.»

«Ne sei certa?»

«Ne son certa, Madame Giudittà.»

«Guarda che il rimorso dilania, poi. Se gli succedesse qualcosa, se si ammalasse, se morisse...»

«Ho deciso, Madame Giudittà. Dopo averlo partorito voglio imbarcarmi per l'America, e in America non si va con un neonato in braccio.»

Allora la Sidoli comprese che non sarebbe mai riuscita a impedirle di fare ciò che lei aveva fatto, e senza chiederle altro si mise ad esaminare le due opzioni fornite dalla Romagna. Cesena o Forlì. Col permesso del ministero degli Interni, i passaporti venivano rilasciati dai sindaci dei capoluoghi. Per procurarsi il modulo e riempirlo con dati immaginari, ci voleva dunque un tipo molto sfrontato. Per convincere il sindaco a concedere l'espatrio senza i documenti richiesti, un tipo molto autorevole. E in questo senso Forlì offriva Aurelio Saffi: il grande amico di Mazzini, il probo che nel 1849 aveva tenuto con lui ed Armellini il triumvirato della Repubblica Romana, che nel 1861 era stato eletto deputato al Parlamento, che agli inizi del 1864 e cioè pochi mesi prima s'era dimesso con un gruppo della sinistra, e che ora faceva il buono e il cattivo tempo nella sua città. Però la vicina Cesena offriva Eugenio Valzania: generoso birbante che nel 1860 aveva combattuto con Garibaldi, nel 1861 era stato processato per gravi-reati-di-sangue, che ora rappresentava il mazziniano Partito d'Azione e che per rendersi utile non badava a scrupoli. Insieme a Valzania, detto anche Palanchino per la giubba galiziana che portava in onore dei morti in Polonia (di panno blu, corta, senza bavero e con gli alamari al posto dei bottoni), l'Ospizio del Santissimo Crocifisso: gestito dalla Chiesa Cattolica, sì, ma eccellente rifugio dove le Gravide Occulte (termine usato per le nubili incinte) potevano partorire in segreto oppure sbarazzarsi del figlio mettendolo dentro la Ruota. La famigerata (o se vuoi benefica) Ruota degli Esposti che da sette secoli proponeva un'alternativa all'infanticidio ma che in compenso favoriva l'abbandono. La tragica culla che protetta da uno sportello stava all'esterno dei brefotrofi e che, girando su un pernio, al suono d'una campanella si portava via i bambini non voluti. «Din-don...» «Uè, uè!» Sia pure con la riserva di chiedere aiuto a Saffi se Valzania non avesse potuto rubare il modulo del passaporto, la Sidoli scelse Cesena. E fu così che alla fine di novembre Anastasìa lasciò per sempre Torino, il suo mondo, il mondo dell'Innominato. Col pancione di otto mesi andò a risolvere il suo dramma in un posto che stava a pochi chilometri dall'Adriatico. Il mare dentro il quale le acque del Po avevano gettato il corpo di Marguerite.

12

Niente, nella saga di Anastasìa, niente mi impressiona quanto quel trasferimento a Cesena. Quell'abbandono, quella Ruota che al suono della campanella gira sul pernio e inghiotte la nonna Giacoma. Din-don, uè-uè. E niente mi turba quanto l'Anastasìa che ne emerge. D'accordo: la maternità non è un obbligo, non è un dovere, è una scelta. D'accordo: anche un bambino voluto è un peso, un disturbo, una schiavitù, e fa paura. D'accordo: un figlio illegittimo significava scandalo, vergogna, tormenti, e lei non aveva nemmeno un nome da dargli. Ma come si fa a buttar via una creatura appena uscita dal tuo ventre, un essere così piccolo e fragile e indifeso, inerme, qualcuno che hai concepito senza il suo permesso, che è carne della tua carne?!? Esiste sul serio l'istinto materno? È sul serio un richiamo al quale non ci si può sottrarre, un quid che ha inestirpabili radici nella natura e contiene in sé l'amore degli amori, l'amore materno? D'accordo: per istinto materno si compiono sacrifici pazzeschi, disumani eroismi, delitti disperati. Le cagne più fedeli sbranano, le gatte più affettuose accecano, le timide coniglie assaltano. In certi casi, però, i loro neonati li mangiano. E le donne li ammazzano. Li strozzano, li squartano, li gettano nel cesso o nell'immondizia. Se va bene, li vendono al miglior offerente o li regalano a un brefotrofio. Forse l'istinto materno è un mito, una fandonia. Forse è soltanto un'idea, un'ipotesi. O uno stimolo biologico che con l'amore non c'entra, un erratico impulso che ora si manifesta e ora no. Lo stimolo, l'impulso, di perpetuare la specie. Qualunque sia la verità, d'una cosa son certa: fra tutti gli Io femminili del mio passato remoto, delle innumerevoli vite che vissi prima di nascere con lo Io di oggi, non ne conosco uno che avesse meno istinti materni di Anastasìa. Che fosse meno adatto di Anastasìa a sostenere il ruolo di madre. Soltanto quattordici anni dopo quegli istinti si sarebbero in qualche modo rivelati, quel ruolo sarebbe venuto in qualche modo a galla. Durante la gravidanza e il parto e il puerperio, mai. Tuttavia non riesco a condannarla, metterla alla gogna, per questo. E ogni volta che cerco di capire chi ero quando ero lei, o meglio quando mi trasferii a Cesena e buttai via la nonna Giacoma, al posto dello sdegno provo una strana indulgenza. Quasi intenerita guardo le tappe della scelta egoista.

L'addio alla Tante Jacqueline, per esempio. Crescendo s'era un po' staccata dalla Tante Jacqueline, è vero. Le aveva preferito Giuditta Sidoli, le aveva inflitto non pochi dispiaceri. Quelli dovuti al suo precoce ateismo e al conseguente rifiuto di frequentare il tempio valdese, studiare la Bibbia, cantare i Salmi, insomma osservar le regole del credo religioso che per secoli aveva sostenuto i Ferrier. Quelli sorti dalla sua indocilità, dai suoi capricci amorosi, dalla sua passione per l'Innominato, dalla sua gravidanza... Povera vecchia. L'aveva quasi uccisa il giorno in cui era tornata a casa dicendo sono-incinta. E la notte in cui s'era chiusa in camera per respingere l'Innominato, lo stesso. Senza volerlo, però. Con l'incoscienza dei giovani che rovesciano tutto sui genitori e non si rendon conto d'essere ingrati o crudeli. Amava la Tante Jacqueline. L'eterea ragazza, la sprovvedutissima fata che l'aveva messa al mondo non la amava: no. Non la ricordava nemmeno. Nella sua memoria non era che un vago profumo di fiori, un'immagine incerta, un'ombra identica all'ombra del padre mai conosciuto. L'ammirevole donna che l'aveva sottratta alle grinfie dell'arcivescovo, la dolcissima strega che l'aveva adottata allevata educata, invece... Di lei amava perfino l'orrenda verruca sul naso, la brutta macchia violetta sulla fronte, la gamba zoppa, gli acciacchi, i rimproveri toi-aussi, toi-aussi. Fu un addio straziante. Lento, inoltre, lungo. Tre settimane durò. Le tre settimane che la Sidoli spese a contattare gli amici romagnoli, organizzare l'imbroglio del passaporto, e durante le quali un'inconsolabile Tante Jacqueline continuò ad affondare il coltello dentro la ferita. Le avrebbe scritto dall'America? Le avrebbe telegrafato da Cesena? Le avrebbe detto se era maschio o femmina? Oh, la disturbava talmente che l'ospizio fosse cattolico, che il bambino venisse battezzato nella fede cattolica! Si consolava solo a pensare che lì avrebbe ricevuto un nome e un cognome legali, un'identità giuridica, e che nella vita non sarebbe stato costretto a nascondersi come sua madre! Capitava anche che avesse ripensamenti, che minacciasse di seguirla a Cesena o tenersi il neonato, e soltanto qualche ora prima della partenza si placò. Rassegnata, volle addirittura prepararla per il viaggio. Abito di velluto blu con la gonna sostenuta dalla crinolina, mantella di lana grigia coi bordi ricamati in ciniglia, cuffia adorna di mughetti in seta, parapioggia col manico d'argento. «Il faut que tu sois bien habillée. Bisogna che tu sia vestita bene. On respecte toujours une dame bien habillée. Si rispetta sempre una signora vestita bene.» Volle pure metterle al dito un anello che sembrava un anello matrimoniale, ainsi-à-Cesène-ils-te-croient-mariée, così-a-Cesena-ti-credono-sposata, nonché accompagnarla alla stazione. Ma quando furono lì, tra la gente che si salutava per dirsi arrivederci, scoppiarono entrambe in un pianto disperato. Perché lo sapevano entrambe che il loro non era un arrivederci, che non si sarebbero riviste più. (Morì l'autunno successivo, la Tante Jacqueline. Di infarto cardiaco. Anastasìa viveva ormai a Salt Lake City ed ebbe la notizia da Marianne che l'aveva appresa per lettera da Suzanne. «Ieri sono stata ai funerali di Madame Ferrier che la settimana scorsa è finita col cuore rotto all'ospedale e c'è morta. Se vedi Mademoiselle, dille che l'hanno sepolta nel cimitero di Villasecca e che la domestica s'è portata via tutto»).

Poi, il viaggio fatto con la pancia di otto mesi. Le ferrovie funzionavano bene, nel 1864. Dopo la seconda guerra d'Indipendenza il governo Cavour le aveva estese agli ex Stati Pontifici, dopo l'unità d'Italia aveva inaugurato la linea che toccava le città lungo l'Adriatico, e per andare da Torino a Cesena c'era un ottimo treno che partiva alle 7,45 antimeridiane. Via Asti-Alessandria-Piacenza-Parma-Reggio Emilia arrivava a Bologna alle 2,40 del pomeriggio, qui cambiavi per prendere quello che via Imola-Faenza-Forlì-Cesena portava a Rimini, e a destinazione giungevi alle 6 di sera. Erano ottimi anche i vagoni di prima classe, costruiti sul modello delle British Railways e quindi molto comodi. Molto eleganti. In ogni scompartimento, peraltro isolato dai due attigui cioè accessibile dagli sportelli laterali e basta, quattro morbide poltrone rosse col poggiatesta in pizzo di Bruxelles. Dinanzi ad ogni poltrona, un tavolinetto con la brocca dell'acqua fresca e i bicchieri e il tovagliolo. Sulla moquette in stile Aubusson, una scaldiglia d'acqua bollente per mitigare il freddo invernale e una linda sputacchiera di rame. Alle pareti, una elaborata boiserie di mogano. Al soffitto, un piccolo lampadario a gocce. Ai finestrini, le tende di mussola. Nulla di simile, insomma, allo sgangherato vagone di terza classe col quale nel 1844 Giobatta e Mariarosa erano andati a Pisa. E pazienza se in prima il biglietto Torino-Cesena costava 46 lire e 10 centesimi: stando ai parametri rivalutari di cui mi sono servita per il dono dell'Innominato, 322.000 d'oggi. Pazienza se per evitare le molestie dei bellimbusti e i furti dei borsaioli una donna non accompagnata doveva acquistare quattro biglietti cioè occupare l'intero scompartimento. Grazie alle diecimila lire e ai gioielli Anastasìa poté consentirsi il lusso, perciò in tal senso fu un viaggio senza problemi. Ma la storia del «meglio piangere in una reggia che in una stamberga» è una balla. Una retorica sciocchezza. E se mi chiedi quale fu il viaggio più triste delle mie innumerevoli vite, del mio passato remoto, non ti rispondo: quello che feci quand'ero Carlo e cammina cammina rientrai a Panzano sconfitto dall'inutile attesa in piazza Signoria. Non ti rispondo: quello che feci quand'ero María Isabel Felipa e su una carrozza scortata dai militari del duca Gerolamo Grimaldi andai a Barcellona per esiliarmici con Montserrat. Non ti rispondo: quello che feci quand'ero Francesco e sul peschereccio tornai a Livorno per dire a Montserrat sono-morti. Non rispondo nemmeno: quello che feci quand'ero Marguerite e sul calesse del pastore Morel andai a Rodoret per nascondermi con Anastasìa. Ti rispondo: quello che feci quand'ero Anastasìa e su un comodissimo elegantissimo treno andai a Cesena per procurarmi il passaporto e partorire il figlio indesiderato. Ormai mi riempiva dallo stomaco all'inguine, il figlio indesiderato. Mi intasava, mi tirava calci, mi perseguitava con la sua presenza. Son-qui, son-qui. Inoltre c'erano mille cose da vedere dai finestrini con le tende di mussola. Campi, boschi, fiumi, città. Panorami nuovi. Eppure non vedevo nulla, non mi interessava nulla. E malgrado quel son-qui, son-qui, mi sentivo così sola. Mi sentivo così priva di compagnia, così esclusa, così reietta, che un unico pensiero occupava la mia mente.

"Che sarà di me, che sarà di me?"

Infine, la città dove sarebbe (sarei) rimasta fin dopo il parto e la conquista del passaporto. Giuditta Sidoli le aveva spiegato che era assai speciale, Cesena. Una città che aveva partecipato con slancio ai moti del 1831 e del 1832 poi alle sommosse prequarantottesche. Che nel 1849 aveva aderito alla Repubblica Romana, che da sempre si distingueva per la sete di giustizia sociale e il rifiuto della monarchia, che ora vi imperava la sinistra e che la sinistra vi conduceva nobili battaglie. Quelle per abolire la pena di morte, ad esempio, per abrogar la legge che definiva la religione cattolica culto-di-stato, per ottenere il suffragio universale cioè il voto alle donne e ai poveri e agli ignoranti. Non a caso Pippo (Mazzini) la considerava una delle sue roccaforti. Il centro più vivo del Partito d'Azione e della sua nuova setta, la Falange Sacra. Tuttavia gli eroismi risorgimentali le avevan lasciato una specie di complesso. Il complesso dell'eterno guerriero, della rivolta perpetua. Non sapeva agire nella legalità, muoversi nella normalità, cioè inserirsi nel sistema parlamentare, e insieme alle nobili battaglie vi fioriva un bordello da togliere il fiato. Un'intolleranza, una discordia, da far invidia alla Livorno di Carlo Ponce Rum. Sodalizi di cialtroni ai quali l'Italia unita non andava più bene e incuranti del dolore che era costata, delle lacrime, delle forche, volevano dividerla un'altra volta. Gruppi di garibaldini disoccupati, quindi ansiosi di menar le mani, che al grido Vittoria-o-Vendetta imperversavano nelle piazze. Squadracce di barricaderi che se la pigliavan perfino con Pippo e con Garibaldi, li chiamavano i-due-dittatori-della-democrazia. Congreghe di fanatici comunisti che picchiavano chi non la pensava come loro. Casi di ricchi aristocratici che giocavan la carta della bandiera rossa e per tenersi sulla cresta dell'onda, magari farsi eleggere deputati, frequentavan le bettole o accendevano risse. Nonché i rami marci della Falange Sacra: i feroci clan di agitatori che riempiendosi la bocca di sacre parole, Dio-Popolo-Fratellanza-eccetera, ti mandavano al cimitero. La banda del Revolver, la banda del Pugnale, la banda del Trombone. (Il fucile a canna corta e a tromba). Sembrava di stare nel Far West, a Cesena. Ogni mese si ammazzava qualcuno. Diciotto omicidi, in un anno. L'ultimo, quello d'un innocuo brigadiere che beveva il caffellatte al Caffè Commercio. Il brigadiere Buonanimo. E questo senza considerare i furbi che col pretesto di procurar denaro alla Causa taglieggiavano la gente. O i delinquenti comuni che per rubarti l'anello eran capaci di mozzarti il dito. Al calar del buio le strade diventavano talmente malsicure che gli stessi capi delle fazioni vi giravan protetti da milizie private. Oh, doveva stare attenta laggiù. Di sera non doveva mai uscire senza Eugenio Valzania.

Le aveva anche detto che nel Rinascimento era stata una magnifica città, che dell'antico splendore manteneva tracce come la famosa Biblioteca Malatestiana, e che l'attuale bordello lo riscattava con attrattive non trascurabili. Buon clima dovuto alla vicinanza del mare, buon cibo all'eccellenza degli insaccati, all'abbondanza di pesce fresco, buon teatro nel quale si davan spesso balletti quasi degni del Regio. E, omicidi a parte, brava gente. Sincera, generosa, ospitale. Che non cedesse a illusioni, però. Tali attrattive non cancellavano il fatto che ormai Cesena fosse una modesta città di provincia. All'interno delle mura contava meno di settemilacinquecento abitanti cioè neppure un ventesimo di Torino, e a Torino assomiglia nel modo in cui un pollastro assomiglia a un cigno. Se ne sarebbe accorta a osservare come salutavano e come vestivano. Niente reverenze, lì, niente cerimonie o baciamano. Col galateo i cesenati avevano scarsa dimestichezza e ringraziare il cielo se incontrandoti ringhiavano un salve o tiravano una pacca sulla schiena. Niente crinoline, lì, niente cappellini o ombrellini o pettinature alla moda. E niente marsine, niente cappelli a cilindro o monocoli. Le donne indossavano rozze sottane di fustagno, corsetti campagnoli, scialli di ruvida lana. La testa se la coprivano con fazzoletti annodati sotto il mento, per pettinarsi si facevan la crocchia, e nella crocchia ci infilavano un lungo ferro: il massimo della siccheria nonché la migliore arma di difesa. Gli uomini portavano goffi pantaloni a quadri, zimarre alla contadina, berrettacci alla brigante, e dalla regola derogava solo il Valzania con la giubba alla polacca. Quanto ai rapporti quotidiani, il dialogare, il conversare, bè: in Romagna non si parlava né il francese né il vero italiano. Si usava una strana mistura di celtico e di italico, sicché per comprenderli lei avrebbe dovuto andare a orecchio. Allora, spaventata, era corsa alla Biblioteca Circolante di via Po. Quella dove la Tante Jacqueline noleggiava i romanzi proibiti. Nella speranza di trovar notizie meno catastrofiche s'era sfogliata un mucchio di giornali, riviste, e sulla «Gazzetta di Bologna» aveva letto un articolo da restarci secchi. Cesena, diceva, presentava una forma assai particolare. La forma d'uno scorpione. A nord, ossia verso Ravenna, la coda con l'aculeo. A sud-ovest, ossia verso Firenze, la chela destra. A sud-est, ossia verso Rimini, la chela sinistra. Al centro, ossia nella zona dell'antico splendore, il torace. E ciò incuteva ribrezzo perché lo scorpione è un animale cattivo che uccide per il piacere di uccidere. I ragni, ad esempio, raramente li attacca per fame: dopo averli immobilizzati con le chele e trafitti con l'aculeo li schiaccia, li sbrana, li sminuzza, poi se ne va senza mangiarli. Gli uomini, idem. Non li punge per succhiargli il sangue, nutrirsi: li punge per il gusto di iniettargli il suo tremendo veleno. Un liquido contro il quale nell'Ottocento non v'erano antidoti e un bambino o un ammalato moriva nel giro di trenta minuti. Comunque la cosa peggiore era un'altra, concludeva l'articolo. Era che quando trova una difficoltà insormontabile, realizza di non aver vie di scampo, lo scorpione uccide sé stesso. L'aculeo se lo ficca dentro il torace, il veleno se lo inietta nel proprio corpo. E, vedi caso, Cesena possedeva un agghiacciante primato: quello d'esser la città col maggior numero di suicidii in Italia. Nel secondo semestre del 1864 ben tredici persone vi s'erano ammazzate. Due accoltellandosi, due sparandosi, tre impiccandosi, e sei annegandosi: il sistema più seguito. A volte per annegarsi si buttavano nell'Adriatico. A volte nel fiume Savio o nel canale Verzaglia, i due corsi d'acqua che stavano fuori delle mura. A volte, anzi di preferenza, nel canale che attraversava l'abitato: il Rio Cesuola.

Scese con aria smarrita, a Cesena. Le dieci ore e un quarto di viaggio l'avevano stancata, il cambio a Bologna l'aveva disturbata, e l'immagine dello scorpione unita all'idea di tredici suicidii avevano intaccato la sua sicurezza. Però ad aspettarla c'era un simpatico ciclope con la barba nera, la giubba alla polacca, lo sguardo insieme truce e mansueto. Scorgendo la bella dama in crinolina e cappello e ombrello capì subito che si trattava della fuggiasca incinta, e le andò incontro a braccia aperte. «Salve, 'a so' Valzanìa. Cla 'nn epa paura, sgnurèna. Non abbia paura, signorina. I amig 'ad Giuditta son mi amig, e i amig femni piô tant. Gli amici di Giuditta sono miei amici, e le amiche femmine ancora di più.» Poi con gesti premurosi le prese il bagaglio, la caricò su una carrozzetta tirata da un cavallo bianco, il cavallo in groppa al quale aveva combattuto con Garibaldi, e la condusse all'alloggio già affittato per lei. Una casuccia al numero 5 d'un vicolo che stava dietro l'Ospizio del Santissimo Crocifisso nonché a pochi passi dal funesto canale Cesuola, e che si chiamava Contrada Madonna del Parto.

* * *

Anche il vicolo Madonna del Parto c'è ancora. L'Ospizio del Santissimo Crocifisso, no: non c'è più. Lo abbatterono nel 1892, sulle rovine ci fabbricarono un rifugio pei vecchi e dopo la Seconda guerra mondiale esso divenne una sede di uffici amministrativi. Non c'è più nemmeno la strada su cui l'ospizio si affacciava: via Dandini. La topografia del centro è in buona parte cambiata, con essa i nomi delle strade, sicché al posto dell'antica via Dandini ora sorge una bruttissima piazza e il nome Dandini è passato alla via che il secolo scorso costeggiava il lato ovest dell'ospizio: via Fattiboni. Il vicolo Madonna del Parto invece è rimasto intatto come via Lagrange, e a guardarlo mi vengono i brividi. Non tanto perché è un vicolo cieco e si trova esattamente nel cuore dello scorpione o perché fino al millesettecento le gravide occulte partorivano lì, i bambini indesiderati li abbandonavano lì, quanto perché allo sbocco offriva due alternative raggelanti. Se giravi a destra, finivi contro il Rio Cesuola cioè il canale dove si buttavano di preferenza i suicidi. Se giravi a sinistra, incontravi subito via Fattiboni. E la Ruota stava in via Fattiboni cioè sul lato ovest dell'ospizio. Uno sportello curvo, di settanta centimetri per sessanta, che a un metro da terra chiudeva il congegno e portava la scritta: «In dolore

611

pietas. Infilare il pargolo qui». Ciò significa che per un mese Anastasìa ci passò davanti. Lo vide e lo rivide, lesse e rilesse la scritta. Perbacco: a questo non aveva pensato, Valzania? Oppure aveva scelto la casacca del numero 5 proprio per la sua vicinanza alla Ruota?

Non ho ricordi del mese che trascorse, trascorsi, nel vicolo Madonna del Parto. Forse per il senso di colpa che ancor oggi mi schiaccia, il dicembre del 1864 è quasi scomparso dalla mia memoria e se lo cerco non trovo che l'eco d'una fredda determinazione riscattata da un'angoscia segreta. Nell'eco, il fantasma d'una giovane donna intenta a cucire il sacchettino che ora sta dinanzi a me e guardo con le lacrime in gola. Una specie di minuscola bisaccia lunga undici centimetri e larga nove, di forma trapezoidale e composta da tredici striscioline di seta pura. Due verde marcio, due verde pisello, due viola mammola, due bianche e blu, due rosa e marroni, tre gialle e arancioni, e ai bordi un lungo nastro rosso squillante. I colori con cui i valdesi adornavano le culle dei neonati e con cui il 10 luglio del 1846 i Tron avevano infiocchettato la baita di Rodoret. (Servirà a metterci il biglietto che di solito si lascia addosso al figlio abbandonato per riconoscerlo in caso di ripensamento, quel sacchettino. E poiché è cucito con inesperienza, amorosa fatica, sì: insieme alla fredda determinazione vedo un'angoscia repressa. L'annuncio dell'istinto materno che fra quattordici anni la indurrà a tornare). Però quell'assenza di ricordi è compensata dai particolari che la nonna Giacoma fornì la sera in cui rivelò il nome dell'Innominato. Particolari che giurava d'aver ricevuto dalla stessa Anastasìa e che dipingono bene il suo, il mio, stato d'animo. Le date previste dalla levatrice di Torino con la diagnosi a-occhio-e-croce-sei-al-sesto-mese-e-lo-partorisci-a-Natale-o-a-Capodanno, disse la nonna Giacoma, mi infastidivano molto a causa del Natale. Chi se la sente d'infilare un neonato dentro la

Ruota proprio il giorno che simboleggia la natività e la celebra con l'immagine di Gesù Bambino, gli angeli, i Re Magi, la cometa, il Presepe? Così una mattina entrai nella cattedrale e dimenticando d'essere atea nonché eretica mi inginocchiai ai piedi dell'altar maggiore, implorai: «Seigneur, si tu existes ne me laisse pas accoucher à Noël. Signore, se esisti non lasciarmi partorire a Natale». La infastidiva anche che lei tirasse calci, si rivoltasse nel ventre, e ogni volta gemeva: «C'est inutile, è inutile. Je ne te veux pas et je ne te garderai pas. Non ti voglio e non ti terrò». E poi disse che durante quel mese non vidi nessuno fuorché Valzania, sua moglie, e la domestica che accudiva al misero alloggio. Uscivo di rado e passavo gran parte del tempo a leggere i giornali. (Cosa che mi sembra plausibile perché il dicembre del 1864 fu denso di eventi. L'irrecuperabile Pio IX pubblicò l'enciclica *Quanta cura* e l'appendice chiamata *Syllabus errorum* con cui condannava il razionalismo, il laicismo, il progresso scientifico, la libertà di pensiero, di coscienza, di stampa, di ricerca, nonché i cattolici liberali. A Bologna quindici illustri accademici che s'erano rifiutati di giurar fedeltà alla monarchia vennero banditi dall'Ateneo. A Torino esplosero i preparativi per trasferire la capitale a Firenze. A Vienna si incominciò a considerare il piano di cedere il Veneto all'Italia. A Londra si riunì l'Internazionale Socialista. E a Cesena due amanti si annegarono nel canale). Dai giornali mi staccavo soltanto per studiare la fuga in America, tutt'altro che facile e quindi piena di interrogativi. La Guerra Civile era infatti giunta a una svolta decisiva. I confederati avevano perso la battaglia di Spring Hill e la città di Savannah, con esse la speranza di vincere. Lincoln era stato rieletto, i nordisti si accingevano a porre sotto assedio Charleston, sferrar l'offensiva finale, e ormai il reciproco eccidio si svolgeva lontano dalle città dove intendevo sbarcare: Boston o New York. Ma andarci costituiva ugualmente un problema per via dello scarso traffico che allora univa i porti mediterranei alla costa nord-atlantica. Sia dall'Italia che dalla Francia del Sud e dalla Spagna partivan solo lenti mercantili a vela, per prendere una veloce nave a vapore bisognava recarsi a Le Havre o a Glasgow o a Liverpool, e questo mi complicava il viaggio. Me lo metteva in forse sicché l'unica certezza di cui disponessi era il passaporto che Valzania giurava di consegnarmi entro il primo gennaio.

«Stasì tranquèla, state tranquilla. Aiò zà rubè e modul. Ho già rubato il modulo.»

Del parto e dell'abbandono, invece, ricordo molto. E per incominciare il fatto che accolta la supplica Seigneur-si-tu-existes-ne-me-laisse-pas-accoucher-à-Noël il Padreterno mi risparmiò l'imbarazzo d'un lieto evento a Natale. Scelse il frivolo 31 dicembre, quell'anno un sabato bianco di neve. Tuttavia scelse anche di farmi soffrire più del necessario. Perché il travaglio fu dolorosissimo. Interminabile. Incominciò all'alba quando le acque si ruppero, la domestica corse a chiamare la moglie del Valzania, e nonostante le loro cure durò fino a mezzanotte. Cioè fino al momento in cui spaventate dall'eccessivo ritardo entrambe si buttarono sul mio addome. A forza di spingere, premere, martoriarmi, squarciarmi, riuscirono a dilatare il canale dell'utero, cacciai un urlo disumano e qualcosa di viscido sgusciò tra le mie gambe. Qualcosa di sgradevole, di sporco, che presto esplose in un pianto rabbioso. Una specie di no. «No, no, nooo.» Eh, sì: partorii proprio a mezzanotte, mentre i cesenati stappavano le bottiglie di albana dolce e di prosecco, brindavano all'anno nuovo, berciavan le solite sciocchezze. Auguri-auguri, felicità, buon-1865. «L'è 'na burdèla, è una bambina» informò senza entusiasmo la moglie del Valzania. Poi tagliò il cordone ombelicale, la lavò, me la mise accanto sul letto e parbleu! Era la bambina più brutta su cui avessi mai posato lo sguardo. In seguito alle sevizie subìte, suppongo, le purghe, i bagni bollenti, i salassi, i digiuni, gli strapazzi, gli *arabesque* e i *pas-à-deux*, insomma gli sforzi della danza nonché il busto troppo stretto, le era cresciuto bene il cranio non il resto del corpo ed aveva una testa così sproporzionata che anziché la testa d'una neonata sembrava quella d'una donna. Quanto al volto, sembrava il volto d'una vecchietta. Secco, avvizzito, incartapecorito. E il torace era scheletrico come il torace d'un moribondo consunto dalla tisi, le gambe erano corte come le zampe di un cane bassotto. Le braccia, al contrario, erano lunghe. Le dita delle manine, lunghissime. La respinsi sgomenta. Al gesto lei reagì spalancando due occhi pieni di stupore, gli occhi con cui la Tante Jacqueline mi fissava quando le davo un dispiacere, e questo mi turbò a tal punto che balzai dal letto. Incurante degli spasmi e sorda alle proteste s'n-vnal-intla-ment, che vi prende, sa-fasiv, che-fate, ghermii un pezzo di carta. Inzuppai la penna nell'inchiostro, scrissi il biglietto: «Elle est née à minuit. Je vous demande la courtoisie de l'appeler Jacqueline Ferrier. È nata a mezzanotte. Vi chiedo la cortesia di chiamarla Jacqueline Ferrier». Quindi lo misi dentro il sacchettino multicolore che le annodai al collo, l'avvolsi in una coperta, ne feci un fagotto. Mi vestii e di nuovo sorda alle proteste duv-andasiv, doveandate, aspitì-aspitì, aspettate-aspettate, uscii di casa. Andai a ficcarla dentro la Ruota.

«Maintenant ou jamais plus. Subito o mai più.»

Era assai freddo, fuori, e la neve s'era ghiacciata. Rischiavi di scivolare. Inoltre per salutar l'anno nuovo la gente buttava zavorra dalle finestre, sedie sfondate, pentole bucate, scarpe rotte, e appena in strada una scarpa mi cadde addosso. Per un pelo non colpì il fagotto. Ma nemmeno questo mi scoraggiò e a passi cauti, vincendo la spossatezza che mi piegava i ginocchi, ignorando il sangue che mi colava dal ventre, percorsi i pochi metri che separavan da via Fattiboni. Raggiunsi il muro ovest dell'ospizio e sebbene la strada fosse immersa nel buio, (non ci tenevano torce o lampade a gas perché gli abbandoni avvenivano dopo il calar della sera e il buio proteggeva l'anonimato), riconobbi in un baleno lo sportello curvo e la scritta «In dolore pietas. Infilare il pargolo qui». Però quello sportello lo avevo sempre visto chiuso, e ad aprirlo fui colta dalla voglia di vomitare. L'interno aveva la forma d'un vassoio rotondo, mioddio. L'avresti detto un portavivande in attesa di cibo, e a posarci un piccolo essere umano ti pareva di compiere un rito cannibalesco. Ce la posai lo stesso. Dopo averle tolto la coperta ce la adagiai in modo che al ruotar del cilindro non sbattesse nella parete, e sorpresa lei girò il testone. Per la seconda volta spalancò quegli occhi pieni di stupore e di rimprovero, poi con l'aria di volermi fermare tese una manina. Allora, svelta, richiusi. Suonai la campanella per avvertire il custode e scappai. Come una ladra rincorsa dai carabinieri tornai in vicolo Madonna del Parto dove la moglie di Valzania mi rimise a letto piangendo. «Pora sgnurèna, pora burdèla. Povera signorina, povera bambina.» Io no, non piangevo. Ero sfinita, esausta, e volevo solo dormire. Infatti presi sonno appena spensero la candela e mi svegliai dieci ore dopo, cioè quando fedele alla promessa il Valzania venne a consegnarmi il passaporto. Un gran foglio filigranato di quarantun centimetri per ventotto in cima al quale trionfava lo stemma sabaudo incorniciato dalla cappa d'ermellino, sormontato dalla corona, e affiancato da sei bandiere tricolori con l'asta ad alabarda nonché da due tralci di quercia. Sotto l'enfatico fregio, il seguente sproloquio: «In nome di Vittorio Emanuele II re d'Italia il Ministro degli Affari Esteri prega le Autorità Civili e Militari di Sua Maestà e delle Potenze Amiche o Alleate di lasciar liberamente passare la signora Anastasìa Ferrier che attraverso l'Inghilterra va negli Stati Uniti d'America, ed eziandio prega di prestarle assistenza in caso di bisogno. Il presente passaporto è rilasciato a Forlì, è valido per un anno, e per delegazione di Sua Eccellenza il Ministro lo firma il Questore di tal capoluogo». Poi uno sgorbio illeggibile cioè la firma contraffatta dal Valzania, e a sinistra la colonna dei connotati menzogneri in due punti e basta. «Età, maggiorenne. Statura, metri 1 e 68. Capelli, biondo oro. Sopracciglia, chiare. Occhi, celesti. Condizione, agiata. Luogo di nascita, Cesena. Domicilio, idem.»

* * *

Il primo documento della mia, della sua vita. La prima (e l'unica) prova scritta che anche lei stava al mondo, esisteva. Sicché lo ghermì come un cane affamato ghermisce una bistecca e subito dimenticò la manina tesa, gli occhi pieni di rimprovero e di tristezza. Era una donna libera, ora. Poteva far ciò che voleva, andar dove voleva, esser sé stessa senza nascondersi. Ed eccoci al viaggio in America, ai quattordici anni della leggenda.

13

Nel 1865 una signora ci andava con la nave a vapore cioè col piroscafo in America. Soltanto i poveri continuavano a prendere i fragili legni in uso al tempo di Francesco e di Montserrat, i vecchi brigantini che per arrivare alle coste del Nuovo Mondo ci mettevano quanto nel 1773 ci aveva messo il *Triumph* di Filippo Mazzei. E le navi a vapore erano robusti edifici di ferro che non pesavan mai meno di millecinquecento tonnellate, veloci città vaganti che per raggiungere New York o Boston o Filadelfia impiegavano appena dieci o dodici giorni. Se per risparmiar carbone alzavano su alcuni tratti la vela, cosa non rara perché a tal scopo conservavano tutte i tre alberi cioè la vela, dai quindici ai diciotto giorni. Bordeggiando il Mare Artico e solcando le correnti del Labrador, è vero, affondavano ancora. Investiti dagli iceberg o travolti dalle bufere, nell'ultimo decennio ben sette piroscafi s'erano inabissati con centinaia di passeggeri e senza lasciar superstiti. Ma a occhio e croce l'ammontar dei naufragi non superava quello degli odierni disastri aerei, ed oltre ad essere breve la traversata era comoda. La Guerra Civile aveva ridotto in maniera drastica il numero dei viaggiatori, dal 1861 l'emigrazione si reggeva su poche migliaia di tedeschi e di irlandesi, il turismo su poche dozzine di affaristi o diplomatici o avventurieri, e per trovar clienti le compagnie marittime offrivano agi mai immaginati. Acqua corrente compresa. In prima classe, gli sfarzi d'un hotel di lusso. Saloni e salottini con le boiseries di palissandro intagliato o le pareti a specchio, le tappezzerie di damasco o di velluto e i lampadari di cristallo, nella maggior parte dei casi. Cabine col bagno e arredate come normali camere, stanze per fumare e per suonare il pianoforte, biblioteche colme di libri e riviste in più lingue. E camerieri a iosa, vini prelibati, menu da capogiro. (Ne ho uno che elenca sei tipi di zuppe, sette di bollito, otto di arrosti, nove di elaboratissime entrées, e una lista interminabile di desserts). In speciali recinti si tenevano i polli, le quaglie, gli agnelli e i maiali da macellare, nonché due mucche per il latte e pazienza se ciò causava cattivi odori. Dentro rudimentali ghiacciaie si custodivano infatti le uova, il burro, le verdure, la frutta. In seconda classe, ovvio, la pacchia diminuiva. Tuttavia il servizio restava eccellente, degno d'un buonissimo albergo. E in terza, dove fino a metà secolo si moriva letteralmente di fame, di sporcizia, d'incuria, mangiavi tre pasti al giorno. Dormivi su un materasso, avevi gabinetti e lavatoi. Potevi anche usufruire del medico-chirurgo, e *dulcis in fundo*: sia in prima che in seconda che in terza le donne sole non rischiavan più gli stupri e le gravidanze. Stufi di pagar tasse pei figli illegittimi che molto spesso ad opera degli ufficiali venivano concepiti durante il viaggio, nel 1834 i newyorkesi s'erano rivolti al Congresso e questo aveva passato una legge. «Chiunque con minacce o violenze o lusinghe o esche di matrimonio o abuso d'autorità stupra una passeggera, la mette incinta, dovrà sposarla oppure pagare mille dollari di multa e scontare un lustro di carcere duro.» La tariffa variava coi paesi e le compagnie. Dall'Inghilterra, sulla Cunard Line, in prima classe pagavi trenta ghinee pari a settecentocinquanta lire. (Sempre calcolando sui soliti parametri dell'Istituto di Statistica, cinque milioni e duecentocinquantamila d'oggi). In seconda, sedici ghinee pari a quattrocento lire. (Due milioni e ottocentomila d'oggi). In terza, sei ghinee pari a centocinquanta lire. (Un milione e cinquantamila d'oggi). Sulla Inman Line, più spartana e priva della seconda classe, in prima pagavi quindici ghinee pari a trecentosettantacinque lire. (Due milioni e seicentoventicinquemila). In terza, quattro ghinee pari a cento lire. (Settecentomila). Dalla Francia, qualcosa di mezzo tra il prezzo della Cunard e quello dell'Inman. Dall'Italia, un'inezia. Ho trovato un manifesto pubblicitario che propone la prima classe a centocinquanta lire e la terza a cento. Il guaio è che dall'Italia non ci andavi con le navi a vapore. Nel 1859 la Transatlantica per la Navigazione a Vapore era fallita, lo smacco aveva provocato il declino delle attrezzature marittime, e nei porti italiani ora non ci venivan nemmeno i piroscafi stranieri. Per New York o Boston o Filadelfia (e per Charleston o New Orleans lo stesso) salpavano esclusivamente i vascelli da poche tonnellate, i lenti mercantili del passato. Se non volevi languire tre o quattro mesi in una stiva, dunque, dovevi imbarcarti a Le Havre o a Southampton o a Glasgow o meglio a Liverpool: la centrale del traffico transoceanico. E l'espediente era piuttosto scomodo in quanto a Le Havre ci arrivavi via mare da Marsiglia oppure, varcato con la diligenza il Moncenisio, attraversando la Francia in ferrovia. A Liverpool, da Genova coi battelli della Mediterranean, ossia della società inglese che monopolizzava il percorso Mar d'Irlanda-Tirreno. Più che battelli, barcacce munite di ciminiera. Trabiccoli che per raccogliere passeggeri facevano scalo a Livorno, a Napoli, a Messina, a Palermo, a Gibilterra, magari a Lisbona, sicché a recarsi nel Mar d'Irlanda impiegavan perfino sedici o diciotto giorni. E Anastasìa lo sapeva: durante l'attesa di Cesena li aveva studiati bene gli intoppi. Esaminando i dépliants della Mediterranean aveva addirittura capito che le cabine di prima classe non misuravan neppure tre metri quadri (lo spazio degli attuali wagon-lits), che il bagno consisteva in una catinella e una brocca d'acqua salata, il gabinetto in un pitale da rovesciar fuori dell'oblò, e il servizio in pochi stewards che accendevano o spengevano le candele. Eppure non s'era scoraggiata. Certa di non cedere a ripensamenti aveva scelto lo scalo di Livorno e a Livorno s'era procurata anche un nuovo angelo custode. Giuseppe Pastacaldi, ex garibaldino e quindi ex commilitone amico del Valzania nonché viaggiatore esperto e rampollo d'una ricca famiglia che in America esportava prodotti alimentari. A metà dicembre il Valzania gli aveva scritto, chiesto quali partenze ci fossero la settimana di Capodanno per Liverpool, poi quali coincidenze per New York, e...

Il racconto del nonno Antonio, anzi la leggenda riferita da Anastasìa al nonno Antonio, incomincia qui. E stando a quel racconto la risposta di Pastacaldi giunse nel pomeriggio di lunedì 2 gennaio: trentasei ore dopo l'abbandono della nonna Giacoma. Mercoledì 4 c'era l'*Alexandria*, informava, e a Liverpool l'*Alexandria* ci sarebbe arrivata il 18 o il 19. Cioè in tempo per consentire l'imbarco sull'*Africa*: velocissima nave della Cunard Line che il 21 gennaio salpava diretta a New York. Un'occasione d'oro, un'opportunità da non sprecare. Che Mademoiselle Ferrier venisse al più presto. Allora, di colpo, emerse dal torpore che s'era concessa per reprimere il segreto rimorso. Di colpo ritrovò la sua energia disumana, il suo sangue freddo, e perbacco! Da Cesena soltanto due treni andavano a Livorno: quello del mattino e quello di mezzanotte. Quello del mattino era ormai perduto e quello di mezzanotte imponeva un travaglio di quasi undici ore più il cambio a Bologna, a Pistoia, a Lucca, a Pisa. Per una puerpera appena sgravata, roba da finire all'ospedale o al cimitero. Non a caso la moglie del Valzania non voleva lasciarla partire, il Valzania pretendeva d'accompagnarla. Ma lei fu irremovibile e, fresca come una rosa, a mezzanotte partì. Sola. Da sola effettuò i quattro cambi, da sola scese nella città sconosciuta, si presentò al Pastacaldi il quale cadde subito vittima delle sue grazie e in una giornata le risolse tutto. La portò dal console degli Stati Uniti che a sua volta ammaliato vidimò il passaporto senza controllare se fosse vero o falso. Le procurò il posto sull'*Africa* e sull'*Alexandria*, la aiutò a vendere una parte dei gioielli, le convertì la valuta italiana in valuta nordista e in una lettera di credito da presentare all'American Exchange. (Circa quarantamila dollari d'oggi, questa. Dopo le spese sostenute per andare a Cesena, rimanerci un mese, recarsi a Livorno, comprare i biglietti, della cifra elargita dall'Innominato le eran rimaste infatti novemila lire. E a tre lire al dollaro, tale era il cambio nel 1865, esse fruttarono tremila dollari pari a circa quarantamila d'oggi). Povero Pastacaldi. Ignorando il suo dramma e la sua capacità di tener testa ad ostacoli che avrebbero frenato una mandria di bufali, cioè credendola una fanciulla debole e indifesa che nel Nuovo Mondo emigrava per sfuggire a chissà quali minacce o angherie, le risolse perfino le difficoltà dell'arrivo e dell'alloggio a New York. Perché arrivare a New York non era semplice, disse. Lungo i moli sostavano turbe di malfattori, e se un amico non t'aspettava ai piedi della scaletta ci rimettevi pure le scarpe. Nel suo caso non sarebbe stato semplice nemmeno trovarvi un alloggio. Molti alberghi respingevano le ragazze sole e molti le esponevano a insidie di vario tipo. Che non si preoccupasse, però. Il suo defunto fratello, Michele, ci aveva vissuto vent'anni e lasciato una casa. Una bella brownstone al numero 24 di Irving Place dove Louise Elisabeth Nesi, la donna da lui amata, ora abitava insieme al diciannovenne figlio John Derek: appena sfuggito all'arruolamento grazie al rimpiazzo (eh, sì, c'era anche lì il rimpiazzo) e studente di letteratura alla New York University. Derek sarebbe stato più che lieto d'incontrarla al porto, proteggerla dai malfattori. Louise, d'ospitarla. Bastava avvertirli e sebbene il cavo transatlantico fosse rotto da anni ciò era possibile inviando un telegramma via Shannon. Ogni settimana da Shannon in Irlanda partiva un vapore esclusivamente postale che nel giro di sette giorni approdava ad Halifax, Canada, e da lì il testo veniva trasmesso a New York.

L'indomani s'imbarcò sull'*Alexandria*, e del viaggio Livorno-Napoli-Messina-Palermo-Gibilterra-Liverpool il nonno Antonio raccontava che fino a Gibilterra lo fece in preda a violentissimi attacchi di febbre dovuti alla montata lattea, disturbo che non le impedì di sedurre il capitano nel modo in cui aveva sedotto il Pastacaldi cioè in un batter di ciglia. Stando ai registri del «Corriere Mercantile» si chiamava Ingram, il capitano, e stando al nonno Antonio era un misogino inguaribile. Un tipo che le donne le scansava come gli appestati. Infatti quando gli riferirono che una passeggera si sentiva male rispose che se ne sarebbe liberato al prossimo scalo. S'arrangi, vada-in-ospedale. Ma quando andò a controllare e nell'angusta cabina trovò

Anastasìa che scossa dai brividi si asciugava il seno bagnato e dolente, le sue difese crollarono come un castello di sabbia. La trasferì nell'unica cabina spaziosa che esistesse a bordo, le curò i violentissimi attacchi di febbre con impacchi d'acqua fredda, chinino, salassi, e dopo averla guarita divenne suo schiavo. Per non farle perdere la coincidenza, lungo le coste portoghesi minacciate da una tempesta, evitò addirittura la tappa di Lisbona. E forzando i motori, consumando una quantità insolita di combustibile, nonostante i venti contrari riuscì a raggiungere Liverpool nel tempo stabilito cioè entro la sera del 20 gennaio. Qui le offrì una romantica cena d'addio, al mattino la imbarcò sull'*Africa*, la raccomandò al collega William Ryrie, e se la strega sedusse pure lui non lo so: della traversata Liverpool-New York il nonno Antonio raccontava poco. Però credo di sì, da Cesena in poi la sua storia è un inesorabile elenco di conquiste, e ogni volta che cerco di immaginarla durante quel viaggio la mia mente si ferma sulla medesima scena. Quella d'un quadro dell'epoca, *The lady and the officer*, nel quale si vede una giovane signora e un aitante ufficiale che sostano presso la ringhiera di poppa. La giovane signora indossa un abito scuro con la gonna a crinolina, porta un gran cappello col sottogola, ed è molto bella. Lineamenti squisiti, corpo perfetto. Appoggiato di fianco al corrimano l'aitante ufficiale la fissa e il suo volto messo di profilo esprime un'adorazione che sfiora lo spasimo. Lei fissa il mare, invece. Il suo sguardo fermo esprime completa indifferenza, quasi che a certi omaggi sia abituata e pensi ad altro. (A che cosa, a chi? Alla brutta bambina che ha infilato dentro la Ruota? Alla vecchia zia che ha abbandonato in via Lagrange? Al potente individuo che amò e buttò via tenendosi le diecimila lire? Oppure a Irving Place e ai Nesi, a Salt Lake City e Marianne Gardiol, al futuro che l'aspetta nel Nuovo Mondo e al semplice fatto che non parla inglese?).

Dato il silenzio che la mia memoria oppone al tentativo di ricostruir coi ricordi i quattordici anni della leggenda, non so nemmeno se si trattò d'un viaggio facile. Però anche in questo caso credo di sì. La montata lattea non dura che una settimana, il mal di mare lei non lo soffriva, e l'*Africa* era davvero una nave di gran qualità. Grande, veloce, sicura. Pesava 2250 tonnellate, cosa che consentiva il trasporto di centoquaranta clienti in prima più trenta in seconda e duecentocinquanta in terza. Aveva tre ponti, quattro caldaie, venti fornaci, bruciava settecentosessanta quintali di carburante al giorno, con l'ausilio delle vele poteva sostenere dodici o tredici nodi. Inoltre disponeva di due cannoni per segnalare la sua presenza nei banchi di nebbia e, quanto a lussi, gareggiava con le più celebri rivali. Splendide cabine che si aprivano sul ponte di coperta dove il fracasso dei motori non si udiva e il puzzo dei polli o degli animali da macellare non si sentiva. Saloni con le solite raffinatezze, ristorante coi soliti menu da capogiro e le argenterie di Charles Lewis Tiffany. Nonché stanze riscaldate d'inverno col termosifone e servizio che includeva un sarto, un calzolaio, un barbiere, un coiffeur pour dames.

Salpò a mezzodì, col sole e sparando due festosi colpi di cannone. (Risulta dai registri marittimi). Superato il canale di Saint George si fermò nel porto di Queenstown, da qui prese il largo, e nessun iceberg o uragano o avaria guastò la traversata che si concluse a tempo di record. Dieci giorni, ventun ore, ventinove minuti. Nel porto di New York entrò infatti martedì 31 gennaio, sparando altri due festosi colpi di cannone, e per Anastasìa l'arrivo non costituì un problema. Nel paese che predicava l'uguaglianza soltanto i viaggiatori di terza classe dovevan passare sotto le forche caudine dell'Ufficio Immigrazione: scendere alla rotonda di Castle Garden, la centrale dei poveracci, e mettersi in coda per essere interrogati investigati inquisiti quindi sottoposti agli umilianti controlli con cui i medici accertavano che tu non avessi malattie infettive. I poliziotti, che tu non fossi un criminale evaso. Dopo la tappa di Castle Garden la nave ripartiva, imboccava lo Hudson River cioè il fiume lungo il quale si allineavano i 48 moli pei transatlantici. Gettava l'àncora in uno di questi, e un ufficiale della dogana saliva a bordo. Rispettosamente invitava i passeggeri di prima ad accomodarsi in qualche sala coi divani trapunti, rispettosamente e senza far domande indiscrete esaminava i loro passaporti e i loro bagagli, quindi si congedava con un inchino. «Welcome, benvenuta, Madam. Welcome, benvenuto, Sir.» Di problemi non ne ebbe neppure allo sbarco vero e proprio, del resto. Il telegramma via Shannon-Halifax era giunto più che in tempo, dopo il telegramma era giunta una lettera esplicatoria, e ad aspettarla sul Liverpool Wharf (il molo delle navi provenienti da Liverpool) c'era un bel giovanotto con gli orecchi a sventola. John Nesi, il figlio di Louise. Subito salì a bordo, la cercò, la aiutò a scendere, con energiche spinte la sottrasse alle turbe dei malfattori, l'accompagnò all'uscita di Canal Street e la mise sulla carrozza. La portò in Irving Place.

* * *

Mi chiedo che cosa provasse mentre John la portava in Irving Place, e chiedendomelo cerco di vedere la città nella quale si preparava a vivere il prologo della leggenda. Visivamente, la New York del 1865 era così diversa da quella d'oggi. Non aveva nemmeno i famosi ponti che da un secolo la uniscono a Brooklyn e al New Jersey. Per attraversare lo Hudson e lo East River dovevi prendere i ferry-boats. E niente grattacieli, ovvio. Niente insegne abbaglianti, luci sfavillanti, elettricità. Niente Times Square, niente Park Avenue, niente Statua della Libertà. Gli edifici non superavano mai i sei o sette piani, Edison non aveva ancora inventato la lampada a incandescenza sicché l'illuminazione si faceva con le lampade a gas, e al posto di Times Square stagnava un deposito d'acqua. Al posto di Park Avenue sorgeva il tunnel della ferrovia detta Harlem Line, al posto della statua sorgeva un'isoletta nata dai rifiuti che le navi gettavano passando. Però era già una metropoli che incuteva paura, e contava 800.000 abitanti. Assai più di Filadelfia che ne contava 540.000. Quattro volte più di Boston e di Chicago che ne contavan quasi 200.000, sedici più di Richmond, la capitale dei confederati, che con la guerra era salita a 50.000. Più di Washington che ne contava appena 80.000. E la metà di Parigi che ne contava un milione e seicentomila, un terzo di Londra che ne contava due milioni e trecentomila. E inutile cercarvi le tracce del suo eroico passato, del tempo in cui si chiamava New Amsterdam e i pionieri olandesi la contendevano agli indiani: perfino i cimiteri seicenteschi erano stati demoliti per costruire case. Era anche una città molto ricca. Il centro finanziario del paese, la mamma di Wall Street, la sede di ben novantun banche dove il denaro fluiva come la lava d'un vulcano in eruzione. E molto sporca, molto cattiva, molto violenta, molto pericolosa. L'immondizia vi si ammucchiava per settimane in cumuli alti due o tre metri, nessuno raccoglieva lo sterco dei cavalli e dei cani, il marciume per cui ti ci ammalavi di scabbia e di colera e di tifo, e nonostante l'abolizionismo al porto si contrabbandavano ancora gli schiavi. Vizietto che la legge puniva invano con la forca e che i funzionari corrotti fingevano di ignorare. Non per nulla il 1864 s'era chiuso con centomila tra omicidi, accoltellamenti, truffe, rapine. E non a caso i confederati la giudicavano un pozzo di ipocrisia, un letamaio senza cuore, senza principii, senza morale, e senza Dio.

In compenso, o proprio grazie a questo, era la città più spensierata del Nuovo Mondo e forse del mondo intero. Un Luna Park per adulti. Oltre alle novantun banche forniva quattrocentosessanta bordelli, cinquantadue case di piacere, centinaia e centinaia di bar, di birrerie, fumerie d'oppio. Nonché piscine pubbliche per gli uomini e per le signore, (piscine dove si poteva nuotar nudi), campi da tennis e da golf e per il tiro all'arco, piste per il pattino a rotelle e il pattino sul ghiaccio, due ippodromi, uno stadio per le partite di polo, uno per le partite di baseball, uno yacht club per le gare di barca a vela, e un numero infinito di Dance Houses cioè sale da ballo. Aveva anche decine di teatri tra cui l'Academy of Music, lo Winter Garden e il Barnum's American Museum: mastodontico circo dove insieme ai pagliacci e agli acrobati e ai prestigiatori, ai leoni e alle tigri e agli elefanti, si esibivano orrori sul tipo dei fratelli siamesi, dei vitelli a due teste, dello Scheletro Vivo (un uomo molto secco) e di Miss Jane Campbell. Una ragazza che pesava quasi mezza tonnellata e si autodefiniva «la Più Grossa Montagna di Carne Mai Vista in forma di Donna». Inoltre aveva dozzine di alberghi paragonati ai quali le navi di lusso diventavano catapecchie. Tra questi, il sardanapalesco Astor House dove il pollo veniva cucinato in sedici modi diversi e lo champagne scorreva a fiumi, o il modernissimo Fifth Avenue Hotel dove ai piani superiori si saliva con la Perpendicular Railway cioè la Ferrovia Perpendicolare, insomma l'ascensore. Congegno altrove sconosciuto. Se non morivi di fame o di dolore, del resto, a New York tutto diventava fonte di svago. Tutto. Il traffico pazzo di Broadway dove centinaia di carrozze, barrocci, carretti, calessi, si mischiavano ai tranvai tirati da sei cavalli e agli omnibus: le buffe diligenze condotte da un fiaccheraio che seduto sul tetto fermava a richiesta. (Per scendere bastava tirare la corda che gli ciondolava dal piede sinistro e gridare: «Stop!»). Gli scandalosi negozi della Bowery dove trovavi qualsiasi oggetto o farmaco incluso l'Unguento per Prolungare l'Amplesso. Le indiscrete udienze del Tribunale Civile dove ogni anno si discutevano e si concedevano diecimila divorzi. La cafoneria dei Vanderbilt, degli Stewart, dei Pierpont Morgan che nelle loro residenze da nababbi tenevano vasi da notte d'oro e servitori in livrea (una livrea con la giacca di damasco, le brache di raso, le calze di seta, la camicia di trina, e magari il turbante). L'audacia delle suffragette che fumavano in pubblico, propagandavan le pillole antigravidanza, e se necessario abortivano nella Maison de Madame Restell. (Clinica autorizzata dal sindaco). D'accordo: sebbene si svolgesse nel remoto Sud, la guerra aveva un po' smussato gli eccessi e portato l'inflazione. Nel 1865 a New York un cappotto poteva costare ben cinquanta dollari: il prezzo d'una traversata atlantica in terza. Con l'arruolamento obbligatorio e il rimpiazzo invano opposto dai poveri col più formidabile tumulto che si fosse mai visto, aveva portato anche parecchi morti. Coi morti lo spettacolo delle donne vestite a lutto, delle madri e delle vedove col velo nero. Però non aveva cambiato i costumi della città senza Dio, semmai ne aveva raddoppiato il cinismo, e sai perché? Perché grazie alle forniture militari i ricchi erano diventati più ricchi, e perché tali forniture le vendevano sia ai nordisti che ai sudisti. Ai sudisti, con le navi dirette alle Bahamas.

«Business is business, my dear, and favours neutrality. Gli affari sono affari, caro mio, e favoriscono la neutralità.»

Di italiani ve n'erano pochi. Nell'intero continente, circa quindici o sedicimila. A venirci in massa avrebbero incominciato soltanto nel 1889 e in quegli anni espatriavano più volentieri in Argentina e in Brasile, paesi in cui non dovevano competere coi gruppi etnici che stavano invadendo l'America del Nord. Gli irlandesi, gli scozzesi, i gallesi, gli olandesi, i tedeschi, gli scandinavi. Quanto a quelli venuti nel Seicento cioè all'epoca del *Mayflower*, erano sbarcati in Massachusetts. Qui avevano anglicizzato il cognome (Ross per Rossi, Martin per Martini, Church per Chiesa, Ironcut per Tagliaferro) e qui s'erano stabiliti lasciandosi assimilare. Quelli venuti nel Settecento cioè all'epoca di Filippo Mazzei, lo stesso. I loro discendenti non sapevan nemmeno che la frase con cui s'apriva la Costituzione era sua non di Jefferson, o che Manhattan l'aveva scoperta Giovanni da Verrazzano non Henry Hudson. Quelli venuti nella prima metà dell'Ottocento avevano scelto Filadelfia o Baltimora o New Orleans, sicché New York ne contava appena tremila. Nella stragrande maggioranza, paria disprezzati da tutti. Plebei che si rompevan le ossa nei mestieri più umili e che vivevano con gli schiavi liberati ai Five Points: il lurido quartiere dove la delinquenza fioriva meglio dell'ortica nei campi, e dove le strade portavan nomignoli da rizzare i capelli in testa. Murderers' Alley, o Via degli Assassini. Thieves' Den, o Borgo dei Ladri. Whores' Lane, o Vicolo delle Puttane. («That's a shame, è una vergogna!» aveva esclamato Lincoln nel corso d'un sopraluogo). La minoranza che Anastasìa stava per conoscere vantava al contrario individui ricchi e rispettati. Professionisti con la casa nelle zone signorili, studiosi legati all'intellighenzia locale, commercianti che negoziavano in opere d'arte o marmo di Carrara o prelibatezze gastronomiche. Nonché alcuni degli esuli giunti nel periodo risorgimentale. I carbonari ai quali Metternich aveva mutato il capestro in ergastolo poi concesso la grazia a patto che si recassero in America cioè il più lontano possibile, i patrioti costretti a fuggire dopo le sconfitte del Quarantotto e la caduta della Repubblica Romana, i tipi stanchi di sacrificarsi... Nel 1833 era giunto, ricordi, Piero Maroncelli: l'amico di Silvio Pellico, il martire a cui gli aguzzini dello Spielberg avevano amputato una gamba da sveglio. Nel 1835 l'intrepido conte Federico Confalonieri e nel 1836 il discusso Felice Foresti, anch'essi usciti dallo Spielberg. Nel 1837 dodici lombardi condannati alla forca e subito graziati nonché caricati su un brigantino austriaco diretto a New York. Nel 1846, l'anno in cui Maroncelli era morto, il mazziniano Francesco Secchi de Casali. Nel 1849, il generale Giuseppe Avezzana e il suo luogotenente Giovanni Morosini. Nel 1850, si sa, Garibaldi. Nel 1851, il suo giovane medico Giovanni Ceccarini, nel 1853, lo storico Vincenzo Botta... E sebbene i più fossero ripartiti per tornare a battersi, alcuni erano rimasti. Botta insegnava alla New York University (quella di John Nesi) col titolo di Professor Emeritus, Ceccarini possedeva una clinica oftalmica di successo, Secchi de Casali dirigeva l'importante giornale «L'Eco d'Italia», e Morosini faceva il banchiere a Wall Street. Alla colonia dei notabili, inoltre, bisognava idealmente aggiungere i volontari accorsi dopo lo scoppio della Guerra Civile. Proprio a New York, infatti, gli italiani avevano formato le due unità dette *Garibaldi Guard* e *Italian Legion*. La prima costituita da garibaldini e da una bizzarra accozzaglia di francesi, inglesi, svizzeri, spagnoli, ungheresi che alzavan la bandiera dei federati con la scritta «Vincere o Morire». La seconda, da settecentocinquanta Cacciatori delle Alpi che alzavano il tricolore con la scritta «Dio e Popolo». Mischiandosi alla Legione Polacca poi alla Legione Olandese cioè scatenando un'allucinante Torre di Babele avevan dato corpo al 39° Infantry Regiment delle armate nordiste, e pazienza se a New Orleans era successa la medesima cosa. Se pure laggiù gli italiani avevan formato una *Garibaldi Guard* e una *Italian Legion* che alzando il tricolore e la bandiera dei confederati (identiche le scritte) s'erano messe a combattere con le armate sudiste. Pazienza se per questo, o in buona parte per questo, l'Eroe dei Due Mondi aveva risposto no a Lincoln che gli offriva un alto comando nel suo esercito.

«Accettate, generale, e la vostra fama sorpasserà quella di Lafayette. I nostri soldati saranno fieri di seguire lo Washington d'Italia.»

Cerco anche di vedere Irving Place com'era nel 1865, insomma al momento in cui la carrozza scaricò Anastasìa dinanzi al numero 24. Bè, con molta probabilità era una delle strade più piacevoli di Manhattan. Un'oasi di buongusto dentro la pacchianeria del Luna Park. Conteneva solo brownstones: le villette a quattro piani dette anche case vittoriane o in pietra arenaria, che a quel tempo eran ritenute simbolo di agiatezza ed eleganza. Si componeva di sei blocchi che andavano dalla Quattordicesima alla Ventesima e qui sboccava in Gramercy Park: graziosa piazzetta impreziosita da un minuscolo parco cinto da inferriate e chiuso da cancelli di cui solo i residenti avevano la chiave. Vi trovavi sempre persone di grande prestigio: intellettuali, diplomatici e artisti. E nelle strade vicine, idem. Nella Diciannovesima abitava Edwin Thomas Booth: il celeberrimo attore shakespeariano, fratello dei meno acclamati Junius Brutus jr. e John Wilkes (sì, l'uomo che in aprile avrebbe ucciso Lincoln) coi quali tre mesi prima aveva interpretato il *Giulio Cesare* allo Winter Garden. Nella Diciassettesima, Winslow Homer: l'incomparabile disegnatore cui si dovevano le illustrazioni della rivista «Harper's Weekly» e in particolare quelle della Guerra Civile. Nella Decima, Henry Theodore Tuckerman: l'illustre letterato amico degli italiani, e il cui saggio *America and Her Commentators* era stato definito l'opera-d'un-genio. Nella Ventiseiesima, Herman Melville: l'autore di *Moby Dick.* (Era uscito nel 1851, *Moby Dick,* e i critici lo avevano stroncato con la consueta ferocia. Il pubblico lo aveva ignorato, un incendio bruciato le copie invendute. E per il dispiacere Melville era precipitato in una malinconia che gli impediva di scrivere. Ma la sua fama resisteva grazie agli altri libri). La brownstone del numero 24 stava nel blocco compreso fra la Quindicesima e la Sedicesima. Michele Pastacaldi l'aveva comprata nel 1842, quando appena ventitreenne era venuto a New York per fondare una succursale della ditta che Giuseppe gestiva a Livorno, e fino al 1862 (anno in cui era morto d'infarto cardiaco) ci aveva vissuto ospitando con prodigalità esuli e conoscenti. Felice Foresti, ad esempio, che c'era stato quasi tre lustri. Avezzana, Ceccarini, Garibaldi prima che si trasferisse a Staten Island da Antonio Meucci, e Louise. Era una tedesca di Amburgo, Louise, infelicemente sposata al toscano Augusto Nesi: anche lui appartenente a una ricca famiglia livornese, anche lui commerciante di generi alimentari, e anche lui venuto in America nel 1842. Non potendo divorziare da un marito con la cittadinanza italiana lo aveva mollato insieme ai figli Elvira e John, sicché il generoso Michele le aveva offerto asilo. Dall'asilo era nato l'affetto, dall'affetto l'amore, e dall'amore il testamento che per confermarmi il racconto del nonno Antonio ho recuperato all'Index della Surrogate's Court di New York. «Nel pieno delle mie facoltà mentali e mnemoniche io Michele Pastacaldi nomino mia erede Louise Elisabeth Nesi, moglie di Augusto Nesi della contea di New York. Fuori d'ogni controllo o pretese del suddetto coniuge o di eventuali futuri coniugi le lascio la somma di cinquemila dollari e la casa al numero 24 di Irving Place con tutto ciò che contiene. Mobilio, argenterie, vasellami, dipinti, libri, vini...»

La casa al numero 24 non esiste più. All'inizio del Novecento la demolirono con l'intero blocco, e in quel punto oggi sorge un edificio moderno che occupa anche lo spazio delle case allora al numero 28 e 26. Però so qual era il suo aspetto. Misurava undici metri d'altezza e otto di larghezza, aveva uno squisito frontespizio semicoperto dall'edera, e sia sul davanti che sul retro undici finestre. Due al piano terreno o primo piano, tre al secondo, tre al terzo, tre al quarto. La porta s'apriva in cima alla breve gradinata che spesso caratterizza le brownstones, ed entrando trovavi un vestibolo poi un ampio salone che sfociava in un piccolo giardino verde di alberi e ricco d'uccelli. Sulla sinistra del vestibolo, la cucina adiacente alla sala da pranzo e collegata al seminterrato dove si custodivano i vini e la legna. Sulla destra, a ridosso della parete, le scale che conducevano ai piani superiori. Ogni piano, composto da un corridoio e da due stanze: una che guardava la strada e una che guardava il giardino. Le stanze erano assai luminose per via delle tre finestre e dei soffitti elevati, nonché fornite di caminetti che d'inverno stavan sempre accesi. Le scale prendevano luce da una vetrata multicolore... So anche che vi fece un ingresso trionfale, e a immaginarla lì con i Nesi non duro alcuna fatica. Anche loro credevano che in America ci fosse andata per sfuggire ad angherie, minacce, e Louise era così buona. Davvero un cuore d'oro. La teneva nella camera che era stata della primogenita Elvira, ora moglie d'un certo Peter Krug e quindi abitante altrove, la copriva di premure, la trattava come una figlia. Quanto a John, il cuore ce l'aveva di burro. Per resistere ad Anastasìa ci voleva di ferro, e durante la scarrozzata dal Liverpool Wharf a Irving Place s'era preso l'inevitabile cotta. La serviva, la riveriva, la trattava come una regina. Non duro fatica neanche a immaginare il successo che subito ebbe tra i notabili della colonia italiana e tra i famosi vicini. Appena arrivata conobbe infatti Henry Tuckerman, già amico di Michele Pastacaldi, e l'incauto ne rimase talmente sedotto che per incontrarla spesso si assunse il compito di insegnarle l'inglese. Dopo Tuckerman, Melville che a sua volta irretito si assunse quello di mostrarle le meraviglie e gli orrori della città senza Dio. Dopo Melville, Edwin Booth che se ne invaghì più degli altri e che per corteggiarla la invitava sempre allo Winter Garden: il teatro dove quell'inverno recitava... Ma, soprattutto, non duro fatica a immaginare la rapidità con cui nella città senza Dio dimenticò la brutta bambina che aveva messo dentro la

Ruota del Santissimo Crocifisso. E con lei Cesena, Torino, il Regio, via Lagrange, l'Innominato, la Sidoli, la Tante Jacqueline. Perché non c'erano solo Louise Nesi e John e i famosi vicini e i notabili della colonia italiana a distrarla dal segreto rimorso, dai ricordi, dalle nostalgie. C'era la guerra. La terribile guerra fratricida, suicida, che si svolgeva lontano sì ma della quale sentiva parlare ogni giorno. Dissanguati dalle battaglie perdute e dalle epidemie, decimati dalle diserzioni, armati di pochi fucili che sparavano un colpo per volta e quasi sempre senza cibo, senza cavalli, senza uniformi, senza scarpe, i sudisti non contavano ormai che centomila uomini il cui eroismo non serviva a nulla. Ben nutriti ed equipaggiati con ottime uniformi, ottime scarpe, trentacinquemila cavalli e cannoni a tiro rapido, fucili che sparavano sette colpi per volta, i nordisti ne contavano novecentottantamila e avanzavano ovunque al grido di kill-kill-kill. Ammazza-ammazza-ammazza...

Chi avrebbe potuto ignorarla, del resto? Ogni poco lì accadeva qualcosa che relegava i fatti personali all'oblio. Il 17 febbraio Charleston s'era arresa. Il medesimo giorno Sherman aveva conquistato e dato alle fiamme Columbia: la capitale del South Carolina da cui nel 1861 era partita la secessione. Il 22 febbraio aveva preso Wilmington: l'unico porto rimasto in mano a Robert Lee. Il 19 marzo, Bentonville: l'unico nodo ferroviario ancora funzionante. E il 2 aprile Petersburg, l'ultimo baluardo dei confederati, cadde. Il 3 aprile Ulysses Grant marciò su Richmond, la loro capitale, e il 4 anche in Irving Place si udì un grido: «Richmond is ours, è nostra!». Il 10 se ne udì un altro: «The rebels surrendered, i ribelli si sono arresi!». Poi, il 15 aprile, Louise la svegliò porgendole in silenzio un giornale listato a lutto e deturpato da un titolo gigantesco: «LINCOLN ASSASSINATED». Riempivano l'intera pagina, quelle due parole, e al posto del reportage una breve frase sgomenta: «Stiamo per andare in stampa e non abbiamo né la forza di commentare né i dettagli da fornire». L'indomani però di dettagli ce n'erano a iosa e perbacco! Lo aveva ucciso John Wilkes Booth, il fratello di Junius e di Edwin! Al Ford's Theater di Washington, nel palco presidenziale cioè quello che si affacciava sul proscenio. Grazie alla sua notorietà era riuscito a introdurvisi senza che nessuno lo fermasse, dopo avergli sparato un colpo alla nuca era saltato giù in mezzo agli attori paralizzati dallo spavento, s'era rotto una gamba, malgrado ciò era riuscito a gridare sic-semper-tyrannis quindi a fuggire. Ora gli davan la caccia in Virginia dove lo avevano visto entrare a cavallo, e intanto cercavano i complici. Offrivano taglie da centomila dollari, tenevano in prigione Junius che si trovava a Filadelfia e non c'entrava per nulla, interrogavano Edwin che si trovava a Boston e c'entrava ancor meno... Nei giorni seguenti vide anche il dramma di Edwin che al ritorno da Boston s'era tappato nella sua brownstone della Diciannovesima e ne usciva solo a notte fonda per prendere una boccata d'aria: sedere su una panchina di Gramercy Park o camminare in Irving Place dove lo sentivi piangere disperatamente. «Oh God, oddio! Help us, aiutaci, help us!» Col dramma di Edwin, le incredibili onoranze che dimentichi del loro cinismo i newyorkesi tributarono a Lincoln. Conclusi i funerali di Washington, infatti, il corpo imbalsamato era stato messo sul treno che via Baltimora-Harrisburg-Filadelfia-New York-Albany-Buffalo-Cleveland-Chicago lo avrebbe condotto a Springfield nell'Illinois, sua città natale. A New York giunse la mattina di lunedì 24 aprile col Central Railroad Ferry-Boat, il traghetto che collegava alla ferrovia del New Jersey, e altro che le esequie di Cavour! Altro che i cinquemila torinesi in fila per dire addio a Cavour! Da ogni finestra pendeva un drappo nero, da ogni edificio si levava una bandiera a mezz'asta, tutti i luoghi pubblici erano chiusi, e lungo il tragitto del corteo si ammassava un milione di persone.

Più di quante ne contasse Manhattan. Dinanzi alla bara aperta ed esposta nella Governor Room del City Hall ne sfilarono circa quattrocentomila.

Lo confermano le fotografie scattate nella piazza stracolma di folla in attesa di rendegli omaggio, e tra queste quella che non mi stanco mai d'osservare perché... È un'istantanea che in primo piano ritrae un bel giovanotto e una ragazza stupenda. Il bel giovanotto sfoggia il cilindro e lo stiffelius, il soprabito dei ricchi, ed ha gli orecchi a sventola nonché lo sguardo languido degli innamorati senza speranza. John Nesi? La ragazza stupenda indossa un'ampia gonna a crinolina e un morbido scialle da cui traspare una figura perfetta. Porta un insolente cappellino a fiori che anziché coprire la testa gliela scopre mostrando lisci capelli d'oro, e i suoi zigomi sono molto alti. Da slava. I suoi occhi sono molto chiari. Da fata. Il suo sguardo è fermo, duro. Da strega. Anastasìa? Credo proprio di sì. Assomiglia troppo alla maliarda del ritratto perduto nel trasloco.

* * *

Ormai dimentica dell'Utah, di Salt Lake City, di Marianne Gardiol, rimase buona parte dell'estate a New York. E non mi risulta che in quei mesi abbia fatto qualcosa di speciale fuorché assistere agli eventi successivi alla morte di Lincoln. (L'ultima settimana d'aprile, la morte di John Wilkes Booth scovato in un granaio della Virginia e inspiegabilmente ucciso con una fucilata dal sergente Thomas «Boston» Corbett del Sedicesimo Cavalleria. In maggio e in giugno, il processo agli otto complici catturati. All'inizio di luglio, l'impiccagione dei quattro condannati a morte e tra loro Mary Surratt, la locandiera a cui nonostante le raccomandazioni della stessa Corte Marziale il neopresidente Johnson si rifiutò di mutare la pena in ergastolo). L'ospitalità dei Nesi e il denaro depositato all'American Exchange le consentivano di vivere senza lavorare, e l'idea di tornare alla danza non la sfiorava neanche: a esibirsi di nuovo su un palcoscenico avrebbe rischiato di venir riconosciuta cioè identificata con l'aspide che a Torino era svenuto dinanzi al teatro pieno e che in America era entrato col passaporto falso. Meglio tenersi in ombra. Non mi risulta nemmeno che il suo bisogno di nascondersi e dimenticare sia stato turbato da cattive notizie o altrui curiosità. Nella città senza Dio nessuno le chiedeva nulla e in Italia nessuno fuorché Giuseppe Pastacaldi sapeva dove scriverle. La Tante Jacqueline e la Sidoli incluse. A metà luglio però accadde l'imprevisto. Arrivò una lettera del Valzania che spiegando d'aver avuto l'indirizzo dal Pastacaldi attraverso caute perifrasi le diceva attenta, a Forlì si sono accorti che manca un modulo, e la polizia sta indagando presso i consolati. Se il console di Livorno s'accorge che il numero è uguale a quello del passaporto vidimato a Mademoiselle Ferrier, costà potrebbero ricevere una segnalazione e arrestarvi o costringervi al rimpatrio. Quasi contemporaneamente arrivò un giornalista torinese. Secchi de Casali, il direttore dell'«Eco d'Italia», glielo presentò, e... «Anastasìa Ferrier! La ballerina del Regio, l'incantevole creatura che in *Cleopatra* interpretava il ruolo dell'aspide! Ah, che piacere! Che onore! Da quasi un anno mi chiedevo dove foste finita. Vorrei intervistarvi.»

John e Louise non volevano che partisse. All'annuncio Louise scoppiò in lacrime, perché-in-nome-di-Dio-perché, e l'ignaro John si buttò in ginocchio. «Non lasciatemi, ve ne prego. Sposatemi. Io vi amo e sposandomi diverrete cittadina americana. Qualunque sia il pericolo che vi minaccia, non avrete più nulla da temere.» Tuttavia lei fu irremovibile, e rompendo il cuore di entrambi la settimana dopo partì. Diretta a Salt Lake City. All'Utah, al Far West.

Non era solo la meta dei cercatori d'oro o d'argento, degli avventurieri, dei masnadieri, dei poveri senza speranza, lo sconfinato e semispopolato mondo che dal Mississippi si stendeva fino al Pacifico col nome di Far West. Lontano Ovest. Era la salvezza di chiunque avesse qualcosa da nascondere. E, se avevi qualcosa da nascondere, nessun punto del Far West offriva un rifugio più sicuro dell'Utah: il paradiso posto sulla strada per il Nevada e la California, la splendida patria delle Montagne Rocciose e del Lago Salato. Come l'adiacente Colorado e il confinante New Mexico, la più distante California e l'attuale Oklahoma, l'Utah non era infatti uno stato. Era un Territorio, vale a dire un pezzo d'America non ancora annesso agli Stati Uniti, interamente occupato dai seguaci della Chiesa dei Santi dell'Ultimo Giorno: la bizzarra setta (ricordi?) che predicava e osservava la poligamia. Insomma dai Mormoni. Per non perdersi le mogli costoro rifiutavano le leggi dell'Unione, anche nelle faccende giuridiche seguivano le proprie norme, e non ubbidivano che al loro papa e governatore Brigham Young: l'astuto vendifrottole che nel 1846, alla morte del profeta Joseph Smith, aveva guidato e condotto i quindicimila Santi del gruppo iniziale. Stanco delle loro disubbidienze e deciso a stroncare una pratica tanto illegittima quanto aborrita dal resto del paese, nel 1857 il presidente Pierce aveva mandato un vero governatore e tre veri magistrati. A seguire, ben 2500 soldati. Ma nel primo caso Young aveva ordinato di ignorare gli intrusi e continuare a celebrare i processi nei tribunali gestiti dalla Chiesa. Il-governatore-sono-io-e-guai-a-chi-mi-contesta. Nel secondo aveva risposto scatenando le sue milizie cioè una Guerra Civile *ante litteram*. Sia i quattro funzionari che i duemilacinquecento soldati eran tornati a Washington con le pive nel sacco, e da allora in quel Territorio il governo federale non esercitava alcuna autorità. Tutte cose che Anastasìa conosceva a menadito perché dopo l'incontro con Suzanne, a Torino, era corsa in biblioteca per capire meglio dov'era finita Marianne. In seguito a questo sapeva anche che la poligamia dei Mormoni non si limitava alle quattro mogli dei Maomettani e che lo status di Marianne, sesta signora Dalton, non era eccezionale. Brigham Young ne aveva sposate ventisette. (Abbondanza che includeva cinquantasei figli). Il suo luogotenente Heber Kimball, quarantatré. (Abbondanza che includeva sessantacinque figli). E dato che quasi nessuno si accontentava di due o tre, il vantaggio di sfuggire all'arresto o al rimpatrio per il possesso del passaporto falso laggiù era avvelenato dal rischio di diventar l'ennesima consorte di qualche santo.

Andarci era un'impresa infernale. Una sfida che spesso pagavi con la vita, e per affrontar la quale dovevi avere doti inconsuete di coraggio, durezza, stoicismo. Cioè la capacità di sopportare senza batter ciglio la fame, la sete, la paura, nonché la fatica disumana del viaggio. Se partivi dalla costa atlantica, ad esempio da New York, dovevi attraversare in treno tutta l'America dell'Est e del Midwest fino al Missouri anzi fino a St. Joseph: la città dove nel 1865 finiva l'ultimo tratto della ferrovia. Poi con la diligenza o con la carovana dei carri dirigerti verso le Montagne Rocciose, e tra il Missouri e le Montagne Rocciose si stendevano le Grandi Praterie: spopolate, deserte, prive di città e di strade. Al posto delle città, i fortini che il governo federale teneva per presidiare almeno teoricamente la regione. (Più che fortini, recinti appena protetti da un muretto o da una staccionata e tenuti da pochi soldati). Al posto delle strade, i Trails. Cioè le piste che i pionieri degli anni Quaranta e Cinquanta avevan più o meno tracciato coi cavalli e le diligenze e le carovane dei carri tirati dai buoi cioè dai famosi wagoons per recarsi in Nevada e in California. L'Oregon Trail, il Mormon Trail, l'Overland Trail, il Poney Express Trail. Ma, soprattutto, nelle Grandi Praterie dovevi vedertela con gli indiani. Con gli Apaches, i Sioux, gli Arapahos. I Comanches, i Lakota, gli Cheyennes. Coi loro inflessibili capi Nuvola Rossa, Toro Seduto, Caldaia Nera, Orso Magro, Antilope Bianca... Gente che oltre ad ammazzarti ti scuoiava. Perché allo scoppio della Guerra Civile i soldati professionisti dei fortini erano stati quasi sempre sostituiti da volontari privi di qualsiasi esperienza militare, e gli indiani se n'erano approfittati per intensificare la rivolta agli intrusi. Ai Visi Pallidi che li avevan cacciati dall'Est e non paghi di ciò avanzavano sempre di più verso l'Ovest, gli rubavano altre terre, li imbrogliavano coi trattati scritti in una lingua misteriosa, li ubriacavano con l'Acqua di Fuoco cioè lo whiskey, li chiudevano o pretendevano di chiuderli nelle aree dette colonie o riserve. Poco dopo il padre dei Visi Pallidi Lincoln aveva annunciato la costruzione della ferrovia che passando di lì sarebbe arrivata al Pacifico, col cavallo-di-ferro cioè il treno avrebbe profanato anche quelle regioni, deviato le mandrie dei bisonti e dei bufali, occupato altri territori, e la loro rabbia era esplosa. Con la loro rabbia, un conflitto denso di reciproche stragi e scuoiamenti. Nel 1862, ad esempio, i Sioux eran piombati sull'accampamento di New Ulm e avevano ucciso nonché scuoiato quattrocento coloni tra cui duecento donne e bambini. Allora il governo aveva catturato quattrocento guerrieri e trentotto di questi eran stati impiccati nella più spettacolare esecuzione che fosse mai avvenuta in America. Nel 1863 Lincoln aveva invitato alla Casa Bianca otto capi tra cui Caldaia Nera e Orso Magro. Rivolgendogli un bel discorsino per dirgli che dovevano rassegnarsi, darsi all'agricoltura, regalandogli una bandiera americana e una medaglia con la sua effigie li aveva convinti a cedere tutte le terre Cheyenne fuorché la minuscola area di Sand Creek sul fiume Colorado. Allora Toro Seduto aveva perso la testa e coi suoi Lakota s'era scagliato contro un altro accampamento di trecento coloni, a Killdeer, li aveva ammazzati nonché scuoiati tutti, e il 29 novembre del 1864 i Visi Pallidi s'erano vendicati di nuovo. A Sand Creek.

Nell'estate del 1865 il pericolo di attraversare le Grandi Pianure veniva proprio dal massacro di Sand Creek: il più recente e il più vergognoso, il più vile di cui l'America si fosse macchiata in quegli anni. Impaurito dalla rappresaglia di Toro Seduto, infatti, due mesi prima Caldaia Nera s'era presentato al governatore del Colorado, John Evans, per restituirgli quattro ostaggi in segno di pace e per ricordargli che a Sand Creek lui ci stava col permesso del Padre dei Visi Pallidi signor Lincoln. E dopo l'incontro John Evans aveva commentato: «Sì ma del Terzo Reggimento che ne faccio? Sono stati addestrati ad ammazzare indiani e devono ammazzarli». Poi aveva chiamato il colonnello John Chivington, comandante del reggimento, e: «Lei faccia il suo mestiere». Il colonnello Chivington aveva scelto il 29 novembre perché quel giorno tutti i guerrieri di Sand Creek stavano a Fort Weld per discutere un altro patto con John Evans. Nel villaggio v'eran solo 28 vecchi, 35 donne, e 42 bambini. (Almeno sette, neonati). Aveva messo insieme settecentocinquanta uomini armati fino ai denti e gli aveva detto: «Nits breed lice. Kill them all. Le uova di pidocchio generano pidocchi. Ammazzateli tutti». Bè, al loro arrivo i vecchi avevano alzato la bandiera americana regalata da Lincoln. Nessuno era rimasto vivo. Nessuno. E dopo la strage erano stati mutilati, decapitati, scotennati. (I loro scalpi, esposti al teatro di Denver dove pagando un dollaro potevi ancora vederli). Altre cose che Anastasìa conosceva a menadito perché le aveva lette sull'«Harper's Weekly» e su altri giornali di New York. Degli indiani sapeva anche che non eran migliori di Chivington e del suo reggimento, che scotennavano assai più volentieri dei Visi Pallidi: in quell'arte loro allievi e schizzinosi. Possedere molti scalpi costituiva per un indiano la prova della sua audacia e la speranza di diventare capotribù. Non per nulla imparavano a scotennare nell'adolescenza e qualsiasi ragazzo Apache o Comanche o Sioux poteva spiegarti che si tratta d'una operazione facilissima. Basta avere un coltello aguzzo, incidere giro giro il sincipite, ghermire un ciuffo sulla testa e tirare. Il cuoio capelluto viene via da sé. Inoltre sapeva che gli scalpi più preziosi eran quelli con la capigliatura molto lunga e molto bionda come la sua, e che non sempre lo scotennamento includeva la morte. A Omaha, nel Nebraska, viveva un certo William Thompson che per lieve compenso si toglieva la parrucca e mostrava il cranio scuoiato: ricordo d'un Comanche che in un momento di magnificenza s'era accontentato dello scalpo. Infine sapeva che gli indiani attaccavano gli stage-coaches cioè le diligenze assai più volentieri delle carovane perché quest'ultime si difendevano meglio. Portavano dozzine e dozzine di carri, centinaia di persone, e a bordo d'ogni carro almeno una carabina. Quand'erano attaccate si mettevano in cerchio, e dal cerchio si difendevano sparando a trecentosessanta gradi. Le diligenze invece portavano poche persone, al massimo dodici più il cocchiere e il conduttore cioè l'unico che avesse la carabina. Viaggiavano separatamente e quand'erano attaccate non potevan far altro che correre mentre il conduttore sparava. Non a caso, ora che il massacro di Sand Creek aveva moltiplicato gli attacchi, si raccomandava ai passeggeri d'aver con sé una rivoltella e molte munizioni.

La diligenza per Salt Lake City si prendeva nel Missouri: a St. Joseph o a Independence o a St. Louis. Nel 1865 costituiva l'unica alternativa alle carovane dei wagoons ed era in servizio dal 1857: l'anno in cui un ex cocchiere di nome John Butterfield, proprietario di varie Stage-Coach Lines operanti nell'Est, aveva fondato la Overland Mail Stage-Coach. Cioè la compagnia che attraverso le praterie poi le Montagne Rocciose quindi l'Utah trasportava la posta dal Missouri in California. E con la posta chiunque fosse disposto a pagare dieci centesimi di dollaro al miglio. Cioè 150 dollari per recarsi a Salt Lake City e 200 per recarsi a San Francisco o a Los Angeles, più il prezzo dei pasti (un dollaro e mezzo a pasto) e la proibizione di portar bagagli che superassero le 25 libbre cioè i 10 chili. Era proprio come quelle che si vedono nei film western. Un carrozzone a barca con tre finestrini su ogni lato, e tirata da tre coppie di cavalli in grado di fare cinque miglia cioè otto chilometri all'ora. I cavalli li cambiava ogni dieci miglia, e due o tre volte al giorno si fermava pei pasti dei passeggeri. Però nel primo caso la sosta durava appena sei o sette minuti, nel secondo appena mezz'ora. E poiché il cocchiere guidava anche di notte, per arrivare a Salt Lake City ci mettevi circa due settimane. (Indiani e incidenti permettendo, ovvio). Guidarla era faticosissimo a causa del pessimo fondo stradale, delle sei briglie, della frusta lunghissima e pesantissima. Di notte, anche a causa del buio alleggerito soltanto da due fanali ad olio fissati sulle mensole laterali. Infatti ogni ventiquattr'ore il cocchiere distrutto dalla fatica e dalla tensione doveva cedere il posto a un collega. (Il conduttore con la carabina, no. Si alternava ogni cinque giorni). Viaggiarci era una tortura a causa dei continui sbatacchiamenti, della polvere che entrava dai finestrini, e dello spazio angusto. L'interno offriva solo tre sedili, ciascuno per tre persone che spesso diventavan quattro. Il sedile di mezzo non aveva spalliere sicché lì dovevi stare eternamente aggrappato alle cinghie che pendevano dal soffitto. Inoltre i finestrini non avevan vetri. Spesso, neanche tendine. E ciò senza contare gli altri disagi che accompagnavano il rischio della morte e dello scotennamento. Il fatto di non dormire in un letto per due o tre settimane, di non lavarti mai, di andare al cesso durante le soste e basta. Nonché quello di trovarti quasi sempre tra zoticoni per controllare i quali Butterfield aveva compilato un inutile manuale: «Proibito sputare sottovento. Proibito scorreggiare e grattarsi i genitali. Proibito molestar le signore, appoggiarsi a loro o palpeggiarle. Proibito usare la rivoltella e il coltello sui viaggiatori anziché sugli indiani». Quanto ai treni, bè: la corsa al Far West aveva moltiplicato il numero di quelli diretti al Midwest, e durante la Guerra Civile le ferrovie federali s'erano sviluppate al punto di diventare la causa principale della vittoria nordista. Eran diventati anche assai veloci, e pazienza se non offrivan né la prima né la seconda classe. Cioè se avevano un'unica classe con le panche di legno. Tale rozzezza era compensata dall'esistenza di comodi gabinetti, di piattaforme esterne per respirar l'aria pura, e di garbati capotreni che proteggevan le donne. Però avevano un difetto sgomentevole: invece di formare una linea continua tra stato e stato si spezzettavano in tronconi separati l'uno dall'altro. Ogni stato s'era costruito infatti la sua rete con la sua stazione e binari di misura diversa. A volte larghi quattro piedi e dieci pollici, a volte quattro piedi e otto pollici e mezzo, a volte cinque piedi. Così ogni poco dovevi scendere, recarti in carrozza al treno anzi alla stazione successiva. Cosa che allungava il tragitto in modo spaventoso.

Serve dire che Anastasìa sapeva anche questo? Durante la settimana che precedette la fuga da New York si studiò tutto. Raccolse tutti gli elementi, esaminò tutte le difficoltà, e in base ad essi organizzò il viaggio con lo scrupolo anzi il distacco d'uno stratega che prepara una battaglia difficile. Il problema dello scotennamento, per incominciare. Appena scoprì che agli indiani gli scalpi piacevano biondi, infatti, concluse che la difesa migliore stava nel non avere capelli. Cioè nel rasarsi a zero prima di salire sulla diligenza. Così comprò una parrucca per coprire la futura calvizie. Nera, s'intende, e poco invitante. Quello della rivoltella con cui difendersi dagli attacchi, per continuare. Appena lesse che l'Overland Mail Stage-Coach raccomandava ai passeggeri di andare armati, comprò una Smith-Wesson a sette colpi e un bel pacco di proiettili nonché un pugnale che avrebbe sollevato l'invidia dell'intero Five Points: il quartiere dei criminali. Allarmata dai cinquantasei figli di Brigham Young e dai sessantacinque del suo luogotenente Heber Kimball, si procurò pure le pillole di Madame Restell: rimedio allora in uso per non restare incinta. Poi si occupò del resto. Del denaro depositato presso l'American Exchange, ad esempio. Lo convertì in banconote o monete d'argento o spiccioli, e per ridurre al minimo il rischio di venir derubata si cucì una cintura con due sacchetti da nascondere nelle mutande. Infine preparò la valigia che non doveva superare le venticinque libbre e per la quale bisognava dunque eliminare il superfluo: le crinoline, i cappellini, gli ombrellini, gli abiti con lo strascico, le scarpe col tacco. Al loro posto una valigetta, due o tre gonne che arrivavano alla caviglia, un paio di corpetti, una coperta di lana per ripararsi dal freddo notturno, più un completo da uomo. Pantaloni, giacca, camicia, e stivali. E niente ripensamenti, niente incertezze, niente sensi di colpa verso i due ingenui amici che continuavano a non capire e che invano le chiedevano dove sarebbe andata. Lo dimostra la scarna e gelida letterina che gli lasciò l'alba in cui zitta zitta uscì per sempre dal numero 24 di Irving Place, e che stando al nonno Antonio suonava press'a poco così: «Carissima Louise e carissimo John, il mio cuore trabocca di gratitudine ma detesto gli addii e preferisco andarmene in punta di piedi. Non preoccupatevi per me. Affrontare l'ignoto mi diverte, mi rinvigorisce, e non ho paura. Un abbraccio affettuoso dalla vostra Anastasìa che vi ama come può, quanto può. Post Scriptum: In camera c'è il bagaglio col quale arrivai. Non mi serve. Gettatelo. Appartiene al passato e il passato è sempre una palla al piede».

* * *

Ho dinanzi a me la mappa delle linee ferroviarie che nel 1865 andavano da New York al Missouri anzi a St. Joseph. Mentre con la sua valigetta e la sua Smith-Wesson e i suoi dollari nascosti dentro le mutande lascia Irving Place, in carrozza si dirige verso lo Hudson, a bordo del ferry-boat si reca alla stazione di Jersey City, posso dunque ricostruire il precipitoso viaggio che in una settimana di treno la condusse alle Grandi Praterie. E ricostruendolo chiedermi se fosse fatta di carne o d'acciaio. Perché quasi certamente a Jersey City prese la Hudson River Line cioè la linea che invece di passare dal Sud, perdersi nella miriade dei binari larghi cinque piedi o quattro piedi e dieci pollici o quattro piedi e otto pollici e mezzo, passava dal Nord e portava ad Albany. Insomma la via più semplice e breve. Però anche da quella parte i binari avevano spesso una misura diversa, e ad Albany dovette cambiare per prendere la New York Central Line cioè la linea che girando ad ovest portava a Syracuse poi a Rochester poi a Buffalo. A Buffalo dovette cambiar di nuovo e prendere la State Line cioè la linea che costeggiando il lago Erie portava ad Erie in Pennsylvania. Ad Erie dovette cambiare una terza volta e prendere la Cleveland Painesville Ashtabula Line cioè la linea che costeggiando il lago portava a Cleveland nell'Ohio. A Cleveland dovette cambiar una quarta volta per prendere la Michigan and Southern Line cioè la linea che deviando dal lago e poi risalendo alla sua estrema punta portava a Toledo. A

Toledo dovette cambiare una quinta volta per prendere la Toledo Western Line cioè la linea che raggiungeva St. Joseph attraverso tre stati e quattordici tappe: quattro nell'Indiana, otto nell'Illinois, due nel Missouri. Oppure prese la Central Michigan Line cioè la linea che portava alla lontana Chicago e da Chicago raggiungeva St. Joseph attraverso due stati e undici tappe: nove nell'Illinois e due nel Missouri. Senza mai fermarsi in una città e dormire su un materasso, bada bene. Senza rendersi conto di dov'era, senza veder nulla fuorché il monotono paesaggio che fuggiva oltre il finestrino e nel paesaggio le solite donne vestite a lutto, i soliti giovanotti mutilati dalla guerra. E a ciò aggiungi la panca di legno, i disagi della classe unica, la curiosità e le chiacchiere del capotreno che per ingannar la noia tormenta con le domande e le storie truculente.

«I see from your ticket that you are going to St. Joseph. Vedo dal biglietto che va a St. Joseph.»

«Yes.»

«And from there to the prairies, I guess. E di lì nelle praterie, penso.»

«Yes.»

«Con la diligenza, lungo l'Overland Trail.»

«Yes.»

«All alone, da sola?»

«Yes.»

«With those long and blond and beautiful hair, con quei bei capelli lunghi e biondi?»

«Yes.»

«Aren't you afraid, non ha paura?»

«No.»

«Well, you should because...»

Dovrebbe perché una donna lì non rischia solo d'esser scotennata. Rischia d'esser rapita. Conosce ad esempio il caso della signora Lucinda Eubanks? No? Eppure è recente, i giornali ne hanno parlato. Ecco qua. L'11 giugno dell'anno scorso la signora Lucinda Eubanks, bella, ventiquattrenne, originaria della Pennsylvania, venne rapita dagli Cheyennes nella sua fattoria sul Blue River. Il fiume che sta al confine tra il Kansas e il Colorado. E con lei il figlioletto di pochi mesi, la figlioletta di tre anni nonché il nipotino di sei e la nipote di sedici: Laura Roper. Bè, Miss Laura Roper se la portò via un selvaggio che la mise sul suo cavallo. Il nipotino e la figlia di tre anni, lo stesso. Mrs Eubanks invece fu trascinata col figlio neonato in un accampamento dell'Indian Territory e qui il suo rapitore la regalò al suo capo Doppia Faccia che ne fece sua moglie anzi sua schiava. Lavori umilianti, bastonate, percosse. Poi Doppia Faccia la vendette a Piede Nero, un Sioux che stava nel New Mexico Territory. E fu peggio perché le squaws cioè le donne di quell'accampamento erano gelose. La picchiavano ancora di più e non le davano da mangiare. Poi in autunno Piede Nero la rivendette a un altro Cheyenne di nome Orso Bruno, che oltre a picchiarla si divertiva a mostrarle gli scalpi ancora insanguinati dei pionieri o a minacciar di bruciarle il figlio neonato e questo durò fino a quando i militari di Fort Kearny la liberarono e le raccontarono cos'era successo agli altri. Non sapendo che farne, gli Cheyenne avevano consegnato la bambina e il nipotino al maggiore Wynkoop di Fort Laramie ma lì eran morti entrambi in seguito alle sevizie subite. La prima a metà ottobre, il secondo a fine dicembre. Laura Roper invece l'avevano uccisa le squaws, e attenta: delle squaws bisogna aver più paura che dei guerrieri. Di solito infatti son loro, non i guerrieri, che torturano dopo la cattura. Per torturare ti strappano le unghie, ti tagliano il naso e gli orecchi, ti cavano gli occhi, e infine t'accendono un fuoco sul ventre: ti arrostiscono piano piano. Proprio per non finire nelle grinfie delle squaws qualche settimana fa la signora Snyder, passeggera d'una diligenza raggiunta dagli Apaches, s'è sparata un colpo al cuore e s'è uccisa. Né finisce qui. Perché passate le Grandi Praterie, cioè dove incominciano le Montagne Rocciose e la pista passa tra gole che si prestano agli attacchi, trovi pure gli outlaws. I fuorilegge che di solito prediligon le banche ma a volte s'accontentano delle diligenze e col volto coperto da un fazzoletto ti balzano addosso, ti portano via tutto. Veterani della Guerra Civile, spesso, disperati che non sanno tornare alla normalità o che a mettersi in gara con gli indiani ci sono abituati. Lo sa come chiamano l'Overland Trail? The Route of All Evils. La Strada di Tutti i Mali.

«My dear, after St. Joseph it begins the end of civilization. Mia cara, passato St. Joseph incomincia la fine della civiltà.»

Nonostante quei discorsi e la settimana di treno, la panca di legno, ci arrivò più fresca di una rosa a St. Joseph. Qui scese all'Hotel Charles, il migliore della città, rimase due giorni ad aspettare la diligenza trisettimanale, e su di essi il nonno Antonio forniva dettagli preziosi. Il primo è che al Charles cambiò identità. Gli alberghi americani non esigevano documenti, per darti la camera s'accontentavano d'una firma sul registro, così anziché Anastasìa Ferrier firmò Eva Demboska: falso di cui nel Far West si sarebbe spesso servita aggiungendo d'essere una polacca nata a Cracovia. Il secondo è che lì conobbe James Butler Hickock detto Wild Bill cioè Bill il Selvaggio: famoso pistolero, allora ventottenne, che nel 1865 faceva lo sceriffo nel Kansas ma dava la caccia anche ai fuorilegge del Missouri. («Quanti uomini bianchi ha ammazzato?» gli avrebbe chiesto qualche anno dopo il giornalista Henry Stanley. E lui: «Almeno cento. Lo giuro sulla Bibbia»). Naturalmente Wild Bill si innamorò immediatamente di lei, per esprimere la sua passione le insegnò a sparare, e per ringraziarlo lei inaugurò le pillole di Madame Restell.

Insomma interruppe la castità nella quale viveva dal giorno in cui s'era accorta d'essere incinta. Il terzo è che a St. Joseph concretizzò l'idea avuta a New York: si tagliò i lunghi capelli biondi, si rasò la testa a zero, poi mise la parrucca nera che aveva comprato dal Coiffeur-pour-dames del Fifth Avenue Hotel. Sui ventun giorni che impiegò a raggiungere Salt Lake City, invece, il nonno Antonio forniva soltanto il particolare che per l'intero viaggio fosse stata l'unica donna della diligenza. E naturalmente la storia della leggendaria prodezza che aveva compiuto per salvarsi la vita. Ma per ricostruirli ho gli orari e le tappe dell'Overland Stage, le cronache del tempo, i racconti dei viaggiatori che nel Far West si recavan con la diligenza, nonché i film western e il ricordo di ciò che vidi l'estate in cui andai a cercarla (cercarmi) laggiù... Quelle pianure vuote e sconfinate e sulle quali non piove mai, nelle quali non crescono che cespugli di salvia o di erbacce e dove ancora oggi non si può coltivare nulla. Non ci si può allevare neppure il bestiame così non ci trovi che le zanzare, le vipere, i serpenti, le lucertole, i corvi, e ogni tanto un cane selvaggio o un coyote. Quella steppa incolore e desolata che a perdita d'occhio si stende senza una collina, una duna, un qualsiasi rilievo che interrompa la sua uniformità, e che lungo il South Platte (un fiume alto venti centimetri) diventa una smisurata palude dalla quale rischi di venir inghiottito come dalle sabbie mobili. Percorsi milleduecento chilometri cioè finite le praterie lo scenario cambia, è vero. Appaiono le Montagne Rocciose, la strada incomincia a salire, e trovi il verde. Gli alberi, i boschi. E con questi le antilopi, i daini, i cervi, panorami da togliere il fiato. Al di là delle Montagne Rocciose o meglio nel Gran Bacino che separa le due catene delle Montagne Rocciose però il deserto ricomincia per diventar stavolta uno smisurato stagno di sale (residuo del mare che lì esisteva all'epoca pleistocenica) e l'incubo si ripete. Un incubo fatto di silenzio, di monotonia, malinconia, solitudine...

«All on board and the soldiers on the roof, tutti a bordo e i soldati sul tetto!»

La diligenza partì alle otto del mattino, lo dice l'orario del 1865, con dieci volontari appollaiati sul tetto e armati di fucili a ripetizione. (Da qualche tempo erano incominciati i lavori della Union Pacific, a luglio dalla vicina Omaha si allungavano già due strisce di binari, e ciechi di rabbia gli indiani attaccavano a ritmo crescente. In alcuni casi i banditi li imitavano, sicché sui percorsi molto minacciati il governo federale elargiva una scorta). Partì anche col consueto numero di passeggeri e parecchi pacchi di posta buttata tra i sedili. Varcato il Missouri River imboccò il sentiero che attraverso l'angolo nordest del Kansas conduceva a Fort Kearny nel Nebraska poi a Julesburg nel Colorado poi a Fort Laramie nello Wyoming, di qui al South Pass poi a Fort Bridger poi a Salt Lake City, e di sicuro nel primo tratto Anastasìa si divertì. I sei cavalli che a otto chilometri all'ora trottavano dentro le pianure vuote e sconfinate, trottando la allontanavano sempre di più dal rischio di venir scoperta e arrestata. Processata o rimpatriata. Il cocchiere che nella mano sinistra stringeva le dodici redini e Dio sa come riusciva a controllare ciascun cavallo, con la mano destra roteava una lunghissima frusta e roteandola emetteva berci gloriosi. «Haiah, haiah, gooo! Vai, go!» Il conduttore che seduto accanto a lui impugnava la carabina, scrutava l'orizzonte, e scrutandolo teneva sull'avviso i volontari sul tetto. «Something there, qualcosa laggiù!» I compagni di viaggio, otto individui goffi e taciturni, che masticavan senza sosta tabacco e masticandolo la fissavano con l'aria di chiederle chi-sei-bella-mora-chi-sei. Il piacere d'esser l'unica donna a bordo, il sollazzo di portar la parrucca, e pazienza se a ogni sbalzo o scossa questa rischiava di sgusciar via rivelando la testa rasata a zero. Lo stesso orgoglio d'aver sedotto Bill il Selvaggio, d'aver imparato a sparare, di sentirsi dunque pronta ad affrontar gli indiani. Trascorso il primo tratto però s'accorse che il problema non eran soltanto gli indiani. Era il sole che dall'alba al tramonto infuocava la zona. L'afa, il sudore che appiccicava i vestiti e a poco a poco trasformava la parrucca in un casco di ferro incollato al cranio. Era la polvere che irrompendo dai finestrini privi di vetri accecava, mozzava il fiato, soffocava. O la melma del South Platte che mossa dalle ruote ti schizzava in faccia, ti riduceva a una maschera di liquida sporcizia. Era la posta buttata tra i sedili e la forzata immobilità che gonfiava i piedi, intorpidiva il corpo, obnubilava la mente rimbecillita dal continuo bisogno di camminare e andare al gabinetto e lavarsi. (Per cambiare i cavalli la diligenza sostava sei o sette minuti e basta. In quei sei o sette minuti potevi appena sgranchirti le gambe, quindi per soddisfare in pieno il bisogno non avevi che le due o tre fermate quotidiane alle stazioni di ristoro. Tuguri dove il gabinetto consisteva in un buco all'aperto. La stanza da bagno, in un trogolo d'acqua torbida più un vecchio pezzo di sapone e un lurido cencio per asciugarsi. Il pranzo e la cena, nel solito piatto di carnesecca coi fagioli oppure nel Son of a Bitch Stew. Lo stufato Figlio di Puttana, nequizia a base di reni e cervello e lingua e trippa di bufalo. Da bere un vomitevole intruglio di tè mischiato al caffè, e da pagare un dollaro e mezzo. Lo stesso prezzo d'un buon ristorante a New York). Infine il particolare che la diligenza viaggiasse anche di notte, che di notte il caldo spietato diventasse freddo acuto, che il freddo impedisse di dormire. E con questo uno spettacolo che non si aspettava. Gli scheletri che ancora trafitti di frecce giacevano tra i cespugli di salvia e i tumuli che segnati da una croce senza nome costeggiavano spesso il percorso.

«Driver, Conductor, Sir...»

«Yes. Graves left by the caravans, tombe lasciate dalle carovane, Miss Demboska. Bones of poor wretches killed by the Indians, ossa di poveracci ammazzati dagli indiani.» A Fort Kearny, fortino tenuto da due compagnie decimate da un recente attacco di Cheyennes, e più che un fortino un rozzo edificio cinto da una debole staccionata, giunsero dopo tre giorni e quattrocentottanta chilometri senza esser stati attaccati. Lì i dieci volontari furono sostituiti da dieci soldati agli ordini d'un tenente di cavalleria. Con loro ripartirono alla volta di Julesburg, Colorado, e durante questa tappa sbocciò un idillio che il nonno Antonio riassumeva così: «Successe per via dei bisonti. A metà strada una mandria di bisonti in fuga irruppe sulla pista rischiando di travolgere tutti, per salvarla il tenente se la mise in sella. Se la portò via al galoppo, e mi spiego? Sullo stesso cavallo, in due, bisogna stare abbracciati. A un certo punto ci scappò il bacio, e la cosa durò finché lui venne ucciso dai Sioux». A Julesburg giunsero dopo altri due giorni e duecentosettanta chilometri. Di nuovo senza essere stati attaccati. Era una cittadina sorta dalla corsa dell'oro, Julesburg. Si componeva d'un centinaio di case, d'un albergo, d'uno sceriffo, un ufficio postale. Lì l'Overland Stage faceva una sosta abbastanza lunga sicché ad Eva Demboska fu possibile avvertire Marianne. Spedirle un telegramma che per non lasciar tracce allo sceriffo firmò col vezzeggiativo caro alle sorelle Gardiol: Bebè. «On my way to Utah, sulla strada per l'Utah. Arriving soon, arrivo presto. Mum's the word, acqua in bocca. Bebè.» Le fu addirittura possibile cambiarsi, indossare l'abito maschile che custodiva in valigia con gli stivali. Cosa saggia in quanto lasciata Julesburg il cocchiere imboccò la pista che abbandonando il South Platte rientrava in Nebraska, seguiva il North Platte, conduceva a Fort Laramie nello Wyoming, e la tappa fu dura a causa delle paludi dentro cui si affondava come nelle sabbie mobili. Bloccata dal fango una ruota si staccò, si ruppe, e per ripararla ci volle un pomeriggio. A Fort Laramie giunsero dopo altri tre giorni e quattrocentocinquanta chilometri. Sempre senza essere stati attaccati ma nel tratto finale costeggiando curiose tende a cono intorno alle quali vedevi bei giovanotti coi capelli raccolti in trecce uguali alle trecce delle donne, meste donne coi bambini tenuti sulla schiena a mo' di zaino, austeri vecchi con un serto di penne multicolori. (Un accampamento di Crows, di Corvi. Indiani che andavan d'accordo coi Visi Pallidi, gli fornivano le informazioni e le guide, spesso combattevano con loro e per questo venivano definiti traditori). Era un presidio speciale, Fort Laramie. Si componeva di solidi edifici in pietra, conteneva seicento militari nonché diversi cannoni, e da anni non subiva assalti. Però era anche l'ultimo avamposto che offrisse una certa sicurezza. E quando alludendo all'incruento viaggio uno dei cinque passeggeri rimasti esclamò secondo-me-quella-degli-indiani-cattivi-è-una-balla, il comandante lo zittì subito.

«Don't delude yourself, the worst is to come. Non si illuda. Il peggio deve venire.»

Perché, aggiunse, nel territorio davvero ostile ci entravano ora. Passato Fort Laramie trovavi le colline, le vallate, le montagne, le gole dove gli agguati e gli assalti si effettuavano con più facilità che sulle praterie. E lì c'erano i guerrieri di Nuvola Rossa, di Tatanka Iyotanka ossia Toro Seduto, Orso Grigio, Coltello Aguzzo, Cinghia di Lontra, che oltre alle frecce e alle asce usavano i fucili. C'erano i Sioux, insomma, gli Arapahos, gli Cheyennes, i Comanches, che uniti in stretta alleanza vivevano solo per vendicare il massacro di Sand Creek e opporre l'avanzata della ferrovia. «Facciamo un patto» gli aveva mandato a dire nel mese di luglio il governatore dello Wyoming. «Io vi autorizzo a star fuori delle riserve, cacciare, e voi mi lasciate costruire in pace la ferrovia.» Ma Nuvola Rossa, il capo supremo dei Sioux, aveva risposto: «Noi dei vostri permessi non ne abbiamo bisogno. Noi siamo a casa nostra e fuori delle prigioni che chiamate riserve ci stiamo quanto ci pare, a caccia ci andiamo quanto ci pare. Noi le vostre strade di ferro per il vostro cavallo di ferro non le vogliamo e i vostri patti sono sempre menzogne, inganni di sanguisughe avide e prepotenti. Quindi la guerra continua e se vi piace diventar vecchi tornate dove siete nati».

Nel medesimo tempo Toro Seduto, il capo della Tribù Unkpapa dei Lakota Sioux, aveva attaccato i tre presidi che sul Bozeman Trail difendevano i pionieri diretti nel Montana e ammazzato un mucchio di militari. Coltello Aguzzo, il capo degli Cheyennes, aveva decimato due carovane sull'Oregon Trail. Cinghia di Lontra, il capo dei Comanches, aveva trucidato un'intera famiglia di coloni che vivevano sul Ruscello Azzurro. Padre, madre, e due figli. Il bambino di sei anni, la bambina di quattro. Per dimostrare che dalle piste non si passava più Caldaia Nera, il capo degli Arapahos, aveva invece intensificato le spedizioni punitive contro le diligenze. A piccoli gruppi i suoi guerrieri ti piombavano addosso quando meno te lo aspettavi, e guai a sottovalutarli. Non avevan paura di nulla, quei selvaggi. Di nulla.

* * *

La minaccia si concretizzò a cento chilometri da Fort Laramie, nella vallata che conduceva a Fort Casper poi alle Montagne Rocciose. Ventisei ombre a cavallo, in fila sul crinale d'una delle colline che ondulavano il paesaggio cambiato, ed ogni ombra la sagoma d'un uomo che portava un fucile o un arco accompagnato dal sacchetto di frecce. Immobili come statue, però: quasi intendessero solo guardare o non avessero alcuna voglia d'assaltare una carrozza che portava un pugno di sanguisughe e basta. Infatti il conduttore si limitò a indicarli col dito. «Up there, laggiù.» Il tenente, a mobilitare i dieci soldati sul tetto. «On guard, in guardia.» Il cocchiere, a schioccare con maggior forza la sua lunghissima frusta. «Haiah go! Haiah, go! Gooo!» E malgrado i discorsi uditi i passeggeri non si innervosirono più del necessario. Del resto al tramonto le ombre si dileguarono e per pura cautela, durante la notte, Anastasìa tenne la sua Smith-Wesson in mano. Rifiutò d'ascoltare il tenente che ripeteva: «Try to sleep, cerchi di riposare, Miss Demboska. It was a false alarm, è stato un falso allarme». Il guaio è che quella era la tecnica degli Arapahos: mostrarsi da lontano, spaventare, sparire cioè aspettare che lo spavento passasse, quindi riapparire e scagliarsi. L'attacco si svolse all'alba. Improvviso, feroce. E questo posso ricostruirlo con esattezza grazie al racconto che il nonno Antonio forniva per farsi perdonare la sua discussa passione, dimostrare d'aver amato una donna eccezionale. Sbucarono dalle rocce dietro le quali s'eran nascosti la sera avanti, diceva. Un inaspettato avanzar di corpi seminudi, di capelli al vento, di volti tatuati con strisce di vernice rossa o gialla o verde. (Arapaho significa tatuato). Li guidava un guerriero che in testa esibiva due corna di bufalo, al collo un mazzo di scalpi (lo stesso Caldaia Nera?), e cavalcavano senza la sella. Spesso, addirittura senza toccare le briglie perché imbracciavano già il fucile o l'arco. Ululando strani suoni si lanciarono all'inseguimento della diligenza che invano rispose con un crepitìo di colpi, invano raddoppiò la velocità, e presto la raggiunsero. Incominciarono a seviziarla col sistema del batti e fuggi. Hit-and-run. Dopo averla raggiunta la circondavano, scaricavano i fucili o scoccavan le frecce, tentavano di fermarla, poi incuranti delle proprie perdite si allontanavano. Andavano a nascondersi di nuovo, riprendere fiato, e appena riposati tornavano. Ricominciavan daccapo. Durò l'intera mattina, il batti e fuggi, e provocò una strage. Al secondo round morirono due soldati. Al terzo, tre. Al quarto morì il conduttore. Al quinto, un passeggero. Al sesto, il tenente che si beccò una freccia in petto ed ebbe appena il tempo di mormorare: «Miss Demboska, Eva...». Contemporaneamente gli altri soldati caddero feriti e poiché il cocchiere non poteva lasciar le redini, sparare, a combattere non rimase che Anastasìa con la sua Smith-Wesson e i passeggeri superstiti. Al settimo, tuttavia, gli Arapahos riuscirono a neutralizzare il cocchiere. Bloccargli i cavalli. Pure lei s'arrese e quel che doveva accadere accadde. Era furibonda, schiumava come un puledro preso al laccio. Soprattutto per via del tenente. Furibonda si avvicinò al guerriero con le corna di bufalo e il mazzo di scalpi, con un gesto secco si levò la parrucca, e mostrando il cranio più liscio d'un uovo gliela buttò in faccia.

«Put this one too on your neck, ugly son of a bitch! Metti anche questa al collo, brutto figlio di puttana!»

Povero Caldaia Nera o chiunque fosse, concludeva il nonno Antonio. Non l'aveva mai visto un essere umano che si scotennava da solo e che a scotennarsi non perdeva nemmeno una goccia di sangue, non emetteva nemmeno un lamento. Pazzo di paura scappò abbandonando il prezioso trofeo, i suoi guerrieri lo stesso, e fu così che Miss Demboska poté raggiungere Salt Lake City. Ritrovare Marianne, fidanzarsi con suo marito.

* * *

Vero, non vero? D'istinto io ci credo. Ci ho sempre creduto. E in ugual modo credo alle due prodezze con cui egli arricchiva l'epopea della parrucca: il dietro-front che Miss Demboska aveva imposto al cocchiere per raccogliere il corpo del tenente, lo scontro a fuoco coi banditi

657

che presso Fort Bridger aveva liquidato a colpi di Smith-Wesson. Senza prodezze, del resto, a Salt Lake City non ci arrivavi. Perché era una meraviglia, sì, il viaggio che scavalcando le Montagne Rocciose facevi per andare dallo Wyoming in Utah. Quei boschi densi di abeti, di castagni, di pini, di larici, e pieni di daini, di cervi, di alci, di volpi, di orsi. Quei picchi bianchi di neve, quei ghiacciai lucidi e azzurri, quei canyon profondi mille o duemila metri in fondo ai quali trovavi i fossili dei dinosauri. Quelle vallate rosse e interrotte da titaniche rupi a forma di torri e di castelli, quei panorami da Genesi. Però era anche un calvario che soltanto i tipacci come lei potevano sostenere. Nei boschi la pista saliva su per sentieri così ripidi che a volte nemmeno i muli (qui viaggiavi coi muli) riuscivano a percorrerli e invece di avanzare retrocedevan rovesciando la diligenza. Sulle montagne costeggiava abissi terrificanti, voragini che in certi punti rasentavi di pochi centimetri sicché spesso rischiavi di precipitarvi. Nei canyon si infilava dentro strettissime gole, pozzi di buio nei quali procedevi a fatica e con l'idea che vi si calassero altri indiani, altri banditi. Nelle vallate attraversava fiumi e fiumiciattoli da varcare con deboli zattere o entrando fino al collo nell'acqua. E superato Fort Bridger passava sopra un'interminabile distesa di aghi più duri dell'acciaio, talmente duri che bucavano gli zoccoli dei muli e i cerchioni delle ruote perciò guai a camminarci. Il Deserto di Sale. Continuò una settimana il calvario, e volendo potrei raccontarmelo nei dettagli fino al momento in cui entra a Salt Lake City dove ricevuto il telegramma Marianne s'è precipitata con lo zelo d'un cane fedele e come un cane fedele ogni giorno va ad aspettar l'arrivo della diligenza. Ma ora ho fretta di vederla nella città in cui visse l'avventura più sconcertante della sua parentesi americana, e l'ultima che conosca.

15

La conosco, eppure non la capisco. Perché non capisco come abbia fatto, lei così ribelle e intelligente e orgogliosa, ad accettare una società basata sulla poligamia. Non capisco come abbia fatto, lei atea e fin dall'infanzia vittima dei fanatismi religiosi, dello strapotere clericale, a tollerar gli abusi d'una teocrazia più cupa di quella che affliggeva le vallate valdesi e il Piemonte di Carlo Alberto. D'accordo, in Utah c'era Marianne. E proprio l'idea di Marianne l'aveva spinta a partire per l'America. D'accordo, restando a New York o andando in qualche altra città degli Stati Uniti avrebbe rischiato troppo. E per sfuggire a eventuali inchieste sul passaporto doveva stabilirsi in un luogo che non rispettasse le leggi federali. Però lo sapeva che Marianne s'era convertita alla Chiesa Mormone e che a Salt Lake City era diventata la sesta signora Dalton cioè una moglie poligama. Lo sapeva che i Mormoni dell'Utah avevano più mogli dei musulmani, che per loro le donne non contavano nulla, e i principii costituzionali ancor meno. Da oltre tre decenni quel problema veniva considerato una spina nel cuore della democrazia statunitense, una vergogna simile alla schiavitù, ed escludo che a Torino o a New York non ne avesse mai sentito parlare. Escludo che prima d'intraprendere l'infernale viaggio non si fosse studiata bene la storia dell'incredibile setta cui intendeva chieder rifugio.

Quale storia? Proviamo a riassumerla. Nel 1823 un certo Joseph Smith, diciottenne campagnolo del Vermont, aveva ricevuto (lo affermano le Sacre Scritture) la visita d'un angelo inviato dal Signore. E per conto del Signore costui gli aveva rivelato l'esistenza di trenta tavolette che incise secoli addietro da un sant'uomo di nome Mormon giacevano dentro una scatola sepolta presso il Lago Ontario. «Spiegano il Regno di Dio, Joseph. Sono in egiziano-yiddish, e per decifrarle la scatola offre anche un paio di occhiali miracolosi. Va', rintracciale e cambia le sorti dell'Universo.» Joseph le aveva rintracciate, decifrate, tradotte in inglese, e da tale fatica nel 1830 era nato *The Book of Mormon* o Bibbia dei Mormoni. Assurdo miscuglio di giudaismo, islamismo, panteismo, socialismo, Vecchio Testamento, cristianesimo, nonché di rozze superstizioni e varie insensatezze, con cui l'anno successivo Joseph aveva fondato la Chiesa di Gesù Cristo dei Santi dell'Ultimo Giorno ossia aggiunto un ennesimo culto ai numerosi culti che importati dall'Europa o inventati *in loco* assicuravano la vita eterna. (Battista, anabattista, presbiteriano, metodista. Luterano, calvinista, episcopale, congregazionista. Quacchero, avventista, amish, cattolico, ebreo, greco-ortodosso. Testimoni di Geova, Figli di Satana, Discepoli di Belzebù...). Una chiesa di tipo protestante, s'intende. Retta da sacerdoti e vescovi in borghese, quindi non votati alla castità, e guidata da Dodici Apostoli con moglie e prole. Fra questi, i tre che avevano aiutato Joseph a realizzar l'impresa e coi quali Anastasìa avrebbe dovuto fare i conti: il vetraio Brigham Young, detto anche il Leone, il bottegaio Heber Kimball, il maestro di scuola Orson Pratt. E invano gli invidiosi avevan risposto che le trenta tavolette (mai viste da nessuno) erano una balla come l'egiziano-yiddish e gli occhiali miracolosi. Il neoprofeta, uno scemo manipolato da una banda di ciarlatani a causa di potere e di soldi. La sua Bibbia, il plagio d'un manoscritto rubato all'aspirante romanziere Sam Spaulding. In un batter d'occhio Joseph aveva raccolto un migliaio di seguaci cioè di Santi ed istituita una milizia segreta, la Compagnia degli Angeli Sterminatori, se li era trascinati nel Midwest. A cercare la Nuova Gerusalemme. Prima a Kirtland in Ohio dove i mille eran diventati duemila e a dispetto degli Angeli Sterminatori nel 1833 era stato incatramato, impiumato, cacciato. Poi a Independence nel Missouri dove i duemila eran diventati quattromila e, sempre a dispetto degli Angeli Sterminatori, nel 1838 era stato espulso. Poi a Nauvoo in Illinois dove i quattromila eran diventati ottomila e, il 12 luglio del 1843, aveva ricevuto una seconda visita dell'angelo. Sceso dal cielo, stavolta, per rimproverargli lo scarso numero di Santi e rivelargli che la poligamia costituiva il cardine essenziale del mormonismo. «Joseph! Siete troppo pochi, Joseph, e la colpa è della monogamia. Dovete sposare e ingravidare più donne, Joseph. Sappi che nel giardino dell'Eden Adamo ci teneva parecchie mogli. Non Eva e basta.» Sicché sordo alle proteste di Emma, sua legittima sposa, se n'era prese subito cinque. I Dodici Apostoli e i vari vescovi, lo stesso o di più. Di nascosto alla massa dei seguaci non ancora pronti ad apprezzar la lieta novella, però, ed anzi respingendo con sdegno le insinuazioni di chi sospettava. «Maldicenze diffuse dai pagani. Noi non ci sogneremmo mai di praticare una simile iniquità.» Il guaio è che grazie alla testimonianza di quattordici concubine stufe di essere umiliate, l'anno dopo il quotidiano «Expositor» aveva spifferato tutto. Al grido di bugiardi-ipocriti-viziosi alcuni Santi erano usciti dalla Chiesa, per vendicare il duplice oltraggio gli Angeli Sterminatori avevano bruciato il giornale nonché eliminato i ribelli, Joseph era finito in galera, qui una folla imbestialita lo aveva ucciso, e si sa: il martirio vince sempre. Chiuse le discordie, spente le apostasie, i settemila avevan passato la leadership a Brigham Young il Leone.

«Fratelli, sorelle, ve la trovo io la Nuova Gerusalemme. La nuova patria del sogno. E guai a chi ce la tocca.»

Bè: per cercarla aveva atteso tre anni, il Leone. Il neo-Mosè. Comunque nel 1847, quando i settemila erano diventati undicimila, s'era messo in viaggio con una scorta di centoventi uomini armati e s'era diretto verso la disabitata terra degli Ute: tribù di indiani rimasti all'età della pietra, golosi di cavallette (lì purtroppo abbondanti) e sostanzialmente innocui. Varcando le Montagne Rocciose poi il deserto di stalagmiti era giunto alla pianura che circonda il Lago Salato, allo splendido altipiano che lo sovrasta, ci aveva piantato i pali con cui a quel tempo si diceva questo-posto-è-mio, e a metà autunno l'Esodo era iniziato. Coi carri tirati dai bovi, coi barrocci tirati a mano. Coi bambini, i vecchi, gli zoppi, le donne incinte. E pochissimo cibo, pochissime coperte, niente medici, niente medicine. Neanche una guida per indicargli la strada. Infatti lo avevano tracciato loro il Mormon Trail, la pista madre di tutte le piste, e tanti eran morti. Tanti. Di fame, di stanchezza, di freddo. Di colera, di tifo, di ignoranza. Di Apaches, di Comanches, di Arapahos, di Sioux. Nel fango delle praterie, nell'acqua dei fiumi in piena, nella neve dei ripidi sentieri, nei canyon. Ma la speranza di volare in Paradiso produce stoicismo, la fede unita alla coglioneria è capace di ogni eroismo, e in primavera i superstiti (circa diecimila) erano arrivati alla patria del sogno. Una regione immensa, capace di contenere milioni di persone. Un impero che oltre alla terra degli Ute includeva parti dell'attuale Arizona, dell'attuale California, dell'attuale Colorado e Idaho e Wyoming, e del quale s'erano impadroniti senza che nessuno si opponesse. (Gli Ute meno di chiunque). Erigendovi la Nuova Gerusalemme cioè Salt Lake City, costruendovi altre città o villaggi o fattorie. Coltivando, irrigando, combattendo le cavallette. E ammucchiando mogli, mogli, mogli. Generando figli, figli, figli. Come voleva Brigham Young, ormai capo supremo e governatore. Più si moltiplicavano, infatti, più si espandevano, più lui diventava potente. Il padrone assoluto delle loro vite, il loro monarca. Diventava anche più ambizioso, più ansioso di riempire in fretta quell'impero sterminato, più avido. Non gli era venuta in quegli anni l'idea di raccoglier seguaci tra i poveri dell'Europa, attraverso missionari poliglotti strapparli alle vecchie religioni e sedurli col miraggio dell'America ricca? «Venite, venite. Laggiù siamo tutti signori, tutti proprietari. Case, poderi, pasture. Legname, carbone, sale. Laghi, oceani di sale!» (In Europa il sale costava una fortuna, rammenti?). Li aveva racimolati in quegli anni i paria scozzesi, gallesi, irlandesi, olandesi, norvegesi, svedesi, danesi, tedeschi, piemontesi o meglio valdesi. Le Marianne Gardiol, gli infelici che con la speranza dell'agiatezza si convertivano allo strano culto. Coi soldi prestati dal Fondo Perpetuo del re (e guai se dopo non glieli restituivi) correvano a Liverpool, si imbarcavano sulle sue lentissime navi e allo sbarco scoprivano che l'America ricca era la Via Crucis del Mormon Trail ma attratti dal miraggio andavano avanti, sfidando la morte tiravano i barrocci fino a Salt Lake City. Senza saper nulla della poligamia, oltretutto. Perché di quella i missionari non parlavano mai.

Ed eccoci al punto.

Sostenuti da un manifesto apparso nel 1848, basta-con-le-calunnie, basta-con-le-accuse-infamanti, i dinieghi erano cessati il 29 agosto del 1853. Vale a dire quando la rivista mormone di Liverpool, «The Millennium Star», aveva pubblicato uno sproloquio dal titolo *Celeste connubio* e il sottotitolo *Rivelazione sull'ordine patriarcale del matrimonio, ossia sulla pluralità delle mogli, ricevuta da Joseph Smith il 12 luglio del 1843 a Nauvoo*. Contemporaneamente i teologi di Salt Lake City avevano spiegato ai pagani i motivi per cui la poligamia era lecita anzi doverosa, una conditio-sine-qua-non che Iddio poneva a chiunque volesse andare in Paradiso. «Garantisce la prole e la pace dei sensi, no? Abolisce l'adulterio, il meretricio, l'infanticidio, lo zittellaggio, insomma protegge la famiglia, no? Per questo i nostri padri la praticavano a occhi chiusi. Eh! Rileggete l'*Antico Testamento*, signori. Abramo aveva quattro mogli, Isacco e Giacobbe idem. Re Davide ne aveva ottocento, re Salomone mille. Rileggetevi anche gli Evangeli, ossia il caso di Gesù Cristo, e bando alle chiacchiere dei nostri nemici. Chi si sposò a Canaan il giorno dell'acqua trasformata in vino? Gesù Cristo, signori, Gesù Cristo! Con Marta e Miriam, perbacco! E Maria Maddalena non era forse la sua terza moglie? Amava le donne, il Nazzareno. Chissà quante ne avrebbe impalmate se non lo avessero crocifisso.» Avevan perfino ammesso che, sia pure evitando gli eccessi di Davide e Salomone, i Santi autorevoli si prendevan più mogli di Gesù Cristo e Abramo e Isacco e Giacobbe. L'apostolo Heber Kimball, ad esempio, ne aveva quarantatré. Brigham Young, ventisette. Mary Ann Angell, sua sorella Jemima, Lucy Decker, sua sorella Clarissa, Lucy Bigelow, sua sorella Mary Jane, Tessy Young (una nipote), sua cugina Elizabeth. E Diana Chase, Martha Bowker, Harriet Barney, Eliza Burgess, Eliza Snow, Susanne Snively, Margaret Alley, Ellen Rockwood, Emily Partridge, Zina Huntington, Mary Van Cott, Julia Hampton, Augusta Cobb... Tant'è vero che non riusciva mai a ricordarne i nomi. Come Kimball le chiamava Number One, Number Two, Number Three, Number Four. I cinquantasei figli, lo stesso. Senza che loro si ribellassero, bada bene, perché su questa faccenda le donne mormoni la pensavano esattamente come gli uomini mormoni. Il sospetto che l'angelo avesse detto una balla non le sfiorava nemmeno e guai a tentar di spiegarglielo. Allora, definendo la poligamia una-barbarie-identica-alla-schiavitù, il paese era insorto. A vuoto, però. Nel 1855 il presidente Pierce aveva mandato tre giudici, e lui li aveva cacciati. «Con noi gli Stati Uniti non c'entrano, qui comando io.» Nel 1857 il presidente Buchanan aveva mandato l'esercito, tremila fanti e duemila cavalleggeri agli ordini d'un generale deciso a domare la rivolta, e lui li aveva tenuti a bada bruciandogli i fortini o avvelenandogli i pozzi. Sotto il naso del generale gli

Angeli Sterminatori avevano addirittura massacrato una carovana di centotrentaquattro pionieri che attraversavano l'Utah per recarsi in California, la famosa strage di Mountain Meadow, e nel 1859 il governo era stato costretto a un armistizio umiliante. Poi era esplosa la Guerra Civile. Nonostante l'Anti-Bigamy Act, decreto col quale nel 1862 Lincoln aveva ribadito l'illegalità della poligamia, il problema era stato accantonato. Finita la guerra non era stato neanche riesumato ed ora nulla impediva a Marianne d'esser la sesta moglie di John Dalton: l'anziano colono che l'aveva condotta all'altare tre mesi dopo le nozze con la quinta moglie Letizia Williams, a sua volta sposata due mesi dopo le nozze con la quarta moglie Ann Casbourne, a sua volta sposata otto mesi dopo le nozze con la terza moglie Lydia Knight, a sua volta sposata tredici mesi dopo le nozze con la seconda moglie Ada Miller vedova Hodgkinton, a sua volta sposata ventotto anni dopo le nozze con la prima moglie Rebecca Crammer. (E pazienza se il matrimonio con la vedova Hodgkinton era durato poco a causa del signor Hodgkinton, dato per morto ma vivo e vegeto in California). Nulla impediva a John Dalton di prendersi una settima moglie cioè di aggiungere all'harem la bella straniera che aveva telegrafato a Marianne arrivo-presto, acqua-in-bocca, Bebè.

Non capisco, no, non capisco. Ammenoché l'orgogliosa, la ribelle, la cinica Anastasìa non covasse un segreto masochismo. Un inconsapevole bisogno di punirsi per l'abbandono della nonna Giacoma. Oppure un'inconscia sete di rifarsi una famiglia, procurarsi il padre che non aveva mai avuto e forse l'anno avanti cercato in un uomo assai più vecchio di lei. Due ipotesi che il nonno Antonio suggeriva aggiungendo con sorriso estatico: «E non dimenticare che era un tipo capace di qualsiasi insensatezza, qualsiasi follia. Un tipo che voleva provarle tutte, un'avventuriera coi fiocchi».

* * *

Arrivò con parecchio ritardo da Marianne. Infatti sotto la parrucca nera stava già crescendo un impercettibile tappetino di fili d'oro. E naturalmente ci mise un bel po' a riconoscere l'amata balia di Torino, ora una povera larva sfiorita dalle gravidanze e rimbecillita dai lavaggi cerebrali con cui i Santi avevan completamente estinto la sua già scarsa intelligenza. Naturalmente Marianne ci mise altrettanto a realizzare che l'eccentrica ragazza con gli stivali infangati e la Smith-Wesson alla cintura era proprio la diletta bambina lasciata nel 1853. Però l'accolse a braccia aperte, convinta che fosse venuta a praticare il Verbo di Mormon in seno alla famiglia Dalton. Poi la portò da Lydia e Rebecca, le mogli che Mister Dalton teneva a Salt Lake City, e durante il tragitto non fece che rassicurarla. Che bella idea aveva avuto. Sia che restasse in città sia che si stabilisse a Rockville cioè nell'azienda agricola dove Mister Dalton viveva con lei ed Ann e Letizia, con loro sarebbe stata felice. Niente gelosie, niente invidie, niente antagonismi: andavan veramente d'accordo, le signore Dalton. Si chiamavan Sister cioè sorella, da sorelle allevavan la prole e si spartivano il letto del coniuge...

«Perché lui non ha favorite, Bebè. Ogni moglie la tratta nel medesimo modo.»

«Ah, sì?»

«Sì. Il lunedì dorme con me, il martedì con Sister Ann, il mercoledì con Sister Letizia. Il giovedì di nuovo con me, il venerdì di nuovo con Sister Ann, il sabato di nuovo con Sister Letizia, la domenica si riposa...»

«E quando sta qui?»

«Quando sta qui dorme una notte con Sister Lydia e una notte con Sister Rebecca, Bebè.»

L'accolsero a braccia aperte anche Lydia e Rebecca, due vecchiette dall'aria umiliata e sempre vestite di nero.

Aveva settant'anni, Rebecca: sei più del sessantaquattrenne John, quaranta più delle trentunenni Ann e Marianne, quarantacinque più della venticinquenne Letizia. E Lydia ne aveva quasi sessanta ma li portava ancor peggio di Rebecca. Ignorate da tutti, perfino dai figli ormai adulti, relegate a una solitudine che si alleviava soltanto con le rare visite del marito e quindi ansiose di compagnia, la ricevettero come dono offerto da Dio. La sistemarono nella camera che era stata della presunta vedova Hodgkinton. La ripulirono, la rifocillarono, insieme a Marianne la coprirono di premure. Sicché in esse Bebè si adagiò come un neonato dentro la culla. Le sembrava d'esser tornata al piccolo gineceo di via Lagrange, diceva il nonno Antonio. Ai bei tempi in cui aveva tre mamme e Marianne l'imboccava, al posto di Lydia c'era Suzanne, al posto di Rebecca la Tante Jacqueline. Salt Lake City la conquistò, insomma. Cancellò addirittura il rimpianto di New York, di Irving Place, dei Nesi. E pazienza se fuori della culla la realtà l'aggrediva a ciascun passo. Con le residenze di Brigham Young, ad esempio. La Bee House o Casa delle Api dove il farabutto teneva le mogli giovani e la figliolanza, la White House o Casa Bianca dove relegava quelle attempate e quindi escluse dagli amplessi coniugali, la Lion House dove custodiva la favorita di turno cioè Amelia Foldom: una bostoniana che aveva cinquant'anni meno di lui. Oppure con le trovate degli Apostoli che i loro harem li sistemavano in chalets attaccati l'uno all'altro ma indipendenti l'uno dall'altro. Ogni chalet una moglie il cui nome stava sulla porta: «Lucy», «Clarissa», «Joan», «Abigail». E con lo spettacolo delle poverine che la domenica andavano in chiesa camminando dietro al marito, in fila a mo' di oche guidate dal padrone... Pazienza perché, asilo giuridico e tre mamme a parte, quel mondo di uomini sazi le offriva una libertà mai assaporata. La libertà che ignora il richiamo dei sensi e dell'amore. Niente avventure carnali o romantiche, lì. Niente idilli, niente tentazioni, niente passioni. Ci si sposava e basta. Per principio sociale e religioso, scopo procreativo: non per amore o richiamo dei sensi. Non vi si praticava neanche l'adulterio: peccato che il divorzio e la poligamia rendevano davvero inutile e che comunque veniva punito con la scomunica, un anno di carcere, cinquecento dollari di multa. E la bellezza non contava. Anzi la giudicavano una minaccia, un'esca che favoriva il vizio. Poteva dunque concedersi il lusso di non sedurre nessuno, e se lo concedeva. Infatti non le importava più d'esser bella. Non metteva più la parrucca, con gaia noncuranza esibiva l'impercettibile tappetino di fili d'oro, il cranio ancora quasi calvo.

«Je m'en fiche, I don't care, me ne frego.»

Il guaio è che i veti, i moralismi, non spengono i desideri. Semmai li accendono, li esasperano, e senza parrucca lei era bella lo stesso. Quella testa pelata esaltava i suoi zigomi alti, il suo profilo perfetto, il suo collo lungo e sottile. Le conferiva una malìa speciale, un fascino a cui neppure un uomo sazio e ligio alle regole sarebbe riuscito a sottrarsi. Trascorse due settimane il signor Dalton venne a riprendersi Marianne, e... Un tipo mica male, il signor Dalton. Risulta dalla sfocata fotografia che ho trovato negli archivi di Salt Lake City, quelli dove i Santi dell'Ultimo Giorno custodiscono i documenti e i dati genealogici dei loro antenati. Volto energico e rafforzato da folti baffi a spazzola nonché da una solenne barba alla Mosè. Sguardo penetrante, statura imponente, aspetto sano, e qualcosa che se non mi sbaglio evoca l'Innominato. (Il piglio maschio e sicuro, forse. La bocca severa e insieme sensuale). I dati genealogici dicono che era anche una persona proba e un individuo di gran carattere: sebbene avesse un debole per il tabacco e lo whiskey, dacché s'era convertito al credo di Mormon non beveva che acqua fresca e non accendeva mai un sigaro o la pipa. Inoltre voleva assai bene a Rebecca: per ventotto anni rimasta la sua unica consorte, rammenti, e sei anni più vecchia di lui. Però, ecco il punto, le donne giovani gli piacevan molto. E da troppo tempo non ne sposava una. Così quando vide l'ospite al cui fascino neppure un uomo sazio e ligio alle regole sarebbe riuscito a sottrarsi concluse che a Salt Lake City gli serviva una moglie nuova. Incaricò Marianne di fargli da paraninfo, e addio alla libertà che ignora il richiamo dei sensi e dell'amore. Il dialogo che segue non è frutto delle mie supposizioni. Lo riferiva il nonno Antonio al quale lo aveva riferito la stessa Anastasìa.

«Bisogna che tu venga battezzata in fretta, Bebè.»

«Perché, Marianne?»

«Perché mio marito vuole sposarti, Bebè. Gli serve una moglie nuova, a Salt Lake City, e ha scelto te.»

Silenzio.

«È un brav'uomo, Bebè. Il marito ideale. Non ci picchia mai, non ci tradisce mai, e a sessantaquattr'anni non ha né un dente cariato né un capello bianco.»

Silenzio.

«D'altronde una donna deve sposarsi, no? Se non si sposa, non va in Paradiso.»

Silenzio.

«Accettalo, Bebè. Domani torno con lui a Rockville e ci terrei tanto a lasciarti qui fidanzata!»

Ancora silenzio e poi...

«D'accordo, Marianne.»

Il fidanzamento si svolse alla presenza di Lydia e Rebecca cioè con una festicciola in famiglia, e le nozze furono fissate per la fine d'ottobre alla House of Endowment o Casa dei Riti: il luogo dove il Profeta officiava pure i divorzi. (A dieci dollari l'uno, questi. Cifra che intascava per le piccole-spese-personali). Il battesimo avvenne invece a settembre, nel Jordan River, e purtroppo me ne mancan le prove. Negli archivi di Salt Lake City non le ho trovate. Al nonno Antonio però Anastasìa diceva sempre che il suo ateismo era stato santificato da tre battesimi. Due valdesi ed uno mormone. Possibile che mentisse? Gli raccontava anche d'aver vissuto l'attesa del matrimonio senza incertezze, assolutamente decisa a diventar la settima signora Dalton e preparandosi bene al gran passo. Conoscendo bene gli allucinanti dettagli. (Allucinanti e basta? Toccava alla prima moglie condurre la promessa sposa all'altare e, che le piacesse o no, consegnarla al futuro coniuge. Alla Casa dei Riti doveva dunque recarsi insieme a Rebecca, a fianco di Rebecca doveva sostenere la cerimonia, e senti che roba. Nell'ingresso avrebbero indossato entrambe l'abito nuziale: una tunica di lino bianco, simile a quella dello sposo. Seguendo lui avrebbero raggiunto una stanza dove Brigham Young aspettava assiso su un trono foderato di rosso e dove ad altre mogli era consentito assistere come testimoni. Qui tutti e tre si sarebbero inginocchiati, John da una parte, loro due dall'altra, e Brigham Young avrebbe chiesto a Rebecca: «Sei tu pronta ad autorizzar quest'unione e concedere questa donna a tuo marito quale legittima consorte per l'eternità?». La povera Rebecca avrebbe risposto sì e Brigham Young avrebbe replicato: «Dimostralo mettendo la sua mano destra nella mano destra di tuo marito». Subito lei ce l'avrebbe messa e Brigham Young avrebbe chiesto a John se desiderava sposare Anastasìa, ad Anastasìa se desiderava sposare John...). Rebecca la dissuadeva. Era intelligente, Rebecca. Nella sua rassegnazione, la sua umiliazione, si rendeva ben conto che l'affascinante straniera stava per abbandonarsi a un capriccio o a una follia, e: «Non lo dico per me, bambina. Io sono stata soppiantata da tante mogli, ormai, e non ne soffro più. Lo dico per te: cambia idea. Ogni giorno prego che tu rinsavisca, o che qualcosa ci trattenga dall'inginocchiarci a quell'altare». La dissuadeva anche Lydia, donna rozza eppure non sciocca. «Ascolta una che c'è cascata, una che se ne intende! Scappa, bambina, scappa!» Le suggeriva addirittura il luogo nel quale scappare: Virginia City nell'attiguo Nevada. E ogni giorno le parlava di questa città che sei anni prima era sorta dal nulla, per via di due minatori che cercavan l'oro e invece avevan scoperto un'immensa vena d'argento. Oh, era un posto straordinario, diceva. Così ricco che perfino le strade lì luccicavan d'argento. Polvere d'argento. A cavallo si andava con gli speroni d'argento su montatura d'argento, i cavalli avevan gli zoccoli d'argento e le porte si aprivano girando maniglie d'argento. Inoltre era un posto senza leggi, senza regole, senza chiese, senza religione: ecco il punto. Un posto dove la gente non temeva né Iddio né il diavolo e faceva ciò che voleva. Giocava a dadi e a carte, fumava, ballava, si ubriacava, si divertiva a suo piacimento. Ma soprattutto era un posto dove le donne non sposavano un marito che aveva già moglie anzi tante mogli. Perché, monogamia a parte, di donne lì ne trovavi pochissime. Talmente poche che quando ne capitava una veniva accolta come un dono raro e prezioso, una regina, una dea. Anche se era vecchia e brutta o prostituta. Contavano più degli uomini, insomma. Quanto gli uomini e più degli uomini potevano comandare, fumare, ballare, giocare a dadi o a carte, ubriacarsi, divertirsi. E se gli piaceva prendere un marito lo prendevano, se non gli piaceva non lo prendevano... Il fatto è che lei non ascoltava. Al massimo sorrideva don't worry, non preoccupatevi, don't worry.

Poi il qualcosa che Rebecca si augurava accadde. E la futura settima signora Dalton cambiò idea davvero. Scappò per davvero.

* * *

Accadde la vigilia del matrimonio. E a offrirle il pretesto o meglio il motivo fu proprio la stupida Marianne, riapparsa insieme al marito per godersi l'epico evento. Era sera. Meste come soldati che hanno perso la battaglia, Lydia e Rebecca sedevano in un cantuccio a scambiarsi sospiri di costernazione. Fiero come un gallo che sta per aggiungere una pollastra al pollaio, il signor Dalton si mangiava con gli occhi la promessa sposa i cui biondi capelli s'erano nel frattempo allungati di quasi quattro centimetri e formavano un caschetto ancor più fascinoso della testa pelata. Impenetrabile come una Sibilla che non rivela a nessuno la chiave dei suoi enigmi e della sua anima, Anastasìa girava tra le dita l'anello che al sì Rebecca le avrebbe eroicamente consegnato. E felice come una gallina che ha deposto l'uovo Marianne starnazzava sciocchezze. What-a-joy, che gioia, domani-la-mia-Bebè-diventerà-nostra-sorella. D'un tratto però si fece seria ed esalò una specie di gemito.

«When I think, e pensare che la Tante Jacqueline non lo saprà mai!»

L'anello cadde con un lieve tonfo. Din! Il fascinoso caschetto parve elettrizzarsi. Mai? Che significava *mai*? Erano otto mesi che non aveva notizie della Tante Jacqueline. Ligia al suo consiglio di non lasciar tracce, non-dire-dove-vai, non-dare-indirizzi, a-me-inclusa, dopo Cesena s'era guardata bene dal fornirle i vari recapiti: stabilire una forma magari indiretta di corrispondenza. Le aveva inviato solo tre concisi bigliettini che miravano a rassicurarla. Uno da Liverpool: «Je m'embarque aujourd'hui, la mer est calme et le bateau confortable. Mi imbarco oggi, il mare è calmo e la nave comoda». Uno da New York: «Je suis arrivée, j'habite dans une maison exquise, et cette ville me plaît. Sono arrivata, abito in una casa squisita e questa città

672

mi piace». Uno da St. Joseph: «Je suis de nouveau en voyage, je m'amuse, sois tranquille. Sono di nuovo in viaggio, mi diverto, stai tranquilla». Da Salt Lake City, tuttavia, niente. E agli amici in grado di riferirle ciò che avveniva in via Lagrange, meno di niente. Neanche un cenno a Giuditta Sidoli che le aveva risolto il dramma del parto e dell'abbandono, del passaporto e della fuga in America. Neanche un rigo al Valzania che quei drammi se li era sobbarcati con tanta generosità e che poi l'aveva avvertita dei problemi sorti col modulo sottratto a Forlì. Così della dolce vecchia con la gamba zoppa e la verruca sul naso, dell'unica persona che l'avesse amata e che avesse amato senza riserve, ignorava perfino se fosse viva o morta. Ma ora quel *mai* le poneva l'atroce domanda, e a porgliela le incuteva una paura densa di cattivi presagi.

«Che significa *mai*, Marianne?»

Le rispose un pesante silenzio poi un balbettìo confuso.

«Significa... ecco... significa... Non te l'ho detto, Bebè?»

«Detto cosa, Marianne?»

«Oddio, ho dimenticato... dimenticato...»

«Dimenticato cosa, Marianne?»

«D'informarti che a Rockville ho ricevuto... ricevuto...»

«Ricevuto cosa, Marianne?»

«Una lettera di Suzanne che scrive... che scrive...»

«Scrive cosa, Marianne?»

«Che in luglio è stata... è stata...»

«Dov'è stata, Marianne?»

«Ai funerali della Tante Jacqueline, Bebè.»

Rinsavì di colpo. E la notte stessa se ne andò. Senza aprir bocca col signor Dalton, senza dirgli che non sarebbe diventata la settima signora Dalton. Oh, non era facile lasciare l'Utah di Brigham Young. Quando t'eri convertito alla Chiesa dei Santi dell'Ultimo Giorno, per uscire dal territorio avevi bisogno della sua autorizzazione. Quanto all'andarsene la vigilia delle proprie nozze, era praticamente impossibile. Le tapine che ci avevan provato eran state sempre riprese e riconsegnate al padrone. Il fatto è che quella notte da Salt Lake City passava una diligenza diretta a Virginia City, e in barba alle regole il promesso sposo era andato a dormire con Marianne. Mentre dormiva Lydia e Rebecca aiutarono la loro protetta a svignarsela, e quando lui si svegliò Anastasìa aveva già varcato la frontiera. Haiah-go, haiah-go, haiah-goooo!

Per rifugiarsi dove, stavolta? Per abbandonarsi a quali avventure, inventarsi quali identità? Bè, incominciano qui i misteriosi tredici anni di cui lei non voleva parlare o di cui parlava malvolentieri. Di solito, attraverso vaghe allusioni e avare ammissioni. Quasi ne soffrisse o se ne vergognasse. Malgrado ciò e sia pure in sintesi devo ugualmente ricostruirli. Perché sta in quei tredici anni l'esegèsi degli eventi che concluderanno la sua saga. Il ritorno in Italia, il ritrovamento della nonna Giacoma, il legame amoroso col nonno Antonio, e la morte che stanca di tutto si regalò.

16

Oggi Virginia City non esiste più. Oltre un secolo fa il deposito d'argento si estinse, i suoi abitanti la abbandonarono, a poco a poco il tempo la disintegrò, e ormai è una ghost-town. Una città fantasma, un'illusione ad uso dei turisti che d'estate vanno in cerca del Far West. Nella speranza di ritrovare quella fase di me stessa, del mio passato remoto, un giorno ci andai anch'io. E non trovai nulla fuorché Anastasìa che seduta al tavolo da gioco conduceva una partita di faro e ammoniva una turba di scalmanati. «Behave as gentlemen, messieurs. Comportatevi da gentiluomini, signori.» Indossava un abito di taffetas blu, con la gonna a crinolina e il corpetto molto scollato. Schiena nuda e braccia nude. Agli orecchi e al collo ed ai polsi portava preziosi gioielli, forse gli stessi che a Torino aveva ricevuto dall'Innominato, e all'anulare sinistro un grosso diamante. La riconobbi grazie ai capelli biondi e ancora un po' corti, le pupille chiare come l'acqua, gli zigomi alti, e la solita aria di sfida. Infatti mi avvicinai e a bocca chiusa mormorai: «Parlami, aiutami a ricordare chi ero quando ero te e stavo qui». Ma lei finse di non udire, e appena i nostri sguardi s'incontrarono mi voltò le spalle. Svanì.

Non esiste più e le stampe dell'epoca ne danno un'immagine assai diversa da quella della ghost-town ricostruita anzi reinventata ad uso dei turisti. Anziché una vera città mostrano una specie di grosso villaggio composto da tre lunghe strade e modesti edifici in legno o in mattoni. Un paesetto simile alle borgate degli western con lo sceriffo e il saloon e la piccola banca da rapinare, insomma, nonché chiuso dentro un imbuto di montagne. (Sorgeva sul pendio del monte nel quale avevan scoperto la vena d'argento, il Mount Davidson, e da ogni parte questo era sovrastato da altissimi picchi). Nel 1865, del resto, da un punto di vista estetico offriva assai poco. Era nata solo cinque anni prima, per sostituire le tende e le baracche dell'accampamento improvvisato dagli operai delle miniere, ed era cresciuta a casaccio. Cioè con l'unico scopo di dare un alloggio alle orde che piombavano in cerca di fortuna. Speculatori, giocatori, minatori delusi dalla corsa all'oro in California. Delinquenti, prostitute, poveracci o avventurieri d'ogni tipo e d'ogni paese. (Americani, indiani, messicani, cinesi, europei. Non a caso in quegli anni aveva accumulato ben ventimila abitanti). Eppure era proprio ciò che Lydia aveva detto. Perché nel 1860 quella vena aveva reso subito un milione di dollari, capisci. Nel 1861 ne aveva resi due, nel 1862 sette, nel 1863 dodici, nel 1864 diciotto. E l'amalgama che estraevano conteneva anche il cinque per cento d'oro. Pavimentate con le rocce di scarto o sterrate coi residui di polvere, le strade luccicavan davvero d'oro e d'argento. L'argento era davvero il materiale con cui si fabbricavano i pomi delle porte, gli zoccoli dei cavalli, gli speroni degli stivali, le rifiniture delle selle. Si usava anche per pagare la merce o per dare le mance, ora in pepite ora in pezzettini tagliati col coltello dalle verghe. Infatti la cartamoneta lì non la voleva nessuno, i green-backs cioè le banconote te le buttavano in faccia, e se le cambiavi alla banca prendevi solo la metà del loro valore. Meglio: si trattava veramente d'un posto dove la gente non temeva né Iddio né il Diavolo e faceva ciò che voleva. Bevendo e giocando, per incominciare. C'era una sola chiesa, a Virginia City, e ben duecento case da gioco. Ben centodieci saloon che naturalmente servivan liquori e avevano tavoli da gioco. Per il faro, il poker, il black-jack, il chuck-a-luck cioè i dadi. Giocavano tutti, lì. Buoni e cattivi, poveri e ricchi, giovani e donne. Era una febbre, il gioco, che colpiva chiunque entrasse in città. Un contagio che non risparmiava nessuno. Nemmeno chi non aveva mai preso in mano un mazzo di carte o un paio di dadi. E tutti si giocavano di tutto. La paga settimanale, le azioni delle miniere, i denti d'oro, gli stivali, i pantaloni, la camicia che avevano addosso, la vita. Quanto al bere, Gesù! I locali per bere e basta non si contavano, a Virginia City. In paragone Las Vegas d'oggi impallidisce. Nel 1859 i primi minatori avevano attraversato la Sierra Nevada con casse e casse di whiskey, di brandy, di rhum, di gin, vodka, assenzio. Ora l'alcool era la merce maggiormente importata in Nevada e nessuno sapeva quanti bar, osterie, birrerie esistessero nella città. Nella sola C Street, la strada principale, ne esistevan centottantadue. Gli italiani, gli spagnoli, i francesi, preferivano il cognac. I tedeschi, la birra. I messicani, il rhum e la tequila. Gli inglesi e gli americani, lo whiskey. Comunque usavano molto anche i cocktails. Woshoe Drink, ad esempio: mortale intruglio a base di whiskey, brandy, assenzio, e giulebbe, che con trenta gocce ti stendeva secco. Il Minnie Kiss cioè Bacio di Minnie: un veleno a base di rhum, sherry e birra, che aveva il medesimo effetto. E il Total Destruction o Sfacelo Totale i cui effetti venivan descritti così: «Prima si diventa molto pallidi, poi molto rossi, poi orizzontali. A terra si assume un'espressione molto sorridente, molto beata, e subito si dorme. Al risveglio la testa duole e sembra d'aver lo stomaco pieno di vespe, farfalle, salsa al pepe e vetriolo. Però ne vale la pena».

Con uguale intensità si sparava, si uccideva. «Le prime ventisei tombe del cimitero di Virginia City erano occupate da uomini ammazzati» scrive in *Roughing it* Mark Twain, per tre anni reporter del locale «Territorial Enterprise». E bada bene che si riferisce al 1861: in seguito quei morti divennero così frequenti che non facevano più notizia. Tutti infatti avevano la pistola o il fucile, oggetti che si vendevano insieme alle piccozze o alle vanghe o nei negozi di generi alimentari, e per spianare le divergenze o risolvere le discussioni si ricorreva al duello. Ma non il duello da far secondo il Manuale di Comportamento imposto dal Codice d'Onore cioè con una cerimonia che includeva la sfida scritta, la presenza di due assistenti nonché d'un chirurgo e d'un vicechirurgo, e il meticoloso caricare della pistola, signori-siete-pronti, conto-fino-a-tre-e-al-tre-sparate. Un-colpo-solo, signori! Il duello che si vede nei film western: da far direttamente nel saloon oppure per strada. Bang-bang-bang! Nel 1846 era passata una legge, l'Anti-Dueling Law, che definiva crimine sfidare a duello nonché accettare la sfida e che processava per omicidio se l'avversario ferito moriva. In pratica, però, la legge non era mai entrata in vigore. E si continuava tranquillamente a spedire gente al cimitero. Di solito, nella B Street, con una Colt a cinque colpi che veniva scaricata alla cieca, senza curarsi degli spettatori, sicché tra il

677

pubblico morivan sempre tre o quattro persone e una volta ne eran morte otto più i duellanti. Per uccider, del resto, non c'era bisogno d'un motivo serio. La dieta a base di alcool dava prurito al dito del grilletto, e nel 1865 un certo avvocato Bill Bryan aveva eliminato un minatore che buono buono beveva la birra just-because-I-felt-like-killing-somebody. Solo-perché-avevo-voglia-d'ammazzare-qualcuno. Sparavano anche le donne, del resto. Sia le autorità che i giornali le invitavano ad andare sempre armate, e se scappava il morto i giudici non le condannavano mai. Spesso non le processavano nemmeno. «Non è reato far fuori un cafone che ti dice una sconcezza, e se ti tocca il sedere è addirittura un diritto.» Nel 1865 una prostituta di nome Juanita Sanchez era stata portata via in trionfo per l'assassinio del suo ex amante Jack Butler che scherzando le aveva puntato addosso la rivoltella. Quanto alla giustizia, era una parola priva di significato. I testimoni a carico venivano eliminati o cacciati. I giudici e le giurie si compravan come gli sceriffi, le cause le vinceva chi aveva più soldi per pagarli, e anche a non pagarli potevi contare poco su loro. Eran sempre ubriachi. E se non erano ubriachi, eran stupidi. Se non eran stupidi, erano analfabeti. Non conoscevan nemmeno la differenza tra «incendio» e «incesto», e nove volte su dieci il verdetto era Not Guilty, Non Colpevole. Di conseguenza il crimine abbondava come le cavallette nell'Utah, e in paragone New York diventava un collegio di Figlie di Maria. Sempre nel 1865, in un giorno erano stati processati e assolti due casi di assassinio, due di duello, cinque di tentato omicidio, cinque di accoltellamento. E i furti, le rapine, gli imbrogli non si contavano. «Se resto qui sei mesi,» dice nel suo diario un onesto viaggiatore «divento un delinquente anch'io.» E il prete dell'unica chiesa esistente in città: «Ieri ho ripulito l'anima d'un parrocchiano. Alla domanda se avesse mai ucciso, ha risposto: solo due o tre volte. Alla domanda se avesse mai imbrogliato, ha risposto: solo dieci o venti volte. E alla domanda se avesse mai rubato, ha risposto: tutti i giorni, che male c'è?».

Ma il punto sul quale Lydia aveva detto la verità più completa riguardava le donne. Era proprio il paradiso delle donne, Virginia City, e in particolare delle zittelle. Perché i minatori, gli speculatori, i truffatori, i giocatori, gli avventurieri giunti nei primissimi anni non s'erano certo portati dietro le mogli o le figlie o le sorelle o le amanti. E all'inizio la mancanza delle donne era così disperata che quando una diligenza si fermava per cambiare i cavalli, tutti correvano per vedere se a bordo ci fosse una donna. E se c'era si mettevano a urlare: «Yes, yes! There is, c'è. Oh, God! That's so good for the eyes! Oddio! Fa tanto bene agli occhi!». Un giorno la moglie d'un californiano ne aveva ricevuto un tale spavento che invece di scendere per lavarsi e mangiare s'era rannicchiata in fondo alla carrozza tirando giù le tendine. Allora un gruppo di minatori aveva offerto duecento dollari al marito perché la convincesse ad alzar le tendine, affacciarsi per un istante. Lui l'aveva convinta, e a veder quel volto femminile almeno una dozzina s'eran svenuti. Nel 1860 le cose erano migliorate: ne contavi dieci ogni centosettanta uomini. (In massima parte prostitute, s'intende, o entraîneuses o hurdy-gurdy girls. Le ragazze-organetto cioè quelle che per 25 centesimi a giravolta, quindi parecchi dollari a danza, facevano ballare i clienti del saloon). Nel 1861 la percentuale era salita a venti ogni centosettanta, nel 1863 a quaranta, nel 1865 a cinquanta. Però il rapporto restava insufficiente e a una zittella bastava scendere dalla diligenza per trovare marito. Anche se era vecchia, come aveva detto Lydia, o brutta o zoppa o sciancata. Lo dimostrano anche i certificati matrimoniali con la fotografia degli sposi: accanto al bel giovanotto robusto c'è quasi sempre una matrona che sembra sua madre. E va da sé che il divorzio lì era facile quanto il matrimonio. La vera pacchia, comunque era un'altra: il rispetto che gli uomini avevano per qualsiasi creatura che avesse un paio di seni e una sottana. Infatti son rimasta sorpresa a leggere che eri autorizzata a sparare su chiunque ti dicesse una sconcezza o ti toccasse il sedere. Ogni libro di storia afferma che queste cose non avvenivano a Virginia City, e che fra gli innumerevoli crimini che caratterizzavano i suoi abitanti mancava quello di violenza carnale. «Non ho mai saputo d'un maschio che in qualche modo mancasse di rispetto a una femmina» aggiunge il viaggiatore del seresto-qui-sei-mesi-divento-un-delinquente-anch'io. Per incominciare, non si diceva donna. Si diceva lady, signora. (Abitudine ancora abbastanza diffusa, nel West e nel Far West). Poi, dinanzi a una signora ci si levava ossequiosamente il cappello. Sempre. Infine, una signora la si proteggeva. Sempre. Le si offriva il braccio, le si portava il pacchetto, la si aiutava ad attraversar la strada. E guai se qualcuno le lanciava un'occhiata appena irriguardosa. «Apologize or I blow up your brain. Chiedi scusa o ti faccio saltar le cervella.» Sempre. Con tutte. Anche con le hurdy-gurdy girls, le entraîneuses, le prostitute. Eran davvero regine, insomma. A loro si perdonava tutto. A teatro per esempio potevi fischiare un uomo. Mai una donna. Anche se non sapeva cantare o recitare o ballare. Anzi. In quel caso sì che diventavano generosi e l'applaudivano, le gettavano le pepite e i sacchettini d'oro o d'argento. «Fine, bene! Brava, bis!» Inoltre ammiravano pazzamente le donne coraggiose, indomabili, intraprendenti, e avevano una vera passione per quelle che parlavano con forte accento francese cioè arrotondando la erre. Da sempre, ricordi, una caratteristica di Anastasìa. Davvero non posso immaginare un luogo a lei più congeniale. E mi consola che sui primi anni trascorsi a Virginia City fosse meno vaga, meno avara, insomma parlasse con minor disagio e minor ritegno. Il racconto che segue, la sintesi di quel periodo, si basa su confessioni rese al nonno Antonio.

«Ma sai che...»

Vi giunse dopo quattro giorni di diligenza. Tanto durava, via Ogden e il deserto del Nevada, il viaggio da Salt Lake City. Col nome di Amanda Gautier (un Gautier certo preso in prestito dalla *Dame aux Camélias*) scese all'elegantissimo International Hotel, e l'indomani fu derubata del suo intero capitale. Cioè dei duemila dollari che per mesi aveva custodito con tanta cura. Appena sveglia, infatti, uscì per andare a depositarli in una banca. E mentre camminava in C Street venne aggredita da un ladro che con un cortese sorry-Madam, spiacente-signora, le strappò di mano la borsa. Colta di sorpresa, non ebbe neanche il tempo d'impugnare la Smith-Wesson con cui aveva sparato agli indiani poi ai fuorilegge incontrati sulle Montagne Rocciose. Questo la infuriò molto e per non vendere i gioielli dell'Innominato, l'unica ricchezza che ormai possedesse, la sera stessa si trovò un lavoro al Cafè de Paris: centro delle hurdy-gurdy girls. Le ragazze-organetto, le entraîneuses che facevan ballare i clienti per venticinque centesimi a valzer o a polka. Alzando il prezzo a settantacinque centesimi più la mancia, prendere-o-lasciare, lì rimase finché si procurò una aderentissima calzamaglia e portandosi dietro un grosso paniere si presentò all'impresario del Golden Terrace: forse il saloon più celebre e lussuoso della città. Lampadari di cristallo, sputacchiere d'argento, specchi veneziani nonché un immenso bar in mogano intarsiato d'avorio e un palcoscenico abbastanza grande per andarci a cavallo. Nel 1863 a cavallo ci aveva trionfato, vestita d'una leggera guaina e basta, l'attrice e cantante Adah Menken: antesignana dello strip-tease. Non che fosse uno splendore, intendiamoci. Aveva un visuccio grazioso e un seno fiorente ma i fianchi eran troppo cicciuti e le gambe troppo corte, troppo tozze. (Si vede dalle fotografie). Quasi ciò non bastasse, parlava con l'accento tedesco. Non francese. Tuttavia quando cantava o recitava o cavalcava con la guaina e basta l'entusiasmo saliva alle stelle. Per applaudirla meglio una volta le avevan lanciato un lingotto da mille dollari e dopo la sua partenza per San Francisco il Golden Terrace non aveva più avuto una che la uguagliasse. «Are you French, sei francese?» chiese l'impresario esaminando da intenditore la maliarda che si presentava con un grosso paniere. «Oui, Monsieur.» «Can you sing, sai cantare?» «No, Monsieur.» «Can you act, sai recitare?» «No, Monsieur.» «Can you ride, sai cavalcare?» «No, Monsieur. But I can do something better, Monsieur.» Poi si tolse l'abito a crinolina, i mutandoni, il busto, gli stivaletti. Rimase in calzamaglia, entrò nel paniere, e riesumò il numero dell'aspide. Quell'aspide che era stato all'origine di tutti i suoi guai. Lo chiamò «The Snake's Dance. La danza del serpente». E con quello cancellò il rimpianto di Adah Menken. Il suo corpo era ancora il corpo che mandava in estasi il pubblico del Regio, capisci, la gravidanza e il parto non l'avevan sciupato per niente. E paragonate alle sue lunghe gambe perfette, quelle di Adah Menken diventavano due salsicce. Inoltre era riuscita a trovare un paio di scarpette da ballo, capisci. Uscita dal paniere si esibiva tutta sola sulle punte, nei *pas-à-deux*, negli *arabesques*, nei *jetés*, e con lei sì che i minatori impazzivan d'entusiasmo. A lei sì che lanciavano i sacchettini con la polvere d'oro e d'argento, le pepite, i lingotti. In poche settimane si riprese tutto il denaro che aveva perso in C Street, anzi lo moltiplicò, e nei mesi successivi ricevette trenta proposte di matrimonio nonché un numero imprecisato di serenate.

«Oh, thank you, Amanda! You are a kiss on the eyes and the rest! Tu sei un bacio sugli occhi e sul resto...»

Quale sia stata la sua vita sentimentale nel periodo della Snake's Dance, non lo so. Probabilmente, e grazie alle pillole di Madame Restell, assai intensa. All'avventura con Bill il Selvaggio era seguita una castimonia che neppure il flirt col tenente ucciso dagli indiani aveva interrotto, e penso che le sia stato arduo resistere a un simile successo. Del resto il nonno Antonio accennava spesso al «brioso nubilato» che essa opponeva alle proposte matrimoniali. In compenso so quanto durò la Snake's Dance: fino al giorno in cui sposò il trentenne Napoleon Le Roi. Giocatore d'azzardo, baro, dongiovanni di classe, che perdutamente innamorato di lei e quindi delle sue esibizioni in calzamaglia la strappò dal palcoscenico. «Either me either the snake. O me o il serpente.» So anche perché accettò l'aut aut e rinunciò al brioso-nubilato: perché era un tipo irresistibile, quel Le Roi. Bello, simpatico, sveglio, bon viveur. Aveva magnifici occhi celesti, magnifici baffi neri, magnifiche spalle da lottatore, e misurava un metro e novanta d'altezza. Indossava solo completi raffinati e camicie di seta che mandava a lavare a Hong Kong. Portava solo cappelli di finissimo feltro o paglia di Firenze, calzava solo stivali di finissima pelle, e al panciotto sfoggiava una pesante catena d'oro con un prezioso orologio già appartenuto a Philippe d'Orléans. All'anulare sinistro, un diamante grosso come una ciliegia. Inoltre beveva solo champagne, niente Minnie Kiss o Total Destruction, si faceva venire le ostriche vive da San Francisco, e possedeva dieci Colt con le iniziali sovrastate da un improbabile stemma. Il suo nome, inutile dirlo, era autentico quanto quello di Amanda Gautier e su di lui circolavano voci non lusinghiere. Che a diciott'anni fosse fuggito da Marsiglia, sua città natale, per evitar la vendetta di tre individui a cui aveva rubato il portafoglio e la moglie. Che con una nave pirata fosse sbarcato a New Orleans dove s'era messo a fare il contrabbando degli schiavi cubani. Che nella Guerra Civile avesse combattuto due anni con l'esercito sudista e che ne avesse disertato per mercanteggiare coi nordisti. Che in Nevada fosse approdato per sfuggire agli agenti federali che lo accusavan di truffa ai danni del governo. Che a Virginia City fregasse il banco o gli altri giocatori coi dadi truccati e l'asso nascosto nelle tasche o nelle maniche della giacca. Chuck-a-luck, poker, black-jack. Anastasìa lo conobbe nella primavera del 1866 al Silver Terrace, e a sua volta se ne innamorò perdutamente. Cosa mai accaduta, ricordi, dopo il legame con l'Innominato. Le nozze, celebrate dinanzi a un giudice ebbro di whiskey, si svolsero con l'unica condizione di non mettere al mondo figli. E furono assai sbrigative. «Do you want him, lo vuoi?» «Yes!» «Do you want her, la vuoi?» «Yes!» «It's done, one dollar. Fatto, un dollaro.» Particolare sul quale il nonno Antonio insisteva molto e al quale nessuno in famiglia credeva. (Invece nel Far West succedeva spesso così. Nella maggior parte dei casi il giudice non si curava nemmeno di conoscer le generalità degli sposi). La luna di miele si svolse all'International Hotel e fu durante questa che Napoleon insegnò ad Amanda l'arte di barare giocando a carte. Per una donna, impresa assai difficile in quanto una donna non poteva nascondere gli assi nelle tasche del gilet o nelle maniche della giacca: specialmente nei saloon indossava abiti che non si prestavano a certi trucchi. (Spalle nude, braccia nude, corpetto liscio e attillato). Ma lei imparò a tenerli nella scollatura o sotto la giarrettiera, lì a ripescarli con destrezza sbalorditiva, e in un batter d'occhio essi composero una pariglia fenomenale. La miglior coppia di birboni che avesse mai funestato il Nevada. Insieme erano anche molto felici. Carrozza tirata da quattro cavalli e guidata da un cocchiere in livrea. Mansion (villa con parco) sulla collina. Guardaroba degni di Lord Brummel e della contessa di Castiglione nonché un amore da capogiro. «Eh, sì, andavano proprio d'accordo» sospirava il nonno Antonio, sempre geloso degli amanti che lo avevano preceduto. Comunque durò poco. Una tragica notte d'autunno Napoleon si lasciò cogliere mentre estraeva dal gilet un asso di cuori e bang! Un certo Joe the Speedy o Joe lo Svelto, soprannome dovuto alla rapidità con cui premeva il grilletto della sua Remington, lo stese secco. Madame Le Roi divenne vedova e...

Sempre stando alle ammissioni ed alle allusioni, qui per niente vaghe e per niente avare anzi ricche di particolari preziosi, questo è ciò che accadde dopo. Joe lo Svelto venne arrestato e processato, ma lungi dal finir sulla forca fu assolto da una giuria corrotta con dieci verghe d'argento. Assolto prese a dire che Napoleon non valeva un fico, non sapeva neanche barare, e allora Anastasìa gli mandò una sfida a duello. Un duello vero e proprio, bada bene, da farsi in presenza del chirurgo e del vicechirurgo. Una sfida autentica cioè redatta sul Manuale di Comportamento stabilito dal Codice d'Onore che a Virginia City nessuno rispettava. «Sir! Vi invito a rendermi conto dei gravi insulti con cui infangate la memoria di mio marito, da Voi vilmente assassinato. Vogliate indicarmi il giorno e il luogo che Vi aggrada, nonché comprarvi un posto al cimitero.» Joe lo Svelto rispose beffardo che con le donne lui non si batteva, sicché lei si vestì da uomo. Si coprì il volto, raccolse i capelli di nuovo lunghi dentro un berrettaccio, mise al cinturone una delle Colt con le iniziali sovrastate dall'improbabile stemma, e andò in cerca dell'incauto che al tramonto trovò in un sordido bar. Levando una voce maschia e decisa lo provocò senza apparente motivo. «Get outside and face me, if you have the guts. Vieni fuori e affrontami, se ne hai il coraggio. One single shot, un colpo solo.» Convinto che si trattasse d'un giovanottello inesperto e ubriaco, Joe lo Svelto uscì per davvero. E insieme raggiunsero B Street: la strada dove col fucile o la pistola si risolvevano le divergenze, si spianavano i conflitti d'opinione. Qui si piazzarono a cinquanta passi di distanza e gli occhi negli occhi, le gambe divaricate, la mano tesa verso l'arma ancora infilata nella fondina, si prepararono a sparare. Proprio come nei film western. Sui marciapiedi sostava una gran folla, diceva il nonno Antonio. Da ogni bettola, da ogni bisca, da ogni locanda i curiosi erano usciti a godersi lo spettacolo, e naturalmente tutti credevano che Joe lo Svelto liquidasse l'avversario in un battito di ciglia. Invece un istante prima che puntasse la Remington il giovanotto puntò la Colt, e gli piazzò il colpo in mezzo alla fronte. Insomma lo spedì al Creatore. Poi si avvicinò al cadavere, si scoprì il volto, lasciò ricadere i lunghi capelli, e: «Mi dispiace solo che sia morto ignorando chi ero». Ergo la portarono in trionfo. Viva-Amanda, hurrah-for-Amanda. Le vittime degli assi nascosti nella scollatura o sotto le giarrettiere si unirono al coro e lo sceriffo rifiutò d'arrestarla, il giudice d'incriminarla, per inosservanza dell'Anti-Dueling Law. «She shot in self-defence. Ha sparato per legittima difesa.» Ripresero a piovere anche le serenate e le proposte di matrimonio. Tra le proposte, quelle di due magnati delle miniere. Ma lei le respinse tutte: «Sorry, spiacente, io non mi sposerò mai più». Peggio: per vivere in pieno la vedovanza, rinunciò agli sfarzi: alla mansion sulla collina, alla carrozza tirata dai quattro cavalli e guidata dal cocchiere in livrea. Si tenne solo il guardaroba degno della contessa di Castiglione e con questo si mise a barare da sola. «I can do it, posso farcela.» Poi appena s'accorse che da sola non sarebbe riuscita a intascare quel che intascava col maestro, cambiò mestiere. Divenne croupier, o meglio dealer, ai banchi di faro. Per mieter nuove vittime, s'intende.

«It's time to start all over again. È tempo di ricominciare daccapo.»

Nel Far West andavano molto di moda le donne-dealer, le signore-croupier. Specialmente quand'erano belle, eleganti, munite di grinta e d'accento francese, assicuravano il successo d'una bisca o d'un saloon. Quanto al faro, o faraone, era il gioco prediletto dei minatori. E piuttosto che un gioco una rozza scommessa. Una specie di primitiva roulette che ai partecipanti non richiedeva né intelligenza né memoria né stile. Si giocava a casaccio, ammassati intorno a un tavolo diviso per lungo da una riga che lo separava in due parti dette right-side e left-side. Lato destro e lato sinistro. Su questo si allineavano le puntate, e in piedi dinanzi alla riga il dealer estraeva da un doppio mazzo due carte coperte. Dopo averle scoperte ne posava una a destra, una a sinistra, e se era più alta quella di destra vinceva chi aveva giocato sul lato destro. Il banco pagava in proporzione alla scommessa e si prendeva le puntate del left-side. Se era più alta quella di sinistra, vinceva chi aveva giocato sul lato sinistro. Il banco pagava nel medesimo modo e si prendeva le puntate del right-side. Se le due carte erano uguali, entrambi i lati perdevano e il banco si prendeva tutto. Con un dealer onesto, dunque, esistevano buone probabilità di cavarsela. Con un dealer disonesto cioè con l'allieva di Napoleon Le Roi, quasi nessuna. L'arte del dealer disonesto, infatti, non stava solo nel posar la carta più alta sul lato di chi aveva scommesso meno: stava anche nel mettere spesso due carte uguali. Ma per riuscirci in entrambi i casi doveva scegliere ciò che estraeva dal doppio mazzo, e in tale diavoleria lei era insuperabile. Sai perché? Perché oltre a distrarre i poveri minatori con la sua erre moscia, la sua eleganza, la sua bellezza, si spellava i polpastrelli dell'indice e del medio. Spellandoli li rendeva sensibilissimi e al tatto riconosceva i numeri, le figure, i semi. Ecco-un-tre, un-cinque, un-sette. Ecco-un-asso, un-fante, un-re, una-regina. Ecco-un-cuori, un-fiori, un-quadri, un-picche... Non si sbagliava mai. Mai! Con quei polpastrelli il suo banco guadagnava sempre. Non per nulla le bische e i saloon se la contendevano a suon di stipendi raddoppiati, raddoppiate percentuali sugli incassi, e ogni poco cambiava indirizzo. Aveva incominciato col Silver Terrace, e dal Silver Terrace passò presto al Golden Terrace. Dal Golden Terrace, al Paradise Corner. Dal Paradise Corner, all'Opera House. Dall'Opera House al Palace di Julia Bulette, una creola diventata ricchissima grazie a un bordello nel quale si spendevano perfino mille dollari a notte. Da Julia Bulette sugli incassi ottenne addirittura il quaranta per cento, e alla fine del 1867 aveva accumulato un capitale così sostanzioso che volendo avrebbe potuto comprarle il bordello. Poi la poverina venne strangolata da un minatore che infuriato per le perdite inflittegli dalla sua dealer le rubò pure i gioielli. L'allieva di Napoleon Le Roi capì che era giunto di nuovo il momento di cambiar aria, e agli inizi del 1868 risalì sulla diligenza. Si recò a San Francisco dove visse fino al 1878, il decennio che il nonno Antonio definiva la-fase-del-Grande-Mistero, e... Qui però c'è una cosa importante da chiarire.

Ventun anni prima San Francisco non esisteva. Era un piccolo villaggio della California (allora in mano al Messico) il cui unico pregio stava nell'offrire un clima paradisiaco sia d'inverno che d'estate, nell'essere situato su una splendida baia e quindi nel possedere un porto naturale. Ci vivevano duecento indios terrorizzati da un alcalde che credeva di trovarsi su un'isola, cinquanta frati francescani d'una missione fondata nel 1776, e i marinai del presidio che nel giugno del 1846 il governo di Washington aveva installato inviando la *Portsmouth*: una corvetta ora passata alla storia. Si chiamava Yerba Buena, nome dovuto ai cespugli di menta che lungo la costa emanavano un profumo assai intenso, e soltanto nel 1847 l'alcalde l'aveva ribattezzata San Francisco. Soltanto nel 1849, cioè durante la corsa all'oro, il villaggio s'era trasformato in un centro urbano. O meglio in un accampamento di capanne e di tende costruite per la marmaglia (filibustieri, reietti, ergastolani, teppisti) piombati con le navi dall'Australia, dal Sud America, dall'Asia, dall'Europa, dagli Stati Uniti, da ovunque vi fossero uomini giovani e forti ed ansiosi di fare fortuna. Quarantamila nel giro di pochi mesi, perbacco. Tutti ventenni o trentenni, al massimo quarantenni. Senza donne, senza famiglia, e in molti casi gli stessi che nel 1859 cioè durante la corsa all'argento avrebbero attraversato la Sierra Nevada per buttarsi sopra le miniere di Comstock. Con due lustri d'anticipo, insomma, San Francisco era sorta dalla medesima gente e nel medesimo modo in cui poi era sorta Virginia City. Caratterizzata da una differenza, però. A Virginia City le donne eran giunte molto tempo dopo e per presentarsi come regine da sposare, rispettare, adorare: ricordi? A San Francisco invece eran giunte subito e per vendersi nei bordelli, nei lupanari, nelle case di piacere. Provenienti dalla Francia dove la neo-Repubblica aveva instaurato una lotteria con cui le meretrici vincevano il viaggio a bordo dei piroscafi diretti in California. Comprate in Cina dove per quindici o trenta dollari l'una i genitori le cedevano ai mercanti di sesso. Rubate in Cile, in Brasile, in Perù dove non costavano nulla. O reclutate nei capoluoghi al di là del Missouri e del Mississippi: New York, New Orleans, Boston, Chicago. A orde. Schiave o volontarie, dilettanti o professioniste, costituivano infatti una realtà più salda del matrimonio. Una regola che si esprimeva anche attraverso termini altrove taciuti o sussurrati, e lì scritti sui giornali o pronunciati ad alta voce. Whores, harlots, courtesans, magdalenes. Puttane, bagasce, cortigiane, maddalene. Nonché, bontà loro, lovely-ladies o filles-de-joie o girls-in-full-bloom. Belle signore, figlie di gioia, fanciulle in pieno fiore. Peggio: tale regola non s'era interrotta neanche con la fine della corsa all'oro. Nel 1868 San Francisco era la città più importante del Trentunesimo Stato cioè della California: una metropoli di centocinquantamila abitanti retti da leggi federali e statali nonché ligi alla morale vittoriana. Eppure la prostituzione continuava ad essere la sua caratteristica, il suo marchio di fabbrica. «Se Virginia City è la capitale delle bische, dei divorzi, delle sparatorie, San Francisco è la patria delle puttane» scrive un giornalista dell'epoca. «Oh, sì: ci sono anche alcune donne virtuose. Ma poche. Davvero poche.»

Fine della messa a punto e inizio d'una conclusione che mi spacca il cuore.

17

«Non so nemmeno se a San Francisco si presentò col nome di Amanda Gautier o Amanda Le Roi, se si sposò di nuovo o se si accontentò degli amanti, se cambiò mestiere o se continuò il suo spellandosi i polpastrelli del medio e dell'indice» brontolava il nonno Antonio. «Sul dannato decennio non c'era verso di farle aprir bocca e soltanto una volta ruppe per un poco il silenzio. La volta in cui le chiesi dove avesse imparato a fumare. Quando ci incontrammo, infatti, fumava una sigaretta dopo l'altra. A catena. Imparai a San Francisco, rispose, dalla contessa della casa. Allora le chiesi che contessa, che casa, e con mio stupore si permise una parentesi di loquacità. Arrivando, disse, era scesa a un albergo molto *à la page*. E lì aveva conosciuto una contessa nota per il suo passato di giocatrice d'azzardo. Una contessa francese, credo, la contessa Dumont, che fumava come un turco e che dai cattivi veniva chiamata Madame Moustache. Signora Baffi. Ne era nata una gran simpatia, e per il suo ventiduesimo compleanno costei aveva dato un ricevimento nella splendida casa che possedeva nel quartiere residenziale. Una mansion con vasti saloni e ben otto camere da letto per gli ospiti, piena di domestici e arredata in modo squisito. Tendaggi di damasco, tende di pizzo, tappeti orientali. Lampadari a gas, candelieri d'argento, fiori sempre freschi, pianoforte a coda ed arpa a pedali. Poi la contessa era partita. Partendo le aveva ceduto la mansion con quel che conteneva, domestici inclusi, e lei era andata ad abitarci con stile. Feste da ballo e cene a cui invitava banchieri, miliardari, politici di grido, amiche la cui bellezza ed eleganza erano quasi pari alla sua. Menu preparati da famosi chef, soirées durante le quali lo champagne scorreva a fiumi e il caviale si consumava a chili. Conversazione brillante, gioielli, profumi. Non per nulla la chiamavano Madame con la *e* alla francese. Qui però interruppe il breve racconto e non riuscii mai a capire come facesse a pagarsi simili sfarzi. Che a Virginia City avesse accumulato un vero patrimonio? Che a San Francisco fosse diventata la mantenuta d'un creso? Mistero, ti ripeto, mistero.»

Mistero? Forse ciò che sto per concludere è infame. Iniquo, diffamatorio, infame. Forse un giorno me ne pentirò, me ne biasimerò, le chiederò (mi chiederò) perdono. Quella mia vita non fu una vita qualsiasi, quindi non ho il diritto di giudicarla col metro del moralismo. Virtù degli ipocriti e dei mediocri. Ma contrariamente al nonno Antonio, troppo ingenuo e troppo innamorato per tirar le somme di certe confidenze, temo proprio di capire quel che lui non capiva. Lo temo perché il breve racconto solleva un triste sospetto, e perché il triste sospetto è suffragato da indizi precisi. Ecco qua. A San Francisco la parola Madame (con la *e* alla francese) non significava signora, donna rispettabile. Significava padrona d'una parlor-house. E il termine parlor-house non significava quel che sembra se traduci alla lettera i due vocaboli che lo compongono: casa-salotto. Significava casa di piacere, postribolo di lusso. Inoltre le parlor-house avevan proprio le caratteristiche della mansion ceduta dalla contessa francese. Stesse tende, stessi tendaggi, stessi tappeti. Stessi lampadari, stessi candelieri, stessi fiori freschi, stesso pianoforte a coda, stessa arpa a pedali. E a terreno i saloni per ricevere gli «ospiti», al piano superiore le camere da letto per intrattenerli. In entrambi i casi, con stile. Quando si dice parlor-house, infatti, non bisogna vedere un sordido bordello colmo di bagasce che per cinque centesimi e in cinque minuti soddisfano le smanie degli avventori. Bisogna vedere una specie di sofisticatissimo club nel quale un ristretto gruppo di professioniste esperte nell'arte del lusingare consolare ammaliare ti dilettano con ogni tipo di piacevolezze. Sesso, eleganza, conversazione. Musica, bevande, cibo raffinato. Quanto alle Madame, leggendo le cronache del Far West ho scoperto che si trattava di peccatrici assai speciali. Per incominciare, non si prostituivano mai. Si tenevano un marito o un protettore a cui restavano rigidamente fedeli e spesso vivevano addirittura in un'inflessibile castità. Poi erano quasi sempre giovani e belle. Tant'è vero che esordivano intorno ai vent'anni e passati i trenta si mettevano a riposo. Infine dovevan essere intelligenti, avere la classe d'una autentica signora, maneggiare il denaro col criterio d'un business-man, diriger l'impresa con l'acume d'un diplomatico. Attraverso i rapporti mondani, ad esempio: le cene a base di caviale e champagne, le soirées, le feste che costavano una fortuna e più costavano più allargavano la loro fama. Oppure attraverso la scelta e il controllo della clientela che ovviamente andava selezionata o guidata. Voglio dire: se si presentava un piercolo con le tasche gonfie di dollari non lo cacciavan davvero. Lo affidavano alle cure d'un domestico che lo lavava, lo strigliava, lo sbarbava, quindi lo vestiva da gentiluomo e gli impartiva una lezioncina di galateo. Niente bestemmie, niente sputacchi, niente dita nel naso, niente complimenti grossolani o pubbliche pacche sul sedere. («Here vulgarities are not admitted. Qui le volgarità non sono tollerate» informava un cartello all'ingresso).

Ma, soprattutto, leggendo quelle cronache ho scoperto chi era la contessa anzi la presunta contessa che i cattivi chiamavano Madame Moustache. Era Irene McCready alias Eleonore Dumont: la pioniera delle parlor-house di San Francisco. Lo dicono perfino gli storici della prostituzione, ahimè. Nel 1849, dicono, a San Francisco sbarcò una brunetta di nome Irene McCready. Sui ventitré o ventiquattr'anni, molto sveglia e molto graziosa. Veniva da New Orleans dove aveva guadagnato un mucchio di soldi col gioco d'azzardo. Viaggiava insieme al suo amante, il biscazziere James McCabe, e ostentava un'abitudine allora insolita nelle donne: quella di fumare qualsiasi cosa le capitasse. Sigari, sigarini, pipa. Fumando affittò una casa appena costruita in Washington Street. Una casa a due piani. Al secondo piano, molte camere da letto. L'arredò con suntuoso buongusto, quindi ci mise sette bellezze francesi più un pianoforte a coda e un'arpa a pedale. Fece stampare una cinquantina di inviti e li spedì agli uomini più autorevoli o facoltosi della città. Tra loro il sindaco, il capo della polizia, il presidente del tribunale e vari banchieri. Firmati «Contessa Eleonore Dumont» gli inviti annunciavano l'inaugurazione della Parisian Mansion cioè della sua parlor-house, e chi non sapeva che fosse una parlor-house lo capì appena entrato. Altro che i lupanari del porto, i sordidi bordelli dove t'accontentavi d'una sveltina con le bagasce da cinque centesimi! Tutto appariva squisito e perfetto lì, inclusa la proprietaria che vestita da gran sera riceveva al braccio di James McCabe. Erano vestite da gran sera anche le sette bellezze francesi, ed una suonava il pianoforte a coda. Una l'arpa a pedale. Le altre gorgheggiavano dolci romanze o conversavano con tale brio, tale arguzia, che il sindaco esclamò: «Contessa, mi par di stare tra ragazze della buona società». Elogio al quale lei replicò con alterigia: «Sir, la sola differenza che passa tra le mie ragazze e le ragazze della buona società è che le mie ragazze sono più belle, più colte, più spiritose e più chic». La cena fu perfetta, menu leggero e vini alla temperatura giusta, e naturalmente al secondo piano gli ospiti ci salirono gratis. (Superlavoro cui la contessa non dette alcun contributo. «Please forgive me, I only sleep with my lover. Scusatemi, io dormo solo col mio amante»). L'indomani il business prese a funzionare con regolarità. Prezzo, dodici once d'oro cioè duecento dollari (alcool a parte) per una serata. Diciotto once d'oro cioè trecento dollari per una nottata. Il successo fu istantaneo e durò finché, tradita da McCabe nonché offesa dalla concorrenza d'una certa Belle Cora che la imitava, Irene McCready alias Eleonore Dumont abdicò. Con l'arpa a pedali e il pianoforte a coda si trasferì a Virginia City poi nel Montana, tornò al gioco d'azzardo. Nel 1867 tuttavia riapparve. Con l'arpa a pedali e il pianoforte a coda. Acquistò una casa a tre piani in Kearney Street, l'arredò come la prima, ci mise otto nuove bellezze francesi e riaprì la Parisian Mansion. Il guaio è che aveva ormai quarant'anni e sopra il labbro superiore le era cresciuta una brutta peluria che non depilava. Un cliente ostile la ribattezzò Madame Moustache, e inseguita dal crudele nomignolo nel 1869 se ne andò cedendo la Parisian Mansion a una giovane amica. Si ritirò a Sacramento dove il 19 settembre del 1879 i giornali dettero la seguente notizia, presto riportata dalla stampa di San Francisco: «Ieri il corpo della cinquantenne Eleonore Dumont è stato trovato sulla strada, a circa un miglio dalla città. Nella mano destra stringeva una fiala vuota di veleno e il procuratore distrettuale ritiene che il decesso si debba attribuire a suicidio». Oh, sì. I miei sospetti, i miei timori, i miei dubbi, nascondono in realtà una dolorosa certezza e l'unica domanda da porre è se Anastasìa seppe mai di quel suicidio. Se nel decennio successivo esso influì o no sulla sua vita poi sulla sua scelta di regalarsi una morte prematura. Ma la risposta affoga nel buio, visto che da San Francisco anzi dall'America se ne andò un anno prima che Irene McCready alias Eleonore Dumont si uccidesse, e comunque l'interrogativo che a questo punto mi preme è un altro.

Aveva trentadue anni, l'anno in cui se ne andò. Ed era ancora bellissima. Forse più bella di quando l'Innominato aveva perso la testa per lei. I suoi lineamenti s'erano fatti più intensi, il suo corpo s'era fatto più scultoreo, e dalla sua malìa emanava un fascino nuovo. Il fascino delle donne che hanno visto molto e capito troppo, che al bene e al male guardano quindi con indulgente o divertito distacco, e che per sedurre non hanno più bisogno dell'avvenenza fisica o delle toilettes alla moda. (Fatica alla quale non si sottraeva, comunque. Tramontata la crinolina, ora indossava le gonne che fasciavano i fianchi ed enfatizzavano il retro con un iperbolico fiocco o un gran nodo di stoffa ritto sul sedere. Il cosiddetto pouf o coulisson. Portava straordinari cappelli adorni di veli e di piume, calzava stivaletti col tacco alto sei o sette centimetri. Esibiva squisiti ombrellini di pizzo, squisite borsette con la cerniera d'oro o d'argento, e niente Smith-Wesson. Niente Colt, niente abiti maschili). Era anche ricca. Assai più ricca di quanto lo fosse stata arrivando. Oltre alla mansion possedeva azioni della Central Pacific e dell'Union Pacific, i due rami della ferrovia transcontinentale, e ciò le consentiva stravaganze come tenere un palco fisso al Teatro dell'Opera. Infine era diventata a suo modo potente. Status che le derivava, suppongo, dal privilegio di gestire una clientela autorevole ergo sottoposta al ricatto. E San Francisco le piaceva. Nel 1878 era la perla della California, dell'intero Far West, San Francisco. La chiamavano la Parigi del Pacifico e le avventuriere del suo tipo vi si stabilivano indisturbate. Avrebbe potuto continuare a viverci, dunque. Invecchiarci, concludere lì il suo passaggio nel Tempo. Perché preferì andarsene, restituirsi alla piccola città di provincia nella quale aveva sofferto il peggior trauma della sua vita, insomma a Cesena? Quale fu la molla che la spinse a tale decisione? Un amante fastidioso, un protettore pericoloso? Un rovescio finanziario, un pasticcio legale? Oppure un sopravvenuto disgusto per un mestiere che se la mia tesi è valida, la mia certezza giustificata, procurava tanti soldi quanta vergogna? Ciascuna di queste ipotesi ha un senso, ovvio. Ma io credo che il motivo di quell'ennesima fuga sia stata la brutta bambina che aveva lasciato dentro la Ruota del Santissimo Crocifisso, cioè un irresistibile richiamo della maternità sempre rifiutata o soffocata sotto le coltri della ribellione. Non era mai rimasta incinta dopo aver partorito la nonna Giacoma. («Mai. Assolutamente mai. Ogni volta sono riuscita a evitarlo. Lo giuro» avrebbe confidato al nonno Antonio, ed ecco un altro particolare prezioso). Non aveva mai conosciuto l'amore di una creatura o per una creatura che fosse carne della sua carne. E col richiamo della maternità non si scherza. A volte non esiste, d'accordo, e l'assenza si rivela con delitti mostruosi: neonati seviziati, uccisi, gettati nella spazzatura, scelleratezze che nessun castigo basta a punire. A volte tace e il silenzio si manifesta con l'incuria o con l'abbandono. Quando il silenzio cessa, però, subentra un frastuono che assorda. Un terremoto che davvero muove le montagne, devia il corso dei fiumi, muta la topografia degli oceani. Così in quel caso tutto diventa possibile. Tutto. Perfino che un'Anastasìa rinunci a San Francisco per tornare a Cesena.

Partì in treno, stavolta, carica di bauli e diretta a New York. Completata nel 1869, la ferrovia transcontinentale costituiva ormai l'orgoglio degli Stati Uniti. Il viaggio da San Francisco a New York durava solo una settimana, e

696

via i continui cambi di stazione. Via i sedili di legno, via la classe unica. Essendo ricco lo facevi addirittura su comodi sleeping-car le cui cabine sembravan camere di grandi alberghi. Ampi letti di legno intarsiato o di lucido ottone, materassi morbidi, bagni, salottini, servizio impeccabile. Naturalmente lei prese lo sleeping-car e dal finestrino d'una di queste cabine rivide i paesaggi che diciannovenne aveva solcato a bordo d'una scomoda diligenza. Gli interminabili deserti, le sterminate pianure, le invalicabili montagne, le vallate, le gole dove gli Apaches e gli Arapahos e i Comanches e i Sioux continuavano invano a difendere le loro terre profanate dai Visi Pallidi cioè dal cinismo del progresso e dalla cretineria dei suoi interpreti. Ruotando vittorioso sui binari che in quegli anni i paria di tutto il mondo avevano steso per pochi dollari la settimana e spesso al prezzo della propria vita, il treno passò anche da Salt Lake City dove Rebecca s'era spenta subito dopo averla aiutata a scappare e dove Lydia si chiedeva ancora che fine avesse fatto la promessa sposa di suo marito. (Marianne non aveva più messo piede in città. Ormai totalmente schiava del signor Dalton che ferito dall'umiliazione non s'era più preso nuove mogli, vegetava e figliava a Rockville). Passò anche lungo la pista dove il tenente trafitto dalla freccia aveva emanato l'ultimo respiro sussurrandole Miss-Demboska-I-love-you, e dove togliendosi la parrucca lei aveva messo in fuga gli indiani. Passò anche da St. Joseph dove nei due giorni di furibonda passione Bill il Selvaggio le aveva insegnato a sparare e dove per non venir scotennata s'era rasata la testa a zero. Sicché mi domando che cosa pensasse, come si sentisse, mentre ripercorreva all'inverso le tappe del suo periodo leggendario. Ma neppure su questo ho elementi, neppure su questo la mia memoria genetica trattiene ricordi. Se tento di sollecitarli, trovo solo l'immagine d'una seducentissima donna che seduta sulla poltrona dello sleeping-car fuma una sigaretta dopo l'altra e con sguardo enigmatico fissa lo scenario al di là del finestrino. A New York (ecco qualcosa che raccontava) scese al Fifth Avenue Hotel e si preoccupò soltanto di trasferire a Cesena il denaro che portava con sé, ventimila dollari pari a centomila lire, e compiuta l'operazione si chiuse in camera. Vi restò quarantott'ore senza cercare nessuno. Non si curò nemmeno di recarsi in Irving Place, varcare la soglia della casa in cui era stata accolta con tanta generosità, riabbracciare Louise e John Nesi, chiedergli scusa. (Gliene mancò il coraggio? Probabilmente sì. Il coraggio è una strana faccenda. Magari si scatena quando devi combatter gli indiani o sfidare a duello Joe lo Svelto, e svanisce quando devi chiedere scusa a qualcuno). Per non imbattersi in volti conosciuti evitò addirittura di consumare i pasti in pubblico. Allo scadere delle quarantott'ore riemerse da quella clausura, fece mettere i bauli su una carrozza, e nascosta sotto un grande cappello a gronda si diresse verso i moli dello Hudson River. Con un passaporto americano intestato ad Anastasìa Le Roi, s'imbarcò su un piroscafo diretto a Genova. Riattraversò l'Atlantico, rientrò zitta zitta in Italia.

* * *

Eran successe molte cose, nel frattempo, in Italia. Cose che lei ignorava o di cui aveva avuto a malapena sentore leggendo di tanto in tanto un giornale che parlava dell'Europa. Nel 1866, dopo un segreto patto d'alleanza con la Prussia, era scoppiata la terza guerra d'Indipendenza e gli italiani erano stati di nuovo battuti dagli austriaci a Custoza. (Poi a Lissa, nell'Adriatico). Contemporaneamente, però, era scoppiata quella tra Austria e Prussia. La Prussia aveva vinto, e gli austriaci avevan dovuto rinunciare al Veneto che con un plebiscito era tornato alla madrepatria. Evento per cui i rapporti tra gli ex oppressi e gli ex oppressori s'eran del tutto rovesciati: nel 1873 Vittorio Emanuele II era andato in visita a Vienna dove Francesco Giuseppe lo aveva accolto con baci e abbracci, nel 1875 Francesco Giuseppe aveva restituito la cortesia andando a Venezia dove Vittorio Emanuele II lo aveva accolto con pranzi di gala e balli e applausi. «I conflitti del passato sono sepolti.» (Così va il mondo, cari miei. E chi muore, giace. Chi vive si dà pace). Sempre in seguito a uno sgambetto della Storia che ogni poco trasforma i nemici in amici, gli amici in nemici, alla madrepatria era tornato anche l'ultimo lembo di terra in mano allo straniero ed ora la capitale non stava più a Firenze. Stava a Roma. Nel 1867, infatti, i patrioti romani erano insorti. Garibaldi era accorso in loro aiuto e a Mentana era stato sconfitto dai francesi di Napoleone III (protettore di Pio IX, rammenti) che coi fucili Chassepot a retrocarica avevan respinto i suoi volontari equipaggiati di vecchi moschetti ad acciarino. Nel 1870, però, Napoleone III aveva ritirato quel contingente ed era sceso a sua volta in campo contro la Prussia. Caduto prigioniero a Sédan aveva perso sia la guerra che il trono, scomparso lui il governo italiano aveva deciso d'occupare Roma, e le truppe del generale Cadorna v'erano irrotte con un paio di cannonate costringendo il papa ad accontentarsi di mezzo chilometro quadro. (Evento da cui era nata l'amnistia grazie alla quale Giuseppe Mazzini, il mese precedente arrivato da Londra e arrestato a Palermo poi incarcerato a Gaeta, non aveva ripreso la via dell'esilio).

Quanto alle vicende di politica interna, mioddio. Se eri digiuno di notizie come lei, non ti raccapezzavi più. Società operaie ben organizzate, scioperi in massa per ottenere aumenti salariali e diminuzioni delle ore lavorative, risse furibonde tra compagni o quasi compagni di fede cioè tra i seguaci dei due nuovi messia, insomma Marx e Bakunin. Nel 1871 la Francia tornata repubblicana aveva represso nel sangue il tentativo rivoluzionario esploso con la Comune di Parigi. (Trentamila cadaveri in otto settimane). Inorridito da tali eccessi Mazzini s'era staccato dall'Internazionale che invece li applaudiva. Il grosso dei suoi discepoli s'era unito ai socialisti di Marx o agli anarchici di Bakunin, guidati da Carlo Cafiero quest'ultimi erano diventati la maggioranza, e nonostante le repressioni della polizia tutto s'era tinto di rosso. Nel 1876 la sinistra era andata al potere con Agostino Depretis. Del resto anche fuori della politica il paese non si riconosceva. Fabbriche moderne, industrie siderurgiche e metalmeccaniche. Lavori di alta ingegneria, sviluppo tecnologico. Nel 1871 era stata aperta al traffico la galleria del Fréjus, la montagna delle Alpi occidentali che prima valicavi per recarti dal Piemonte nella Savoia. Nel 1872 era iniziato il traforo del Gottardo, il picco delle Alpi Lepontine attraverso il quale passavi nella Svizzera interna. Nel 1876 era stato inaugurato l'omnibus ossia il tranvai a cavalli, veicolo che consentiva il trasporto di ventiquattro passeggeri seduti. Nel 1877, a Milano, un elicottero a vapore costruito da Enrico Forlanini (il futuro padre dell'idroplano) s'era sollevato di ben tredici metri per ben ventun secondi. E il medesimo anno erano avvenuti i primi esperimenti positivi di luce elettrica, la meraviglia con cui si contava di sostituire le lampade a gas, nonché le prime prove dello stupefacente arnese che Antonio Meucci aveva inventato e Alexander Bell impunemente copiato: il telefono. (Allora detto Telegrafo Parlante). Sempre a Milano, tra i pompieri di Palazzo Marino e i tranvieri di Porta Venezia, s'era svolto un dialogo storico: «Prontooo! Ci sentite davveroooo?». «Sì, porca miseriaaa! Sembrate proprio qui accanto a noiiii!» Infine, Tante Jacqueline a parte, eran morte molte persone in modo diretto o indiretto connesse al passato di Anastasìa. Nel 1871, la dolce amica che l'aveva consigliata di sgravarsi a Cesena e attraverso il Valzania aiutata a fuggire in America: Giuditta Sidoli. Nel 1872, Giuseppe Mazzini. Nel 1873, Nino Bixio e Urbano Rattazzi e Gabrio Casati. All'inizio del 1878 Vittorio Emanuele II e, dulcis anzi amarus in fundo, l'Innominato. Sì, l'Innominato. Era morto all'improvviso in uno dei suoi bei palazzi, senza aver saputo più nulla dell'aspide insomma della orgogliosa ragazza per cui nel 1864 aveva perso il senno. E senza curarsi d'aver generato con lei una figlia che per il mondo sarebbe sempre stata figlia di nessuno ma che fin dalla nascita gli assomigliava come una goccia d'acqua assomiglia a un'altra goccia d'acqua. (Particolare che non minacciava in alcun modo il prestigio della legittima consorte e dei legittimi discendenti, intendiamoci. A quell'epoca le indagini sulla paternità non erano consentite. Le proibiva l'articolo 189 del Codice Civile).

Quanto alla goccia d'acqua, stava per compiere i quattordici anni e viveva a Longiano: un bel paesino sorto nel milleduecento dal feudo dei Malatesta, arroccato su una collina da cui ti godevi uno dei panorami più incantevoli della Romagna e distante dodici chilometri da Cesena. Neanche sospettando d'avere avuto metà sangue blu sfacchinava dalla mattina alla sera, e sia pure nella versione italiana portava il nome e cognome suggeriti dal foglietto col quale era stata messa dentro la Ruota. «Je vous demande la courtoisie de l'appeler Jacqueline Ferrier.» Tra le carte del Santissimo Crocifisso, infatti, ce n'era una che diceva: «Addì 1 gennaio 1865. Oggi io don Giuseppe Biondi ho battezzato una putta di padre ignoto e madre ignota che la scorsa notte fu abbandonata nel nostro ospizio. Per desiderio della persona che l'abbandonò l'ho chiamata Giacoma Ferrieri». E in quel senso le era andata liscia. Non di rado ai neonati che finivan dentro la Ruota venivano imposti cognomi talmente crudeli: Castrati, Disgraziati, Esecrati. Sconosciuti, Malaccorti, Imprudenti. Cornacchietti, Bastardi, Bastardini. Alle femmine, anche nomi assurdi o canzonatori: Salomè, Cleòpatra, Vereconda, Caia, Sempronia... Nel resto, però, di fortuna ne aveva avuta ben poca. Lo dimostra il Registro Matricolare che annota i suoi spostamenti e ciò che lei stessa mi raccontò il fatale giorno in cui ruppe il segreto sul mio esimio bisnonno. Negli ospizi, mi raccontò, il latte materno scarseggiava. Le balie preferivano darlo ai rampolli delle signore per cui allattare era una cosa sconveniente, e gli esposti venivan spesso nutriti con latte di capra o di mucca o d'asina non sterilizzato anzi inacidito. Ergo, nelle prime quarantott'ore di vita era quasi morta di dissenteria. Quasi morta il 4 gennaio era stata consegnata al falegname Federico De Carli e a sua moglie Adelaide che aveva appena partorito il terzogenito, quindi poteva nutrirla con latte materno, e i De Carli se l'eran portata a Longiano dove abitavano in via Santa Maria 25. Qui l'avevan guarita e tenuta dieci anni. «Fuori dell'ospizio il baliatico d'un trovatello fruttava due lire e mezza al mese, capisci. La custodia postsvezzamento, due lire più un guardaroba annuale che includeva le scarpe e un'eventuale ricompensa in grano o in farina. La tutela durante l'età impubere, una lira e mezza più il diritto d'impiegarlo o impiegarla nei lavori domestici.» A Longiano era andata a scuola. Aveva imparato sia a leggere che a scrivere, e pazienza se ciò le era servito soltanto a studiare i dogmi della fede cattolica. Pazienza se Federico e Adelaide, cattolici molto osservanti, sfornavan di continuo bambini che poi lei doveva lavare, cullare, portare in braccio. Entrambi le volevano bene e se avesse potuto in quella famiglia sarebbe rimasta per sempre. Il guaio è che conclusi i dieci anni il Santissimo Crocifisso l'aveva tolta di lì e affidata a una coppia di vecchi coloni che non avendo prole si dichiaravan disposti ad adottarla. I sessantenni Gaetano e Luigia Raggi, anch'essi di Longiano. Invece d'adottarla i Raggi l'avevan messa a dissodar la terra, guardar le pecore, pulir le stalle, e questo calvario era durato ben diciotto mesi. Cioè finché il prete addetto ai controlli l'aveva ricondotta, indignato, all'ospizio. Peggio: tre settimane dopo, l'ospizio l'aveva scriteriatamente assegnata a un certo Polini. Scapolo di Cesena che cercava una sguattera. Con l'umiltà d'una sguattera lo aveva sopportato finché nel marzo del 1878 era scappata piangendo e...

«Perché eri scappata piangendo, nonna?» le domandai a quel punto.

Mi fulminò col suo unico occhio e in romagnolo, lingua alla quale ricorreva quando si arrabbiava, mi rispose con tre parole.

«Làssia perd, lascia perdere, làssia.»

Poi l'occhio si rabbonì un poco.

«Federico e Adelaide, no. In quel senso erano gentili, loro. I num 'mnevan mai e i num me manchevan mai ad respect. Non mi picchiavano mai e non mi mancavano mai di rispetto.»

A Longiano ora viveva di nuovo coi De Carli che impietositi se l'eran ripresa per tenerla come bambinaia del sestogenito Vincenzo e della settimogenita Olinda. Ci viveva da fervente cattolica e tutto contribuiva a renderla tale. Lo zelo religioso di quella famiglia. La presenza d'un santuario anzi d'un Cristo che portava lo stesso nome dell'ospizio, Santissimo Crocifisso, e che i longianesi veneravano perché nel 1493 una giovenca destinata alla mensa dei frati s'era inginocchiata sulle zampe anteriori dinanzi alla sacra immagine e invece di finir arrosto o bollita s'era spenta di vecchiaia in una stalla colma di ex voto. E, soprattutto, la casa di via Santa Maria 25. I De Carli abitavano infatti accanto alla minuscola chiesa eretta tre secoli addietro per custodire un altro oggetto sensazionale: l'icona della Vergine che nel 1506 aveva versato una dozzina di lacrime e che per via di ciò chiamavano Madonna delle Lacrime.

Questo le consentiva d'andare alla Messa ogni giorno, e ogni giorno confessarsi, comunicarsi, dire un *Salve Regina* ai piedi di colei che stando al parroco aveva compiuto il miracolo di sottrarla alle grinfie dei Raggi poi alle insidie del Polini. Le piaceva tanto, la Madonna delle Lacrime. Aveva due belle guance paffute, indossava una bella veste cremisi e trapunta di stelle, col braccio destro reggeva un bel bambolotto che probabilmente era il Bambin Gesù, e dal suo volto mesto emanava una dolcezza così intensa che i *Salve Regina* si concludevan sempre con un sospiro.

«Ah, se mia madre ti assomigliasse!»

Qualcosa che sua madre, proprio a causa dei Santi e delle Madonne nata senza un'identità giuridica e cresciuta senza credere in Dio, non immaginava davvero. Tornando in Italia, del resto, Anastasìa non sapeva nemmeno se la brutta bambina messa dentro la Ruota fosse sopravvissuta e se in tal caso sarebbe riuscita a ritrovarla nonché ad ottenerne il perdono. Ma ogni fibra del suo corpo le diceva che era viva, che l'avrebbe ritrovata, che ne avrebbe ottenuto il perdono. E con questa certezza, appena giunta a Genova, salì su un treno che portava a Cesena. Nell'ansia di arrivarci presto, vincere presto l'ultima battaglia, dimenticò perfino d'andare a Torino: cercar la tomba della Tante Jacqueline e di Giuditta Sidoli, depositarvi un fiore.

18

Io raggelo mentre coi suoi bauli e la sua certezza, il suo fascinoso cappello a gronda e il suo provocante abito a coulisson, scende di nuovo a Cesena: la città che ha la forma d'uno scorpione cioè d'un animale uso a uccider sé stesso, e che nella percentuale dei suicidii è rivale di Parigi. Raggelo perché la settimana scorsa un uomo s'è

buttato sotto il treno che veniva da Bologna e un altro s'è
buttato nel Savio, il fiume che scorre fuori delle mura e
che nell'Adriatico sbocca poco lontano dal punto in cui
finì il cadavere di Marguerite. Ieri una vecchia s'è anne-
gata dentro il Cesuola, il canale che attraversa il centro
storico e che passando sotto le mura si unisce al Savio.
Stamani una ragazza ha fatto lo stesso saltando dallo
Sciacquador ad Palazz, il lavatoio pubblico che sta nella
parrocchia di Sant'Agostino, e un testimone ha riferito:
«Aveva un sorriso di felicità». Il settimanale «Satana», organo della sinistra cesenate, è uscito inoltre con un articolo che in sostanza redime il suicidio. «Uccidersi, tornare in seno alla Grande Madre,» dice «può essere un atto
di follia o viltà, sì, ma anche un gesto di coraggio e una
scelta imposta dalla necessità. Nel caso d'una persona
consapevole e responsabile delle sue azioni, infatti, l'istinto di sopravvivenza cede soltanto alla convinzione che la
vita sia un male. La morte, un bene.» La tragedia che
scoppierà tra undici anni è già nell'aria, insomma. Eppure lei non l'avverte, non la prevede. È ancora l'impavida
donna che andò in America, attraversò le praterie, sparò
agli indiani, si fidanzò con un poligamo, sposò un baro,
sfidò a duello il suo assassino, divenne giocatrice d'azzardo e pure Madame d'una parlor-house. Con passo risoluto esce dunque dalla stazioncina dove stavolta non
l'aspetta nessuno, e sale sulla carrozza. Si fa condurre al
signorile Leon d'Oro: l'albergo situato sull'angolo della
piazza che nel 1864 si chiamava piazza Maggiore ed oggi
si chiama piazza Vittorio Emanuele II. Con piglio sicuro
vi entra e porgendo il passaporto intestato ad Anastasìa
Le Roi, cittadina americana residente a San Francisco,
prende una camera che costa tre lire al giorno cioè più di
quanto l'ospizio pagava in un mese ai De Carli perché al-
levassero l'esposta avvelenata dal latte inacidito. Una camera di lusso, s'intende. Le ampie finestre si spalancano

sulla piazza, i mobili e i tendaggi sono degni della Parisian Mansion, e gli armadi hanno lo spazio necessario a contener l'incredibile guardaroba che due cameriere levano dai bauli esclamando: «Ac maraveja, che meraviglia, signora!». In fretta si cambia e seguita da occhiate fameliche, estatici sussurri, esce dall'albergo. Va a processarsi nei luoghi che una gelida notte d'inverno furon testimoni del suo egoismo. Vicolo Madonna del Parto, la casa in cui si sgravò dell'intrusa e da cui uscì per disfarsene mentre la gente brindava al nuovo anno e gettava la roba vecchia nella neve. Via Fattiboni, il muro mai illuminato, lo sportello con la scritta «In dolore pietas. Infilare il pargolo qui». C'è ancora, la Ruota. In quasi tutta l'Italia l'hanno abolita. A Cesena, no. Così si ferma a guardarla e senza assolversi rivede quella specie di vassoio che gira, quella piccola mano tesa, quegli occhi pieni di stupore. Senza perdonarsi riode lo uè-uè e il din-don della campanella che avverte il guardiano. Quindi volta le spalle, decisa. Imbocca via Dandini e si dirige verso la casa di Eugenio Valzania. Niente l'autorizza a pensare che lo troverà, ovvio, e avvicinandosi teme che sia finito anche lui sottoterra. Invece è proprio il baffuto Palanchino che le viene incontro, che per qualche secondo la fissa come se dinanzi a sé avesse un fantasma, e che d'un tratto esplode in un bercio incredulo e festoso.

«Cum vegna un colp, che mi venga un colpo!»

Poi l'abbraccia, la porta in salotto, la investe di domande. Dove è stata in questi anni, che ha fatto, chi ha sposato. Perché non ha mai risposto alla lettera con cui la informava che a Forlì avevan notato la scomparsa del modulo, perché è scomparsa nel nulla, perché è tornata...

«Perché voglio riprenderla, Eugenio.»

«Chi?!? La burdèla, la bambina?!? E in che modo?»

«Non lo so ma voglio riprenderla.»

«La po' ser morta, può esser morta...»

«È viva, Eugenio. Lo sento. E con le buone o con le cattive voi mi aiuterete a riaverla.»

Non potrebbe dirlo a persona più adeguata. Se ti serve qualcosa di speciale o di illecito, a Cesena, non hai che rivolgerti al Valzania: ricordi? Inoltre l'epoca degli eroi e degli uomini tutti d'un pezzo s'è chiusa col Risorgimento: anche qui, ora, esiste il Far West. Anche qui comandano i violenti, i prepotenti, gli intriganti, i furbi. E nessuno lo dimostra meglio di questo strano rivoluzionario che in barba ai nobili sogni si divide tra il diavolo e l'acqua santa. Questo bizzarro faccendiere che barcamenandosi tra mazziniani e garibaldini, radicali e moderati, anarchici e socialisti, da almeno un decennio domina sulla caotica sinistra romagnola e al medesimo tempo riesce a fornicare con gli antichi tiranni. Nel 1866 fu alla terza guerra d'Indipendenza: vero. Nel 1867 combatté a Mentana e in entrambi i casi si coprì di gloria. Ma al ritorno quella gloria la usò cinicamente per i suoi personali interessi, le sue personali ambizioni, e si comportò da farabutto. Ordinò addirittura, raccontano, gli efferati delitti con cui le squadracce rosse gli eliminarono tre compagni onesti e quindi scomodi. Il vecchio Giuseppe Comandini, l'ex leader della Banda del Revolver, che deluso dalla politica s'era aperto una botteghina di calzolaio e che a causa delle sue critiche venne sgozzato mentre risuolava le scarpe. Il giovane Pietro Nori, già sottufficiale a Mentana, che altrettanto deluso s'era opposto all'assassinio e che per tale motivo venne letteralmente squartato. Il fedele Giuseppe Martini che a Mentana s'era rifiutato d'andare per non rendere un favore alla monarchia e che con l'accusa di traditore venne sconfitto da diciannove pugnalate. In barba ai nobili sogni, durante quel periodo diventò ricco. Sai come? Comprando a basso prezzo i beni ecclesiastici che il governo aveva requisito. Grazie a quell'acquisto oggi possiede stabili per un valore di 128.734 lire e sessantasette ettari di campi che insieme ai prodotti agricoli gli assicuravano il voto dei contadini. Figura nell'elenco dei notabili più facoltosi e, quasi ciò non bastasse, presiede la Banca Popolare. È un personaggio potente, insomma, un padrone della città. Infine è l'uomo che nel 1864 accolse a braccia aperte una diciottenne incinta e disperata, le fornì l'alloggio e la levatrice, le procurò il passaporto falso, la mise in contatto coi Pastacaldi, le organizzò la fuga. Sa bene che la donna sbocciata da quella diciottenne ha il coraggio di una tigre e la fermezza d'un macigno, che non bada a scrupoli, che per riaver sua figlia sarebbe capace di uccidere. Senza esitare, dunque, risponde che sì: con le buone o con le cattive l'aiuterà. Il guaio è che la signora Le Roi, cittadina americana residente a San Francisco, non può dimostrare d'averla partorita. Quel biglietto in francese non basta, la testimonianza della levatrice nemmeno. E alla Sovrintendenza dell'ospizio ci sta un osso duro: il marchese Ludovico Ceccaroni che per il presidente della Banca Popolare ha un odio inguaribile. Alla direzione, un osso ancor più duro: l'ultracattolico Ferrante Zamboni che per i regolamenti ha un culto quasi religioso. Bisogna muoversi con astuzia e cautela, dunque. Non aver fretta e ammesso che la bambina sia davvero viva finger di credere alla possibilità di riaverla in modo legale. Strategia da condurre attraverso la lettera d'un avvocato che con quella scusa riesca a scoprire come si chiami, dove risieda, chi l'abbia in custodia. Nel frattempo, però, lei deve tacere e tenersi lontana dal Santissimo Crocifisso.

«Lontana...?»

«Lontana, lontana. Non siete certo il tipo di madre per cui quei due baciapile mi farebbero un favore. Perdio, anche se vi vestite da monaca si capisce subito che la vostra anima è nera quanto la mia!»

«Ne convengo, Eugenio.»

La lettera partì un paio di giorni dopo, diretta a Ferrante Zamboni, e diceva: «Egregio Signor Direttore, in qualità di legale vengo a noiare la Signoria Vostra Illustrissima per una questione assai delicata. La notte dell'1 gennaio 1865 nella Ruota di cotesto Spettabile Ospizio venne lasciata una creatura di sesso femminile tra le cui fasce era stato posto un biglietto che in lingua francese indicava l'ora della nascita, le ventiquattro del 31 dicembre 1864, e pregava di chiamarla Jacqueline Ferrier. Per conto della di lei madre che sul momento preferisce mantenere l'anonimato ma che è ovviamente pronta a rivelarsi, chiedo alla Signoria Vostra Illustrissima se tale esposta sia in vita e se fu battezzata col nome e cognome richiesti. Chiedo altresì che la Signoria Vostra Illustrissima si compiaccia di fornire i dati relativi al suo luogo di dimora e alle persone incaricate della sua custodia. Nell'istintiva certezza che sia viva l'angosciata madre brama infatti riaverla e adempiere ai doveri che per un insieme di tragiche circostanze è stata finoggi costretta ad eludere. Sottolineo che detta madre gode di agiate condizioni economiche. Esaudire il suo sogno andrà dunque a tutto vantaggio della fanciulla, le assicurerà un futuro opulento e felice». La risposta giunse la settimana seguente e diceva: «Egregio Signor Avvocato, dai Registri Matricolari del Santissimo Crocifisso risulta che effettivamente nelle prime ore dell'1 gennaio 1865 una creatura di sesso femminile venne lasciata dentro la Ruota del pio istituto. Tale creatura è viva, corrisponde al Numero 208 dell'albo segreto, e sta sotto la nostra tutela. In caso di matrimonio celebrato con rito religioso e con un cittadino a noi gradito riceverà peraltro una dote di lire centocinquanta. Ecco le informazioni che il Regolamento mi autorizza a fornirLe. Quale uomo di legge dovrebbe del resto sapere che ci è vietato palesare a estranei il nome e cognome d'un illegittimo in età minorile, il nome e cognome dei custodi incaricati e il loro indirizzo. Dovrebbe eziandio sapere che la restituzione al genitore che lo abbandonò avviene soltanto se costui o costei esibisce un certificato di deposito redatto a suo tempo dall'ospizio oppure un contrassegno che provi in modo inequivocabile il gesto dell'abbandono stesso. Alludo alla metà combaciante d'una medaglia o d'una moneta o d'una banconota o d'una immagine sacra o di un qualsiasi oggetto la cui altra metà sia stata trovata addosso alla creatura. E nel caso dell'Esposta Numero 208 i Registri Matricolari non citano né il certificato di deposito né il contrassegno. Lei parla, sì, d'un biglietto che in francese forniva l'ora della nascita e suggeriva un certo nome e cognome. Ma esso non è agli atti e, se vi fosse, in quanto intero e suppongo privo di firma non avrebbe valore di prova. Egregio avvocato: l'angosciata madre di cui sottolinea le agiate condizioni economiche, non le virtù morali e la fede cristiana e il credo cattolico, potrebbe esserne venuta a conoscenza per caso o per mercede e servirsene allo scopo di procurarsi una progenie non sua. Concludo segnalandole che la tutela del Santissimo Crocifisso cesserà il 31 dicembre 1879, quando la fanciulla avrà raggiunto il quindicesimo anno d'età e verrà da noi collocata presso individui di totale fiducia. Vale a dire presso un nucleo familiare di indiscusse virtù morali e fede cattolica. Attributi che a nostro avviso contano più della ricchezza».

«Miseria boia, non mi sbagliavo a tenervi lontana da quei baciapile!» ruggì il Valzania leggendo la frase finale. Poi sguinzagliò una squadraccia di segugi pronti a tutto, e nel giro di due settimane questi portarono i dati che lo Zamboni non voleva riferire. Portarono anche una notizia che Anastasìa non si aspettava, e insieme alla notizia un consiglio al quale il Valzania si associò. I De Carli, dissero, non avevano alcuna voglia di rinunciare a Giacoma Ferrieri. E Giacoma Ferrieri non aveva alcuna voglia di rinunciare ai De Carli. Li amava molto, e in ugual misura amava il loro figliolame. Sono-i-miei-genitori-adottivi, i-miei-fratelli-e-le-mie-sorelle, non-chiedetemi-di-separarmene. Del resto erano i De Carli il nucleo familiare di indiscusse virtù morali e fede cristiana e credo cattolico presso cui il 31 dicembre 1879 cioè al quindicesimo anno d'età l'ospizio intendeva collocare l'Esposta Numero 208. Valeva dunque la pena battersi, opporsi al destino? L'infelice madre avrebbe fatto meglio a tornare in California e mettersi l'animo in pace. Oppure accontentarsi di vederla e basta. Tanto per vederla e basta non c'era che da recarsi a Longiano e infilarsi nella chiesina attigua alla casa di via Santa Maria 25. Pora burdèla, povera figliola, non si stancava mai di biascicarci orazioni e giaculatorie. Specialmente all'ora della Messa e del Vespro la trovavi sempre lì.

* * *

Vi si recò una domenica di fine novembre, zitta zitta e ben attenta a passare inosservata. Niente cappelli fascinosi, niente coulisson provocatori. Niente ombrellini di trina, niente profumo, e in via Santa Maria niente carrozza. Vi andò all'ora del Vespro cioè a buio, rassegnata a seguire il consiglio e in preda a una paura mai provata nella sua vita senza paura. Con gambe tremanti varcò la soglia della minuscola chiesa, sedette sulla panca dell'ultima fila. La fila presso la porta. Con pupille inquiete scrutò nella penombra appena rischiarata dai ceri e dalle candele, cercò la figlia della quale ignorava persino il colore dei capelli. E non trovò nessuno. Il parroco non aveva ancora suonato le campane della sera e le panche erano vuote. Era vuoto anche il confessionale, il presbiterio, l'altare sopra il quale spiccava l'icona d'una mesta Madonna avvolta in un manto cremisi e adorno di stelle. Ciò le dette uno strano sollievo, quasi una sensazione di scampato pericolo, e per qualche minuto rimase lì ad assaporare la speranza d'aver compiuto un viaggio inutile. A un certo punto, tuttavia, si rese conto di non essere sola. Frugò di nuovo nel riverbero dei ceri, delle candele, e sì: c'era qualcun altro a trenta metri da lei cioè nella prima panca. Una vecchietta, no, una ragazzetta che in ginocchio e rivolta alla mesta Madonna pregava. Lo strano sollievo si dissolse. La paura riemerse con un tuffo al cuore e il bisogno di guardarla in faccia. Standole dietro non poteva scorgerne che la nuca e la schiena, capisci. La nuca coperta da una pezzuola marrone e la schiena infagottata dentro uno scialle da contadina. Eppure il sospetto che si trattasse di Giacoma le chiudeva la gola, le toglieva il respiro. Fece il gesto d'alzarsi. Se ne pentì, si rimise a sedere, e mentre si rimetteva a sedere la ragazzetta concluse la preghiera. Lasciò la panca, voltò le spalle all'icona, incominciò ad avanzare verso l'uscita. E il sospetto divenne certezza. Perché sotto la pezzuola marrone e lo scialle da contadina c'era la copia esatta dell'Innominato. Gli stessi occhi, mioddio. Lo stesso naso, la stessa bocca, la stessa fisionomia. E la stessa espressione severa, la stessa austera dignità. Una dignità che nemmeno le povere vesti e le scarpe slabbrate riuscivano a cancellare. Scattò in piedi, allibita. Vincendo l'impulso di correrle incontro, gridarle sono-tua-madre, ama-me, vieni-via-con-me, continuò a fissarla. E Giacoma se ne accorse. Giunta dinanzi a lei si fermò e la fissò a sua volta, perplessa. «Mi chiesi chi fosse,» raccontava quando la inducevi a parlare di quell'episodio «e per quale motivo fosse scattata in piedi, avesse preso a guardarmi con tanta insistenza. Mi chiesi anche se la conoscessi, e per un attimo mi parve d'averla già incontrata. Chissà in che luogo, chissà in quale circostanza. Poi sentii un gran freddo. Il freddo dell'inverno, della neve. Ricordai un oggetto che girava, una campanella che suonava, e pensai: Gesù, non sarà mica mia madre?!? Ma subito mi risposi di no. Era troppo bella. Troppo bionda, troppo alta, troppo elegante, troppo diversa da me. Inoltre mia madre io la immaginavo identica alla Madonna delle Lacrime, con le guance paffute e il viso più dolce d'un fico maturo. Le sue guance erano scavate, il suo viso era più aspro d'un limone. E respinto quel pensiero aspettai che dicesse qualcosa. Non aprì bocca e allora ricominciai ad avanzare. Uscii dalla chiesa, rientrai a casa. Con parecchio subbuglio nella testa, però, con parecchi dubbi. Infatti Adelaide esclamò: "Che t'è successo? Sei pallida come una morta. Sembra che tu abbia visto il diavolo!".»

Il diavolo rientrò a Cesena con le idee ben chiare, invece. L'incontro l'aveva restituita al suo sangue freddo, alla sua mancanza di scrupoli, e lasciando Longiano s'era già scrollata di dosso ogni rassegnazione. Accontentarsi d'averla guardata in faccia, disse al Valzania, tornare in California e mettersi l'animo in pace? Mai. Non gliene importava nulla che Giacoma amasse i De Carli e che i De Carli amassero lei, che sognasse di restare con loro e che loro sognassero di restare con lei: appena scaduta la tutela del Santissimo Crocifisso se la sarebbe ripresa. In che modo? Comprando l'amore o presunto amore dei suoi rivali, ovvio. Dimenticava forse che tutto si compra, che nessuno resiste al denaro? Bè, in tal caso gli avrebbe rinfrescato la memoria assai presto. Perché li avrebbe comprati, gli pseudogenitori adottivi. Li avrebbe retribuiti, pagati, per convincerli a mollare sua figlia. E a un prezzo ben più alto delle due lire al mese che gli dava l'ospizio. Cinquecento lire, bene? L'equivalente di vent'anni e dieci mesi di custodia, pardon, d'amore. No, mille. L'equivalente di quarantun anni e otto mesi. O duemila, tremila, tutto ciò che possedeva. Tanto di dena-

713

ro ne aveva in abbondanza. Il Valzania si arrabbiò. L'accusò di cinismo, impudenza, ingratitudine. Usando ciò che sapeva sulle sue avventure in America la investì con una requisitoria feroce. Non si vergognava a esporre un simile piano, ruggì, ad approfittarsi dell'altrui povertà e generosità? Dov'era Mademoiselle Ferrier quando i De Carli salvavan la vita della bambina abbandonata dentro la Ruota, quando Adelaide la alimentava e la guariva con il suo latte? A civettare coi passeggeri della lussuosa nave che la portava a New York, ecco dove. A godersela in Irving Place, a corteggiare i bei personaggi della metropoli, a seguire i funerali di Lincoln! Dov'era quando Adelaide le insegnava a parlare e a muovere i primi passi? A viaggiare in diligenza, ecco dove. A incantare gli ufficiali della scorta, a sparacchiare sugli indiani delle praterie, a fidanzarsi coi poligami di Salt Lake City! Dov'era quando Adelaide la mandava a scuola, si preoccupava che imparasse a leggere e a scrivere? A divertirsi nel Far West, ecco dove. A esibirsi in calzamaglia dinanzi ai banditi che cercavan l'argento, ad arricchirsi con le carte da gioco, a mangiar caviale e bere champagne col marito baro! Credeva davvero che bastasse partorire un figlio per dire è-mio, è-mia? Un figlio non appartiene a chi lo genera per regalarlo alla Ruota. Appartiene a chi ne ha cura, a chi lo nutre, lo pulisce, lo addormenta, lo consola, gli insegna a parlare, a camminare, a crescere! Le spiegò pure che il discorso non riguardava tanto i De Carli quanto Giacoma. Se i De Carli avessero ceduto all'offerta, sarebbe stata Giacoma a soffrirne: riceverne un ennesimo trauma, un'ennesima croce. Ma non servì che a esasperare il litigio, incattivirla. Che pensasse alle sue colpe e si risparmiasse la fatica d'impartire predicozzi sulla morale, gli rispose. Se esisteva al mondo un tipo che non ne aveva il diritto, costui era proprio il Valzania. E se il Valzania non voleva più aiutarla, pace. Si sarebbe aiutata da sola. A costo di presentarsi a quei benefattori con una Colt in mano e ficcargliele in gola, quelle cinquecento o mille o duemila lire. Sicché e nonostante una cupa preveggenza lui s'arrese.

«D'accordo, sgnurèna. Me ne occuperò con l'avvocato e speriamo di non pentircene. C'è qualcosa che non va in questa storia. Non vorrei che un giorno vi conducesse a capofitto dentro il Cesuola.»

19

Durarono tutto l'inverno, tutta la primavera e buona parte dell'estate, le trattative condotte dall'avvocato. E in che modo Anastasìa abbia impiegato la lunga attesa io non lo so. L'unica cosa certa (lo diceva il nonno Antonio) è che nel gennaio del 1879 fece ciò che travolta dalla ricerca di Giacoma non aveva ancora fatto: sistemò i ventimila dollari trasferiti da New York. In valuta italiana, ben centomila lire cioè almeno mezzo miliardo d'oggi. Diecimila lire le depositò alla Banca Popolare presieduta dal Valzania. Gesto dal quale non poteva esimersi per gratitudine verso l'amico. Quarantamila, al Credito Mobiliare: una solida banca fondata da grossi proprietari terrieri della Toscana e da esponenti della finanza piemonteselombarda. E cinquantamila le investì in duecento azioni della Cesena Sulphur Company. Mentre lei stava a Virginia City, infatti, nel Cesenate era scoppiata la febbre dello zolfo: minerale di cui grazie alle solfatare siciliane l'Italia deteneva il record europeo, e che in Romagna abbondava specialmente lungo il corso del fiume Savio. Sulle montagne degli Appennini eran stati scoperti nuovi giacimenti, con una foga da cercatori d'oro anche i contadini eran corsi a scavarli, e in un'atmosfera da piccolo Far West erano nate compagnie nazionali e internazionali che sul prodotto speculavano come prima si speculava sull'agricoltura. Tra queste, la Cesena Sulphur Company: una società inglese di Londra che nel 1871 s'era formata con un capitale di 350.000 sterline cioè quasi nove milioni di lire in trentacinquemila azioni da dieci sterline. La controllava Francesco Kossuth, figlio del vecchio patriota ungherese Lajos Kossuth che dagli anni Sessanta viveva in esilio a Torino, e naturalmente investire metà dei propri averi in un'impresa sola era un rischio notevole. Ma agli azionisti Kossuth pagava un dividendo del 10 per cento, su duecento azioni questo fruttava un reddito annuale di cinquemila lire cioè 416 lire al mese, esenti da tasse, ed Anastasìa non esitò.

«Voglio che mia figlia abbia una vita da principessa e che si sposi con una ricca dote.»

Il resto è una serie di punti interrogativi. Rimase sempre a Cesena, in quei mesi, alloggiò sempre al Leon d'Oro, oppure vagabondò per l'Italia che non conosceva? Continuò ad ignorare Torino, il passato che aveva voluto seppellire, oppure vi si recò e finalmente depose un mazzo di fiori sulla tomba della Tante Jacqueline, di Giuditta Sidoli e magari dell'Innominato? Si limitò a frequentare il Valzania oppure si procurò nuovi amici, si mostrò in qualche salotto, sfoggiò le sue favolose toilettes nel foyer del Teatro Comunale? (Nel 1879 al Comunale si davan spettacoli molto acclamati. Opere di Verdi e di Donizetti, balletti come il *Pas-à-deux* all'Ungherese). Tornò una seconda volta a Longiano, rivide non vista la ragazzetta con la pezzuola marrone e lo scialle da contadina e le scarpe slabbrate, oppure si guardò bene dal rimettervi piede? Non lo so, ripeto. Non so nemmeno quale ruolo ebbe nelle trattative condotte dall'avvocato e quale fu la tattica che questi seguì per convincere i De Carli, quale fu la cifra che gli offrì. Cinquecento lire, mille? Tuttavia so che una volta offerta la cifra divennero ansiosi di intascarla, e che la intascarono assai prima del fatidico 31 dicembre. I registri matricolari dimostrano infatti che il 28 luglio 1879 Giacoma era già parcheggiata al Santissimo Crocifisso e da vecchia lei stessa lo confermava spiegando come v'eran riusciti. «Successe il 27 luglio. Dopo cena, rammento. D'un tratto ordinarono ai bambini d'allontanarsi e si chiusero con me in cucina. Federico serio serio e Adelaide mogia mogia. Si scambiarono un'occhiata d'intesa, si raschiaron la gola, e... Sarebbe piaciuto a tutti e due ospitarmi in eterno, farfugliò Adelaide. Non per nulla avevano detto al signor Zamboni che allo scadere della tutela doveva collocarmi da loro. Il guaio è che l'uomo propone e Dio dispone: dacché Dio gli aveva mandato l'ottavo figlio cioè Cecilia, in quella casa non c'era più posto per me. Rimasi di pietra. Cecilia era nata in marzo e dormiva nella culla. Angelo il primogenito stava per sposarsi e per trasferirsi sul poggio di fronte. Ernesta la terzogenita stava per farsi monaca e viveva in convento. Il posto c'era, insomma. E appena mi tornò il fiato glielo urlai. Ma Federico scosse la testa. Non si riferivano allo spazio, sospirò. Si riferivano alle spese. Oggi il parroco gli aveva chiarito che allo scadere della tutela cessava l'indennizzo delle due lire mensili, e scomparse le due lire mensili chi avrebbe pagato il costo del mio mangiare eccetera? Giacoma, il 31 dicembre dovrai proprio lasciarci. Te ne informiamo ora affinché tu possa abituarti all'idea. Tacqui qualche minuto, stroncata. Ormai desideravo soltanto morire. Poi mi ripresi. Pazza di rabbia replicai che non volevo proprio aspettare il 31 dicembre, che volevo andarmene subito, e lui prese la palla al balzo. Meglio così, grugnì. Domani ti riconduco a Cesena. Quanto ad Adelaide, oh! Sebbene fosse esplosa in un pianto dirotto e piangendo mugolasse dannati-soldi, dannati-soldi, non pronunciò mezza parola per trattenermi. Partii all'alba, col carro, e senza salutare nessuno. Nemmeno la Madonna delle Lacrime, nemmeno i bambini. In un battibaleno arrivai al Santissimo Crocifisso, e la governante Piera Colombani parve assai sorpresa. In tono beffardo disse a Federico: siete in anticipo di cinque mesi e due giorni, brav'uomo. Avete forse vinto un terno al lotto?»

So anche che a quel punto l'avvocato si procurò la complicità della Colombani, e che costei fu l'esecutrice del geniale intrigo ordito nel frattempo dal Valzania. Cioè scavalcare lo Zamboni e zitti zitti consentire a Madame Le Roi d'intrattenersi con l'orfana parcheggiata all'ospizio, prepararsi e prepararla alla confessione sono-tua-madre. Contemporaneamente trovare un nucleo-familiare-di-indiscusse-virtù-morali-e-fede-cattolica, insomma qualcuno che servisse da prestanome, e con tale copertura farle riavere la figlia il 31 dicembre. Lo so grazie a un'altra confidenza della nonna Giacoma. Quella che descrive il suo secondo incontro con Anastasìa. «Detestavo, odiavo, stare in ospizio. Mi sembrava di vivere in carcere. Il portone era sempre sprangato col catenaccio, alle finestre c'erano le sbarre, e non si poteva uscire che la domenica guidate anzi intruppate dalla Colombani. Mezz'ora, al massimo un'ora. Per sgranchire le gambe. In più si portava l'uniforme. Giacca e gonna di lana o di cotone verde, cuffia gialla, distintivo con le parole Santissimo Crocifisso. Bisognava piegarsi a una disciplina militaresca e tessere la canapa o ricamare lenzuoli e tovaglie, mestieri che ignoravo. Ah, quanto mi mancava via Santa Maria 25! Spesso mi mancavan perfino Federico e Adelaide. Piangevo di continuo e invano la Colombani mi consolava. Mi diceva non pigliartela, non tutto il male viene per nuocere, presto t'accorgerai che i De Carli t'hanno reso un favore. Poi, un mattino di metà agosto, s'appartò con me in cappella. Premettendo che stava per confidarmi un segreto da custodire con cura per via degli invidiosi, mi rivelò che una ricca signora m'aveva chiesto come dama di compagnia. Dama di compagnia! Mioddio, novantanove casi su cento le esposte in procinto di compiere i quindici anni le chiedevano come sguattere o fantesche o bambinaie: mi rendevo conto della fortuna che mi capitava? Le dame di compagnia non devono mica sfacchinare. Devono tener compagnia e basta. Inoltre vanno vestite bene, usano i guanti, vivono in case di lusso, e frequentano il gran mondo. Non le credetti. Per quale motivo una ricca signora avrebbe dovuto scegliere me, e di nascosto, come dama di compagnia?!? Non ero una dama, io. Ero una piercola goffa e ignorante. Di gran mondo non me ne intendevo, e certo la Colombani aveva capito male. La sera, però, piombò al laboratorio. Svelta, corri a infilare l'uniforme pulita e a darti una pettinata, scendi nel mio ufficio e acqua in bocca. La ricca signora è qui. Ubbidii a malincuore. Domandandomi chi fosse scesi nell'ufficio e Gesù: era la signora che avevo visto nella chiesina di Longiano. Pensierosa, oggi, quasi accigliata. E più bella, più elegante che mai. Indossava un abito di pizzo color avorio che dal busto ai fianchi aderiva come una guaina al suo corpo slanciato e che sul retro s'arricchiva d'uno strascico lungo ben mezzo metro, pensa! In testa portava una toque formata da una rondine di seta, con la coda ritta e le ali spiegate. Al collo, un cammeo gigantesco. Agli orecchi, due perle con brillanti. Ed esalava un intenso profumo di cardenia. Mi ritrassi smarrita. Smarrita abbozzai un inchino e allora lei sorrise. Noi ci siamo già incontrate a novembre, cara, gorgogliò con voce carezzevole e un forte accento straniero. Un accento che raddoppiava le erre, le arrotondava. Quindi fece il gesto di venirmi incontro, abbracciarmi, ma io glielo impedii. Le voltai le spalle. Scappai. Quel profumo m'aveva riportato il freddo, capisci, il ricordo dell'oggetto che girava e della campanella che suonava. M'aveva reso ostile, nemica.»

E poi so ciò che accadde nel corso dell'intrigo, e ciò che accadde mi riempie di meraviglia. Perché non era facile conquistare quella ragazzetta ferita ed ostile. Quella nemica che a guardarti, fiutarti, sentiva d'essere stata buttata via da te. Messa da te dentro la Ruota. Era un'impresa temeraria, ai limiti dell'impossibile. E in quanto tale richiedeva un'opera anzi uno stile di seduzione a cui la Grande Maliarda non era abituata. Stavolta, infatti, non si trattava di agire su una delle infinite vittime (maschi e femmine) che fin da bambina aveva ammaliato stregato piegato ai suoi bisogni o ai suoi scopi. Non si trattava di sedurre i Pons, i Tron, il pastore Morel, Suzanne e Marianne Gardiol, o Giuditta Sidoli. Tantomeno si trattava di sedurre un imberbe allievo del collegio Candellero, un ballerino o un violinista del Regio, il capitano d'una nave, Elisabeth Nesi e l'ingenuo Derek. O Bill il Selvaggio e l'ufficiale che scortava la diligenza, Sister Rebecca e Sister Lydia, il vecchio John Dalton e il fascinoso Napoleon Le Roi. Senza contare la contessa Dumont alias Madame Moustache, i minatori di Virginia City, i banchieri di San Francisco, e lo stesso Valzania. Si trattava di sedurre sua figlia, stavolta. Una figlia, oltretutto, che all'Innominato assomigliava nei lineamenti ma a lei assomigliava nell'orgoglio, l'indocilità, la caparbietà. «L'indomani riapparve con una scatola di caramelle» raccontava la nonna Giacoma. «Prima che avessi il tempo di reagire me la mise in mano, mi abbracciò, mi informò di chiamarsi Anastasìa, e che lo volessi o no da quel giorno le sue visite diventarono una consuetudine. Veniva sempre di sera, quando lo Zamboni non si trovava al Santissimo Crocifisso, e sempre preceduta dall'acqua-in-bocca della Colombani che ogni volta tornava a raccomandarmi il segreto. Sempre vestita con raffinatezza, inoltre, sempre odorosa di cardenia e sempre armata di caramelle. Non parlava quasi mai di sé. Dopo tre settimane sapevo soltanto che abitava al Leon d'Oro, che era vedova, che viveva sola, e che a causa di ciò aveva bisogno d'una persona che le tenesse compagnia. In compenso parlava molto di me. Mi lusingava, mi corteggiava. Diceva che dai miei occhi traspariva qualcosa di speciale e che non vedeva l'ora di strapparmi a quell'ospizio, d'offrirmi un'esistenza felice. Io stavo ben attenta a non lasciarmi abbindolare. Continuavo a non fidarmene, a non capire per quale motivo m'avesse scelto, e sperando che si scoraggiasse tentavo in ogni modo di rendermi antipatica. Le rispondevo a monosillabi o al massimo con un gelido sissignora, nossignora. Non la ringraziavo delle caramelle, magari non le mangiavo, mi tappavo il naso per dimostrarle che il suo profumo non mi piaceva. Ma più la respingevo, più la offendevo, più lei appariva umile e comprensiva. E con la sua voce carezzevole, il suo accento straniero e pieno di erre raddoppiate, la quarta settimana mi disse che sbagliavo a trattarla male. Sbagliavo perché avevamo una cosa in comune noi due: eravamo entrambe illegittime e senza la mamma. Il padre non lo aveva mai conosciuto e la mamma l'aveva perduta a due anni. Mi disse anche d'essere cresciuta con una zia che si chiamava Jacqueline, nome che in francese significa Giacomina cioè Giacoma, e d'avermi scelto per via di questo. Così, di colpo, tutto cambiò e il suo profumo incominciò a piacermi. Quegli incontri clandestini, a sedurmi. Infatti se non veniva per un paio di giorni mi innervosivo. Mi chiedevo se avesse rinunciato alla dama di compagnia, se ne avesse trovata un'altra, se fosse partita, e cercavo l'odor di cardenia addosso a me stessa o nel corridoio che dal portone conduceva nell'ufficio della Colombani. Me ne innamorai, insomma. A tal punto che smisi di immaginare mia madre con le guance paffute e il viso dolce della Madonna delle Lacrime. Presi a immaginarla con le sue guance scavate e il suo viso aspro, il suo profumo di cardenia e il suo charme, i suoi strascichi lunghi mezzo metro e le sue rondini sul cappellino. Sicché una sera d'ottobre glielo confessai. E lei impallidì, gridò:

ma io sono tua madre, amor mio, lo sono! Poi cadde svenuta e la Colombani dovette correre coi sali.»

Infine so quel che accadde dopo, e quel che accadde dopo mi riempie di ammirazione per il Valzania. Perché entro autunno egli doveva procurarsi il prestanome
ossia il nucleo-familiare-di-indiscusse-virtù-morali-e-fede-
cattolica di cui v'era bisogno per richiedere l'Esposta Numero 208. E indovina chi scelse: quell'Anastasia devota a
Sant'Anastasia che il 31 dicembre 1864 aveva aiutato la
sgnurèna a partorire. Me lo confermano i registri anagrafici del municipio con una postilla a lapis e in pessima calligrafia, quindi scritta da un intruso e non da un impiegato comunale, che negli anni Ottanta dà Giacoma Ferreri
(senza la *i* di Ferrieri) come *ospite* di Anastasia Cantoni
coniugata Bianchi: nata a Cesena nel 1831, qui residente
col marito e un figlio in via Verzaglia 1, presso Lavadùr, e
appartenente alla parrocchia di Sant'Agostino. Eh, sì:
proprio con questo capolavoro cioè col ritocco del cognome e la connivenza d'una donna che si chiamava a
sua volta Anastasia, che inoltre conosceva la verità, si concluse il geniale intrigo. Un mese prima del previsto, bada
bene, e in maniera non conforme alle regole. I registri
matricolari dell'ospizio dichiarano infatti che la quasi
quindicenne Giacoma Ferrieri (qui la *i* c'è ancora) venne
dimessa il 31 novembre 1879. Però non dicono presso chi
fu collocata, a chi fu consegnata. Ad Anastasia Cantoni
nei Bianchi o ad Anastasìa Ferrier vedova Le Roi? La misteriosa signora che olezzava di cardenia la ebbe comunque lo stesso giorno. E lo stesso giorno se la portò nella casa o meglio nell'appartamento che lasciato il Leon d'Oro
aveva affittato al terzo piano d'un palazzo (ora demolito)
posto tra via Dandini e la Biblioteca Malatestiana, cioè
nella zona nobile, Palazzo Almerici. Otto stanze ben arredate e di cui la nonna Giacoma ricordava anche da vecchia molti dettagli. Il salone coi lampadari a gas e i divani

di velluto giallo, le mensole di marmo, i quadri alle pareti tappezzate di carta a fiorellini azzurri. La sala da pranzo con le tovaglie di trina, le brocche di cristallo, il vasellame di porcellana. Lo studiolo con gli scaffali colmi di libri e tra i libri un romanzo russo tradotto in francese dove un certo Tolstoi narrava la storia d'una signora che finiva col gettarsi sotto il treno. *Anna Karenina.* Le due camere da letto che avevan l'unico torto di trovarsi l'una lontano dall'altra, anzi ai capi opposti del corridoio. La camera di Anastasìa con un letto così grande che sarebbe bastato all'intera famiglia De Carli, gli specchi così alti che toccavano quasi il soffitto, e una cassaforte che conteneva gli oggetti preziosi. I gioielli, i certificati della Cesena Sulphur Company, i rendiconti della Banca Popolare e del Credito Mobiliare, una pistola già caricata e col calcio di madreperla. La sua col letto a baldacchino, le tende di tulle, un armadio che traboccava di vestiti, e una stupenda bambola di biscuit. «In più avevamo tre domestiche» aggiungeva con l'occhio ancora intriso di stupore. «Tre, dico, tre! Una cameriera, una cuoca, e una sguattera. Dio, che paradiso. Io non lo sapevo, capisci, che cosa significasse esser serviti da tre domestiche. Non lo sapevo che cosa fosse vivere senza sfacchinare. Senza lavare i panni e l'impiantito, senza rammendare e senza stirare, senza badare alle pecore o ai bambini...»

* * *

Se la portò nel paradiso, dunque, e per tre anni le dette tutto ciò che una madre del suo tipo potesse dare a una figlia di cui cercava il perdono. Non la rimandò a scuola, no. Non la incoraggiò a leggere i libri allineati sugli scaffali dello studiolo. Non le insegnò neanche le lingue che conosceva. (L'inglese e il francese la nonna Giacoma non li parlava. Coi libri mostrava scarsa intimità. E,

723

intelligenza a parte, la sua cultura era una cultura da quinta elementare). Inoltre non le permise di chiamarla mamma. «Chiamami Anastasìa sennò solleviamo sospetti.» Tantomeno le rivelò il nome di suo padre. (Per udirlo la nonna Giacoma avrebbe dovuto aspettare fino alla vigilia delle nozze col nonno Antonio). In compenso le restituì l'infanzia perduta, e le regalò un'adolescenza spensierata. Le insegnò ad oziare, a camminare, a conversare, a ridere, a divertirsi. Sì, anche a divertirsi sebbene Cesena offrisse ben pochi svaghi... Eh, non assomigliava certo a San Francisco o a New York quella periferica e rissosa città di provincia in cui non si faceva che litigar sulla politica. Non si distingueva certo per l'allegria e la dolce vita, quella piccola capitale del suicidio in cui ci si ammazzava per un nonnulla. Infatti lei v'era rimasta solo per il pasticcio giuridico che attribuiva la custodia della Esposta Numero 208 ad Anastasia Cantoni abitante in via Verzaglia 1, e ci stava assai malvolentieri. Però a mezz'ora di treno c'era Rimini, centro turistico e balneare tra i più chic e mondani d'Europa, e di svaghi Rimini ne offriva a bizzeffe. Il fastoso Hotel Kursaal dove ogni notte partecipavi a una festa danzante e ballavi i valzer di Johann Strauss, *Sul Bel Danubio Blu, Sangue Viennese.* Il Casinò dove giocavi alla roulette come a Virginia City giocavi al faro e al black-jack. L'Ippodromo dove ti godevi le corse dei cavalli e puntavi cifre da capogiro. Il Poligono dove sparavi al piattello o al piccione, il Politeama, i concerti. E da giugno a settembre, il Lido. Le gite in barca, la spiaggia, il piacere d'esibirsi nei primi costumi da bagno. Le signore, ampie mutande che arrivavano al polpaccio e larghe bluse e cuffie di tela cerata. Le giovinette, calzoncini o sottanine che arrivavano al ginocchio e camicioni a pieghe e berretti alla turca. (Colori preferiti, il nero e il turchino a bande rosse. Sconsigliato anzi biasimato il bianco che al minimo spruzzo d'acqua lasciava trasparire i capezzoli e il pube). Quanto alle toilettes che indossavi per andare a cena, guai se non erano accompagnate da colliers di perle o da parures di brillanti: complemento indispensabile dei menu che per hors-d'oeuvre suggerivano il caviale. Rivaleggiava con Montecarlo e Biarritz, Rimini. Non a caso i giornali socialisti la bollavano con parole di fuoco: «Lì si mangia, si beve, si danza, si sperperano fortune, e non si pensa alla miseria in cui languono i lavoratori». Ergo, ce la trascinava d'estate e d'inverno, e pazienza se al Kursaal una bottiglia di champagne costava dieci lire cioè la paga settimanale d'un operaio. Pazienza se i cavalli e la roulette risvegliavano troppo il suo gusto per le scommesse cioè alleggerivano troppo la sua borsetta. Vivere con la figlia che non poteva chiamarla mamma ma che a poco a poco diventava una donna, una complice, un'amica, compensava tutto. Perfino la castità che rientrando in Italia s'era imposta. Niente uomini, niente amanti, niente avventure sentimentali.

«Io non voglio che te, e il resto non conta.»

Furono assai densi i tre anni che videro Giacoma quindicenne, sedicenne, diciassettenne. Il 1880 si aprì col processo d'appello e l'assoluzione dei quattordici internazionalisti (tra cui Anna Kuliscioff) già condannati per l'attentato a Umberto I, e in maggio l'ingegnere veronese Alessandro Cruto risolse l'ostacolo incontrato da Thomas Edison nel funzionamento della lampada a incandescenza che al passaggio della corrente elettrica bruciava. Riempiendola di etilene e usando sottili fili di platino che alle altissime temperature resistevano incrostandosi di carbonio, riuscì a renderla durevole. Ma Anastasìa non se ne curò o non se ne accorse. In settembre Garibaldi si dimise da deputato e si ritirò per sempre a Caprera dove sciolto il matrimonio con la contessina Raimondi aveva sposato la balia dei suoi figli, Francesca Armosino. E dimettendosi inviò ai giornali la tremenda lettera su cui gli italiani si sarebbero sempre dimenticati di piangere e di riflettere: «Tutt'altra Italia io sognavo. Non questa, miserabile all'interno e vilipesa all'estero». Ma Anastasìa non se ne accorse o non se ne curò. Il 1881 si aprì col *Ballo Excelsior*, il celeberrimo spettacolo che ingenuamente annunciando la vittoria della Civiltà sull'Oscurantismo nonché un futuro di fratellanza tra i popoli celebrava la storia del Progresso in eterna lotta col Regresso, e in febbraio a Roma si svolse il Comizio dei Comizi. Cioè l'assemblea dei democratici che chiedevano il suffragio universale cioè il voto alle donne. In luglio Carlo Lorenzini alias Collodi incominciò la pubblicazione a puntate de *Le avventure di Pinocchio*, e in agosto Andrea Costa fondò a Rimini il Partito Socialista Rivoluzionario: partito che nonostante il nome abbandonava i principii barricaderi. In ottobre Umberto I si recò a Vienna per rinsaldare i rapporti con l'Austria e la Germania cioè per preparare la Triplice Alleanza. Evento che rinforzò l'irredentismo cioè il movimento che si batteva per restituire all'Italia le città di Trento e Trieste, ancora in mano dell'Austria. Il suo giovane capo, Guglielmo Oberdan, venne addirittura a Cesena per chieder l'aiuto dei repubblicani guidati dal Valzania. Ma Anastasìa non se ne accorse o non se ne curò. Il 1882 si aprì con la riforma elettorale che ignorando il Comizio dei Comizi abbassava l'età dei votanti (maschi) a ventun anni, inoltre garantiva l'accesso alle urne ad ogni cittadino che avesse superato un biennio di scuole elementari. E i socialisti romagnoli si scatenarono per protestare a nome delle donne. Ma Anastasìa non se ne accorse o non se ne curò. In febbraio la Società Generale dei Telefoni pubblicò l'elenco dei primi cento abbonati: avvenimento che accese l'entusiasmo di chiunque prendesse sul serio le promesse del *Ballo Excelsior* e ignorasse il furto di cui il vero inventore, Antonio Meucci, era stato vittima a New York. Parlarsi a chilometri e chilometri di distanza, pensa! Conversare da casa tua con qualcuno che sta a casa sua, e questo semplicemente appoggiando la bocca a un imbuto, semplicemente tenendo all'orecchio un altro imbuto! Dio, che secolo meraviglioso si stava vivendo! Prima il vapore, le navi senza vela, il telegrafo, il treno. Poi la macchina da cucire, i palloni aerostatici, la lampada a gas, l'annuncio della lampada elettrica. Ed oggi il telefono! Di questo passo, dove sarebbe arrivato il progresso? Sulla Luna?!? Ma Anastasìa non se ne accorse o non se ne curò. In marzo l'anarchico Amilcare Cipriani, eroe della seconda guerra d'Indipendenza, della spedizione dei Mille, dell'insurrezione greca contro i turchi, della Comune di Parigi, mesi avanti fuggito dal penitenziario francese della Nuova Caledonia e incautamente tornato in Italia dove s'illudeva d'essere accolto a braccia aperte, fu condannato dalla Corte d'Assise d'Ancona a venticinque anni di lavori forzati. Accusa, un duplice omicidio che nel 1867 aveva compiuto ad Alessandria d'Egitto per legittima difesa. E il paese insorse, sdegnato. Anche a Cesena si svolsero furibonde dimostrazioni al grido di Viva-Cipriani, Viva-Cipriani. Ma Anastasìa non se ne accorse o non se ne curò. In maggio la Triplice Alleanza venne firmata e le speranze di riavere Trento e Trieste svanirono. In giugno Garibaldi morì a Caprera ed anche a Cesena tutti i negozi, tutte le scuole, tutti i teatri, tutti i locali pubblici chiusero. Ma Anastasìa non se ne accorse o se ne accorse e non se ne curò.

Nella sua ubriacatura materna, il suo furibondo bisogno d'ottenere il perdono di Giacoma restituendole l'infanzia perduta, in quei tre anni si interessò soltanto ai profitti che esenti da tasse riceveva dalla Sulphur Company. Profitti indispensabili a mantenere l'appartamento al quarto piano di Palazzo Almerici e le tre domestiche, a fare i suoi viaggi a Venezia e a Rimini, a sprecar soldi nei grandi alberghi e nelle corse dei cavalli e nella roulette.

Nel 1878, quando aveva investito metà del suo capitale nelle duecento azioni che le fruttavano cinquemila lire annue, le miniere intorno a Cesena producevano trentamila tonnellate di greggio all'anno. Lo zolfo romagnolo veniva pagato 175 lire la tonnellata e sosteneva bene il pesante onere del dazio (undici lire la tonnellata) nonché la forte concorrenza dello zolfo siciliano che era ritenuto migliore e dello zolfo americano che costava poco. Nel 1879 però i giacimenti erano risultati meno vasti e meno in superficie di quanto si fosse creduto, e nonostante gli scavi portati a centottanta metri di profondità la produzione era diminuita d'un terzo. All'inizio del 1880 il prezzo del greggio scese dunque da 175 lire a 135 lire la tonnellata, dal 10 per cento la Sulphur Company portò i dividendi all'8 per cento. Le cinquemila lire annue divennero quattromila e Anastasìa subì il colpo con stile. «Ça arrive, it happens. Succede.» All'inizio del 1881 il prezzo scese da 135 lire a 119 lire la tonnellata, dall'8 per cento la Sulphur Company portò i dividendi al 7 per cento, le quattromila lire divennero tremilacinquecento, e di nuovo Anastasìa subì il colpo con stile. «Ça passe, it happens. Succede.» All'inizio del 1882 le 119 lire scesero a 105 lire la tonnellata, la Sulphur Company portò i dividendi al 6 per cento, le tremilacinquecento lire divennero tremila, e stavolta lei si spaventò. Spaventata decise di vendere le dannate azioni nonché ritirare il denaro depositato al Credito Mobiliare e alla Banca Popolare, procurarsi un passaporto falso per Giacoma, e sfidando il pasticcio giuridico che affidava l'Esposta Numero 208 all'Anastasia Cantoni di via Verzaglia svignarsela in Francia. O rientrare in America. Poi, a primavera, ebbe un ripensamento. E non lo fece. Perché il rischio rientrava troppo nelle sue abitudini, perché l'azzardo apparteneva troppo alla natura di giocatrice? Forse. Cesena era ormai il suo tavolo da gioco. La Sulphur Company il suo poker, il suo faro, il suo black-jack. E un vero giocatore, una vera giocatrice, non lascia il tavolo dove perde. Resta lì incollato a rischiare, azzardare, sperare che la fortuna torni a favorirlo. Ma io sono convinta che non lo abbia fatto perché nel suo destino, nel mio destino, stava scritto che non lo facesse. Cioè perché (lei lo ignorava, ovvio) quella primavera era giunto a Cesena l'uomo scelto dal destino per scatenare il triplice pasticcio amoroso che a Giacoma sarebbe costato l'occhio sinistro e a lei la morte prematura.

* * *

Si chiamava Anton Maria Ambrogio Fallaci, l'uomo scelto dal destino. Discendeva da Carlo e Caterina, per via diretta era imparentato coi Launaro, per via indiretta coi Cantini. Indossava l'uniforme delle Guardie di Finanza. Prima d'indossar l'uniforme aveva indossato la tonaca dei seminaristi. (Cosa in seguito alla quale era rimasto più vergine di Maria Vergine). E il 27 aprile avrebbe avuto ventun anni. Quattro più di Giacoma che ora ne aveva diciassette, quindici meno di Anastasìa che ora ne aveva trentasei.

Sì, sto per arrivare all'ultima parte della vita che vissi quand'ero Anastasìa. Ma per arrivarci devo fare un brusco passo all'indietro. Uscire da Cesena e tornare al bizzarro dodicenne che un autunno di molte vite fa lasciammo a Candialle: il podere situato sotto San Eufrosino di Sopra, ricordi? Correva l'anno 1873. Don Fabbri, il parroco di Panzano, si lamentava io-questo-ragazzo-non-lo-capisco. A-volte-mi-sembra-un-angelo-e-a-volte-un-diavolo. Per recuperar l'angelo gli aveva procurato un Posto di Grazia al Piccolo Seminario di Pisa che gli allievi poveri li teneva gratis, e in famiglia ci si aspettava che diventasse prete. Magari papa o almeno cardinale. Soltanto lo zio Luca, ricordi, la pensava diversamente. Macché-papa, macché-cardinale, quello-non-diventa-neanche-chierico.

729

Tuttavia Amabile Launaro, la prozia vedova del liutaio nano e gobbo, era corsa a prenderlo per accompagnarlo a Pisa e... Ecco il brusco passo all'indietro. Lo ricostruisco sui dettagli che il nonno Antonio, per l'esattezza Anton Maria Ambrogio, mi raccontava quando gli chiedevo che cosa fosse successo dopo la partenza da Candialle.

20

Era successo il peggio del peggio, raccontava. Oh, all'inizio gli era piaciuto tutto: intendiamoci. La scarrozzata sulla diligenza che da Panzano conduceva alla stazione ferroviaria, per incominciare, e la sosta a Firenze. Chi c'era mai stato in diligenza, chi c'era mai stato a Firenze? «Voglio mostrarti la città dove cento anni or sono il mio babbo venne a piedi per unirsi al gruppo del signor Mazzei e recarsi in Virginia però gli andò male e allora sposò la mia mamma, si nacque noi» aveva detto la prozia appena giunti. Con tal proposito s'eran messi a girar per le strade del centro, e Gesù!, chiese che sembravan palazzi, palazzi che sembravan regge, un fiume così grande che ci navigavan le barche. Ponti, campanili, cupole da mozzar il fiato, e certe statue! Chi le aveva mai viste, le statue? In piazza Signoria, il luogo del mancato incontro col signor Mazzei, ne trovavi una quarantina a dir poco. Di marmo, di bronzo, di pietra. All'aperto, al chiuso cioè nella Loggia de' Lanzi. E quasi sempre vestite con una foglia di fico e basta. Se donne, nemmeno quella. Le naiadi intorno alla *Fontana del Nettuno*, ad esempio. Le sabine del *Ratto delle Sabine*. Questo ti permetteva di scoprire com'eran fatte le signore nude, capisci, e di esaminarle con una scomoda smania in fondo al ventre. Dio, che gambe! Che sederi, che fianchi, che seni! Col capezzolo ritto, tondi... Infatti s'era domandato: "E se lo zio Luca avesse ragione? E se senza le donne non si potesse vivere?". Poi il treno. Alla stazione ferroviaria eran saliti sul treno e Gesù!, chi l'aveva mai visto il treno, chi l'avrebbe mai creduto che il treno viaggiasse a una simile velocità? Due ore scarse da Firenze a Pisa, due ore scarse! Poi, Pisa. Di nuovo il grande fiume e i ponti, le chiese, i palazzi, i campanili eccetera. In più, la Torre Pendente. Ah, la Torre Pendente! Ora mi casca addosso, pensavi, mi schiaccia. E ti esaltava quanto le statue delle signore nude. Poi, la casa della prozia Amabile. Impiantito di mattonelle colorate, mobili tirati a lucido, poltrone, lampade a gas, e un antico liuto con gli intarsi di madreperla. Il liuto che la madre del defunto marito, una stupenda spagnola figlia del duca Gerolamo Grimaldi e perciò definita La Duchessa, suonava nel manicomio dentro il quale era morta pazza di dolore a causa dei quattro figli annegati in un naufragio dinanzi al golfo di Lion. Infine, lo struscio. Cioè la passeggiata sui lungarni dove ammiravi e data la strettezza del marciapiede strusciavi le belle signore col cappello e l'ampia scollatura e il coulisson.

All'inizio gli era piaciuto anche il seminario. O meglio: lì per lì aveva provato un po' di sgomento. Una strizzatina allo stomaco. Mura grige, stanze buie, ombre mute, e muti corridoi lungo i quali i tuoi passi rimbombavano come cannonate sicché ad ogni cannonata si schiudeva una porta, si affacciava qualcuno col dito sulle labbra e: «Sst! Silenzio! Ssst!». Manco tu fossi in un ospedale o al cimitero. Immediatamente però lo avevan messo nella camerata che alloggiava gli allievi del primo anno, e Dio che bellezza! Perché a Candialle lui era l'unico maschio della nuova generazione. Prima di lui erano nate Annunziata ed Assunta, dopo di lui Palmira e Giulia e Viola. Lo zio Luca e sua moglie Adele avevano avuto un maschio e una femmina, il maschio era morto, la femmina era rimasta, e siamo onesti: un ragazzo si trova a disagio con cinque sorelle e una cugina. Deve dormire da solo, giocare da solo, studiare da solo, subire i loro dispetti. Si sente escluso e vive invidiando chi ha almeno un fratello o un cugino col quale arrampicarsi sugli alberi, difendersi, far cose che alle bambine non interessano. Di sostituti fratelli o cugini quella camerata gliene offriva invece tredici. Tutti più o meno della sua età. E questo senza contare i quarantasei allievi che stavano nelle altre camerate o negli alloggi individuali cioè nelle celle riservate ai seminaristi del quarto e quinto e sesto anno. Gli era piaciuto anche indossar la tonaca. Una piccola tonaca della sua misura, d'un bel color paonazzo e coi bordi nonché i bottoni e gli occhielli rosso fuoco. A Candialle lo preoccupava tanto l'idea d'indossar la tonaca. Lo zio Luca non faceva che prenderlo in giro e ripeter la-tonaca-è-roba-da-donne, quindi-pericolosa. Attento-alle-chiappe, salva-le-chiappe. Una volta aveva aggiunto spiegazioni, e Dio che discorsi allarmanti. Numero uno, aveva detto, la tonaca favorisce la sodomia. Numero due, la sodomia è l'amore tra gli uomini ossia quello che fanno i cani in mancanza d'una cagna. Numero tre, l'amore tra gli uomini è una schifezza. Numero quattro, tale schifezza colpisce le parti summenzionate. Sulla tonaca, del resto, la stessa prozia Amabile s'era espressa in modo negativo. «Secondo me non è un abito da uomini. Gli uomini portano i pantaloni. Ti starà male.» Ergo, l'aveva infilata con un certo tremore e brontolando peccato che non possa guardarmi allo specchio. Sai, dato che gli specchi rendono vanesi, al seminario non esistevan che quelli per sbarbarsi: caccole di pochi centimetri e poste in alto, sopra il lavabo. Ma poi era passato dinanzi a una porta a vetri e Gesù!, gli stava proprio bene. Gli dava un'aria dignitosa, austera, solenne. Del resto non è vero che gli uomini portino sempre i pantaloni. Lo aveva appreso dall'enciclopedia. In Cina i pantaloni li portavan le donne, e gli uomini portavano la sottana. In Scozia portavano il gonnellino, e nei paesi arabi la veste lunga fino ai piedi come il Nazzareno. Quanto alla schifezza di cui parlava lo zio Luca, si trattava sicuramente d'una calunnia. Il sacerdozio esige la castità, no? Più di qualsiasi altra cosa, comunque, gli era piaciuto il fatto d'essere servito e riverito dai camerieri. Gesù, Gesù! Chi l'avrebbe mai immaginato che lì avessero i camerieri e che lui, un moccioso di dodici anni, un campagnolo figlio di campagnoli usi a sgobbare, si trovasse servito e riverito dai camerieri?!? Lo chiamavano «signore», pensa. Gli pulivano le scarpe, gli intiepidivano il letto coi caldani, glielo rassettavano, gli cambiavano i lenzuoli. Inoltre lo vestivano, lo spolveravano, lo pettinavano col pettine fitto cioè quello per cercare i pidocchi. E se protestava ioi-pidocchi-non-ce-l'ho, non-li-ho-mai-avuti, replicavano: «Chiedo venia, signore. Voglia perdonarmi, signore. Me lo impone il Regolamento».

Il Regolamento... Che nonostante i camerieri e il successo della tonaca e la compagnia dei coetanei il seminario non fosse il Regno del Bengodi lo aveva capito imparando a memoria il Regolamento, all'arrivo appena sbirciato con un'occhiata distratta. Divieti assurdi, ordinanze strane, pretese inspiegabili. Ad esempio: «I seminaristi dovranno addormentarsi con le braccia fuori delle coperte. Per nessun motivo potranno tenerle sotto, ossia vicino al corpo, e durante il sonno saranno sorvegliati acciocché tal comando sia rispettato». Dico: che male c'è a tenerle sotto ossia vicino al corpo? Caldani o no, con le braccia fuori delle coperte in novembre ti infreddolivi. Una notte aveva disubbidito e: «Sveglia, sveglia! Che accade qui? Che sta combinando?». Oppure: «Recandosi nei bagni a lavarsi o a esercitare un naturale bisogno, i seminaristi stiano ben attenti a entrarvi quando non v'è nessuno e non scordino mai di porre sulla porta un contrassegno onde avvertire che il luogo è occupato». Dico: che male c'è a lavarsi o urinare in due o tre? I ragazzi non hanno mica i seni e i fianchi delle naiadi e delle sabine di piazza Signoria! Oppure: «L'abluzione completa si fa nella tinozza e con la camicia». Dico: che male c'è a farla nudi? E come è possibile insaponarsi o sciacquarsi con la camicia? Santiddio, il termine più ripetuto da quel Regolamento era il vocabolo *proibito*. «Proibito usare il Tu ed il Voi. Anche fra loro i seminaristi si daranno del Lei. Proibito affacciarsi alla finestra, curiosar sulla strada, proibito varcare il portone non accompagnati. Proibito fermarsi nei corridoi o sull'uscio delle camerate che d'altronde saranno sempre serrate. Proibito parlar con gli allievi delle altre classi, anche nel refettorio e durante la ricreazione o la passeggiata domenicale. Sia con gli allievi delle altre classi che con quelli della propria classe, proibito scambiarsi cenni d'intesa o foglietti o sorrisi. Proibito prendersi confidenze, toccarsi, e financo posare una mano sulla spalla d'un compagno. Proibito segregarsi con chicchessia o stringere amicizie particolari: cosa che sul principio può apparire innocente ma che a lungo andare può sviluppar traviamenti. Proibito procurarsi dall'esterno libri o giornali e, sia in aula che in biblioteca che in camerata, leggere volumi non approvati *in scriptis* dall'Illustrissimo ed Eccellentissimo Rettore. Proibito scrivere o ricever lettere, ivi incluse quelle ai o dai genitori, che l'Illustrissimo ed Eccellentissimo Rettore non abbia in precedenza scrutinato e censurato...» Poi la botta finale: «Le infrazioni verranno punite con severità. La lista dei castighi include il pasto a pane ed acqua, lo star a digiuno e inginocchiato sul pavimento del refettorio mentre gli altri mangiano, il silenzio totale. E, nei casi in cui si dimostrerà recidivo o commetterà un delitto particolarmente grave, il reo sarà espulso *ad aeternum*. Il suo nome verrà cancellato dai registri e ogni carta che possa ricordarlo verrà data alle fiamme. Temi scolastici inclusi. Firmato fra' Paolo Micallef dell'Ordine Eremitano di

Sant'Agostino, per grazia di Dio e della Santa Sede arcivescovo di Pisa, consultore della Santa Inquisizione, prelato domestico di Sua Santità, assistente al Soglio Pontificio, Rettore del Piccolo Seminario, il quale delega ai Prefetti e ai Viceprefetti il compito di vigilare sull'osservanza delle norme su stabilite».

I Prefetti e i Viceprefetti. Erano seminaristi scelti tra i migliori allievi del quinto e del sesto anno, i Prefetti e i Viceprefetti. Modelli di condotta esemplare, purezza indiscussa, incrollabile fede. Campioni di zelo, disciplina, obbedienza assoluta. Insieme al compito di vigilare avevan quello di redarguire, perquisire, riferire, punire, e Gesù!, che cerberi, Gesù!, che aguzzini, che belve! Non ti perdevano d'occhio un istante. Ti seguivano ovunque, ti spiavano in qualunque momento. Con tale pertinacia che ti chiedevi dove trovassero il tempo di studiare, pregare, andare al cesso, riposare, e s'accorgevan di tutto. Ascoltavano tutto, non gli sfuggiva nulla. Se per caso non decifravano un gesto, un sussurro, ti venivano addosso e: «Che faceva, Lei, che diceva? A chi parlava, chi indicava?». In più, controllavano le tue letture. Frugavano tra i tuoi indumenti e durante la ricreazione ti vietavan di correre, di saltare, di strillare, di ridere. Durante la passeggiata della domenica ti mettevano in fila come i soldati. Ogni riga della fila, una coppia di ragazzi afflitti dalla reciproca antipatia. Così-non-conversate. Ogni coppia, tenuta a due metri di distanza da quella davanti e quella dietro. Così-non-familiarizzate. E ti costringevano a camminare col capo chino. Guai se lo alzavi per guardare il cielo, le case, il traffico, la gente. Guai se di sotto le ciglia sbirciavi una figura femminile, o se tendendo il collo cercavi d'orecchiare un cicaleccio muliebre. «Che sbircia, che sbircia?!?» «Che orecchia, che orecchia?!?» Perché ciò che all'inizio gli era tanto piaciuto, crescere coi ragazzi non con le bambine, ben presto gli era piaciuto assai meno. Il sollievo era diventato la scoperta che in seminario i ragazzi son come le bambine: subdoli, maligni e uggiosi. Il diletto, la conferma che lo zio Luca aveva ragione. Non si può stare senza le donne. Non si può vivere senza mai vedere una donna, senza mai udire una voce di donna. E nel suo caso la faccenda andava al di là della smania in fondo al ventre. A volte gli mancavan perfino i berci di sua madre. I dispetti delle sorelle Annunziata, Assunta, Palmira, Giulia, Viola. Le frignate della cugina Irene. Non vedeva mai donne là dentro, non ne udiva mai la voce. Da qualche parte c'erano, lo sapeva. Tre cuoche, tre lavandaie, sei sguattere, due stiratrici, due rammendatrici. Però non ne scorgeva neanche l'ombra, forse entravano e uscivano da una porta speciale, e non captava mai un rumore che denunciasse la loro presenza. Solo qualche giorno dopo l'arrivo aveva udito una che stornellava: «Fiorin fiorello, l'amore è bello, io voglio te...». Ma al canto era seguito subito un grido d'orrore poi un silenzio di tomba, e il miracolo non s'era più ripetuto. La passeggiata della domenica era dunque una speranza di colmare il vuoto, ritrovare immagini e suoni perduti, ricordar che al mondo non esistono gli uomini e basta. E quei modelli di condotta esemplare, purezza immacolata eccetera, gliela rovinavano con i che-sbircia-che-sbircia. Che-orecchia-che-orecchia. Del resto di figure femminili ne incontravi poche anche fuori. Il tragitto escludeva rigorosamente le strade affollate, i lungarni, lo struscio delle signore coi cappelli di piume e le ampie scollature e i coulisson. Il giorno dell'Immacolata Concezione erano passati per sbaglio dal sottoborgo cioè i quartieri dei postriboli e Gesù, Gesù, Gesù! Una sciagurata alla finestra s'era messa a urlare bei-figliolini-venite-su-ché-il-paradiso-ve-lo-dò-io, fra' Paolo l'aveva saputo, e manca poco che finissero tutti sul rogo.

Quanto a fra' Paolo, bè. A non conoscerlo lo avresti detto un cinquantacinquenne bonario, innocuo. Guance

rubiconde, bocca polposa, mascelle larghe da buongu-
staio ingordo. Doppiomento e pancia da mamma incinta.
(Ritratto avvalorato dal quadro ad olio che adorna il Capitolo della Primaziale di Pisa e dal busto in granito che
addobba il portico attiguo). Disdegnava i lussi. Anziché la
veste episcopale indossava il saio, anziché nel palazzo arcivescovile abitava in seminario. Respingeva gli onori,
predicava l'astinenza, e a vederlo in cappella cioè assorto
nella preghiera sembrava un San Francesco grasso. Quindi due volte misericordioso, indulgente. Invece era lui
che sceglieva i Prefetti e i Viceprefetti, che attraverso loro
perseguitava e seviziava col Regolamento. Era lui che ne
inaspriva le norme e ad esempio ordinava di dormire con
le braccia fuori delle coperte, di fare il bagno con la camicia, di camminar per le strade senza guardare il cielo e le
case e il traffico e la gente. Da buon seguace di Sant'Agostino credeva infatti nel peccato originale, nella malva-
gità innata dell'Uomo, nella colpa che non si estingue
nemmeno col perdono e più la punisci più Dio è contento. Per chissà quali storture della psiche, chissà quali angherie subìte nei conventi degli agostiniani fin dall'età di
sette anni godeva a soffrire e a far soffrire, né aveva alcuna importanza che dietro il furor religioso celasse montagne di ipocrisia. Quella comunità di minorenni spaventa-
ti e indifesi gli serviva perfettamente a esercitare il suo sadismo e il suo masochismo. Si addiceva egregiamente al
suo talento di despota e di rompiscatole. Con la scusa di
educarti, insegnarti la disciplina, non ti dava pace neanche a pranzo e a cena. Dalla mensa alla quale sedeva col
Padre Spirituale e il Camarlingo e gli accademici, sul piatto solo qualche noce o una patata lessa, dominava l'intero refettorio cioè tutti i tavoli delle sue sessanta vittime, e
se ne scorgeva una che assaporava il cibo o si nutriva con
appetito, puntava l'indice: «Vergogna! Si mangia per vivere, non si vive per mangiare! Ogni volta che si riempie

lo stomaco, si mette a digiuno lo spirito». (E vano chiedersi da dove venisse allora quella faccia piena, quel pancione da mamma incinta. Dai semidigiuni che esibiva con le noci o la patata lessa, o dalle leccornie che stando ai pettegolezzi divorava nel segreto della sua cella?). Inoltre a pranzo e a cena imponeva la lettura pubblica dei martirologi, sicché mangiando dovevi ascoltare i nauseanti dettagli degli strazi inflitti ai cristiani nel corso dei secoli. Le pene dei poveracci accecati, spellati, mutilati, smembrati. Roba da bloccar la digestione. Ti molestava anche quando studiavi, del resto. Interrompendo il professore o il tema in classe piombava nell'aula, saliva sulla cattedra e: «In malevolam animam non intrabit Sapientia nec habitabit in corpore subdito desideriis! La sapienza non entrerà in un'anima malvagia, non abiterà in un corpo schiavo dei desideri». Pausa. «E se uno di voi è qui per farsi una cultura a spese del seminario, non per intraprendere la via del sacerdozio, Dio lo scaraventerà in gola a Lucifero quale usurpatore e dissipatore dei beni ecclesiastici!» Quasi ciò non bastasse, s'era arrogato il ruolo di confessore: di solito tenuto dal Padre Spirituale. Questo gli consentiva di scandagliar la mente e il cuore di ciascun seminarista, conoscerne i dubbi e le debolezze, gli intimi pensieri, poi approfittarne. Un vero Torquemada, insomma. Non per nulla a Pisa lo odiavano in molti. Tra i molti, gli stessi bigotti che nel 1871 cioè quando era venuto a prender possesso dell'arcidiocesi e del seminario lo avevano accolto con entusiasmo. E tra i bigotti, buona parte del clero. Soprattutto il canonico Palmiro Billeri che gli dava di immorale, e con tale accusa sollecitava un'inchiesta anzi un processo. Peccato che non sia chiaro di quale immoralità si trattasse. Che fosse attratto dai ragazzi? Che tra una predica e l'altra, una preghiera e l'altra li insidiasse? Dopo la sua morte il canonico Billeri fu costretto a chiedere scusa nonché a farsi agostiniano.

Ma sebbene alcuni affermino che si trattava di calunnie e venne assolto, sull'infamante sospetto la Chiesa mantiene ancor oggi un rigoroso riserbo.

«Meglio stendere un velo pietoso, consegnar l'episodio all'oblio.»

Eppure a quel calvario l'indocile bisnipote di Caterina la Grande s'era piegato come un giunco appena colto, accettando soprusi e sevizie con l'eroismo dei martiri che a tavola gli bloccavano la digestione. Per timidezza, per viltà, per amor di Gesù Cristo? Glielo chiedevo spesso quando ormai era un vecchio mangiapreti, un anticlericale arrabbiato, sicché non riuscivo a credere che da giovane avesse vissuto in un seminario. E ogni volta mi rispondeva che sì, bisognava considerare anche quei tre moventi, però la molla definitiva era stato un calcolo. Cioè la paura di perdere la Grande Occasione, l'ansia di non fare più il contadino, il miraggio di colmar l'abisso sociale che divideva la sua famiglia da quelle del prozio Eufrosino e del prozio Domenico. (I due Fallaci col cappello a cilindro, ricordi? I danarosi fratelli a cui Pietro e Lorenzo e Donato dovevano il possesso del podere poi distrutto dall'oidium e dal prezzo dello zolfo). Avevan solo figli ricchi e di successo, loro. Carlo junior cioè l'ottavogenito di Eufrosino era un famoso magistrato di Firenze, ad esempio. Indossava la toga di giudice, balenando occhiate di ghiaccio e vibrando lunghissimi baffi ad antenna, ben venti centimetri a baffo, condannava la gente. In seguito a ciò si dava un mucchio di arie e parlando dei parenti mezzadri a Candialle diceva: «Sono scimuniti col cervello chiuso. Non impareranno mai niente». Niente? Nel seminario di fra' Paolo si imparavano tante cose, e pazienza se alcune erano una rogna. Analisi logica e grammaticale, verbi deponenti e difettivi, consecutio temporum, sintassi, liturgia, rettorica, prosodia... Le altre erano così interessanti, e a studiarle il cervello si apriva come un fiore. Storia greca e romana, letteratura antica, sfera o geografia celeste... Ah, che meraviglia apprendere che intorno al Sole ruotavano tanti pianeti, che il più grosso cioè Giove ha sedici lune, che Saturno ne ha dieci e in più è circondato da coloratissimi anelli, che la Via Lattea cioè la galassia a cui appartiene il nostro sistema solare conta milioni e milioni di altri soli e pianeti, che l'universo comprende milioni e milioni di galassie perciò la Terra non è che un bruscolo tra miliardi di bruscoli. Un chicco di sabbia dentro una spiaggia sterminata. Ah, che divertimento sapere cos'era Atene, cos'era Sparta, cos'era Roma. Chi era Omero, chi era Achille, chi era Ulisse. Chi era Socrate, chi era Platone, chi era Pericle. Chi erano Romolo e Remo, Cincinnato e Giulio Cesare, Augusto e Cicerone, Seneca e Nerone, Orazio e Virgilio! E poi non ti insegnavan mica la sapienza e basta, lì. Ti insegnavan la buona creanza. Cioè a parlare, starnutire, muoverti, pulirti i denti e le unghie. A non metter le dita nel naso e negli orecchi, a non sputare sui tappeti o sull'impiantito, a non mangiare con le mani... A Candialle si mangiava sempre con le mani, e ringraziare Iddio se per la minestra si usava il cucchiaio. Lì invece si mangiava con le posate, e non dimenticar ciò che dice Melchiorre Gioia nel suo Galateo: la forchetta si tiene nella mano sinistra, l'indice teso sul manico. Il coltello si tiene nella mano destra, sempre con l'indice teso sul manico, e non s'impugna a mo' di sciabola o di lancia. Né finisce qui. Perché concluso il primo anno scolastico, cioè nell'estate del 1874, era andato a far le vacanze nella colonia diocesana di Migliarino. E qui aveva conosciuto il mare. Il mare! Santi del Paradiso, chi lo aveva mai visto il mare? Chi avrebbe mai detto che fosse grande quanto il cielo e più furioso del vento, più salato del sale? Ti ubriacavi di vento e di sale, a stare in riva al mare. Ringraziavi fra' Paolo e pazienza se il Regolamento proibiva di spogliarsi, tuffarsi, nuotare. Pazienza se consentiva soltanto di togliersi le scarpe sicché quando scoprivi le gambe fino al polpaccio i Prefetti e i Viceprefetti strillavan scandalizzati.

«Giù la veste, giù la veste, impudico!»

Per le vacanze del secondo anno, invece, lo avevano mandato a casa. Con la sua bella tonaca dai bordi e gli occhielli e i bottoni color rosso fuoco era tornato a Candialle, e che trionfo! Bè, naturalmente a vederlo vestito così lo zio Luca l'aveva preso in giro. S'era messo a ridere, a ripetere il discorso delle chiappe da salvare, a cianciar di donne eccetera. Ma il resto della famiglia e l'intera Panzano... Il babbo tremava d'orgoglio. La mamma piangeva di gioia. I nonni singhiozzavano sembra-già-un-cardinale. Le sorelle lo trattavano quasi con deferenza, don Fabbri gongolava, e i panzanesi lo chiamavano don Antonio. Gli davano del Lei e a volte pretendevano addirittura che li benedisse: «Di venia, don Antonio, di venia!». Oh, aveva trascorso un mese straordinario a Candialle. E nel rispetto assoluto delle norme, ovvio. Cioè indossando sempre l'abito talare, evitando sempre i testi inclusi nell'*Index Librorum Prohibitorum*. Assistendo ogni giorno alla Messa, osservando ogni giorno le pratiche di Pietà. Esame di coscienza, visita al Santissimo Sacramento, recita del Rosario, ufficio della Madonna. Insomma tenendo una condotta irreprensibile e ricordando che la villeggiatura costituisce un grave rischio per la purezza del seminarista. Non le aveva mai infrante, le norme, perché rispettarle ormai non gli costava nessuna fatica. Non avvertiva nemmeno più la scomoda smania in fondo al ventre. Fenomeno che, nonostante le Sacre Scritture e le lezioni di mitologia, lo aveva risparmiato anche al terzo anno. Nonostante, sì... Ci trovi certe cose, nelle Sacre Scritture! Re David che perde la testa per Betsabea e pur d'averla causa la morte di suo marito Uria. Abramo che in Egitto regala sua moglie al Faraone, la spaccia per sua sorella, e: s'accomodi pure, Maestà.

Giuditta che per eliminare Oloferne si comporta come le prostitute del sottoborgo a Pisa. E nella mitologia? Pensa a Zeus che ogni poco scende dall'Olimpo per dar noia alle ragazze ed ora si trasforma in un toro, seduce la povera Europa sul prato. Ora si trasforma in un cigno e seduce la povera Leda sul lago. Ora si trasforma in una nube dorata e seduce la povera Danae nel suo letto... Al quarto anno, idem. Tanto più che al quarto anno lo avevan tolto dalla camerata dove c'era sempre qualcuno che commentava i peccati di Zeus, di Giuditta, di Abramo, di David, di Betsabea, e lo avevan sistemato in una cella tutta sua. Minuscola, d'accordo. Due metri per tre. E così spoglia, Gesù, così spoglia che non avresti potuto nasconderci uno spillo. L'arredo consisteva solo in un lettino, un tavolino, una sedia, un attaccapanni, un palchetto, un vaso da notte e una candela che il Prefetto o il Viceprefetto spengeva alle nove di sera. Era minuscola anche la finestra, e così alta che non ci arrivavi nemmeno a salire sopra la sedia. Però tanta sobrietà favoriva la concentrazione di cui hai bisogno per imparare, diventar qualcuno, uguagliare il parente con la toga di giudice, ed evitava i pensieri illeciti. Infatti nell'estate del 1876 non vedeva l'ora d'aver sedici anni e studiar metafisica: preludio al corso di teologia che a diciotto anni lo avrebbe condotto alla laurea quindi alla tonsura, allo stato di chierico. Niente lo turbava e gli pareva d'esser pronto ad affrontare qualsiasi testo pericoloso. Perfino il *Cantico de' Cantici*. Cioè il poema di re Salomone, il carme che illustra un po' troppo esplicitamente l'amor profano e a causa di ciò si legge solo all'ultimo anno.

Il guaio è che proprio quell'estate il prozio Gaetanino, ancora parroco a Siena ma assai malato e sul punto di passare a miglior vita, aveva scritto a fra' Paolo esprimendo il desiderio di congedarsi dal pronipote seminarista. Convinto della sua condotta irreprensibile fra' Paolo lo aveva lasciato andare senza accompagnatori e...

*   *   *

Era successo tutto per via di questo. E lui l'aveva sentito che quel viaggio a Siena gli sarebbe stato fatale. Sia in treno sia nella stanza dove il moribondo lo aspettava, il ritornello Gesù-che-vorrà, che-vorrà, lo aveva tormentato e indovina che voleva: consegnargli la cassapanca ereditata da sua madre Caterina. La cassapanca di Ildebranda. «Contiene i cimeli della famiglia, Antonio, e voglio andarmene nella certezza d'averla trasferita in buone mani. Ecco la chiave e l'atto notarile che te ne rende proprietario. Ma non aprirla prima d'esser sacerdote, intesi?» Gli era venuto un colpo. Perché lo sapeva bene che Caterina la Grande era stata un'atea. Una miscredente che in vita sua aveva pregato una volta sola cioè il giorno in cui la primogenita Teresa era entrata in coma per la difterite. Una ribalda che morendo aveva rifiutato l'ego-te-absolvo del figlio prete e che rifiutandolo aveva ruggito non-pensarci-nemmeno-ragazzo-non-ho-nulla-da-farmi-perdonare-date-e-dal-tuo-Dio. Ugualmente bene sapeva che l'arcavola Ildebranda era stata un'eretica, che nel 1569 l'Inquisizione l'aveva arsa viva a Siena con altre quattro eretiche colpevoli d'aver stretto alleanza col diavolo nonché stregato diciotto bambini innocenti. E inutile che lo zio Luca berciasse macché-diavolo, macché-bambini-stregati, la-bruciaron-viva-per-via-d'un-coscio-d'agnello-cotto-a-Quaresima, quei-delinquenti! L'Inquisizione non mandava al rogo per un coscio d'agnello e basta. Di sicuro quella cassapanca non custodiva ostensori, reliquie di santi, e avrebbe preferito non prenderla.

Invece l'aveva presa. Se l'era trascinata dietro fino a Pisa, e immagina che fatica viaggiare con un oggetto così ingombrante. Caricarlo sul treno che dovevi cambiare ad Empoli in quanto da Siena la linea diretta per Pisa non esisteva. Scaricarlo, ricaricarlo, scaricarlo di nuovo, coi facchini che sghignazzavano: «Racchiude un tesoro, aba-tino?». A Pisa l'aveva portata nell'unico luogo possibile: la casa della prozia Amabile. L'aveva messa nella camera che la prozia Amabile gli teneva per scaramanzia. Se-cambi-idea, se-ti-cacciano... E anziché tornar subito in semina-rio, la notte era rimasto lì. A osservarla, domandarsi per quale motivo non doveva aprirla prima d'essere sacerdo-te. Che dati i suoi precedenti celasse un antico maleficio, un cupo sortilegio che soltanto da sacerdote poteva esor-cizzare? Intanto la cassapanca lo guardava, lo guardava. Guardandolo sembrava sussurrargli aprimi-sono-tua. E lui era un ragazzo di quindici anni, perbacco, non un adulto. D'un tratto aveva infilato la chiave nella serratura, l'aveva aperta. Alla luce della lampada a gas l'aveva ispezionata e menomale: dentro non c'era nulla di diabolico. Contene-va davvero i cimeli della famiglia, anzi della bisnonna. Un abbecedario, per incominciare. Certo il suo abbecedario. Un abbaco. Certo il suo abbaco. Un testo di medicina com-pilato dal dottor Barbette, sanitario del Seicento. Certo il testo col quale aveva cercato di salvar Teresa. Una federa ricamata e sulla quale aveva scritto con la penna d'oca uno splendido epitaffio: «Io mi chiamo Caterina Zani. So-no una contadina e la moglie d'un contadino che si chia-ma Carlo Fallaci. In sette mesi ho imparato a leggere e a scrivere, e presto imparerò anche i numeri per far di con-to. San Eufrosino di Sopra, addì otto aprile millesettecen-tottantasei». Con la federa, un paio di occhiali a stanghet-ta. Con gli occhiali, una lettera, mezza in italiano e mezza in francese, piena di errori sintattici e firmata Antoine. Il triscugino soldato dell'esercito napoleonico, morto di freddo durante la ritirata in Russia, a causa del quale ora lo chiamavano Antonio. Con la lettera, una ventina di vo-lumi tra cui uno solo che appartenesse all'*Index Librorum Prohibitorum* e quindi non si dovesse nemmeno toccare: il *Decamerone* del Boccaccio. Gli altri erano leciti o sembravan tali. La *Divina Commedia,* l'*Orlando Furioso,* la *Gerusalemme Liberata, Le mie prigioni* di Silvio Pellico, ad esempio. E tra questi uno privo di copertina, largo appena dieci centimetri, lungo appena diciotto, alto appena tre, composto a caratteri così piccoli che per leggerlo con comodità ci sarebbe voluta la lente d'ingrandimento. Incuriosito s'era messo a sfogliarlo, s'era fermato a una pagina qualsiasi, e: «Certo rammenti a quale lascivia ci abbandonammo nel canto del refettorio, unico sito onde si potea dar sfogo alle nostre brame, il dì che in gran segreto venni a visitarti nel monastero di Argenteuil. Le smodatezze che la nostra inverecondia scatenò senza rispettare quel rifugio dedicato alla Vergine» diceva. «Certo rammenti le follie vergognose, gli atti impuri, che precedettero i nostri sponsali, e il dì che ti portai al mio paese. Io t'aveva già ingravidata, e per fuggire t'eri vestita da monaca, t'eri beffata dei santi panni che ora indossi. Certo rammenti a quale turpe schiavitù la mia sfrenata passione avea asservito i nostri corpi. Non v'era niuna forma di decenza, niun rispetto di Dio, che mi impedisse di rotolare in quel pantano. Se tu cercavi di dissuadermi, se ti opponevi, per forzar la tua volontà io ricorrea anco alle minacce e alle percosse. Soltanto quando fui privato del membro ch'era al centro della mia libidine, espiai il crimine del piacere. Mi liberai dal giogo degli appetiti carnali...»

Gli occhi sbarrati ed increduli, la testa che gli girava, il cuore che gli batteva come un tamburo, lo aveva chiuso. Poi con le mani che tremavano convulsamente lo aveva riaperto, s'era fermato a un'altra pagina qualsiasi, e: «Cercai ed amai solo te. Desiderai solo te, non le tue ricchezze o le tue glorie. Non ti chiesi mai né patti nuziali né doti. Sempre non volli che soddisfare la tua febbre, il tuo piacere. Ed anche se il nome di sposa può apparir più sacro, più decoroso, per me fu sempre più dolce quello di amica e di amante. Se non ti offende, di sgualdrina. Preferivo l'amore al matrimonio, la licenza al vincolo nuziale, e lo giuro su Nostro Signor Gesù Cristo: se lo stesso Augusto padrone dell'universo si fosse degnato di chiedermi in moglie, se m'avesse offerto il dominio del mondo, anziché un'imperatrice a suo fianco avrei scelto d'essere una prostituta con te...». E altrove: «In verità le rimembranze dell'amore che avemmo mi son tanto care che non posso né odiarle né dimenticarle. Ovunque vada io le ho dinanzi agli occhi, e il desiderio che accendono in me non mi cessa mai. Persin durante la Messa, allorché la preghiera è o dovrebb'essere monda da assilli terreni, gli adescanti fantasmi delle nostre passate ebrezze s'impossessano della mia mente. Ad essi mi consegno turgida di nostalgie, e invece di pentirmi rimpiango quel che ho perduto. Non penso che a te. A te e ai gesti coi quali ci possedevamo, a te e ai siti nei quali ci eclissavamo, e manco il sonno mi concede requie. Oh, me infelice! Chi mi svincolerà da questa pena? Su di te la grazia è già scesa. Con te Iddio s'è rivelato un buon cerusico che non esita a far soffrire il paziente per restituirgli salute: la ferita che t'ha umiliato e mutilato la carne ti ha guarito l'anima. Ma io sono giovane, facile preda delle tentazioni. Quel castigo non l'ho ricevuto e il richiamo de' sensi m'avvampa... La gente loda la mia castità. Mi considera virtuosa perché nel corpo mi mantengo pura. Ma la virtù non sta nel corpo. Sta nell'anima. E io sono un'ipocrita. Anche il mio sentimento religioso è ipocrita, visto che ho sempre più temuto d'offendere te che non Dio. Visto che ho sempre più cercato d'essere gradita a te che non a Dio, e che un tuo ordine non un suo ordine mi portò a indossare il saio col quale inganno chiunque inclusa me stessa...». Poi, come una fucilata che esplode in un campo di rose rosse, una poesia insieme tenera e adirata: «Sacri volumi, interpreti severi / d'una moral che l'anima rattrista / coi cupi dogmi e coi tetri misteri / ite lungi da me / Voi non m'offrite che beni remoti / promesse di gioie celesti, di foschi timor / E i vostri lampi di cieca fede / rassodar non ponno il mio spirto che invoca / baci e carezze, voluttà svanite / Era l'ora in cui l'astro del giorno declina / per regalarci la sera / Un pacifico vento, un'aura fresca / giungea scherzando di fronda in fronda / e la mia mano stringea forte la tua / Pieno d'ardor mi trassi al letto / e con piè tremante / tu seguivi i passi miei / Di virtude già vicina a mancar / avvicinasti la tua bocca alla mia bocca / Vi cogliesti il desio che era il tuo desio / caddi nelle tue braccia / Ogni difesa abbandonasti, ogni pudor / e nei trasporti ripetuti, moltiplicati...».

Allora, più che mai sconvolto, aveva frugato in cerca della copertina per capir di che libro si trattasse. E anziché la copertina aveva trovato un frontespizio semistracciato che diceva: «Lettere di Abelardo e di Eloisa liberamente tradotte dal latino con l'arte dell'egregio cavalier Andrea Metrà. Testo arricchito col noto poema redatto dall'inglese Alexander Pope, *Elegia in memoria d'una femmina sventurata*, e tradotto dall'illustre abate Pio Conti. In aggiunta, anonime poesie francesi sullo stesso argomento e tradotte dall'esimio arcade Eusebio Mallerba. Prologo del signor Giuseppe Martini che a sue spese stampò in Venezia nel 1812 e presso la tipografia Molinari». (Posso riportar lo sproloquio parola per parola in quanto quel libro ora ce l'ho io. Prima che la cassapanca saltasse in aria, lo rubai. E rubandolo lo salvai).

21

Povero nonno Antonio. La sua voce si affievoliva quando raccontava il dramma di quella notte. La scoperta dell'amore e dell'eros fatta attraverso la tragedia d'un monaco e d'una monaca che rimpiangevano o si rinfacciavano gli antichi amplessi. A quindici anni, raccontava, non lo sapeva chi fossero Abelardo ed Eloisa. In seminario non se ne parlava mai e senza dubbio il celebre epistolario dormiva ben celato negli scaffali a cui si accedeva esclusivamente col permesso *in scriptis* di fra' Paolo. Soltanto leggendo il prologo del signor Martini aveva scoperto che Abelardo era stato un gran personaggio del Medioevo, un filosofo e un teologo che insegnava nelle migliori accademie, elaborava opere fondamentali, in più componeva splendide ballate, le cantava, e che a causa d'una strepitosa avvenenza fisica piaceva molto al gentil sesso. Eloisa, sua allieva e nipote del canonico Fulberto, una delle donne più straordinarie dell'epoca. Bellissima, intelligentissima, superdotta in greco e in latino e in ebraico. Soltanto consumandosi gli occhi sull'infinitesimale grafica scelta dal signor Martini aveva appreso che nel 1117, Eloisa appena sedicenne ed Abelardo quasi quarantenne nonché al culmine della gloria, entrambi s'erano innamorati in modo furibondo. Che presto avevan concepito un figlio, che per soffocar lo scandalo s'erano sposati, che nonostante ciò la vendetta di Fulberto aveva evirato il colpevole e addio amplessi. I due infelici s'eran dati alla vita monastica, separati per sempre. Nel 1134 però avevano preso a scriversi e grazie a una decina di lettere (da sette secoli il capolavoro più manipolato e plagiato della letteratura) la loro storia era entrata nella leggenda. Non lo sapeva, no. E a saperlo la scomoda smania in fondo al ventre era riapparsa. Mille volte più intensa di quella provata a veder le statue delle naiadi e delle sabine nude. Dal fondo del ventre era salita al cuore dove aveva acceso una tempesta di emozioni che includevano un gran trasporto per Eloisa, una gran consapevolezza di ricalcare la sua ipocrisia. Dal cuore, al cervello dove aveva scatenato una bufera di dubbi e domande angosciose. Se una persona eccezionale come Eloisa non era riuscita a respingere il richiamo dei sensi, se un tipo intelligente e maturo come Abelardo non era riuscito a dominar la forza dei desideri, in che modo se la sarebbe cavata lui che era un disgraziato qualsiasi anzi un ragazzo imberbe?!? Dunque che fare per non continuar l'inganno, l'ipocrisia? Infliggersi la ferita che umiliando e mutilando la carne guarisce l'anima, insomma tagliarsi il cazzo? Noddavvero. Rinunciare all'idea di diventar prete, al miraggio d'uguagliare il Fallaci con la toga di giudice, e rimettersi a zappare i campi? Giammai. Piegarsi alle pretese del celibato cioè accettar la morale che rattrista l'anima coi cupi dogmi, i tetri misteri, e a chi ha bisogno di piaceri terreni regala le gioie celesti?

Ci aveva pensato fino all'alba. Poi aveva deciso di continuare l'inganno, proseguire per la sua strada. Però al momento di chiudere la cassapanca, consegnar la chiave alla prozia Amabile che brontolava sei-pallido-che-ti-succede, aveva compiuto uno sbaglio peggiore dell'imprudenza commessa ad aprirla. S'era lasciato vincere dalla tentazione di legger tutte le lettere e il poema di Pope e le altre poesie. Aveva ficcato il libretto nella tasca della tonaca e con questo era tornato in seminario, s'era presentato a fra' Paolo che dopo ogni licenza esigeva un rapporto. Sì, Reverendissimo Padre, il prozio moriva e voleva esortarlo a mantener la retta via della pietà e dell'umiltà. No, Reverendissimo Padre, nessun speciale evento aveva caratterizzato l'addio, e in alcun modo aveva infranto le regole. Neanche una parola sulla cassapanca, sull'incontro con Abelardo ed Eloisa, sulla notte trascorsa a casa della prozia. E va da sé che mentire gli era costato le pene dell'Inferno. Avere addosso il libretto, idem. Gli deformava la tasca, capisci, la gonfiava. Sicché durante il rapporto non faceva che chiedersi: "E se la notasse?!?". Si chiedeva anche dove lo avrebbe nascosto, visto che in cella non potevi nascondere uno spillo. Tra i testi scolastici che si allineavano sul palchetto? Impossibile. I

Prefetti e i Viceprefetti ci frugavano ogni giorno. Tra gli indumenti o dentro il materasso? Nemmeno. Gli aguzzini frugavan perfino lì e il materasso lo bucavano con un ago da lana. Dietro l'attaccapanni? Macché. Lo spostavano. Appena dentro, però, lo sguardo gli era caduto su un mattone che nell'angolo dell'impiantito non aderiva agli altri. Facendo leva con le unghie lo aveva rimosso e Gesù!, sotto c'era lo spazio sufficiente a occultarvi un oggetto largo dieci centimetri, lungo diciotto, ed alto tre. Una specie di scrigno. Il quinto anno lo aveva quindi inaugurato col mattone che si alzava e si abbassava come il coperchio d'uno scrigno. I Prefetti e i Viceprefetti non se n'erano accorti, e prima che arrivasse la primavera s'era letto l'intero epistolario nonché il resto. Con particolare entusiasmo, le poesie anonime che mettevano a fuoco il suo problema e incitavano alla rivolta. «Cielo, è forse nequizia / anteporre un bacio ai miei voti? / Se lo è ti dico, o Signore / che tale nequizia io l'amo.» Favorito dalla solitudine dell'alloggio personale, infatti, non dormiva più con le braccia fuori delle coperte. Non si sentiva più un perverso da condannare, e la notte rincorreva un'immagine femminile che chiamava Eloisa. «Ma non l'Eloisa adolescente per cui Abelardo aveva perso la testa» chiariva da vecchio. «Un'Eloisa adulta. Una signora molto bella, molto vissuta, molto sicura di sé. Una dea che si muoveva come se il mondo le appartenesse e che non assomigliava a nessuna donna da me conosciuta. Un'Anastasìa, mi spiego?» In quei mesi, inoltre, era assai cresciuto. Il suo corpo s'era allungato, irrobustito. Il suo viso rotondo s'era piacevolmente incavato. La sua voce era divenuta grave, pastosa, e sia al mento che sopra il labbro superiore gli era spuntata una peluria da sbarbare. Non a caso fra' Paolo si occupava parecchio di lui e in confessionale gli rivolgeva quesiti di questo genere: «Avverte qualche ansia, figliuolo? La sfiora qualche torbida fantasia?». I

Prefetti e i Viceprefetti lo tormentavano assai più di prima. Lo spiavano con maggior impegno, gli perquisivan l'alloggio con maggior frequenza, e la paura che scoprissero il suo scrigno lo ossessionava. Appena in cella sollevava il mattone per accertarsi che il prezioso libretto stesse ancora lì, e a volte si chiedeva se non fosse il caso di liberarsene. Buttarlo via. Era giunto in quel modo alla sera del 26 aprile 1877, vigilia del suo compleanno e data che gli avrebbe sempre inflitto un brivido d'orrore. Perché quella sera il prezioso libretto non lo aveva trovato. Al suo posto, un fogliolino con una scritta a caratteri cubitali, INGRATO, e una cantilena maligna che veniva dal corridoio.

«Libera nos a malo, libera nos a malo... Liberaci dal male, liberaci dal male... Amen.»

S'era quasi svenuto, ovvio. Era rimasto lì a fissare lo scrigno vuoto e il fogliolino come un ebete che ha ricevuto una martellata in testa. E per tutta la notte aveva atteso che la porta chiusa dall'esterno si spalancasse, che qualcuno venisse a prenderlo per portarlo dall'Illustrissimo Signor Rettore. Però non era venuto nessuno, alla cantilena era seguito un silenzio di tomba, e la cosa più crudele è che per tre giorni nessuno gli aveva detto nulla. I maestri e i compagni di classe s'erano comportati con la consueta cortesia, i Prefetti e i Viceprefetti s'eran limitati a trattarlo con garbata freddezza. Volti chiusi, risposte a monosillabi. Occhiate dirette altrove, e neanche un rimprovero. Neanche una mezza parola di biasimo, un sia pur vago accenno al delitto. Inutile tentare approcci, abbozzar sorrisi, o sia pure in malafede mendicar spiegazioni. «Qualcosa non va, signor Prefetto?» «Probabile.» «È arrabbiato con me, signor Viceprefetto?» «Possibile.» In casi simili (lui non lo sapeva) rientrava nel sistema di fra' Paolo avviare il processo alzando un muro di ostracismo tra il reo e i suoi guardiani. Così il reo si innervosiva, soffriva, si dilaniava nelle congetture, e magari accarezzava infondate speranze. Mah! Forse Abelardo ed Eloisa non sono nell'*Index Librorum Prohibitorum*. Alexander Pope, nemmeno. Le poesie tradotte dall'esimio arcade Eusebio Mallerba, neppure. Forse quel testo è solo sconsigliato, disapprovato, e l'Illustrissimo Signor Rettore è solo dispiaciuto. Attraverso loro cerca d'esprimere il suo rammarico e devo aver pazienza. Tener duro, aspettare che mi perdoni. Invece, trascorsi i tre giorni, fra' Paolo era passato alla fase successiva del processo. Indovina come e quando e dove. Nel refettorio ossia nel luogo dove si mangiava tutti insieme, per via di ciò adibito ai pubblici castighi. All'ora di cena ossia quando diventavi più indifeso, più rilassato, e con un *Pater Noster* preceduto da un discorsino crudele. Dopo il Gratias-agimus-tibi-Domine aveva ordinato ai sessanta seminaristi di rimanere in piedi con le mani giunte, e: «Tra di voi c'è una mela marcia, una pecora nera da punire. Non ne pronuncerò il nome, non rivelerò la natura della colpa. Avvelenerebbe chi è sano, insudicerebbe chi è puro. In compenso gli chiederò di pregar con noi per dismorbar questa mensa inquinata dal suo cospetto. Pater Noster qui es in caelis, sanctificetur nomen tuum. Adveniat regnum tuum, fiat voluntas tua sicut in caelo et in terra, panem nostrum cotidianum da nobis hodie. Dimitte nobis debita nostra sicut nos dimittimus debitoribus nostris, et ne nos inducas in tentationem, sed libera nos a malo. Libera nos a malo! Libera nos a malo! Libera nos a malo!». Sì, lo aveva urlato quattro volte il libera-nos-a-malo già offeso dalla maligna cantilena. E un coro possente, un quadruplice tuono, s'era unito alla supplica. La mela marcia, la pecora nera, no. Non aveva avuto nemmen la forza di muover le labbra poi di toccar cibo, e molti se n'erano accorti. Con la solita perfidia dei vili avevan preso a tirarsi gomitate, scambiarsi risatine sommesse, bisbigli. «È lui, è lui!» «Sì, non può esser che lui.» «Che avrà combinato?» «Roba brutta, roba brutta.» La notte, ovvio, non aveva fatto che smaniare. Disperarsi, chiedersi che sarebbe successo l'indomani. Bè, era successo il peggio. Perché l'indomani era domenica. Sia a pranzo che a cena il menu includeva pollo e vitella arrosto, patatine croccanti, torta, vino dolce. Nel pomeriggio si andava a passeggio, ricordi, la mattina nel Duomo a cantare i canti gregoriani. Svago che consentiva di godersi l'aria fresca, la piazza dei Miracoli, la Torre Pendente. E mentre usciva un Prefetto lo aveva bloccato.

«No, lei no.»

«Ma... La Messa, signor Prefetto!»

«Lei rimane in cella.»

All'ora di pranzo, lo stesso.

«No, lei no.»

«Ma... Il pranzo, signor Prefetto!»

«Le porteremo qualcosa in cella.»

Per la passeggiata pomeridiana, lo stesso. No-lei-no. E prima di cena, la botta finale.

«Venga. Il Reverendo Padre l'aspetta nel suo ufficio.»

Lo aveva seguito con l'entusiasmo d'un prigioniero che va al patibolo, diceva da vecchio. Un passo avanti e due indietro. Tutto tremante aveva varcato la soglia del Sancta Sanctorum nel quale non era mai stato perché vi si accedeva solo in circostanze nefaste o eccezionali, e Gesù, che orgia di sadismo! Sulla parete di fronte c'era una croce così gigantesca che da terra arrivava al soffitto, e sulla croce il Cristo più tragico su cui avesse mai posato lo sguardo. Corpo scheletrico, occhi rovesciati, bocca distorta dallo spasimo, rivoli di sangue che sgorgavano dalla testa cinta di spine, dalle palme inchiodate, dal torace piagato. E ogni rivolo dipinto con la vernice rossa, sicché da lontano questa sembrava sangue vero. A destra della croce, un quadro che ritraeva San Sebastiano ignudo e trafitto di frecce. Un paio nello stomaco, un paio nelle spalle, un paio nei fianchi, un paio nell'inguine. Con quali effetti orripilanti, brividi di raccapriccio, puoi immaginarlo. A sinistra, un altro quadro che ritraeva l'arcangelo Gabriele nell'atto di folgorare Lucifero. In ottima salute, l'arcangelo. E bellissimo, contentissimo, elegantissimo. Chioma al vento, corazza che maliziosamente disegnava i pettorali gonfi come seni di donna, gonnellino che maliziosamente scopriva le cosce perfette, e un che di femmineo nei tratti ambigui. Infatti sembrava una fanciulla vestita da guerriero. Con un piede schiacciava i genitali del nemico che non meno ignudo di San Sebastiano e quindi non meno inerme si torceva di dolore. Con una saetta di fuoco gli infilzava la pancia, e ciò causava non poche perplessità sulla misericordia delle creature celesti. Sulla scrivania ingombra di carte c'era invece la statuetta d'un martire alla cui anatomia era toccata la medesima sorte di Abelardo nonché un secondo crocifisso a piedistallo che dentro il piedistallo custodiva un dito mummificato. E dietro la scrivania, fra' Paolo. Assiso su uno scranno, immobile, più grasso di sempre, e coperto di gioielli come una regina a corte. Sul saio nero di agostiniano portava infatti una massiccia catena d'oro, e da questa pendeva una terza croce formata da nove mastodontici rubini incastonati da brillanti. Alla mano sinistra portava un'ancor più mastodontica ametista, l'anello di arcivescovo, a quella sinistra uno zaffiro grosso come una nocciola e Gesù!, chi avrebbe mai detto che nel segreto del Sancta Sanctorum quel predicatore di modestia, temperanza, umiltà, si adornasse di oggetti preziosi come una regina a corte? Distratto dalla sorpresa, dallo stupore, non s'era dunque accorto che tra le carte della scrivania occhieggiava il corpo del reato. Ma d'un tratto fra' Paolo era uscito dalla sua immobilità. L'aveva ghermito e con gelida voce aveva letto il brano dove Eloisa racconta che durante la Messa, quando la preghiera è o dovrebb'essere monda di assilli terreni, gli adescanti fantasmi delle passate ebrezze s'impossessano della sua anima. Ad-essi-mi-consegno-turgida-di-nostalgie-e-invece-di-pentirmi-rimpiango-ciò-che-ho-perduto. Non-penso-che-a-te. Con la stessa voce aveva letto i primi versi dell'*Elegia in memoria d'una femmina sventurata*, il poema di Alexander Pope. «Nelle oscure solitudini e lugubri celle / dove la celeste meditazione alberga / e la malinconia del pregare stagna / il tumulto che scorre nelle mie vene di monaca...» Poi di colpo s'era fermato, aveva sbatacchiato il libretto, e la gelida voce era divenuta il ringhio d'un cane idrofobo.

«Cos'è questa sozzuraaa?!? Da dove viene, con quali tresche l'ha portata in questo seminariooo?!? A chi l'ha mostrata, quanti altri l'hanno vedutaaa?!? Parli, risponda, parli! Confessi, è un ordine, confessi!»

Confessare, parlare, rispondere? Neanche volendo avrebbe potuto. Le sue corde vocali non emettevano alcun suono, la sua intelligenza taceva, la sua mente conteneva soltanto terrore. Così era rimasto lì a subire paralizzato quel diluvio di sdegno, e a un certo punto aveva fatto qualcosa di cui da vecchio si vergognava. S'era messo a piangere. «Sono sempre stato avaro di lacrime, io. Perfin da bambino piangevo poco. Eppure quella sera ne versai tante. Senza singhiozzi, zitto. Le sentivo scorrere giù per il viso, cadere sulla tonaca in tonfi pesanti come sassolini, e in esse mi scioglievo a tal punto che credevo di liquefarmi. Dio, che vergogna.» Allora fra' Paolo aveva smesso di abbaiare. S'era fatto mellifluo, affettuoso, e aveva dato il via a una filippica così ambigua da rinverdire il monito dello zio Luca. Attento-alle-chiappe, salva-le-chiappe. Ah, che dispiacere, che delusione! E dir che spesso egli lo associava all'arcangelo Gabriele! Guardava quel quadro, quei bei lineamenti che gli ricordavano i suoi lineamenti, quel bel sorriso che gli ricordava il suo sorriso, e pensava: forse un giorno lo dirigerà lui il Piccolo Seminario. Forse diventerà davvero papa o cardinale. Tuttavia e sebbene il peccato non si cancelli, era possibile rimediare. Bastava ravvedersi, compier le tre penitenze che ora gli avrebbe elencato, e poi mettersi sotto la sua paterna guida.

«Per una settimana lei osserverà la disciplina del silenzio. Non parlerà a nessuno, nessuno parlerà a lei, e perfino le preci le reciterà col pensiero. Capito? Faccia un cenno d'intesa per dir che ha capito.»

Cenno d'intesa.

«Inoltre si nutrirà a pane ed acqua. Alimenti che consumerà nel suo alloggio. E dal suo alloggio non uscirà che per recarsi nel bagno, in aula a studiare, in cappella a pregare. Capito?»

Cenno d'intesa.

«Nonostante ciò, all'ora di cena verrà in refettorio. E anziché sedere a tavola, mangiare, si inginocchierà al centro della stanza dove sempre zitto chiederà perdono a Dio. Capito?»

Cenno d'intesa.

Oh, era tremenda la disciplina del silenzio. Pensa che nemmeno al cameriere poteva parlare, nemmeno il cameriere gli parlava. E la vipera se ne approfittava. Con la scusa di pettinarlo gli strappava i capelli. I Prefetti e i Viceprefetti, poi, si esprimevano a gesti. Sia i professori che i seminaristi si comportavano come se non esistesse, e l'unico conforto gli veniva dall'udire i discorsi degli altri. Le preghiere degli altri, le lezioni in classe. Era tremendo anche nutrirsi a pane ed acqua. Una fame! L'indomani non si reggeva già in piedi, e sognava un pollo arrosto più di quanto un detenuto sogni di fuggire. Ma il castigo più feroce, più umiliante, era stare in ginocchio al centro del refettorio mentre loro mangiavano. Non tanto per l'odore del cibo che ti entrava nelle narici, ti stuzzicava l'appetito, ti esacerbava la fame, quanto per la cattiveria con cui quei molluschi si godevano lo spettacolo. Era come stare alla gogna in una pubblica piazza, col collare di ferro e le mani legate dietro la schiena, con la plebaglia che ti sputa addosso e ti getta le uova marce. Al posto degli sputi, le risatine. Al posto delle uova marce, le strizzatine d'occhio. Al posto della plebaglia, i molluschi. I futuri sacerdoti. I futuri interpreti della cristianità, della pietà, della carità. I futuri maestri della politica che in nome del Bene fotte la gente, diceva da vecchio. (Poi aggiungeva, amaro: «Guarda i capipopolo che il paradiso lo promettono in terra. Non gli manca che la tonaca, sembrano preti. Dei preti hanno la faccia, il carattere, il tono suasivo o minaccioso, e della Chiesa copiano tutto. Il culto dei sacri testi, lo sfruttamento dei martiri, l'organizzazione. La pretesa di piegare chiunque alle loro ideologie, ai loro dogmi, le tecniche di persecuzione o di indottrinamento. L'arroganza, la furbizia, la malafede cioè il cinismo. Il disprezzo per gli avversari, la sete di potere, la tirannia con cui lo detengono dopo essersene impadroniti...». Ed io sono d'accordo). Così le prime sere soffriva, soffriva, e inginocchiato pensava: chieder perdono a Dio di che, perché? Perché ho letto un libro che parla di sesso? Si nasce dal sesso! Se fosse per loro e la loro castimonia o presunta castimonia, tutti illibati o tutti froci, non nascerebbe più un essere umano. Ravvedermi di che, perché? Non ho mica fatto nulla di male. E avrebbe voluto morire. La quarta sera, invece, aveva trasformato la sofferenza in odio. La quinta, in rivolta. E s'era messo a vagheggiare le smodatezze, le follie, gli atti impuri che nel monastero di Argenteuil il neosposo Abelardo aveva compiuto proprio in refettorio. Aveva immaginato di far lo stesso lì, davanti a fra' Paolo e al Camarlingo e al Padre Spirituale e ai molluschi. Indovina con chi. Con la signora su cui fantasticava la notte e che chiamava Eloisa. Quella molto bella, molto sicura di sé, molto vissuta. La dea che si muoveva come se il mondo le appartenesse e che non assomigliava a nessuna donna da lui conosciuta. Sì, era stata lei a togliergli la voglia di morire. Ed anche a suggerirgli la maniera di vendicarsi, di ritrovare sé stesso. Perché la domenica successiva, giorno che avrebbe segnato la fine delle Tre Penitenze, aveva deciso di firmare la sua autocondanna. No, a costo di rompere il cuore dei nonni e dei genitori, a costo di non colmar mai l'abisso sociale che lo divideva dal parente con la toga di giudice, non sarebbe diventato prete anzi papa o almeno cardinale. E al diavolo la cultura, la storia, la letteratura, la metafisica, l'astronomia, la filosofia, la teologia. Al diavolo le buone creanze, il Galateo di Melchiorre Gioia, il mare. Con lo stomaco più vuoto d'un guscio vuoto era corso in cucina. Tra gli urli delle cuoche, signor-no, di-venia-signor-no, aveva arraffato un pollo arrosto e una bottiglia di vin dolce. «Ssst! Acqua in bocca, sst!» Il vin dolce se l'era tracannato ancor prima di divorarsi il pollo. Sicché quando il Prefetto s'era presentato per condurlo in refettorio, metterlo in ginocchio un'ultima volta, lo aveva ricevuto completamente ubriaco. «Via, carogna, via! E non azzardarti a spengere la candela, stanotte, sennò te la ficco in culo anche se so di farti un favore.» Poi, incurante degli strepiti, aiuto-è-impazzito-aiuto, s'era barricato dentro la cella. S'era seduto al tavolino e plagiando i versi dell'anonimo francese tradotto dall'esimio arcade Eusebio Mallerba aveva scritto la blasfema poesia che nel 1944 avrei rubato anzi salvato insieme al libretto.

«Fame, silenzio, voglia di morire / lacrime, preci, supliche angosciate / a un Dio sordo che tace e non ascolta / Umiliazioni, minacce, punizioni / per colpe mai commesse, impurezze mai avvenute / Cristo, è un inferno il vostro paradiso / è una menzogna la vostra carità / è un'ignoranza il vostro gran sapere / e non avete nulla da insegnarmi / Ergo vi lascio, assassini del pensiero / eunuchi nel corpo e nella mente / mi svincolo dal giogo e me ne vado / in cerca di colei che chiamo Eloisa.»

Esauriti gli strepiti, finito l'assedio dei molluschi accorsi all'aiuto-è-impazzito-aiuto, l'aveva addirittura messo fuori della porta. Quindi era andato a dormire, smaltire la sbornia, e all'alba fra' Paolo lo aveva riconvocato nel suo ufficio. Senza la catena d'oro, stavolta. Senza i nove giganteschi rubini e l'ancor più gigantesca ametista e lo zaffiro grosso come una nocciola, e con un'inaspettata tristezza negli occhi. Un'inaspettata mestizia nella voce. Quasi un'indulgenza che conteneva rispetto. In mano, la poesia.

«È sua, questa, figliuolo?»

«Sì, Reverendissimo Padre.»

«Era ebbro d'alcool, vero, figliuolo?»

«Sì, Reverendissimo Padre.»

«Non l'ha scritta lei, dunque. L'ha scritta Satana, vero, figliuolo?»

«No. L'ho scritta io, Reverendissimo Padre.»

«Vuol dire che non se ne pente, figliuolo?»

«No. È la mia lettera di dimissioni, Reverendissimo Padre.»

Era seguita una pausa. Così lunga, Gesù, così lunga che a un certo punto aveva temuto il perdono. Invece d'un tratto s'era conclusa con la condanna. Pronunciata con la medesima voce, il medesimo tono, e appena toccata da una punta di sarcasmo. Anzi di perfidia.

«Qui non siamo in un'azienda o in un ministero, figliuolo, qui non si danno le dimissioni. Lei è espulso. Oggi stesso provvederò ad avvertire la sua famiglia e a bruciare tutte le carte che la riguardano. La domanda che ci spedì per sollecitare il Posto di Grazia, ad esempio, l'affidavit del parroco, la copia del suo atto di battesimo, i suoi compiti in classe. Ordinerò anche di depennare il suo nome da tutti i registri, tutti gli elenchi, tutti i tabulari dei seminaristi presenti e passati. È la regola, capisce, e di lei non deve restare traccia. Memoria alcuna.»

«Sì, Reverendissimo Padre.»

«I suoi oggetti personali, al contrario, le saranno restituiti. E per incominciare ecco il suo indecente volume, ecco la sua lettera-di-dimissioni. Non ne sia troppo fiero. La metrica è accettabile ma la vena poetica è scarsa.»

«Sì, Reverendissimo Padre.»

«Ora addio. Consegni al Camarlingo la tonaca e il resto del corredo. Calze e mutande incluse. La regola è reciproca e dal seminario, capisce, non può portar via neanche un granello di polvere. Fatto ciò indossi gli indumenti coi quali arrivò, e vada pure in cerca della sua Eloisa. Che Iddio abbia pietà di entrambi, se mai vi incontrerete.»

Più che una perfidia, questa, un anatema. E dieci anni dopo se ne sarebbe reso conto. Quanto a indossar gli indumenti coi quali era arrivato, dodicenne, menomale che la prozia Amabile aveva avuto la buon'idea di venir a prenderlo con un paio di scarpe e un abito del defunto coniuge. Un po' corte, le scarpe. Un po' striminzito, l'abito, e coi pantaloni che coprivano solo il polpaccio. Proprio le misure d'un nano. Però quel che bastava a uscire di lì, recarsi al mercato dei cenci vecchi, procurarsi qualcosa di meglio, e tornar con la cassapanca a Candialle.

22

Sì, Candialle. «Resta con me a goderti in po' di libertà. A divertirti, a cercare davvero la tua Eloisa» gli aveva detto la prozia Amabile, sempre intelligente. Per convincerlo s'era perfino offerta d'aiutarlo a continuare gli studi, iscriverlo alla facoltà di legge e avviarlo alla carriera del parente con la toga di giudice. «Qualche soldo da parte ce l'ho, Antonio. Non dirlo ai tuoi genitori ma il mio Michele non mi ha lasciato al verde. E alla facoltà di legge, qui a Pisa, ci son professori in gamba. Tipi che nel Quarantotto cioè alla tua età combatterono gli austriaci a Curtatone e Montanara. Ti troverai bene. Anche tu diventerai un famoso giudice, farai schiattar di rabbia quel borioso coi baffi a punta.» E lì per lì il progetto gli era piaciuto. Ma dopo una settimana trascorsa a guardar le belle signore che facevan lo struscio sui lungarni l'aveva respinta. Era tornato con la cassapanca a Candialle dove aveva infranto il cuore di tutti fuorché di don Fabbri che dal 1875 riposava nel cimitero di San Leolino e dello zio Luca che a vederlo senza la tonaca era esploso in un urlo di sollievo. «Sei salvo, sei salvo!» Il cuore del nonno, per incominciare, che durante l'inverno era morto piangendo io-di-dispiaceri-n'ho-avuti-tanti-però-il-dispiacere-che-m'ha-dato-il-mi'-nipote-è-il-più-grosso. Quello della nonna che in seguito a ciò era uscita di cervello. Brutto-boia, l'hai-ammazzato-te, brutto-boia. Quello del babbo che era caduto in un allarmante stato d'inedia e non toccava cibo. Non-ci-riesco, ho-lo-stomaco-chiuso, non-ci-riesco. Quello della mamma che s'era ammalata d'ipocondria e mugolava sempre in-questa-casa-non-ne-va-bene-una. Aveva anche perduto il riconquistato rispetto delle sorelle e la stima dei panzanesi che abolito il Lei, col Lei le richieste di benedizione, gli avevano affibbiato un nomignolo infame: lo Spretato. E la sua Eloisa, superfluo dirlo, non l'aveva cercata. Anziché cercarla s'era rimesso a vivere da contadino, e guai ad osservare che con la sua sapienza avrebbe potuto diventar maestro di scuola o precettore o scrivano. Alla cultura ora opponeva un rifiuto che sfiorava l'astio. Per esempio: niente e nessuno ora gli impediva di leggere l'altra pietra dello scandalo: il *Decamerone* del Boccaccio. Eppure esso dormiva nella cassapanca che senza sollevare le antiche invidie (macché-tesori, non-c'è-nulla, non-vale-nulla) si copriva di polvere in soffitta. Quanto al fatale libro restituito insieme alla poesia, non voleva nemmeno vederlo. Ringraziar Iddio se lo aveva riposto (con la poesia) dove lo aveva trovato cioè sotto i cimeli di Caterina la Grande. In compenso amava molto zappare, sarchiare, durar fatica, sudare. E, sia pure con distacco, ogni domenica andava alla Messa. Ogni sera recitava il Rosario.

«Perché, nonno, perché?» gli chiesi un giorno.

«Perché esiste una cosa che ha nome rimorso» rispose.

Poi mi spiegò quel che gli era successo durante la settimana trascorsa a guardar le belle signore sui lungarni di Pisa.

Aveva riflettuto sull'addio di fra' Paolo, rivisto l'inaspettata tristezza che appannava i suoi occhi, riudito l'inaspettata mestizia che gli addolciva la voce. E senza provar rancore per il tocco di perfidia poi per l'anatema finale, che-Iddio-abbia-pietà-di-entrambi-se-mai-vi-incontrerete, s'era chiesto se avesse fatto bene a fare ciò che aveva fatto. Cioè a vendicarsi con la blasfema poesia. Cristo, una cosa è assaltar la Bastiglia e portarsi via il pollo arrosto con la bottiglia di vin dolce, rivendicare il sacrosanto diritto e il sacrosanto dovere di ribellarsi alla tirannia. Una cosa è mostrare i denti a uno sbirro e minacciar di ficcargli la candela nel culo anche se a ficcargliela sai di rendergli un favore. E una cosa è rizzar ghigliottine, tagliar la testa del nemico e infilarla su una picca, sventolarla per le vie di Parigi. A fra' Paolo aveva tagliato la testa con quei tredici versi messi fuori della porta. Gliel'aveva infilata nella picca e sventolata per le vie di Parigi. Pover'uomo, anche lui. Di sicuro anche lui, da giovane, era stato punito avvilito umiliato in qualche refettorio. Esposto al ludibrio, agli sputi e alle uova marce dei molluschi, per aver desiderato ciò che Abelardo ed Eloisa avevano avuto. E forse in un modo o nell'altro lo desiderava ancora. Per questo teneva nel suo ufficio quei quadri di martiri ignudi, quell'ambiguo arcangelo Gabriele che con la sua chioma al vento e i suoi tratti femminei e i suoi pettorali gonfi come i seni d'una donna sembrava una fanciulla vestita da guerriero. Per questo aveva tanta paura del sesso e obbligava i seminaristi a far il bagno con la camicia, a dormire con le braccia fuori delle coperte, a non spogliarsi sulla spiaggia, a non legger libri che parlavano d'amore e di erotismo. Ma allora la colpa non era sua. Era dei tipi come Sant'Agostino, che prima di scagliarsi contro il peccato ne aveva combinate di cotte e di crude. Era della Chiesa, delle Chiese, delle teologie, delle ideologie inventate dai rompiscatole che la Storia spaccia per grandi ingegni o benefattori dell'umanità. Gli apostoli, i profeti, i messia d'ogni credo e d'ogni fede religiosa o politica. I frigidi pensatori che con le loro pietre filosofali, le loro astrazioni, le loro masturbazioni mentali, sfruttano il nostro bisogno di dare un senso alla vita e invece di nutrire l'intelligenza concimano la cretineria. Concimandola allevano orde di pecore disubbidienti o di fanatiche iene da usare come giustizieri su chi trasgredisce. E ciò trasformava fra' Paolo, il carnefice, in una vittima. O almeno in un candido cireneo che avendo portato la croce credeva di poterla passare, imporre agli altri. Sì, aveva sbagliato a vendicarsi in quel modo, s'era detto. Avrebbe dovuto andarsene e basta. Magari lasciando una parola di ringraziamento. Perché da lui non aveva ricevuto solo del male. In seminario lo avevano istruito, educato, ripulito, dirozzato. Gli avevano fatto imparare le cose che i ricchi imparano nei licei e negli atenei, capire che il sapere è una gioia, la disciplina una virtù, il sacrificio un pregio dei forti. Gli avevano insegnato a non sentirsi un piercolo di Candialle, a mangiare con le posate, a non sputare per terra, a non scaccolarsi il naso, e perfino a conoscere il brivido d'esser servito dai camerieri. Quel foglietto lasciato sotto il mattone, il foglietto col rimprovero INGRATO, conteneva dunque una buona dose di verità. Ed ora doveva pagare il conto. Tornare al suo piccolo cosmo di contadino che fatica e suda e va a Messa e biascica il Rosario, redimersi, espiare.

«E la tua Eloisa, nonno? Anche non cercar la tua Eloisa faceva parte della penitenza?» incalzai a quel punto.

«Oh, sì» rispose. «Ma era più forte del rimorso, lei. La vedevo ovunque, mi perseguitava ovunque. Non mi dava pace.»

«E le ragazze di Panzano, nonno...?»

«Oh, loro non le guardavo neanche. Non potevan certo sostituirla, e a guardarle mi sarebbe parso d'offenderla.»

Sedici anni, diciassette, diciotto, diciannove, venti. Senza mai uscire da quel paesino ignorante dove lo chiamavano lo Spretato. Senza mai allontanarsi da quei campi, da quella famiglia ottusa e bigotta che non aveva nulla da dirgli e alla quale non aveva nulla da dire, sicché a parte lo zio Luca non aveva nessuno con cui scambiare un discorso e cresceva nel silenzio. Il silenzio che in seminario gli pesava tanto. Senza mai curarsi di quel che accadeva al di là del piccolo cosmo, senza mai coltivare la sua cultura cioè aprire un libro o prendere in mano una penna. Fare il maestro di scuola o il precettore o lo scrivano. E senza mai dimenticare la sua Eloisa, senza mai guardare una ragazza. Era la cosa che preoccupava di più lo zio Luca, il suo non guardare mai una ragazza. Infatti ad ogni pretesto gli chiedeva: «Non ci avrai mica rimesso le chiappe, laggiù, non sarai mica diventato finocchio?». Inutile rispondere no, zio Luca, no. Nessuno-mi-ha-toccato-nulla, le-donne-mi-piacciono. Lo zio Luca insisteva nel sospetto e un giorno, lui stava per compiere vent'anni, aveva esclamato: «Questa faccenda te la risolvo io. E non con una squincia di qui, in un fienile. Con una professionista di città, in un bordello». Poi: «Domani ti porto a Firenze e ti faccio svezzare. A mie spese, eh? Sarà il mio regalo per il tuo ventesimo compleanno». Ed eccoci al punto: avrebbe potuto rifiutarlo il regalo. Avrebbe potuto replicare non-pensarci-nemmeno, zio-Luca, nel-bordello-io-non-ci-vengo. Invece aveva accettato. «Mi addolorava, capisci, vederlo così impensierito. Dubbioso. Inoltre speravo che la professionista mi liberasse di lei. Non ce la facevo più a viver col suo fantasma. A poco a poco quell'immagine s'era trasformata in un'ossessione e mi dicevo: sono un uomo, ora, non è possibile che continui a vederla come quando ero ragazzo. Certo si tratta d'una psicosi, d'una malattia nervosa, e devo guarirne.» Ancor prima che sorgesse il sole s'era dunque alzato. S'era ben lavato, ben sbarbato, vestito con l'abito della domenica, quello per andare alla Messa, ed era salito con lo zio Luca sulla diligenza. S'era fatto portare a Firenze e per l'esattezza in Borgo Allegri, all'ultimo piano d'una casa con le persiane chiuse e dieci prostitute agli ordini della sora Cleofe. La padrona. Era un venerdì, raccontava. Il venerdì la sora Cleofe attirava soprattutto i campagnoli che vendevano gli ortaggi al mercato di piazza Santa Croce, la piazza vicina a Borgo Allegri. Per attirarli abbassava la tariffa, da una lira e mezza a una lira a marchetta, gli offriva il caffè, gli prestava addirittura un giornale da legger durante l'attesa. E lui lo sapeva che farsi svezzare cioè perdere la verginità in un posto simile era degradante, che comprare una donna come si compra una bistecca era indegno. Non a caso salendo le scale avvertiva una specie di nausea. Nel medesimo tempo però si sentiva deciso, quasi stesse andando in ospedale a curarsi, a guarire la sua malattia, e con risolutezza era entrato insieme allo zio Luca poi s'era seduto nell'atrio dove i clienti aspettavano il bercio: «A chi tocca?». Con fiducia aveva preso il caffè e il giornale, aspettato il bercio. Il suo turno. Poi il suo turno era venuto. Sbadatamente ficcando il giornale in tasca aveva seguito lo zio Luca nello stambugio della sora Cleofe, una laida befana dai modi untuosi, e tra i due s'era svolto un dialogo da tapparsi gli orecchi. «Sora Cleofe, non son qui per me. Son qui per il mi' nipote che va svezzato.» «È un onore, signor mio, un onore. E neanche una sveltina per voi?» «No, sora Cleofe. Oggi tocca a lui e voglio un lavoro a regola d'arte.» «A regola d'arte sarà, signor mio. Purché paghiate in anticipo. Cinque lire, prego.» «Cinque lire?!? E la tariffa, lo sconto del venerdì?!?» «Non negli svezzamenti, signor mio. Per quelli ci vuole stoffa fine, merce speciale. E la merce speciale costa!»

Risolutezza, fiducia, erano svanite di colpo. Cieco d'imbarazzo aveva bisbigliato andiamo-via, zio-Luca, andiamo-via. Ma non era riuscito nell'intento, intascati i soldi la sora Cleofe lo aveva spinto verso il salotto per consegnarlo alla merce speciale, e... Sai, attraversando il sottoborgo cioè il quartiere delle prostitute a Pisa, aveva cercato più volte d'immaginare il salotto nel quale avveniva la consegna o la scelta. E ogni volta s'era figurato un luogo molto adescante, pieno di fanciulle bellissime ed elegantissime. Questo, al contrario, era roba da farti invidiare Abelardo evirato. Un mattatoio che invece di bovi o agnelli da uccidere o già uccisi e spellati allineava bagasce ignude e appena coperte da scialli trasparenti. Oppure vestite con le calze e basta, le giarrettiere e basta, quindi coi pubi e i seni e i sederi in mostra. Grasse, per giunta, obese. L'obesità rientrava nei gusti di un'epoca afflitta dalla fame e dalla tisi. Soltanto una appariva diversa. Vestita da capo a piedi, giovane, snella quanto le naiadi di piazza Signoria. Musetto grazioso, occhi languidi, riccioli neri. E mentre le bagasce canterellavan bel-biondino-da-mangiare, bel-bocconcino-da-inghiottire, la sora Cleofe lo aveva consegnato proprio a lei. Insieme a una buona raccomandazione, oltretutto. «Romilda, è un cliente da cinque lire. E al suo esordio. Che sia un servizio coi fiocchi.» Allora con un gran sorriso e sorda ai commenti beata-te, a-te-va-sempre-bene, brutta-troia, Romilda lo aveva condotto in una cameretta ancor più spoglia della sua cella al seminario. Materasso, attaccapanni, brocca dell'acqua, bidet. Sviato dal sollievo ed eccitato dal ricordo delle naiadi s'era detto: "L'ospedale fa schifo ma forse lei è il medico giusto. Forse mi guarisce". Chiusa la porta però il fantasma di Eloisa era riapparso. Imperioso, regale, e più struggente d'un rimprovero. Col fantasma, l'orrore d'aver comprato una donna come si compra una bistecca. Con l'orrore, ciò che nonostante tutto il seminario gli aveva inculcato. Il rifiuto della carne, del sesso. La carne vista come una cosa sordida, sporca, lubrica, sicché devi vergognartene e tenerla sempre coperta. Anche se crepi di caldo. Anche se stai in riva al mare e ogni fibra del tuo corpo ti comanda di buttar via i vestiti e tuffarti, sentir le onde che ti accarezzano. Anche se ti trovi dentro una vasca da bagno, ti lavi, e pazienza se con la camicia addosso non puoi insaponarti. Il sesso visto come peccato, anzi il peccato dei peccati, una colpa più grave che tradire e uccidere. E non dimenticare che fu Eva a mangiare la mela, a dannare per sempre il genere umano. Non dimenticare che Maria Vergine è vergine, che suo figlio lo concepì con lo Spirito Santo non con l'uomo che la fecondò. Il sesso è alla base d'ogni vizio, d'ogni turpitudine, infanga perfin la procreazione e va respinto. Va punito allo stesso modo in cui l'arcangelo Gabriele punisce Lucifero quando con un piede gli schiaccia i genitali e con una lancia di fuoco gli trafigge il cuore. E con quel rifiuto, aggiungo io, la gentilezza che era in lui. Il buongusto, il pudore. Il romanticismo che gli faceva sognare anzi amare una signora mai conosciuta, un'immagine che era frutto della sua fantasia. Le doti insomma che aveva anche da vecchio e che me lo rendevano caro. Simpatico, prezioso. «Sai, dopo io non sono stato uno stinco di santo. Però non ho mai commesso volgarità, cose di cattivo gusto. E in un bordello non ci ho mai più rimesso piede. Mai più.»

Era scappato. Lasciando Romilda tutta sgomenta e mortificata, era uscito ancor prima di levarsi il cappello. Sfidando le sghignazzate e le oscenità delle bagasce, bel-biondino-prova-con-me, bel-bocconcino-tenta-con-un-po'-più-di-ciccia, era ripassato dal mattatoio. S'era ripresentato allo zio Luca e: «Mi dispiace, zio Luca. Non posso. Non devo. Non voglio». Poi, rincorso dal poveretto che urlava torna-indietro-imbecille-io-ho-pagato, aveva infilato le scale e raggiunto piazza Santa Croce. Con l'impeto d'un animale che cerca riparo era irrotto in una latteria dove per calmarsi aveva bevuto quattro bicchieri di latte, e durante il ritorno non ti dico che scenata. Che requisitoria. «Razza di scoglionato, di smidollato, di pusillanime. Bella figura m'hai fatto fare, bella figura! A cani e porci lo racconteranno, a cani e porci! Lo zimbello di Firenze mi renderanno! Ma che ti scorre nelle vene, sangue o succo di camomilla?!? Senza contar le cinque lire. Cinque lireee! Il prezzo di dieci fiaschi d'olio, la paga giornaliera di tre operai! E dir che per regalarti lo svezzamento non mi son concesso neanche una sveltina! Son rimasto lì peggio d'un Tantalo che mòre di fame e di sete. Allora tanto valeva scegliere una squincia di Greve o di Panzano, darle mezza lira, chiuderti in un fienile. Fienile?!? Ma che vuoi fienilare! A me non la racconti, mollusco! Le chiappe ce l'hai rimesse eccome, finocchio sei diventato eccome, laggiù! Finocchio, sì, finocchio! Sei un finocchiooo!» Lui taceva. Non ci provava nemmeno a difendersi. Pensava soltanto al modo di fuggire anche da Candialle. Perché mentre beveva quei bicchieri di latte aveva riflettuto e capito che nel bordello della sora Cleofe era successo qualcosa di molto importante. Qualcosa che ora lo costringeva a tirar le somme e a concludere che in quei cinque anni di rinuncia, di esilio, di letargo, aveva sprecato la sua giovinezza assai più di quanto avesse intristito la sua fanciullezza coi quattro anni di seminario. S'era reso conto insomma d'essere arrivato a una svolta della sua vita. Una svolta che gli permetteva di recuperare il tempo perduto, e magari d'andar davvero in cerca della sua Eloisa. Dove, però, e per quali vie? Non aveva nessuno a cui chieder soccorso o consiglio, ora che il suo unico amico cioè lo zio Luca lo credeva davvero un finocchio e lo disprezzava. La prozia Amabile era morta, i suoi genitori erano rimbambiti, le sue sorelle lo odiavano apertamente, e la sua mente s'era anchilosata. La sua erudizione, quasi volatizzata. Ormai non sapeva fare che il contadino e ringraziare Iddio se ricordava la consecutio temporum, un po' di Sacre Scritture, un po' d'astronomia, il Galateo di Melchiorre Gioia ossia le buone maniere. Eppure doveva partire. A qualunque costo, per qualunque via. Inclusa la più banale, la più mediocre, la più inadeguata. E con questi pensieri era rientrato a casa, s'era seduto sulla cassapanca a fissar la finestra. Attraverso la finestra il bosco che saliva a San Eufrosino di Sopra, all'Oratorio, alla collina al di là della quale c'era il mondo. Il futuro e forse Eloisa, l'amore, il sesso e la libertà. Poi, stanco di macerarsi, s'era alzato. S'era tolto la giacca, nel toglierla s'era accorto d'aver sbadatamente messo in tasca il giornale che al momento del bercio a-chi-tocca stava leggendo anzi fingendo di leggere. Con gesto automatico lo aveva buttato via, e nel buttarlo via lo sguardo gli era caduto su un articolo intitolato Regio Decreto.

«In base alla Legge Numero 149 approvata l'8 aprile del presente 1881 dal Senato e dalla Camera dei Deputati, Sua Maestà Umberto I ha emesso un decreto in virtù del quale il Corpo delle Guardie Doganali diventa Corpo delle Guardie di Finanza» diceva. «Tale corpo avrà il compito di impedire e reprimere e denunziare il contrabbando, vigilare sulla riscossione dei dazi di consumo, concorrere alla sicurezza dell'ordine pubblico, e pur dipendendo dal Ministero delle Finanze farà parte delle forze di guerra dello Stato. Infatti entro l'anno il Ministero della Guerra provvederà a ordinarlo in compagnie e battaglioni sottoposti alla disciplina dell'Esercito e coi diritti, gli onori, le ricompense dei Corpi che appartengono direttamente all'Esercito. Fatto che rallegra in quanto le guardie dei dazi e le guardie di finanza si son sempre distinte nelle glorie del nostro paese. Basti pensare al contributo che dettero nel Risorgimento ossia nelle guerre per l'unità d'Italia, e in particolare nella campagna che Garibaldi fece per liberare il Sud dallo straniero.» E poi: «Nel Corpo delle Guardie di Finanza la ferma dura cinque anni e per tale durata dispensa dal servizio militare coloro che si presentano prima della chiamata di leva. È rinnovabile di volta in volta e garantisce uno stipendio minimo di 750 lire annue pari a circa due lire al giorno. L'arruolamento è volontario, in ogni capoluogo si svolge presso il locale distretto, e avviene dopo la verifica dei requisiti necessari. L'aspirante dev'essere robusto ossia in grado di sostenere i travagli del servizio e i pericoli che esso comporta. Ad esempio, le lunghe marce in montagna e gli scontri a fuoco. Deve avere un'altezza non inferiore al metro e 54, una circonferenza toracica non inferiore agli 80 centimetri, un'istruzione non inferiore a quella delle scuole elementari, una fedina penale del tutto intonsa, e un'età non superiore ai 36 anni. Sono ammessi anche i minorenni, vale a dire i cittadini che non hanno ancora compiuto i ventun anni, purché abbiano il consenso della famiglia».

* * *

Aveva atteso molto per ottenere il consenso. All'annuncio mi-arruolo-nelle-guardie-di-finanza la mamma era svenuta e il babbo s'era messo a bofonchiar proteste. «Ora vuol fare il giannizzero! Vessare e ammazzare la gente!»

Le sorelle, a sbeffeggiarlo. «Sbirro, scherano, sbirro!» Soltanto lo zio Luca non s'era opposto, anzi se n'era rallegrato al punto di perdonargli o quasi l'inutile spesa delle cinque lire. «Buona idea. Chissà che l'uniforme non ti riconduca sulla retta via.» E per presentarsi al locale distretto, il distretto di Firenze, aveva dovuto aspettare che il ministero della Guerra organizzasse i Corsi Allievi nelle città scelte per i Depositi di Addestramento: Genova, Napoli, Messina, Venezia. Cioè l'1 gennaio del 1882. Gli esami invece erano stati facili. I requisiti necessari non gli mancavan davvero. Misurava un metro e 64 d'altezza, 85 centimetri di circonferenza toracica, la sua fedina penale era intatta, e persino arrugginita la sua cultura superava di gran lunga quella dei normali candidati. «Dove ha studiato?» gli aveva domandato in tono congratulatorio il presidente della commissione. «Al Piccolo Seminario di Pisa, Illustrissimo.» «Si vede.» Peccato che i documenti bruciati da fra' Paolo gli impedissero di provarlo. (Il problema lo avrebbe afflitto per tutta la vita). Era stato facile anche giurare fedeltà ai Savoia. «Io Anton Maria Ambrogio Fallaci di Ferdinando e Caterina Poli giuro d'esser fedele a Sua Maestà Umberto I e ai suoi Reali Successori, di servire lealmente lo Statuto e le leggi dello Stato, di esercitare il mio incarico di Guardia di Finanza per il bene inseparabile del Re e della Patria.» A quel tempo, monarchia o repubblica eran per lui lo stesso. Senza complessi di colpa era dunque rientrato a Candialle, aveva trascorso le ultime due settimane con quei familiari che si sentivano ancora sudditi degli Asburgo-Lorena. Il babbo che ancora gemeva sulla cacciata e le lacrime di Leopoldo II, arrivederli-signori-arrivederli, e lo zio Luca che per Umberto I nutriva un'antipatia particolare.

«Se avessi saputo che per indossar l'uniforme dovevi giurare fedeltà a quel figlio di puttana, t'avrei detto di non pensarci nemmeno.»

Durante le due settimane lo avevano assegnato al Deposito di Venezia. E per Venezia era partito da Firenze alle 7 del 16 gennaio insieme a una dozzina di coglioni che credevano di recarsi alla guerra, col treno che via Pistoia-Bologna-Ferrara-Padova-Mestre giungeva alla stazione di Santa Lucia alle sei del pomeriggio. Dieci ore di viaggio e che avventura! Dopo Mestre cioè il tratto ferroviario che nel 1846 gli austriaci avevano costruito sul mare per unir la terraferma alla città, piuttosto che in un treno gli era parso di trovarsi a bordo d'una nave. Infatti s'era chiesto se a Candialle non avessero ragione a rimpiangere gli Asburgo e odiare i Savoia che non costruivano mai un cazzo. Quel che lo aveva impressionato di più, comunque, era stato l'arrivo. Perché e sebbene di Venezia conoscesse un mucchio di cose, anche che aveva centosessanta canali e trecentosessantanove ponti, anche che era il paese natìo del Casanova cioè d'un tipo a cui le Romilde piacevan parecchio, ignorava che la stazione di Santa Lucia fosse proprio sul Canal Grande. E quando i due Sottobrigadieri mandati a ricevere il gruppo li avevan condotti all'uscita, imbarcati sul vaporetto che portava alla Giudecca ossia l'isola dove stava la caserma della Finanza, avrebbe voluto urlare di gioia. Col fiato sospeso aveva percorso quella strada d'acqua che invece delle solite sponde bagnava antichi palazzi e splendide chiese, e che ogni poco defluiva in vicoli d'acqua a loro volta contenuti dai muri delle case. Quel liquido viale dove invece delle carrozze e dei cavalli transitavan le chiatte e le gondole, le famose gondole di cui aveva tanto sentito parlare e sulle quali aveva tanto sognato di andare con Eloisa. In gennaio faceva buio, alle sei del pomeriggio. Però davanti alle chiese e ai palazzi si ergevano grossi lampioni accesi, le finestre erano ben illuminate, le stesse gondole avevano fanalini, e nel chiarore potevi goderti ugualmente la vista di quelle meraviglie. Poi le meraviglie erano finite, purtroppo. Allo sbocco del

Canal Grande il vaporetto era entrato in un altro canale così largo da apparire un lago, il canale della Giudecca, e anziché girare a sinistra cioè dirigersi verso piazza San Marco aveva fatto una gran curva a destra. Li aveva consegnati alla caserma e... Oh, lo aveva capito subito che la caserma era una seconda prigione. Un seminario che dal Piccolo Seminario si distingueva solo per l'assenza dei camerieri e la facoltà di dormire con le braccia sotto le coperte, lavarsi senza la camicia addosso, sedersi a tavola senza recitare il Gratias-agimus-tibi-Domine. Uguale la disciplina spietata, la durezza del Regolamento, la chiusura mentale, la tirannia. E al posto di fra' Paolo una carogna di capitano che berciava come un ossesso, ti rimproverava per un nonnulla, per un nonnulla ti schiaffava agli arresti. Al posto dei Prefetti e dei Viceprefetti, i Brigadieri e i Sottobrigadieri che non paghi di spiare ogni tuo gesto ti davan del Tu e pretendevano il Lei. Al posto dei *Pater Noster* e le *Ave Marie*, le norme sul dazio di consumo e sulle privative. Al posto della tonaca, l'uniforme. Giacca verde scuro, chiusa da sei bottoni dorati e sia al colletto che alle maniche bordata di giallo. Pantaloni grigi, a tubo. Berretto a visiera con lo stemma dei Savoia e, per la libera uscita, cappello a bombetta. Anch'esso con lo stemma dei Savoia e in più guarnito da una coccarda tricolore da cui spuntava un'interminabile penna di corvo. Al posto del crocifisso, il fucile e la giberna e la spada a baionetta.

Aveva indossato l'uniforme con la stessa disinvoltura con cui a dodici anni aveva indossato la tonaca, raccontava da vecchio. A parte il cappello a bombetta che non gli piaceva a causa della forma e dell'interminabile penna di corvo, vi s'era sentito a suo agio. Aveva impugnato il fucile e la spada, oggetti a lui estranei quanto una mongolfiera o un paio di guantoni da boxe, con la stessa naturalezza con cui aveva sempre affrontato i cambiamenti radicali della sua vita. E capire che la caserma era una seconda prigione, un seminario, non lo aveva spaventato nemmeno un po'. Non c'era già stato in seminario? Nell'anima non era forse rimasto un seminarista? Benché tra sparare e pregare vi sia una certa differenza e il fracasso del poligono assomigli poco al silenzio della cappella, tutto coincideva. E a ritrovar fra' Paolo, i Prefetti e i Viceprefetti, il giogo della disciplina che ti inserisce nell'ingranaggio del sistema come se tu fossi la rotella d'un orologio, s'era sentito quasi a suo agio. Anziché una recluta, un veterano che ripete gesti e cerimoniali consueti. Sei ore per lezioni in classe e Viva il Re. Ora pro nobis. Sei ore per l'istruzione militare, gli avanti-march, i dietro-front, i fianco-destr', i fianco-sinistr', i punta-il-fucile, sguaina-la-spada, e Viva il Re. Ora pro nobis. Sei ore per la mensa, la pulizia personale, la pulizia delle armi, le pause ricreative, e Viva il Re. Ora pro nobis. Sei ore per dormire e Viva l'Italia. Amen. Però una cosa lo aveva stupito, anzi preso di contropiede. Il fatto che, sia pure per motivi molto diversi da quelli dei preti, anche in caserma si guardasse al sesso e alle donne come a un nemico da combattere anzi da eliminare. Perché invece del peccato lì si temeva il mal francese. Eufemismo con cui ci si riferiva alle malattie veneree, nell'Ottocento assai frequenti e nelle città di mare sempre in agguato a causa delle prostitute che servivano i marinai usi a frequentare i postriboli più contaminati. La castità degli allievi, di solito giovanotti ingenui e inesperti, veniva dunque protetta con uno scrupolo degno del seminario. Proibito aver contatti con l'esterno, proibito ricever visite di presunte cugine o fidanzate, e quel che è peggio niente libera uscita individuale. Soltanto intruppati e scortati dai Brigadieri o dai Sottobrigadieri ogni tre giorni (il mercoledì e la domenica) li lasciavano andar fuori un'oretta. Entro i confini della Giudecca, s'intende, e all'unico scopo di passeggiare. E soltanto se si distingueva per una bravura eccezionale nonché una serietà a prova di bomba un allievo otteneva la licenza-premio ossia il permesso d'uscire da solo, passar da solo un intero pomeriggio a Venezia. Senza che nessuno protestasse, ecco il punto. Senza che nessuno si lamentasse o brontolasse ho-bisogno-d'una-ragazza. A rifletterci bene, il particolare che sorprendeva di più: possibile che tutti accettassero quel sacrificio senza fiatare? Possibile che la paura del mal francese li rendesse più illibati dei seminaristi pei quali il sesso era un'offesa al Signore? Non avevan fama di galletti, di sciupafemmine, i militari? Non lo aveva incoraggiato per questo, lo zio Luca, a indossar l'uniforme? E in che modo avrebbe reagito il pover'uomo a scoprire che suo nipote aveva giurato fedeltà a Umberto I per finir con gente a cui non si rizzava? Per accertarsene aveva perfino condotto un'inchiesta. «Scusa una domanda: non ti accade mai di...?» «No, no, graziaddio.» «E a te?» «No, no, son rilassato.» Pure lui, del resto. Infatti dopo una settimana di caserma Eloisa era scomparsa, e aveva perduto la voglia di cercarla.

Oh, lì per lì ne aveva provato sollievo. La psicosi è finita, s'era detto. Son guarito e a tempo debito potrò affrontare tutte le sore Cleofi e le Romilde del mondo, togliermi la spina. Poi al sollievo era subentrata una specie di rimpianto, di vuoto. Quel fantasma aveva vissuto al suo fianco per cinque anni, perbacco. Era la sua donna, la sua amica, la sua amante, e voglia di cercarla o no gli mancava. S'era dunque messo ad analizzare il fenomeno. S'era accorto che la rilassatezza si verificava specialmente al mattino dopo il caffellatte o la sera dopo la minestra, e nell'accorgersene aveva riudito la battuta che si dice in Toscana quando uno si agita troppo con le donne. «A quello ci vuole il bromuro.» S'era ricordato insomma che il bromuro rilassa perciò attenua o addirittura cancella gli stimoli sessuali, e ripetendo l'exploit di Pisa era corso in cucina. Aveva chiesto al cuciniere: «Ma voi non ci mettete mica il bromuro nella minestra e nel caffellatte?». «Xè par el vostro ben, giovanotto! Si no, a forza de star a digiun, diventè tutti recion» aveva risposto il cuciniere. E questo aveva capovolto la situazione. Eliminata la minestra, eliminato il caffellatte, Eloisa era infatti riapparsa con maggior forza di sempre. Con Eloisa, la voglia anzi il bisogno disperato di cercarla. Per cercarla era diventato il miglior allievo della Giudecca, s'era meritato la licenza-premio cioè il permesso di uscir senza la scorta, passare un intero pomeriggio a Venezia, e Dio se l'aveva cercata! In testa il cappello a bombetta con l'interminabile penna di corvo, al cinturone la spada a baionetta, in fondo al ventre un tumulto che nemmeno un quintale di bromuro sarebbe riuscito a placare, come un cane affamato l'aveva cercata. Nelle calli, nelle piazze, nelle chiese, nei musei. Lungo i centosessanta canali, sopra i trecentosessantanove ponti, ovunque lo portassero le gambe e l'ansia che lo divorava. Sembrava che guardasse gli incanti della città, che ammirasse piazza San Marco o il Palazzo dei Dogi o un quadro o uno scorcio. Invece cercava lei e appena vedeva una signora molto bella, molto elegante, molto sicura di sé, la seguiva. Senza curarsi della sua goffaggine, della sua imperizia, le si avvicinava. Gli eran capitati anche tre incidenti a causa di quella goffaggine, quell'imperizia. Il primo, con una tedesca che credeva sola e al contrario era protetta dal marito. Sicché il marito l'aveva quasi preso a pugni. «Was wollen Sie? Belästigen Sie etwa meine Frau?!? Che vuole lei? Sta forse importunando mia moglie?!?» Il secondo, con una inglese che s'era fermata di colpo e gli aveva tirato un'ombrellata sulla bombetta. «Stop following me! I have enough of you and your ridiculous hat! La smetta di seguirmi. Ne ho abbastanza di lei e del suo ridicolo cappello.» Il terzo, con una prostituta veneziana che gli aveva strizzato l'occhio e: «Bel soldà, quanto vustu pagar? Quanto vuoi pagare?». E nessuna di loro, in realtà, era Eloisa. Poi, in piazza San Marco, ne aveva vista una che poteva essere davvero Eloisa. Perché, sebbene la veletta che le copriva il bel volto angoloso impedisse di cogliere i dettagli dei suoi lineamenti, le assomigliava in modo impressionante. E perché si muoveva proprio come se il mondo le appartenesse. Con un tuffo al cuore, un tuffo che per le altre non aveva sentito, aveva fatto un passo in avanti. Ma insieme a lei c'era una sorta di novizia brutta e contegnosa, e ciò lo aveva intimidito. Anziché avvicinarsi s'era fermato finché entrambe erano sparite dentro la folla. Un'ora dopo l'aveva vista anzi viste di nuovo. Sulla Riva degli Schiavoni, accompagnate da un facchino che portava le valige, e in procinto di prendere il vaporetto che conduceva alla stazione di Santa Lucia. Senza lasciarsi intimidire dalla ragazzotta bruttina e severa, stavolta s'era avvicinato. Non abbastanza svelto da salir sul vaporetto anche lui, però, e mentre stava per raggiungerlo esso s'era staccato dall'imbarcadero. Del fantasma finalmente trasformatosi in una creatura viva non era rimasto che un intenso profumo di cardenia.

Allora s'era rassegnato. S'era seduto sulla gradinata della basilica e aveva speso il resto del pomeriggio a pensare quanto fosse stupido e infelice. Presto avrebbe avuto ventun anni, età in cui si può votare e metter su famiglia, eppure continuava ad esser più vergine di Maria Vergine. Per togliersi quella spina era finito in un seminario dove non si poteva bere una tazza di caffellatte e mangiare una ciotola di minestra senza inghiottire chili di bromuro. Per cercare Eloisa s'era beccato un'ombrellata sul cappello nonché due strapazzate in lingue misteriose e l'arrembaggio d'una meretrice che poteva dargli il mal francese. E quando sperava d'averla trovata, se l'era lasciata scappare. Certo a quest'ora viaggiava su un treno diretto chissà dove, perciò... E se il loro destino fosse stato quello di incontrarsi, amarsi? Bisognava concludere in fretta il periodo d'addestramento. Ricominciare a cercarla.

Il periodo d'addestramento durava sei mesi. Quattro, se avevi già fatto il servizio militare. Tre, se risultavi un allievo assolutamente straordinario. Cioè se non commettevi neanche un'infrazione, se conoscevi le norme doganali e daziarie meglio d'un giudice, se sparavi meglio di Buffalo Bill. Bè, lui l'aveva concluso in meno di due mesi e mezzo. (Lo confermano le Note Personali che ho rintracciato negli Archivi Storici della Guardia di Finanza). L'1 aprile 1882 lo avevano passato al servizio attivo ed annesso (incredibile a dirsi, lo so) alla squadra di Cesena.

Era una sede importante, Cesena. Ospitava il Comando che avrebbe dovuto stare nel capoluogo della provincia, Forlì, e guerreggiava il contrabbando del sale. In quel tratto della costa adriatica, assai forte per le attigue saline di Cervia dove in barba al monopolio di stato si rubava per venderlo a basso prezzo in Dalmazia. Inoltre sorvegliava cinquantadue rivendite di tabacchi, anch'esse monopolio di stato, due fabbriche di birra, due di grappa, due di acqua gazosa, nonché sei sale da gioco e ventiquattro mulini. Quest'ultimi, soggetti al contrabbando della farina da rubare e vendere in Croazia. Ma grazie alla tipica cecaggine dei governanti italiani si componeva soltanto d'un maresciallo, un sottobrigadiere, un appuntato, tre guardie, e non aveva nemmeno una caserma degna di tale nome. L'esiguo gruppo alloggiava infatti in una casuccia all'angolo di via Virgili. Quella all'angolo con piazza Bufalini, la piazza dove a nord sorgeva la Biblioteca Malatestiana e a sud il Ridotto degli Aristocratici nonché Palazzo Almerici. Il palazzo dove Anastasìa abitava con Giacoma. V'era giunto il 2 aprile, diceva, in preda all'assurda speranza di ritrovar la sua Eloisa, e il maresciallo lo aveva preso subito a benvolere. Anziché i gravosi incarichi di sorveglianza gli aveva affidato compiti di scrivano, anziché nella camerata delle tre guardie lo aveva sistemato in un alloggio tutto suo. Una stanza minuscola quanto la cella del Piccolo Seminario ma con la finestra che si apriva su piazza Bufalini e sia pure di scorcio guardava su Palazzo Almerici. «Così te lo godi. Al quarto piano ci sta la più bella donna di Cesena.» Oh, lì per lì non vi aveva dato importanza. Affacciandosi al balcone, però, un mese dopo gli era parso di scorgere una signora che assomigliava a quella di Venezia. Passando dinanzi a Palazzo Almerici, di sentire il suo profumo di cardenia. L'indomani era tornato sull'argomento, con falsa indifferenza aveva chiesto al maresciallo chi fosse la-donna-più-bella-di-Cesena, e questi aveva detto: «Una straniera, sembra. Un'americana o una francese. Una sera la salutai e mi rispose good-morning, Monsieur». «E il marito?» «No, è vedova. Abita con la ragazza che si porta sempre dietro. La sua segretaria, forse, o la sua dama di compagnia.» All'ora della libera uscita era dunque corso a cercarla. E da quel momento mettersi dinanzi al palazzo dove sentiva il profumo di cardenia era diventato per lui un rito quotidiano, un'ossessione, e...

Guardo la fotografia che per il suo ventunesimo compleanno (quindi in quei giorni) si fece scattare nello studio dello Stimatissimo Cavalier Casalboni, via Dandini 5, Cesena. Una fotografia colorata che lo ritrae in piedi dinanzi a un finto paesaggio di montagne verdi, con la mano destra sulla spalliera d'una sedia coperta di stoffa a fiori gialli, la mano sinistra che stringe la spada posta di traverso, le gambe accavallate, l'uniforme che sappiamo. Giacca verde scuro coi bordi e i fregi dorati, pantaloni grigio chiaro, a tubo, e anziché l'aborrito cappello con la penna di corvo uno spigliato berrettino a visiera. È davvero un bel giovanotto. Il suo corpo ben proporzionato ha un'innata eleganza (cosa strana per un ex contadino) e il suo volto ha un incanto speciale. Fronte alta, naso perfetto.

779

Guance armoniose, mascelle decise. Bocca gentile, sguardo intenso. E tuttavia ciò che colpisce non è la sua avvenenza. È l'innocenza, la purezza, che traspare da quei lineamenti. Una purezza quasi angelica, concentrata nell'anima cioè del tutto indipendente dal suo essere più vergine di Maria Vergine. Un'innocenza quasi infantile, radicata nel pensiero e inspiegabile se consideri le prove malvage cui è stato sottoposto. La perfidia di fra' Paolo, il bordello della sora Cleofe, la caserma col bromuro. Fu questo a sedurre la Gran Seduttrice, l'esperta maliarda che aveva quindici anni più di lui e che satura di sesso s'era liberata degli uomini, dacché aveva lasciato San Francisco non li voleva più? Oppure fu la sete di porre fine a una castità che non le si addiceva, che ormai le pesava, e al medesimo tempo l'ansia di trattenere una gioventù che le sfuggiva, che il ventunenne Antonio le restituiva? Non so, non ricordo. Sulla vita che vissi quand'ero Anastasìa, i miei cromosomi non mantengono che due squarci di memoria: lo strazio della notte in cui partorii la mia indesiderata bambina, la abbandonai nella Ruota del Santissimo Crocifisso, e il sollievo della notte in cui mi regalai la morte. Il riposo. Ma anche considerando quella sete, anche considerando quell'ansia, io credo che l'ipotesi giusta sia la prima. Il richiamo dell'innocenza, della purezza che traspariva da quei lineamenti. L'impulso di rubargliela, contagiarmene, usarla per riscattare uno ieri che all'improvviso mi appariva colpevole e impuro. Cioè per chieder perdono alle troppe creature di cui troppo spesso m'ero servita. La Tante Jacqueline, Giuditta Sidoli, lo stesso Innominato. Lo stesso Valzania, Giuseppe Pastacaldi, Louise Nesi e il figlio Derek. Lo stesso Bill il Selvaggio, il tenente ucciso dagli indiani, John Dalton, Marianne e Lydia e Rebecca. Lo stesso Napoleon Le Roi, i militari di Virginia City, la contessa Dumont, i banchieri di San Francisco. Ed ora i De Carli, i buoni De Carli comprati con poche lire. Anastasia Cantoni, l'omonima Anastasia cui l'imbroglio giuridico aveva attribuito la custodia di mia figlia. Nonché mia figlia. L'ennesima vittima dei miei incantesimi e il capro espiatorio della mia leggerezza, del mio egoismo, del mio cinismo.

Lo credo a causa d'un libro che da vecchio il nonno Antonio teneva nella cassapanca e guai se glielo toccavi. «Me lo mandò lei prima d'ammazzarsi, come un biglietto d'addio.» Bè, prima che la cassapanca saltasse in aria lo toccai. Lo lessi. Era *Julie ou la nouvelle Héloïse*: il romanzo epistolare che Jean-Jacques Rousseau scrisse ricalcando la storia di Abelardo ed Eloisa, adattandola a due amanti del millesettecento. E nell'ultima lettera di Julie-Eloisa a Edouard-Abelardo v'erano alcune righe sottolineate. Lo rammento così bene che ritrovarle non m'è costato alcuna fatica. Quali righe? Eccole: «Son passati circa sei anni dal giorno in cui v'incontrai. Eravate giovane, benfatto, amabile, e altri giovani m'erano sembrati più belli e meglio fatti di voi. Però nessuno di loro m'aveva indotto a provare la benché minima emozione. E appena vidi il vostro volto, il mio cuore vi appartenne. Perché in esso scorsi le sembianze dell'anima di cui la mia aveva bisogno».

23

Sì, è concluso il brusco passo all'indietro. Ci sono arrivata all'ultima parte della vita che vissi quand'ero Anastasìa. E all'idea d'accingermi a raccontarla, concluderla, dovrei provare sollievo. Avvertire il senso di sgravio, liberazione, che spesso accompagna la fine d'un lungo cammino cioè d'una lunga fatica. Invece no. Perché quest'ultima parte prepara il suo (il mio) suicidio, e quel suicidio è per me più amaro delle morti tragiche o ingiuste che mi toccarono nelle altre vite. La morte che ebbi quand'ero Montserrat e il freddo invernale mi uccise, mi trasformò in una statua di ghiaccio mentre suonavo il liuto nell'orto del manicomio, ad esempio. O quand'ero Giobatta e la carrozza tirata dai quattro cavalli mi investì, mi schiacciò, mentre trascinandomi con le stampelle andavo a smerciare le mie statuine di alabastro. Quand'ero Stanislao e l'ufficiale austriaco mi decapitò con la sciabola mentre guidavo il corteo sulla pianura coperta di neve, mi lasciò lì con la mia testa da vendere per cinque gulden di rame... Peggio. Quel che viene ora non è leggenda rielaborata, reinventata. È semplice verità, schietta realtà. La verità che mezzo secolo fa conobbi scoprendo per quale motivo la nonna Giacoma aveva un occhio solo. La realtà intorno alla quale dopo volevo scrivere un romanzo che non scrissi per paura di prendermi una licenza crudele. Oggi quella paura non c'è più. L'ho eliminata a capire che Anastasìa e Giacoma e Antonio sono parte di me, momenti del mio Io, quindi sul pasticcio amoroso che li coinvolse (che mi coinvolse) posso scrivere quanto mi piace. Però al suo posto oggi c'è il ricordo d'un dolore straziante. Il dolore di tre creature che dentro i miei cromosomi soffrono ancora. Ravvivarlo mi turba troppo, mi ferisce. Sicché della triste storia che avrebbe potuto essere un romanzo a parte racconterò solo l'indispensabile. Ecco qua.

Incredibile a dirsi, per quattro mesi l'ossessione di Antonio si manifestò esclusivamente attraverso il suo insensato appostarsi dinanzi a Palazzo Almerici. Nella speranza d'un approccio osservava quel rito quasi a ogni libera uscita, cosa che avveniva tra le sette e le undici e trenta di sera, e pazienza se ogni volta doveva accontentarsi del profumo di cardenia e basta. Anche dinanzi a Palazzo Almerici, la vedeva sempre accompagnata dalla novizia brutta e contegnosa che in piazza San Marco lo aveva frenato, intimidito. E non osava mai tentare un approccio.

Altrettanto incredibile a dirsi, in quei quattro mesi Anastasìa non lo guardò mai in faccia e all'inizio non gli dette
nemmeno importanza. Poi se ne spaventò. Che si trattasse d'uno sbirro incaricato di sorvegliarla e magari arrestarla? Che qualcuno avesse scoperto l'imbroglio ordito
con Anastasia Cantoni per consegnare l'Esposta Numero
208 ad Anastasìa Le Roi? Che addirittura avessero identi-
ficato in Madame Le Roi l'Anastasìa Ferrier del passaporto falso? Quei timori non l'abbandonaron neanche quando il Valzania la rassicurò. «State tranquilla, sgnurèna.
Son certo che si tratta d'un cicisbeo invaghito di voi, e qui
comando io. Finché comando io, nessuno vi tocca.» Per
strada si riparava dietro Giacoma come dietro uno scudo. In casa scrutava sempre dalle finestre per controllare
se ci fosse o no. E se c'era, per schivarlo a volte evitava di
uscire. «Così non ce lo troviamo tra i piedi e non rischio
di perder la pazienza, prenderlo a schiaffi.» Presente Antonio che per una volta aveva rinunciato al suo rito, però,
la sera del 26 agosto si svolse a Cesena qualcosa di cui non
seppe privarsi e a cui Giacoma non volle partecipare. Nel-
l'aula magna del Liceo Monti, un liceo a pochi passi da
Palazzo Almerici, il Comitato Romagnolo dell'Energia
Elettrica offrì un esperimento per dimostrare i vantaggi
che quest'ultima aveva sull'illuminazione a gas. (Sistema
che oltre ad annerire il soffitto e i muri e le tappezzerie
provocava incendi e dava una luce assai fioca). Sedici
lampade a incandescenza, ciascuna di 22 centimetri per
14 e capace di settanta ampère, furono connesse a una
batteria con l'interruttore a leva. E per render più drammatico l'istante in cui esse si sarebbero accese, il preside
ordinò di spengere gli apparecchi a gas nonché di accendere quattro candele e basta. Due poste presso il pannel-
lo su cui si avvitavano le sedici lampade e due presso la
batteria. Il recinto del pubblico rimase dunque immerso
in un buio che non permetteva nemmeno di scorgere la

persona vicina a te, perciò Anastasìa non vide lo sbirro da prendere a schiaffi. Antonio non vide la bella signora finalmente sola. In compenso ne captò il profumo, col cuore in subbuglio si diresse verso il punto da cui il profumo veniva, e quando l'aula s'illuminò d'una luce abbagliante (ben 1120 ampère) lei se lo trovò accanto. Lo guardò in faccia, e per capire ciò che accadde nella sua psiche devo proprio ricorrere alle parole di *Julie-ou-la-nouvelle-Héloïse*. Perché fu lei, diceva il nonno Antonio, a rompere il silenzio con le sue incantevoli erre arrotondate. E senza presentarsi o chiedergli chi fosse. Quasi che scambiarsi i nomi costituisse una stonatura o una volgarità.

«Buona sera, Monsieur.»

«Buona sera, Madame...»

«Vi fermate spesso sotto le mie finestre, Monsieur.»

«Sì, Madame...»

«Per corteggiarmi o per arrestarmi, Monsieur?»

«Oh, Madame!»

«Quanti anni avete, Monsieur?»

«Ventuno, Madame.»

«Potrei essere vostra madre, Monsieur.»

«Oh, Madame!»

«Scortatemi fino al portone di casa, vi prego, Monsieur.»

I nomi se li scambiarono nel breve tratto di strada che separava il Liceo Monti da Palazzo Almerici, e mentre camminavano non dissero altro. Lui non riusciva ancora ad articolar la voce e lei appariva come perplessa, pentita d'esserselo portato dietro. Sul portone però ebbe una specie di scatto.

«Salite, Monsieur. Voglio sapere chi siete.»

Erano le dieci passate quando entrarono in casa. Giacoma stava già dormendo, le domestiche pure. Senza curarsene lo condusse in salotto, gli versò un liquore, e forse fu il liquore a sciogliergli la lingua. Restituirgli la voce.

Infatti glielo disse chi era. Oh, se glielo disse! Con la foga d'un torrente, lo slancio d'un giovane uccello che esce dalla gabbia e gorgheggiando si lancia nel cielo finora visto soltanto attraverso le sbarre della sua solitudine, le disse tutto ciò che poteva dirle nel breve tempo che lo separava dal rientro in caserma. Le parlò di Candialle, dei suoi genitori, dello zio Luca, del mestiere di contadino. Le parlò di fra' Paolo, dei Prefetti, dei Viceprefetti, della tonaca, della vita d'un seminarista. Le parlò di Abelardo ed Eloisa. L'Eloisa che s'era inventato e che aveva la sua bellezza, la sua eleganza, la sua sicurezza. Le disse insomma che Eloisa era lei. Che per via di lei era stato espulso dal seminario, per via di lei s'era rimesso a fare il contadino e aveva rinunciato a uguagliare il parente con la toga di giudice, per via di lei era scappato dal bordello della sora Cleofe ed era finito nella caserma dove ti placavano col bromuro. Per via di lei non aveva mai toccato una donna. Infine le disse d'averla già intravista a Venezia, le confessò che da quattro mesi inseguiva il suo profumo come un cane affamato insegue l'odore del cibo ma la sua fame non era una fame dei sensi o solo dei sensi bensì la fame di chi attraverso un'altra creatura cerca sé stesso... Lei ascoltava incredula, ora divertita ed ora commossa, ora sorridendo con garbata ironia ed ora mostrando stupori carichi di rispetto, comunque lusingata. Malgrado tutti gli uomini che aveva avuto, non le era mai successo di incontrarne uno che le rovesciasse addosso una simile lava di passione. Innocenza e passione, purezza e passione. E forse a un certo punto intuì che, se non lo avesse respinto, un giorno essa si sarebbe trasformata in una trappola mortale. Ma anziché respingerlo, salvarsi, gli si consegnò.

«Arrivederci, Antonio. Domani sera vi aspetto a cena con Giacoma» disse al momento di congedarlo. Poi: «Giacoma è mia figlia. E mia figlia è un segreto. Ve lo confido per ringraziarvi d'essere entrato nella mia vita».

Naturalmente aveva preso quelle parole per ciò che erano e volevan essere: un regalo che suggellava il miracolo del loro incontro. Ed anche per questo aveva lasciato Palazzo Almerici sentendosi l'uomo più felice del mondo, diceva da vecchio, il più invidiabile, il più fortunato. «Non camminavo, per strada. Volavo. E nel mio alloggio, dopo, non facevo che ripetermi: è successo davvero? Sono entrato davvero nella sua vita?» Ma a veder Giacoma, l'indomani sera, rimase di pietra. «Non me l'aspettavo, capisci. Chissà perché credevo di trovare una bambina di pochi anni, una bambola con le sue sembianze. Invece vidi una giovane donna che le assomigliava quanto l'inverno assomiglia all'estate. Una brunetta goffa, grassoccia, inutilmente ben vestita e ben pettinata, che rispondeva al mio inchino con un monosillabo secco ed ostile. "Piasèr. Piacere." Riconobbi la ragazza brutta e contegnosa a causa della quale non avevo mai osato tentare un approccio, e provai una specie di inquietudine. Di cattivo presagio. Poi a poco a poco mi ripresi, ovvio. Quella sera Anastasìa avrebbe resuscitato un moribondo. Indossava un abito nero che la inguainava come una seconda pelle. Con quel volto angoloso, quelle pupille più chiare dell'acqua, quella voce carezzevole e strascicata aveva un fascino quasi diabolico. E quando a tavola si mise a parlare della sua infanzia, della sua adolescenza, dimenticai del tutto sua figlia. Era una narratrice squisita, capisci. Qualsiasi cosa narrasse la trasformava in una fiaba.» La fiaba della fata e della strega che per non farla sequestrare dalla Chiesa Cattolica vanno a nascondersi nella Valle Oscura, suppongo. La fiaba dei fuochi che per annunciare la libertà ai valdesi si accendono sui monti e sulle colline. Maman-les-feux, maman-les-feux. E il piccolo gineceo di via Lagrange, la Scuola di Danza al Regio, e Cavour che la mattina passa da via Lagrange e togliendosi il cappello risponde al suo saluto. Bonjour, Monsieur-le-comte. Bonjour, ma-très-belle. Sua Maestà Vittorio Emanuele II che per strada le tira i biondi capelli ed esclama ma-mi-'t-conosso, 't-ses-la-citina-valdeisa-dël-Regiu. Garibaldi che risponde al suo entusiasmo abbracciandola più del necessario. Giuditta Sidoli che la porta in Parlamento e protegge il suo flirt col coetaneo Edmondo De Amicis. Giacoma, al contrario, taceva... Quali fiabe avrebbe potuto raccontare lei? Quelle dell'Esposta Numero 208 che a Longiano prega la Madonna delle Lacrime e ora fa la balia pei De Carli, ora la pecoraia pei Raggi, ora la sguattera per il Polini?!? Oscurata, eclissata dall'irresistibile madre, mangiava e basta. Mangiando teneva la testa china e non mostrava nemmeno l'unica cosa pregevole che avesse. Gli occhi. (Fondi, scuri, intelligenti: ricordi?). Non uscì dal suo mutismo che quando memore del galateo appreso in seminario l'ospite si degnò di dedicarle un goccio d'attenzione e le chiese se conoscesse la storia del flirt con De Amicis, ormai un famoso giornalista che andava per il mondo e pubblicava libri sui suoi viaggi.

«A' so gnas tot. Io so tutto» disse nel greve dialetto che usava per esprimere fastidio o rabbia o inimicizia. «Anca cuma a' so nasuda. Anche in che modo sono nata. A mi Anastasìa l'am dis tot. A me Anastasìa racconta tutto.»

Quindi tornò a mangiare con la testa china e l'ospite pensò: Gesù, sembra-una-delle-mie-sorelle. Anastasìa pensò: mon Dieu, non-mi-ha-chiamato-nemmeno-mamma, mon Dieu. E nessuno dei due pensò che fosse gelosa. Innamorata e gelosa. Lo dico perché un giorno di settant'anni dopo ne parlai con lei.

«Nonna,» le chiesi «quando ti innamorasti del nonno?»

«Subito» rispose. «La prima volta che venne a cena.»

«E quando t'accorgesti che il nonno era innamorato di Anastasìa e Anastasìa del nonno?»

«Quella sera» rispose. «Se ne sarebbe accorto chiunque.»

«E che cosa provasti, nonna?»

«Un gran dolore, una gran rabbia» rispose fissandomi con l'occhio lucido di pianto.

«E odiasti Anastasìa?»

«Oh, no! Non ho mai odiato Anastasìa. Mai. L'ho sempre amata. Sempre. Non si poteva odiare Anastasìa. Non si poteva fare a meno di amarla.»

Ne parlai anche con lui.

«Nonno,» gli chiesi «quando ti accorgesti che la nonna era innamorata di te e gelosa di Anastasìa?»

«Quando era ormai troppo tardi» rispose.

«E Anastasìa quando se ne accorse?»

«Quando me ne accorsi io» rispose.

«Possibile, nonno?!?»

«Possibile. Giacoma era così impenetrabile» rispose. «E per Anastasìa non era una ragazza in età da marito. Era una bambina, capisci, la bambina che aveva messo dentro la Ruota.»

«E per te?»

«Per me era una sorella. La sorella che s'era aggiunta alle mie cinque sorelle» rispose.

Poi mi spiegò i motivi per cui l'equivoco era durato così a lungo. Il modo in cui il fatale triangolo s'era formato.

«Ci vedevamo ogni sera, sì. Ammenoché il maresciallo non mi mandasse a ispezionare le saline di Cervia o ad arrestare qualche contrabbandiere, all'ora della libera uscita correvo a Palazzo Almerici e restavo insieme alla mia Eloisa fino al momento di rientrare in caserma. Però Giacoma era sempre con noi. Faceva parte d'un accordo sottinteso e inviolabile tenerla sempre con noi. Non escluderla, non trascurarla. Lei stessa, del resto, non ci lasciava mai. Se rimanevamo in casa a conversare, raccontarci le nostre vite, discutere, non diceva mai ho-sonno-vado-a-dormire. Se andavamo a teatro o a passeggio, non diceva mai io-non-vengo. E pazienza se ogni sera si comportava con l'ostile freddezza della prima volta. Dopo la battuta a'-so-gnastot, anca-cuma-a'-so-nasuda, Anastasìa m'aveva confidato la storia dell'abbandono ed io attribuivo quella freddezza a un passato infelice. Povera-Giacoma, ha-sofferto-troppo, bisogna-scusarla. Mi mostravo addirittura affettuoso, in certo senso le volevo bene, e finché non accadde ciò che doveva accadere non le offrii mai pretesti per esser gelosa della mia amicizia con sua madre.»

«Amicizia, nonno?!?»

«Amicizia. Finché non accadde ciò che doveva accadere, io e Anastasìa non sconfinammo mai dai limiti dell'amicizia. Se vuoi, d'un cauto idillio. Non ci scambiammo nemmeno un bacio, nemmeno una carezza, credimi. Le sole parentesi d'intimità ce le regalavamo a distanza. Appena rientrato in caserma, infatti, mi mettevo alla finestra del mio alloggio. La finestra che s'apriva su piazza Bufalini. Verso mezzanotte lei s'affacciava a quella della sua camera e... Sai, c'erano almeno cento metri fra noi. E i lampioni della piazza illuminavano così poco. Nel riverbero delle fiammelle a gas non scorgevo che un'ombra. Però a me sembrava di toccarla, quell'ombra. Mi pareva di stringerla tra le braccia, di annusarne il profumo.»

«E Giacoma?»

«Oh, qualche volta si affacciava anche Giacoma. E sentivo i suoi occhi bucarmi come coltelli.»

* * *

Durò quasi un anno la casta amicizia. Il cauto idillio punto da quegli occhi che bucavano come coltelli. Incatenato a un rispettoso pudore, un ritegno da giovane Werther, per quasi un anno l'ex seminarista represse il richiamo che aveva acceso la sua caparbia passione. Il richiamo dei sensi. E ammaliata da quel pudore, quell'amore diverso da qualsiasi amore che avesse conosciuto, la gran maliarda vi si adeguò. Eppure questo non indebolì il loro legame. Non lo stancò. Al contrario lo rinvigorì, lo cementò. Perché l'attesa gli dette il tempo d'abituarsi alle insidie che lo minacciavano. La differenza d'età, la presenza di Giacoma, gli inevitabili stupori o pettegolezzi di chi li vedeva sempre insieme. E perché entrambi riempirono il lungo preludio con qualcosa di più che le piacevoli serate a Palazzo Almerici o a teatro o a passeggio.

«Nonno, è vero che in quel periodo diventasti repubblicano?»

«È vero.»

«Nonno, è vero che in quel periodo Anastasìa diventò una suffragetta?»

«È vero.»

Non era nella natura di Anastasìa coltivare o esibire un impegno politico. Nonostante la scuola di Giuditta Sidoli, sia da adolescente che da adulta agli eventi che cambiano o straziano il mondo aveva sempre guardato con egocentrico disinteresse o con la passeggera curiosità che si dedica a un fatto insolito. Vittorio Emanuele II che pronuncia il discorso sul grido-di-dolore, le truppe franco-piemontesi che sfilano lungo le vie di Torino per andare incontro alle truppe dell'Impero austro-asburgico. Garibaldi che inferocito dalla perdita di Nizza insulta Cavour in Parlamento, Cavour che giace morto sul catafalco issato nel suo studio, la polizia che in piazza Castello spara sui dimostranti. Li squarta a colpi di spada, li massacra. E in America la guerra tra nordisti e sudisti era stata per lei la folla che in Fifth Avenue grida Richmond-is-ours, Richmond-è-nostra. L'assassinio di Lincoln, lo spettacolo dei funerali newyorkesi a cui aveva assistito con Derek Nesi. Gli attacchi degli indiani, una sfida da vivere col cranio rasato a zero e la parrucca e la Smith-Wesson. La poligamia dei Mormoni, un'avventura personale che non l'aveva indotta nemmeno a riflettere sulla schiavitù delle donne. E al ritorno in Italia l'ubriacatura materna l'aveva talmente assorbita che nemmeno il Valzania era riuscito a coinvolgerla nelle vicende della focosa Romagna. Ricordi? Quanto ad Antonio, gli eventi che cambiano o straziano il mondo non eran mai stati al centro dei suoi pensieri. In seminario non se ne parlava di certo, a Candialle solo di straforo. I suoi genitori si limitavano a rimpiangere il granduca Leopoldo, lo zio Luca a odiare i Savoia che avevano preso il suo posto, e per entrare nella Guardia di Finanza lui aveva giurato fedeltà a Umberto I: ricordi? Arruolandosi s'era addirittura negato il diritto di esprimere le proprie idee, visto che ai militari non era permesso occuparsi di politica. Ma in quel periodo uscirono entrambi dal guscio. E quando nel settembre del 1882 i rivoluzionari di Cesena organizzarono un corteo per protestare contro la riforma elettorale che di nuovo negava il voto alle donne, Madame Le Roi fu una delle poche signore che ebbero l'ardire di parteciparvi urlando vergognatevi-vergogna. («Davvero, nonno?» «Oh, sì! Ed era una delizia vederla sfilare col suo cappello a veletta, il suo boa di struzzo, il suo strascico, nonché urlando con le sue erre arrotondate vergognatevi-vergogna»). Quando in ottobre si svolsero le elezioni a suffragio allargato, il finanziere Anton Maria Ambrogio Fallaci votò per la lista repubblicana di Aurelio Saffi. Insieme aderirono anche al movimento che a colpi di bombe lottava per far restituire alla madrepatria le province rimaste in mano agli austriaci. Il movimento irredentista. E quando in dicembre gli austriaci condannarono alla forca Guglielmo Oberdan, senza che Umberto I muovesse un dito lo impiccarono a Trieste, lui rifiutò di mettere il berretto con lo stemma dei Savoia. A testa nuda arrestò due contrabbandieri e finì al fresco con loro. Quando in gennaio il paese venne sconvolto dalle sommosse, lei vi si unì scagliando uova marce contro i ritratti delle loro maestà. Viva-Oberdan, viva-Trieste-libera, morte-a-

Francesco-Giuseppe, abbasso-Umberto. («E Giacoma, nonno?» «No, Giacoma no»).

Il guaio è che tale impegno li rese ancora più insensibili al dramma di Giacoma. In gennaio aveva compiuto diciott'anni, Giacoma. Era proprio una donna. E la fotografia che il cavalier Casalboni le scattò per il suo compleanno, una fotografia dove assomiglia tanto all'Innominato che non posso indugiar troppo a descriverla, me lo conferma. Fianchi larghi, prosperosi, da femmina adatta a far figli. Seni pieni, rigogliosi, da puerpera pronta ad allattarli. E il suo sorriso amaro è il sorriso di chi nasconde una pena cocente, il suo sguardo triste è lo sguardo di chi soffre un torto lacerante... Quasi ciò non bastasse, la metamorfosi allontanò Anastasìa dal suo tavolo da gioco. Cioè dal problema del troppo denaro che aveva investito nella Cesena Sulphur Company. Agli inizi del 1882, ricordi, il prezzo dello zolfo cesenate era sceso a 105 lire la tonnellata, e la compagnia aveva abbassato i dividendi al 6 per cento. Il guadagno annuale di Anastasìa, già calato da cinquemila lire annue a quattromila poi a tremilacinquecento, era sceso a tremila. Non a caso stavolta s'era spaventata ed era stata sul punto di vendere tutto, procurarsi un passaporto falso per Giacoma, e svignarsela a Parigi o tornare in America. Bè, agli inizi del 1883 il prezzo scese da 105 lire a 85 lire la tonnellata. Dal 6 per cento la Cesena Sulphur Company portò i dividendi al 5 per cento. Le tremila lire si ridussero a duemilacinquecento e nonostante l'intervento della Banca Geisser, una banca piemontese che prestava fondi alle compagnie pericolanti, si capì che presto le azioni della Sulphur Company sarebbero divenute invendibili. Ma anziché liberarsene, tentando di ricavarne qualcosa, lei prese a ignorarle. Reagì insomma come un giocatore che non ha più voglia di tenere le carte in mano e prima ancora di sapere se ha perso la partita le getta. Si allontana dal tavolo da gioco, appunto, e se ne va a spendere i soldi che gli rimangono. (Nel suo caso, quelli depositati presso il Credito Mobiliare e presso la Banca Popolare del Valzania). Peggio: con inconsapevole masochismo, nell'ennesima caduta vide un segno del destino che la legava al suo giovane Abelardo. Non era stato il prezzo dello zolfo a ritardar le solfature che a San Eufrosino di Sopra avrebbero guarito i vigneti attaccati dall'oidium? Non era stato lo zolfo a mandare in rovina la famiglia di Antonio, a farle perdere la terra degli avi? Poi venne l'estate. Antonio ebbe due settimane di ferie, Anastasìa se lo portò con Giacoma a Rimini dove prese tre camere al solito Hotel Kursaal. Tre camere a tre piani diversi. Favorito da questo, suppongo, quel che doveva accadere accadde. E stavolta fu Giacoma a non accorgersene in tempo, a non capire in tempo che sua madre e il suo Antonio erano diventati amanti.

Ma ora sì che il romanzo mai scritto si fa vero e la sua verità mi brucia. Ora sì che devo riassumerlo in fretta, ridurlo all'indispensabile, restituire quelle mie tre vite all'oblio.

24

Non se ne accorse in tempo perché chi ama a vuoto spera che la persona amata ricambi il suo amore. In tale speranza vive, aspetta, si illude. Non vede quel che dovrebbe vedere, resta vittima di malintesi spesso crudeli, e a Rimini lei fu vittima d'un malinteso molto crudele. D'un equivoco addirittura atroce. Quando ciò che doveva accadere accadde, infatti, Antonio commise una grossa imprudenza. La coinvolse nella felicità che lo ubriacava, e forse per distrarre gli eventuali sospetti la trattò più affettuosamente di quanto l'avesse mai trattata. Come-siete-graziosa-oggi, Giacoma, come-vi-dona-quel-vestito.

Non-state-lì-sola, Giacoma, sedete-accanto-a-me. Attenta-agli-scalini, Giacoma, datemi-il-braccio. Le regalò perfino un mazzo di fiori e un gatto di pochi mesi che aveva trovato nel parco del Kursaal. Un gatto che piaceva ad Anastasìa. No-Anastasìa-no, è-di-Giacoma. L'ho-raccolto-per-Giacoma. E una mattina fece l'errore più grave di tutti. In uno slancio d'entusiasmo, le dette un bacio. Un bacio sulla guancia, bada bene. Innocente. Il guaio è che Giacoma non era mai stata baciata da un uomo. Non sapeva distinguere tra un bacio vero e un bacio innocente. Nella sua ansia d'essere amata da colui che amava credette o volle credere che all'improvviso Antonio si fosse innamorato di lei, e accecata dall'illusione non vide ciò che avrebbe dovuto vedere. Le carezze furtive, le premure eccessive, gli sguardi con cui essi tradivano l'attuale completezza del legame, e la smania che ogni sera li spingeva a ritirarsi prima del necessario. Soprattutto all'Hotel Kursaal, la sera nessuno si ritirava prima del necessario. Dopo cena si andava a ballare, si andava al caffè concerto, si andava al Casinò. Appena giunti al dessert, invece, loro soffocavano uno sbadiglio. Che-sonno, Giacoma. Andiamo-a-dormire, Giacoma.

«E tu, nonna?»

«Io ubbidivo, mi chiudevo in camera col gatto. A fantasticare, a pregare che Dio mi concedesse la grazia d'un secondo bacio.»

«E Dio te la concesse, la grazia?»

«No. Ma l'idea che passassero la notte insieme non mi sfiorava.»

Che fossero diventati amanti non lo capì nemmeno quando rientrarono a Cesena, del resto. Perché a Cesena entrambi si fecero cauti cioè abolirono quegli sguardi, quelle carezze. E perché in un rigurgito di pudore, suppongo un pudore stavolta dovuto alla sua presenza o forse alla paura di esibire un rapporto agli altri incomprensibile, a Cesena si trovaron subito un rifugio segreto. Una mansarda situata in un antico palazzo dietro il Teatro Comunale, Palazzo Braschi, e composta di due stanze alle quali si accedeva da un ingresso secondario. Una porticina che si apriva sul vicolo del Paiuncolo. («Lo trovai io, lo affittai io» diceva lui con orgoglio. «E fino all'ultimo fu il nostro nido»). Qui si incontravano abbastanza spesso, ovviamente nelle ore in cui Antonio aveva la libera uscita, e per giustificare le assenze Anastasìa si serviva del Circolo Repubblicano. «Giacoma, vado a una serata del Circolo Repubblicano.» «Giacoma, ho un'assemblea al Circolo Repubblicano.» Era un alibi perfetto, il Circolo Repubblicano. Stava in via Dandini, e per recarsi da Palazzo Almerici a Palazzo Braschi bisognava passare da via Dandini. Inoltre lì ci si riuniva nelle ore che coincidevano con la libera uscita di Antonio. Tra le sei del pomeriggio e mezzanotte.

«E tu non ci andavi, nonna?»

«No. La politica non mi interessava. Io restavo a casa col gatto.»

«E non ti pareva strano che Anastasìa ci andasse proprio le sere in cui il nonno non veniva a Palazzo Almerici?»

«No. Ero troppo stupida. Troppo convinta che ora lui volesse bene a me.»

«E che cosa facevi a casa col gatto?»

«Leggevo i libri di De Amicis. Mi grogiolavo nella mia felicità, ricamavo sui lenzuoli e sugli asciugamani del mio corredo la G di Giacoma e la F di Ferrieri che era pure la F del suo cognome, sognavo il giorno in cui mi avrebbe chiesta in moglie.»

«In moglie? Anche se il secondo bacio non era mai venuto e non veniva?»

«Sì. M'ero messa in testa che quello di Rimini fosse stato una cosa eccezionale, un'audacia che fino al fidanzamento non poteva ripetersi. Ai miei tempi un gentiluomo non baciava una ragazza se non l'aveva almeno

chiesta in moglie. E una ragazza non muoveva un dito
per sollecitarlo. Aspettava e basta.»

«E quanto durò quest'illusione?»

«Due anni e mezzo.»

«Due anni e mezzo?!?»

«Due anni e mezzo. Finché scoprii che il Circolo Repubblicano era una scusa. E che si incontravano a Palazzo Braschi.»

Che il Circolo Repubblicano era una scusa lo scoprì
infatti alla fine del 1885: la sera in cui non so chi andò a
Palazzo Almerici per informare Anastasìa d'aver appreso
che le azioni della Sulphur Company rischiavan di scendere al tre per cento, ergo sarebbe stato saggio liberarsene, svenderle senza indugio, e non la trovò. Tutta allarmata lei corse in via Dandini, e: «No, qua l'a gnè. Qui non
c'è». «Ma è uscita dicendo vado-al-Circolo!» «Busie. Fandonie.» «Ma ci viene sempre!» «L'an ven piô. Iè secul
cl'an ven. Non ci viene più, sono secoli che non viene.»
Tornò a casa col cervello in fiamme. Secoli, fandonie?
Dove si recava, dunque? Quale segreto le nascondeva?
Una bisca clandestina, una risorta mania del gioco? Una
relazione scabrosa, un amante? Sì, di certo frequentava
una bisca clandestina. Oppure aveva un amante. Un signore sposato, un personaggio da sottrarre allo scandalo.
Poi, di colpo, il sospetto che in due anni e mezzo non l'aveva nemmeno sfiorata salì alla superficie della sua coscienza. Vergine benedetta! Usciva sempre tra le sei e mezzanotte, Anastasìa. Queste erano le ore in cui i repubblicani si riunivano in via Dandini, sì, però erano anche le ore
in cui Antonio non si trovava in caserma. E le assenze di
Anastasìa, all'improvviso se ne rendeva conto, coincidevano sempre con le sue assenze. Che l'amante fosse Antonio? No. Impossibile, no. Ora Antonio voleva bene a
lei, la sua infatuazione per Anastasìa era finita. Finita?
Che cosa l'autorizzava a ritener che fosse finita? Il bacio

di Rimini, il dono del gatto? Non era successo più nulla dopo quel dono, dopo quel bacio. Né una parola né un cenno né uno sguardo da cui si potesse dedurre che le voleva davvero bene, che voleva davvero sposarla. Forse s'era sbagliata. Forse nella sua dabbenaggine s'era costruita un mucchio di castelli in aria, s'era messa in testa ciò che non esisteva e mentre stava lì a legger De Amicis o a ricamare le F loro due si incontravano in qualche garçonnière. Forse? Doveva esserne certa. Doveva sapere se Anastasìa mentiva per recarsi da lui o nella bisca clandestina. E per saperlo doveva pedinarla. Per pedinarla doveva tacere ciò che aveva appena scoperto. Non dirle che al Circolo Repubblicano le avevan risposto qua-l'a-gnè, non-c'è, l'an-ven-piô, iè-secul-cl'an-ven. Così fece e una sera di novembre... «Oh, non fu facile» raccontava da vecchia con l'occhio umido di pianto. «Pedinare la propria madre, mioddio! Indagarla, spiarla peggio d'uno sbirro. Mi batteva il cuore, mi tremavan le gambe per la vergogna e in fondo al cuore mi disprezzavo.» Ma il bisogno di conoscere la verità era più forte dell'autodisprezzo, della vergogna, e protetta dal buio quella sera le andò dietro. Tenendosi a distanza la seguì lungo il tragitto che da casa portava al pied-à-terre. Piazza Bufalini, contrada Almerici, via Dandini dove superato il Circolo Repubblicano fiancheggiavi il Duomo quindi ti infilavi sotto i portici del Santissimo Crocifisso. Ancora via Dandini poi Contrada Braschi dove costeggiando Palazzo Braschi passavi dinanzi all'ingresso principale e all'angolo scantonavi nel vicolo del Paiuncolo. Il vicolo sempre deserto e sul quale si apriva la porta dell'ingresso secondario. La porta nella quale, se fosse stata un po' più fortunata, l'avrebbe vista entrare da sola e si sarebbe convinta che lì c'era una bisca clandestina. Per andar lì, infatti, Antonio sceglieva un altro tragitto. Nel vicolo del Paiuncolo scantonava dalla parte opposta cioè dalla contrada Verdoni, più breve, e arrivava prima di Anastasìa. Stavolta invece arrivarono nello stesso momento. Ignari dei due occhi che bucavano come coltelli si corsero incontro, si dettero un bacio ben diverso da quello che aveva avuto lei, un bacio sulla bocca. Insieme varcaron la porta e...

«E tu, nonna?»

«Io restai lì a fissarli impietrita.»

«E dopo?»

«Dopo tornai a casa. Con una gran voglia di morire.»

Ci tornò anche con molta fatica. Per strada non riusciva a camminare, non si reggeva in piedi. Per le scale non riusciva a salire, barcollava ad ogni gradino. E appena in casa si afflosciò come un sacco vuoto. Incominciò a battere i denti, a ripetere ho-freddo, ho-freddo, e presto prese a tremare in modo così convulso che le domestiche si spaventarono. Dicendo a-si-malèda, siete-ammalata, avi-la-fevra, avete la febbre, la sollevaron di peso e la misero a letto dove la febbre diventò violentissima. Scatenò il delirio e col delirio un diluvio di parole sconnesse. «Cacciate il gatto! Affogatelo, buttatelo dalla finestra! Scucite le cifre, bruciate i lenzuoli con la F! Bisca?!? Macché bisca! A Longiano, a Longiano! Portatemi a Longiano!» Intanto smaniava, gesticolava, scalciava. Oppure piangeva, ed esaurito il pianto si assopiva. Piombava in un cupo sonno dal quale riemergeva con l'aria di non capire in che luogo fosse, tra chi si trovasse. Non riconobbe nemmeno Anastasìa, quando verso mezzanotte riapparve con l'aria felice di chi è stato in paradiso. «Chi siete?» esclamò. «Che cosa volete? Non toccatemi, io non vi conosco!» Allora, disperata, Anastasìa mandò a chiamare il professor Robusto Mori: protomedico dell'ospedale civile, specialista di malattie infettive, e noto per le sue ricerche sugli attacchi febbrili. Non a caso li studiava col nuovo strumento inventato dall'inglese Thomas Clifford e chiamato Termometro. Una lunga ampolla che nella parte inferiore conteneva un liquido argenteo, il mercurio, e che all'esterno portava i numeri corrispondenti ai gradi centigradi della temperatura umana: 35, 36, 37, 38, 39, 40, 41, 42. Il professor Mori giunse mentre Giacoma giaceva nel cupo sonno, il volto ancora bagnato di lacrime e il respiro affannoso. Con aria perplessa le tastò il polso, le infilò sotto il braccio la lunga ampolla dove il liquido argenteo salì subito al numero 40. Le auscultò l'apparato respiratorio, la visitò da capo a piedi, esaminò tutto quel che c'era da esaminare, infine scosse la testa. «Niente polmonite, niente meningite, niente difterite o altre malattie infettive, Madame. Secondo me si tratta d'una congestione cerebrale dovuta a un grosso trauma psicologico. Un grosso dispiacere, ad esempio. Una ferita dell'anima. E l'anima è nelle mani di Dio, non dei medici. Io non posso che prescriverle impacchi di ghiaccio e spugnature fredde per abbassar la temperatura, Madame.» Il guaio è che il ghiaccio si trovava solo alla fabbrica del ghiaccio, il Mulèn de Zas, e di notte il Mulèn de Zas era chiuso. Le spugnature fredde non le voleva, anche nel cupo sonno le respingeva, e presto la febbre aumentò. Il delirio esplose di nuovo. Un delirio lucido, stavolta. Talmente lucido da domandarsi se non fosse un'involontaria commedia, un'inconsapevole vendetta ordita nel subconscio per rompere il cuore di Anastasìa. Punirla. Perché stavolta Giacoma non farneticò. Non gridò, non si abbandonò a discorsi insensati o sconnessi. Sia pure continuando a non riconoscer la madre e chiamandola «signora», si espresse come se fosse in sé. Con ragionevolezza, con calma. Quasi si confidasse a un'amica. «Li ho visti, signora, li ho visti. Al Circolo mi avevan risposto iè-secul-cl'an-ven, in più m'ero accorta se mancava lui mancava lei, l'ho seguita... Io speravo che entrasse in una bisca, signora. Lei ha la mania del gioco, capite, e a Cesena il Casinò non c'è. Invece lui è sbucato dalla contrada Verdoni, si son corsi incontro, si sono abbracciati, sono entrati insieme a Palazzo Braschi... Sono amanti, signora. Io credevo che avesse scelto me. Mi cucivo il corredo, ci ricamavo la F. Invece sono amanti, signora...» Oppure: «Vorrei non essere nata, signora. È stato uno sbaglio mettermi al mondo. Uno sbaglio più grosso che ficcarmi dentro la Ruota. Ora mi sento più sola di prima, più sciocca, più brutta. Non curatemi, signora. Lasciatemi morire, signora...». Si chetò soltanto all'alba, quando prese a sudare, e fradicia di sudore cadde in un letargo che a poco a poco spense la febbre. Spengendola cancellò dalla sua mente ciò che aveva detto durante il delirio e...

«Nonna, che successe quando ti svegliasti?»

«Riconobbi Anastasìa, ricordai tutto fino al momento in cui ero tornata a casa con la voglia di morire, nulla di quel che avevo fatto in seguito, e mi sentii perduta. La guardai senza capire se la amassi ancora o se la odiassi, e per prendere tempo le chiesi perché fossi fradicia di sudore. Lei mi accarezzò e rispose hai-avuto-una-brutta-febbre, amor-mio.»

«Non ti disse che nel delirio avevi parlato?»

«No. Che nel delirio avevo parlato lo avrei saputo dal nonno molti anni dopo. Però con l'aria di voler avviare un discorso mi disse che secondo il medico la febbre era stata causata da un grosso trauma, un grosso dispiacere, e allarmata la interruppi protestando che trauma? Che dispiacere? Avrò preso un colpo di freddo!»

«E lei?»

«Si asciugò di nascosto una lacrima, poi mormorò sì: lo penso anch'io. E questo suggellò una tacita intesa, una specie di accordo basato sul reciproco silenzio. Cioè sul fatto che io fingessi di non sapere e lei fingesse di ignorare che sapevo. Era l'unica soluzione accettabile, mi spiego? L'unica via d'uscita per entrambe.»

«E poi?»

«Poi venne il professor Mori che sorpreso di trovarmi sfebbrata esclamò le-malattie-dell'anima-son-proprio-un-mistero, e tentò d'interrogarmi sul trauma. Sul dispiacere. Ma alla risposta niente-trauma, niente-dispiacere, avrò-preso-un-colpo-di-freddo, s'irritò e disse ad Anastasìa che avrebbe dovuto portarmi a Parigi. A Parigi c'era un giovane e promettente medico di Vienna, un certo Sigmund Freud, che le malattie dell'anima le studiava anzi le guariva ipnotizzandoti e tirandoti fuori i segreti. Discorso al quale Anastasìa reagì replicando con asprezza professore, ciascuno ha diritto ai suoi segreti. Se questa ragazza afferma d'aver preso un colpo di freddo, colpo di freddo è. Che il giovane e promettente medico di Vienna ipnotizzi sé stesso.»

«E poi?»

«Poi venne il Valzania. Chiamato da lei, credo. Mi fece una carezza, con aria angosciata borbottò bisogna-discuterne, quindi s'appartò con lei nello studio e di che cosa discussero non lo so. Però a un certo punto mi giunse agli orecchi il suo vocione che ruggiva: dài-un-tai, dacci-un-taglio, sgnurènaaa! E la sua bella voce che piena di erre cantilenava: sto-per-darlo, Eugenio, sto-per-darlo...»

«E poi?»

«Poi, verso le sette, venne il nonno. E a udirne il passo nel corridoio sentii di nuovo una gran voglia di morire. Perché temevo che entrasse in camera per far domande sulla febbre o sciocchezze del genere. Invece non ci entrò. Lei condusse anche lui nello studio. Ce lo tenne un'ora che a me parve lunga mille anni, quindi tornò in camera e mi disse: "Di là c'è Antonio che domattina parte per Forlì. Lo hanno trasferito a Forlì. Vuoi salutarlo?". Diventai rossa e risposi: "Non importa, grazie. Salutalo per me". Poco dopo, no, cento anni dopo riudii il passo nel corridoio. Dopo il passo la porta di casa che sbatteva. Dopo la porta di casa che sbatteva, il fruscìo d'uno strascico che si avvicinava. E lei si rimise al mio capezzale. Si chinò su di me, mi baciò sulla fronte, e raschiandosi la gola disse: se n'è andato, amor mio.»

«Nonno... Che successe nello studio, nonno?»

«Quel che succede quando scoppia una bomba e in un istante disintegra un tesoro che pareva indistruttibile, eterno. Lo riduce in polvere sicché resti lì inebetito a guardare la polvere, a ripetere no. Non può essere, no. Era qui, esisteva. Pareva indistruttibile, eterno, e ora non c'è più. Non esiste più... Io non me l'aspettavo, capisci. La sera avanti ci eravamo lasciati con le parole a-domani. Ci-vediamo-a-casa-verso-l'ora-di-cena, a-domani. Così giunsi impreparato, indifeso come un bambino che va a coglier fiori in un campo di mine. Non notai nemmeno il gelido distacco con cui mi ricevette. O meglio, lo notai ma non vi detti importanza. Pensai che fosse dovuto ai soliti problemi con la Sulphur Company. In quei giorni la Banca Geisser aveva tolto ogni appoggio alla Sulphur Company e spesso si mostrava di malumore. Non mi meravigliai nemmeno del fatto che anziché in sala da pranzo mi conducesse nello studio: Sancta Sanctorum nel quale si ritirava solo per leggere o fare i conti. Che qualcosa andasse torto lo sospettai soltanto quando si chiuse con me lì dentro, con un secco gesto della mano mi invitò ad accomodarmi su una poltrona e quasi volesse metter fra noi la maggiore distanza possibile sedette allo scrittoio. Vi appoggiò le braccia, le incrociò, si offrì al riverbero del lume a gas. Era molto pallida, molto tesa. Il suo bel volto angoloso sembrava risucchiato, quasi privo di guance, i suoi occhi avevano un che di fosco ed emanavano una durezza a me sconosciuta. Sai gli occhi di chi punta la rivoltella per prender la mira e spararti. "Devo parlarvi, Antonio" scandì con voce ferma, quasi ostile. E a quel *vi* feci un balzo perché da due anni non ci davamo del Voi. "Devo darvi un dolore," aggiunse "devo spiegarvi perché non possiamo amarci più." Poi, mentre il mondo crollava ed io la fissavo incapace di muovermi, di articolare un suono, me lo spiegò. Disse che Giacoma era innamorata di me, che la sera avanti ci aveva visto insieme, che per via di questo le era venuta una congestione cerebrale, una febbre che l'aveva quasi uccisa. Disse che nel delirio aveva raccontato tutto, che però non ricordava d'aver raccontato tutto, e che questo ci permetteva di troncare il nostro rapporto senza umiliarla. Affermando che ero stato trasferito a Forlì, per esempio, che domattina partivo ed ero venuto a salutarle... Bugia alla quale avrebbe finto di credere, ne era certa, per salvare il suo orgoglio. Infine disse che d'ora innanzi non avrei dovuto neanche avvicinarmi a Palazzo Almerici. Neanche aggirarmi per piazza Bufalini, neanche affacciarmi alla finestra del mio alloggio. E mi chiese di giurarlo.»

«E tu giurasti?»

«Sì. Non era una preghiera o un consiglio o un invito. Era un ordine. Categorico, senza appelli. E secondo la mia coscienza, necessario. Giusto.»

«E poi?»

«Poi mi chiese se me la sentivo di congedarmi da Giacoma, dirle che ero stato trasferito a Forlì eccetera. Senza aspettare la mia risposta andò a vedere se lo desiderava, e quando tornò col rifiuto ne provai sollievo.»

«E poi?»

«Poi mi consegnò la chiave di Palazzo Braschi. Addolcì lo sguardo, addolcì la voce, e disse che io ero stato l'amore più bello della sua vita. Il più puro, il più onesto, il più buono. Ma in fondo preferiva che finisse oggi e così: nessun amore dura per sempre. Ogni amore si sciupa, si estingue. E col tempo anche il nostro si sarebbe sciupato, estinto: non dimenticassi che lei aveva quasi quarant'anni e io appena ventiquattro. Presto avrei messo su famiglia, mi sarei scelto una brava ragazza della mia età... Con queste parole mi accompagnò alla porta e io non tentai nemmeno d'abbracciarla un'ultima volta o protestare che si sbagliava: che il mio amore sarebbe durato per sempre e all'inferno le brave ragazze della mia età. Non tentai perché a quel punto la febbre era venuta a me, capisci. Perché la voglia di morire ora l'avevo io. Barcollando varcai la soglia, piangendo come un Abelardo evirato scesi le scale e... Il resto lo conosci, nooo?!?»

* * *

Lo conosco, sì. Lo conosco. Il resto è una sofferenza che quelle mie tre vite hanno trasmesso a questa mia vita come una malattia. È un'orgia di dolore che ancor oggi m'avvelena il ricordo di quand'ero Antonio, ero Giacoma, ero Anastasìa. Non riuscendo a rispettare il giuramento di non avvicinarsi nemmeno a Palazzo Almerici, non affacciarsi nemmeno alla finestra del suo alloggio, e non potendo lasciare Cesena prima del 1887 cioè prima che scadesse la ferma quinquennale, lui tentò infatti di venir trasferito sul serio a Forlì o altrove. Dichiarando che non esistevan motivi per accogliere la richiesta il Comando Superiore s'oppose, e allora tentò la carta dell'Eritrea. Favorito dal massacro di Dankali dove nel 1884 l'esploratore Gustavo Bianchi era stato assassinato dagli indigeni con tutti i suoi compagni, e appoggiato dal neo-cancelliere tedesco Otto Bismarck nonché dal governo inglese che premeva attraverso l'ambasciatore a Londra, Costantino Nigra, nel 1885 s'era avviato l'espansionismo coloniale degli italiani in Africa. In gennaio quattro compagnie di bersaglieri e una batteria di artiglieri eran salpate per il Mar Rosso, e senza incontrar resistenza erano sbarcate a Massaua: a quel tempo contesa fra turchi ed egiziani. In febbraio una seconda poi una terza spedizione avevano occupato l'intera zona costiera fino ad Assab, in dicembre Massaua era stata ufficialmente annessa al Regno d'Italia, sicché era sorta la necessità d'insediarvi gli uffici della dogana e agli inizi del 1886 il ministero della Guerra aveva bandito un concorso per le Guardie di Finanza. Ma le domande piovvero a migliaia, i posti disponibili eran soltanto diciotto, Antonio non fu tra i prescelti e questo lo gettò in un tale stato di sconforto che tutta la sua disciplina di ex seminarista sparì. Trascuratezze, disubbidienze. Abusi di permesso, violazioni delle consegne. Risulta anche dal Registro Individuale che nel 1886 segna una serie di richiami, ammonimenti, rimproveri, e perfino dieci giorni di arresti in caserma. (Castigo dovuto a un'azionaccia di cui in famiglia si parlava sempre sottovoce e che per poco non gli era costata l'accusa di tentato omicidio. Anziché intimare l'alt una notte aveva fatto fuoco su un contrabbandiere delle saline colpendolo di striscio). Quanto a Giacoma, ormai imprigionata nella commedia dell'io-so-che-tu-sai-che-io-so-e-che-fingo-di-non-saperlo, tu-sai-che-io-so-che-tu-sai-e-che-fingi-di-non-saperlo, restò in stato di shock due mesi. Per due mesi giacque in preda alla malattia dell'anima che il professor Mori voleva curare con l'ipnotismo anzi col giovane e promettente medico di Vienna. Non usciva più di casa. Spesso non si allontanava nemmeno dalla sua camera, dal suo letto. Non parlava più, non ricamava più, non si interessava più a nulla. Al massimo si trastullava col gatto, misteriosamente riaccettato anzi riamato. Oppure leggiucchiava. Ad esempio la raccolta di storie per ragazzi che con spettacolare successo l'ex fidanzatino della mamma, De Amicis, aveva pubblicato sotto il titolo *Cuore*. Poi un bel giorno emerse dal suo letargo. Sia pure col consueto autocontrollo riprese a parlare, ricamare, uscire, e Anastasìa...

Mi son chiesta spesso se dopo la rottura del triangolo mi sia stato più difficile essere Antonio o Giacoma o Anastasìa. E ogni volta ho concluso: Anastasìa. Perché toccò a lei, a quella parte di me, sopportare il peggio. Toccò a lei, a quella parte di me, occuparsi di Giacoma: curarla al posto del dottor Freud, subirne l'inconfessato rancore, riconquistarne il perdono. Toccò a lei, a quella parte di me, tenere a bada Antonio: respingere i suoi strazianti biglittini, impedirgli di percorrere i cento metri che dividevano la caserma da Palazzo Almerici, costringerlo ad accettare il suo ruolo di Abelardo evirato. E perché questo contribuì in maniera decisiva alla rovina finanziaria che nel 1886 spazzò via il grosso patrimonio accumulato a San Francisco e portato in Italia. Nel giro di pochi mesi lo rimpiazzò con lo squallore d'una povertà mai conosciuta e mai immaginata. Proprio a causa del duplice sforzo, infatti, lo sforzo di guarire la figlia e di allontanare l'amante, Anastasìa non vide il pericolo in cui sguazzava il denaro scampato al disastro della Cesena Sulphur Company: il conto che con le quarantamila lire (grazie agli interessi salite a quarantasettemila) aveva aperto sette anni prima presso il Credito Mobiliare. Nel gennaio del 1886 i giornali dicevano brutte cose del Credito Mobiliare. Contravvenendo alle regole del suo stesso statuto, dicevano, la banca aveva investito i depositi dei correntisti in strane speculazioni edilizie. Li aveva prestati a losche società che protette da politici corrotti intascavano contributi governativi stanziati per ampliare i sobborghi di Roma e di Napoli, costruirvi case ed uffici. Scoperta la tresca, il governo aveva tolto i contributi. Di colpo le società erano fallite, ed ora i bilanci del Credito Mobiliare sfioravano il deficit. Non a caso il Parlamento voleva istituire una commissione per accertare la mole del danno e tentar di porvi rimedio. Bè, in febbraio la commissione venne istituita. Ma Anastasìa non ci fece caso. Era troppo impegnata a coccolarsi Giacoma che le parlava di nuovo. In marzo la mole del danno venne accertata. Ma Anastasìa non ascoltò nemmeno il Valzania che berciava chiudete-subito-quel-conto, sgnurèna, riprendetevi-i-vostri-soldi. Era troppo occupata a sfuggire Antonio che le mandava gli strazianti bigliettini. In aprile il rimedio venne applicato con l'ordine di congelare il capitale roso dal deficit. I depositi dei correntisti furono bloccati, in pratica confiscati, e Anastasìa non riuscì a prelevare un centesimo. Le sue quarantasettemila lire svanirono come una boccata di fumo. Subito dopo il prezzo dello zolfo cesenate calò a cinquanta lire il quintale, la Banca Geisser cessò di sostenere la Sulphur Company, e il reddito delle azioni scese all'uno e mezzo per cento. Nel suo caso, 750 lire all'anno cioè 62 lire al mese. Il salario d'un operaio malpagato. A parte qualche gioiello e un po' di denaro liquido, del grosso patrimonio non le rimasero dunque che le diecimila lire (con gli interessi salite a undicimilaseicento) della Banca Popolare. E la rovina scoppiò, inesorabile, con un progressivo addio al tenore di vita cui era abituata. In maggio rinunciò al guardaroba nuovo, rito con cui salutava l'arrivo dell'estate, nonché al profumo di cardenia e ai belletti. In giugno smise di comprare i cibi prelibati e i vini pregiati che avevan sempre dato lustro ai suoi pranzi e alle sue cene. In luglio rinunciò a una domestica. In agosto a un'altra, in settembre a un'altra ancora. In ottobre capì che non poteva più tenere il bell'appartamento arredato di Palazzo Almerici, chiese al Valzania di trovarle una sistemazione che costasse poco, e il Valzania gliela trovò. Sai dove? In via Verzaglia. Nella casa di Anastasia Cantoni vedova Bianchi, l'omonima prestanome alla quale l'imbroglio giuridico aveva ufficialmente affidato la custodia dell'Esposta Numero 208...

Era una casa molto piccola. Pianterreno e primo piano. Era anche molto modesta. Non aveva nemmeno l'acqua corrente. Per prendere l'acqua dovevi andare alla fontana del Lavadùr, il lavatoio pubblico che stava sopra un ponte del Rio Cesuola. La vedova Bianchi vi occupava il primo piano col figlio scapolo Luisìn, Luigino. Un cappellaio di trent'anni. Il pianterreno (camera da letto, salotto o presunto salotto, cucina) lo affittava invece per trenta lire mensili. E pazienza se il mobilio si riduceva a un unico letto, un armadio, un cassettone, un tavolo, qualche sedia e una poltrona. Pazienza se lì dentro la luce entrava da due finestrelle e basta, se l'umidità ammuffiva le pareti, se il bagno consisteva in un cesso situato nel cortile. Col consueto coraggio Anastasìa disse che per quel prezzo non si poteva pretendere altro e subito vi si stabilì, insieme a Giacoma e al gatto. Di nascosto, però. Zitta zitta. Infatti i vicini se ne accorsero solo la settimana seguente, quando sul portone di Palazzo Almerici apparve il cartello «Al quarto piano affittasi vasto e lussuoso appartamento arredato». E fu a quel punto che Antonio toccò l'apice dello strazio. Fu a quel punto che sparò sul contrabbandiere, finì in carcere, rischiò il processo per tentato omicidio e decise di non rinnovare la ferma. Fu a quel punto che si mise ad aspettare il 31 dicembre, giorno in cui la ferma scadeva, sicché l'1 gennaio 1887 tolse l'uniforme. Tornò a Mercatale Val di Pesa da sua madre e sua sorella Viola e la cassapanca di Ildebranda. Non sapeva che altro fare, in quale altro posto andare, diceva da vecchio. E coi soldi risparmiati durante il quinquennio, tremila lire, aprì un negozietto di libri che naturalmente non ebbe alcun successo. In campagna chi li comprava, i libri? Per riaversi aprì dunque una mescita di vini che ebbe molto successo ma lo inaridì. Lo intristì ed estinse per sempre il suo sogno di uguagliare il parente con la toga di giudice. Quel Carlo Fallaci coi baffi lunghi venti centimetri e del quale ho la fotografia. Estinse anche le sue curiosità intellettuali e la sua fame d'amore. Mescendo vini accantonò perfino il suo impegno politico e per mesi si regalò a una grigia esistenza di Abelardo evirato. Poi anche questa ebbe fine. Si risvegliaron i desideri del corpo, conobbe altre donne. Sempre senza cedere alle passioni e ai sentimenti, però, e guai a parlargli di matrimonio. «Io non mi sposerò mai.» Non a caso i beceri lo chiamavano lo Zittello e i più cattivi insinuavano: «Ma allo Zittello le donne piacciono sul serio oppure ci va per salvare la faccia?». Tormento che durò due anni, cioè finché all'Ufficio Posta di Mercatale giunse una lettera che diceva: «Mon amour, vi scrivo all'unico indirizzo che ho e mi chiedo se riceverete mai questo foglio. Se lo riceverete, se nel frattempo non vi siete sposato, se non mi avete dimenticato, se mi amate ancora, venite immediatamente. È successa una cosa tremenda, ho bisogno di voi. Eloisa. Post Scriptum: abito in via Verzaglia, presso la vedova Bianchi, e spesso vorrei buttarmi dentro il Cesuola».

25

Ecco, siamo all'epilogo. Sto per restituirlo al silenzio quel mio infernale Io, lo Io che avevo quand'ero Anastasìa. E impaziente di farlo apro un'ultima volta la mappa della città che aveva la forma d'uno scorpione, dell'animale che uccide sé stesso. Con disagio vi cerco il Rio Cesuola, il canale caro ai suicidi ed oggi sepolto dal cemento, con un sussulto vedo che a metà percorso fluiva parallelo a via Verzaglia. Lambiva addirittura il retro delle case poste sul lato ovest della strada. La casa della vedova Bianchi no, non la lambiva. Era posta sul lato est. Però si trovava proprio di fronte al voltùn cioè al passaggio che attraverso uno degli edifici lambiti conduceva al ponte del Lavadùr, ed era un'insidia il Lavadùr. Un luogo maledetto. Lo era in quanto l'alveo lì si ingrandiva, allo stesso tempo si inclinava, scendeva, e il Cesuola cambiava le sue caratteristiche. Da un quieto fossato largo cinque metri e d'estate quasi asciutto, d'inverno profondo circa ottanta centimetri, diventava un torrentaccio largo otto metri e d'estate profondo quasi un metro e mezzo. D'inverno e con le piogge, tre o quattro metri. Infatti d'inverno e con le piogge spesso straripava, inondava le cantine, inondava i pianterreni. Oppure si gonfiava in modo spaventoso, si trasformava in un gorgo che arrivava fino alle spallette e che al solo affacciarsi dal parapetto ti spazzava via con la furia d'una rapida. Non a caso nel 1842 aveva ghermito due lavandaie che s'erano spenzolate per recuperare una cesta di panni. Ergo, se d'inverno volevi suicidarti annegando non ti scomodavi a saltare nel Savio. Il fiume che scorreva fuori delle mura. Tantomeno ti disturbavi a raggiungere l'Adriatico che da Cesena distava oltre 15 chilometri. Andavi al Lavadùr e scavalcavi la spalletta. Del resto alcuni la scavalcavano anche d'estate cioè quando l'acqua era bassa ma l'altezza dell'arcata garantiva un decesso istantaneo. Sembrava emanare un invito, quel ponte. Ti chiamava come il canto delle sirene. Un canto dolcissimo per chi avvertiva la stanchezza d'esistere. Una ninna-nanna alla quale non resistevi. Vieni, riposati, vieni. Non combattere più, non resistere più. Chiudi gli occhi e buttati. Buttati, buttati.

Che fosse stato questo a farle concludere il post scriptum con le parole spesso-vorrei-buttarmi-dentro-il-Cesuola? Non lo so, non lo so. Però mi è difficile credere che si sia uccisa perché aveva deluso Giacoma e cacciato Antonio, perché il Credito Mobiliare e la Sulphur Company l'avevano mandata in rovina, perché si vedeva costretta a vivere in una casuccia di via Verzaglia e a privarsi dei piaceri forniti dalla ricchezza. Le domestiche, i cibi prelibati, i vini pregiati, il guardaroba nuovo, il profumo di cardenia. Non era nella sua natura cedere ai dispiaceri, ai rovesci finanziarii, alle sventure. E fin da bambina v'era allenata. Pensa al travaglio di vivere priva d'una identità giuridica, nel terrore dei censimenti da cui può risultare che non denunciando la tua nascita e il tuo vero nome la Tante

Jacqueline ha commesso un reato da galera. Pensa al supplizio di ballare incinta e in calzamaglia sul palcoscenico del Regio dove una sera svieni tra le risate degli spettatori crudeli, i loro beffardi uè-uè. Pensa alla pena di partorire una figlia indesiderata poi uscire nella neve e portarla all'ospizio, mentre tutti festeggiano il Capodanno infilarla dentro la Ruota. Pensa all'angoscia di salire su una nave col passaporto falso e il seno che duole, che gocciola latte. E la fuga da New York, dalla buona Louise Nesi e dal buon Derek che ti vogliono bene ma ai quali hai dovuto lasciare un ingrato biglietto d'addio. E la tormentosa traversata delle Grandi Praterie con gli indiani che rincorrono la diligenza per scotennarti, la squallida parentesi di Salt Lake City dove il vecchio poligamo ti vuole come settima schiava, la dura esperienza di Virginia City dove rimasta senza un soldo ti metti a fare la hurdy-gurdy girl pei minatori ubriachi. E l'assassinio di tuo marito, il duello per vendicarlo, gli anni non certo innocenti di San Francisco. Tutte cose affrontate col sangue freddo d'un pistolero o la veemenza d'un bufalo, ogni volta ricominciando daccapo cioè senza arrendersi. Senza scoraggiarsi, senza mai desiderare la morte e anzi odiandola. Odiandola? Niente mi autorizza ad affermare che a quel tempo la odiasse. Forse non la odiava affatto. Forse già allora la considerava un'amica, una complice, una compagna di viaggio alla quale si può chiedere aiuto. Basta-combattere, basta-resistere, aiuto. E forse stava in quella vecchia intesa, in quell'antica amicizia, la chiave della sua complessa personalità. Oppure no, mi sbaglio? Non lo so, non lo so. Comunque sia andata, in via Verzaglia la cupa depressione che il professor Mori voleva far curare dal giovane e promettente medico di Vienna colpì Anastasìa. Si travasò da Giacoma ad Anastasìa come un virus che dall'infermo passa all'infermiere sicché la realtà si capovolge: l'infermo guarisce e l'infermiere si ammala. Nel 1887 Giacoma era completamente guarita e si comportava come se la terribile notte non fosse mai avvenuta, come se Antonio non l'avesse mai conosciuto, come se a Palazzo Almerici non ci avesse mai abitato. Infatti era lei che mandava avanti la casa, che sostituiva le domestiche, che risolveva i problemi quotidiani. Era lei che sosteneva il ruolo di capofamiglia. Per guadagnar qualche soldo, impedire che il gruzzolo rimasto finisse troppo presto, era tornata perfino a ricamare. Pizzi, trine, dentelle. Monogrammi che ora eseguiva sui corredi delle clienti, povera Giacoma. Inoltre amava di nuovo il gatto. Quando le saltava in grembo non lo cacciava mai, e a vederla così serena nessuno immaginava che per mesi avesse dormito il cupo sonno d'una larva. Anastasìa, al contrario...

In via Verzaglia divenne un'altra persona, Anastasìa. Una donna che con l'Anastasìa della leggenda aveva in comune la bellezza e basta. (Quella bellezza che chissà per quale fenomeno genetico, biologico, non sfioriva nemmeno coi disagi e le sofferenze e l'età). O, meglio, divenne un fantasma di sé stessa. Una larva, stavolta, che non sentiva alcun desiderio di svegliarsi. Perché, sia pure ferito, il suo cuore batteva. Sia pure insufficiente, il suo conto alla Banca Popolare esisteva. E quarant'anni son pochi per alzare bandiera bianca. Volendo, avrebbe potuto tentar l'impresa del ricominciare daccapo. Invece alla malattia dell'anima si consegnò senza combattere, quasi che il canto delle sirene avesse portato a galla una verità nascosta o repressa. La stanchezza di vivere. Si fece mesta, taciturna. Lei che era sempre stata una conversatrice squisita, un brioso menestrello. Spesso si chiudeva in lunghi silenzi oppure apriva bocca solo per parlar di sua madre, di Marguerite, e del modo in cui era morta. Si fece pigra, apatica. Lei che era sempre stata uno sfavillìo di energia, di vivacità. Imitando la Giacoma del cupo sonno, passava interi pomeriggi a leggere lo stesso libro. Un romanzo di Tolstoi, nel suo caso, la storia d'una signora che si butta sotto il treno. *Anna Karenina*. E anziché trovarsi un lavoro, salvare il conto che alla Banca Popolare si assottigliava, prese a sprecarlo nelle salette del Circolo Repubblicano. Si giocava d'azzardo, al Circolo Repubblicano. Dadi, poker, tressette, ruleta. (Una specie di roulette). Così lo frequentava come ai tempi dell'impegno politico, e giocando perdeva. Lei che a dadi e a carte e alla roulette era sempre stata una maestra. Una professionista, una bara. Che non barasse più, che giocasse allo scopo di perdere? Secondo la nonna Giacoma, sì. «Dopo ogni perdita appariva contenta, eccitata. E inutile dirle mamma, per-guadagnar-cinque-lire-io-devo-ricamare-dieci-monogrammi.» Prese anche a disfarsi degli oggetti che le erano cari. Gli ultimi gioielli dell'Innominato, il cammeo della Tante Jacqueline, le borsette con la cerniera d'argento, gli ombrellini col manico d'avorio. Li vendeva a un usuraio di via Orefici che si chiamava l'Ebreo e che glieli pagava una miseria. Per una miseria vendette perfino la Smith-Wesson col calcio di madreperla, e va da sé che dopo se ne pentì. «Quel erreur, che errore! La pistola mi serviva.» Una stanchezza di vivere, dunque, che mirava alla morte. Un processo di autodistruzione che al suo naturale obbiettivo, la morte, non era ancora giunto solo perché amava Giacoma. Uccidersi sarebbe stato infatti come abbandonarla di nuovo, restituirla alla Ruota. Però nel suo subconscio cercava di superarlo, quell'ostacolo composto d'amore: «Devi sposarti, Giacoma. Presto avrai ventitré anni. Devi crearti una famiglia, liberarti di me. Che faresti, dove andresti, se finissi sotto un treno o nel Cesuola?». Il guaio è che Giacoma non capiva. In segreto continuava ad essere innamorata di Antonio, non voleva sposare nessuno, e al preoccupante discorso rispondeva con un'alzata di spalle. «Che treno, che Cesuola, mamma! Noi due invecchieremo insieme.» Si giunse così al 1888, al giorno in cui accadde la disgrazia.

Era un giorno di fine ottobre. Divorato dalle perdite al gioco in ottobre il conto della Banca Popolare s'era ridotto a meno di cinquecento lire e per non esaurirlo del tutto Giacoma ricamava senza fermarsi mai. Pulita la casa, procurata l'acqua alla fontana del Lavadùr, si metteva lì coi suoi aghi e le sue forbici e i suoi fili e non si interrompeva nemmeno per riposare gli occhi. Unico diversivo, il gatto che ogni tanto le saltava sulle ginocchia per ricevere una carezza. Micio-qui, micio-là. Stava ricamando, al momento in cui accadde. Anzi tagliando un filo. D'un tratto il gatto le saltò sulle ginocchia per ricevere la carezza, colta di sorpresa lei fece uno scossone, nel fare lo scossone alzò le forbici, e un urlo straziante lacerò via Verzaglia. Un urlo a cui seguì un singhiozzo lungo, soffocato. «Mi sono accecata, mi sono accecata...» Anastasìa la trovò che brancolava con le mani sul volto inondato di sangue e di liquido gelatinoso. Sangue e liquido gelatinoso che sgorgavano dall'occhio sinistro, l'occhio dentro il quale le forbici s'erano conficcate. A sua volta urlando le spostò le mani, vide. A sua volta singhiozzando ti-sei-accecata, ti-sei-accecata, la portò all'ospedale del professor Mori. E quando l'ebbe davanti il professor Mori scosse la testa. La cornea era sfondata, disse. Il bulbo oculare si stava svuotando dell'iride, del cristallino, del vitreo. Presto si sarebbe atrofizzato, spento, e: «Gli occhi non ricrescono come i capelli, ragazza mia. Io posso solo somministrarvi un po' di morfina per ridurre il dolore, tapparvi questo disastro con una benda, e in futuro mettervi un occhio di vetro». Poi la ricoverò nel reparto chirurgico dove rimbambita dalla morfina, immobile in un letto, lei rimase un mese e mezzo a piangere: «Mamma, l'occhio di vetro io non lo voglio». Tornò a casa verso metà dicembre, con la benda che non toglieva mai perché si vergognava a mostrare quel che c'era sotto e perché la luce le irritava la ferita appena cicatrizzata. Sia la luce del sole che quella delle lampade a gas. Al massimo sopportava la fioca fiammella d'una candela e il lieve riverbero che filtrava dalla persiana chiusa. Ergo, Anastasìa non ce la fece più. Oh, che non ce la facesse più lo aveva già provato l'indomani della disgrazia affogando il gatto e gridandogli beato-te, t'invidio. Ma a metà dicembre s'inasprì. Trasformò la sua stanchezza di vivere in un'acuta impazienza di morire, superar l'ostacolo che le impediva di morire, e scrisse ad Antonio la lettera che ho detto. Gliela scrisse con uno scopo ben preciso: sapere se nel frattempo s'era sposato e, se non s'era sposato, imporgli di sposare Giacoma. Per sposarla, infatti, ora ci voleva un uomo speciale. Un giovanotto intelligente, buono, capace d'esserle fratello. Non solo marito ma fratello.

La lettera arrivò a Mercatale Val di Pesa i primi di gennaio, e cadde su Antonio come un sasso dentro uno stagno. «La mia vita era diventata uno stagno,» raccontava da vecchio «una palude dove non si muoveva mai nulla. Passavo le giornate nell'odiata mescita, se capitava mi portavo a letto una squincia oppure andavo a Firenze dalla sora Cleofe che ora teneva un bordello un po' meno schifoso, e non davo confidenza a nessuno. Neanche a mia madre e a mia sorella Viola con le quali dividevo la casa, e tantomeno ad Annunziata la sorella che aveva sposato il merciaio o ad Assunta la sorella che aveva sposato il macellaio. L'unica persona con cui stessi volentieri era lo zio Luca che ora faceva il bracciante a San Eufrosino di Sotto, il podere attiguo a San Eufrosino di Sopra, e che la domenica veniva a trovarmi. A bere un bicchiere, a imprecare contro Umberto I e l'attuale capo del governo Francesco Crispi, oppure a condannare la mia scapolaggine. Conosceva bene il mio amore per Anastasìa, lo zio Luca. Glielo avevo confidato io in un attacco di solitudine, e a toccar quell'argomento si arrabbiava più che a elencar le tare di Crispi o di Sua Maestà. Devi dimenticarla, berciava. Devi levartela dalla testa e dal cuore quella strega che ha quasi il doppio della tua età, quella Circe dal passato oscuro! Hai ventisett'anni, perdio, e invece di mettere al mondo figli con una brava ragazza stai lì a gingillarti con le farfalline. Ma io non lo ascoltavo. Non potevo dimenticarla, non volevo levarmela dalla testa e dal cuore. L'idea di mettere al mondo figli che non fossero suoi mi ripugnava e ogni volta che stavo con un'altra pensavo a lei. Mi chiedevo dove-sarà, che-cosa-farà. Me lo chiedevo anche per Giacoma, del resto. Perché verso Giacoma sentivo una specie di rimorso, quasi un complesso di colpa. In un certo senso mi mancavano entrambe e ignorare dove fossero, che cosa facessero... Non avevo notizie da due anni, capisci. Non sapevo nemmeno che la catastrofe del Credito Mobiliare e della Sulphur Company le avesse rese povere. Ergo, quando arrivò la lettera e vidi la firma Eloisa mi parve di svenire. Quando la lessi mi si piegaron le gambe. Partii immediatamente. E mai viaggio fu così lungo. Perfino il tun-tun del treno mi ripeteva quelle parole. È-successa-una-cosa-tremenda, tun-tun. Vorrei-buttarmi-dentro-il-Cesuola, tun-tun. A Cesena saltai subito su una carrozza, mi precipitai in via Verzaglia. Incredulo mi avvicinai a quella casuccia che a Palazzo Almerici assomigliava quanto una bettola assomiglia a una reggia, tirai il campanello, la porta si aprì, lei apparve nel vano... Era sempre bella, sì. Quel volto, quel corpo, quei capelli biondi. Non dimostrava davvero i suoi quarantadue anni. Però sembrava una Cenerentola. Mal vestita, spettinata. E non profumava più di cardenia.» Lo guardò come un prigioniero in catene guarda chi gli restituisce la libertà, diceva. «Siete venuto!» esclamò esalando un respiro gonfio di sollievo. Poi anziché lasciargli varcar la soglia si portò l'indice alle labbra e: «Sst! Aspettate qui». Si diresse verso una stanza semibuia, mormorò devo-uscire-per-un'oretta-Giacoma, mise un soprabito, uscì. Si appoggiò al muro esterno della casuccia e: «Non vi siete sposato, dunque». «No» rispose lui con voce sorda. «Non avete nemmeno una fidanzata, una donna fissa?» «No.» «E mi amate ancora?» «Sì.» «Allora vi racconterò tutto.» Lo condusse in un caffè, gli raccontò tutto, e giunta alla cosa tremenda cioè alla disgrazia di Giacoma gli afferrò una mano. Gliela strinse, scandì: «Voglio che sposiate Giacoma, amor mio». «Giacoma?!?» rispose quasi gridando. «Giacoma, Giacoma» ripeté in tono fermo, perentorio. «Per non riabbandonarla, non restituirla alla Ruota, non posso che affidarla a voi.» E lui non cercò di capire se dietro la sibillina spiegazione si nascondesse un motivo estraneo all'ansia di sistemare una figlia brutta e mezza cieca. «Ero troppo sbalordito, troppo intontito, troppo impreparato. Dallo stagno ero caduto dentro un oceano in tempesta, capisci. E senza difendermi, senza parlare, rimasi lì ad ascoltarla.»

La ascoltò e nel medesimo tono, anzi con l'aria di non avere il minimo dubbio su ciò che egli avrebbe risposto, Anastasìa lo informò che a Giacoma non poteva dare un soldo di dote. Le ultime cinquecento lire se le era giocate al poker. Gli ricordò che Giacoma era un'illegittima, che sui suoi documenti ci sarebbe sempre stato il disdicevole NN cioè il nullum-nomen: figlia-di-nessuno. E cogliendolo di sorpresa, aggiungendo sbalordimento allo sbalordimento, gli rivelò il nome del suo aristocraticissimo e potentissimo padre. Nome che a quel punto egli aveva il diritto e il dovere di conoscere, sottolineò, ma che costituiva un segreto inviolabile e che la stessa Giacoma non conosceva ancora. Infine gli chiese di giurare che l'avrebbe sposata entro un mese. E poiché non v'era niente che non potesse chiedergli o meglio imporgli, poiché verso sua figlia egli sentiva quella specie di rimorso e complesso di colpa, poiché i figli di sua figlia sarebbero stati quasi i figli di lei, lui giurò. Dopo aver giurato corse a informare Giacoma che raccontava lo Straordinario

Evento così: «Irruppe nella stanza da solo. Si chiuse la porta alle spalle e nel buio rischiarato soltanto dalla candela non scorsi che un'ombra coi pantaloni, non lo riconobbi. Poi lo riconobbi e rantolai che-volete, che-ci-fatequi, io-non-ho-bisogno-della-vostra-pietà, andate-via. Lui però non andò via. Si inginocchiò accanto alla poltrona su cui piangevo la sciagura d'essere nata, e con molta dolcezza mi tolse la benda che copriva l'occhio sinistro. L'occhio cieco. Piuttosto che un occhio, ormai, un frinzello biancastro. Una castagna secca infilata per spregio nell'orbita. Lo esaminò in silenzio, quindi disse: "Vorrei darvene uno dei miei. Così sareste l'unica persona al mondo con un occhio nero e un occhio celeste". Questo mi indusse a ridere, e mentre ridevo disse: "Non tiriamola tanto lunga, Giacoma. Sono venuto a sposarvi e quant'è vero Iddio entro un mese sarete mia moglie". Sua moglie?!? "Ma voi non amate me" protestai. "Vi amerò" rispose con aria decisa. "Anche se ho un occhio solo?" gridai. "Anche se avete un occhio solo. Quello che v'è rimasto mi piace" rispose con aria ancor più decisa. Allora conclusi va-bene, fissai le nozze per il mese seguente, e lui tornò a Mercatale. Io uscii da quella stanza buia. Corsi a procurare i documenti necessari alle pubblicazioni, poi a sollecitare le centocinquanta lire di dote che il Santissimo Crocifisso elargiva alle esposte in procinto d'accasarsi, e a chieder l'orario dei treni che andavano a Venezia. Perché la prima notte volevo passarla a Venezia, mi spiego? Sapevo che la loro storia era incominciata a Venezia e sentivo il bisogno d'esorcizzare il fantasma di Eloisa».

«E Anastasìa?»

«Disse: ottima idea. Partite appena firmati i registri.»

«Ma dopo il va-bene che aveva detto?»

«Qualcosa che non avevo capito, purtroppo.»

«Che cosa?»

«Grazie, amor mio. Grazie.»

Si sposarono la mattina di mercoledì 13 febbraio nella Chiesa di Sant'Agostino, e la fotografia scattata per l'occasione ritrae un angelo in completo grigio che con gesto fraterno cinge le spalle d'una sposa vestita da viaggio. La sposa più brutta e più radiosa che abbia mai visto. Il suo corpo è infatti strizzato da un plumbeo tailleur che la ingoffa, la sua fronte è cinta da una cerea ghirlanda di fiori d'arancio che oltre a stonare col tailleur le appesantisce il volto paffuto, e l'occhio ormai privo di benda sembra davvero una castagna secca infilata per spregio dentro l'orbita. Però quello buono sembra un diamante che sfavilla al sole. Una fontana di luce. La bocca sprigiona un sorriso che sembra un vento di gioia, e le mani incrociate sul grembo sembrano proteggere un ventre già pieno di figli. Si sposarono alla presenza di Anastasìa che quel giorno s'era rimessa l'abito con lo strascico e il coulisson, il cappello con le piume, il profumo. E fu Anastasìa che condusse Giacoma all'altare. Ce la condusse col piglio e la disinvoltura d'una moglie mormone che presenta al marito la nuova prescelta, ricordi, e a vederle procedere insieme restarono tutti di stucco. Nonostante i fiori d'arancio tutti si chiesero chi delle due fosse la sposa e don Giovanni Lucchi, il parroco, si stizzì. «Ac raz ad scherz l'è quest, chiela cla sgrasìda? Che razza di scherzo è questo, chi è quella disgraziata?» Ma la disgraziata non si scompose. Seguitò ad avanzare insieme alla figlia che per il mondo non era sua figlia, e giunta all'altare la consegnò ad Antonio. «Ve l'affido» disse mettendogli in mano l'anello nuziale. (A quel tempo l'anello nuziale lo portavano le donne e basta). La cerimonia fu sbrigativa e don Lucchi la officiò in latino, con due testimoni a pagamento.

«Antoni Maria Ambrosi, vis accipere hic praesentem Jacobam in tuam legitimam uxorem juxta ritum Sanctae Matris Ecclesiae?»

«Volo. Voglio.»

«Jacoba, vis accipere hic praesentem Antonium Mariam Ambrosium in tuum legitimum sponsum juxta ritum Sanctae Matris Ecclesiae?»

«Volo. Voglio.»

«In nomine Patris et Filii et Spiritus Sancti ego vos conjungo in matrimonium atque benedico anulum hunc...»

Usò il latino anche sul registro della parrocchia. Registro nel quale il cognome Ferrieri appare mutilato di una *i* cioè storpiato in Ferreri. «Tribus proclamationibus praemissis nulloque detecto canonico impedimento, ex licentia huius Curiae Episcopalis atque adstantibus testibus Fredericus Urbini et Elisabeth Pasini, ego infrascriptus Joannes Lucchi curio hodie in matrimonium conjunxi Antonium Mariam Ambrosium quandam Ferdinandi ex Mercatale vulgo Archidiocesis Florentinae et Jacobam Ferreri ex hoc brephotrophio atque in hac paroecia degentem...» Poi li congedò a spruzzi d'acqua benedetta e sempre accompagnati da Anastasìa i neoconiugi si recarono al municipio dove con altri due testimoni a pagamento, un certo Paglierini e una certa Battistini, celebrarono il rito civile. Cerimonia, questa, disturbata dalla notizia che il Valzania avesse avuto un infarto cardiaco e stesse per morire. Nonché incrudelita dal fatto che sul Registro del Comune l'errore di don Lucchi venisse avvalorato. «Alle ore antimeridiane dieci e minuti quaranta di oggi tredici febbraio milleottocentottantanove, avanti di me Fabbri conte e Cavalier Mario Eduardo assessore delegato dal sindaco e vestito in forma uffiziale, sono comparsi: 1) Fallaci Antonio di anni ventisette, esercente, figlio del fu Ferdinando e di Poli Caterina, residente a Mercatale Val di Pesa; 2) Ferreri Giacoma di anni ventiquattro, massaia, figlia di padre ignoto e di madre ignota...» Sicché per non invalidare il doppio matrimonio la povera Giacoma dovette firmare Ferreri cioè rinunciare all'unico indizio della sua parentela con Madame Le Roi nata Ferrier. (E va da sé che sotto la seconda *e* si scorge una timida i). Poi non ci fu nemmeno un rinfresco, un brindisi col viva-gli-sposi. Impaziente di lasciarli, correre dall'amico che moriva, li portò in fretta allo studio fotografico del Casalboni e da questo in via Verzaglia a prender le valige. Da via Verzaglia alla stazione dove il treno per Venezia stava per partire. «Macché brindisi, macché rinfresco. Mangerete e berrete in treno. Salite, svelti, salite.» Ci salirono mentre nella città echeggiava l'urlo «L'è mort! Valzania l'è mort». E subito il treno si mosse. Per congedarsi da lei che ora li guardava come un'Anna Karenina pronta a gettarsi sulle rotaie ebbero appena il tempo d'affacciarsi al finestrino e gridarle: «Ci fermiamo, ci rivediamo al ritorno!». Invece al ritorno non si fermarono, no. Esorcizzato il fantasma di Eloisa, andarono dritti a Firenze, quindi a Mercatale, e non la rividero più.

«Mai più, nonno, mai più?»

«Mai più.»

«E quando lo sapesti che...»

«Due mesi dopo. A metà aprile la nonna le scrisse per informarla che era incinta. Non ebbe risposta e questo ci allarmò. Mi precipitai a Cesena, non la trovai, e... Da principio la vedova Bianchi non voleva parlare. Non faceva che ripetere in modo sconnesso non-cercatela, per carità. Non-spargete-la-voce, non-coinvolgete-gli-sbirri. Tanto-nessuno-se-n'è-accorto, nessuno-sospetta-nulla. Io-non-ho-detto-nulla-a-nessuno. Poi parlò.»

«E che disse?»

«Disse quel che avrei dovuto capire quando alla stazione ci guardava come un'Anna Karenina pronta a gettarsi sulle rotaie. Disse che la sera del 17 febbraio l'aveva vista uscire di casa e lanciarsi verso il passaggio che conduceva al ponte del Lavadùr. Disse che insospettita le era corsa dietro strillando sgnùra-duc-andiv, signora-dove-andate, sgnùra-farmiv, fermatevi. Però lei non aveva risposto e giunta al ponte s'era buttata dentro il Cesuola.»

* * *

Non raccontava altro, il nonno Antonio. E la nonna Giacoma, lo stesso. «Silenzio! Non voglio parlarne!» Eppure la ricordo ugualmente quella mia morte. La morte che mi regalai quand'ero Anastasìa. Non a caso a volte la sogno, mi sogno, e... È una domenica sera, la sera del 17 febbraio 1889. Cesena è coperta di neve come il Capodanno in cui nacque la mia indesiderata bambina, e un po' per la neve un po' per le piogge cadute in gennaio il Cesuola è assai gonfio. Rischia di straripare. Venerdì un uomo e una donna ne hanno approfittato per darsi l'eterno riposo ed oggi la «Voce del Buonsenso», il settimanale cattolico, pubblica un articolo furibondo. «Basta coi suicidii, basta! Quale insania avvelena la nostra città? La vita è un dono di Dio, privarsene è da ingrati, e chi si ammazza va all'Inferno.» In lontananza qualcuno sta litigando, dalla finestra la vedova Bianchi mi chiama, ed io sono appena tornata dai funerali del Valzania. Una kermesse di novemila persone, duecentocinquanta bandiere, quindici tra bande e fanfare, nonché le solite chiacchiere. Le solite bugie sulla patria e il popolo e il progresso. Eh! Ci hanno messo cinque giorni a organizzar lo spettacolo intorno al cadavere che alle prossime elezioni porterà nuovi voti ai repubblicani. Per ben cinque giorni ho aspettato d'accompagnare al cimitero l'unico amico che mi fosse rimasto, e l'attesa non mi ha certo indotto a ripensamenti. Seduta sulla poltrona del misero salotto ascolto il canto delle sirene, il gorgoglìo delle acque che nel tratto parallelo a via Verzaglia sfiorano il pianterreno degli edifici, e in preda a una specie di felicità mi preparo a far ciò che avrei voluto fare dopo la partenza di Giacoma e Antonio. Ma non penso a loro mentre mi preparo. Giacoma è in buone mani. Il mio debito nei suoi riguardi è saldato. Per amor mio Antonio l'amerà e a poco a poco entrambi si metteranno l'animo in pace. «Era pazza. Non ce n'eravamo accorti, era pazza.» (Non è così che, «Voce del Buonsenso» a parte, si liquida il sacrosanto diritto di andarsene per propria scelta? Mai nessuno che dica: «Era stanco, era stanca. Aveva sofferto troppo». Oppure: «Vivere non gli piaceva più»). Non penso neanche al passato. Il passato è scomparso dalla mia mente insieme al futuro, e dal nulla emerge solo la memoria dell'esile fata che mangiava i fiori. L'immagine della graziosa sconosciuta che mi partorì e che scivolò nel torrente di Rodoret, di fiume in fiume giunse al mare nel quale presto finirò anch'io. Sicché pensando a lei e alla strana coincidenza riservataci dal destino mi alzo dalla poltrona, incurante del freddo esco in via Verzaglia. Sorda a una voce che strilla sgnùra-duc-andiv, sgnùra-farmiv, imbocco il passaggio che conduce al ponte del Lavadùr, e... Non è vero che mi buttai. L'acqua era tanto alta che per esser ghermita dal gorgo mi bastò scavalcare la spalletta. Subito le acque mi trascinarono dentro il tunnel che per cento metri passava sotto le fondamenta delle case, poi nel tratto che per trecento metri percorreva prima di oltrepassare le mura della città, poi in quello che faceva per unirsi al fiume Savio, e qui il ricordo si spenge. Tutto diventa buio e non posso dir nulla di ciò che accadde lungo i trentadue chilometri che portavano al mare nel quale quarant'anni prima era finita Marguerite. Però so che non venni mai ritrovata. Di Anastasìa Ferrier, leggenda vissuta senza un certificato di nascita, non esiste nemmeno un certificato di morte.

NOTE DI EDIZIONE

Edoardo Perazzi
Mia zia Oriana

Mia zia Oriana aveva sempre avuto in mente sin da ragazza di scrivere la storia della sua famiglia, aveva il culto dei genitori e dell'amatissimo zio Bruno, fratello maggiore di suo padre, intellettuale di famiglia, grande penna, fondatore di giornali. Un ritratto di Bruno Fallaci è contenuto ne *La Rabbia e l'Orgoglio* (2001): «Un grande giornalista. Detestava i giornalisti, al tempo in cui lavoravo per i giornali mi rimproverava sempre di fare il giornalista non lo scrittore, e mi perdonava solo quando facevo il corrispondente di guerra. Ma era un gran giornalista. Era pure un gran direttore, un vero maestro, e nell'elencare le regole del giornalismo tuonava: "Anzitutto, non annoiare chi legge!"» (p. 43).

Il carattere di Oriana è stato forgiato dal periodo della Resistenza, a cui hanno preso parte attiva i genitori e che lei ha vissuto da adolescente. Suo padre Edoardo, mio nonno, era uno dei capi della Resistenza a Firenze e l'intera famiglia lo sosteneva nel suo impegno: mia nonna Tosca affrontava con coraggio tutte le traversie che arrivavano come tegole su di lei e sulle figlie. Hanno aiutato partigiani, soccorso piloti alleati; Edoardo era un tipo focoso, toscanaccio, e non faceva mistero del suo antifascismo; era inevitabile che anche la famiglia ne patisse. È ben noto l'episodio di quando Edoardo, che guidava un'importante cellula fiorentina, fu scoperto dai fascisti dopo un'azione in cui furono paracadutate armi sul monte Giove e nascoste in un covo. A prenderlo fu la banda di Mario Carità, feroce torturatore e capo di una milizia repubblichina di base a Firenze; il nonno fu portato a Villa Triste, sede della polizia segreta, e lì torturato selvaggiamente. Dopo qualche giorno fu consentito alla moglie Tosca e alle due figlie maggiori, Oriana e Neera, di incontrarlo in parlatorio: non lo riconobbero tanto era tumefatto, gli erano caduti tutti i denti.

Questo episodio aiuta a capire come si era formata la personalità di Oriana. Vivere sotto i bombardamenti non era certo un gioco per lei, ancora bambina; fu sempre consapevole di quello che faceva e dei rischi che correva. È stata lei a raccontare in famiglia e a volere che fosse tramandato il comportamento di sua madre Tosca quando andò da Mario Carità per chiedere di liberare il marito. È un racconto che ricordo di aver sentito sempre, fin da quando ero piccolo. Lo si trova anche ne *La Rabbia e l'Orgoglio*: «Lei non ha idea di chi fosse mia madre. Non ha idea di ciò che abbia insegnato alle sue figlie [...]. Quando nella primavera del 1944 il babbo venne arrestato dai nazi-fascisti, nessuno sapeva dove fosse finito. Il quotidiano di Firenze diceva soltanto che lo avevano arrestato perché era un criminale venduto ai nemici. (Leggi Anglo-americani). Ma la mamma disse: "Io lo troverò". Andò a cercarlo di prigione in prigione poi a Villa Triste, la centrale delle torture, e riuscì addirittura a introdursi nell'ufficio del Capo. Un certo Mario Carità. Questi ammise che sì, il babbo ce lo aveva lui, e in tono beffardo aggiunse: "Signora, può vestirsi di nero. Domattina alle 6 suo marito sarà fucilato al Parterre. Noi non sprechiamo tempo in processi". Vede, io mi sono sempre chiesta in che modo avrei reagito al suo posto. E la risposta è sempre stata: non lo so. Però so come reagì la mamma. È cosa nota. Restò un attimo immobile. Fulminata. Poi, lentamente, alzò il braccio destro. Puntò l'indice contro Mario Carità e con voce ferma, dandogli del tu come se fosse un suo servo, scandì: "Mario Carità, domattina alle 6 io farò ciò che dici. Mi vestirò di nero. Ma se sei nato da ventre di donna, consiglia a tua madre di fare lo stesso. Perché il tuo giorno verrà molto presto". Quanto a ciò che successe dopo, bè: glielo racconterò un'altra volta» (pp. 181-182).

In tutta la sua produzione letteraria Oriana ha sempre coltivato un aspetto autobiografico, anche quando non dichiarato come nel caso di *Lettera a un bambino mai nato*. Ma la sua ambizione era di raccontare la storia di come si è arrivati a lei e questo la porta a concepire la saga della sua famiglia. Le fasi di ideazione del romanzo partono con il lavoro sul Novecento: quando Oriana si è resa conto che lo zio Bruno cominciava a stare male, ha raccolto in primo luogo la sua testimonianza. Poi, dopo la pubblicazione di *Insciallah* (1990), si è di nuovo buttata a capofitto nelle ricerche, si è messa a lavorare di getto, con ossessione, e ha dato un'accelerata violenta quando si è scoperta lei stessa malata.

Aveva parecchi progetti in quel periodo, stava completando la revisione di *Intervista con la storia*, voleva scrivere un'introduzione a *Insciallah*, per sottolineare i legami del romanzo con l'attualità, ma ha accantonato tutto per tornare alle sue ricerche. So che non era riuscita a trovare niente su Ildebranda, l'ava bruciata sul rogo per eresia; il primo di cui riuscì a recuperare notizie è Carlo Fallaci, nato a metà del Settecento, poi trovò documenti su sua moglie, Caterina Zani. Da quel momento lavorò senza sosta. La ricerca è sempre stata alla base del suo lavoro di scrittrice, ma per la stesura di questo romanzo la portò all'eccesso, con una dedizione di anni e anni, raccogliendo materiali in giro per il mondo, nelle città di origine dei suoi avi, nelle biblioteche, parlando con gli esperti, visitando le librerie antiquarie, procurandosi volumi rari, consultando archivi con testi del Settecento e dell'Ottocento, controllando le date di nascita e di morte sui registri dell'epoca, dove disponibili. Se alla fine del romanzo avesse voluto inserire la bibliografia dei testi consultati, avrebbe riempito pagine e pagine. Era eccezionale il suo modo di lavorare, la cura per il dettaglio, l'attenzione con cui faceva ogni cosa. Lo descrive peraltro nel Prologo al romanzo: «Esplose allora un'altra ricerca: quella delle date, dei luoghi, delle conferme. Affannosa, frenetica. Resa tale dal futuro che mi sfuggiva di mano, dalla necessità di far presto, dal timore di lasciare un lavoro incompiuto. E come una formica impazzita dalla fretta di accumular cibo corsi a rovistar tra gli archivi, i mastri anagrafici, i catasti onciari, i cabrei, gli *Status Animarum* [...]. Sicché la ricerca si mutò in una saga da scrivere, una fiaba da ricostruire con la fantasia. Sì, fu a quel punto che la realtà prese a scivolare nell'immaginazione e il vero si unì all'inventabile poi all'inventato: l'uno complemento dell'altro, in una simbiosi tanto spontanea quanto inscindibile. E tutti quei nonni, nonne, bisnonni, bisnonne, trisnonni, trisnonne, arcavoli e arcavole, insomma tutti quei miei genitori, diventarono miei figli. Perché stavolta ero io a partorire loro, a dargli anzi ridargli la vita che essi avevano dato a me» (pp. 10-11).

Una ricerca tanto più accurata quanto più le permetteva di trasformare la verità storica in realtà romanzesca, come si legge sempre nel Prologo: «... le storie crebbero con tanto vigore che a un certo punto mi divenne impossibile stabilire se appartenessero ancora alle due voci [del padre e della madre] oppure se si fossero trasformate in un frutto della mia fantasia» (p. 9). E più avanti, nella quarta parte, a proposito del leggendario viaggio di

Anastasìa nel Far West: «Vero, non vero? D'istinto io ci credo» (p. 657).

Intanto Oriana scriveva: tra New York e la Toscana, seduta alla sua Olivetti, riempiva pagine su pagine, rileggeva, correggeva, riscriveva, riponeva i fogli corretti nelle cartelline di cartoncino color crema, prendeva appunti, si annotava promemoria su questo o quel personaggio, questo o quell'episodio. E il dattiloscritto cresceva. Lei aveva sempre l'originale con sé. Dovunque andasse. Viaggiava con il dattiloscritto nella sua borsa di finta pelle marrone scuro, da cui non si separava mai. Mentre scriveva era del tutto consapevole della sua malattia, e questo la faceva sentire ancora più vicina ai personaggi che raccontava e ancora più coinvolta dalla ricerca delle proprie origini; c'è un passaggio del romanzo, nella seconda parte, quando si parla della madre di Montserrat: «Un'anticamera dell'aldilà, se vuoi. Un intervallo o un limbo nel quale la Morte in arrivo cammina col rallentatore sicché, aspettandola e osservandola mentre viene a noi piano piano, si ha tutto il tempo di fare due cose. Apprezzare la vita cioè accorgersi che è bella anche quando è brutta, e riflettere bene sia su noi stessi che sugli altri: vagliare il presente, il passato, quel po' di futuro che ci rimane. Io lo so. E forse María Isabel Felipa non s'accorse che la vita è bella anche quando è brutta: una tale ammissione richiede una sorta di gratitudine che lei non aveva. La gratitudine per i nostri genitori e nonni e bisnonni e trisnonni e arcinonni, insomma per chi ci ha dato l'opportunità di vivere questa straordinaria e tremenda avventura che ha nome Esistenza» (p. 205). E su questo punto torna anche a proposito di Francesco Launaro, in occasione della sua morte il 17 gennaio 1816: «Lo spietato mal dolent che aveva ucciso María Isabel Felipa, che attraverso i suoi cromosomi e quelli di Montserrat avrebbe ucciso un mucchio di gente in famiglia, e che prima o poi ucciderà anche me» (p. 285).

Poi, come si legge nella Nota ai Lettori pubblicata ne *La Rabbia e l'Orgoglio*, il crollo delle Torri l'11 settembre ha interrotto il lavoro sul romanzo; a quel tempo Oriana stava rivedendo la quarta parte, era già malata ma sentì l'urgenza di capire cosa stesse succedendo nel mondo e di scriverne; la pubblicazione de *La Rabbia e l'Orgoglio*, la traduzione in altre lingue, il successo e poi il dibattito planetario, la pubblicazione de *La Forza della Ragione* (2004) e di *Oriana Fallaci intervista sé stessa – L'Apocalisse* (2004) prolungarono l'allontanamento dalla scrittura del romanzo.

Nel suo intento di raccontare il suo Io attraverso tutti i suoi avi messi insieme («Perché fossi nata, perché fossi vissuta, e chi o che cosa avesse plasmato il mosaico di persone che da un lontano giorno d'estate costituiva il mio Io», p. 7), sarebbe voluta arrivare almeno fino al 1944, alla liberazione di Firenze per mano degli Alleati. Conservo un suo appunto autografo, in cui scrive di sé: «Voleva arrivare fino ai nostri giorni ma poi scelse di interrompersi all'arrivo della sua giovinezza, e questo è ciò che lasciò».

Questo spiega, nel romanzo, il riferimento costante a una cassapanca, tramandata dall'ava Ildebranda e riempita per cinque generazioni con oggetti appartenuti ai diversi personaggi; la cassapanca si dice che verrà poi distrutta durante un bombardamento su Firenze in una terribile notte del 1944, episodio che viene anticipato più volte nel corso della narrazione, ma al quale il racconto non arriva.

Tra i tanti personaggi, uno dei preferiti era Anastasìa, sicuramente quella che le faceva più simpatia, e che è al centro della quarta parte. *Un cappello pieno di ciliege* si chiude nel 1889 con la sua morte e con il matrimonio di Antonio Fallaci e Giacoma Ferrier, i nonni di Oriana, genitori del padre Edoardo. Sono loro stessi a condurre a volte il racconto «(Sonora e allegra la voce di lui, bassa e triste quella di lei)» (p. 484), e che compaiono anche nella mia infanzia, in quanto bisnonni, grazie alle fotografie che circolavano per casa.

E trovo nuovamente una corrispondenza tra le riflessioni che Oriana fa sulla morte dei suoi personaggi nel romanzo, come nel caso di Giobatta: «Io odio la Morte. L'aborro più della sofferenza, più della perfidia, della cretineria, di tutto ciò che rovina il miracolo e la gioia d'essere nati. Mi ripugna guardarla, toccarla, annusarla, e non la capisco. Voglio dire: non so rassegnarmi alla sua inevitabilità, la sua legittimità, la sua logica. Non so arrendermi al fatto che per vivere si debba morire, che vivere e morire siano due aspetti della medesima realtà, l'uno necessario all'altro, l'uno conseguenza dell'altro. Non so piegarmi all'idea che la Vita sia un viaggio verso la Morte e nascere una condanna a morte. Eppure l'accetto» (pp. 358-359) e quanto scrive a conclusione di *Oriana Fallaci intervista sé stessa – L'Apocalisse*, nel 2004: «*Le fa paura la morte?* [...] a forza di frequentarla, sentirmela attorno e addosso, con lei ho maturato una strana dimestichezza. E l'idea di morire non mi fa paura. *Sul serio?* Sul serio. Non dico bugie [...]. Glielo confesso con serenità: al posto della paura io sento una specie di malinconia, una specie di dispiacere che offusca perfino il mio senso dell'umorismo. Mi dispiace morire, sì [...]. Il fatto è che pur conoscendola bene, la Morte io non la capisco. Capisco soltanto che fa parte della Vita e che senza lo spreco che chiamo Morte non ci sarebbe la Vita» (pp. 153-156).

Quando mia zia Oriana si è accorta che la malattia si era aggravata, nel luglio del 2006, mi ha chiamato e mi ha chiesto di raggiungerla a New York. Mi ha consegnato il testo nella versione che ho poi passato all'editore, con le sue indicazioni precise su come pubblicarlo postumo: controllare gli errori di battitura; tenere conto di tutte le correzioni a mano, in particolare quelle nella quarta parte, che lei non era riuscita a ricopiare a macchina come aveva fatto per il Prologo e per le prime tre parti; utilizzare il titolo *Un cappello pieno di ciliege*, così come compare, scritto a mano da lei, sulla cartellina che conteneva il dattiloscritto con sottotitolo «Una saga» (aveva considerato anche un altro titolo, *I passaggi nel Tempo*, che ricorre tra l'altro varie volte nel testo, ed era rimasta in dubbio fino all'ultimo momento, proprio come per *Insciàllah*, deciso a un mese dall'uscita del libro, fino ad allora intitolato *Il terzo camion*); scegliere una copertina puramente grafica, dal lettering semplice ma di impatto.

Le sue indicazioni sono state seguite, e il romanzo è pubblicato come lei voleva.

Milano, luglio 2008

Nota dell'Editore

Il primo libro di Oriana Fallaci pubblicato dalla casa editrice Rizzoli è *Il sesso inutile. Viaggio intorno alla donna*; l'anno è il 1961, il volume amplia e sviluppa un'inchiesta sulla condizione femminile realizzata in Oriente per «L'Europeo». Non è il suo libro d'esordio: nel 1958 era uscito da Longanesi *I 7 peccati di Hollywood*, sugli scandali del mondo del cinema. Da quel momento Rizzoli diventa l'editore storico della Fallaci, con i reportages che la resero famosa nel mondo, le sue corrispondenze dai fronti di guerra, le interviste ai grandi della Terra, ma anche i romanzi, opere di enorme successo in Italia e all'estero. È del 1962 *Penelope alla guerra*, storia di una giovane donna a New York, cui segue nel 1963 la raccolta di ritratti de *Gli antipatici*. Nel 1965 *Se il Sole muore*, cronaca dei preparativi per la conquista della Luna, e nel 1969 la sua drammatica testimonianza sulla guerra in Vietnam, *Niente e così sia*. Dal racconto delle esperienze dei primi astronauti americani nasce *Quel giorno sulla Luna* (1970), seguito dalla raccolta delle celebri interviste realizzate per «L'Europeo», *Intervista con la storia* (1974). L'anno successivo la narrazione intensa dell'esperienza di una maternità mancata, *Lettera a un bambino mai nato*, impone la Fallaci all'attenzione dei lettori di tutto il mondo; e a seguire il memorabile *Un uomo* (1979), dedicato ad Alekos Panagulis, eroe della resistenza greca e suo grande amore. La storia della missione italiana in Libano ai tempi della guerra civile ispira un romanzo epico e potente, *Insciallah*, pubblicato nel 1990.

Tutti i suoi libri sono bestseller e longseller internazionali; in Italia, successivamente alle edizioni rilegate, Rizzoli pubblica le edizioni economiche nella Bur, in varie versioni e con differenti copertine, riproponendo i titoli maggiori in una collana dalla grafica unitaria, caratterizzata dal fondo color oro e dai caratteri di grande richiamo. È la stessa Scrittrice a seguire con cura e attenzione la scelta della linea grafica, il tipo di carta e di impaginazione. Nel 1993 Oriana Fallaci realizza con la sua voce, registrata su quattro audiocassette, l'audiolibro di *Lettera a un bambino mai nato*.

Poi un periodo di silenzio, interrotto da poche interviste sulla sua malattia.

Mentre affronta le cure Oriana Fallaci si dedica alle ricerche e alla stesura di quello che considera il romanzo della sua vita, un'opera a cui lei stessa appone il sottotitolo «Una saga», come risulta dalla riproduzione a p. 851. La realtà storica diventa leggenda in una narrazione che la conduce a percorrere di generazione in generazione i diversi rami della sua famiglia dal lato paterno e da quello materno, partendo da vicende che risalgono alla metà del Settecento. (L'albero genealogico ricostruito in base al racconto dell'Autrice e riprodotto nei risguardi del volume ben rappresenta gli intrecci che uniscono i tanti personaggi.) Di questo suo nuovo lavoro parla con poche persone fidate, alle quali concede anche di leggere alcune parti del testo. Si interrompe l'11 settembre 2001, quando crollano le Due Torri e lei, nella sua casa di New York, vive in diretta l'Apocalisse. A fine settembre esce il lungo articolo sul «Corriere della Sera», *La Rabbia e l'Orgoglio*, e a dicembre Rizzoli pubblica il libro, che amplia e arricchisce il testo originale. Presto tradotto in molte lingue, genera un dibattito internazionale senza precedenti che porta la Fallaci a pubblicare nel 2004 *La Forza della Ragione* e *Oriana Fallaci intervista sé stessa – L'Apocalisse*. Sono anni di attacchi violenti e di forti pressioni, per le sue idee la Scrittrice viene denunciata e processata in Francia e in Italia, mentre i suoi libri aumentano la loro diffusione e creano anche grazie a internet una comunità di sostenitori e lettori su tutto il pianeta. L'impegno a difendersi e a far valere le proprie ragioni anche con nuovi articoli e dichiarazioni e conferenze continua a tenerla lontana dal nuovo romanzo ma soprattutto le impedisce di curarsi in modo costante. La malattia peggiora, Oriana Fallaci torna in Italia e muore a Firenze il 15 settembre 2006.

A un anno dalla sua morte, per ricordare la grande Scrittrice viene allestita una mostra fotografica a Milano, Roma e Firenze, accompagnata da un catalogo pubblicato da Rizzoli, *Oriana Fallaci. Intervista con la Storia*, e curato da Alessandro Cannavò, Alessandro Nicosia, Edoardo Perazzi. Proseguendo il «dialogo con un proprio autore d'eccezione, un autore fedele che all'editore, alla crescita del prestigio delle sue testate, delle sue collane, della sua missione editoriale ha dato moltissimo, sino allo sfinimento, con passione», come scrive Piergaetano Marchetti in una nota introduttiva del catalogo, Rizzoli pubblica postumo, seguendo le volontà dell'Autrice, *Un cappello pieno di ciliege*, suo lascito e testamento letterario, segno della fiducia e della lealtà che Oriana Fallaci ha manifestato negli anni alla casa editrice.

Il testo

Il dattiloscritto che Oriana Fallaci ha consegnato con le indicazioni per la pubblicazione al nipote Edoardo Perazzi, suo Erede testamentario, è costituito da: Prologo (pp. 1-8); Parte prima (pp. 9-115); Parte seconda (pp. 116-223); Parte terza (pp. 224-373); Parte quarta (pp. 1-275). La numerazione è apposta a mano dall'Autrice su ogni singola pagina del dattiloscritto e ricomincia da p. 1 nella Parte quarta. Ciascuna parte è suddivisa in capitoli che l'Autrice ha numerato nel corso della battitura e che ricorrono nel testo separati da spazi bianchi (così come sono riprodotti nel volume a stampa).

Oriana Fallaci ha effettuato personalmente la battitura del dattiloscritto, come per tutte le sue Opere, utilizzando una macchina per scrivere Olivetti Lettera 32. Il suo metodo di lavoro è stato quello abituale: la prima stesura direttamente a macchina, seguita da riletture e correzioni a penna sul foglio, cancellando il termine o la frase da sostituire con pennarello nero o liquido bianco coprente, riscrivendo nello spazio bianco sovrastante la riga o sulla vernice bianca una volta asciutta; quando le correzioni richiedevano troppo spazio o sembravano non chiare nella versione modificata a mano, l'Autrice stessa le ha ribattute a macchina su un nuovo foglio o ha riscritto l'intera pagina se necessario. Alcune pagine del dattiloscritto originale si presentano con applicazione di inserti ritagliati da altri fogli e incollati con nastro adesivo trasparente; in questi casi la parte sostituita risulta a sua volta ritagliata dal foglio e dunque eliminata.

Il dattiloscritto consegnato da Edoardo Perazzi all'Editore è in una versione da considerarsi definitiva nelle pagine da 1 a 373 corrispondenti a Prologo, Parte prima, Parte seconda, Parte terza: la battitura mostra poche cancellature e le modifiche a mano sono minime. La Parte quarta, numerata come si è detto dall'Autrice ripartendo da p. 1 per concludersi a p. 275, si presenta nella versione precedente l'inserimento dattiloscritto delle correzioni, che risultano dunque scritte a mano dall'Autrice sullo stesso foglio o su fogli separati (tre pagine piene scritte a mano, di cui una riprodotta a p. 857); questa parte comprende anche alcuni appunti a mano annotati da Oriana Fallaci su post-it colorati. Si tratta perlopiù di promemoria riguardanti alcuni controlli da effettuare su luoghi, circostanze e personaggi o intenzioni della Scrittrice relative a sfumature o approfondimenti dei personaggi. A p. 858 si trovano alcuni esempi dei promemoria annotati su post-it, molto significativi del metodo di lavoro: «dire passaporto illegale: non falso» (a proposito del passaporto di Anastasìa, definito «falso» nel testo dato alle stampe); «la diligenza era una cosa da ricchi o middle class perché richiedeva dai 150 ai 200 $!!!»; «tra le regole non saltare dalla carrozza se i cavalli impazziscono per mandrie di bufali o altro»; «dire qui che le donne sole viaggiano poco: qualche signora che va a raggiungere il marito ufficiale in un forte, qualche prostituta che va a cercar lavoro in un saloon»; «intero tragitto dell'Overland Stage: 2700 miglia, 25 giorni, $150 a persona o 10c. al miglio, velocità di 120 miglia ogni 24 ore»; «8 miglia h, però nei punti rocciosi o fangosi 2 o 3 miglia h»; «i primi stage-coach nel 1858»; «i trail seguono di solito un fiume, non ci sono strade ma piste tracciate dalle carovane e marcate dalle carrozze»; «stage-coach diventa di moda con la corsa all'oro (1849→)»(appunti relativi al viaggio nel Far West di Anastasìa).

La datazione del testo dattiloscritto risulta compresa tra il 1991 e il 2001. Ne sono un'ulteriore prova i valori in lire che la Scrittrice attribuisce in vari passaggi del testo a somme di denaro che compaiono in questo o quell'episodio del romanzo e che lei stessa equipara a un valore di «oggi»: seguendo le tabelle fornite dall'Istat si è potuto datare l'«oggi» cui fa riferimento tra il 1996 e il 1998.

Ma è Oriana Fallaci medesima a spiegare ai suoi lettori l'origine e il destino del romanzo, come si legge ne *La Rabbia e l'Orgoglio*, Nota ai Lettori, pp. 16-17: «La vigilia della catastrofe [11 settembre 2001] pensavo a ben altro: lavoravo al romanzo che chiamo il-mio-bambino. Un romanzo molto corposo e molto impegnativo che in questi anni non ho mai abbandonato, che al massimo ho lasciato dormire qualche mese per curarmi in ospedale o per condurre negli archivi e nelle biblioteche le ricerche su cui è costruito. Un bambino molto difficile, molto esigente, la cui gravidanza è durata gran parte della mia vita d'adulta, il cui parto è incominciato grazie alla malattia che mi ucciderà, e il cui primo vagito si udrà non so quando. Forse quando sarò morta. (Perché no? Le opere postume hanno lo squisto vantaggio di risparmiarti le scemenze o le perfidie di coloro che senza saper scrivere e neanche concepire un romanzo pretendono di giudicare anzi bistrattare chi lo concepisce e lo scrive). Quell'11 settembre pensavo al mio bambino, dunque, e superato il trauma mi dissi: "Devo dimenticare ciò che è successo e succede. Devo occuparmi di lui e basta. Sennò lo abortisco". Così, stringendo i denti, sedetti alla scrivania. Ripresi in mano la pagina del giorno prima, cercai di riportare la mente ai miei personaggi. Creature d'un mondo lontano, di un'epoca in cui gli aerei e i grattacieli non esistevan davvero. Ma durò poco. Il puzzo della morte entrava dalle finestre...».

I criteri dell'edizione

Nel passare il testo in fotocomposizione, la Redazione ha inserito le correzioni a mano dell'Autrice: poche in Prologo, Parte prima, Parte seconda, Parte terza, numerose in Parte quarta; ha effettuato, come per le Opere di Oriana Fallaci pubblicate in precedenza, l'abituale lavoro di uniformazione, correggendo errori di battitura, lapsus e sviste e seguendo le norme redazionali della casa editrice (a titolo di esempio, l'uniformità di iniziali maiuscole e minuscole e la punteggiatura interna ed esterna alle virgolette in caso di dialoghi e battute). Sono state rispettate alcune scelte d'autore già presenti in precedenti Opere della Scrittrice: l'uso di forme rare quali «zittella», «ultore», «torto», le forme accentate di «dò», «bè» e «sé stesso», il termine «ammenoché», la grafia «Istambul», gli anacronismi lessicali; l'uso della virgola prima e dopo le parentesi. Sono state inoltre rispettate le narrazioni relative a precisi periodi storici anche laddove non si è trovato riscontro sui nomi dei personaggi citati, sui tempi degli episodi riferiti e sulle dichiarazioni riportate tra virgolette.

Per le battute in dialetto si è rispettata la grafia voluta dall'Autrice, aderente al suono dei termini.

Si è inoltre mantenuto il «come vedremo», espressione cara alla Scrittrice, in occasione dei numerosi riferimenti alla distruzione della cassapanca appartenuta a uno dei personaggi principali, Caterina Zani moglie di Carlo Fallaci, distruzione avvenuta durante un bombardamento nella «terribile notte del 1944», citata alle pp. 9, 63, 69, 95, 156, 238, ma che non viene esplicitamente descritta nel testo.

Della cassapanca si dice poi a p. 743, nella Parte quarta, che lo zio prete Gaetanino Fallaci, moribondo, la consegna al pronipote Antonio; mentre a p. 148, nella conclusione della Parte prima, si legge: «La cassapanca di Ildebranda la prese proprio Gaetanino che malgrado la partaccia vi ripose scrupolosamente gli undici libri, l'abbecedario, l'abbaco, il testo di medicina del dottor Barbette, la federa con la bellissima scritta io-mi-chiamo-Caterina-Zani, la lettera del cugino morto di freddo in Russia, *Le mie prigioni*, gli occhiali, e se la portò a Siena. Qui rimase fino a quando, non si sa per quale motivo, venne rispedita nel Chianti al trisnonno Donato che la lasciò in eredità al bisnonno Ferdinando che a sua volta la lasciò in eredità al nonno Antonio che nel luglio del 1944 l'avrebbe affidata a mio padre. Ma questa è un'altra storia. E ancora lontana». È stato mantenuto il passaggio dal prozio al nipote, pur non essendoci un'esatta corrispondenza tra le due Parti.

Nel corso della narrazione vengono anticipati i seguenti riferimenti a vicende legate all'adolescenza dell'Autrice, non descritti esplicitamente nel testo: la firma del contratto per San Eufrosino di Sopra il 2 luglio 1778 nella cancelleria del Regio Spedale a Firenze: «una sala a piano terreno, per l'appunto poco lontana dall'obitorio dove centosessantasei anni dopo avrei vissuto l'episodio più raggelante della mia adolescenza avvelenata dalla guerra e dall'orgoglio di combattere il nemico a fianco degli adulti» (p. 48); l'incontro a Firenze di Mussolini e

Hitler nel 1938, cui assiste l'Autrice, è citato a p. 115: «scortato [Napoleone] da un reggimento di dragoni e accolto con gli stessi onori che, come vedremo, la pronipote della nostra eroina avrebbe visto tributare a Mussolini e Hitler nel 1938»; e a p. 116: «Ma quando vide quel giovanottino borioso dagli occhi sprezzanti e il gran naso a becco [Napoleone] intuì ciò che la sua pronipote avrebbe intuito a guardar gli altri due nel 1938»; l'aristocrazia fiorentina nel Quarantanove si apre all'invasore, «(Bisavoli e trisavoli, bada bene, dei vigliacchi che nel 1938 si sarebbero messi in marsina per ricevere Hitler venuto a visitar Firenze con Mussolini)» (p. 468); i pestaggi di Carlo e Gaetano Fallaci sono paragonati ai «pugni nella testa e nel ventre, i calci negli stinchi e nelle reni, che in circostanze simili i loro pronipoti avrebbero ben conosciuto un secolo e mezzo dopo» (p. 124); «L'episodio di Caterina che col pancione di otto mesi e la roncola in pugno si lancia contro l'oppressore, da questi viene congratulata per il suo coraggio, sarebbe sempre stato considerato un fiore all'occhiello della dignità familiare nonché un esempio di lotta alla tirannia. (Come esempio, lo vedremo, superato soltanto dall'intrepida frase che mia madre pronunciò centoquarantacinque anni dopo. Cioè il giorno in cui andò a cercare mio padre arrestato dai nazifascisti e il capo dei torturatori le disse: "Signora, suo marito sarà fucilato domattina alle sei")» (p. 125).

A p. 411 Giobatta e Mariarosa irrompono a teatro cantando l'*Inno di Mameli*. È il 9 ottobre 1847, e Mameli l'inno lo compose in novembre. Divenne popolarissimo a partire dalle manifestazioni di Genova del 10 dicembre per il centenario della cacciata degli austriaci. Si è lasciato inalterato l'anacronismo.

A p. 566 si è lasciato inalterato il riferimento all'«amaro consiglio» dato da Anastasìa alla Tante Jacqueline e non esplicitato.

A p. 659, riguardo all'atteggiamento di Anastasìa rispetto ai Mormoni dell'Utah, si legge: «Escludo che prima d'intraprendere l'infernale viaggio non si fosse studiata bene la storia dell'incredibile setta cui intendeva chieder rifugio». In precedenza, a p. 639, lo stesso concetto è così precisato: «dopo l'incontro con Suzanne, a Torino, era corsa in biblioteca per capire meglio dov'era finita Marianne».

A p. 722 si fa riferimento ad Anastasia Cantoni coniugata Bianchi come alla persona che aveva aiutato Anastasìa a partorire il 31 dicembre 1864; in precedenza, alle pp. 613-614 e seguenti Anastasìa partorisce aiutata dalla moglie del Valzania e da una domestica, in un alloggio affittato per lei in vicolo Madonna del Parto. Dovrebbe trattarsi della medesima persona anche se non si menziona esplicitamente il nome della domestica.

A p. 729 si ricorda un episodio avvenuto nel 1873 nel podere di Candialle, sotto San Eufrosino di Sopra, dove viveva la numerosa famiglia dei Fallaci. Non si trova un precedente riferimento a Candialle.

Sempre a p. 729 il personaggio di don Fabbri è omonimo del don Fabbri di Panzano vissuto nel secolo precedente (p. 13); si è lasciato inalterato il nome nonostante l'Autrice avesse appuntato su un post-it l'intenzione di modificarlo.

Nella Parte prima, alle pp. 144-145, Carlo e Caterina Fallaci si rivolgono ai due figli ricchi per pagare il canone: Domenico respinge la richiesta mentre Eufrosino li aiuta per qualche anno, fino a quando il livello si dissolve perché il debito non viene saldato per l'ampliarsi della famiglia e le troppe bocche da sfamare. Nella Parte quarta, a p. 739, si fa riferimento ai «due Fallaci col cappello a cilindro, ricordi? I danarosi fratelli a cui Pietro e Lorenzo e Donato dovevano il possesso del podere poi distrutto dall'oidium e dal prezzo dello zolfo». E poi: «Non era stato il prezzo dello zolfo a ritardar le solfature che a San Eufrosino di Sopra avrebbero guarito i vigneti attaccati dall'oidium? Non era stato lo zolfo a mandare in rovina la famiglia di Antonio, a farle perdere la terra degli avi?» (p. 793). Si è mantenuta la non esatta corrispondenza tra i due episodi.

A p. 808, Antonio lascia Cesena e la Guardia di Finanza l'1 gennaio 1887 e torna a Mercatale Val di Pesa dalla madre, la sorella Viola e la cassapanca di Ildebranda. In precedenza la famiglia risulta residente a Candialle. Tra i post-it della Parte quarta si trova un'indicazione relativa a uno spostamento da Candialle a Mercatale Val di Pesa, evidentemente inserito ma non esplicitato nel racconto.

Nella sezione che segue sono riprodotte alcune pagine del dattiloscritto originale; si notano la numerazione apposta a mano dall'Autrice, le correzioni di singoli termini e di interi periodi (sono solo tre le pagine completamente riscritte a mano), gli appunti sui post-it. La calligrafia è chiara e gli interventi precisi a confermare l'attenzione e la cura con cui Oriana Fallaci ha effettuato la stesura, la rilettura e la correzione del testo.

DAL DATTILOSCRITTO ORIGINALE

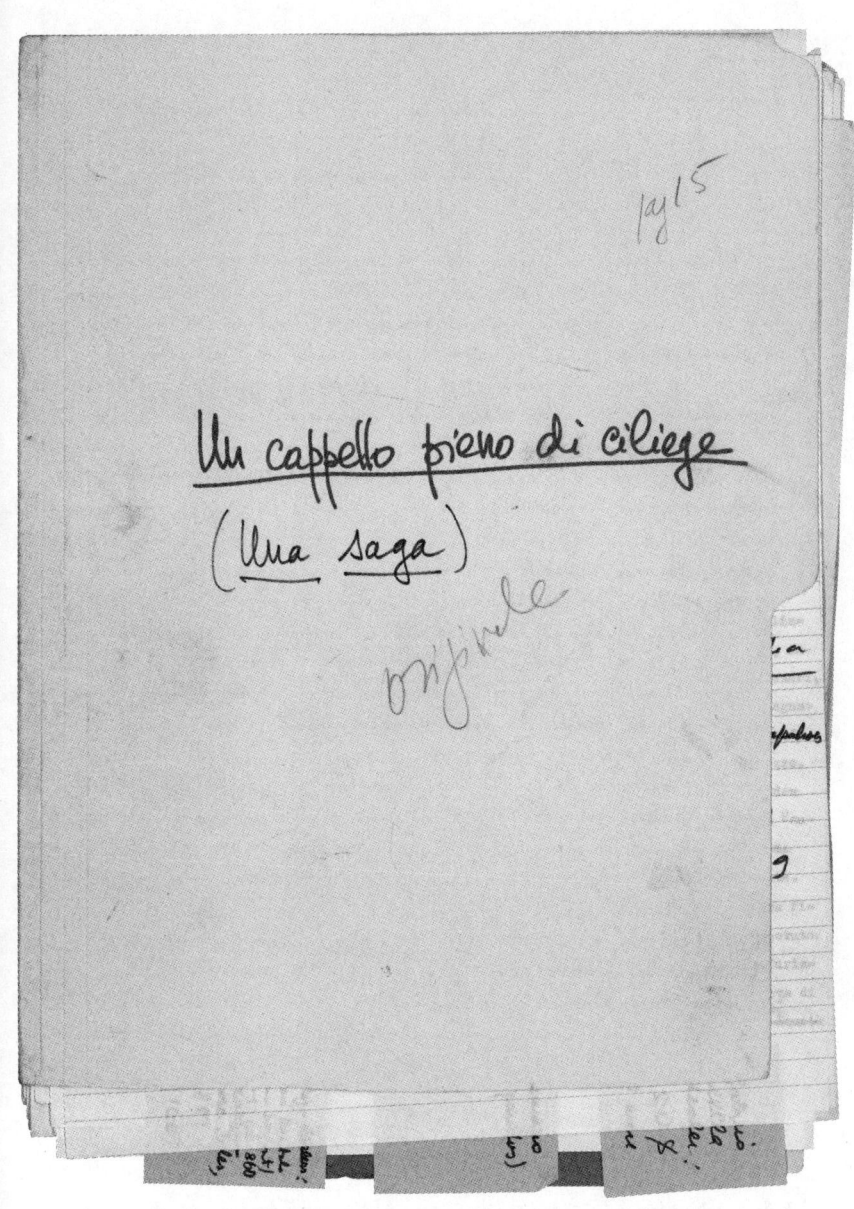

Copertina della cartella contenente la prima parte del dattiloscritto originale con l'indicazione di titolo e sottotitolo scritti a mano da Oriana Fallaci.

PROLOGO

Ora che il futuro s'era fatto corto e mi sfuggiva di mano con l'inesorabilità della sabbia che cola dentro una clessidra, mi capitava spesso di pensare al passato della mia esistenza: cercare lì le risposte con le quali sarebbe ~~stato~~ giusto morire. Perché fossi nata, perchè fossi vissuta, e chi o che cosa avesse plasmato il mosaico di persone che da un lontano giorno d'estate costituiva il mio io. Naturalmente sapevo bene che la domanda perchè-sono-nato se l'eran già posta miliardi di esseri umani ed invano, che la sua risposta apparteneva all'enigma chiamato Vita, che per fingere di trovarla avrei dovuto ricorrere all'idea di Dio. Espediente mai capito e mai accettato. Però non meno bene sapevo che le altre si nascondevano nella memoria di quel passato, negli eventi e nelle creature che avevano accompagnato il ciclo della formazione, e in un ossessivo viaggio all'indietro lo disotterravo: riesumavo i suoni e le immagini della mia prima adolescenza, della mia infanzia, del mio ingresso nel mondo. Una prima adolescenza di cui ricordavo tutto: la guerra, la paura, la fame, lo strazio, l'orgoglio di combattere il nemico a fianco degli adulti, e le ferite inguaribili che n'erano derivate. Un'infanzia di cui ricordavo molto: i silenzi, gli eccessi di disciplina, le privazioni, le peripezie d'una famiglia indomabile e impegnata nella lotta al tiranno, quindi l'assenza d'allegria e la mancanza di spensieratezza. Un ingresso nel mondo del quale mi sembrava di ricordare ogni dettaglio: la luce abbagliante che di colpo si sostituiva al buio, la fatica di respirare nell'aria, la sorpresa di non star più sola nel mio sacco d'acqua e condivider lo spazio con una folla sconosciuta. Nonché la significativa avventura di venir battezzata ai piedi d'un affresco dove, con uno spasmo di dolore sul volto e una foglia di fico sul ventre, un uomo nudo e una donna nuda lasciavano un bel giardino pieno di mele: la cacciata di Adamo ed Eva dal Paradiso Terrestre, dipinta da Masaccio per la chiesa del Carmine a Firenze. Riesumavo in ugual modo i suoni e le immagini dei miei genitori, da anni sepolti sotto un'aiola

La prima pagina del Prologo, *così come appare nella battitura originale di Oriana Fallaci, su macchina da scrivere Olivetti Lettera 32.*

PARTE PRIMA

L'occhiello della Parte prima.

- 1 -

Nel 1773, quando Pietro Leopoldo d'Asburgo Lorena era granduca di Toscana e sua sorella Maria Antonietta regina di Francia, corsi il rischio più atroce che possa capitare a chi ama la vita e pur di viverla é pronto a subirne tutte le catastrofiche conseguenze: il rischio di non nascere. Naturalmente l'avevo già corso numerose volte, per milioni di anni e ogni volta che un mio arcavolo si sceglieva un'arcavola o viceversa, ma quell'anno fui proprio sul punto di pagare con la mia pelle il principio biologico che dice: "Ciascuno di noi nasce dall'uovo nel quale si sono uniti i cromosomi del padre e della madre, a loro volta nati da uova nelle quali s'erano uniti i cromosomi dei loro genitori. Se cambia il padre o la madre, dunque, cambia l'unione dei cromosomi e l'individuo che avrebbe potuto nascere non nasce più. Al suo posto ne nasce un altro e la progenie che ne deriva é diversa dalla progenie che avrebbe potuto essere". In che modo accadde? Semplice. Filippo Mazzei faceva il commerciante di vini a Londra e frequentava Benjamin Franklin, lì come rappresentante della Pennsylvania, da cui aveva comprato due delle sue celebri stufe per la reggia di palazzo Pitti. Attraverso Franklin era entrato in contatto con Thomas Jefferson che conosceva l'italiano e sapeva tutto sulla Toscana, e nei primi mesi del 1773 ricevette da lui una proposta formulata press'a poco così: "Caro Filippo, secondo me il Chianti é un modello di agricoltura da imitare in Virginia. Perchè non si trasferisce qui e vi crea un'azienda agricola per la produzione del vino e dell'olio? La terra non manca. Costa poco, é fertile, e credo adatta a coltivarvi la vite e l'ulivo. Però i nostri coloni non hanno dimestichezza con queste piante e non sanno nulla sull'olio e sul vino. Se viene, si porti dietro una decina di contadini toscani." Mazzei trovò l'idea irresistibile, incoraggiato da Franklin lasciò Londra, rientrò a Firenze dove all'inizio dell'estate prese ad organizzare il viaggio, e per scegliere i dieci contadini si rivolse all'ente ecclesiastico presso il quale aveva studiato medicina: il Regio Spedale di Santa Maria Nuova che a Panzano possedeva una gros-

La prima pagina della Parte prima.

854

sa fattoria. Il Regio Spedale delegò la faccenda ad alcuni preti della zona fra cui don Pietro Luzzi, e il candidato di don Luzzi fu un bel biondino dagli occhi azzurri e il cervello vispo che sapeva leggere e scrivere: Carlo Fallaci, futuro bisnonno del mio nonno paterno.

Carlo aveva vent'anni, ~~eccetera~~, a quel tempo. Era il secondogenito del mezzadro che nel podere ~~denominato~~ Vitigliano di Sotto lavorava per i Da Verrazzano, gli eredi del Giovanni cui si deve la scoperta del fiume Hudson e della baia di New York, e veniva considerato la pecora nera della famiglia. Più che una famiglia, una setta di irriducibili terziari francescani cioè di probi caratterizzati da una cupa spiritualità e da un sistema di vita tragicamente monastico. Penitenze, astinenze, digiuni, crocifissi. ~~Frusta~~ a sei corde e tre nodi per corda *onde* flagellarsi meglio. Preghiere a colpi di dodici Pater e dodici Ave da dire al mattino, a mezzogiorno, al tramonto, la sera, più un Gloria o un Requiem Aeternam ad ogni suonar di campane e un Rosario prima d'addormentarsi. Castità coniugale, insomma rari e sbrigativi amplessi riservati solo alla procreazione. Ripudio di qualsiasi piacere, qualsiasi gioia, qualsiasi divertimento o lazzo o risata. Nonché cieca obbedienza a un frate detto Padre Visitatore che allo scader del mese gli piombava in casa per controllare se praticassero l'umiltà, la carità, la frugalità, la pazienza, l'amore per gli animali predicato da San Francesco. O verificare se portassero il cilicio, se indossassero abiti dimessi e color cenere completati dal cingolo, se rifiutassero le cattive compagnie, i discorsi indecenti, le canzonacce, i balli, le veglie, le fiere, la carne proibita il mercoledì e il venerdì e il sabato e gli altri giorni stabiliti, infine se eseguissero le opere di misericordia imposte dalle bolle papali. Ad esempio convertire i traviati, segnalare i miscredenti, denunciare i confratelli rei di qualche fallo ma restii ad accusarsi. E guai a chi sgarrava. Dopo un triplice ammonimento finiva espulso col seguente anatema: "Che Dio ti maledica, ti maledica, ti maledica". Tutte regole alle quali Luca e Apollonia si piegavano come un soldato si piega alla disciplina militare: sorretti da una fede sincera e convinti che non esistesse altra via per guadagnarsi il Paradiso o almeno il Purgatorio. Infatti a cinquant'anni Luca sembrava un vegliardo, la sua barba lunga fino a metà stomaco era già bianca, a qua-

La seconda pagina della Parte prima.

rie, vasellami, dipinti, libri, vini..."

        La casa al numero 24 non esiste più. All'inizio del Novecento la demo-
lirono con l'intero blocco, e in quel punto oggi sorge un edificio moderno che occupa
anche lo spazio delle case allora al numero 28 e 26. Però so qual'era il suo aspetto.
Misurava undici metri d'altezza e otto di larghezza, aveva uno squisito frontespizio
semicoperto dall'edera, e sia sul davanti che sul retro undici finestre. Due al piano
terreno o primo piano, tre al secondo, tre al terzo, tre al quarto. La porta d'ingresso s'apriva in cima alla breve gradinata che spesso caratterizza le brownstones, ed
entrando trovavi un vestibolo poi un ampio salone che sfociava in un piccolo giardino
verde di alberi e ricco d'uccelli. Sulla sinistra del vestibolo, la cucina adiacente
alla sala da pranzo e collegata al seminterrato dove si custodivano i vini e la legna.
Sulla destra, a ridosso della parete, le scale che conducevano ai piani superiori. O-
gni piano, composto da un corridoio e da due stanze: una che guardava la strada e una
che guardava il giardino. Le stanze erano assai luminose per via delle tre finestre e
dei soffitti elevati, nonché fornite di caminetti che d'inverno stavan sempre accesi.
Le scale prendevano luce da una vetrata multicolore. So anche che vi fece un ingresso trionfale, e a immaginarla lì dentro con i Neri non duro alcuna fatica.
Anche loro credevano che in America ci fosse andata per sfuggire ad
angherie, minacce, e Lonnie era così buona. Davvero un cuore d'oro. La tenera
nella camera che era stata della primogenita Elvira, ora moglie d'un
certo Peter Krug e quindi abitante altrove, la copriva di premure, la
trattava come una figlia. Quanto a John, il cuore ce l'aveva di burro.
Per resistere ad Avantasia ci voleva un volcan di ferro, e durante la scarrozzata
dal Liverpool Wharf a Irving Place s'era presto l'inevitabile cotta. La
serviva, la riveriva, la trattava come una regina. In certo senso, il successo
che subito ebbe tra i notabili della colonia italiana e tra i famosi vicini.
Appena arrivate cominciò infatti Henry Tuckerman, già amico di Michele Paste
caldi, e l'incanto ne rimase talmente sedotto che per incontrarla spesso si
assunse il compito di insegnarle l'inglese. Dopo Tuckerman, Melville due o tre
volte invitato si assunse quello di mostrarle le meraviglie e gli onori della
città senza Dio. Dopo Melville, Edwin Booth che se ne invaghì più degli altri

*Una pagina del testo (Parte quarta) con la riscrittura a mano dell'Autrice,
inserita con nastro adesivo trasparente su una preesistente pagina dattilo-
scritta.*

shewigton, nel palco presidenziale cioè quello che si affacciano nel proscenio. Grazie alla sua notorietà era riuscito a introdursi senza che nessuno lo fermasse, dopo aver sparato un colpo alla nuca era saltato più in voga agli attori paralizzati dallo spavento, s'era rotto una gamba, malgrado ciò era riuscito a gridare sic semper tiranni quindi a fuggire. Ora gli davano la caccia in Virginia dove lo avevano visto entrare a cavallo, e ritento cercavano i complici. Offrivano taglie da centomila dollari, tenevano in prigione Suncius che si trovava a Filadelfia e non c'entrava per nulla, interrogavano Edwin che si trovava a Boston e c'entrava ancor meno... Nei giorni seguenti vide anche il dramma di Edwin che al ritorno da Boston s'era trappato nella sua Brownstone della Diciannovesima e ne uscivon solo a notte fonda per prendere una boccata d'aria: sedere in una panchina di Gramercy Park o camminare in Irving Place dove lo sentivo piangere disperatamente. "Oh God, oddio! Help us, aiutaci, help us!». Col dramma di Edwin, le incredibili onoranze che dimenticai del loro civismo i newyorkesi tributarono a Lincoln. Condussi i funerali di Washington, infatti, il corpo imbalsamato in stato meno nel treno che va Baltimora – Harrysburg – Filadelfia – New York – Albany – Buffalo – Cleveland – Chicago lo anche condotto a Springfield nell'Illinois, sua città natale. A New York giunse la mattina di domenica 24 aprile col Central Railroad Ferry boat, il traghetto che collegava alla ferrovia del New Jersey, e altro che le esequie di Cavour! Altro che i cinquemila trentuno in fila per dare addio a Cavour! Da ogni finestra pendeva un drappo nero, da ogni edificio si levava una bandiera a mezz'asta, tutti i luoghi pubblici erano chiusi, e lungo il tragitto del corteo si ammassava un milione di persone. Più di quanta ne contava Manhattan. Dinanzi alla bara aperta ed esposta nella Governor Room del City Hall ne sfilarono circa quattrocentomila.

Lo confermano le fotografie scattate nella frenza stracolma di folla si alleva di rendersi omaggio, e tra questi quella che non mi stanco mai di osservare perché... È un'istantanea che in primo piano ritrae un bel giovanotto e una ragazza stupenda. Il bel giovanotto sfoggia il cilindro e lo stiffelius, il sopralito dei nobili, ed ha gli occhi a scentili mondò lo sguardo languido degli innamorati senza speranza. John Neri? La ragazza stupenda indossa un'ampia gonna a crinolina e un morbido scialle da cui

Una pagina di post-it con appunti relativi al viaggio nel Far West (trascritti alle pp. 840-841).

presto finirò anch'io. Sicchè pensando a lei e alla strana coincidenza riservataci dal
destino mi alzo dalla poltrona, incurante del freddo esco in via Verzaglia. Sorda a
una voce che strilla sgnura-duc-andiv, sgnura farmiv, imbocco il passaggio che conduce
al ponte del Lavadur, e... Non è vero che mi buttai. L'acqua era tanto alta che per
esser ghermita dal gorgo mi bastò scavalcare la spalletta. Subito le acque mi trascinarono dentro il tunnel che per cento metri passava sotto le fondamenta delle case, poi
nel tratto che per trecento metri percorreva prima di oltrepassare le mura delle città,
poi in quello che faceva per unirsi al fiume Savio, e qui il ricordo si spenge. Tutto
diventa buio e non posso dir nulla di ciò che accadde lungo i trentadue chilometri che
portavano al mare nel quale quarant'anni prima era finita Marguerite. Però so che non
venni mai ritrovata. Di me, fantasma vissuto senza un certificato di nascita, non esiste nemmeno un certificato di morte.

L'ultima pagina del dattiloscritto.

INDICE

Finito di stampare nel mese di luglio 2008
presso il Nuovo Istituto Italiano d'Arti Grafiche - Bg

Printed in Italy